Das Buch

Reb Meschulam Moschkat, Oberhaupt einer vielköpfigen Familie und gewiefter Geschäftsmann, kehrt von einer Kur nach Warschau zurück, begleitet von seiner dritten Frau. Mit dieser allseits als skandalös empfundenen, überstürzten Heirat beginnt der Untergang der Familie Moschkat. Dem mächtigen, stadtbekannten Patriarchen steht der junge, weltabgewandte Euser Heschel Bannet gegenüber, der aus dem Schtetl nach Warschau gekommen ist, um die ewige Wahrheit und das irdische Glück auf anderen Wegen zu suchen als seine Vorfahren, und Koppel Berman, der skrupellose Aufsteiger. Über einen Zeitraum von fast dreißig Jahren – bis zum Beginn des Zweiten Weltkriegs – verfolgt Isaac B. Singer die eng miteinander verknüpften Schicksale. Mit satirischer Schärfe und oft mit ironischem Schmunzeln beschreibt er die geschäftlichen und privaten Intrigen, die erotischen Spannungen, das Machtstreben und die religiöse Grübelei. »Wer die Familie Moschkat kennt«, schreibt Hans Daiber im ›Rheinischen Merkur‹, »weiß mehr über die Ostjuden und ihren Untergang. Und wohl auch über sich.«

Der Autor

Isaac Bashevis Singer wurde am 14. Juli 1904 in Radzymin in Polen geboren und wuchs in Warschau auf. Er erhielt die traditionelle jüdische Erziehung und besuchte das Rabbinerseminar. Mit 22 Jahren begann er für eine jiddische Zeitung in Warschau Geschichten zu schreiben, zuerst auf hebräisch, dann auf jiddisch. 1935 emigrierte er in die USA und gehörte dort bald zum Redaktionsstab des ›Jewish Daily Forward‹. Singer lebt heute in New York. Für den Roman ›Feinde, die Geschichte einer Liebe‹ erhielt er 1974 den National Book Award. 1978 wurde ihm für sein Gesamtwerk der Nobelpreis für Literatur verliehen.

Isaac Bashevis Singer:
Die Familie Moschkat
Roman

Deutsch von Gertrud Baruch

Deutscher
Taschenbuch
Verlag

Von Isaac Bashevis Singer
sind im Deutschen Taschenbuch Verlag erschienen:
Feinde, die Geschichte einer Liebe (1216)
Der Kabbalist vom East Broadway (1393)
Leidenschaften (1492)
Das Landgut (1642)
Schoscha (1788)
Das Erbe (10132)
Eine Kindheit in Warschau (10187)
Verloren in Amerika (10395)
Old Love (10851)
Ich bin ein Leser (10882)

Ungekürzte Ausgabe
1. Auflage Oktober 1986
Deutscher Taschenbuch Verlag GmbH & Co. KG,
München

Titel der amerikanischen Originalausgabe: ›The Family
Moskat‹ (Farrar, Straus & Giroux, New York)

ISBN 3-446-13446-8
Umschlaggestaltung: Celestino Piatti
Gesamtherstellung: C. H. Beck'sche Buchdruckerei,
Nördlingen
Printed in Germany · ISBN 3-423-10650-6
4 5 6 7 8 9 · 94 93 92 91 90 89

Ich widme dieses Buch dem Andenken meines verstorbenen Bruders I. J. Singer, dem Verfasser des Romans *Die Brüder Aschkenasi.* Für mich war er nicht nur der ältere Bruder, sondern auch ein geistiger Vater und Lehrmeister. Ich habe stets zu ihm als einem Vorbild an sittlicher Gesinnung und schriftstellerischer Redlichkeit aufgesehen. Obzwar er ein Moderner war, besaß er alle großen Eigenschaften unserer frommen Vorfahren.

Isaac Bashevis Singer

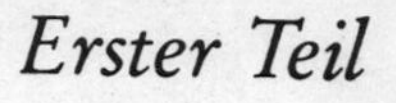

Erster Teil

Erstes Kapitel

I

Fünf Jahre nach dem Tod seiner zweiten Frau heiratete Reb Meschulam Moschkat zum dritten Mal. Seine neue Ehefrau war eine Fünfzigerin aus Galizien, die Witwe eines wohlhabenden Bierbrauers aus Brody, eines sehr belesenen Mannes. Einige Zeit vor seinem Tod hatte der Bierbrauer Pleite gemacht, und alles, was er seiner Witwe hinterließ, waren ein Bücherschrank voller gelehrter Folianten, eine Perlenkette – die sich später als Imitation entpuppte – und eine Tochter namens Adele; eigentlich hieß sie Eidele, doch von Rosa Frumetl, ihrer Mutter, wurde sie neumodisch »Adele« genannt. Meschulam Moschkat lernte die Witwe in Karlsbad kennen, wohin er zur Kur gefahren war. Dort heiratete er sie. Niemand in Warschau wußte von dieser Eheschließung: Reb Meschulam schrieb aus dem Heilbad an keines seiner Familienmitglieder, und es war auch nicht seine Art, irgend jemandem über sein Tun und Treiben Rechenschaft zu geben. Erst Mitte September benachrichtigte er seine Haushälterin in Warschau telegrafisch von seiner Rückkehr und beorderte Leibel, den Kutscher, zum Wiener Bahnhof, um dort auf seinen Dienstherrn zu warten. Der Zug traf gegen Abend ein. Reb Meschulam stieg aus dem Erste-Klasse-Waggon, gefolgt von seiner Frau und seiner Stieftochter.

Als Leibel auf ihn zukam, sagte Reb Meschulam: »Das ist deine neue Herrin«, und senkte das eine seiner schweren Augenlider.

Als einziges Gepäckstück trug Reb Meschulam eine kleine, abgewetzte Mappe bei sich, die über und über mit Zollplaketten beklebt war. Seine großen, mit Metallbändern verstärkten Koffer hatte er im Gepäckwagen befördern lassen. Die Damen hingegen waren mit allerlei Reisetaschen, Päckchen und Bündeln beladen. In der Kutsche war gar nicht genug Platz, um das alles zu verstauen; das meiste mußte auf dem Kutschbock gestapelt werden.

Leibel war alles andere als schüchtern, doch beim Anblick der beiden Frauen wurde er knallrot, und es verschlug ihm die

Sprache. Die neue Madame Moschkat war mittelgroß und dürr. Ihr Rücken war schon leicht gekrümmt, ihr Gesicht von Falten durchzogen, ihre Nase vom Schnupfen gerötet. Sie hatte melancholische, feuchte Augen – die Augen einer Frau von guter Herkunft und Erziehung. Sie trug die enganliegende Perücke der frommen verheirateten Jüdinnen, bedeckt mit einem weichen schwarzen Schal. An ihren Ohrläppchen baumelten glitzernde Gehänge. Unter ihrem pelerinenartigen Seidenmantel trug sie ein Kleid aus Wollstoff, dazu spitz zulaufende Schuhe im französischen Stil. In der einen Hand trug sie einen Schirm mit Bernsteingriff, mit der anderen klammerte sie sich an ihre Tochter, die Anfang Zwanzig war, groß und schlank, mit knochigem Gesicht, schiefer Nase, spitzem Kinn und schmalen Lippen. Sie hatte dunkle Ringe unter den Augen und sah aus, als hätte sie schlaflose Nächte hinter sich. Ihr straff zurückgekämmtes aschblondes Haar war zu einem griechischen Knoten geschlungen, der mit Haarnadeln gespickt war. Sie trug einen verwelkten gelben Blumenstrauß, ein mit rotem Band umwickeltes Päckchen, eine große Schachtel und ein Buch, in dem ein Sträußchen aus dünnen Zweigen steckte, die Leibel an die beim Laubhüttenfest benützten Weidenzweige erinnerten. Die junge Dame roch nach Schokolade, einem Hauch Kümmelparfüm und etwas arrogant Ausländischem. Leibel verzog das Gesicht.

»Eine Angeberin!« sagte er sich.

»Adele, mein Kind, das ist Warschau«, sagte Rosa Frumetl. »Eine große Stadt, gelt?«

»Woher soll ich das wissen? Ich hab' sie noch nicht gesehen«, erwiderte das Mädchen mit breitem galizischen Akzent.

Wie immer, wenn Reb Meschulam eine Reise antrat oder von einer zurückkehrte, war er sofort von Neugierigen umringt. Jedermann in Warschau, ob Christ oder Jude, kannte ihn. Die Zeitungen hatten schon des öfteren über ihn und seine Geschäfte berichtet, und auch sein Konterfei war erschienen. Rein äußerlich unterschied er sich von den Warschauer Juden alten Schlages. Er war groß und hager, hatte ein schmales, hohlwangiges Gesicht und einen kurzen weißen Kinnbart, in dem jedes Haar für sich allein stand. Die grünlichen Augen unter den buschigen Brauen hatten einen stahlharten, durchdringenden Blick. Er hatte eine Hakennase. Sein spärlicher Oberlippenbart erinnerte an die Schnurrhaare eines Seelöwen. Er trug eine Stoffkappe mit hohem Hutkopf. Sein Mantel, tailliert und mit Rückenschlitz, wirkte fast wie ein vornehmer Kaftan. Von weitem hätte man Reb Meschulam für einen polnischen Landedelmann halten können, wenn nicht sogar für einen Großrussen. Bei näherer Betrachtung entdeckte man allerdings an seinen Schläfen eine leise Andeutung der von frommen Juden getragenen Schläfenlokken.

Reb Meschulam hatte es eilig. Alle paar Minuten puffte er Leibel in den Rücken, um ihn anzuspornen. Schon das Verstauen des Gepäcks hatte Zeit gekostet. Und noch dazu konnten sie, weil Feuerwehrwagen die Fahrbahn blockierten, nicht durch die Wielkastraße zur Grzybowstraße fahren, sondern mußten einen Umweg über die Marszalkowska und die Krolewska machen. Die Straßenbeleuchtung brannte schon, und um die runden, blaugrünen Lampen schwirrten Schwärme von Fliegen, die tanzende Schatten auf den Gehsteig warfen. Hin und wieder ratterte eine rotgestrichene Trambahn vorbei, aus deren Oberleitung knisternde blaue Funken sprühten. Alles hier war Reb Meschulam vertraut: die hohen Häuser mit den großen Eingangstoren, die Läden mit den hell beleuchteten Auslagen, der russische Polizist, der zwischen den beiden Trambahngleisen stand, der Sächsische Garten mit seinem hohen, von dichtbelaubten Ästen überragten Gitterzaun. Winzige Lichtpünktchen glommen im Laubwerk auf und erloschen wieder. Aus dem Park kam eine leichte Brise, die das Geflüster von Liebespaaren herüberzutragen schien. Zwei Gendarmen mit Bajonetten standen am Tor und paßten auf, daß nur ja keine Juden im langen Kaftan oder deren Frauen sich erkühnten, den Park zu betreten und ein wenig von der köstlichen Luft zu schnuppern. Kurz darauf fuhr die Kutsche an der Börse vorbei, zu deren ältesten Mitgliedern Reb Meschulam zählte.

Dann bog sie in Richtung Grzybowplatz ein, und plötzlich war alles wie verwandelt. Auf den Gehsteigen wimmelte es von Juden, die Kaftan und Käppchen trugen, und von Jüdinnen mit »Scheitel« und Kopftuch. Hier roch es sogar anders. Marktplatzgeruch stieg einem in die Nase – ein Geruch nach angefaultem Obst, Zitronen und einer Mischung aus Süßlichem und Teerigem, die undefinierbar war und die man nur wahrnahm, wenn man nach längerer Abwesenheit hierher zurückkam. Auf der Straße herrschte das reinste Tohuwabohu. In ohrenbetäubendem Singsang priesen Straßenhändler ihre Waren an: Kartoffelpuffer, heiße Kichererbsen, Äpfel, Birnen, ungarische Pflaumen, blaue und weiße Trauben, ganze Wassermelonen und Melonenscheiben. Obwohl es ein warmer Abend war, trugen die Händler Mäntel, an deren Gürteln große lederne Geldbörsen hingen. Hökerinnen hockten auf Kisten, Bänken und Türschwellen. Die Marktstände waren mit Laternen oder mit flackernden, auf Lattenkisten stehenden Kerzen beleuchtet. Kunden betasteten das Obst, bissen zuweilen ein Stückchen ab und prüften schmatzend, wie es schmeckte. An den Ständen wurde die Ware mit Blechwaagen abgewogen.

»Gold, Gold, Gold!« rief eine Frau, die, in ein Umhängetuch gehüllt, neben einer Kiste mit matschigen Orangen stand.

»Zuckersüß, zuckersüß!« leierte ein molliges Mädchen, das einen Korb mit schimmligen Pflaumen bewachte.

»Wein, Wein, Wein!« posaunte ein rotgesichtiger, rotbärtiger Höker, der einen Korb voll angefaulter Trauben feilbot. »Aufgepaßt, zugefaßt! Schnüffelt und süffelt! Probiert sie aus und tragt sie nach Haus!«

Auf der Fahrbahn lenkten Fuhrleute überladene Wagen. Die Hufeisen der gedrungenen Gäule schlugen Funken aus dem Kopfsteinpflaster. Ein Lastträger mit einem Messingschild an der Mütze schleppte einen riesigen Korb Kohlen, den er sich mit einem dicken Seil auf den Rücken gebunden hatte. Ein Hausmeister mit blauer Schürze und Wachstuchmütze kehrte einen Abschnitt des Gehsteigs mit einem langen Besen. Aus den Türen der Hebräisch-Lehrstuben kamen ganze Scharen von Jugendlichen, deren Schmachtlocken unter den achteckigen Mützen und deren geflickte Hosen unter den langen Mänteln hervorlugten. Ein Junge, der sich die Mütze bis zu den Augen heruntergezogen hatte, bot mit schallender Stimme Neujahrskalender feil. Ein zerlumpter junger Bursche mit verängstigten Augen und zerzausten Schläfenlocken stand neben einer Kiste mit Betschals, Gebetsriemen, Gebetbüchern, blechernen Chanukkaleuchtern und Amuletten für schwangere Frauen. Ein Zwerg mit übergroßem Kopf stapfte mit einem Bündel Lederpeitschen herum und fuchtelte mit den Riemen, um vorzuführen, wie man verstockte Kinder züchtigt. Auf einem Verkaufsstand, der mit einer Karbidlampe beleuchtet war, lagen Stapel von jiddischen Zeitungen, Groschenromanen und Büchern über Handlesekunst und Phrenologie. Reb Meschulam spähte aus dem Kutschenfenster und sagte: »Das Land Israels, was?«

»Warum laufen sie so zerlumpt herum?« fragte Adele und verzog das Gesicht.

»Das ist hier so üblich«, erwiderte Reb Meschulam sichtlich ungehalten. Einen Moment lang spielte er mit dem Gedanken, den beiden Frauen zu erzählen, daß er sich noch gut an die Zeit erinnerte, als diese hohen Häuser errichtet wurden; daß auch er sein Teil zur Entwicklung dieser Straße beigetragen hatte; daß früher in dieser Gegend des Nachts eine ägyptische Finsternis geherrscht hatte und tagsüber Ziegen und Hühner auf der Straße herumgelaufen waren. Aber erstens hatte er jetzt keine Zeit, um Erinnerungen auszukramen – die Kutsche war fast am Ziel angelangt –, und zweitens war es nicht Reb Meschulams Art, ein Loblied auf sich selber zu singen oder sich über vergangene Zeiten auszulassen. Er wußte, daß die Frauen an seiner Seite nicht sonderlich von Warschau beeindruckt waren, und einen Augenblick lang bereute er seine überstürzte Heirat. Daran ist Koppel schuld, sagte er sich. Mein Aufseher hat mich zu fest in der Hand.

Die Kutsche hielt am Tor von Reb Meschulams Haus. Leibel sprang vom Bock, um seinem Herrn und den beiden Frauen beim Aussteigen zu helfen. Die Gaffer, die sich vor dem Haus versammelt hatten, gaben sofort ihren Senf dazu.

»Guckt doch mal!« rief eine Frau. »Die sind hier fremd!«

»Wer ist denn diese Vogelscheuche?« johlte ein Junge, dessen Hose zerrissen war und der sich statt einer Mütze eine Papiertüte aufgestülpt hatte.

»Meiner Seel! Der alte Bock hat wieder geheiratet!« rief die

Frau, diesmal noch lauter, damit es nur ja alle Leute hören konnten. »Tot umfallen will ich!«

»Oi, Mame, das geht über die Hutschnur!« kreischte ein dickes Mädchen und preßte einen Korb mit frischen Semmeln an ihren Busen.

»Heda, macht Platz!« brüllte Leibel. »Warum zum Teufel lungert ihr hier rum? Eine Versammlung von Schwachköpfen – die Pest über euch!«

Er bahnte sich einen Weg durch die Menge und trug drei Reisetaschen an die Treppe, die zu Reb Meschulams Wohnung führte. Das Hausmeisterehepaar kam heraus, um ihm zu helfen. Ein barfüßiger, mit einer viel zu großen Hose bekleideter Junge, der etwas abseits der Gaffer stand, flitzte zu dem Pferd hinüber und riß ihm einen Büschel Haare aus dem Schwanz. Das Pferd scheute. »Du Bankert!« schrie das Bäkkermädchen den Jungen an. »Die Hand soll dir verdorren!«

»Dir auch, du Zwei-Kopeken-Hure!« brüllte er zurück.

Rosa Frumetl, mit ihrer Tochter im Schlepptau, beeilte sich, diesem ordinären Gerede zu entkommen. Und dann betraten die drei – Reb Meschulam, seine Frau und seine Stieftochter – das Haus und stiegen die Treppe zur Moschkatschen Wohnung hinauf.

2

Naomi, die Haushälterin, und Manja, ihre Hilfskraft, hatten sich, seit Reb Meschulams Telegramm angekommen war, auf die Rückkehr ihres Dienstherrn vorbereitet. Sie trugen ihre besten Kleider. Die Lampen im Salon, im Arbeitszimmer des Hausherrn, im Eßzimmer und in den Schlafzimmern brannten – Reb Meschulam wollte es überall hell haben, wenn er nach Hause zurückkehrte. Es war eine große Wohnung, zwölf Zimmer, aber die Hälfte davon war seit dem Tod seiner zweiten Frau nicht mehr benützt worden.

Daß er wieder geheiratet und seine dritte Frau und deren Tochter mitgebracht hatte, erfuhren die Dienstboten von Leibel, dem Kutscher. Er flüsterte es Naomi zu, worauf diese die Hände an ihren riesigen Busen preßte und einen Schrei ausstieß. Der Hausmeister, der mit dem Gepäck hereinkam, bestätigte die Nachricht, doch für einen Tratsch darüber war keine Zeit mehr, denn Meschulam und die fremden Damen waren bereits auf der Treppe. Naomi und Manja, beide mit makellos weißen Schürzen, erwarteten sie an der Tür – genau wie Dienstboten einer adligen Familie. Als Reb Meschulam eintrat und sie begrüßte, antworteten sie einstimmig: »Guten Abend, Herr, gesegnete Heimkehr!«

»Ihr habt es sicher schon erfahren, von den anderen – das ist eure neue Herrin, und das ist ihre Tochter.«

»Viel Glück! Viel Glück! Wir wünschen Ihnen Glück und Segen.«

Naomi warf einen Blick auf die beiden Frauen, und die scharfen Augen fielen ihr fast aus dem Kopf. Spontan wollte sie Manja ins rundliche Hinterteil knuffen, doch das Mädchen stand zu weit weg.

Die korpulente Naomi, die, getreu der jüdischen Tradition, ihre blonde Perücke trug, um deren Rand sie ihre eigenen Haare kunstvoll arrangiert hatte, war selber schon zweimal verwitwet. Sie war Ende Dreißig, sah aber jünger aus. Das ganze Stadtviertel – also die Hälfte der jüdischen Einwohnerschaft Warschaus – wußte, wie gewieft und energisch sie den Moschkatschen Haushalt führte. »Naomi, der Kosak« wurde sie genannt. Wenn sie im Haus herumstapfte, bebten die Dielen unter ihrem Gewicht. Und wenn sie Manja anschrie, drang ihre Stentorstimme bis in den Hof hinaus. Ihre sarkastischen Bemerkungen und vernichtenden Retourkutschen waren im ganzen Grzybow-Viertel berühmt. Sie wurde gut bezahlt, weit über dem üblichen Dienstbotenlohn, und hatte dem Vernehmen nach beträchtliche Ersparnisse zu einem hohen Zinssatz bei Reb Meschulam angelegt.

»Eine geriebene Person«, sagte Leibel über sie. »Ein Advokat mit Küchenschürze!«

Manja war zehn Jahre jünger als Naomi. Eigentlich stand sie gar nicht in Reb Meschulams, sondern in Naomis Diensten. Reb Meschulam entlohnte Naomi, und diese hatte das Mädchen eingestellt, damit es ihr den Korb zum Markt trug und die Fußböden scheuerte. Manja war ein dunkler Typ mit platter Nase, vorspringendem Kinn und Kalmückenaugen. Ihre beiden Zöpfe waren zu Kringeln aufgesteckt. Darunter baumelten Ohrgehänge, die wie Sprungfedern auf und ab schnellten. Um den Hals trug sie eine Kette aus Silbermünzen. Naomi benötigte Manja weniger als Haushaltshilfe – die meiste Arbeit erledigte sie lieber selbst –, sondern weil sie jemanden um sich haben wollte, mit dem sie plauschen konnte. Wenn Reb Meschulam verreist war, führten die beiden den Haushalt so, als ob es ihr eigener wäre. Sie tranken Honigwein, mampften Kichererbsen und spielten Karten. Manja hatte mehr Glück als Verstand, und Naomi verlor ständig.

»Sie schlägt mich jedesmal«, jammerte sie. »Das Zufallsglück eines Bauerntrampels!«

An den beiden knicksenden, kichernden Dienstboten vorbei führte Reb Meschulam seine Frau und seine Stieftochter in die Wohnung. Im Eßzimmer stand ein überdimensionaler Ausziehtisch, umgeben von schweren, hochlehnigen Eichenholzstühlen. Die Fächer der Kredenz, die eine ganze Wand einnahm, waren mit Weinhumpen, Gewürz- und Kräuterbehältern, Samowaren, allen möglichen Karaffen, Tabletts und Vasen beladen. Hinter den Glasscheiben standen außer Porzellangeschirr auch Silbersachen, die vom ständigen Reinigen und Polieren eingebeult und abgenützt waren. An der Decke hing eine schwere Petroleumlampe, die mittels Bronzeketten und einer als Gegengewicht dienenden, mit Schrot gefüllten Kürbisflasche hoch- oder heruntergezogen werden konnte.

In Reb Meschulams Arbeitszimmer standen ein Stahltresor und ein mit alten Kontobüchern vollgestopfter Schrank. Es roch nach Staub, Tinte und Siegellack. In der Bibliothek waren drei Wände mit Bücherregalen vollgestellt. In einer Ecke lag ein dickes Buch mit Ledereinband und Goldprägung auf dem Fußboden: eine Bibelkonkordanz, die Reb Meschulam lieber getrennt von den anderen Büchern aufbewahrte. Rosa Frumetl ging zu den Regalen hinüber, nahm einen Band heraus, betrachtete das Titelblatt und fragte Reb Meschulam: »Steht hier auch das Buch meines verstorbenen Mannes?«

»Was? Woher soll ich das wissen? Ich hab' doch nicht alle diese Bücher gelesen.«

»Verfaßt von meinem verstorbenen Mann, er ruhe in Frieden. Ich habe noch einen ganzen Packen Manuskripte von ihm.«

»Was Juden so alles schreiben – das geht auf keine Kuhhaut!« bemerkte Reb Meschulam achselzuckend.

Er zeigte den beiden das Schlafzimmer mit dem Doppelbett aus Eichenholz, dann den geräumigen Salon mit seinen vier Fenstern und der mit Schnitzwerk und vergoldeten Ornamenten verzierten Decke. An den Wänden standen Sessel mit gelben Satinpolstern, Sofas, Tabourets und kleine Schränke. Auf dem mit einem Leintuch abgedeckten Klavier standen zwei vergoldete Leuchter. An der Decke hing ein aus unzähligen Kristallprismen bestehender Lüster, und an der einen Wand eine große Chanukkalampe. Und auf dem Kaminsims stand eine Menora.

Rosa Frumetl seufzte ein bißchen. »Unberufen! Ein Palast!«

»Nu, nu!« sagte Reb Meschulam. »Hat ein Vermögen gekostet und ist keinen Pfifferling wert.«

Worauf er Mutter und Tochter allein im Salon zurückließ und in sein Arbeitszimmer ging, um die Abendgebete zu sprechen. Adele zog ihren Mantel aus. Sie trug eine Bluse mit plissierten Ärmeln und um den Hals ein Band mit Schleife. Sie hatte schmale Schultern, dünne Arme und einen flachen Busen. Im Schein der Kerosinlampe hatte ihr Haar einen Stich ins Kupferrote. Rosa Frumetl setzte sich auf einen kleinen Diwan und legte die Füße in den spitzen Schuhen auf einen Schemel.

»Nu, Tochterleben«, fragte sie quengelig, »was sagst du dazu? Ein Palast, was?«

Adele warf ihr einen mürrischen Blick zu. »Ist mir völlig egal, Mame. Ich bleibe ja doch nicht hier. Ich geh' fort.«

Rosa Frumetl zuckte zusammen. »Gewalt geschrien! So bald! Ich hab's doch für dich getan! Damit du nicht mehr in der Welt herumziehen mußt.«

»Mir gefällt das nicht. Kein bißchen gefällt mir das.«

»Warum quälst du mich so? Was kann einem denn hier mißfallen?«

»Alles. Der alte Mann, das Haus, die Dienstboten, die fremdartigen Juden hier. Das ganze Drum und Dran!«

»Was hast du gegen ihn? So Gott will, wirst du heiraten. Du bekommst eine Mitgift von ihm. Wir haben eine Abmachung getroffen.«

»Ich bin nicht an Abmachungen interessiert, und ich werde nicht heiraten. Mir ist es hier zu asiatisch.«

Rosa Frumetl zog ein Batisttaschentuch aus ihrer Handtasche und schnaubte sich die Nase. Ihre Augen röteten sich. »Aber wo willst du denn hin?«

»Zurück in die Schweiz. Ich studiere weiter.«

»Hast du nicht schon lange genug studiert? Adele, Adele, was soll bloß aus dir werden? Eine alte Jungfer...« Rosa Frumetl schlug die runzligen Hände vors Gesicht und saß bewegungslos da. Nach einer Weile stand sie auf und ging in die Küche. Es mußte für einiges gesorgt werden – etwas zu essen, ein Schlafzimmer für ihre Tochter. Nachlässige Dienstboten – nicht mal ein Glas Tee hatten sie serviert!

Den meisten Platz in der geräumigen Küche nahm ein riesiger gekachelter Herd ein. Kupfertöpfe und -pfannen hingen an der Wand; Kessel standen zu beiden Seiten des offenen Kamins. Es duftete nach frischgebackenem Kuchen und Zimt. In einen roten, mit Blumen bestickten Schal gehüllt, saß Manja am Tisch und legte Karten. Naomi hatte ihre Schürze ausgezogen und schlüpfte gerade in ihren Mantel, um auszugehen.

»Entschuldigen Sie«, sagte Rosa Frumetl schüchtern. »Wir kennen uns hier nicht aus. Wo sind unsere Zimmer?«

»Hier gibt's eine Menge Zimmer«, erwiderte Naomi gereizt. »Daran herrscht hier kein Mangel.«

»Dürfte ich Sie bitten, mir die Zimmer zu zeigen?«

Naomi warf Manja einen unschlüssigen Blick zu. »Die Zimmer unserer letzten Herrin sind abgeschlossen«, sagte sie barsch

»Dann darf ich Sie vielleicht bitten, sie aufzuschließen.«

»Die Zimmer sind schon seit Jahren abgeschlossen. Da ist nicht aufgeräumt worden.«

»Dann müssen sie eben aufgeräumt werden.«

»Dazu ist's jetzt schon zu spät.«

»Dann kommen Sie wenigstens mit und zünden Sie eine Lampe an!« Es klang halb wie eine Bitte, halb wie ein Befehl.

Auf einen Wink Naomis stand Manja mürrisch auf, zog einen Schlüsselbund aus der Schublade und trottete zur Tür. Naomi grapschte sich den Schlüsselbund, ging mit einer brennenden Lampe voraus und schloß die Tür eines Schlafzimmers auf. Es war ein halbrunder Raum, dessen verschlissene Tapete bereits abblätterte. Die Fenster hatten keine Gardinen, die rissigen Jalousien waren heruntergezogen. Schaukelstühle, Schemel und leere Blumentöpfe standen herum. Der große Kleiderschrank hatte eine hohe Kranzleiste und mit geschnitzten Löwenköpfen verzierte Türen. Alles war von einer dicken Staubschicht bedeckt.

Rosa Frumetl begann sofort zu hüsteln. »Wie soll man denn in einem solchen Durcheinander schlafen können?« fragte sie weinerlich.

»Niemand hat damit gerechnet, daß hier jemand einziehen soll«, konterte Naomi und stellte die Lampe auf einen Schreibtisch, über dem ein Spiegel hing.

Rosa Frumetl blickte in den Spiegel und schreckte zurück. In dem zersprungenen bläulichen Glas sah ihr Gesicht wie in zwei Teile gespalten aus. »Und wo soll meine Tochter schlafen?« Ihre Frage war nicht direkt an Naomi gerichtet.

»Es gibt hier noch ein Zimmer mit einem Bett, aber da ist es noch unordentlicher.«

»Und wir haben unsere Bettwäsche nicht mitgebracht.«

»Die gesamte Bettwäsche unserer letzten Herrin – sie ruhe in Frieden – ist weggepackt worden.« Naomis Stimme hallte von den Wänden wider, als ob irgendein unsichtbares Wesen bestätigte, daß sie die Wahrheit gesagt hatte.

Naomi stapfte hinaus. Als Rosa Frumetl allein im Zimmer war, ging sie zur Kommode hinüber. Sie wollte sie öffnen, doch sie war abgeschlossen. Die Tür zum angrenzenden Zimmer war ebenfalls zugesperrt. Das ausgetrocknete Holz des Mobiliars knarrte. Plötzlich dachte Rosa Frumetl daran, wie ihr erster Mann, Reb David Landau, tot auf dem Fußboden gelegen hatte, mit den Füßen zur Tür, bedeckt mit einem schwarzen Bahrtuch, zu Häupten zwei brennende Kerzen. Es war noch kaum drei Jahre her, daß sie ihn beerdigt hatte, und jetzt war sie die Frau eines anderen. Ein Schauder lief ihr über den Rücken.

»Es war nicht meinetwegen. Nicht meinetwegen. Ich hab's für meine Tochter getan«, flüsterte sie, als wäre der Tote bei ihr im Zimmer. »Damit sie eine gute Partie machen kann...«

Sie konnte ihren Kummer nicht mehr unterdrücken und brach in Tränen aus. Wie fernes Donnergrollen klangen aus dem Salon die Baßtöne herüber, die Adele auf dem Klavier anschlug. Aus einer anderen Richtung war die Stimme Reb Meschulams zu hören, der in seinem Arbeitszimmer psalmodierte – mit tiefer, volltönender Stimme, obwohl er schon fast achtzig war.

Von draußen klang dröhnendes Glockengeläut herein: die Glocken der Grzybow-Kirche gegenüber der Moschkatschen Wohnung. Die Kreuze auf den beiden hohen Kirchtürmen ragten in den rötlichen Abendhimmel.

3

Die Nachricht, daß Reb Meschulam zum dritten Mal geheiratet hatte, verbreitete sich wie ein Lauffeuer im Warschauer Judenviertel. Seine Söhne und Töchter aus erster und zweiter Ehe waren wie vom Schlag gerührt. Dem Alten war zwar zuzutrauen, daß er vor nichts zurückschreckte, nur um sie zu ärgern, aber auf den Gedanken, daß er noch einmal heiraten würde, war niemand gekommen.

»Schlicht und einfach: ein alter Bock«, hieß es allgemein.

Man disputierte und disputierte über die Neuigkeit, und alle kamen zu dem Schluß: Das ist Koppels Werk. Koppel, Aufseher und Faktotum Nummer eins, hatte seinen Dienstherrn verkuppelt, um dessen Nachkommen um ihr rechtmäßiges Erbe zu bringen! In den chassidischen Bethäusern in der Grzybow-, Twarda- und Gnojnastraße hatte die Nachricht schon vor Abschluß der Abendgebete die Runde gemacht. Das Geschnatter darüber machte es dem Vorsänger fast unmöglich, den Gottesdienst vorschriftsmäßig zu beenden. Zur Ruhe mahnend, klopfte er auf das Lesepult, doch die Gemeinde kümmerte sich nicht darum. Sie stimmte weder in den Wechselgesang noch in das »Amen« beim Kaddisch für die Toten ein. Auf dem Heimweg gingen fast alle Gläubigen an Reb Meschulams Haus vorbei. Sie rechneten damit, daß Moschkats Söhne und Töchter sich in fieberhafter Erregung dort einfinden würden und man den Aufruhr bis hinaus auf die Straße hören könnte. Aber aus den acht beleuchteten Fenstern drang nicht der leiseste Laut.

Seit Meschulam vor fast fünfzig Jahren begonnen hatte, Reichtum anzuhäufen, waren viele merkwürdige Geschichten über ihn erzählt worden. Manchmal schien es, als wäre alles, was er tat, darauf angelegt, die Warschauer Geschäftsleute vor den Kopf zu stoßen und für dumm zu verkaufen. Er ließ sich auf Unternehmen ein, von denen jedermann prophezeite, sie wären zum Scheitern verurteilt; statt dessen entpuppten sie sich als Goldgruben. Er kaufte Grundstücke irgendwo am menschenleeren Stadtrand, und kurz darauf setzte dort ein Bauboom ein, so daß er die Liegenschaften für das Zehnfache dessen, was er dafür bezahlt hatte, verkaufen konnte. Er erwarb Anteile an Aktiengesellschaften, die schon fast pleite waren, doch plötzlich stiegen die Aktien und brachten ansehnliche Dividenden. Alles, was er tat, kam den anderen seltsam vor. Die meisten jüdischen Kaufleute Warschaus waren Anhänger des chassidischen Rabbis von Ger, der bei den polnischen Juden in hohem Ansehen stand. Reb Meschulam dagegen pilgerte zum bescheidenen chassidischen Hof von Bialodrewna, dessen Rabbi nur eine kleine Gefolgschaft hatte. Wie es einem so wohlhabenden Mann wie Reb Meschulam zukam, sollte er in den Ältestenrat der jüdischen Gemeinde Warschaus berufen werden, doch er lehnte es ab, sich mit Gemeindeangelegenheiten zu befassen. Und wenn er seine Nase doch einmal hineinsteckte, brachte er es zuwege, jedermann zu vergrämen; er schmähte die Reichen, die Gelehrten und die Rabbiner, indem er sie als Bauerntölpel und Dickschädel bezeichnete. Er zählte zu den wenigen jüdischen Geschäftsleuten, die Polnisch und Russisch sprachen, und es ging das Gerücht, er stände auf gutem Fuß mit dem russischen Generalgouverneur. Deshalb hatte man ihn schon mehrmals mit der Aufgabe betrauen wollen, Vermittlungsgespräche zu führen, doch er hatte sich stets geweigert und war wegen seiner Gleichgültigkeit scharf getadelt worden. In allem ging er seine eigenen Wege. Statt des allgemein üblichen Frühstücks – Brötchen, Butter und Zichorienkaffee – aß er kaltes Hühnerfleisch und Schwarzbrot. Das Mittagessen wurde im Hause Moschkat nicht, wie in Warschau üblich, um zwei, sondern erst um fünf Uhr eingenommen. Zunächst hatten alle prophezeit, daß Reb Meschulam, wie so viele, die reich und hochmütig geworden waren, zu Fall kommen werde. Doch die Jahre vergingen, und Meschulam geriet nicht ins Schlittern. Sein Reichtum nahm solche Ausmaße an, daß seine Feinde nachgerade von Entsetzen gepackt wurden. Dazu kam, daß er sich offenbar nicht auf eine bestimmte Branche beschränken wollte, sondern sich mit allen möglichen Geschäften befaßte, so daß niemand genau wußte, womit er eigentlich das viele Geld verdiente.

Und *was* er alles unternahm! Er kaufte Grundstücke und baute Häuser, erwarb baufällige Gebäude und ließ sie entweder renovieren oder abreißen und verschrotten. Man erzählte sich, er habe eine Ziegelei übernommen, sei Teilhaber einer Glasfabrik geworden, habe einem polnischen Grundbesitzer einen Wald abgekauft und liefere Holz für Eisenbahnschwellen nach England. Und obendrein habe er die Vertretung einer ausländischen Gerberei übernommen. Die Nachricht, daß er auch Lumpenhändler geworden war, versetzte ganz Warschau in Aufregung. Er hatte in Praga, rechts der Weichsel, ein Lagerhaus eröffnet, in dem die Lumpensammler ablieferten, was sie zusammengetragen hatten. Und auch Knochen kaufte er auf, die dann in Zuckerraffinerien verwendet wurden. In den letzten Jahren hatte Meschulam seine geschäftliche Tätigkeit eingeschränkt: Er war so reich geworden, daß sein Vermögen sich ganz von selbst vermehrte. Er besaß Häuser in der Twarda-, Grzybow-, Prosta- und Siennastraße sowie in der Panska und der Sliska. Es waren alte, baufällige, aber mit Mietern vollgestopfte Häuser. Man munkelte, er habe eine runde Million Rubel auf seinem Konto in der Kaiserlichen Bank in St. Petersburg. Immer wenn die Leute über dieses Thema diskutierten, fiel die Bemerkung: »Er weiß selber nicht, wieviel er hat.«

Mit seinen Kindern jedoch hatte er gar kein Glück. Sie mußten praktisch alle von ihm unterstützt werden. Er hatte sie als Verwalter seiner verschiedenen Liegenschaften eingesetzt und zahlte ihnen den knausrigen Wochenlohn von fünfundzwanzig Rubeln. Von den zwei Ehefrauen, die er überlebt hatte, hieß es, er habe ihnen das Leben vergällt. Über seine philanthropischen Neigungen gab es unterschiedliche Meinungen; manche Leute behaupteten, er spende keinen roten Heller, andere sagten, er ziehe es vor, Wohltätigkeit im Verborgenen zu üben. Es schien fast, als zielte alles, was er tat, darauf ab, den Lästerzungen etwas zum Tratschen zu geben. Wenn ihm jemand wirklich einmal zu sagen wagte, ganz Warschau verwünsche ihn, dann erwiderte er bloß: »Je mehr Verwünschungen, desto besser.«

Er hatte in seiner Wohnung ein Kontor, aber seine Unternehmensverwaltung befand sich in einem Gebäude in der Grzybowstraße, das von einem großen Hof umgeben war, auf dem mehrere Lagerschuppen und Speicher standen. Dieser Hof war durch einen Zaun von der Straße abgeschirmt und auf drei Seiten von altmodischen, niedrigen Wohnhäusern mit langen Holzbalkonen und Außentreppen gesäumt. Auf den Dächern saßen Schwärme von Tauben. Auch ein Stall für Meschulams Kutschpferde war vorhanden. Im Hof hielt sich einer seiner christlichen Angestellten eine Kuh. Der ungepflasterte Boden war meist mit großen Pfützen bedeckt. Wäre ein Fremder durchs Tor gekommen, so hätte er meinen können, in einem Dörfchen mit gackernden Hühnern und schnatternden, in den Pfützen herumschwimmenden Gänsen gelandet zu sein. Seit einigen Jahren beschäftigte Meschulam nur noch ein paar Leute. Die meisten Hausbewohner arbeiteten jetzt woanders, brauchten ihm aber keine Miete zu zahlen – nicht nur, weil dies ein Gewohnheitsrecht war, sondern auch weil andere Leute nicht in diese Bruchbuden eingezogen wären. In Reb Meschulams Diensten standen außer Koppel nur noch der Kutscher Leibel, der Hausmeister, ein alter, halbblinder Buchhalter namens Jechiel Stein und der Schreiner Schmuel, der auch für andere handwerkliche Arbeiten zu brauchen war. Etliche bejahrte Nichtjuden, die früher einmal für Reb Meschulam gearbeitet hatten, erhielten eine wöchentliche Rente, die sich auf ein paar Rubel belief. Einen Kassier beschäftigte Meschulam nicht. Er nahm das eingegangene Geld, steckte es in die Tasche und schloß es zu Hause in den Tresor. Sobald dieser voll war, brachte er, begleitet von Koppel, die Scheine und Münzen zur Bank. Ein paarmal war er beschuldigt worden, seine Buchführung sei nicht in Ordnung, doch als er auf Ersuchen des Steueramts seine Kontobücher vorlegte, erwiesen sich die Beschuldigungen als haltlos. Diejenigen, die Gelegenheit gehabt hatten, einen Blick in Jechiel Steins Kontobücher zu werfen, erzählten, daß seine Handschrift so ähnlich wie Fliegendreck aussähe und daß er ein Vergrößerungsglas brauchte, um seine eigene Schrift zu entziffern. Jedesmal wenn Reb Meschulam das Kontor seines Buchhalters betrat, rief er ihm zu: »Immer schön kritzeln, Reb Jechiel! Mit der Schreibfeder sind Sie ein wahrer Zauberkünstler!«

Der einzige, der über Meschulams Geschäfte wirklich Bescheid wußte, war Koppel. Er wurde allgemein »der Aufseher« genannt, doch er war mehr als das. Er war der Berater, Vertraute und Leibwächter des Alten. Man munkelte sogar, daß er in Reb Meschulams Diensten selber reich geworden und jetzt der Teilhaber des Alten sei. Alles, was Koppel betraf, hatte etwas Geheimnisvolles an sich. Er hatte eine Frau und Kinder, aber kein Mitglied der Familie Moschkat hatte sie jemals zu Gesicht bekommen. Er wohnte in Praga, jenseits der Weichsel. Er war um die Fünfzig, sah aber wie ein Mann in den Dreißigern aus – mittelgroß und schlank, dunkler Teint, krauses Haar und weit auseinanderstehende, funkelnde Augen. Sommer wie Winter trug er eine tief in die Stirn gezogene »Melone« und Schaftstiefel. In seiner Krawatte steckte eine Perlennadel. Ständig hatte er eine Zigarette im Mundwinkel hängen und einen Bleistift hinter dem linken Ohr stecken. Er war glattrasiert. Auf seinem Gesicht lag fast immer ein halb devotes, halb verächtliches Lächeln. Meschulam kommandierte ihn wie einen Laufburschen herum. Wenn die beiden die Straße entlanggingen, hielt sich Koppel stets ein, zwei Schritt hinter dem Alten, um nicht den Eindruck zu erwecken, er fühle sich ihm ebenbürtig. Wenn Meschulam ihn in Gegenwart anderer ansprach, senkte Koppel respektvoll den Kopf, nahm die Zigarette aus dem Mund und blieb leicht nach vorn gebeugt stehen – mit militärisch zusammengeschlagenen Hacken. Er hatte in der Armee des Zaren gedient, und es ging das Gerücht, er sei der Bursche eines Generals gewesen.

4

Aber das war alles nur Fassade. Tatsächlich lagen, wie jedermann wußte, die Dinge so, daß Meschulam niemals etwas unternahm, ohne sich vorher mit seinem Aufseher zu beraten. Die beiden führten oft lange Gespräche. Die Verwalter von Meschulams Häusern – einschließlich seiner Söhne – mußten Koppel ihre Abrechnungen vorlegen. Leute, die Meschulam um einen Gefallen baten, wußten, daß sie letzten Endes auf Koppel angewiesen waren. Jahrelang waren Moschkats Söhne und Töchter gegen Koppel zu Felde gezogen, doch er war der Sieger geblieben. Heimlich, still und leise steckte er seine Nase in alles, ob es nun um die Verheiratung der Enkelkinder und deren Mitgift ging, um wohltätige Spenden und Gemeindeangelegenheiten oder um chassidische Dispute. Als Koppel eines Tages krank geworden war, lief Reb Meschulam wie benommen herum. Er hörte kaum, was man zu ihm sagte, kabbelte sich mit jedermann, stampfte mit dem Fuß auf und flüchtete sich bei allen Fragen in dieselbe Antwort: »Mein Aufseher ist nicht da. Kommen Sie morgen wieder.«

Wenn Reb Meschulam im Sommer ins Heilbad fuhr, begleitete ihn Koppel, wohnte bei ihm im Hotel und trank das gleiche Mineralwasser, das dem Alten verschrieben worden war. Man erzählte sich sogar, er habe, als die Ärzte Reb Meschulam Moorbäder verordneten, gemeinsam mit seinem Dienstherrn in der dunklen Brühe gelegen. In Karlsbad spazierten sie zusammen die Promenade auf und ab – dort ging Koppel nicht hinter, sondern neben Reb Meschulam – und sprachen über geschäftliche Dinge, über die Verschwender, die ihr ganzes Geld in Monte Carlo verspielt hatten, und über die galizischen Rabbis, die mit ihren aufgeputzten Töchtern und Schwiegertöchtern nach Karlsbad kamen. Lästerzungen behaupteten, Reb Meschulam habe Koppel einen Teil seines Vermögens überschrieben und ihn als seinen Testamentsvollstrecker eingesetzt. Gegenüber den jüngeren Moschkats behielt Koppel seine unterwürfige Haltung bei. Wandten sie sich mit irgendwelchen Wünschen an ihn, so setzte er eine demutsvolle Miene auf und sagte: »Mir steht es nicht zu, das zu entscheiden.«

Koppel war mit dem alten Moschkat zur sommerlichen

Kur in Karlsbad, als dieser die Witwe aus Galizien kennenlernte und heiratete. Reb Meschulam war ihr am Mineralbrunnen begegnet und hatte mit ihr zu plaudern begonnen, zunächst – versuchsweise – in gepflegtem Jüdisch-Deutsch, dann im vertrauten Jiddisch. Er fand es erfreulich, daß sie die Angewohnheit hatte, ein paar hebräische Wörter ins Gespräch einfließen zu lassen; daß sie die traditionelle Perücke der verheirateten Frauen trug (obzwar ihn die Eleganz ihrer Perücke ein bißchen störte); daß ihr verstorbener Mann, Reb David Landau, ein wohlhabender Bierbrauer in Brody gewesen war und daß ihre Tochter Adele in Lemberg die Matura gemacht und in Krakau, Wien und in der Schweiz studiert hatte. Rosa Frumetl litt an Leberbeschwerden. Sie wohnte nicht im Hotel, sondern in einem möblierten Zimmer im bescheideneren Viertel Karlsbads. Sie gab offen zu, daß sie wenig Geld hatte. Gleichwohl trat sie wie eine wohlhabende Frau auf. Jeden Tag hatte sie etwas anderes an. Sie trug eine Perlenkette und Ohrgehänge, und an ihrer Hand funkelte ein Ring. Sie lud Reb Meschulam in ihr Logis ein, wo sie ihm Kirschlikör und Anisplätzchen anbot. Sie duftete angenehm nach Lavendel. Als Reb Meschulam auf ihr Wohl trank, sagte sie: »Auf *Ihr* Wohl, Reb Meschulam! Weiterhin viel Glück und Segen!«

»Ich habe im Leben schon genug Glück gehabt«, erwiderte Reb Meschulam auf seine barsche Art. »Jetzt steht mir bloß noch das eine bevor.«

»Gott soll schützen! Wie können Sie so etwas sagen?« schalt sie ihn sanft. »Sie werden bestimmt hundertundzwanzig, wenn nicht noch älter!«

Als Reb Meschulam auf die Idee kam, Rosa Frumetl zu heiraten und auch ihre Tochter mit nach Warschau zu nehmen, fürchtete er, daß Koppel ihm das ausreden würde. Doch der Aufseher riet ihm nicht davon ab. Meschulam beauftragte ihn, soviel wie möglich über die Witwe herauszufinden, woraufhin Koppel ihm einen ausführlichen Bericht vorlegte. Als Reb Meschulam, nach einigem Zögern, seinen Entschluß faßte, kümmerte sich Koppel um alles Notwendige. Eine Unmenge Formalitäten waren zu erledigen, bevor Rosa Frumetl die Genehmigung erhielt, die russisch-österreichische

Grenze zu überschreiten. Ein Ehering mußte besorgt werden, ein Logis für das Hochzeitspaar, ein Rabbi, der die Trauung vollziehen würde. Koppel hatte so viel um die Ohren, als ob er der Vater des Bräutigams gewesen wäre. Auf Rosa Frumetls Wunsch sollte Reb Meschulam ihr einen Geldbetrag überschreiben und sich bereit erklären, ihrer Tochter eine Mitgift auszusetzen. Reb Meschulam war einverstanden und gab es ihr sogar schriftlich. Adele fuhr für eine Woche ins nahe Franzensbad, und während ihrer Abwesenheit fand die Trauung statt.

»Der ist doch nicht bei Trost!« erklärten die Klatschbasen. »Dieser alte Lüstling!«

Reb Meschulam hatte in aller Stille heiraten wollen, doch es wurde ein richtiger Rummel. Im Saal wimmelte es von gerade in Karlsbad weilenden Rabbis, ihren Frauen, Söhnen, Töchtern und angeheirateten Verwandten: Rosa Frumetl hatte sich im Nu einen großen Bekanntenkreis zugelegt. Unter den Gästen war auch ein galizischer *badchen* – ein Spaßmacher auf Hochzeiten –, der zufällig hereingeschneit war und sofort begonnen hatte, zotige Stegreifverse aufzusagen, in einer Mischung aus Jiddisch, Deutsch und Hebräisch. Alle möglichen Geschenke, wie man sie in den Karlsbader Souvenirläden kaufen konnte, waren überreicht worden: bunt verzierte Schmuckkästchen, Tischtücher, Pantoffeln mit goldbronzierten Absätzen, Federhalter, die am oberen Ende ein Vergrößerungsglas hatten, durch das man ein koloriertes Alpenpanorama sehen konnte. Der große Salon war vollgestopft mit Zobelpelzen und pelzgefütterten Seidenmänteln, mit Zylindern und modischen Damenhüten. Nach der Trauung fand ein Festmahl statt, das bis spät in die Nacht dauerte und bei dem die weiblichen Gäste über die Braut tratschten, die noch gestern nahezu bettelarm gewesen war.

»Wer weiß, wer den nächsten Glückstreffer machen wird!« sagten sie in ihrem breiten galizischen Dialekt. »Da hat der Himmel ein Wunder tun müssen.«

»Sie hat ihn schnell herumgekriegt!«

»Und dabei spielt sie die Heilige.«

Gleich nach der Hochzeit kam Reb Meschulam wieder zur Vernunft. Das Restchen Manneskraft, das sich während der

Werbung um Rosa Frumetl in ihm geregt hatte, flackerte auf und erlosch. Im Schlafgemach entpuppte sich die Braut als taube Nuß. Ihr unter der seidenweichen Perücke verborgenes Haar war grau und kurz geschoren wie Schafwolle. Um die Hüften trug sie ein Bruchband. Sie lag seufzend im Bett und redete von ihrem ersten Mann, seiner Gelehrsamkeit, seiner innigen Vaterliebe und seinen Manuskripten, die sie unbedingt in Warschau drucken lassen wollte. Sie zog über die Töchter der rabbinischen Würdenträger her, weil sie von Tag zu Tag liederlicher würden und hier in Karlsbad in aller Öffentlichkeit mit österreichischen Offizieren flanierten. Sie nieste, schnaubte sich die Nase, nahm Baldriantropfen ein. Reb Meschulam setzte sich auf und stieg aus dem Bett.

»Jetzt reicht's mir!« sagte er barsch. »Hört dieses Gebabbel denn nie auf?«

Einen Moment lang schien es ihm ratsam, sich gleich hier in Karlsbad von ihr scheiden zu lassen, sie mit ein paar tausend Rubeln abzuspeisen und diese Komödie zu beenden. Aber die ganze Angelegenheit war ihm peinlich. Er fürchtete, daß es dann zu Gegenbeschuldigungen und langwierigen Gerichtsverhandlungen kommen würde. Und er empfand einen blinden Groll auf Koppel, obwohl er im Grund seines Herzens wußte, daß an dieser Sache nicht sein Aufseher schuld war. Hatte er selber denn nicht immer alles genau kalkuliert, bevor er sich zum Handeln entschloß? Hatte er denn nicht immer alles *so* geregelt, daß am Ende nicht er, sondern ein anderer als der Dumme dastand? Sollten doch die Hitzköpfe unüberlegt handeln, in die Patsche geraten, sich der Armut, Krankheit, Schande, ja dem Tod ausliefern! Diesmal aber hatte er, Meschulam Moschkat, eine sträfliche Dummheit begangen! Was nützte ihm denn diese Heirat? Seine Kinder würden etwas zu lachen haben. Und obendrein war er finanzielle Verpflichtungen eingegangen; er mußte die Zusagen, die er nun einmal gemacht hatte, doch einhalten. Nein, er gehörte nicht zu denen, die ihr Wort brachen; sein schlimmster Feind konnte das nicht von ihm behaupten.

Nachdem er ziemlich lange nachgegrübelt hatte, beschloß er, getreu der alten Weisheit zu handeln: Das Beste, was man tun kann, ist, gar nichts zu tun. Schön und gut – aber wenn nun dieses Weibsbild seinen ganzen Haushalt durcheinanderbrachte? Was ihr Wittum betraf, so konnte er ihr ja eines seiner baufälligen Häuser überschreiben; er würde schon dafür sorgen, daß sie in dieser Lotterie nicht das Große Los zog. Was seine Stieftochter betraf – sie hatte etwas an sich, das ihn kribblig machte. Sie war gebildet, sprach Deutsch, Polnisch und Französisch, aber sie wirkte so verkrampft und so hochnäsig. Sie schien über andere hinwegzusehen und immer nur mit ihren eigenen Gedanken beschäftigt. Nein, sie paßte nicht zu seiner Familie. Und zu seinen Geschäften auch nicht. Zudem war er überzeugt, daß sie insgeheim eine Ungläubige war. Er beschloß, ihr gleich nach der Rückkehr nach Warschau einen Ehemann zu verschaffen und sie mit einer kleinen Mitgift abzuspeisen – nicht mehr als zweitausend Rubel.

»Wart nur, bis sie in Warschau ist!« sagte sich Reb Meschulam. »Dann trägt sie die Nase bestimmt nicht mehr so hoch.«

Diese Gedanken schwirrten ihm durch den Kopf, als er nach Warschau zurückkehrte. Es war nicht seine Art, Zeit damit zu vertrödeln, über begangene Fehler nachzudenken. Er war der gewiefte Meschulam Moschkat, der stets den Sieg davontrug, nicht nur über seine Feinde, sondern auch über seine eigenen Schwächen.

Zweites Kapitel

1

Ein paar Wochen nach Meschulam Moschkats Heimkehr traf ein anderer Reisender auf dem Bahnhof im Norden der Hauptstadt ein. Er stieg aus einem Dritte-Klasse-Abteil und trug einen länglichen, mit Metallbändern verstärkten und mit zwei Schlössern versehenen Korb bei sich. Es war ein junger Mann – um die Neunzehn. Er hieß Euser Heschel Bannet. Sein Großvater mütterlicherseits war Reb Dan Katzenellenbogen, der Rabbi von Klein-Tereschpol. Der junge Mann hatte ein Empfehlungsschreiben bei sich, adressiert an den gelehrten Dr. Schmarjahu Jakobi, Sekretär der Großen Synagoge von Warschau. In seiner Tasche steckte ein abgegriffenes Buch: Spinozas *Ethik* in hebräischer Übersetzung.

Er war groß und mager, hatte ein längliches, blasses Gesicht, eine hohe, vorzeitig gefurchte Stirn, wache blaue Augen, schmale Lippen und ein von Bartflaum bedecktes scharfes Kinn. Seine aschblonden, fast farblosen Schläfenlocken waren hinter die Ohren gekämmt. Er trug einen Kaftan und ein Samtkäppchen. Um den Hals hatte er einen Schal geschlungen.

»Warschau«, sagte er, und die eigene Stimme kam ihm ganz fremd vor. »Endlich in Warschau!«

Auf dem Bahnhof wimmelte es von Menschen. Ein Gepäckträger wollte ihm den Korb abnehmen, doch Euser Heschel ließ ihn nicht los. Obwohl es schon auf Ende Oktober zuging, war es tagsüber noch warm. Langgestreckte Wolken zogen am Himmel dahin und schienen mit dem Rauch zu verschmelzen, den die Lokomotiven ausstießen. Die Sonne stand am westlichen Horizont, groß und rot. Im Osten war die blasse Mondsichel zu sehen.

Der junge Mann ging durch die Sperre auf die Straße hinaus. Kutschen rollten die mit rechteckigen Kopfsteinen gepflasterte Fahrbahn entlang, und es schien, als rasten sie geradewegs auf die Fußgängergruppen zu. Rotgestrichene Trambahnen ratterten vorbei. Ein Geruch nach Kohle, Rauch und Erde hing in der feuchten Luft. In der Abenddämmerung flatterten Vögel. In einiger Entfernung waren Häuserreihen zu sehen, deren Fensterscheiben das Tageslicht silbergrau widerspiegelten oder im Schein der untergehenden Sonne golden schimmerten. Bläuliche Rauchfahnen quollen aus den Schornsteinen. Etwas längst Vergessenes und dennoch Vertrautes schien den schiefen Giebeln anzuhaften, den Taubenschlägen, Dachfenstern, Balkonen, Telegrafenstangen und -leitungen. Es war, als hätte Euser Heschel das alles schon einmal im Traum gesehen, oder in einem früheren Leben.

Er ging ein Stück weiter, dann blieb er stehen und lehnte sich an einen Laternenpfahl, als müßte er Schutz suchen vor der geschäftigen Menge. Seine Beine waren vom stundenlangen Sitzen verkrampft. Noch immer schien der Boden unter seinen Füßen zu vibrieren, noch immer war ihm, als sähe er vom fahrenden Zug aus die Türen und Fenster der Häuser in der Ferne verschwinden. Er hatte lange nicht mehr geschlafen. Sein Gehirn war nur halbwach.

»Und hier soll ich die göttlichen Wahrheiten lernen?« dachte er benommen. »Inmitten dieser Menschenmassen?«

Passanten streiften ihn im Vorbeigehen und stießen an seinen Korb. Ein Kutscher in blauem Mantel, eine Wachstuchmütze auf dem Kopf und eine Peitsche in der Hand, sagte etwas zu ihm, doch bei all dem Lärm konnte Euser Heschel nicht hören, was der Mann von ihm wollte und ob er Jiddisch oder Polnisch sprach. Ein stämmiger Mann in einem zerlumpten Mantel blieb neben ihm stehen, musterte ihn und sagte: »Aus der Provinz, was? Wo willst du denn hin?«

»In die Franziskanerstraße. In ein Fremdenheim.«

»Dort entlang!«

Ein Mann ohne Beine rollte auf einem kleinen Holzpodest vorbei und streckte die Hand aus.

»Helfen Sie einem Krüppel!« leierte er. »Der neue Monat soll Ihnen Glück bringen!«

Euser Heschels blasses Gesicht wurde kreideweiß. Er zog eine Kupfermünze aus der Tasche. »Spinoza zufolge sollte ich kein Mitleid mit ihm haben«, dachte er. »Hat mir dieser Mann Glück für den neuen Monat gewünscht? Steht schon wieder ein neuer Monat vor der Tür?«

Plötzlich fiel ihm ein, daß er heute und auch gestern versäumt hatte, seine Gebote zu sprechen. Und seine Gebetsriemen hatte er auch nicht angelegt. »Ist es schon so weit mit mir gekommen?«

Er nahm seinen Korb und eilte weiter. »Schon wieder ein Winter! Wie wenig Zeit mir bleibt!«

Noch mehr Menschen auf den Straßen. Die Nalewkistraße war gesäumt von drei- und vierstöckigen Häusern mit breiten Eingängen und unzähligen Schildern in Russisch, Polnisch und Jiddisch. Eine Handelswelt: Hemden und Spazierstöcke, Kattun und Knöpfe, Schirme und Seidenstoffe, Schokolade und Plüsch, Hüte und Garn, Schmuck und Gebetsmäntel. Auf hölzernen Rampen wurden Waren gestapelt. Rollkutscher luden Kisten ab und stießen heisere Rufe aus. An den Türen drängten sich die Menschen. Am Eingang eines Ladens war eine Drehtür, die unentwegt rotierte und Menschen schluckte und ausspie, als ob diese irgendeinen verrückten Tanz vollführen müßten.

Das Fremdenheim, in dem sich Euser Heschel einquartieren wollte, hatte drei Höfe. Es war beinahe ein Schtetl für sich. Hausierer boten ihre Ware feil, Handwerker reparierten zerbrochene Stühle, Sofas und Bettgestelle. Juden in verschossenen Kaftanen und schweren Stiefeln machten sich an ihren Karren zu schaffen, die mit Holzkübeln und Laternen behängt waren. Die lammfrommen Klepper mit ihren vorstehenden Rippen und langen Schwänzen kauten an einem Mischmasch aus Hafer und Spreu herum.

Mitten im Hof gaben Gaukler eine Vorstellung. Ein spärlich bekleideter, langhaariger Mann lag mit dem nackten Rücken auf einem mit Nägeln gespickten Brett, streckte die Beine in die Luft und jonglierte mit den Fußsohlen ein Faß. Eine Frau mit kurzgeschorenem Haar, die rote Pantalons trug, lief auf den Händen und schwenkte die Beine in der Luft herum. Ein Lumpensammler mit schmutzigem weißem Bart kam, einen Sack auf dem Rücken, von der Straße herein, sah zu den oberen Stockwerken hinauf und räusperte sich.

»Habt ihr was zu verkaufen? Was zu verkaufen?« rief er mit krächzender Stimme. »Ich kaufe Töpfe und Pfannen, alte Schuhe, alte Hosen, alte Hüte, Lumpen, Lumpen!«

Die Worte des Lumpensammlers, so schien es Euser Heschel, mußten eine tiefere Bedeutung haben. Was er wirklich meinte, war: »Lumpen – das ist alles, was von unserem Bemühen bleibt.«

»Und Rabbi Hijah lehrte: Ein Mann sagt, du schuldest mir hundert Gulden, und der andere erwidert, ich schulde dir nichts.« Im traditionellen Singsang rezitiert, waren diese Worte aus einer Lehrstube etwas abseits des Hofes zu vernehmen. Durch die staubige Fensterscheibe konnte Euser Heschel ein dunkles Gesicht mit wirren Schläfenlocken sehen. Eine Weile übertönte die psalmodierende Stimme den Radau auf dem Hof.

Die Stufen am Eingang des Fremdenheimes waren verschmutzt und mit Abfällen übersät. In einer links vom Eingang gelegenen Küche beugte sich eine Frau über einen dampfenden Waschtrog. Auf der anderen Seite befand sich ein Raum mit vier Fenstern und feuchten Wänden, in dem mehrere Männer und Frauen an einem großen Tisch saßen. Ein hellhaariger Mann nagte an einer Hühnerkeule. Ein alter Jude mit windschiefem Bart und einer zerfurchten Stirn, die wie vergilbtes Pergament aussah, war, vor sich hinmurmelnd, in ein Buch vertieft. Ein feister Bursche in völlig verschwitztem Unterhemd hielt eine Stange Siegellack an eine Kerze, dann drückte er das erhitzte Ende auf einen Briefumschlag. Die Frauen saßen etwas abseits von den Männern, die älteren von ihnen trugen Perücken und Kopftücher. Ein Mann in einer wattierten Jacke, unter der die Fransen eines rituellen Gewandes hervorsahen, besserte mit einer dicken Nadel und einem Faden, der eher einem Strick glich, einen Sack aus. Eine Gaslampe zischte und flackerte. Der Pensionsinhaber, ein noch ziemlich junger Mann, erschien. Er trug eine goldgeränderte Brille und eine schnurartige, typisch chassidische Krawatte.

»Ein Neuankömmling? Was steht zu Diensten?«

»Kann ich hier ein Logis bekommen?«

»Was denn sonst? Zuerst muß ich allerdings Ihre Papiere sehen. Reisepaß oder Geburtsurkunde.«

»Ich habe einen Reisepaß.«

»Gut. Absolut in Ordnung. Ihr Name?«

»Euser Heschel Bannet.«

»Bannet. Irgendwie mit Rebbe Mordechai Bannet verwandt?«

»Ja. Ich bin sein Enkel.«

»Vornehme Familie, was? Und woher kommen Sie?«

»Aus Klein-Tereschpol.«

»Was führt Sie nach Warschau? Ein Arztbesuch, nehme ich an.«

»Nein.«

»Was dann? Wollen Sie Geschäfte machen?«

»Nein.«

»Oder vielleicht in eine Jeschiwa gehen?«

»Das weiß ich selber noch nicht.«

»Wer soll's denn sonst wissen? Wie lange wollen Sie bleiben? Eine Nacht oder länger?«

»Vorläufig nur eine Nacht.«

»Sie müssen das Bett mit einem anderen Gast teilen. Das kommt billiger.«

Euser Heschel verzog den Mund und wollte etwas sagen, doch dann kniff er die Lippen zusammen.

»Was dagegen? Ist Ihnen wohl nicht gut genug? Sie sind in Warschau, da muß man die Dinge nehmen, wie sie sind. Das hier ist nicht das Hotel Bristol. Die größten Kaufleute schlafen zu zweit im Bett, wenn alles belegt ist.«

»Ich dachte, ich könnte ein Einzelzimmer bekommen.«

»Hier nicht.«

An dem großen Tisch war es plötzlich ganz still. Der Mann, der den Sack ausbesserte, hielt seine Nadel hoch und starrte Euser Heschel verdutzt an. Eine Frau mit dreieckigem Gesicht brach in Gelächter aus; man sah ihre Goldzähne blitzen.

»Da schau her, wer ist denn hier so wählerisch?« sagte sie mit hartem litauischem Akzent. »Graf Potocki!«

Die anderen Frauen kicherten. Die Brille auf der Nase des Pensionsinhabers schien triumphierend zu funkeln.

»Wie war das doch gleich? Wo kommen Euer Hoheit her?« Sein Mund war so dicht an Euser Heschels Ohr, als ob der Neuankömmling taub gewesen wäre. »Zeigen Sie mir Ihren Ausweis!«

Er kontrollierte sorgfältig den schwarz eingebundenen Reisepaß und runzelte die Stirn.

»Aha! Von da drüben. Aus irgend so einem Kaff.«

Dann sagte er mit erhobener Stimme: »Also gut, stellen Sie Ihren Korb ab. Warschau wird Sie schon noch lehren, wo Ihr Platz ist.«

2

Euser Heschel war väterlicher- und mütterlicherseits von vornehmer Abkunft. Sein Großvater mütterlicherseits, Reb Dan Katzenellenbogen, hatte einen Stammbaum, der – in Form einer weitverzweigten Linde – mit goldener Tusche auf Pergament gezeichnet war. Die Wurzel war König David, und die Zweige trugen die Namen der anderen erhabenen Vorfahren. Reb Dan hatte auf der Stirn eine Narbe, die, wie man sich erzählte, das Kennzeichen derer sei, die aus königlichem Geblüt stammen und berechtigt sind, beim Kommen des Messias die Krone zu tragen.

Euser Heschels Großmutter väterlicherseits, Tamar, hatte – genau wie die Männer – ein gefranstes rituelles Gewand getragen und war zu Neujahr an den Hof des chassidischen Rabbis von Belz gepilgert. Sein Großvater väterlicherseits, Tamars Gatte, Reb Jerachmiel Bannet, war ein Mann von leidenschaftlicher, übermäßiger Frömmigkeit, der vor Sonnenuntergang keinen Bissen zu sich nahm, seinen Leib mit kalten Bädern kasteite und sich im Winter im Schnee wälzte. Er kümmerte sich weder um Haushaltsangelegenheiten noch um geschäftliche Dinge, sondern saß Tag und Nacht in seiner abgeschlossenen Dachkammer und studierte die kabbalistischen Schriften. Manchmal war er tagelang fort. Es hieß, auf diesen Reisen träfe er sich an irgendeinem bescheidenen Ort mit den sechsunddreißig verborgenen Heiligen, kraft deren Tugend und Demut der Erdkreis existieren kann. Da Reb Jerachmiel nichts mit Gemeindeangelegenheiten zu tun haben wollte, nahm Tamar an den Gemeinderatssitzungen teil. Seite an Seite mit den begüterten Männern des Schtetls saß sie, ihre Messingbrille auf der Nase, am Ende des Tisches. Sie schnupfte Tabak aus einer Horndose, kaute Lakritzstangen und redete in energischem Ton. Es hieß, der Rabbi von Belz sei jedesmal, wenn sie zu ihm kam, aufgestanden und habe höchstpersönlich einen Stuhl für sie an den Tisch gestellt.

Sie hatte acht Kinder geboren, doch nur eines davon wurde groß. Einige waren Totgeburten, einige starben in der Wiege. Die kleinen Leichname durften erst hinausgetragen werden, wenn Tamar sie für die Bestattung zurechtgemacht hatte. Um den Letztgeborenen durch eine Art Zauber zu schützen, gab man ihm fünf Namen – Alter, Chaim, Benzion, Kadisch und Jonathan –, und um den Todesengel zu täuschen, bekleidete man den Säugling mit einer weißen Leinenhose und einer weißen Kappe, so daß er wie in ein Leichentuch gehüllt aussah. Um seinen Hals hing man ein Beutelchen, in dem sich ein Amulett mit einer Inschrift und ein Wolfszahn befanden, die den Bösen Blick von ihm abwenden sollten. Im Alter von zwölf Jahren wurde der Knabe mit Finkel, der Tochter des Rabbis von Klein-Tereschpol, verlobt. Mit vierzehn wurde er ihr angetraut. Neun Monate nach der Hochzeit wurde die junge Frau von einer Tochter, Dina, entbunden, und zwei Jahre später von einem Sohn, der nach seinem Urgroßvater Euser Heschel genannt wurde. Bei seiner Beschneidung lüpften beide Großmütter ihre Röcke und tanzten und knicksten voreinander, als wären sie auf einer Hochzeit.

Um den häuslichen Frieden jedoch war es bei dem jungen Paar nicht gut bestellt. Alle paar Wochen stieg Jonathan (er wurde bei seinem fünften Vornamen gerufen) in eine Kutsche und fuhr zu seiner Mutter nach Janow. Tamar päppelte ihn mit Pfannkuchen, Eierpunsch, Brathuhn, Eiernudeln und Eingemachtem. Im Frühjahr gab sie ihm ein Mittel gegen Würmer ein, als wäre er noch ein Schuljunge. Der von Kind an verzärtelte Jonathan konnte seinen Schwiegervater nicht ausstehen, der ständig mit dem halben Schtetl über dies und das disputierte; und seine Schwiegermutter auch nicht, die die Speisekammer absperrte, damit ihre Schwiegertöchter nichts herausholen konnten; und seine Schwäger Zadock und Levi auch nicht, die trotz ihrer Bildung und Gelehrsamkeit herumsaßen, Schach spielten oder sich in Witzeleien ergingen. Nach dem Tod seines Vaters – er starb, als er wieder einmal von zu Hause fort war, in einem Armenhaus – kehrte Jonathan zu seiner Mutter zurück und ließ seiner Frau durch einen

Boten den Scheidebrief zustellen. Damals war Finkel knapp neunzehn Jahre alt.

Euser Heschel wurde von allen möglichen Kinderkrankheiten befallen. Gimpel, der Bader von Klein-Tereschpol, gab immer wieder die Hoffnung auf, daß der Junge am Leben bleiben würde. Er bekam Masern und Keuchhusten, Diphtherie und Durchfall, Scharlach und Mittelohrentzündung. Er weinte nächtelang, hatte Hustenanfälle und lief so blau an, als läge er im Sterben. Schon in ganz jungen Jahren begann er an Angstzuständen zu leiden. Alles mögliche jagte ihm Furcht ein – der Klang des Widderhorns, ein Spiegel, ein Schornsteinfeger, eine Henne. Er träumte von Zigeunern, die Kinder in einen Sack stecken und sie verschwinden lassen; von Leichen, die auf dem Friedhof herumwandern, und von Geistern, die hinter dem Badehaus tanzen. Unentwegt stellte er Fragen: Wie hoch ist der Himmel? Wie tief ist die Erde? Was liegt hinter dem Ende der Welt? Wer hat Gott erschaffen? Seine Großmutter hielt sich oft die Ohren zu. »Er macht mich noch meschugge«, jammerte sie. »Er ist ein Dibbuk, kein Kind.«

Im Cheder verbrachte er bloß einen halben Tag. Er geriet rasch in den Ruf, ein Wunderkind zu sein. Als Fünfjähriger las er den Talmud, mit sechs begann er die Talmudkommentare zu studieren, und als er acht war, hatte ihm der Lehrer nichts mehr zu bieten. Als Neunjähriger hielt er einen Vortrag in der Synagoge, mit zwölf schrieb er gelehrte Briefe an die Rabbis anderer Gemeinden. Darauf sandten ihm diese Rabbis lange Episteln, in denen sie ihn »den Scharfsinnigen und Adleräugigen« und »den, der Berge versetzt« nannten. Heiratsvermittler überschütteten seine Familie mit Angeboten, die Mitbürger sagten voraus, daß er, wenn die Zeit gekommen sei, das Rabbinat seines Großvaters erben werde, da seine Onkel Zadock und Levi ja doch bloß Hohlköpfe und Tagediebe seien. Was also bewog diesen vielversprechenden Knaben dazu, vom Pfad der Gerechten abzuweichen und sich auf die Seite der »Modernen« zu schlagen? Er ließ sich im Lernhaus immer wieder auf endlose Dispute ein und übte Kritik an den Rabbis. Er betete, ohne den altherkömmlichen Betschal anzulegen, kritzelte Notizen auf den Rand der Gebetbuchseiten, mokierte sich über die Frommen. Statt die Kommentare zu studieren, verschlang er Maimonides' *Führer der Unschlüssigen* und Jehuda Halewis *Kusari.* Irgendwo beschaffte er sich die Schriften des Häretikers Salomon Maimon. Er lief herum, ohne seinen Mantel zuzuknöpfen, mit ungekämmten Schläfenlocken, den Hut schräg auf dem Kopf, den Blick über die Dächer hinweg in die Ferne gerichtet. Sein Onkel Levi tadelte ihn: »Denk nicht soviel nach! Der Himmel stürzt nicht ein.« Das ganze Schtetl war der Meinung, Jekuthiel Uhrmacher, ein Anhänger des ketzerischen Jakob Reifmann, habe den Jungen zu Fall gebracht. Jekuthiel Uhrmacher war früher ein Schüler von Reb Dan Katzenellenbogen gewesen, hatte sich dann aber der weltlichen Gelehrsamkeit zugewandt. Er wohnte in einem Häuschen am Ende einer Gasse, hielt sich von den Gläubigen fern und pflegte engen Umgang mit den Stadtmusikanten. Er hatte einen dünnen Bart, eine hohe Stirn und große schwarze Augen. Den ganzen Tag saß er, eine Lupe vors Auge geklemmt, in seiner winzigen Werkstatt am Arbeitstisch. Abends las er, und manchmal vertrieb er sich die Zeit mit Zitherspielen. Seine Frau war während einer Epidemie gestorben, und ihre Mutter hatte die Kinder zu sich genommen.

Euser Heschel ging bei Jekuthiel ein und aus. Der Uhrmacher bewahrte alte Ausgaben der modernen hebräischen Zeitschrift *Hameasef* auf, besaß den *Pentateuch* in der deutschen Übersetzung von Moses Mendelssohn, die Dichtungen Klopstocks, Goethes, Schillers und Heines, etliche alte Algebra-, Geometrie-, Physik- und Geographiebücher sowie die Werke von Spinoza, Leibniz, Kant und Hegel. Euser Heschel, der von Jekuthiel den Hausschlüssel bekommen hatte, verbrachte dort ganze Tage mit Lesen und Studieren. Deutsch verstand er nur halbwegs. Er schlug sich mit mathematischen Problemen herum und zeichnete mit Kreide geometrische Figuren auf eine Tafel. Als sein Großvater erfuhr, daß der Junge sich auf das Studium weltlicher Bücher verlegt hatte, enterbte er ihn. Euser Heschels Mutter hatte vom vielen Weinen ganz verschwollene Augen. Aber der Junge wich nicht von seinem neuen Weg ab. Oft blieb er zum Nachtmahl bei Jekuthiel. Während dieser das Essen zubereitete, diskutierte er mit Euser Heschel über philosophische Probleme.

»Also, nehmen wir mal an, die Erde hat sich von der Sonne abgespalten ...« – Jekuthiel dozierte im traditionellen Bethaus-Singsang – »... ist damit der Fall erledigt? Es muß trotzdem einen Urgrund aller Dinge geben.«

Euser Heschel verschlang alle diese Bücher. Durch die russischen und polnischen Texte ackerte er sich mit Hilfe von Wörterbüchern, durch die lateinischen mit Hilfe einer *Vulgata,* die sich Jekuthiel vom Priester geliehen hatte. Die »emanzipierten« Juden im nahen Zamosc hörten von dem Jungen und begannen, ihm Bücher aus ihrer eigenen Bibliothek zu schicken. Und Jekuthiel stellte ihm sogar eine Liste jener Werke zusammen, die ihm auch ohne Universitätsstudium zu höherer Bildung verhelfen konnten. Doch Jahr um Jahr verging, ohne daß bei Euser Heschels undisziplinierten Bemühungen viel herausgekommen wäre. Er begann mit dem Studium bestimmter Wissensgebiete, führte es aber nie zu Ende. Er las planlos, einmal dies, einmal das. Die ewigen Fragen ließen ihm keine Ruhe: Gibt es einen Gott, oder ist alles – die Welt und ihre Werke – ein blinder Mechanismus? Ist der Mensch verantwortlich, oder muß er keiner höheren Macht Rechenschaft geben? Ist die Seele unsterblich, oder fällt alles mit der Zeit der Vergessenheit anheim? An den langen Sommertagen ging er – mit einem Stück Brot, einem Bleistift und Papier – in den Wald oder er stieg auf den Dachboden des großväterlichen Hauses, setzte sich auf ein umgedrehtes Wasserfaß und träumte vor sich hin. Tag für Tag beschloß er, das Schtetl zu verlassen, und Tag für Tag wurde dann doch nichts daraus. Er hatte weder das Reisegeld noch eine Vorstellung davon, wie er draußen in der großen Welt seinen Lebensunterhalt verdienen sollte. Seit er vom vorgeschriebenen Pfad abgewichen war, kränkelte seine Mutter. Sie trug keine Perücke mehr, sondern bedeckte ihren Kopf mit einem Schal, wie eine Trauernde. Zuweilen blieb sie tagelang im Bett und las in ihrem Gebetbuch. Seine Schwester Dina beklagte sich darüber, daß sie seinetwegen keinen Ehemann fände. Und Reb Dan Katzenellenbogens Gegner sprachen bereits davon, daß die Gemeinde einen neuen Rabbi bekommen müßte.

Euser Heschels Großmutter Tamar lebte nicht mehr. Sein Vater war verschwunden. Manche sagten, er sei jetzt in Galizien und habe sich eine neue Ehefrau zugelegt. Andere sagten, er sei gestorben. Immer wenn Euser Heschel vom Fortgehen sprach, begann seine Mutter zu zittern. Rote Flecken erschienen auf ihren Wangen.

»Auch du wirst mich im Stich lassen«, schluchzte sie. »Lieber Vater im Himmel!«

Um diese Zeit geschah es, daß Reb Paltiel, einer der Synagogenältesten, seine Frau verlor. Nach der vorgeschriebenen Trauerzeit von dreißig Tagen schickte er einen Heiratsvermittler zu Finkel. Euser Heschels Großmutter mütterlicherseits war von dieser Idee sehr angetan, und seine beiden Onkel redeten seiner Mutter sofort zu. Reb Paltiel versprach, Finkel ein Haus zu überschreiben und Dina eine Mitgift auszusetzen – allerdings nur unter der Bedingung, daß Euser Heschel das Schtetl verlassen würde.

»Der ist mir zu gescheit«, erklärte Reb Paltiel. »Mir behagt nicht, was er tut und treibt.«

Das alles nahm Euser Heschel mit nach Warschau: Seines Großvaters Verwünschungen und Voraussagen, daß es mit ihm kein gutes Ende nehmen werde; seiner Mutter Gebet, der Prophet Elias, der Freund der Freundlosen, möge ihn aus dieser Heimsuchung erretten; und eine vernickelte Taschenuhr von Jekuthiel. Todros Lemel, Leiter der modernen jüdischen Schule in Zamosc, gab ihm ein Empfehlungsschreiben an den gelehrten Dr. Schmarjahu Jakobi, Sekretär der Warschauer Synagoge, mit. Der Brief war in hebräischer Sprache geschrieben, in blumigem Stil und dekorativer Handschrift.

An meinen verehrungswürdigen Lehrer und Ratgeber, den weltberühmten Weisen in Fragen des Rechts und der Aufklärung, Reb Schmarjahu Jakobi, möge sein Licht noch lange leuchten!

Euer Ehren haben meine Wenigkeit zweifellos längst vergessen. Es war mein hohes Privileg, von 1892 bis 1896 im Seminar Euer Schüler sein zu dürfen. Ich lebe jetzt in Zamosc, wo ich als Leiter der Schule »Tora und Wissenschaft« die jungen Söhne Israels die Grundlagen des Judaismus lehre und sie auch in die moderne Wissenschaft einführe. Der junge Mann, der Euer Ehren diesen Brief überbringt, ist, nach der unmaßgeblichen Meinung Eures einstigen Schülers, einer jener nach Höherem Strebenden, deren Zahl leider so gering ist. Sein Großvater, Reb Dan Katzenellenbogen, ist ein hochangesehener, weiser Mann und seit fünfzig Jahren der Hirte seiner Herde in Klein-Tereschpol. Man darf sagen, daß dieser junge Mann, Euser Heschel Bannet, ein echter Sproß seines Großvaters ist. Schon im zarten Kindesalter hat er sich einen Namen gemacht. Hochgelehrte Männer, die ihm bei einem Vortrag zuhörten, konnten sich des Lobes nicht genug tun. Heimlich, verborgen vor den mißbilligenden Blicken der Fanatiker seines Heimatortes, hat er mit Hilfe von Wörterbüchern gelernt, europäische Sprachen zu lesen. In der Algebra ist er bis zu den Logarithmen gelangt. Seine Seele lechzt aber auch nach Philosophie. In seinem entlegenen Dorf gibt es viel zuwenig aufgeklärte Bücher; durch einen Handlungsreisenden, der an den Markttagen zu uns kommt, habe ich ihm Werke über Geschichte, Naturwissenschaft, Psychologie und alles andere, wonach sein Herz verlangt, überbringen lassen. Aber sein geistiger Hunger ist schwer zu stillen. Ich weiß, daß Euer Ehren stets danach getrachtet haben, junge Menschen zu ermutigen, die sich danach sehnen, vom Born der Weisheit zu trinken, und ich bete darum, daß dieser Neophyt Gnade vor Euren Augen finden möge. Es ist sein Herzenswunsch, als externer Schüler das Gymnasium zu absolvieren und auf die Universität zu gehen, die der Tempel der Wissenschaft und die Schwelle zu einem respektablen Lebensunterhalt ist. Ich möchte hinzufügen, daß ihm bereits viele Töchter aus wohlhabendem Hause angetragen wurden, daß er aber alle Angebote ausgeschlagen hat, weil er nach Aufklärung lechzt. Um seiner Suche nach Wahrheit willen hat er schon viele Schikanen erdulden müssen. Er ist willens, von Wasser und Brot zu leben, um das hohe Ziel seines Herzens zu erreichen. Ich könnte noch viel mehr Lobesworte über den jungen Euser Heschel Bannet schreiben, und ich könnte viel über das Leben hier in Zamosc berichten und über den Kampf, den wir gegen die Fanatiker führen müssen; die Erleuchtung, die alle Winkel der westlichen Welt erhellt, ist –

zu unserer großen Schande sei es gesagt – noch nicht in unsere Städte vorgedrungen, und viele Menschen wandeln noch in der Sonnenfinsternis. Doch das ist ein zu weites Feld für diesen Brief.

Ich bleibe Euch, mein Lehrer und Ratgeber, mit starken Banden der Liebe verbunden als Euer Schüler Todros Lemel, Gründer und Leiter der Schule »Tora und Wissenschaft« für die jungen Söhne Israels in der Stadt Zamosc.

3

Dr. Schmarjahu Jakobi, Sekretär der Synagoge in der Tlomatska, hatte in den letzten Jahren wenig mit den Kontobüchern des Tempels zu tun gehabt: Er befaßte sich mit gelehrteren Dingen. Seine Frau hatte schon lange das Zeitliche gesegnet, seine Kinder waren alle verheiratet. Er verbrachte seine Tage und die halben Nächte damit, ein Buch über die Geschichte der Kalender zu schreiben. Außerdem übersetzte er Miltons *Lost Paradise* ins Hebräische. Er war in den Siebzigern, ein schmächtiger Mann mit gekrümmtem Rücken und einem kleinen Kopf, der mit einem sechseckigen Käppchen bedeckt war. Das Grau seines schütteren Bartes hatte sich ins Gelbliche verfärbt. Seine grauen Augen waren hinter einer blaugetönten Brille verborgen.

Er schickte sich gerade an, auf eine Leiter zu steigen, um ein Buch aus dem oberen Fach des Regals zu holen. Auf jeder Stufe hielt er eine Weile inne. Er nahm einen Band aus einem der unteren Fächer, schlug ihn auf und spähte durch ein Vergrößerungsglas.

»Ja, ja, ja. Schmonzes, eitles Geschwätz ...«, murmelte er vor sich hin. Sein Jiddisch hatte einen gepflegten deutschen Tonfall.

Die Tür wurde geöffnet, und der Schammes kam herein – ein Mann mit rötlichem Gesicht und gekräuseltem Bart. Er trug einen Alpaka-Überzieher, eine gestreifte Hose und eine breite, tiegelförmige Kappe.

»Herr Professor, ein junger Mann ist da, mit einem Brief.«

»Was? Wie heißt er? Was will er? Ich habe keine Zeit.«

»Das habe ich ihm bereits gesagt, aber er hat einen Brief.

Irgendein Schreiben von einem Schüler des Herrn Professors.«

»Was denn für ein Schüler? Ich habe keinen Schüler!« Der Alte begann zu schwanken, die Leiter ebenfalls.

»Dann schicke ich ihn weg.«

»Moment mal! Er soll hereinkommen. Ständig stört man mich bei der Arbeit!«

Der Schammes ging hinaus. Der Alte kletterte die Leiter herunter, blieb mit wackligen Beinen daneben stehen und hob das Vergrößerungsglas an die Augen, als wollte er den Besucher durch die Lupe betrachten. Euser Heschel öffnete die Tür und blieb unsicher an der Schwelle stehen.

»Nu, nu, treten Sie doch ein!« sagte der Alte ungeduldig. »Wo ist der Brief?«

Er grapschte nach dem Kuvert, nahm den Briefbogen zwischen die dürren Finger und hielt ihn dicht an seine blaugetönte Brille. Eine ganze Weile rührte er sich nicht. Fast so, als wäre er im Stehen eingeschlafen. Plötzlich wendete er den Briefbogen um. Euser Heschel nahm sein Samtkäppchen ab. Seine flachsblonden Schläfenlocken waren schon gestutzt; nur hinter seinen Ohren waren noch kleine Haarbüschel zu sehen. Nach einigem Zögern setzte er sein Käppchen wieder auf.

»Nu ja, soso«, sagte der Professor sarkastisch. »Die alte Geschichte. Enkel eines Rebbe, Philosoph, externer Schüler – immer das gleiche, genau wie vor fünfzig Jahren.«

Er wendete das Blatt wieder um, als könnte er zwischen den Zeilen noch irgend etwas entdecken. Dann wechselte er plötzlich von der gepflegten deutschen Aussprache zu unverblümtem Jiddisch über.

»Warum haben Sie sich mit diesem Mumpitz abgegeben, statt ein Handwerk zu erlernen?«

»Man hat mich keines erlernen lassen.«

»Es ist nie zu spät dafür.«

»Ich möchte lieber studieren.«

»Was stellen Sie sich denn unter ›studieren‹ vor? Mit Ihren Logarithmen werden Sie niemanden beeindrucken. Wie alt sind Sie?«

»Neunzehn.«

»Um jetzt noch damit anzufangen, ist's zu spät. Alle externen Schüler versagen beim Examen. Und wenn sie's bestehen, werden sie an der Universität nicht aufgenommen. Dann gehen sie in die Schweiz und kommen als gelernte Schnorrer zurück.«

»Ich werde bestimmt kein Schnorrer.«

»Wenn Sie hungrig genug sind, werden Sie einer. Sie sind noch jung und unerfahren. Nu ja, es stimmt schon, daß wir Köpfchen haben, wir Juden. Aber niemand will unseren Grips. Lesen Sie, was vor langer Zeit die Weisen geschrieben haben – des armen Mannes Weisheit wird verschmäht!«

»Ich möchte um meiner selbst willen studieren.«

»Schmonzes! Ohne Brot kein Studium. Wie steht's mit Ihrer Gesundheit? Husten Sie? Spucken Sie Blut?«

»Gott bewahre!«

»Die meisten werden krank und müssen in ein Sanatorium geschickt werden. Und manche werden so mutlos, daß sie konvertieren.«

»Ich werde bestimmt nicht konvertieren.«

»Jaja, Sie wissen alles schon im voraus. Aber wenn Ihre Stiefel zerschlissen sind und Sie kein Dach über dem Kopf haben, laufen Sie schnurstracks zu den Missionaren.«

»Vielleicht kann ich Nachhilfeunterricht geben«, warf Euser Heschel ein und wischte sich mit einem blauen Taschentuch den Schweiß vom Gesicht.

»Was reden Sie da? Sie wissen ja selber noch viel zuwenig. Nehmen Sie mir meine Offenherzigkeit nicht übel. Ich bin ein alter Mann und werde bald sterben, deshalb nehme ich kein Blatt vor den Mund. Sie wissen nicht, wie die Dinge wirklich liegen.« Er ging ein paar Schritte auf Euser Heschel zu und sagte in etwas milderem Ton: »Heutzutage herrscht kein Bildungsmangel. Jeder studiert. Hier in der Synagoge haben wir einen Pförtner, dessen Sohn auch mit Logarithmen rechnen kann. Vielleicht besser als Sie. Polnisch und Russisch kann er bestimmt besser und außerdem ist er jünger als Sie. Und obendrein ist er Christ; ihm stehen alle Türen offen. Wie wollen Sie es denn mit so einem aufnehmen?«

»Ich will es mit niemandem aufnehmen.«

»Das müssen Sie aber. So ist nun mal das Leben – ein ständiger Konkurrenzkampf. Unsere jungen Burschen haben nirgends eine Chance. Nicht einmal im Ausland. Warum sind Sie nicht verheiratet?«

Euser Heschel schwieg.

»Wieso denn nicht? Ein junger Mann muß doch irgendwann heiraten. Dann hat er wenigstens eine Frau und Kost und Logis in ihrem Elternhaus. Und wie es dann weitergehen soll – das können wir getrost dem Allmächtigen überlassen. Hier kann man verhungern, kein Mensch schert sich darum. Tut mir leid, junger Mann, aber ich kann Ihnen nicht weiterhelfen. Sie sehen ja, ich bin fast blind.«

»Ich sehe das ein und bitte um Entschuldigung. Vielen Dank und guten Tag!«

»Nein, gehen Sie noch nicht! Andere fallen einem auf die Nerven, und Sie wollen einfach weglaufen. Wenn Sie obendrein auch noch stolz sind, werden Sie sich bestimmt nicht über Wasser halten können.«

»Sie haben doch sicher keine Zeit für mich.«

»Meine Zeit ist keinen Pappenstiel wert. Ich gebe Ihnen zunächst ein paar Zeilen an Schatzkin mit, den Geschäftsführer der Suppenküche für Intellektuelle. Dort bekommen Sie kostenlose Mahlzeiten.«

»Ich will aber keine kostenlosen Mahlzeiten.«

»Oi, oi! Stur ist er obendrein! Das Essen dort ist nicht kostenlos. Es wird von den Reichen bezahlt. Rothschild wird Ihretwegen nicht arm werden.«

Er winkte Euser Heschel zu einem kleinen Ledersofa, dann setzte er sich an den Schreibtisch und tauchte die Feder in ein halbvertrocknetes Tintenfaß. Ächzend begann er, etwas zu kritzeln. Er schüttelte den Federhalter und machte einen Klecks aufs Papier. Die Tür wurde geöffnet, und wieder kam der Schammes herein.

»Herr Professor, Abram ist da.«

»Abram? Welcher Abram?«

»Abram Schapiro. Meschulam Moschkats Schwiegersohn.«

Auf dem pergamentgelben Gesicht des Alten erschien ein mildes Lächeln.

»Ach – *der*! Dieser Zyniker. Er soll hereinkommen.«

Noch ehe er ausgeredet hatte, wurde die Tür aufgerissen, und ein massiger Mann erschien. Er hatte einen pechschwarzen, quadratischen Bart und trug einen wallenden Mantel und einen breitkrempigen Plüschhut. Statt einer Krawatte hatte er sich einen Seidenschal um den Hals geschlungen. Auf seiner Samtweste baumelte eine goldene Uhrkette. Sein gezwirbelter Spazierstock hatte einen zweiteiligen Griff, der wie ein Hirschgeweih aussah und mit Silber und Bernstein verziert war. Der Mann war so groß, daß er an der Türschwelle den Kopf einziehen mußte. Seine breiten Schultern streiften die Türpfosten. Im Mund hatte er eine dicke Zigarre stecken. Er roch nach Tabak, vermischt mit einem Hauch von parfümierter Seife und irgend etwas Angenehmem, Kosmopolitischem. Dr. Schmarjahu Jakobi ging auf ihn zu. Der Besucher nahm die ausgestreckte Hand des Alten in seine behaarten Pratzen.

»Herr Professor!« rief er mit dröhnender Stimme. »Ich bin gerade zwischen der Tlomatska und der Bielanska herumgeschlendert, und da ist mir der Einfall gekommen – geh doch mal hinein und erkundige dich, wie es unserem guten Professor Jakobi geht! Ich war, wenn ich das sagen darf, mit einer Dame verabredet, aber sie hat mich versetzt. Wir wollten uns im Hotel Krakau treffen. Der Teufel soll sie holen! Also wirklich, Herr Professor, Sie werden von Tag zu Tag jünger! Ich dagegen fühle mich so alt wie Methusalem. Ich steige eine Treppe hinauf und bekomme Herzklopfen wie ein Dieb, hinter dem die Polizei her ist. Du meine Güte, Bücher über Bücher! Sie schreiben und erklären, diese gelehrten Männer, aber wenn's um das geht, worauf es ankommt, ist alles bloß Blabla. Nu, wie geht's denn, lieber Professor? Wie kommen Sie mit Ihrem Buch über die Kalender voran? Und wie lauten die neusten Nachrichten vom Himmel? Schließlich sind Sie Astronom. Hier unten auf der Erde ist doch alles ein einziger kolossaler Fehler. Es reicht, um einen verrückt zu machen. Was ich heute mitgemacht habe – so einen Tag müßten die Antisemiten erleben! Streit mit jedermann! Mit meiner Frau, meinem Schwiegervater und den Kindern! Sogar mit dem Dienstmädchen! In ganz Warschau bin ich herumgerannt. Ich war bei Dr. Mintz. ›Sie dürfen sich nicht aufregen‹, sagt er. ›Das ist schlecht für Ihren Bauchnabel.‹ ›Aha‹, sage ich,

›ein guter Kniff, wenn man's fertigbringt. Versuchen Sie's doch mal, Herr Doktor‹, sage ich. Er bildet sich ein, ich brauche mich bloß aufs Sofa zu legen, die Gucker zumachen, und alles ist in Ordnung. Aber das ist nicht meine Art, Herr Professor. Ich muß brüllen wie ein Löwe. Verstehen Sie, Professor? Wenn es mir nicht peinlich wäre, würde ich so laut brüllen, daß ganz Warschau einstürzt. Wer ist denn dieser junge Mann? Warum hockt er wie eine junge Katze da?«

Während Abrams Redeschwall hatte der alte Professor unentwegt gelächelt (wobei sein zahnloses Zahnfleisch zu sehen war) und den Kopf gewiegt. Anscheinend hatte er gar nicht mehr an den jungen Burschen aus Klein-Tereschpol gedacht. Jetzt drehte er sich um, starrte ihn an und strich sich über die gelbliche Stirn.

»Dieser junge Mann? Ach ja. Ich muß ihm einen Brief mitgeben. An die Armenküche.«

»Nein, danke. Ich will keinen Brief, ich brauche keinen«, sagte Euser Heschel schüchtern. »Ich habe Geld.«

Abram machte eine überraschte Geste, dann klatschte er Beifall. »Haben Sie das gehört, Herr Professor? Er hat Geld!« rief er schallend. »Zum ersten Mal in meinem Leben treffe ich jemanden, der zugibt, daß er Geld hat. Warum sind Sie denn so schweigsam? Seit vierzig Jahren bin ich auf der Suche nach einem solchen Menschen, und hier sitzt er, als ob er ein Niemand wäre. Schämen Sie sich, Professor! Was soll *der* denn in der Armenküche?«

»Er ist nach Warschau gekommen, um zu studieren. Der Enkel eines Rebbe – ein Wunderkind.«

»Tatsächlich? Es gibt also immer noch solche Exemplare? Und ich dachte, diese ganze Spezies sei ausgestorben, genau wie der Auerochse, wenn Sie mir diesen Vergleich verzeihen wollen. Ich möchte mir diesen jungen Mann mal genauer ansehen. Herr Professor, was für einen Segensspruch spricht man denn über eine solche Rarität? Was will er denn studieren?«

»Er hat ein Empfehlungsschreiben. Aus Zamosc.«

»Wo ist es? Das möchte ich lesen!«

Euser Heschel zog den zerknitterten Briefbogen aus der Tasche. Abram riß ihm das Blatt aus der Hand und wendete es hin und her. Dann las er, im psalmodierenden Synagogen-Tonfall, die hochgestochenen, blumigen hebräischen Sätze. Sein Gesicht strahlte, sein Bart bebte, seine Brauen hoben und senkten sich, seine Backen plusterten sich auf. Die Wörter, die er mit polnischem Akzent aussprach, hatten einen verwaschenen Klang, in dem dumpfe Untertöne mitschwangen. Nach jedem Lobeswort über Euser Heschel warf Abram ihm einen Blick zu, und seine großen Augen funkelten. Als er zu Ende gelesen hatte, schlug er mit der Faust auf den Tisch. Um ein Haar wäre das Tintenfaß heruntergefallen.

»Dann gibt es also doch noch etwas, wofür es sich zu leben lohnt!« rief er begeistert. »Die Tora gibt es noch und Juden und weise Männer und die Aufklärung! Und ich Schafskopf dachte, wir wären erledigt. Kommen Sie, junger Mann! Sie werden heute abend nicht in der Suppenküche essen!«

Er packte Euser Heschel bei den Schultern und zerrte ihn vom Sofa hoch.

»Sie essen heute abend bei mir! Ich heiße Abram Schapiro. Keine Bange, es wird koscher gekocht. Selbst wenn Ihnen Schweinefleisch lieber wäre, bekommen Sie koscheres Essen.«

Er begann zu lachen. Die kehligen, gurgelnden Laute, die er dabei ausstieß, klangen beinahe unheimlich. Tränen rollten ihm über die Wangen. Sein Gesicht lief dunkelrot an. Er zog ein seidenes Taschentuch heraus, schneuzte sich und dachte daran, daß Dr. Mintz ihm geraten hatte, nicht wegen jeder Kleinigkeit außer sich zu geraten, falls er nicht wieder einen Herzanfall bekommen wollte.

4

Die Stufen, die von Schmarjahu Jakobis Büro ins Erdgeschoß führten, waren breit und frisch geputzt. Auf beiden Seiten des unteren Treppenabsatzes standen Spucknäpfe. Durch das hohe Fenster schien die fahle Wintersonne. Draußen war die Luft trocken und frostig. Im Hof der Synagoge, am Eisengitter einer kleinen Gartenanlage, hüpften dünnbeinige Spatzen herum und pickten Samenkörner. Aus dem mit blauen Vorhängen drapierten Fenster des Rabbiners drang leises Klaviergeklimper. Abram stapfte mit seinem Spazierstock über den Asphalt. Nach ein paar Schritten blieb er wie angewurzelt stehen und preßte die Hand auf die linke Brustseite.

»Verstehen Sie was von solchen Dingen? Ich gehe doch ganz gemächlich, aber mein Herz galoppiert. Warten Sie ein paar Minuten, ich muß mich verschnaufen.«

»Ich habe Zeit.«

»Wie war doch gleich Ihr Name?«

»Euser Heschel Bannet.«

»Ach ja, Euser Heschel. Wissen Sie, die Sache ist so: Ich nähme Sie gern mit nach Hause, aber ich hatte gerade eine Auseinandersetzung mit Hama, meiner Frau. Ein Jammer! Ich habe zwei sehr nette Töchter. Zu gut für mich. Aber keine Bange, ein Streit kann ja nicht ewig dauern. Zum Mittagessen bin ich bei meinem Schwager eingeladen. Er heißt Njunje. Ein Bruder meiner Frau. Ein netter Kerl. Hat Charakter. Seine Frau, Dache, ist sehr fromm. Strenggläubig. Die Tochter eines Rebbe. Vielleicht haben Sie schon mal von meinem Schwiegervater gehört – Meschulam Moschkat.«

»Nein.«

»Ein Jude, der viel Grips, aber kein Herz hat. Ein Spitzbube. Reich wie Krösus. Also, wir nehmen jetzt eine Droschke und fahren zu Njunje. Sie sind herzlich eingeladen. Ach ja, dort findet heute so etwas wie eine Zusammenkunft statt. Ein paar Gäste. Mein Schwiegervater – gestraft soll er sein! – ist auf die Idee verfallen, wieder zu heiraten. Eine Galizierin. Die jetzt also meine Stiefschwiegermutter ist. Sie hat eine Tochter, die ist jetzt – Moment mal! – die Stiefschwester meiner Frau. Ja, daran ist nichts mehr zu ändern – alles fein säuberlich verpackt und verschnürt, mit einem Doppelknoten. Ehefrau Nummer drei...«

»Entschuldigen Sie«, sagte Euser Heschel nach kurzem Zögern, »aber es ist vielleicht besser, wenn ich nicht mitkomme.«

»Was? Warum denn nicht? Ist es Ihnen peinlich? Genieren Sie sich? Hören Sie mal zu, mein Junge! Warschau ist kein Kaff wie Ihr... Wie heißt es doch gleich? Untertereschpol? Hier in Warschau muß man sich sehen lassen. Außerdem ist mein Schwager ein unkomplizierter Mensch. Und fast so etwas wie ein Gelehrter. Und seine Tochter Hadassa – die ist eine Schönheit. Man braucht sie bloß anzusehen, und schon ist man hin. Wäre ich nicht ihr Onkel, dann wäre bestimmt auch ich hinter ihr her. Übrigens – vielleicht kann sie Ihnen Privatunterricht geben. Mal sehen, wie spät es jetzt ist. Genau halb zwei. Das Mittagessen wird dort um zwei Uhr eingenommen. Sie wohnen in der Panska. Mit der Droschke sind wir in spätestens einer Viertelstunde dort. Jetzt gehe ich erst mal in das Restaurant da drüben, um zu telefonieren. Ich möchte herauskriegen, warum mich dieses Weibsbild versetzt hat. Kommen Sie mit hinüber und warten Sie auf mich!«

Sie überquerten die Straße und gingen durch eine Glastür in ein großes Speiselokal mit rotgetünchten Wänden und unzähligen Spiegeln. An der Stuckdecke hing ein prächtiger Kristall-Lüster. Kellner, jeder mit einer weißen Serviette über dem Arm, eilten hin und her. Ihr Spiegelbild bewegte sich die Wände entlang. Jemand spielte auf einem Pianoforte. Es roch nach Schnaps, Bier, Braten und Gewürzen. Ein großer, korpulenter Mann mit einer Glatze so rund wie ein Teller und einem rotglänzenden Nacken tauchte seinen Schnauzbart in einen schaumgekrönten Bierkrug. Ein schmächtiger Mann, der sich die Serviette in den Kragen gesteckt hatte, beugte sich über einen Teller mit Fleisch und hantierte mit Messer und Gabel, daß es nur so klirrte. Ein Mädchen in weißer Schürze, blond, mit blaugeschminkten Augenlidern und Rouge auf den Wangen, stand hinter einem Büfett, das mit allen möglichen Flaschen, Gläsern, Tabletts und Tellern beladen war, und goß aus einer Karaffe grünlichen Likör in ein Glas. Abram verschwand irgendwohin. Euser Heschel fühlte sich so schwindlig, als hätte ihn allein schon der Alkoholdunst betrunken gemacht. Um ihn herum schien alles zu schwanken, und er konnte nicht mehr klar sehen. Plötzlich tauchte eine Gestalt vor ihm auf, erschreckend vertraut und zugleich verwirrend fremd. Es war sein eigenes Gesicht, das ihn aus einem Spiegel anstarrte.

»Du!« flüsterte er seinem Spiegelbild zu. »Habenichts!«

Gestern abend hatte er sein Gesicht glattrasiert. Jetzt war sein Kinn wieder von leichtem Flaum bedeckt. Sein Hemdkragen war zerknittert. Sein Adamsapfel schnellte auf und ab. Vor der Abreise aus Klein-Tereschpol hatte sich Euser Heschel einen neuen Überzieher gekauft, der jetzt, in diesem strahlend beleuchteten Restaurant, schäbig wirkte, zu eng für ihn, mit schlecht sitzender Schulterpartie. Seine Stiefelkappen krümmten sich nach oben. Er wußte, daß es durchaus vernünftig war, Beziehungen zu den wohlhabenden Familien anzuknüpfen, bei denen ihn dieser Fremde einführen wollte. Schüchternheit war, Spinoza zufolge, eine Empfindung, gegen die man ankämpfen mußte. Aber je länger er sich in diesem prächtigen Restaurant aufhielt, desto armseliger kam er sich vor. Ihm war, als ob alle ihn anstarrten und verächtlich blinzelten und lächelten. Ein Kellner streifte ihn im Vorübergehen. Die Bedienung hinter dem Büfett feixte, ihre blendendweißen Zähne blitzten. In einer plötzlichen Anwandlung wollte er die Tür aufreißen und wegrennen. Im selben Moment sah er Abram, reflektiert von den Spiegeln, auf sich zueilen.

»Kommen Sie! Höchste Zeit!«

Er faßte Euser Heschel am Arm und ging mit ihm hinaus. Eine Droschke fuhr vor. Abram schob den jungen Mann vor sich her, stieg ein und ließ sich auf den Sitz fallen. Die Sprungfedern ächzten unter dem Gewicht seines Hinterteils.

»Ist es weit?« fragte Euser Heschel.

»Keine Bange, die werden Sie schon nicht auffressen. Benehmen Sie sich nicht wie ein Grünschnabel!«

Unterwegs wies er ihn auf Straßen und Gebäude hin. Sie fuhren an einem Bankhaus mit Säulenportal vorbei; an Geschäften, die Goldmünzen und Lotterielose ausgestellt hatten; an einer Ladenzeile, wo vor jeder Tür ein Sack Knoblauch sowie eine Kiste Zitronen stand und ein Strang Dörrpilze aufgehängt war. Am Eisernen-Tor-Platz gab es eine Menge zu sehen: eine Grünanlage, ein von Bänken gesäumtes Geviert, einen Saalbau für Hochzeitsfeiern, einen Markt. Hausmeister kehrten Abfall zusammen. Ein Geflügelhändlerslehrling, dessen Ärmel blutbespritzt waren, hatte seine liebe Not mit einer Schar Truthähnen. Sie wollten ihm entwischen, wurden dann aber von einem Mann, der mit einem Stock herumfuchtelte, an der Flucht gehindert. Inmitten dieses Lärms bewegte sich ein Trauerzug. Die Pferde, die den Leichenwagen zogen, waren schwarz drapiert. Ihre Augen mit den riesigen Pupillen spähten durch die Sehschlitze. Abram schnitt eine Grimasse.

»Ich kann mich mit allem abfinden, Bruderherz, bloß nicht mit dem Gedanken, daß auch ich einmal eine Leiche sein werde. Alles, bloß das nicht!«

Er hielt ein Zündholz an seine Zigarre, doch der Wind blies die Flamme aus. Halb stehend strich er ein zweites Zündholz an. Die jähe Gewichtsverlagerung brachte die Droschke fast zum Kippen.

Er stieß den Rauch aus und wandte sich wieder Euser Heschel zu. »Sagen Sie mal, junger Mann, haben Sie in Ihrem Heimatort irgendein Techtelmechtel gehabt?«

»O nein!«

»Warum werden Sie denn rot? In Ihrem Alter war ich hinter jeder Schickse her.«

Als sie durch die Grzybowstraße fuhren, zeigte er ihm das Haus seines Schwiegervaters. Ein Bäckermädchen, das mit einem Korb voller ofenfrischer Brotlaibe am Tor stand, nickte ihm zu, worauf er leutselig zurückwinkte. Auf der Twarda puffte er Euser Heschel in die Seite und deutete hinaus.

»Da drüben war früher das Bialodrewner Bethaus. Ich bin Mitglied dieser Gemeinde.«

»Dann sind Sie Chassid?«

»An Feiertagen setze ich sogar einen Schtrajml auf.«

Ein kalter Windstoß fegte herein. Dicke Wolken verdeckten die Sonne. Der Himmel färbte sich blaugrün. Die Luft roch nach Hagel und Schnee. Euser Heschel schlug den Mantelkragen hoch. Er war immer noch erschöpft von der Reise. Er konnte nicht richtig durch die Nase atmen und hatte Kopfweh. Ihm war zumute, als wäre er schon jahrelang von zu Hause fort. »Auf was lasse ich mich denn da ein?« fragte er sich. Er schloß die Augen und hielt sich am Seitengriff fest. Aus der Dunkelheit tauchte eine geisterhafte Blume vor ihm auf, in blendendes Sonnenlicht getaucht, mit halb geöffneten Blütenblättern und dennoch körperlos. Es war die Vision, die er immer dann hatte, wenn er zutiefst verwirrt war. Es verlangte ihn danach, zu beten – aber zu wem hätte er denn beten sollen? Um seinetwillen würde das göttliche Gesetz nicht geändert werden.

Die Droschke hielt. Euser Heschel öffnete die Augen. Er stieg aus, vor einem vierstöckigen Haus in einer schmalen, unebenen Straße mit Kopfsteinpflaster. Abram griff in einen Geldbeutel aus Sämischleder und zog eine Silbermünze heraus. Das Pferd wandte den Kopf – mit jenem merkwürdigen Anflug von Neugier, mit dem Tiere zuweilen menschliche Gesten nachzuahmen scheinen. Eine Tür mit Milchglasscheiben führte in das Haus, in dem Njunje Moschkat wohnte. Die beiden stiegen eine Treppe hinauf, deren Marmorstufen staubig und ungepflegt waren. Aus einer Zahnarztpraxis im ersten Stock roch es penetrant nach Jod und Äther, und in dem Spucknapf auf dem Treppenabsatz lag ein blutgetränkter Wattebausch. Im zweiten Stock war an einer Doppeltür aus Mahagoni ein Messingschild, auf dem – in Polnisch und Jiddisch – der Name »Nachum Leib Moschkat« eingraviert war. Abram läutete. Ein schrilles Klingeln ertönte. Euser Heschel rückte seinen Hut gerade und warf einen Blick über die Schulter, als wollte er im letzten Moment die Flucht ergreifen.

5

Die Tür wurde von einer drallen Dienstmagd geöffnet, die einen üppigen Busen hatte und ein geblümtes Tuch um die Schultern trug. Ihre bloßen Füße steckten in Plüschpantoffeln. Sie hatte Grübchen in den Wangen. Als sie Euser Heschel sah, warf sie Abram einen fragenden Blick zu, worauf dieser ihr zunickte.

»Ich habe den jungen Mann mitgebracht. Schifra, mein Täubchen, du bist wohl nicht gerade begeistert über mein Erscheinen? Und dabei habe ich dir etwas mitgebracht!«

Er zog ein Schächtelchen aus der Tasche und überreichte es ihr. Schifra wischte sich erst die Hand an der Schürze ab, um den bunten Deckel nicht schmutzig zu machen.

»Sie vergessen nie, mir etwas mitzubringen. Das ist doch wirklich nicht nötig!«

»Ach was! Weibergeschwätz! Sag mal, ist die Gnädige aus Galizien schon da?«

»Ja.«

»Ihre Tochter auch?«

»Sie sind beide im Salon.«

»Was brutzelst du denn? Man kann's bis in den Flur riechen.«

»Keine Bange – ich werde Sie schon nicht vergiften!«

Abram zog den Mantel aus. Unter den Ärmeln seines Jacketts kamen gestärkte weiße Manschetten zum Vorschein. Brillanten glitzerten auf den goldenen Manschettenknöpfen. Er nahm den Hut ab, stellte sich vor einen Spiegel und kämmte sorgfältig ein paar lange Haarsträhnen über seine Glatze. Euser Heschel schlüpfte aus seinem Überzieher. Er trug einen Kaftan. Um den Hemdkragen hatte er sich eine schmale Krawatte geschlungen.

»Kommen Sie, junger Mann!« sagte Abram. »Nur keine Angst!«

Der Salon, in den er ihn führte, war sehr geräumig. Er hatte drei Fenster. An den Wänden hingen Porträts in Goldrahmen: bärtige Juden, alle mit Scheitelkäppchen, und ihre Ehefrauen – eine jede mit Perücke und Haube. Große Sessel mit langen, goldfarbenen Fransen standen herum. In einer Ecke hing ein reichgeschnitzter Regulator. Rosa Frumetl saß auf einem mit Brokat bezogenen Sofa. In der einen Hand hielt sie ein Gläschen Likör, in der anderen ein Plätzchen. Neben dem Sofa stand ein niedriger Tisch mit einem Telefonapparat. Dache, Njunjes Frau, ausgemergelt, dunkel wie eine Krähe, die traditionelle Perücke auf dem Kopf und ein Seidentuch um die Schultern, sprach gerade in die Muschel.

»Was? Bitte lauter!« sagte sie mit auffallend gedehntem Akzent. »Ich verstehe kein Wort. Was?«

Adele saß auf der anderen Seite des Salons am Klavier. Sie trug einen plissierten Rock und eine weiße gestickte Bluse mit spitzenbesetzten Manschetten und einem breiten, altmodischen, gestärkten Kragen. Ihr Haar schimmerte im Sonnenlicht, das durch die Gardinen drang.

Abram faßte Euser Heschel am Ellenbogen, als wollte er den schüchternen jungen Mann am Davonlaufen hindern.

»Guten Tag allerseits!« rief er. »Wo ist Njunje?«

Dache winkte ihm vom Telefon her zu. Adele legte die Noten, in denen sie geblättert hatte, beiseite und stand auf. Rosa Frumetl wandte sich den beiden Männern zu.

»Wozu denn diese Förmlichkeit?« sagte Abram zu ihr und

ihrer Tochter. »Ich bin Abram. Abram Schapiro, Reb Meschulam Moschkats Schwiegersohn.«

»Ich weiß, ich weiß«, beteuerte Rosa Frumetl mit unverkennbar galizischem Akzent. »Er hat mir von Ihnen erzählt. Das ist meine Tochter Adele.«

»Sehr erfreut«, murmelte das Mädchen auf polnisch.

»Diesen jungen Mann habe ich eben erst kennengelernt. Euser Heschel Bannet. Befreundet mit dem Sekretär der Synagoge in der Tlomatska, dem berühmten Talmudgelehrten. Sie haben vielleicht schon von ihm gehört – Dr. Schmarjahu Jakobi.«

»Ich glaube schon.«

Eine Tür ging auf, und Njunje kam herein. Ein kleinwüchsiger Mann mit einem Spitzbauch und auffallend buschigem Haar, auf dem ein Käppchen thronte. Sein blonder Bart war sorgfältig gekämmt. Er trug einen weinroten Hausmantel. Abram ließ Euser Heschels Arm los, stürmte auf Njunje zu, faßte ihn um die Taille und hob ihn hoch – dreimal. Njunje, dessen kleine Füße in blankgewichsten Lederpantoffeln steckten, strampelte. Als wäre sein Schwager eine Schaufensterpuppe, stellte ihn Abram wieder hin und brach in schallendes Gelächter aus.

»Sei gegrüßt, mein Freund und Schwager!« trompetete er. »Gib mir einen Fünfer!« Er hielt ihm die Hand hin.

»Du meschuggener Kerl!« ächzte Njunje. »Wer ist denn der junge Mann?«

»Was ist hier eigentlich los? Was soll dieser Radau? Abram, laß diese Mätzchen!« Dache hatte ihr Telefongespräch beendet und stellte den Apparat hin. »Wer ist der junge Mann?« Sie streckte die Hand mit den spitz zulaufenden Fingern aus.

»Das ist eine lange Geschichte. Also, ich fange mit dem Anfang an. Er ist ein Wunderkind, ein Genie, ein Mathematiker, ein Gelehrter, ein Hansdampf in allen Gassen. Einer von denen, die heute stumm sind wie ein Fisch und morgen in der Brüsseler Universität verkünden, daß wir Juden kein Volk, sondern eine Religionsgemeinschaft sind und daß die Ostjuden die Luft verpesten.«

»Der Kerl ist übergeschnappt! Abram, du bringst den jungen Mann ja ganz durcheinander! Achten Sie nicht auf ihn – er meckert bloß, wie ein Ziegenbock! Wo kommen Sie her, junger Mann?«

»Aus Klein-Tereschpol.«

»Klein... *Wie* heißt das?«

»Klein-Tereschpol.«

»Wo liegt denn das? Ein komischer Name!«

»In der Nähe von Zamosc.«

»Gott der Gerechte! So viele unbekannte Ortschaften! Sind Sie wirklich Mathematiker?«

»Ich habe ein bißchen studiert.«

»*Sie* sind bescheiden, und *er* prahlt. Jedenfalls bleiben Sie zum Essen hier. Und nun möchte ich Sie mit unseren Gästen bekanntmachen. Das ist Rosa Frumetl, die Frau meines Schwiegervaters, und das ist ihre Tochter... wie war doch gleich dein Vorname, meine Liebe? Ach ja, Adele.«

»Darf ich fragen, wo Sie Mathematik studiert haben?« erkundigte sich Adele in sehr gewähltem Ton.

Euser Heschel wurde rot. »Ich habe für mich allein gelernt«, stammelte er. »Aus Büchern.«

»Elementare oder höhere Mathematik?«

»Ich weiß nicht so recht...«

»Na, analytische Geometrie zum Beispiel, oder Differentialrechnung.«

»O nein, so weit fortgeschritten bin ich noch nicht.«

»Ich schon, aber ich halte mich nicht für einen Mathematik-Experten.«

»Das würde ich von mir auch nie behaupten.«

»Adele, warum nimmst du ihn denn ins Kreuzverhör?« mischte sich Rosa Frumetl ein. »Wenn man dir sagt, er sei Mathematiker, dann ist er das auch.«

»Solches Gerede ist heutzutage üblich. Jeder Jeschiwa-Schüler ist ein zweiter Newton.«

»Es ist kein Gerede – es ist die Wahrheit!« rief Abram. »In unseren armseligen Seminaren gibt es mehr Genies als in sämtlichen Universitäten.«

»Ach, wissen Sie, ich war in der Schweiz und habe diese Genies gesehen. Es mangelt ihnen an Allgemeinbildung.«

»Adele, Tochterleben, was redest du denn da? Jeder weiß, daß das Torastudium den Verstand schärft!« Offenbar hatte

Rosa Frumetl ständig ein wachsames Auge auf ihre Tochter, um notfalls deren scharfe Zunge zu bremsen.

»Das ist doch Mumpitz!« sagte Njunje. »Auch ich habe die Tora studiert, aber wenn's um etwas Wichtiges geht, habe ich ein Brett vor dem Kopf.«

»Du hast schon immer ein Brett vor dem Kopf gehabt«, erklärte Dache.

»Schon wieder Zores!« rief Abram. »Jedesmal wenn ich mich mit meiner Hama zanke, kann ich darauf wetten, daß die anderen Familienmitglieder ebenfalls aneinandergeraten. Dieser junge Mann hat ausgezeichnete Empfehlungen vorzuweisen – und obendrein ist er ein Philosoph! Zeigen Sie ihnen den Brief!«

»Aber ich bitte Sie – ich bin doch kein Philosoph!«

»Das steht doch in dem Schreiben aus Zamosc.«

»Ich bin bloß ein Student, der ein paar Ideen hat.«

»Ideen! Überall wimmelt es von Ideen«, sagte Dache seufzend. »Meine Hadassa – Tag für Tag schreibt sie ihre Ideen auf. Zu meiner Zeit hat sich niemand um Ideen geschert, und wir sind ganz gut ohne so etwas ausgekommen.«

»Ich werde allmählich hungrig. Warum müssen wir mit dem Mittagessen warten?« nörgelte Njunje, der in dem Ruf stand, der Vielfraß der Familie zu sein. Dazu kam, daß ihm weder seine (von Dache eingeladene) selbstgefällige neue Stiefmutter noch seine neue Stiefschwester mit ihrem irritierenden Gehabe zusagte. Und der Grünschnabel, den Abram mitgebracht hatte, auch nicht. Er fürchtete, dieser Gäste wegen sein Mittagsschläfchen auf dem Kanapee zu versäumen. Seine übernervöse Frau – eine typische Rabbinertochter –, die vor den Mahlzeiten appetitanregende Pillen und nach den Mahlzeiten Magentabletten einnehmen mußte, warf ihm einen erbosten Blick zu.

»Hadassa ist noch nicht da.«

»Wo treibt sie sich denn herum? Wir könnten doch auch ohne sie essen.«

»Nein, wir warten«, entschied Dache. »Immer wenn Njunje ans Essen denkt, ist man seines Lebens nicht mehr sicher.«

Es klingelte an der Wohnungstür. »Das ist Hadassa!« rief

Njunje und hoppelte auf seinen kurzen Beinen hinaus. Dache setzte sich wieder auf ihren Polsterstuhl, zog ein Taschentuch mit Monogramm aus dem Ärmel und hielt es an ihre lange Nase.

»Abram, komm doch mal her! Erzähl mir, wo du diesen jungen Mann entdeckt hast.«

»Ich *habe* ihn entdeckt, und hier ist er. Punktum! Sie brauchen sich nicht zu genieren, mein Junge! Die Newtons der anderen können uns keine Bange machen. Die kann jeder unserer Gelehrten in die Tasche stecken. Sobald wir ein Volk in unserem eigenen Land sind, werden wir denen schon zeigen, was wir können. Dann werden die Genies nur so aus dem Mutterleib purzeln – immer sechs auf einmal, wie in Ägypten. Unser jüdischer Genius wird die Welt überfluten, zum Teufel mit den dreckigen Bauchnäbeln der anderen – oder ich will nicht Abram Schapiro heißen!«

»Gewalt geschrien – jetzt geht's wieder mit ihm durch!« jammerte Dache. »Kommen Sie her, junger Mann, setzen Sie sich zu mir! Mein Schwager ist ein bißchen verdreht, aber im Grund ist er ein guter Kerl. Wir haben ihn alle gern.«

Euser Heschel setzte sich auf den Stuhl, den Dache ihm angeboten hatte. Rosa Frumetl nippte an ihrem Kirschlikör und biß ein winziges Stückchen von ihrem Mandelplätzchen ab. Adele wollte etwas sagen, doch im selben Moment kam Njunje mit seiner Tochter herein.

Drittes Kapitel

I

Njunje, der sich bei Hadassa untergehakt hatte, war einen guten Kopf kleiner als seine Tochter. Die ungefähr Achtzehnjährige war groß und schlank, hatte blonde, aufgesteckte Zöpfe, einen blassen Teint, eine Stupsnase, eine hohe Stirn und bläulich getönte Schläfen. Sie trug ein kleines, schulmädchenhaftes Samtbarett und eine kurze, mit Bändern geschnürte Jacke. Und sie hatte, obwohl es draußen nicht besonders kalt war, dicke Übersocken an. Sie erinnerte Euser Heschel an die jungen adligen Damen in den Liebesromanen, die er verschlungen hatte. Ihre hellblauen Augen hatten einen beklommenen Ausdruck, fast so, als fühlte sie sich hier nicht zu Hause, sondern wie in einer fremden Wohnung. Rosa Frumetl begann sofort den Kopf zu wiegen, wobei sie die Lippen spitzte, wie wenn sie ausspucken wollte, um den Bösen Blick abzuwehren. Adele musterte das junge Mädchen von Kopf bis Fuß.

»Das ist Hadassa?« murmelte Rosa Frumetl. »Eine Schönheit – unberufen!«

»Hadassa, das ist deine neue Großmutter väterlicherseits. Und das ist ihre Tochter Adele.«

Hadassa machte eine leichte Verbeugung – halb Schulmädchenknicks, halb Verneigung einer erwachsenen Frau.

»Komm her, mein liebes, schönes Kind! Du bist eine wahre Augenweide!« zwitscherte Rosa Frumetl. »Dein Großvater kann sich gar nicht genug tun, dein Lob zu singen. Das ist meine Tochter Adele. Ihr könnt euch auf polnisch unterhalten. Russisch hat sie nicht gelernt – wir sind aus Galizien.«

»Man hat mir von Ihnen erzählt«, sagte Hadassa auf polnisch zu Adele. »Sie kommen, glaube ich, aus Krakau.«

»Ich bin dort zur Schule gegangen.«

»Warum macht ihr sie nicht mit dem Philosophen bekannt?« rief Abram. »Hadassa, mein Goldstück, dieser junge Mann ist ein jüdischer Lomonossow.«

Hadassa sah Euser Heschel an. Beide erröteten.

»*Naprawde* – ist das wahr?« Es war schwer zu sagen, ob

Hadassas Frage an Abram oder an Euser Heschel gerichtet war.

»Sie machen sich über mich lustig«, stammelte Euser Heschel. Ob er damit das Mädchen oder dessen Onkel meinte, war ebenfalls nicht ganz klar.

»Bescheiden ist er obendrein!« trompetete Abram. »Er möchte, daß du ihm Privatunterricht erteilst. Er zerbricht sich die Zunge mit dieser heidnischen Sprache – aber er hat den Verstand eines Aristoteles. Er hat Algebra studiert – auf dem Dachboden!«

»Wirklich? Auf dem Dachboden?« fragte Hadassa verwundert.

»Na ja, wenn's geregnet hat, und er sich nicht anderswo...«

»Herr Schapiro scheint gern zu übertreiben«, bemerkte Adele kühl.

Jetzt mischte sich Njunje ein. »Ich komme um vor Hunger! Warum dauert es denn so lang?«

»Sei still, Njunje, du wirst schon nicht verhungern«, sagte Dache. »Hadassa, mein Herzblatt, zieh deine Jacke aus! Wo bist du gewesen?«

»Wir haben einen Spaziergang gemacht. Im Sächsischen Garten.«

»Wer ist ›wir‹?«

»Das weißt du doch, Mama. Ich und Klonja.«

»Du läufst mit einem Mädchen herum, das keine Jüdin ist! Oi, oi, oi!«

»Immer noch besser, als mit einem nichtjüdischen Burschen herumzulaufen«, warf Abram ein.

»Laß diese schlechten Scherze! Gibt es denn in Warschau nicht genug jüdische Mädchen? Diese Klonja kommt aus einer sehr gewöhnlichen Familie. Ihr Vater – Bäckergeselle ist er! Und ihre Mutter ist so dick und fett, daß sie sich kaum durch eine Tür zwängen kann.«

»Was macht das denn aus? Ich habe Klonja gern.«

»Daß Ihre Mutter diesen Standpunkt vertritt, überrascht mich«, sagte Adele. »Bei uns in Österreich leben Juden und Nichtjuden wie eine große Familie zusammen.«

»Ich weiß nicht, wie es in Galizien ist, aber hier haben wir's mit lauter Antisemiten zu tun. Gerade sind sie wieder dabei, uns zu boykottieren. Überall hört man sie geifern: ›Kauft bei euren eigenen Leuten!‹ Die würden uns Juden bei lebendigem Leib verschlingen.«

»Offen gesagt, wenn man all diese Warschauer Juden sieht, mit Käppchen und langem Kaftan, hat man plötzlich das Gefühl, in China zu sein. Man kann verstehen, warum die Polen sich dagegen wehren.«

»Adele, mein Herzblatt, wie kannst du so etwas sagen!« mahnte Rosa Frumetl. »Was redest du denn da? Dein Vater – seine Rechtschaffenheit soll dein Fürsprecher sein – trug doch auch einen langen Kaftan und Schläfenlocken.«

»Bitte laß Papa aus dem Spiel! Papa war Europäer – und zwar in jeder Hinsicht.«

»Fräulein Adele ist offenbar für die Assimilation«, bemerkte Abram auf polnisch.

»Nicht für die Assimilation, aber für ein anständiges, vernünftiges Zusammenleben.«

»Und wenn wir polnische Hüte aufsetzen und unsere Schnurrbärte zwirbeln, werden uns alle lieben, was?« Abram begann seinen Schnurrbart zu zwirbeln. »Die junge Dame soll doch mal die Zeitungen lesen, die hier erscheinen. Die geifern ständig, der moderne Jude sei schlimmer als der im Kaftan. Auf wen, glauben Sie, haben es die Judenhasser abgesehen? Auf den modernen Juden, das steht fest!«

»O nein, das kann nicht stimmen.«

»Es stimmt, mein Fräulein. Das werden Sie bald feststellen.«

Schifra steckte den Kopf zur Tür herein. »Das Essen ist fertig.«

Njunje setzte sich sofort in Bewegung. Die anderen folgten ihm. Im Eßzimmer war der große Tisch, dessen Füße über und über mit Schnitzwerk verziert waren, gedeckt. Die Silberbestecke waren abgenützt und verkratzt. Auf einem Tisch gleich bei der Tür standen ein Krug Wasser und ein kleines Waschbecken, neben dem ein kupferner Schöpflöffel lag. Zuerst wuschen sich die Männer die Hände. Dache brachte ein Käppchen und setzte es Abram auf. Gemächlich trocknete er sich die Hände mit einem Leinenhandtuch, dann sagte er den vorgeschriebenen Segensspruch auf. Euser Heschel machte sich vor lauter Nervosität die Ärmel naß. Rosa Frumetl stülpte sorgfältig die Manschetten über ihren knochigen Handgelenken zurück und goß sich zwei Schöpflöffel Wasser über die Finger. Adele warf Hadassa einen Blick zu, der zu fragen schien: »Müssen wir das mitmachen?« Hadassa schöpfte Wasser aus dem Krug und hielt Adele den Schöpflöffel hin.

»Bitte sehr, zuerst Sie!«

»Ich möchte den Spitzenbesatz nicht naßmachen.« Vorsichtig faltete Adele ihre mit Stickereien verzierten Ärmelaufschläge nach oben, bevor sie Wasser über ihre manikürten Finger goß. Dann kam Hadassa an die Reihe. Euser Heschel bemerkte, daß sie Tintenflecke an den Fingern hatte. Njunje nahm auf dem lederbezogenen Stuhl am Kopfende des Tisches Platz, schnitt Scheiben von einem Weißbrot ab, murmelte den Segensspruch und reichte die Brotscheiben herum. Mitten auf dem Tisch stand ein Tablett mit Rosinenbrot und Semmeln. Schifra servierte die Vorspeise: Leber und Kutteln. Abram blinzelte Hadassa zu. Sie stand auf, ging hinaus und kam mit einer Karaffe Kognak zurück. Dache schalt sie aus.

»Damit tust du ihm keinen Gefallen! Er wird bloß noch öfter zum Arzt gehen müssen.«

»Zum Wohl, Njunje! Zum Wohl, junger Mann! Auf die Gesundheit der jungen Damen! Und darauf, daß wir bei ihrer Hochzeit zechen werden!«

»Gesundheit und Frieden – amen!« murmelte Rosa Frumetl ehrfurchtsvoll.

Die Frauen hatten erst nach den Männern am Eßtisch Platz genommen. Auf der rechten Seite saßen Abram, Hadassa und Dache, auf der linken Euser Heschel, Rosa Frumetl und Adele. Euser Heschel sah alles wie durch einen Nebelschleier. Alles schien zu schwanken – die Kredenz mit den Glasscheiben und dem Geschirr, die Bilder an den Wänden, die Gesichter der anderen. Ihm war, als hätte er sein Gehör verloren. Messer und Gabel zitterten in seinen Händen und klirrten auf dem Teller. Er wußte nicht, ob er von seiner Scheibe Brot etwas abbeißen oder ein wenig davon abbrechen sollte. Er spießte ein Stückchen saure Gurke auf seine Gabel, doch plötzlich war es verschwunden – und fiel im nächsten Moment aus seinem Ärmel heraus. Als ihm das Dienstmädchen einen Teller Suppe servierte, stieg ihm der Dampf ins Gesicht, so daß ihm alles vor den Augen verschwamm.

»Na, junger Mann«, hörte er Abram rufen, »möchten Sie was zu trinken?«

Euser Heschel wollte ablehnen, doch seine Lippen sagten »ja«. Die Frauen plauderten angeregt miteinander. Plötzlich stand ein Glas mit einer rotbraunen Flüssigkeit vor ihm auf dem Tisch. Er murmelte: »Auf Ihr Wohl!« und leerte es in einem Zug. Abram lachte schallend. »So ist's recht, mein Junge! Sie werden's schaffen!«

»Essen Sie doch etwas!« forderte ihn Dache auf. »Bringt doch mal ein paar Plätzchen für ihn!«

Hadassa stand nochmals vom Tisch auf und holte Makronen. Inzwischen hatte es Euser Heschel geschafft, wenigstens einen Bissen Brot hinunterzuwürgen. Tränen stiegen ihm in die Augen. Er wischte sie mit den Fingern weg.

»Ihr hättet ihm nichts einschenken sollen«, sagte Rosa Frumetl vorwurfsvoll. »Er verträgt nicht viel.«

»Das war Abrams Idee«, quengelte Dache.

»Erzählen Sie doch mal, junger Mann«, schaltete sich Njunje ein, »was haben Sie denn hier in Warschau vor?«

Diese Frage kam, wie alle Bemerkungen Njunjes, völlig unerwartet. Am Tisch herrschte plötzlich Schweigen. Dann antwortete Euser Heschel – zunächst so leise, daß man ihn kaum verstehen konnte, dann mit kräftigerer Stimme. Er erzählte von Klein-Tereschpol; von seinem Großvater, seiner Mutter und seiner Schwester, von seinem Vater, der spurlos verschwunden war, und von Jekuthiel Uhrmacher. Sein Gesicht war blaß, nur seine Ohren glühten. Sein Blick wanderte unsicher hin und her, von Dache zu Hadassa. Die Worte kamen in abgehackten, unzusammenhängenden Sätzen über seine Lippen. Hadassa stieg das Blut ins Gesicht. Dache starrte ihn verwundert an. Ohne zu wissen, warum, fühlte sich Rosa Frumetl den Tränen nahe.

»Eben erst flügge geworden«, murmelte sie vor sich hin. »Ach, was Mütter alles erleiden müssen!« Sie drückte ihr Batisttaschentuch an die Nase und schneuzte sich. Ein merkwürdiges Gefühl überkam sie, fast so, als wäre dieser junge Bursche ihr eigen Fleisch und Blut.

2

Nach dem Essen gingen alle in den Salon. Abram zündete sich eine Zigarre an. Njunje wurde zappelig, guckte um sich und gluckste wie ein Hahn, bevor er sich auf seiner Stange niederläßt. Genau so, wie ihn vor dem Essen der Hunger übermannt hatte, übermannte ihn jetzt die Müdigkeit. Er zog sich in sein kleines Arbeitszimmer zurück, legte sich aufs Kanapee und griff nach einem Band der *Geschichte der Juden* von Graetz, die er las, ohne daß seine Frau davon wußte. Wie alle Frommen hielt Dache dieses Werk für ketzerisch. Es dauerte keine fünf Minuten, bis er zu schnarchen begann.

Njunje war der Verwalter zweier Häuser seines Vaters; die Mieten kassierte allerdings nicht er, sondern sein Gehilfe, der bucklige Moischele. Dieser übergab Koppel die Abrechnung und die Einnahmen und händigte Dache jeden Donnerstag den Haushaltszuschuß aus. Njunje kümmerte sich weder um die Liegenschaftsverwaltung noch um die Finanzierung seines eigenen Haushalts. Der Betrag, den sein Vater ihm bei Abschluß des Ehevertrags überschrieben hatte – fünftausend Rubel –, lag noch unangetastet auf der Bank und hatte sich in all den Jahren um beträchtliche Zinsen vermehrt.

Jetzt lag Njunje also gemütlich auf dem Kanapee, mit halboffenem Mund, unter dem Kopf ein kleines Kissen, das er schon als Kind benützt und von dem er sich nie getrennt hatte, weder zu Hause in Warschau noch auswärts.

Auch für Dache war die Stunde nach dem Mittagessen die erholsamste des ganzen Tages, zumal dann, wenn Abram ihr Gesellschaft leistete. Dann vergaß sie ihre Beschwerden – Kopfweh, Rheumatismus, Seitenstechen, Gelenkschmerzen. Ihr Mann hielt um diese Zeit sein Mittagsschläfchen, Hadassa zog sich in ihr Zimmer zurück, und das Dienstmädchen besuchte eine Nachbarin. In ihr mit zwei gestickten Pfauen verziertes Seidentuch gehüllt, ließ sich Dache auf einem Sessel nieder, legte die Füße auf einen Polsterschemel und entspannte sich mit halbgeschlossenen Augen. Der Ofen mit dem vergoldeten Sims strahlte gemütliche Wärme aus. Seine

Kacheln spiegelten den durch die Gardinen fallenden Sonnenschein in allen Regenbogenfarben wider. Durch die Doppelfenster, deren Rahmen mit Wattepolstern abgedichtet waren, drang kein Straßenlärm herein. Dann setzte sich Abram zu ihr, paffte seine Zigarre, stieß Rauchkringel aus und spielte mit seiner goldenen Uhrkette. Vor sich hindösend, hörte Dache mit halbem Ohr seinem Klatsch und Tratsch über ihren Schwiegervater zu, über ihre Schwäger, deren Frauen und Kinder und die übrige Verwandtschaft – jenes gute Dutzend Familien, mit deren Schicksal das ihre verknüpft war. Daß sie eine tugendhafte Frau war – die wohlanständige Tochter einer frommen Familie –, hielt Abram nicht davon ab, ihr von seinem losen Lebenswandel, seinen Liebesaffären und Gesetzesübertretungen zu erzählen. Sie zuckte dann jedesmal zusammen, setzte eine empörte Miene auf und zog sich den Seidenschal enger um die Schultern. Zuweilen riß sie die schwarzen Augen auf und starrte ihn bekümmert an.

»Pfui, Abram, das geht zu weit! Ich will nichts mehr davon hören.«

Wenn Abram daraufhin den Mund hielt, sagte sie im Flüsterton:

»Also von mir aus – sprich weiter! Ich werde das Los, das dich in der Gehenna erwartet, nicht mit dir teilen müssen.«

Heute jedoch wurden die Stühle im Salon aneinandergerückt, damit man nach dem Essen zusammensitzen und plauschen konnte. Das Dienstmädchen brachte Tee, Gebäck und Eingemachtes. Adele blätterte in einem Album mit goldgeprägtem Einband. Rosa Frumetl erzählte Dache in wehmütigem Ton von der Brauerei bei Brody, die ihrem ersten Mann, Reb David Landau, gehört hatte; von den achtzig Morgen Land, auf denen er Hopfen anbauen ließ; von den Bauern und Dienstboten, die bei ihnen gearbeitet hatten, und von den hochangesehenen Rabbis, die zu Besuch gekommen waren. Abram saß neben Euser Heschel auf dem Sofa.

»Setz dich zu uns, meine Liebe!« forderte er Hadassa auf. »Genier dich nicht! Ich beschütze dich schon.«

Hadassa ging zum Fußende des Sofas und setzte sich. Sie warf Euser Heschel einen Blick zu, dann senkte sie die Augen.

»Wie wär's, wenn du dem jungen Mann Privatunterricht geben würdest? Eine gute Tat, für die du im Paradies bestimmt belohnt wirst.«

Hadassa sah Euser Heschel fragend an. »Ich weiß nicht, ob ich genug weiß«, sagte sie schüchtern.

»Für ihn sicher mehr als genug.«

»Meine Adele könnte ja dabei helfen«, mischte sich Rosa Frumetl ein. Sie hatte, während sie sich mit Dache unterhielt, die Ohren gespitzt.

»Mama«, sagte Adele hastig, »du weißt doch, daß ich nicht in Warschau bleibe.«

»So bald gehst du nicht fort, Tochterleben. Bis dahin wird noch viel Wasser die Weichsel hinunterfließen.«

»Ich gehe früher als du glaubst.«

»Zu schade, daß die junge Dame uns verlassen will«, sagte Abram.

»Wieso ist das schade? Mich wird niemand vermissen.«

»Wer weiß? Es gibt doch so etwas wie Liebe auf den ersten Blick.«

»Abram, jetzt fängst du schon wieder mit diesem Geseire an!« wies ihn Dache zurecht. »Du scheinst zu vergessen, daß du fast schon ein alter Graubart bist. Du hast heiratsfähige Töchter!«

»Oi, was bin ich geschlagen! Mag sein, daß ich allmählich alt werde – aber mußt du mich unbedingt daran erinnern? Und wieso glaubst du, ich hätte von *mir* gesprochen? Ich könnte ebensogut diesen jungen Mann gemeint haben.«

»Laß ihn gefälligst in Ruhe!«

Rosa Frumetl wandte sich an Abram. »Vielleicht können *Sie* meine Tochter überreden. Erst so kurz hier, und schon will sie fort. Und wenn Sie mich fragen, warum...«

»Vielleicht jemand, den sie wiedersehen möchte.«

»Das weiß nur unser Herrgott.«

»Keine Sorge, verehrte Schwiegermama! Wenn der für sie Bestimmte hier in Warschau ist, geht sie nicht fort. Und wenn sie geht, wird sie wiederkommen«, sagte Abram salbungsvoll. Wieder einmal ging seine Redseligkeit mit ihm durch. »Alle halten mich für einen Ketzer, einen Herumtreiber, einen Bruder Leichtfuß, aber daß Ehen im Himmel geschlossen werden – daran glaube ich. Ihr braucht euch doch bloß mich und meine Hama anzugucken! Wir passen zueinander wie ein viereckiger Zapfen in ein rundes Loch. Aber als der Engel, der dafür sorgen muß, daß Kinder gezeugt werden, gerufen hat: ›Tochter des Reb Meschulam, nimm Abram!‹, konnte ich nichts daran ändern.«

»Schäm dich, Abram!« Dache durchbohrte ihn mit Blicken und bedeutete ihm, in Gegenwart der jungen Mädchen den Mund zu halten.

Abram klatschte sich an die Stirn. »Wir sind vom Thema abgekommen! Wir haben über Privatunterricht gesprochen. Hadassa, geh mit ihm in dein Zimmer und laß dir erzählen, was er alles weiß. Junger Mann, ich hab' Sie noch gar nicht gefragt, wo Sie wohnen.«

»Ich? In einem Gasthaus in der Franziskanerstraße.«

»Das kenne ich. Gasthaus zur Wanze. Was müssen Sie dort bezahlen?«

»Fünfzehn Kopeken pro Übernachtung.«

»Hör mal, Dache, ich hab' eine Idee. Wir könnten ihn doch bei Gina unterbringen.«

»Was redest du denn da?«

»Sie ist in eine große Wohnung in der Swiętojerska umgezogen und vermietet Zimmer. Er wird monatlich zehn Rubel berappen müssen, aber dann hat er ein Zuhause.«

»Abram, du solltest dich schämen!«

»Wieso denn? Zu ihrem Vater, dem Rebbe, kehrt Gina bestimmt nicht zurück. Es heißt, daß Akiba sich schleunigst von ihr scheiden lassen will, und daß sie dann, so Gott will, Herz Janowar heiraten wird – nach dem Gesetz Mose und Ismaels... ich meine natürlich Israels.«

»Wie das später sein wird, weiß ich nicht. Ich weiß nur, daß es jetzt ein Skandal und eine Schande ist. Warum willst du den jungen Mann in einen solchen Sumpf hineinziehen?«

»Mumpitz! Es ist eine hübsche Wohnung und eine anregende Atmosphäre. Die gesamte jüdische Intelligenz Warschaus trifft sich dort. Gina führt einen regelrechten Salon. Ich würde mich auch dort einnisten – nicht bloß, um den Wanzen zu entkommen.«

»Abram, ich habe dich ersucht, nicht so zu reden!« rief Dache entrüstet. Es schickte sich nicht, in Gegenwart ihrer achtzehnjährigen Tochter über Gina, Akiba und Herz Janowar zu sprechen. Rosa Frumetl stellte ihre Teetasse hin und guckte die beiden neugierig an. Adele blätterte noch eifriger in dem Album.

Als Hadassa und Euser Heschel hinausgegangen waren, stand Adele auf und ging zum Fenster hinüber. Draußen wurde es schon schummrig. Der erste Schnee dieses Winters fiel, wäßrige Flocken wirbelten im Wind und schmolzen schon, ehe sie den Boden berührten. Der Rauch aus den Schornsteinen verschwamm im fahlen Dämmerlicht. Einzelne Vögel, aber auch ganze Schwärme flogen vorbei. Auf der anderen Straßenseite stand ein mit Säcken beladener Planwagen. Die beiden gedrungenen Karrengäule mit ihren narbigen Fellen drängten sich aneinander. Sie hatten die Ohren gespitzt und steckten zuweilen die Köpfe zusammen, als wollten sie sich irgendein Pferdegeheimnis zuflüstern. Adele drückte die heiße Stirn an die Fensterscheibe, und plötzlich sah sie ein, daß ihre Mutter recht hatte; daß es keinen Grund gab, warum sie fortgehen sollte – und niemanden, zu dem sie gehen würde. Sie war es überdrüssig, Bücher zu lesen, überdrüssig, an ihren Vater zu denken, der zu früh gestorben war, an die Liebesaffäre in Brody, mit der sie aus Stolz Schluß gemacht hatte, und an ihr ganzes ereignisloses Leben. Jetzt tat es ihr leid, daß sie zu dem obdachlosen jungen Burschen aus Klein-Tereschpol so bissig gewesen war und daß sie Abram und Dache unnötigerweise verärgert hatte.

»Ich könnte ihm doch auch Privatunterricht geben«, dachte sie. »Alles, bloß nicht immerzu allein sein.«

3

Hadassas Zimmer war lang und schmal. Das Fenster ging auf den Hof hinaus. An den hell tapezierten Wänden hingen Landschaftsbilder und Fotografien von Familienmitgliedern, darunter auch eine von Hadassa selbst. An der einen Wand stand eine eiserne Bettstatt, über die eine gestickte Decke gebreitet war. Auf dem Kopfkissen lag ein kleineres Kissen mit Petit-Point-Stickerei. In einem kleinen Aquarium, dessen Boden mit Moos bedeckt war, schwammen drei winzige

Goldfische. Die Strahlen der untergehenden Sonne fielen durchs Fenster, ließen die Farben der goldgerahmten Bilder aufleuchten, zauberten Lichtreflexe auf die Tapete und die goldgeprägten Einbände der Bücher in den Regalen. Auf einem runden Tisch lag, neben einer Vase mit verwelkten blauen Blumen, ein Buch. Hadassa ging hastig hinüber, nahm das Buch und legte es in eine Schublade der Frisierkommode.

»Das sind meine Bücher.« Sie deutete auf die Regale. »Sie dürfen sie ansehen, wenn Sie wollen.«

Euser Heschel betrachtete die Bücher. Die meisten waren Schulbücher – eine Grammatik, eine Geschichte Rußlands, ein Geographiebuch, eine Weltgeschichte, ein lateinisches Wörterbuch. *Der Schrei* von Przybyszewski stand neben Mickiewicz' *Pan Tadeusz*. Neben Strindbergs *Beichte eines Toren* stand ein umfangreicher Roman mit dem Titel *Pharao*. Euser Heschel nahm einige Bände heraus, betrachtete die Titelseiten, blätterte in den Büchern und stellte sie wieder ins Regal. »Das Schlimme ist, daß ich sie alle lesen möchte.«

»Sie können sich ausleihen, was Sie wollen.«

»Vielen Dank.«

»Möchten Sie eine Lampe anzünden? Ich persönlich liebe dieses Halbdunkel zwischen Tag und Nacht.«

»Ich auch.«

»Was würden Sie denn gern studieren? Ich bin in Mathematik sehr schwach.«

»Ich möchte zunächst die Matura machen – als externer Schüler.«

»Dann müssen Sie Privatunterricht nehmen. Ich selber habe die Reifeprüfung nicht gemacht. Ich bin kurz vorher krank geworden.«

Sie setzte sich auf die Bettkante. Im Licht der untergehenden Sonne schimmerte ihr Haar wie geschmolzenes Gold. Ihr schmales Gesicht war im Schatten. Sie blickte zum Fenster, durch das man ein großes Stück Himmel, mehrere Dächer und den hohen Schornstein einer Fabrik sehen konnte. Schneeflocken klatschten gegen die Fensterscheiben. Euser Heschel hatte sich auf einen Stuhl neben dem Bücherregal gesetzt; sein Gesicht war Hadassa halb zugewandt. »Wenn ich so ein Zimmer hätte!« dachte er. »Und wenn ich mich in einem solchen Bett niederlegen könnte . . .« Er nahm ein Buch aus dem Regal, schlug es auf und legte es auf seinen Schoß.

»Weshalb sind Sie von zu Hause fortgegangen?«

»Ach, einfach so. Es gab keinen triftigen Grund. Aber ich konnte einfach nicht dortbleiben.«

»Und Ihre Mutter hat Sie ohne weiteres gehen lassen?«

»Zuerst nicht. Aber dann hat sie eingesehen, daß...« Er stockte.

»Stimmt es, daß Sie ein Philosoph sind?«

»Aber nein. Ich habe ein paar Bücher gelesen, das ist alles. Ich weiß so gut wie nichts.«

»Glauben Sie an Gott?«

»Ja, aber nicht an einen Gott, der Gebete von uns verlangt.«

»An was für einen Gott glauben Sie denn?«

»Das ganze Universum ist ein Teil der Gottheit. Wir selber sind ein Teil Gottes.«

»Das heißt, wenn man Zahnschmerzen hat, ist es Gottes Zahn, der weh tut.«

»Nu ja, so ähnlich wird's wohl sein.«

»Ich weiß wirklich nicht, in welchen Fächern ich Sie unterrichten soll«, sagte Hadassa nach einer Weile. »Vielleicht in Polnisch. Für Russisch hab' ich nichts übrig.«

»Polnisch ist mir recht.«

»Können Sie die Sprache verstehen?« fragte sie auf polnisch.

»O ja, ganz gut.«

Sobald Hadassa zu Polnisch überwechselte, schien das Gespräch einen völlig anderen Ton anzunehmen. Vorher hatte ihre Stimme etwas Jugendliches, fast Kindliches an sich gehabt, sie hatte entweder langsam und stockend gesprochen oder die Sätze nur so herausgesprudelt. Die polnischen Sätze dagegen flossen ihr präzis und sicher von den Lippen, und sogar die spezifische Klangfarbe der weichen Konsonanten traf sie genau. Euser Heschels Polnisch war holprig. Immer wieder mußte er innehalten, um über die richtige Wortbildung und Zeitform nachzudenken. Hadassa schlug die Beine übereinander und hörte ihm aufmerksam zu. Er drückte sich grammatikalisch korrekt aus und verwandte nicht, wie es sein Vater getan hatte, an Stelle des Akkusativs den Dativ. Sein Satzbau freilich war eigenartig. Die polnische Sprache nahm bei ihm etwas Anheimelndes an, fast so, als hätte sie sich wie durch ein Wunder ins vertraute Jiddisch verwandelt.

»Wie wollen Sie denn in Warschau Fuß fassen?«

»Das weiß ich noch nicht.«

»Mein Onkel Abram kann Ihnen dabei sehr nützlich sein. Er kennt Gott und die Welt. Er ist ein sehr interessanter Mensch.«

»O ja, das habe ich schon bemerkt.«

»Er ist ein bißchen verrückt, aber ich habe ihn sehr lieb. Wir alle haben ihn lieb – Papa, Mama, alle. Wenn ein Tag vergeht, ohne daß er uns besucht hat, vermissen wir ihn. Ich nenne ihn den ›Fliegenden Holländer‹. So heißt eine Oper.«

»Ich weiß.«

»Er hat eine Tochter namens Stefa. Meine Cousine. Die wäre die richtige Lehrerin für Sie. Als sie die Schule absolvierte, bekam sie eine Goldmedaille. Sie ist genau wie ihr Vater – ständig unterwegs, immer vergnügt und munter. Wir sind völlig verschieden.«

»Verzeihen Sie, Fräulein Hadassa, aber sie sprechen wirklich wunderschön – wie ein Dichter.« Euser Heschel staunte über seine eigenen Worte. Sie waren ihm wie von selbst über die Lippen gekommen. Die ungewohnte, formelle Sprache und das Halbdunkel in diesem Zimmer schienen sich verschworen zu haben, seine Schüchternheit zu verscheuchen. Vielleicht kam es aber auch von dem Kognak, den er getrunken hatte.

»Wie ein Dichter? Sie machen sich über mich lustig.«

»Nein, bestimmt nicht!«

»Ich schreibe keine Verse, aber ich lese sehr gern Gedichte.«

»Ich meine, in Ihrem innersten Herzen.«

»Ach, jetzt reden Sie genau wie Onkel Abram. Er macht allen Leuten Komplimente.«

»Nein, ich meine es ernst.«

»Na schön, ich gebe Ihnen also Unterricht in Polnisch. Wie viele Stunden pro Woche?«

»Das überlasse ich Ihnen. Ganz wie Sie wollen.«

»Sagen wir sonntags, dienstags und donnerstags. Von vier bis fünf.«

»Ich bin Ihnen sehr dankbar.«

»Und kommen Sie bitte pünktlich.«

»O ja, auf die Minute.«

»Ich glaube, wir sollten wieder ins Wohnzimmer gehen, sonst mokiert sich Onkel Abram.«

Sie gingen durch den Flur. Nach ein paar Schritten blieb Euser Heschel stehen. Plötzlich sah er wieder jene leuchtende Blume vor sich, die, als er mit Abram in der Droschke saß, vor ihm aufgetaucht war, ungeheuer groß, in Sonnenlicht getaucht, ein tiefer Blütenkelch inmitten grauer, purpurroter und blauer Farbtöne, eines ganzen Spektrums phantastischer Farben. Hadassa faßte ihn am Arm und führte ihn weiter, wie einen Blinden. Er stolperte und warf beinahe einen hölzernen Garderobenstander um. Im Salon brannten die Lampen. Adele stand zwischen zwei Fenstern und hielt immer noch das Album in der Hand. Euser Heschel hörte Dache zu Abram sagen: »Ein schöner Professor muß das sein, wenn er weder Russisch noch Polnisch spricht!«

»In Zürich braucht man bloß Deutsch zu können.«

»Soviel ich gehört habe, kann er auch kein Deutsch.«

»Du lieber Himmel, in welcher Sprache hat er denn seine Vorlesungen gehalten? In Babylonisch?«

»Von mir aus kannst du sagen, was du willst. An der ganzen Sache ist kein wahres Wort.«

»Aber Dache, das ist doch Unsinn! Ich hab's doch selber gelesen, schwarz auf weiß, daß Herz Janowar an der Universität Vorlesungen halten wird. Über welches Thema weiß ich nicht mehr. Die Apperzeption der Konzeption – oder so was Ähnliches.«

»Na und? Deshalb ist er noch lange kein Professor.«

»Was denn sonst? Eine Amme vielleicht?«

»Wenn er wirklich Professor in der Schweiz wäre, triebe er sich nicht dreizehn Monate im Jahr hier in Warschau herum.«

»Und ich sage dir, Dache, daß er alle anderen Professoren in die Westentasche stecken kann!«

»Nu, wir werden ja sehen. Ich glaube nicht, daß Akiba sich von ihr scheiden läßt. Das wird sich hinziehen, bis der Messias kommt.«

Erst jetzt merkte Dache, daß ihre Tochter wieder hereingekommen war. Sie gab Abram ein Zeichen, das Thema zu wechseln. Rosa Frumetl nickte Euser Heschel zu, mit einem so breiten Lächeln, daß ihre falschen Zähne blitzten. Sie war überzeugt, daß er etwas für sie tun und sich damit ein bißchen Geld verdienen könnte. Seit sie in Warschau war, hatte sie das von ihrem ersten Mann hinterlassene Manuskript bereits mehreren Buchdruckern angeboten, doch keiner wollte sich darauf einlassen. Die Handschrift sei unleserlich, monierten sie. Außerdem schienen einige Seiten zu fehlen oder falsch paginiert zu sein. Das Manuskript mußte also erst einmal abgeschrieben und korrigiert werden. Sie hatte, als Euser Heschel nicht im Salon war, Abram um Rat gebeten, und er hatte gemeint, sie könnte keinen Besseren finden als den jungen Mann aus Klein-Tereschpol, der rabbinische Studien betrieben habe und die hebräische Sprache und Grammatik beherrsche. Daraufhin hatte Rosa Frumetl ihre Tochter beiseite genommen, um die Sache mit ihr zu besprechen.

»Was meinst du, Tochterleben? Der junge Mann sieht so aus, als könnte er das schaffen«, hatte sie gewispert. »Das wäre vielleicht die beste Lösung.«

Und Adele hatte erwidert: »Nu gut, Mame. Laß ihn kommen und besprich's mit ihm.«

4

Als Euser Heschel am Abend gemeinsam mit Abram das Haus verließ, erkannte er die Straße kaum wieder. Die Panska hatte sich wundersam verändert. Gehsteig, Fahrbahn und Rinnsteine, Balkone und Dächer – alles war verschneit. Die Straßenlaternen hatten weiße Hauben. Von den Gasflammen ging ein diesiger Lichtschein aus, der Euser Heschel an Kometenschweife erinnerte. Verfolgt von ihren langen Schatten, hasteten ein paar Fußgänger vorbei. Am Ende der Panska stand ein Straßenhändler vor einem kleinen, mit einem blechernen Ofenrohr versehenen Karren und legte Kartoffeln auf die glühenden Kohlen. Lastträger, die sich Stricke um den

Leib gebunden hatten, wärmten sich die Hände am Feuer. Abram griff nach Euser Heschels Arm.

»Raten Sie mal, wo wir jetzt hingehen!«

»Zu... Wie war der Name? Gina?«

»Erraten, Bruderherz! Aber wohlgemerkt – Mund halten!«

Da keine Droschke zu entdecken war, gingen sie zur Twardastraße hinüber. Ein schneebedeckter Trambahnwagen bewegte sich mühsam die gewundene Straße entlang. Die Oberleitungen waren so dick wie Seile. Die verputzten Mauern der Backsteinhäuser glänzten wie poliertes Glas. Noch immer fielen einzelne Flocken vom rötlich überhauchten Himmel, der eine ferne Feuersbrunst widerzuspiegeln schien.

»Dort ist eine Droschke! He da! He da!«

Abrams dröhnende Stimme hallte in der dunstigen Luft wider. Die Droschke hielt, die beiden stiegen ein.

Sie fuhren durch dieselben Straßen, durch die sie auf der Fahrt zu Njunjes Wohnung gekommen waren. Jetzt, im bläulichen Abendlicht, wirkten die frischverschneiten Häuser so prächtig und luxuriös wie Paläste. Auf dem Eisernen-Tor-Platz waren die Marktstände bereits weggeräumt worden. Im Saalbau wurde eine Hochzeit gefeiert. Aus dem oberen Stockwerk drang Musik. Hinter den Fensterscheiben bewegten sich tanzende Schatten. Hellbeleuchtete Trambahnwagen ratterten, einzeln und paarweise, vorbei; im grellen Licht ihrer Scheinwerfer blitzten die Schienen. Schneeklumpen hingen wie weiße Früchte an den Bäumen. Abram schmauchte eine Zigarre.

»Na, sehen Sie, man hat Sie *nicht* aufgefressen.«

»Nein.«

»Wann haben Sie die erste Unterrichtsstunde?«

»Übermorgen.«

»Ein prächtiges Mädchen! Aber leider nicht ganz gesund. Sie ist eben erst von einem mehrmonatigen Aufenthalt in Otwock zurückgekommen. Diese Adele ist eine ganz Gefährliche.«

»Was hat sie denn gehabt?«

»Wer? Ach so, Hadassa. Gerade als sie die Matura machen sollte, hat sie Fieber bekommen. Ihre Lunge ist nicht in Ordnung. Jetzt geht's ihr besser – und schon versucht man, sie unter die Haube zu bringen. Übrigens, diese Gina, zu der wir jetzt fahren, ist eine interessante Frau. Ihr Vater ist der Bialodrewner Rebbe. Ihr Ehemann, Akiba, ist meschugge. Man hat sie gegen ihren Willen mit ihm verheiratet. Sein Vater, der Rebbe von Sencymin, ist auch ein Spinner. Den Hof führt die Mutter des Rebbe, eine Frau über achtzig, ein ausgekochtes Weibsstück. Dieser Akiba ist ein Typ, wie man ihn nur in unseren polnischen Schtetln findet. Dreimal am Tag geht er in die *mikwe* – jedesmal ein Tauchbad! Beim Beten wiederholt er jedes Wort zehnmal. Uns allen ist es ein Rätsel, wie man Gina einen solchen Ehemann aufhalsen konnte. Von Kind an hat sie Herz Janowar geliebt. Sein Vater war der Leiter der Bialodrewner Jeschiwa. Aber Gina wurde verkuppelt, und damit war der Schaden angerichtet. Sie ist davongelaufen. Unterdessen war Herz Janowar in die Schweiz gegangen, um zu studieren. Er hat sämtliche Professoren in Staunen versetzt. Noch bevor er richtig Deutsch konnte, wurde er Dozent. Gina hat Himmel und Hölle in Bewegung gesetzt, um den Scheidebrief zu bekommen, aber inzwischen sind Jahre vergangen, und noch immer ist sie an diesen Trottel gebunden. Er ist in sie vernarrt, obwohl er ihr so wenig bieten kann wie ein Kapaun. Der Rebbe von Sencymin hegt einen tiefen Groll gegen den Rebbe von Bialodrewna. Ein alter Zwist. Wo war ich stehengeblieben? Ach ja. Plötzlich tauchte Herz Janowar in Warschau auf. Er wollte nur kurz hierbleiben und dann mit Gina in die Schweiz zurückkehren. Aber statt dessen hat er eine Wohnung in der Gnojnastraße gemietet und verplempert seine Zeit mit allem möglichen Unsinn.«

Die Droschke mußte halten. Ein mit Bauholz beladenes Fuhrwerk war umgekippt und versperrte den Weg. Auf der ganzen Lesznostraße stauten sich leere Trambahnwagen. Es dauerte eine ganze Weile, bis die Fahrbahn wieder frei war. Die Droschke fuhr weiter und hielt schließlich in der Swiętojerska, gegenüber dem Krasinskipark, vor einem weitläufigen Hof, der zu einem großen Mietshaus gehörte. Gina wohnte im zweiten Stockwerk des zweiten Traktes. Als sie die Treppe hinaufstiegen, mußte Abram etliche Verschnaufpausen einlegen.

»Drüben beim Professor haben Sie gesagt, Sie hätten Geld. Wieviel ist es denn?«

»Fünfunddreißig Rubel.«

»Dann sind Sie reicher als ich. Eine Monatsmiete werden Sie im voraus zahlen müssen. Über alles weitere denken wir später nach.«

»Warum möchte sie nicht heiraten?«

»Ach, Sie meinen Hadassa? Der Mann, den man für sie ausgesucht hat, ist ein Lümmel. An allem ist ihr Großvater, Meschulam Moschkat, schuld. Der läßt sich von seinem Aufseher einfach alles einreden.« Abram fuchtelte mit seinem Spazierstock, als wollte er einen Unsichtbaren verprügeln.

Die Stufen, die zu Ginas Wohnung führten, waren von nackten Gasflammen beleuchtet. Aus der Wohnung nebenan war das Surren einer Nähmaschine zu hören, aus einer anderen das Gekratze eines Grammophons. Irgendwo schien eine Festlichkeit stattzufinden. Mehrere gutgekleidete Herren und Damen stiegen die Treppe hinauf.

Abram läutete. Es dauerte eine Weile, bis geöffnet wurde. Vor ihnen stand eine Frau in den Dreißigern, hochgewachsen, dunkelhaarig, mit großen schwarzen Augen und einem zu großen Mund. Sie hatte einen leichten Schnurrbartflaum und, auf der linken Wange, einen kleinen Leberfleck. Ihre schwarze Perücke (oder war es ihr eigenes Haar, fragte sich Euser Heschel) bestand aus dicken, mit Steckkämmen gespickten und einem Tüllnetz bedeckten Flechten. Sie trug ein Samtkleid und Schnallenschuhe. Euser Heschel wich einen Schritt zurück. Die Frau schlug überrascht die Hände zusammen.

»Na so was, wer kommt denn da? Schade, daß wir nicht vom Messias gesprochen haben – dann wäre bestimmt *er* gekommen!«

»Gina, meine Liebe, ich bringe dir diesen jungen Mann – ein wahres Genie!«

»Entschuldige, ich hab' ihn gar nicht gesehen. Du verdeckst ihn mit deinen breiten Schultern. Bitte kommt doch herein!«

Die beiden traten ein. Der Flur bestand aus einem langen Gang mit mehreren Türen, die alle Milchglasscheiben hatten.

Vom anderen Ende her waren Stimmen zu hören. Die Luft war von Zigarettenrauch geschwängert. Die Wände waren frisch gestrichen, es roch penetrant nach Öl und Terpentin. Auf den frisch gewachsten Fußboden waren Sackleinen und Zeitungen gebreitet. Die Garderobenständer waren mit Mänteln beladen. An der Wand stand ein ganzes Sortiment Galoschen und Regenschirme. Gina half Abram aus dem Mantel, dann nahm sie Euser Heschels Überzieher.

»Ich könnte darauf schwören, daß der junge Mann aus einer Rabbinerfamilie stammt.«

»Ein Wunder! Diese Frau ist eine Prophetin!« rief Abram mit gespielter Ehrfurcht. »Debora, die Seherin!«

»Ich kann's ihm am Gesicht ablesen. Wie heißen Sie denn, mein Junge?«

»Euser Heschel Bannet.«

»Und woher kommen Sie? Eins ist sicher – Sie sind kein Litwak.«

»Bist du meschugge?« plärrte Abram. »Würde ich dir einen Litauer in die Wohnung bringen?«

»Brüll nicht so! Die Narren da drinnen machen mir schon genug zu schaffen.«

»Du meinst Broide und Lapidus?«

»Die ganze Gesellschaft. Also, herein mit euch!«

»Moment, Gina. Der junge Mann braucht ein Logis.«

»Mein lieber Abram, sämtliche Zimmer sind vermietet. Die Leute schlafen auf dem Sofa, auf dem Fußboden, auf dem Kaminsims. Ein Armenhaus ist das hier, keine Pension! Vor ein paar Wochen hätte ich ihn noch unterbringen können. Moment mal, ich habe eine Idee. Hier logiert eine Studentin – will Apothekerin werden, oder Krankenschwester oder so was Ähnliches. Gestern abend hat sie ein Telegramm bekommen – ihre Mutter ist gestorben –, und da hat sie ihre Sachen gepackt und ist abgereist. Nach Pinczew, glaube ich.«

»Dann ist ja alles in Butter. Gib ihm ihr Zimmer.«

»Und wenn sie zurückkommt?«

Gina öffnete eine Tür am Ende des Korridors und führte die beiden in ein großes, überfülltes Zimmer. Überall saßen Leute herum, auf dem Sofa, auf Stühlen, ja sogar auf dem Fensterbrett und auf einer niedrigen Kommode. An den

Wänden hingen Ölgemälde und Zeichnungen. Der teppichbelegte Boden war mit Zigarettenmundstücken übersät. Schwaden von Tabakrauch kräuselten sich an der Decke. Alle schienen gleichzeitig zu reden – ein Wirrwarr aus Jiddisch, Polnisch und Russisch. Ein schmächtiger Mann, der sonnengebräunt war wie ein Zigeuner, eine zerrissene Hemdbluse trug, einen kohlschwarzen Bart und auffallend große, funkelnde Augen hatte, argumentierte mit heiserer Stimme und gepfeffertem Litwak-Akzent, wobei er den Kopf ruckartig hin und her bewegte. Sein Adamsapfel hüpfte auf und ab. Seine Stirnhaare standen kerzengerade in die Höhe, steif wie Draht. Ein Mädchen rief mit männlich klingender Stimme: »Hanswurst! Trottel!«

»Achten Sie nicht auf ihn, Fräulein Lena!« riet ihr ein junger Mann, der eine große, blitzblanke Brille trug. Er hatte eine hohe Stirn, eine krumme, plattgedrückte Nase und krauses Haar. Um die Augen hinter den funkelnden Gläsern spielte ein gönnerhaftes Lächeln. »Er weiß selber, daß er Stuß redet. Er zieht bloß eine Nummer ab.«

»Das ist keine ›Nummer‹! Es geht um unser *Leben*, um unsere Existenz als Volk!« rief der Schmächtige. »Wir tanzen auf allen Hochzeiten, bloß nicht auf unserer eigenen. Und man dankt uns nicht mal dafür. Man versetzt uns bloß einen Fußtritt in den Hintern.«

»Pfui, wie ordinär!«

»Es ist die Wahrheit! Die reine Wahrheit! Ihr seid ein Verräterpack!«

»Meiner Seel! Das geht immer so weiter!« sagte Gina seufzend. »Dieser Lapidus ist wie das Meer. Er kommt nie zur Ruhe.«

»Das Meer speit Muscheln aus – und er bloß Unrat«, konstatierte der junge Mann.

»Sei still, Broide! Ganz so unschuldig bist du auch nicht. Hört mal her, ich möchte euch mit diesem jungen Mann bekannt machen – er kommt aus der Provinz. Abram hat ihn mitgebracht. Er ist ein Genie, sagt Abram.«

Die Debatte wurde abgebrochen, die Disputanten gafften Euser Heschel an. Schließlich brach Lapidus das Schweigen.

5

»Wo kommen Sie her?« Er streckte ihm die Hand hin. »Ich könnte darauf schwören, daß Sie aus der Provinz Lublin stammen.«

»Ja. Aus Klein-Tereschpol.«

»Hab' ich mir's doch gedacht! Es gibt noch Juden in diesen Schtetln. Echte Juden, die sich ihrer Judennasen nicht schämen – und der Tora auch nicht. Hier bei uns, mein Freund, ist eine Generation herangewachsen, die nur eines im Kopf hat: Humanität! Sie vergießen bittere Tränen über jeden Iwan, jeden Slawen. Nur für ein einziges Volk haben sie nichts übrig – für ihr eigen Fleisch und Blut!«

»He, Lapidus, machst du schon wieder Propaganda?« rief Broide im sonoren Ton des geschulten Redners. »Schweinisch ist das!«

»Aber wieso denn? Ich will ihm bloß klarmachen, in was für eine Mördergrube er hier gefallen ist.« Er wandte sich wieder Euser Heschel zu. »Sehen Sie sich diese Gesellschaft an! Eine Herde von Humanitätsaposteln! Die denken bloß an die soziale Revolution und den russischen Muschik. Keiner von ihnen schert sich auch nur so viel...« – er legte den Daumen an die Spitze seines kleinen Fingers – »... um das, was mit den Juden geschieht!«

»So wahr ich lebe, Lapidus«, unterbrach ihn Gina, »jetzt gehst du wirklich zu weit! Wenn du Nationalist werden oder vielleicht gar ins Bethaus deiner Jugendjahre zurückkehren willst, dann tu's in Gottes Namen! Wozu denn dieses ganze Theater? Man könnte glauben, das hier sei ein Irrenhaus!«

»Es *ist* ein Irrenhaus! Ich bin einmal in einem Dorf gewesen, wo die Leute in einer Bauernkate zusammengepfercht wurden, bevor man sie nach Sibirien deportierte – wie hieß das Kaff doch gleich? Ach ja, Alexandrowka –, und da sah ich eine Schar Juden, mit schütteren Bärten und dunklen Augen, genau wie meine. Aber als ich sie Russisch plappern und über die Revolution salbadern hörte – über die Revolutionären Sozialisten und die Sozialdemokraten, über Plechanow, Bogdanow, Bomben und Attentate, da habe ich gebrüllt vor Lachen. Ich habe gelacht, bis ich hysterisch wurde.«

»Das bist du immer noch.«

»Längst nicht so hysterisch wie du, Broide. Du hast nicht durchmachen müssen, was ich durchgemacht habe. Während ich im Gefängnis fast draufgegangen bin, hast du dich mit den Mägden deines Vaters amüsiert.«

»Zugegeben, du hast viel durchmachen müssen. Aber was ist dabei herausgekommen? Einen Reaktionär hat es aus dir gemacht, weiter nichts.«

»Ich sage dir, Broide, du bist reaktionärer als ich. Leute wie du werden die Welt zugrunde richten.«

»Nicht die Welt, Lapidus. Nur den Kapitalismus und den Chauvinismus – das, woran sich Leute wie du bis zuletzt klammern.«

»Ich bin kein Chauvinist. Mich gelüstet nicht nach Territorien, die anderen gehören. Ich möchte nur, daß wir in einem Winkel dieser Welt eine Heimstatt finden.«

»Na schön. Freut mich, daß du nicht darauf erpicht bist, anderen was wegzuschnappen. Aber du wirst schon sehen – der Appetit kommt beim Essen. Ha, ha, ha!«

»Ha, ha, ha!« äffte ihn Abram nach. »Sehr komisch, Broide, was? In welchem Gebot steht denn, daß wir unser Blut für jeden Hundsfott von Herrscher vergießen müssen, während wir selbst heimatlos im Exil leben? Warum sollten wir das tun? Weil Karl Kautsky beschlossen hat, daß es so sein soll?«

»Mein lieber Schapiro, mit Kautsky hat das nichts zu tun. Wenn ihr von den Türken einen Freibrief bekommt, soll's mir recht sein. Und falls der Sultan beschließt, euch keinen zu geben, werde ich mir bestimmt nicht die Kleider zerreißen.«

»Aber für eine neue Verfassung würden Sie sogar Ihre eigene Mutter zerreißen.«

»Die Verfassung ist eine Sache von weltweiter Bedeutung, euer Freibrief dagegen ist bloß ein Hirngespinst zionistischer Redner.«

»Jetzt fängt das schon wieder an!« zeterte Gina. »Die können's einfach nicht lassen! Gebrüll und Beleidigungen, Qualm und Geschwätz! Komm, Abram! Kommen Sie... Wie war Ihr Name? Ach ja, Euser Heschel. Ich zeige Ihnen das Zimmer der Studentin. Indessen wird die Debatte munter weitergehen.«

Sie ging mit den beiden hinaus. Im Korridor blieb sie stehen und drehte sich zu ihnen um.

»Abram, ich glaube, das hier ist nicht das Richtige für ihn. Was meinen Sie, junger Mann?«

»Ich weiß nicht... Es ist interessant.«

»Hast du's gehört, Gina? Laß ihm ein paar Tage Zeit, und schon wird er noch europäischer sein als die andern. Wenn's nicht schon zu spät dafür wäre, ginge ich mit ihm auf den Alten Markt, um ihm einen schicken Anzug und einen modernen Hut zu kaufen.«

»Abram, ich bitte dich! Denk erst mal nach, bevor du dich in anderer Leute Leben einmischst!«

»Was gibt's denn da nachzudenken? Er ist nach Warschau gekommen, um zu studieren, nicht, um in einem Bethaus zu psalmodieren.«

Gina öffnete eine Tür und machte Licht. Euser Heschel sah ein kleines Zimmer mit einer eisernen Bettstatt, über die eine dunkle Decke gebreitet war. Daneben stand ein Tisch mit Glasfläschchen, Puderdosen und -quasten, einem Glas, in dem eine Zahnbürste steckte, einem Buch und der Fotografie eines jungen Burschen, der wie ein Metzger aussah und Studenten-Epauletten trug. In der Ecke hingen einige Kleidungsstücke. Das Zimmer war kühl und ruhig.

»Na, mein Junge, wie gefällt es Ihnen?« fragte Gina.

»Oh, sehr gut.«

»Gina, meine Liebe, wie geht's dir denn?« fragte Abram unvermittelt. »Du siehst fabelhaft aus. Wie eine Prinzessin!«

»Ach, bloß weil ich mich feingemacht habe. Viel Anlaß zur Freude besteht bei mir nicht.«

»Hast du etwas von Akiba gehört? Warum zögert er die Scheidung so lange hinaus?«

»Weiß Gott, warum. Es wird von Tag zu Tag schlimmer. Immer wenn *er* dazu bereit ist, kommt sein Vater mit irgendwelchen Einwänden, und wenn der Rebbe endlich einverstanden ist, mischt sich Akibas Großmutter ein. Alle hacken auf ihm herum, und mich belegen sie mit den gemeinsten Schimpfwörtern, die man sich vorstellen kann. Man muß wirklich eine eiserne Konstitution haben, um das durchzustehen. Und *mein* lieber Vater war so freundlich, mir mitzuteilen, daß er mich enterbt – daß ich nicht mehr seine Tochter sei.«

»Mach dir nichts draus.«

»Doch, Abram, es bedrückt mich. Ich habe von vornherein gewußt, daß es Kampf, nichts als Kampf bedeutet. Ich Arme habe eben alle gegen mich. Jeder zieht über mich her. Und da ist noch etwas – aber darüber sollte ich lieber nicht sprechen.«

»Was ist los? Was meinst du damit?«

»Ach, du würdest bestimmt sagen, ich sei meschugge.«

»Nu sag schon, was los ist!«

»Ich fürchte, Herz bekommt die ganze Sache allmählich satt. Er ist ein wunderbarer Mensch, großherzig, ein Gelehrter. Aber, unter uns gesagt, er ist schwach. Die Experimente, auf die er sich einläßt, gefallen mir gar nicht. Diese Person – das Medium ... Wie heißt sie doch gleich? Kalischer. Eine ganz gewöhnliche Betrügerin ist sie! Wenn *die* mit Geistern in Verbindung steht, bin *ich* die Geliebte Rasputins! Ganz Warschau lacht über Herz.«

»Ach was! Er ist ein bedeutender Mann.«

»Trotzdem werde ich von Tag zu Tag schwermütiger. Ich sitze mit diesen Zynikern zusammen, und mir schwirrt der Kopf. Ich bete nur noch um das eine: daß es mir erspart bleiben möge, wahnsinnig zu werden... Aber warum überhaupt davon reden! Entschuldigen Sie, junger Mann. Wo ist Ihr Gasthaus?«

»In der Franziskanerstraße.«

»Wenn Sie's dort nicht bequem haben, können Sie Ihre Sachen herbringen. Irgendwie werden wir schon zurechtkommen.«

Euser Heschel fragte Abram: »Bleiben Sie noch?«

»Nein. Ich muß heute abend noch nach Praga hinüber. Aber keine Sorge, wir sehen uns wieder. Ich werde Sie zu mir einladen. Und jetzt holen Sie schleunigst Ihr Gepäck ab!«

Euser Heschel verabschiedete sich. Es hatte wieder zu schneien begonnen, große Flocken rieselten herab. Er schlug den Mantelkragen hoch. Ihm war, als hätte dieser Tag eine Ewigkeit gedauert. Immer wieder klangen ihm Wörter und Sätze, die er heute gehört hatte, in den Ohren. Er hastete durch die Straßen, hin und wieder verfiel er in Laufschritt.

Die Atmosphäre schien mit etwas Seltsamem, Geheimnisvollem, Kabbalistischem geschwängert, das vom noch immer rötlich überhauchten Himmel, von den schneebedeckten Dächern, Balkonen und Haustürstufen ausging. Die flackernden Gaslaternen warfen unruhiges Licht auf die Straße. Schatten huschten über den Schnee. Zuweilen zerriß ein lauter Ruf die Stille, zuweilen ein Knall, als hätte jemand in der Dunkelheit ein Gewehr abgefeuert. Euser Heschel dachte plötzlich daran, daß er am Morgen noch keine Menschenseele in Warschau gekannt hatte. Und jetzt, nur zwölf Stunden später, hatte er ein Logis, eine Privatlehrerin, das Angebot, gegen Bezahlung ein Manuskript abzuschreiben, und die Aussicht, in Abrams Haus eingeladen zu werden. Im Dunkeln glaubte er Hadassas Gesicht vor sich zu sehen, lebensvoll und strahlend, wie in einem Traum.

Als Gina ihn später mit dem abgenutzten Korb, der seine Habseligkeiten enthielt, vor ihrer Tür stehen sah, schnürte es ihr das Herz zusammen. Genauso hatte, vor vielen Jahren, Herz Janowar ausgesehen, als er Warschau verließ, um im Ausland zu studieren. »Auch dieser junge Mann wird jemanden unglücklich machen«, dachte sie. »Schon jetzt ist – irgendwo – jemand dazu ausersehen, sein Opfer zu werden.«

Viertes Kapitel

1

Meschulam Moschkat hatte sich schon seit langem angewöhnt, den Familienmitgliedern gleich nach dem Segensspruch über die erste Chanukkakerze seine Festgeschenke zu überreichen. Auch dieses Jahr hatten sich die Söhne und Töchter mit ihren Familien zum Fest im Hause des Alten eingefunden. Naomi und Manja hatten Überstunden gemacht, um alle Vorbereitungen zu treffen.

Meschulam und die erwachsenen männlichen Familienmitglieder kamen vom Abendgottesdienst im Bialodrewner Bethaus zurück. Zu Hause warteten die Frauen und Kinder auf sie.

Im Wohnzimmer stand eine riesige, kunstvoll ziselierte Chanukkalampe. Der Alte goß das eigens aus dem Heiligen Land importierte Olivenöl hinein, dann rezitierte er den herkömmlichen Segensspruch und zündete den Docht an. Die Flamme zischte und qualmte. Auf dem matten Silber glomm der Widerschein der großen roten »Schammes-Kerze« auf. Zur Feier des Tages trug Meschulam einen geblümten Schlafrock und eine reichverzierte Jarmulke. Seinen Söhnen überreichte er Kuverts, in denen Banknoten steckten. Den Frauen schenkte er Korallenketten und -armbänder in verschiedenen Ausführungen – je nach Alter und Ansehen der Betreffenden. An seine Enkelkinder verteilte er Blechkreisel und Kleingeld. Auch die beiden Hausangestellten und Leibel gingen nicht leer aus.

Als die Geschenke verteilt waren, brachten die Dienstboten große Platten, beladen mit *latkes,* in Öl gebackenen und mit Zimt und Zucker bestreuten Kartoffelpuffern. Und als der Tee und das Eingemachte serviert waren, vergnügte man sich, wie zu Chanukka üblich, mit Gesellschaftsspielen. Meschulam spielte am liebsten mit den Kindern und sorgte dafür, daß sie ein paar Kupfermünzen gewannen. Von seinen Schwiegersöhnen war nur ein einziger zugegen: Mosche Gabriel Margolis. Der Mann von Meschulams Tochter Perl war vergangenes Jahr gestorben, und für Abram Schapiro hatte der Alte nichts übrig. Mosche Gabriel, Sohn eines Rabbis, war ein gelehrter Mann und einer der wenigen, denen die Ehre zuteil wurde, am chassidischen Hof von Bialodrewna am Tisch des Rebbe sitzen zu dürfen. Gleich nach dem Entzünden der Chanukkalampe war Mosche Gabriel ins Bethaus zurückgekehrt. Seinen weltlichen Schwiegervater zu besuchen war für ihn etwas, das erlitten und überstanden werden mußte.

Im Wohnzimmer ging es laut und aufgeregt zu. Joel, Meschulams ältester Sohn, ein massiger, rotnackiger, fettwanstiger Mann Ende Fünfzig, stand in dem Ruf, ein Glücksspieler zu sein. Alles an Joel war überdimensional: seine blauen Froschaugen, sein pockennarbiger Zinken, seine Ohren mit den fleischigen Ohrläppchen. Gravitätisch mischte er die Karten, und sorgfältig achtete er darauf, daß die Spielregeln eingehalten wurden. Egal, ob er gute oder schlechte Karten hatte – unentwegt warf er Münzen in den mitten auf dem Tisch stehenden Teller.

»Einen Gulden!« verkündete er mit dröhnender Stimme.

»Aha!« sagte sein Bruder Nathan. »Wem willst du denn Angst machen, Joel? Du hast sicher ein miserables Blatt.«

»Dann mach doch deinen Einsatz! Laß doch mal sehen, wie schlau du bist!«

Nathan war kleiner als Joel, aber noch korpulenter. Er hatte einen Bauch wie eine Schwangere, einen Stiernacken und ein Doppelkinn. Nur ein paar spärliche Haare sproßten auf seinem Gesicht. Die Familie hatte ihn schon immer für ziemlich unmännlich gehalten. Er war zuckerkrank und wurde von seiner Frau Saltsche, die klein und so rund wie ein Faß war, jede volle Stunde daran erinnert, seine Pillen einzunehmen. Er betrachtete seine Karten, zog an seinen paar Barthaaren und lächelte verschmitzt. »Mit deinem Gulden kannst du mich nicht ins Bockshorn jagen. Ich leg' noch einen drauf!«

Pinnje, Meschulams Sohn aus zweiter Ehe, war klein und dürr. Sein verschrumpeltes, gelbliches Gesicht war von einem ins Grünliche spielenden gelben Bart umrahmt. Neben seinen massigen Stiefbrüdern wirkte er fast zwergenhaft. Um Beachtung zu finden, hatte er sich angewöhnt, mit witzigen Bemerkungen und weisen Talmudzitaten um sich zu werfen. Trotzdem nahm niemand Notiz von ihm. Er war ein miserabler Kartenspieler – einer der Gründe dafür, daß Hanna, seine Frau, ihm nur einen halben Rubel Taschengeld bewilligte.

»Ich bin erledigt«, sagte er ein ums andere Mal und warf die Karten hin. »Mit so einem Blatt geht man pleite.«

Njunje, der jüngere Sohn aus Meschulams zweiter Ehe, war ganz aus dem Häuschen: Er zappelte, lief rot an, schwitzte – und machte einen Fehler nach dem anderen. Er hatte ein bißchen Bammel vor seinen älteren Stiefbrüdern Joel und Nathan, was dazu führte, daß er ständig auf Pinnje herumhackte.

Am Tisch der Frauen wurde unentwegt gebabbelt. Den Löwenanteil an der Unterhaltung hatte Esther, Joels Frau (von der Familie »Königin Esther« genannt) – ein Mannweib mit dreifachem Kinn und enormem Busen. Sie zog mit Zahlen beschriftete Täfelchen aus einem Leinensack und rief die Nummern aus. Dann suchten die anderen auf den vor ihnen liegenden Pappdeckelkarten eifrig nach der betreffenden Zahl. Obwohl Esther gerade erst eine ganze Menge Kartoffelpuffer vertilgt hatte, standen verschiedene Leckereien griffbereit neben ihr: Orangenscheiben, Plätzchen, Sahnebonbons, türkischer Honig – alles, was den Heißhunger des Bandwurms stillen konnte, der sich, nach Aussage der Ärzte, in ihren Gedärmen eingenistet hatte. Saltsche, Nathans Frau, hatte offenbar Glück im Spiel. Schon kurz nach Beginn brach sie in Jubel aus und zeigte ihre Karte vor, auf der in einer waagerechten Reihe sämtliche Zahlen abgedeckt waren. Obzwar nur um Groschenbeträge gespielt wurde, herrschte an diesem Tisch ein ohrenbetäubender Lärm. Die Frauen schwatzten, lachten, fielen einander ins Wort, und ständig war das Geklirr ihrer Teegläser und -löffel zu hören. Esther und Saltsche, die ältesten Schwiegertöchter Meschulams, tratschten in einem fort miteinander, hauptsächlich auf Kosten Daches, die ohne ihre Tochter Hadassa gekommen war. Perl, Meschulams verwitwete älteste Tochter, eine nüchterne Person mit viel Geschäftssinn (die echte Tochter ihres Vaters!), saß mit ihren Töchtern und Schwiegertöchtern etwas abseits. Sie blieben am liebsten unter sich. Sie wohnten im nördlichen Stadtteil, der von den anderen Familienmitgliedern abschätzig »das Viertel dahinten« genannt wurde, und besuchten Meschulam höchstens zweimal im Jahr. Hanna widmete dem Spiel nicht ihre volle Aufmerksamkeit. Die meiste Zeit behielt sie Pinnje im Auge, weil sie fürchtete, er könnte einen groben Schnitzer machen. Am unteren Ende des Tisches saß Hama, Abrams Frau. Sie war klein, kränklich und immer melancholisch gestimmt. Vom vielen Weinen hatte sie eine gerötete Nase und trübe Augen. Sie wirkte wie irgendein armseliges Wesen, das wundersamerweise die Tochter einer wohlhabenden Familie geworden war. Ihre Kleidung war abgetragen, ihre Perücke im Lauf der Jahre schäbig geworden. Sie fummelte hilflos mit ihren Spielmarken herum und kam mit den Zahlen auf ihrer Karte nicht zurecht. Immer wieder sah sie ängstlich zu ihren Töchtern, Bella und Stefa, hinüber. Es tat ihr bitter leid um die paar Groschen, die sie und ihre Töchter beim Lottospiel an Esther und Saltsche, ihre unersättlichen Schwägerinnen, verloren.

»Welche Zahl hast du ausgerufen?« fragte sie. »Dreiundsiebzig? Achtundneunzig? Ich kann kein Wort verstehen.«

Lea, Meschulams jüngste Tochter – verheiratet mit Mosche Gabriel –, saß bei den jungen Mädchen. Obzwar sie von ihnen »Tante« genannt wurde, fühlte sie sich dieser Generation zugehörig. Sie hatte ein volles Gesicht, große blaue Augen, üppige Brüste, gutgepolsterte Hüften und stämmige Beine. Ihr Blick hatte etwas Scharfes, Berechnendes. Als junges Mädchen war Lea in etwas hineingeraten, das die Familie als Schande empfand: Sie hatte sich in Koppel, den Aufseher, verliebt. Als Meschulam dahintergekommen war, hatte er Koppel eine gehörige Tracht Prügel verpaßt und Lea schleunigst mit Mosche Gabriel Margolis, einem kinderlosen Witwer, verheiratet. Jahraus, jahrein gab es zwischen den Eheleuten Zank und Streit, und immer wieder war von Scheidung die Rede. Jetzt tuschelte Lea mit ihren Nichten, kniff sie und puffte sie in die Seite. Die Mädchen lachten sich halbtot.

»Tante Lea! Bitte hör auf damit! Ach, ich kann nicht mehr!« kreischten sie immer wieder. Sie bogen sich vor Lachen, fielen einander in die Arme und machten einen solchen Krach, daß Meschulam mit der Faust auf den Tisch schlug. Er konnte dieses typisch weibliche Geplapper und Gekicher nicht ausstehen.

Rosa Frumetl spielte nicht mit. Sie behauptete steif und fest, dieses Spiel nicht zu kennen und keinerlei Talent für so etwas zu haben. Sie setzte sich in Szene, indem sie die Dienstboten in der Küche herumkommandierte, den älteren Gästen Tee und Anisplätzchen anbot und den jüngeren Tütchen mit Bonbons, Rosinen, Mandeln, Feigen, Datteln und Johannisbrot. Wenn ein Kind hustete, zeigte sie sich sehr besorgt und empfahl Kandiszucker oder Eierpunsch. Und wenn Meschulam einem seiner Enkel am Spieltisch einen Rüffel erteilte oder ein Schimpfwort an den Kopf warf, nahm sie das arme Opfer sofort in Schutz.

»Das arme Schatzele! Wie kann man so ein Herzblatt mit solchen Ausdrücken traktieren!«

Worauf Meschulam knurrte: »Nu ja, nu ja. Dir kann das doch egal sein! Ich weiß Bescheid.«

Adele hatte vorgehabt, die ganze Zeit in ihrem Zimmer zu bleiben, doch als Rosa Frumetl ihr Taschentuch an die Augen drückte und sie anflehte, ihr keine Schande zu machen, hatte Adele sich bewegen lassen, wenigstens beim Segensspruch über das Chanukkalicht zugegen zu sein. Danach war sie mit anmutsvoll geneigtem Kopf wieder in ihr Zimmer gegangen. Königin Esther hatte Saltsche einen Rippenstoß versetzt.

»Spielt die vornehme Dame, diese dürre Spinatwachtel!« sagte sie hinter vorgehaltener Hand. Dann wisperte sie Saltsche eine gepfefferte Bemerkung ins Ohr. Die jungen Mädchen durften so etwas natürlich nicht hören, aber sie kicherten und erröteten trotzdem.

2

Als Meschulam es geschafft hatte, die Kinder ungefähr ein Dutzend Fünfkopekenstücke gewinnen zu lassen, stand er auf und warf Pinnje einen vielsagenden Blick zu. Pinnje galt als der Schachexperte der Familie. Der Alte nahm sich nur selten Zeit für eine Partie, doch jedermann wußte, daß er gern Schach spielte. Pinnje legte seine Karten hin und stellte das Schachbrett auf. Vater und Sohn setzten sich einander gegenüber und machten sich auf eine längere Partie gefaßt. Njunje mußte nach Hause, weil Dache über Kopfschmerzen klagte. Joel und Nathan kiebitzten.

Wie gewohnt ging Meschulam sofort zum Angriff über. Er brachte den Läufer heraus und stellte beim nächsten Zug die Dame auf ein Feld, auf dem sie Matt droht. Pinnje wehrte den Angriff ab, indem er seinen Königsspringer entwickelte und später den Gegner mit einem Doppelangriff auf Dame und Turm überraschte. Der Alte war verdutzt. Er umklammerte seinen schütteren Bart. Mit dieser Entwicklung hatte er nicht gerechnet.

»Papa, wenn du willst, kannst du diesen Zug zurücknehmen.«

»Fehler bleibt Fehler«, fuhr ihn der Alte an. »Schachzug bleibt Schachzug.«

»Du hast doch bloß übersehen, daß...«

»Wer etwas übersieht, muß die Folgen tragen«, entschied der Alte.

»Ich habe dich davor gewarnt, den Bauern zu ziehen«, warf Joel ein.

»Wenn man auf alles hören würde, was du sagst...« Meschulam strich sich über den Bart, starrte aufs Schachbrett und summte eine liturgische Melodie. Njunje summte mit, dann stimmte auch Pinnje ein. Nach langem Nachdenken beschloß Meschulam, mit dem Springer Schach zu bieten. Das bedeutete zwar den Verlust des Springers, aber wenigstens konnte auf diese Weise das Debakel noch etwas hinausgezögert werden. Er machte den Zug, sagte »Schach!« und begann von neuem, die Melodie vor sich hin zu summen.

In diesem Moment war das Schrillen der Haustürklingel zu hören. Alle blickten in Richtung Flur – in der Annahme, daß Naomi oder Manja öffnen würde. Doch allem Anschein nach hatten die beiden etwas anderes zu tun – jedenfalls klingelte es eine Weile später nochmals. Da Rosa Frumetl gerade bei Adele war, ging Saltsche zur Haustür. Kurz darauf kam sie zurück.

»Ein Fremder«, sagte sie zu Meschulam. »Ein junger Mann, der dich sprechen möchte.«

»Was für ein junger Mann?« fragte Meschulam ärgerlich. »Schick ihn weg!«

»Er sagt, er sei herbestellt worden, um ein Manuskript durchzusehen.«

»Wer hat denn hier was mit Manuskripten zu tun? Sag ihm, ich möchte nicht belästigt werden!«

»Papa, vielleicht ist es etwas Wichtiges«, warf Pinnje ein, der die Schachpartie lieber abbrechen wollte, ehe der Alte wegen seiner Niederlage in schlechte Laune geriet.

»Wenn's etwas Wichtiges ist, soll er in meinem Kontor vorsprechen«, sagte Meschulam mürrisch. Ihm war klar, daß er die Partie verlieren würde.

»Schade«, sagte Saltsche. »Irgendwie tut er einem leid. Was soll ich ihm bloß sagen?«

»Hör mal, Papa, warum läßt du ihn nicht hereinkommen?« schlug Nathan vor. »Du hast die Partie sowieso verloren.«

»Stimmt, ich hab' sie verloren.«

Mehr wollte Saltsche gar nicht hören. Sie ging hinaus und führte kurz darauf Euser Heschel ins Wohnzimmer. Alle musterten ihn neugierig. Noch nie war ein Fremder am ersten Abend des Chanukkafestes im Hause Moschkat empfangen worden.

Euser Heschel blieb an der Türschwelle stehen. Er hatte völlig vergessen, daß an diesem Abend ein Fest gefeiert wurde. Es war ihm peinlich, diesen fremden Leuten gegenüberzutreten.

»Bleiben Sie nicht an der Tür stehen! Kommen Sie herein!« rief Meschulam mit dröhnender Stimme. »Hier wird niemand aufgefressen.«

Euser Heschel warf einen ängstlichen Blick über die Schulter, als wollte er die Flucht ergreifen. Dann trat er ein. Ein paar Schritte vor dem Schachtisch blieb er stehen. »Sie sind Reb Meschulam Moschkat?«

»Wer denn sonst? Und wer sind Sie?«

»Die Dame – ich meine Ihre Frau – hat mich herbestellt.«

»Aha! Also deshalb! Sie wollen meine Frau besuchen.« Anzüglich kniff Meschulam das eine Auge zusammen. Alle brachen in Gelächter aus.

»Ich habe sie im Hause Ihres Sohnes kennengelernt.«

»Meine Frau! Bei meinem Sohn!« Wieder ein Heiterkeitserfolg. Alle wußten, daß der Alte zuweilen dazu neigte, plumpe Witze zu machen und daß er sich durch nichts anderes so geschmeichelt fühlte wie durch das Gelächter, mit dem man diese Witze quittierte. Außerdem hatte er jetzt Gelegenheit, seinen Ärger über die verlorene Schachpartie loszuwerden.

Euser Heschel schaute ganz verdattert drein. »Es handelt sich um ein Manuskript«, stammelte er.

»Was für ein Manuskript? Heraus mit der Sprache! Klar und deutlich, junger Mann!«

»Es ist ein Kommentar, den ihr erster Mann verfaßt hat. Ein *Prediger Salomo*-Kommentar.«

»Aha! Verstehe. Wo ist sie denn? Sie soll hereinkommen!«

Stefa, Abrams Tochter, ging hinaus, um Rosa Frumetl Bescheid zu sagen, die sofort angelaufen kam und den Eindruck machte, als wäre ihr dieser plötzlich hereingeschneite Besuch sehr peinlich.

»Ein unerwarteter Besuch! Ich war überzeugt, daß Sie gar nicht kommen würden. Warum melden Sie sich erst jetzt?«

»Ich war sehr beschäftigt. Ich hatte keine Zeit.«

»Habt ihr das gehört? Ich biete ihm die Chance, ein bißchen Geld zu verdienen – und er hat keine Zeit! Sie sind wohl ganz plötzlich zu Reichtum gekommen? Meine Tochter hat sich übrigens auch gewundert, daß Sie uns nicht aufgesucht haben.«

»Ich hatte keine Zeit. Ich konnte wirklich nicht.«

»Aber für Ihre Privatstunden hatten Sie Zeit, wie ich erfahren habe.«

Euser Heschel bewegte die Lippen, brachte aber kein Wort heraus. Rosa Frumetl wiegte bekümmert die Schultern. »Und Ihre Schläfenlocken haben Sie abgeschnitten! Nu, der Herr hat mich nicht zum Wächter über die frommen Sitten und Gebräuche berufen. Kommen Sie mit in die Bibliothek, dort zeige ich Ihnen das Manuskript. Ich hatte bereits vor, mich nach jemand anderem umzusehen.«

Sie führte ihn hinaus. Die Frauen begannen sofort zu tuscheln und zu kichern. Meschulam blickte finster um sich. »Wer ist dieser Bursche? Und was hat sie mit ›Privatstunden‹ gemeint?«

»Hadassa gibt ihm Unterricht«, erklärte Stefa. »Mein Papa

hat mir von ihm erzählt. Dieser junge Mann hätte Rebbe werden können, aber statt dessen hat er auf dem Dachboden Mathematik studiert.«

»Jetzt ist sie also Lehrerin geworden«, knurrte Meschulam. »Nu, ich sorge schon dafür, daß der Ehevertrag schleunigst unter Dach und Fach kommt. Gleich nach dem Schabbes.«

Er stieß die Schachfiguren um und stand auf. Diese Dache! Eine Schwiegertochter, die immer ihren Kopf durchsetzen wollte! Vor gut einem Dreivierteljahr hatte er Anweisung erteilt, den Ehevertrag für Hadassa und Fischel, Reb Simon Kutners Enkelsohn, vorzubereiten. Zeinwele Srozker, der *schadchen,* hatte für seine Vermittlerdienste sogar schon eine Vorauszahlung von fünfzig Rubeln erhalten. Und für die Mitgift war bereits gesorgt. Aber Dache brachte es immer wieder fertig, die Angelegenheit hinauszuzögern – mit dem Argument, ihre Tochter sei krank, oder mit irgendwelchen anderen Ausflüchten. Meschulam wußte, was wirklich dahintersteckte: Dache war gegen diese Heirat, Hadassa hatte zuviel für all den modernen Unsinn übrig, und Abram, dieser Blender, dieser Nichtsnutz, stachelte jedermann dazu auf, sich nicht um Meschulams Wünsche zu scheren. Aber er, Meschulam Moschkat, würde diese Angelegenheit ein für allemal regeln – und zwar sofort! Er würde ihnen allen zeigen, wer hier zu bestimmen hatte – *er,* der für den Lebensunterhalt dieser Schmarotzer und Vielfraße sorgte und ihre Kinder verheiratete, oder Abram, dieser läufige Ziegenbock, dieser Schürzenjäger, der nichts anderes tat, als Geld ausgeben und seine Familie vernachlässigen.

Er begann, im Zimmer auf und ab zu gehen. Seine Schuhe knarrten. Wie immer, wenn er eine Sache in Angriff nahm, kribbelte es ihm in den Fingerspitzen, fühlte er sich von neuer Energie durchdrungen. Seine hellen Augen funkelten. Er strich sich über die Stirn und begann, einen Plan auszuhekken, wie man seiner hochnäsigen Schwiegertochter und dieser »empfindlichen«, »preziösen« Enkelin den Eigensinn austreiben könnte.

»Schlemihle, Schmarotzer, Tagediebe!« knurrte er. »Wer fragt schon nach *ihrer* Meinung!«

Zum hundertsten Mal nahm er sich vor, Abram zu enterben. Keinen roten Heller würde er ihm hinterlassen, auch wenn seine eigene Tochter und ihre Kinder sich dann – Gott soll schützen! – von wohltätigen Spenden ernähren müßten.

3

In der Bibliothek nahm Rosa Frumetl das Manuskript aus einem Regal. Es steckte zwischen zwei Pappdeckeln und war mit einem grünen Band verschnürt. Sie legte es vorsichtig auf den Tisch.

»So – das ist es! Ziehen Sie den Mantel aus und machen Sie sich's bequem!«

Sie nahm seinen Mantel und ging damit in den Flur. Euser Heschel setzte sich auf einen lederbezogenen Stuhl und blätterte in dem Manuskript. Die Seiten waren vergilbt, von unterschiedlichem Format und zum größten Teil unnumeriert. Die Handschrift war klein und krakelig, im Text war viel herumradiert worden, zwischen den krummen Zeilen und am Rand standen zahlreiche Korrekturen. Euser Heschel überflog das Vorwort. Der Verfasser, so hieß es darin, habe dieses Werk nicht im Hinblick auf eine mögliche Veröffentlichung geschrieben, sondern nur für sich selber und seine Nachkommen. Sollten seine Enkel oder Urenkel das Werk für veröffentlichungswürdig erachten, so müßten sie sich zuerst der Zustimmung dreier Rabbiner versichern, die darüber zu befinden hätten, ob der Verfasser sich eventuell in einigen Punkten geirrt und den Bibeltext falsch ausgelegt habe. Das Werk selbst war eine Mischung aus Forschungsarbeit, Spekulation und Phrasendrescherei.

»Nun, was meinen Sie dazu?« hörte er Rosa Frumetl fragen. »Können Sie das schaffen?«

Er blickte auf. Sie hatte ihm ein Glas Tee und ein Tellerchen mit Gebäck gebracht. Zusammen mit ihrer Mutter war Adele hereingekommen. Sie trug denselben Plisseerock und dieselbe gestickte Bluse wie an dem Tag, als Euser Heschel ihr zum ersten Mal begegnet war. Im rötlichen Schein der Lampe wirkte ihr Gesicht noch knochiger und ihre Stirn unter dem straff zurückgekämmten Haar noch höher. Sie sah so bläßlich aus, als wäre sie eben erst vom Krankenbett aufgestanden.

»Guten Abend«, sagte sie. »Ich dachte schon, Sie wollten uns nicht wiedersehen.«

»O nein«, stammelte Euser Heschel. »Ich hatte noch keine Zeit. Jeden Tag wollte ich herkommen, aber...«

»Also, was meinen Sie?« unterbrach ihn Rosa Frumetl. »Können Sie's entziffern?«

»Ich fürchte, das ganze Manuskript muß abgeschrieben werden.«

»Ein Jammer!«

»Und an einigen Stellen müssen Anmerkungen gemacht werden – in Klammern. Der Text ist zu komprimiert. Man muß etliche Erklärungen beifügen.«

»Also gut, machen Sie sich dran.« Rosa Frumetl stieß einen tiefen Seufzer aus. »Es eilt nicht. Kommen Sie täglich her, ganz nach Belieben, und arbeiten Sie daran. Fühlen Sie sich hier wie zu Hause. Und was die Bezahlung betrifft – darüber werde ich mit meinem Mann reden.«

»Machen Sie sich bitte keine Umstände.«

»Nein, ich spreche sofort mit ihm. Trinken Sie Ihren Tee. Ich bin gleich zurück.«

Rosa Frumetl raffte ihren Rock. Die Türangeln quietschten, als sie hinausging. Adele kam etwas näher.

»Ich dachte schon, wir hätten Sie irgendwie gekränkt.«

»O nein!«

»Ich habe das gleiche Naturell wie mein Vater. Ich nehme mir kein Blatt vor den Mund – und mache mir Feinde. Das wird einmal schlecht ausgehen, fürchte ich.«

Sie setzte sich auf die Stufe einer Leiter, die an einem Regal lehnte. Ihr Plisseerock breitete sich wie ein Fächer zu ihren Füßen aus.

»Was halten Sie denn von dem Manuskript? Ich wollte es schon so oft durchsehen, aber ich habe kein Wort davon verstanden.«

»Ach, wissen Sie, für ein Mädchen dürfte so etwas nicht besonders interessant sein.«

»Erzählen Sie mir etwas darüber. Ganz so ungebildet bin ich nicht.«

»Ich weiß nicht so recht, wo ich anfangen soll. Es knüpft an etwas an, das man ›Scholastik‹ nennt.«

Er begann, in dem Manuskript zu blättern. Adele sah ihm neugierig zu. Er überflog ein paar Passagen, bewegte dabei die Lippen, schüttelte mißfällig den Kopf. Nach einer Weile legte er die Hand ans Kinn und las konzentriert weiter. Tiefe Furchen erschienen auf seiner Stirn. Sein Gesichtsausdruck änderte sich ständig – die Skala reichte von der gespannten Aufmerksamkeit des jugendlichen Lesers bis hin zur Nachdenklichkeit des Erwachsenen. Adele schoß ein Gedanke durch den Kopf: So mußte ihr Vater ausgesehen haben, als er jung war.

»Also, ich bin ganz Ohr.«

»Wissen Sie, es gibt eine Stelle im *Prediger Salomo*: ›Der Wind geht gen Süden und dreht sich nach Norden und wieder herum an den Ort, wo er anfing.‹ Das wird hier so ausgelegt, daß mit dem Wind die Seele gemeint sei. Wenn ein Mensch sündigt, könne seine Seele – nach seinem Tod – in alle möglichen Geschöpfe und Dinge wandern, in einen Hund zum Beispiel, in eine Katze, einen Wurm, ja sogar in die Flügel einer Windmühle. Am Ende aber kehre die Seele zu ihrem Ursprung zurück.«

Während er redete, sah ihn Adele unentwegt an. Ihr Blick verriet so etwas wie Respekt und Staunen. Die blauen Äderchen an ihren Schläfen pulsierten.

»Hoffentlich habe ich mich verständlich ausgedrückt.«

»O ja.«

»Und was meinen Sie dazu?«

»Ich wollte, das alles könnte in einer europäischen Sprache niedergeschrieben werden!«

Euser Heschel wollte etwas sagen, aber plötzlich wurde die Tür geöffnet, und Meschulam kam herein, gefolgt von Rosa Frumetl.

»Schau, schau, da haben wir also einen Gelehrten hier! Nu, was meinen Sie, junger Mann – kommen Sie mit dem Buch zurecht?«

»Ich glaube schon.«

»Was mich betrifft – ich halte nichts von all dem Geschreibsel. Heutzutage hält sich jeder für einen Schriftsteller. Aber ich habe ihr versprochen, es drucken zu lassen, also... Wieviel wollen Sie für Ihre Mühe haben?«

»Das steht bei Ihnen. Für mich ist das nicht die Hauptsache.«

»Was soll das heißen? Sie tun es doch wohl nicht aus reiner Gefälligkeit?«

»Ja – das heißt nein.«

»Erzählen Sie etwas von sich! Was sind Sie – einer von diesen ›modernen‹ Juden?«

»Eigentlich nicht.«

»Wenn ein junger Bursche aus seinem Elternhaus wegläuft, ist er bestimmt kein heiligmäßiger Jude.«

»Ich habe auch nicht vor, ein Heiliger zu werden.«

»Was denn? Ein Sünder?«

»Ich will nichts weiter als studieren.«

»Studieren? Was denn? Wie man rituelle Fragen beantwortet? Wenn eine ängstliche Frau sich Sorgen macht, weil der Schatten eines Schweins auf ihren Milcheimer gefallen ist...«

»Nein, das weiß ich bereits.«

»Wie ich gehört habe, gibt meine Enkelin... wie heißt sie doch gleich... meine Enkelin Hadassa Ihnen Privatstunden.«

Euser Heschel wurde rot. »Ja, sie... sie gibt mir Polnischunterricht.«

»Was nützt Ihnen Polnisch? Erstens stehen wir hier unter russischer Herrschaft. Und zweitens wird sich Hadassa Samstagabend verloben. Für eine Braut schickt es sich nicht, jemandem Privatstunden zu geben.«

Euser Heschel wollte etwas erwidern, doch die Stimme versagte ihm. Seine Kehle war wie ausgetrocknet. Er wurde leichenblaß, das Teeglas zitterte ihm in der Hand.

»Ist das dein Ernst?« Rosa Frumetl schlug die Hände zusammen. *»Masel tow!«*

»Sie wird Fischel Kutner heiraten. Sein Großvater, Simon Kutner, hat ein Ölgeschäft in der Gnojnastraße. Kein gelehrter, aber ein ehrenwerter Mann. Ein Anhänger des Bialodrewner Rebbe, wie ich auch. Der Bräutigam lernt im Bethaus und kümmert sich nachmittags im Laden seines Großvaters um die Buchführung.«

»Das ist ja eine wundervolle Neuigkeit!« rief Rosa Frumetl. »Dache hat noch kein Wort verlauten lassen.«

Auf dem Gesicht des Alten erschien ein listiges Lächeln.

»Nächsten Samstagabend. Sie werden eingeladen. Und Honigkuchen essen.« Seine Augen unter den buschigen Brauen fixierten Euser Heschel, dann machte er eine Mundbewegung, als wollte er seinen eigenen Schnurrbart verschlucken.

4

Eine Weile war es ganz still im Zimmer. Euser Heschel nahm ein Stück von dem Gebäck, dann legte er es wieder auf den Teller. Rosa Frumetl spielte mit ihrer Perlenkette. Meschulam setzte sich, griff nach einer Manuskriptseite und hielt sie dicht an die Augen.

»Wo ist mein Vergrößerungsglas?«

»Ich habe keine Ahnung.«

»Gibt es überhaupt was, wovon du eine Ahnung hast?« Und an Euser Heschel gewandt: »Was ist das eigentlich?«

»Ein Bibelkommentar.«

»Aha! Alle bringen mir neue Bücher – Rabbis, Hausierer –, aber ich kann meine Zeit nicht damit verplempern. Mein Kontor ist vollgestopft mit Büchern.«

»Warum läßt du sie nicht hierherbringen?«

»Wer soll sich denn darum kümmern? Koppel ist ein Ignoramus. Stöße von Briefen – von Rabbis, Lehrern und weiß der Kuckuck wem sonst noch. Und niemand da, der sie beantwortet.«

»Oi, oi! Rabbis schreiben dir und bekommen keine Antwort!«

Meschulam warf seiner Frau einen sarkastischen Blick zu. »Was hindert dich daran, diese Schreiben zu beantworten? Angeblich bist du doch eine gebildete Frau. Außerdem hat meine Sehkraft nachgelassen.«

»Wie wär's, wenn du *ihn* darum bätest? Er ist ein gelehrter junger Mann.«

»Was? Eine gute Idee. Sprechen Sie in meinem Kontor in der Grzybowska vor. Mein Aufseher ist zwar mit allen Wassern gewaschen, aber in solchen Dingen ein Bauer.«

»Wann darf ich kommen?«

»Jederzeit, jederzeit. Dann können Sie mir erzählen, was die alle schreiben. In zwei Worten.«

Meschulam ging hinaus. Rosa Frumetl wandte den Kopf,

um Euser Heschel triumphierend anzusehen, doch als ihr Blick dem ihrer Tochter begegnete, verließ sie wortlos das Zimmer. Wieder herrschte Schweigen. Aus einem Winkel war leises Piepsen zu hören – es klang, als ob hinter dem Balkenwerk eine Maus herumhuschte. Adele, die immer noch auf der Leiter saß, bewegte sich ein wenig. Euser Heschel wollte aufblicken, doch seine Augenlider waren schwer wie Blei. Er hatte das seltsame Gefühl, daß im nächsten Moment sein Stuhl umkippen würde.

»Warum sind Sie so verstört?« Sie musterte ihn scharf.

»Ich bin nicht verstört.«

»Sie sind in sie verliebt. Anders ist es gar nicht zu erklären.«

»Verliebt? Ich weiß nicht, wovon Sie sprechen.«

»Sie ist oberflächlich. Alles bloß Getue. Sie weiß so gut wie nichts. Sie hat die Matura nicht geschafft.«

»Sie ist krank geworden.«

»Schlechte Schüler schaffen es immer irgendwie, vor der Prüfung krank zu werden.«

»Sie mußte sich in einem Sanatorium kurieren lassen – fast ein Jahr lang.«

»Jaja, mir sind solche Fälle bekannt. Man macht sich selbst und anderen etwas vor.«

Das gedämpfte Schlagen einer Uhr war aus dem Wohnzimmer zu hören. Neun Uhr.

»Mein *erster* Eindruck von Ihnen war, daß Sie ein ernsthafter Mensch sind.«

»Was habe ich mir denn zuschulden kommen lassen?«

»Wenn sich jemand auf ein Studium vorbereiten will – in Ihrem Alter –, dann muß er sich Tag und Nacht aufs Lernen konzentrieren und darf nicht hinter Mädchen her sein.«

»Ich bin hinter niemandem her.«

»Und keinesfalls sollte er in einer solchen Wohnung logieren.«

»Wer hat Ihnen das erzählt? An dieser Wohnung ist nichts auszusetzen.«

»Oh, ich weiß Bescheid. Diese Gina ist ein liederliches Frauenzimmer. Und Abram Schapiro ist ein Angeber. Wirklich ein feiner Umgang für einen Studenten!«

Euser Heschel machte eine spontane Handbewegung. Das Manuskript fiel hinunter. Er bückte sich, um die verstreuten Seiten aufzuheben, war aber nicht imstande dazu. Er fühlte sich plötzlich von einer Hilflosigkeit übermannt, wie man sie ähnlich im Traum erlebt.

»Ich möchte Sie nicht kränken«, sagte Adele. »Wenn Sie nicht etwas Besonderes an sich hätten, würde es mir gar nicht einfallen, mit Ihnen über diese Dinge zu reden.«

Euser Heschel brachte nur ein leises »danke« heraus.

»Sie brauchen sich nicht bei mir zu bedanken – aber ansehen sollten Sie mich wenigstens. Ein *so* frommer Chassid sind Sie doch nicht, daß Sie sich scheuen müßten, ein Mädchen anzusehen. Und sitzen Sie nicht mit gekrümmtem Rücken da! Sie sind doch kein Achtzigjähriger!«

Euser Heschel richtete sich auf und sah zu ihr hinüber. Ihre Blicke kreuzten sich. Über Adeles scharfe Züge huschte ein Lächeln.

»Eine merkwürdige Mischung sind Sie! Jeschiwa-Schüler aus dem Schtetl und Weltbürger.«

»Sie machen sich über mich lustig.«

»Keineswegs. Die, denen ich in der Schweiz begegnet bin – das sind die dunklen, kraushaarigen Typen. Lauter Habenichtse! Was *Sie* brauchen, ist ein Mensch, der Ihnen echte Freundschaft entgegenbringt. Und außerdem haben Sie sehr viel Disziplin nötig.«

»Ja, ich glaube, das stimmt.«

»Wenn Sie allen Ernstes studieren wollen, kann ich Ihnen helfen. Ich kann Ihnen nützlicher sein als Hadassa.«

»Ich dachte, Sie wollten fortgehen.«

»Das werde ich auch. Aber nicht sofort.«

Sie stand auf und bückte sich, um ihm beim Aufsammeln der Manuskriptseiten zu helfen. Ihre Hand berührte die seine. Er spürte das Pieken ihrer manikürten Fingernägel. Als er das Manuskript auf dem Tisch ordnete, beugte sie sich über seine Schulter. Der weibliche Körpergeruch und der Duft ihres Parfüms stiegen ihm in die Nase.

Dann ging sie zur Tür. »Ich muß mich jetzt verabschieden. Gute Nacht.«

»Gute Nacht.«

»Wenn Sie wollen, gebe ich Ihnen morgen die erste Privatstunde.«

»Ich... ja... vielen Dank.«

»Und bitte – nicht so schüchtern sein! Das ist unangebracht. Zumal für einen Weltbürger.«

Fünftes Kapitel

I

Über hundert Gläubige pilgerten anläßlich dieses Chanukkafestes zum Hof des Bialodrewner Rabbis. Der Rabbi hatte nicht mehr als zweitausend Anhänger; sie waren über ganz Polen verstreut. Selbst zu Rosch Haschana, dem Neujahrsfest, hatten sich nur zwischen zwei- und dreihundert Gläubige bei ihm versammelt. Seit seine Tochter Gina Genendel ihrem Ehemann Akiba, dem Sohn des Rabbis von Sencymin, davongelaufen war und sich mit Herz Janowar, diesem Ketzer, eingelassen hatte, waren etliche seiner Anhänger von ihm abgefallen. Die Schüler und Gehilfen, die sich ständig an seinem Hof aufhielten, hatten nicht damit gerechnet, daß sich zu Chanukka mehr als zwanzig Anhänger einfinden würden.

Auf dem Bahnhof, der fünf Werst von Bialodrewna entfernt war, trafen Chassidim ein, die sich schon seit mehreren Jahren nicht mehr am rabbinischen Hof hatten blicken lassen. Sogar aus Radom und Lublin kamen Gläubige angereist. Die Kutscher, die mit ihren Schlitten an der Bahnstation warteten, konnten nicht alle Besucher auf einmal befördern. Die übrigen mußten warten, bis die Schlitten zurückkamen. Einige machten sich, wie es früher üblich gewesen war, zu Fuß auf den Weg. Sie stärkten sich mit Branntwein aus Feldflaschen, sangen chassidische Lieder und machten zuweilen chassidische Luftsprünge. Auf dieser einsamen Landstraße war nur selten ein Bauer zu sehen. Rechts und links erstreckten sich die Felder, auf denen Winterweizen gesät war, wie ein vereistes Meer bis zum Horizont. Krächzend flog eine Krähe über die weite Ebene.

Die Nachricht, daß ganze Scharen von Gläubigen im Anmarsch waren, versetzte die Dörfler in helle Aufregung. Die Gastwirte und Zimmervermieter sorgten schleunigst dafür, daß genug Betten zur Verfügung standen. Die Ladenbesitzer bereiteten sich auf einen Ansturm vor. Die Metzger ließen sofort eine Kuh schächten, die für die folgende Feiertagswoche gemästet worden war. Die Fischer eilten zu dem See, der zum Landgut des Grafen Dombrowski gehörte, und verhandelten mit dem Verwalter wegen eines Fischzugs. Besonders beeindruckt aber waren die Dörfler von der Nachricht, daß auch Reb Meschulam Moschkat aus Warschau eingetroffen sei. Sonst war er immer nur zu Rosch Haschana hergekommen. Daß er diesmal auch zu Chanukka erschien, bedeutete, daß Bialodrewna endlich wieder zu Ansehen gelangen würde.

Bereits am Donnerstagnachmittag ging es im Bethaus ganz anders zu als in den letzten Jahren. Junge Burschen, die mit ihren Vätern gekommen waren, widmeten sich eifrig dem Bücherstudium oder beteiligten sich an den Festtagsspielen. Die älteren Männer waren entweder in die Lektüre von Kommentaren vertieft oder schlenderten herum und schwatzten miteinander. Durch die hohen Fenster fiel das fahle Licht der Wintersonne auf die langen Tische und spiegelte sich in den Pfeilern des Vorleserpodiums. Ständig trafen weitere Gläubige ein, ständig wurden Begrüßungsworte ausgetauscht. Ascher, der alte Schammes, der schon dem ersten Rabbi von Bialodrewna – dem Großvater des jetzigen Amtsinhabers – gedient hatte, hieß die Neuankömmlinge als erster willkommen. »Seid gegrüßt und Friede mit Euch, Reb Berisch Ischbitzer!« tönte seine krächzende Stimme durchs Bethaus. »Habe die Ehre!« »Scholem alejchem, Reb Motel Wlozlawker!«

Obwohl es schon fast Zeit für den Spätnachmittagsgottesdienst war, legten etliche Chassidim erst jetzt ihre Gebetsriemen für das Morgengebet an. Der Bialodrewner Rabbi war bekannt dafür, daß er die Gottesdienstordnung nicht pünktlich einhielt. Mehrere Gläubige standen für die Rezitation des Achtzehngebetes bereit, andere tranken Branntwein und knabberten Honigkuchen. Ein alter Mann, der einen großen Teekessel mit heißem Wasser mitgebracht hatte, brühte Tee auf. Ein schlaksiger Bursche hatte sich auf eine Bank neben dem Ofen gelegt und war eingedöst. Sollten doch die Gegner der Chassidim, diese vernagelten Juden, in aller Bequemlichkeit das Gesetz studieren und in Federbetten schlafen! Ein echter Chassid nahm jede Mühsal auf sich, wenn er nur seinem Rebbe nahe sein durfte.

Gleich nach der Ankunft wollten die Gläubigen ihren gottgesegneten Rabbi sehen und seinen Gruß empfangen, doch

Israel Eli, der Kantor, ließ verlauten, der Rebbe sei für niemanden zu sprechen.

Seit dem Debakel mit seiner Tochter lebte der Rabbi völlig zurückgezogen. Die meiste Zeit verbrachte er in seinem Privatgemach, das teils Bibliothek, teils Betstube war. An den gelbtapezierten Wänden standen Bücherregale. Außerdem befanden sich in diesem Raum ein Toraschrein, ein Lesepult und ein Tisch. Das Fenster, an dem weiße Gardinen hingen, ging auf einen Garten hinaus, der jetzt tief verschneit war. Durch die Scheiben konnte man den Blick über mosaikartig angelegte Felder schweifen lassen, die sich weit gen Westen erstreckten. Der Rabbi stellte sich gern ans Fenster und sah oft stundenlang in die Landschaft hinaus.

»Ach, gütiger Vater im Himmel, wie soll das enden? Wehe, wehe, wehe!«

Seine hochgewachsene Gestalt war gebeugt. Sein grünseidener, mit einem gelben Gürtel zusammengehaltener Schlafrock war bodenlang. Wo er vorne auseinanderklaffte, waren die knielangen Beinkleider, der gefranste Gebetsschal, die weißen Strümpfe und die flachen Schuhe zu sehen. Obwohl der Rabbi schon auf die Sechzig ging, war sein schütterer Bart – abgesehen von ein paar silbrig schimmernden Haaren – immer noch schwarz. Plötzlich machte der Rabbi ein paar Schritte, doch ebenso plötzlich hielt er inne. Er streckte die Hand aus, als wollte er ein Buch aus dem Regal nehmen, ließ sie dann aber wieder sinken. Er warf einen Blick auf die Wanduhr mit dem viereckigen Zifferblatt, den hebräischen Ziffern, den langen Gewichten und dem mit geschnitzten Granatäpfeln und Trauben verzierten Gehäuse. Es war Viertel nach vier. Bald würde die frühwinterliche Dämmerung hereinbrechen.

Der Ofen war geheizt, aber dem Rabbi lief es kalt über den Rücken. Wenn er daran dachte, daß seine Tochter, seine Gina Genendel, vom Pfad der Tugend abgewichen war, ihren Mann verlassen hatte und sich irgendwo in Warschau mit Ketzern und Spöttern herumtrieb, hatte er jedesmal einen bitteren Geschmack im Mund. Es war *seine* Schuld. Seine. Wessen Schuld denn sonst?

Vom Hin- und Herlaufen erschöpft, setzte er sich auf seinen ledergepolsterten Stuhl. Er schloß die Augen; halb döste er, halb brütete er vor sich hin. Das Paradies der kommenden Welt würde ihm nicht zuteil werden. Wo stand geschrieben, daß Jechiel Menachem, Sohn des Jekatriel David von Bialodrewna, dereinst in den himmlischen Hallen vom Leviathan essen müßte? Und die heißen Kohlen – auch sie waren dem Sünder bestimmt. Was aber sollte aus Israel werden, was aus dem Volk Israel? Die Ketzerei griff Tag für Tag weiter um sich. In Amerika, so war ihm zu Ohren gekommen, entweihten Juden den Sabbat. In Rußland, in England, in Frankreich wuchsen jüdische Kinder in völliger Unkenntnis der Heiligen Schrift auf. Und hier in Polen trieb der Satan auf offener Straße sein Unwesen. Junge Burschen liefen aus den Lernhäusern weg, rasierten sich den Bart ab, aßen die unreinen Speisen der Ungläubigen. Jüdische Töchter liefen mit nackten Armen herum, gingen scharenweise ins Theater, ließen sich auf Liebschaften ein. Weltliche Bücher vergifteten den Geist der Jugend. So schlimm war es noch nie gewesen, nicht einmal zu Zeiten eines Sabbatai Zwi und Jakob Frank – auf ewig sei der Name eines jeden Pseudomessias ausgelöscht! Wurde dieser verfluchten Seuche nicht Einhalt geboten, dann würde vom Volk Israel nichts übrigbleiben. Worauf wartete Er, der Allmächtige, denn noch? Wollte Er den Erlöser zu einer in Sünde versunkenen Generation senden?

Israel Eli öffnete vorsichtig die Tür und steckte den Kopf herein. Er war ein feister, rotbackiger Mann mit tiefliegenden Augen und einem runden Bart. Auf seinem Kopf thronte ein Samthut.

»Rebbe, Reb Meschulam Moschkat ist da«, verkündete er triumphierend. »Er hat Njunje, seinen jüngsten Sohn, mitgebracht.«

»So.«

»Und Reb Simon Kutner mit seinem Enkelsohn Fischel.«

»Nu!«

»Es heißt, Fischel und Njunjes Tochter Hadassa sollen ein Paar werden.«

»Nu, eine gute Verbindung.«

»Auch Reb Zeinwele Srozker ist gekommen.«

»Aha, der *schadchen.*«

»Aber soviel ich gehört habe, wehrt sich das Mädchen gegen diese Heirat.«

»Warum denn? Fischel ist ein braver Bursche.«

»Sie ist in eine von diesen neumodischen Schulen gegangen – wahrscheinlich wünscht sie sich einen modernen Ehemann.«

Der Rabbi zuckte zusammen.

»Ja ja – zuerst verseucht man sie mit ketzerischen Ideen, und dann ist's plötzlich zu spät. Die führen ihre eigenen Kinder zur Schlachtbank.«

»Mir scheint, sie wollen, daß Ihr Euch für diese Heirat einsetzt, Rebbe.«

»Wie kann ich ihnen helfen, wenn ich selber hilflos bin? Meine eigene Tochter eine Dirne...«

»Gott soll schützen, Rebbe! Wie könnt Ihr so etwas sagen! Sie mag eine von diesen ›Aufgeklärten‹ sein – aber sie ist trotzdem eine echte jüdische Tochter.«

»Wenn eine verheiratete Frau mit einem anderen davonläuft, ist sie eine Dirne!«

»Aber... Gott verzeih mir, daß ich so etwas überhaupt in den Mund nehme – aber die beiden leben doch nicht zusammen.«

»Was ändert das? Was zählt denn noch, wenn man allen Glauben verloren hat?«

Israel Eli zögerte einen Moment, dann sagte er: »Rebbe, sie warten auf Euch.«

»Es eilt nicht. Ich komme später hinunter.«

Der Kantor ging hinaus. Der Rabbi stand auf und ging hinüber zum Lesepult. Es machte ihm Freude, das Tafelbild zu betrachten, das an der Ostwand seines Zimmers hing. Es war vor fast hundert Jahren gemalt worden, aber die Farben hatten ihre Leuchtkraft noch nicht verloren. Oben standen die Namen der sieben Gestirne. Die Ecken waren mit Tierfiguren ausgeschmückt – einem Löwen, einem Hirsch, einem Leoparden und einem Adler. Umrandet war die Tafel von den zwölf Tierkreiszeichen – Widder, Stier, Zwillinge, Krebs, Löwe, Jungfrau, Waage, Skorpion, Schütze, Steinbock, Wassermann, Fische. Die Inschrift in der Mitte lautete:

»Was weinst du um Gold, das du eingebüßt,
Statt darum, daß Tag um Tag dir verfließt?
Dein Gold wird dir nicht auf ewig gehören,
Und die Zeit, die verrinnt, wird nie wiederkehren.«

Wenn der Rabbi an seinem Lesepult stand, auf der einen Seite den Toraschrein mit den Schriftrollen, auf der anderen die Bücherregale, und vor sich den Unaussprechlichen Namen Gottes, dann fühlte er sich sicher vor jedem Sturm und Aufruhr, vor allen Anfechtungen und Begierden des Fleisches. Er hob die Fransen des Vorhangs, der den Schrein verhüllte, an die Lippen und küßte sie. Mit dem Fingernagel kratzte er die Wachstropfen weg, die auf den Menoraständer gefallen waren. Er schloß die Augen und umklammerte den Ständer mit beiden Händen, so, als hielte er die Hörner des Räucheraltars, die den Sünder vor dem Strafgericht retten. Sein Körper zuckte. Seine Lippen bewegten sich, während er betete – für sich selber, für seine Tochter da draußen im Dunkel der Welt, für die Gläubigen, die an seinen Hof gepilgert waren, und für das ganze Volk Israel, verstreut unter die Völker der Erde, unter die Unbeschnittenen und Ungläubigen – eine Beute der Plünderer und Meuchelmörder. Er hob die geballten Hände und rief: »Vater im Himmel! Gütiger Gott! Ist der Kelch noch nicht voll?«

Er mußte an die bitteren Worte seines Vaters denken: »Vater im Himmel, tilge das Kapital, das Du in Dein Volk Israel investiert hast! Denn es wird Dir, Allmächtiger, bestimmt keinen Gewinn einbringen.«

2

Die Nacht war hereingebrochen, und die Sterne standen schon am Firmament, als der Rabbi sich ins Bethaus begab. Um so zu tun, als wäre es draußen noch dämmrig, also nicht schon zu spät für den Nachmittagsgottesdienst, hatte man die Petroleumlampen noch nicht angezündet. Nur der Stumpf einer Gedenkkerze flackerte im Pfosten eines Menoraständers. Als der Rabbi erschien, drängten sich die Gläubigen um ihn – jeder wollte ihn als erster begrüßen. In der Düsterkeit konnte der Rabbi zunächst nur Mosche Gabriel Margolis,

Meschulam Moschkats Schwiegersohn, erkennen. Er griff nach seiner schlaffen Hand und hielt sie ein paar Sekunden umschlossen. Der ziemlich kleine, adrette Mann, der einen seidig glänzenden Alpakamantel und einen spitzen Seidenhut trug, stand schweigend vor ihm. Sein Gesicht war blaß. Sein tabakbrauner Bart schimmerte im schwachen Schein der einzigen Kerze bernsteinfarben. Und seine goldgeränderten Augengläser waren glitzernde Kreise.

»Friede sei mit Euch, Reb Mosche Gabriel. Wie geht es Euch, Reb Mosche Gabriel?« Daß der Rabbi den Namen wiederholte, war ein Zeichen seiner Huld.

»Dem Herrn sei Lob und Dank.«

»Ihr seid mit Eurem Schwiegervater gekommen?«

»Nein. Ich bin allein gekommen.«

»Kommt zu mir, wenn die Chanukkakerzen angezündet sind.«

»Ja, Rebbe.«

Der Rabbi begrüßte Meschulam, Njunje, Simon Kutner und dessen Enkelsohn Fischel, ließ sich aber nicht auf ein Gespräch mit ihnen ein. Es war nicht seine Art, die Wohlhabenden unter seiner Anhängerschaft zu bevorzugen. Der Nachmittags- und der Abendgottesdienst wurden zusammengelegt, und unmittelbar danach zelebrierte der Rabbi den Kerzenritus. Als seine Frau noch gelebt hatte und Gina noch ein Kind gewesen war, hatten beide der Zermonie beigewohnt, doch nun war der Rabbi schon jahrelang allein.

In ehrfurchtsvoller Stille wurde das Ritual vollzogen. Ascher goß Öl in das Kupfergefäß und beschnitt die Dochte. Der Rabbi rezitierte den Segensspruch und zündete die Dochte an. Ein Geruch von erhitztem Öl und versengtem Stramin verbreitete sich. Der Rabbi intonierte das Chanukkalied. Was er anstimmte, war kein melodischer Gesang, sondern eine mit Seufzern und bruchstückhaften Tonfolgen durchsetzte Litanei. Die Gläubigen stimmten ein. Nach der Zeremonie scharten sich die jungen Burschen um die langen Tische und begannen mit den üblichen Gesellschaftsspielen. Einige ältere Chassidim gesellten sich zu ihnen. Das war kein Sakrileg, denn die Bänke und Tische als solche sind nicht geheiligt – entscheidend ist, was der Mensch im Innersten empfindet. Ist für den Frommen denn nicht die ganze Welt ein Bethaus?

Später zog sich der Rabbi in seine eigenen vier Wände zurück, während die meisten Gläubigen in ihr Logis gingen, wo das Nachtmahl – Suppe, Fleisch, Brot und Grieben – auf sie wartete und wo sie sich vor dem Essen mit einem Schluck Branntwein und einem Happen »Eierkichlech« labten. Die wohlhabenderen Chassidim zahlten für jene, die sich eine so opulente Mahlzeit nicht leisten konnten.

Es war, obwohl der Mond nicht am Himmel stand, eine helle Nacht. Die Sterne funkelten, der Schnee glitzerte. Rauch stieg aus den Schornsteinen. Ganz plötzlich hatte starker Frost eingesetzt, doch es war genug Holz für die Öfen da. Und in jeder Speisekammer lagen ein, zwei Gänse zum Braten bereit.

Meschulam, Njunje, Zeinwele Srozker, Simon Kutner und sein Enkelsohn Fischel logierten im selben Gasthaus. Alle fünf waren aus dem gleichen Grund nach Bialodrewna gekommen: Dache lehnte es strikt ab, ihre Tochter mit Fischel verkuppeln zu lassen, und Hadassa hatte sich entschieden geweigert, ihn zu heiraten. Zeinwele Srozker war bekannt dafür, daß er im Gespräch mit jungen Leuten stets den richtigen Ton traf. Daß er ein unbeirrbar frommer Chassid war, hinderte ihn nicht daran, täglich den *Warschauer Kurier* zu lesen. Er wußte genau Bescheid über die Affären des polnischen Landadels und hatte sogar schon einmal die Heirat zweier Mitglieder nichtjüdischer Familien vermittelt. Auf Hadassa hatte er eingeredet, bis er heiser war, aber erreicht hatte er nichts. Sie hatte sich bloß echauffiert und kaum verständliche Gegenargumente gemurmelt. Diese Hadassa, so lamentierte Zeinwele, habe mehr von einer Schickse an sich als sämtliche nichtjüdischen Mädchen, mit denen er es jemals zu tun gehabt habe. Nach einem Gespräch mit ihr sei er jedesmal völlig erschöpft und in Schweiß gebadet.

»Störrisch wie eine Ziege«, lautete sein Urteil. Und dann hatte er Meschulam erklärt, daß er es endgültig satt habe, sich von ihr demütigen zu lassen.

Es sah ganz so aus, als würde Meschulams Plan, die Verlobung bis zum Freitagabend auszuhandeln, schiefgehen. Aber

Meschulam wollte sich nicht geschlagen geben. In seiner langen Laufbahn hatte er mächtigere Gegner bezwungen, als es Dache und Hadassa waren. Und zudem war er zu der Überzeugung gelangt, daß er nur deshalb so alt geworden war, weil er aus den unzähligen Fehden, auf die er sich eingelassen hatte, stets als Sieger hervorgegangen war. Wenn er auch nur eine einzige Niederlage einstecken müßte, wäre dies ein sicheres Zeichen für sein baldiges Hinscheiden. Die Halsstarrigkeit seiner Schwiegertochter und seiner Enkelin jagte ihm fast so etwas wie Schrecken ein.

Nach längerem Grübeln hatte Meschulam einen Ausweg gefunden: Er würde mit Njunje, Simon Kutner und dem Bräutigam *in spe* zum Bialodrewner Rabbi reisen und dort den Ehevertrag aufsetzen. Der endgültige Vertrag mußte zwar von der Braut unterschrieben, die Vorverhandlungen aber konnten ohne sie geführt werden. Danach würde er schon Mittel und Wege finden, mit diesen störrischen Weibsbildern fertig zu werden.

Meschulam und Simon Kutner waren überzeugt, daß Dache nachgeben würde, wenn sie erfuhr, daß der Rabbi bei den Vorverhandlungen zugegen gewesen war und seine Zustimmung gegeben hatte. Schließlich war Daches Vater, der Rabbi von Krostinin, ein überzeugter Anhänger des Bialodrewner Rabbis gewesen. Und Dache würde bestimmt nicht wagen, sich den Wünschen solcher Persönlichkeiten zu widersetzen.

Jetzt also saßen die vier Männer beim Abendessen. Simon Kutner, ein breitschultriger Mann mit rötlichem Gesicht und weißem, fächerförmigem Bart, tunkte Brot in die Bratensauce, schaufelte mit dem Messer Kren darauf und diskutierte mit Meschulam. Fischel, rotbackig und schwarzäugig, linste ständig vom einen zum andern. Er trug einen Mantel mit Rückenschlitz, einen kleinen Hut und blankgewichste Stiefel. Hin und wieder ließ er eine Bemerkung fallen. Bei der Diskussion ging es um bestimmte Hinweise, die der Talmud für den Fall gibt, daß ein Chanukkalicht versehentlich ausgelöscht wird. Fischel wußte einiges über dieses Thema. Sein Großvater brachte es zuwege, das Gespräch immer wieder so zu lenken, daß Fischel eine passende Bemerkung einfließen lassen konnte. Meschulam kannte diesen Schlich, aber er wußte auch, daß jeder Bräutigam *in spe* sich gern auf solche Täuschungsmanöver einläßt. Schließlich konnte nicht jeder Bräutigam ein Genie sein. Was Meschulam an dem Burschen gefiel, war einerseits seine Gelassenheit, andrerseits sein ausgeprägter Geschäftssinn. Man konnte sich darauf verlassen, daß Fischel einer von denen war, die nach der Hochzeit ihren weltlichen Besitz mehren und gleichzeitig ein treuer Chassid bleiben. Er musterte Fischel und fragte: »Nu, worauf wartest du? Wir möchten deine Auslegung hören« – wobei er Zeinwele einen leichten Schubs gab, zum Zeichen dafür, daß er, Meschulam, natürlich nicht auf dergleichen Schliche hereinfiel.

Während die vier bei Tisch saßen, teilte Ascher dem im Bethaus wartenden Mosche Gabriel mit, daß der Rebbe ihn jetzt empfangen werde. Mosche Gabriel strich sich über die Schläfenlocken, zog an seiner Schärpe und ging dann mit dem Schammes hinaus. Sie überquerten einen kleinen Hof. Im Zimmer des Rabbis brannten eine Lampe und eine Kerze. Der Rabbi schmauchte eine lange Krummpfeife. Er bot Mosche Gabriel einen Stuhl an.

»Nu, Reb Mosche Gabriel, was ist eigentlich mit Njunjes Tochter los? Es heißt, sie weigert sich, Fischel zu heiraten.«

»Wundert Euch das? Ihre Mutter hat sie in eine dieser modernen Schulen geschickt. Dort werden Bücher gelesen, in denen es von Unzucht und anderen Scheußlichkeiten nur so wimmelt. Und jetzt ist ihr ein junger Chassid nicht mehr gut genug. Jetzt muckt sie genauso auf wie die anderen.«

»Vielleicht hat sie sich – Gott soll schützen! – verliebt.«

»Ich weiß nicht. Da ist unlängst ein junger Bursche nach Warschau gekommen, aus Klein-Tereschpol – dem Vernehmen nach ein Wunderkind, aber er ist schon angekränkelt. Der Enkel des Klein-Tereschpoler Rebbe.«

»Ihr meint Reb Dan Katzenellenbogen.«

»Ja.«

»Ein bedeutender Mann.«

»Was soll's? Der Bursche treibt sich mit meinem Schwager Abram Schapiro herum. Und Hadassa gibt ihm sogenannte Privatstunden. Abram steht mit meinem Schwiegervater auf dem Kriegsfuß. Njunjes Frau wiederum tut nichts ohne

Abram. Der benützt sie und ihre Familie, um dem Alten eins auszuwischen.«

»Was hat er gegen seinen Schwiegervater?«

»Ach, das ist eine alte Fehde.«

»Nu... Aber es ist falsch, ein Kind zu etwas zu zwingen. Gina Genendel wollte Akiba auch nicht heiraten. Sie ist von ihrer Mutter, sie ruhe in Frieden, dazu gezwungen worden.«

»Wie man's macht, ist's falsch.«

»Der Mensch hat seinen freien Willen. Gäbe es den freien Willen nicht, was wäre dann der Unterschied zwischen dem Thron der Herrlichkeit und dem Abgrund der Unterwelt?«

Der Rabbi nahm den Pfeifenstiel zwischen die Lippen und begann zu paffen. Er beschloß, Meschulam für den Fall, daß seine Enkelin hartnäckig blieb, davor zu warnen, sie zu dieser Heirat zu zwingen. Immer noch besser, wenn sie noch ein paar Jahre ledig bliebe, als wenn sie nach der Hochzeit vom Pfad der Tugend abwiche.

Zweiter Teil

Erstes Kapitel

I

Mitten in der Nacht hörte Rosa Frumetl ihren Mann ächzen. Sie fragte, ob ihm etwas fehle, doch Meschulam knurrte bloß: »Schlaf weiter! Stör mich nicht!«

»Soll ich dir Tee bringen?«

»Ich will keinen Tee.«

»Was möchtest du denn?«

Meschulam überlegte einen Moment. »Dreißig Jahre jünger sein.«

Rosa Frumetl seufzte nachsichtig. »Eine kindische Idee! Du bist gottlob kerngesund. Wie andere Männer mit fünfzig – aber ich will's nicht verschreien.«

»Papperlapapp! Laß mich in Ruhe! Worüber ich mir Sorgen mache, geht dich nichts an.«

»Ich verstehe dich einfach nicht«, lamentierte Rosa Frumetl.

»Ich verstehe mich selber nicht«, sagte Meschulam im Dunkeln halb zu sich selbst, halb zu seiner Frau. »Ich grüble und grüble, aber es kommt nichts dabei heraus. Ich habe zwei Ehefrauen gehabt, sieben Kinder in die Welt gesetzt, eine Mitgift nach der anderen berappt, meine Schwiegersöhne unterstützt. Millionen hat es mich gekostet! Und was hat es mir eingebracht? Eine Bande von Feinden, Vielfraßen, Schmarotzern! Feine Nachkommen habe ich gezeugt!«

»Meschulam, es ist sündhaft, so zu reden.«

»Von mir aus! Solange ich reden kann, *werde* ich reden, und wenn mich Gott dafür züchtigen will, dann ist es *mein* Hintern, der versohlt wird – nicht deiner!«

»Pfui, Meschulam!«

»Von mir aus kannst du pfui sagen, so oft du willst! Du hast bloß ein einziges Kind. Ich habe sieben – und in allen sieben ist der Wurm drin ...« Er brach mitten im Satz ab, als wäre er sich nicht schlüssig darüber, ob er diese Frau, die so plötzlich sein Ehegespons geworden war, in seine Sorgen einweihen sollte, oder ob dies unter seiner Würde war. »Niemand ist schuld daran, daß meine Kinder nichts taugen. Ich weiß, daß ich hart bin, halsstarrig, gehässig – fast so etwas wie ein Bösewicht. Das leugne ich nicht. Und es heißt ja, der Apfel fällt nicht weit vom Stamm. Mit meinen Ehefrauen habe ich auch keinen guten Griff getan. Die erste – ihr Geist soll's mir nicht verübeln – war ziemlich gewöhnlich. Und die zweite hat einfach Pech gehabt. Aber ich durfte doch zumindest damit rechnen, anständige Schwiegersöhne zu bekommen. Die kann man sich doch für Bargeld beschaffen, genau wie man auf dem Viehmarkt Rinder kauft.«

»Meschulam, was redest du denn da?«

»Halt den Mund! Ich rede nicht mit dir, ich rede mit der Wand. Warum zitterst du denn? *Ich* werde in der Hölle schmoren – nicht du!«

»Ehen werden im Himmel geschlossen«, widersprach Rosa Frumetl kleinlaut.

»Sieht ganz so aus, was? Dieser Abram – ein Götzendiener und Ketzer, ein Wüstling, ein Strolch, der ganze Familien ruiniert! Er hat mich verleumdet und bestohlen. Und jetzt versucht er mit allen Mitteln, *ihr* Leben kaputtzumachen ... wie heißt sie doch gleich ... Njunjes Tochter ... ach ja, Hadassa. Oder sieh dir diesen Mosche Gabriel an, Leas Mann – ein Habenichts! Und meine Schwiegertöchter – zu nichts nütze, mit Ausnahme von Pinnjes Frau vielleicht.«

Rosa Frumetl versuchte ihn zu trösten. »Aber deine Enkelkinder werden dir Freude machen.«

»Nichtsnutze allesamt!« zeterte Meschulam. »Genau wie ihre Eltern! Diese neumodischen Schulen haben aus meinen Enkeltöchtern Schicksen gemacht. Und meine Enkelsöhne – Hohlköpfe allesamt! Chanukkageld einheimsen – bloß daran sind sie interessiert! Sich mit Geschenken bestechen lassen! Sobald sie aus dem Cheder kommen, kann ihnen das Lernen gestohlen bleiben.«

»Du kannst etwas dagegen tun, Meschulam. Es steht in deiner Macht. Du kannst ihnen Vorschriften machen.«

»Dummes Zeug! Was steht denn in meiner Macht? Ich bin ein Greis, ein alter Jude, der achtzig Jahre auf dem Buckel hat. Bald wird mein letztes Stündlein schlagen – dann schachern sie um alles, was ich hinterlasse. Sie können's kaum erwarten! Wie ein Heuschreckenschwarm werden sie darüber herfallen und alles verschlingen, was sie finden können.«

»Du solltest Vorkehrungen treffen, Meschulam.« Sie stieß einen leisen Seufzer aus.

»Wenn man einen Klafter tief unter der Erde liegt, hat man nichts mehr zu bestellen. Aber solange ich am Leben bin, habe *ich* zu bestimmen, kapiert?« Und dann brüllte er: »Ich lebe noch und bin der Herr im Haus!«

»Genau das habe ich gemeint, Meschulam.«

»Hadassa wird heiraten, bevor der Winter vorbei ist. Das steht fest. Daran ist nicht zu rütteln.« Dann fragte er in etwas gemäßigterem, aber ziemlich mürrischem Ton: »Und deine Tochter? Warum hockt sie noch hier herum? Wie alt ist sie denn schon? Dreißig?«

»Was redest du denn da, Meschulam? Sie ist noch keine vierundzwanzig – ich kann dir den Geburtsschein zeigen. Möge Er, dessen Namen auszusprechen mir nicht zukommt, ihr den richtigen Mann schicken!«

»Gott ist kein *schadchen*. Zeinwele Srozker hat schon mehrmals hier vorgesprochen, aber deine Tochter weigert sich, mit ihm zu reden. Noch so eine vornehme Dame! Hochnäsig!«

»Entschuldige, Meschulam, aber meine Tochter kommt aus einer angeseheneren Familie als . . . entschuldige bitte . . . als Hadassa.«

»Auf einem Grabstein macht sich das sicher sehr gut. Also, ich setze ihr eine Mitgift aus – aber dann will ich um Himmels willen nicht mehr damit behelligt werden! Ich möchte keine trübsinnigen alten Jungfern im Haus haben.«

Ihm war plötzlich klar, daß er diese Nacht keinen Schlaf finden würde. Er wollte aufstehen und in die Bibliothek gehen; auf dem Sofa, das dort stand, würde er die Nacht schon irgendwie hinter sich bringen. Doch seine Beine waren schwer wie Blei, der Kopf tat ihm weh, und er hatte einen bitteren Geschmack im Mund. Zusammenhanglose Gedanken schwirrten ihm durch den Kopf. Er hatte das Bedürfnis, zu niesen und gleichzeitig zu gähnen. Seine Nachtmütze war heruntergerutscht. Er schob die Beine über die Bettkante und schlüpfte in seine Pantoffeln.

»Wo willst du denn hin?« fragte Rosa Frumetl.

»Keine Sorge, ich lauf' schon nicht weg. Bleib liegen und schlaf weiter!«

Als er aufgestanden war, goß er sich – gemäß dem Ritual der Strenggläubigen – aus einem neben dem Bett stehenden Krug etwas Wasser über die Finger. Dann zog er seinen Schlafrock an und ging schwankenden Schrittes hinaus. Im dunklen Flur konnte er die Tür zur Bibliothek nicht finden. Er streckte die Hand aus, erwischte eine Klinke und öffnete die Tür. Es war Adeles Zimmer. In einen blauen Morgenrock gehüllt und Plüschpantoffeln an den Füßen, saß Adele auf der Bettkante und las ein Buch. Meschulam wich zurück.

»Oh, ich hab' mich in der Tür geirrt. Entschuldige bitte!«

»Was ist denn los?«

»Gar nichts. Kein Grund zur Aufregung. Ich wollte in die Bibliothek. Warum schläfst du noch nicht? Was liest du denn mitten in der Nacht?«

»Ein Buch.«

»Was für ein Buch? Hast du vielleicht ein Zündholz? Ich möchte in der Bibliothek Licht machen.«

»Moment!« Ohne das Buch wegzulegen, nahm Adele die Lampe vom Tisch und trug sie vor dem Alten her. Einen Augenblick lang war auf der Wand der Schatten von Meschulams Kopf zu sehen, bewegungslos, langnasig, mit keilförmigem Bart. In der Bibliothek zündete Adele die Lampe an.

»Soll ich dir Tee machen?«

»Nein, nein. Was für ein Buch liest du denn?«

»Ach, der Verfasser heißt Swedenborg.«

»Und wer ist das? Hab' den Namen noch nie gehört.«

»Ein schwedischer Mystiker. Er beschreibt das Paradies und die Gehenna.«

»Blödsinn! Darüber kannst du alles in unseren eigenen Büchern finden. Hast du tagsüber nicht genug Zeit zum Lesen?« Seine Augen unter den struppigen Brauen musterten sie neugierig.

»Ich konnte nicht einschlafen.«

»Warum nicht? Wieso leidest du an Schlaflosigkeit?«

»Ich weiß nicht.«

»Hör mal zu. Es stimmt, daß du ein intelligentes, gebildetes Mädchen bist. Aber du bist unvernünftig. Diese Bücher nützen dir gar nichts. Die machen dich bloß trübsinnig. Ein Mädchen wie du sollte verlobt sein – und heiraten.«

»Das hängt nicht von mir ab.«

»Von wem denn sonst? Zeinwele Srozker hat ein paar gute Partien vorgeschlagen.«

»Bedaure, aber auf diese Art möchte ich nicht verheiratet werden.«

»Wieso nicht?«

»Weil ich mich nicht verkuppeln lassen will.«

»Das soll wohl heißen, daß du aus Liebe heiraten möchtest?«

»Falls ich jemanden kennenlerne, für den ich echte Zuneigung...«

»Mumpitz! Da kannst du warten, bis du grau geworden bist – und dann hast du immer noch keinen gefunden. Oder hast du dich vielleicht in diesen Grünschnabel verguckt, der das Manuskript deines Vaters bearbeitet?«

»Er kommt aus einer angesehenen Rabbinerfamilie – und er ist kultiviert und intelligent. Wenn er in die richtigen Hände geriete, könnte etwas aus ihm werden.«

»Was denn? Ein halbverhungerter Hebräischlehrer – irgendwo! Ein lumpiger Habenichts! Soviel ich weiß, ist er ein Ketzer, ein Goi. Es heißt, daß er Hadassa den Kopf verdreht hat.«

»Es ist nicht seine Schuld. Hadassa hat sich da wohl etwas in den Kopf gesetzt. Aber er ist nicht für sie bestimmt, und sie nicht für ihn.«

»Gut! Ganz meine Meinung. Komm, setz dich – hier, aufs Sofa! Du brauchst dich meinetwegen nicht zu genieren – ich bin ein alter Mann...«

»Danke.«

»Hadassa wird Fischel heiraten. Njunje hat bereits zugestimmt, und Dache wird auch noch nachgeben. Ich sorge dafür, daß die Hochzeit noch vor Pessach stattfindet. Und was dich betrifft – tu, was du für richtig hältst. Ich lege zweitausend Rubel für dich beiseite. Und in meinem Testament werde ich dich auch nicht übergehen. Aber hör auf meinen Rat: Heirate einen Geschäftsmann! Diese angehenden Genies laufen alle mit Schuhen herum, aus denen die Zehen herausschauen.«

»Ich werd's mir überlegen. Ich muß für einen Mann Sympathie empfinden können, sonst . . .«

»Schon gut, schon gut. Und hör auf, mitten in der Nacht Bücher zu lesen. Das ist ja was ganz Neues – junge Mädchen, die über alles Bescheid wissen wollen. Was machst du denn, wenn du alt geworden bist? Ach, die Welt steht kopf!«

»Man hat's nicht leicht im Leben, wenn man sich keinen Begriff von den Zusammenhängen machen kann.«

»Glaubst du denn, Wissen könnte einem das Leben erleichtern? Auch in der nächsten Welt wird dir das nichts helfen. Der Mensch muß Rechenschaft ablegen. Und jetzt geh schlafen! Und schick dieses junge Genie zu mir ins Kontor. Ich möchte mit ihm reden.«

»Bitte schimpf nicht mit ihm. Er ist stolz.«

»Keine Bange, ich werde ihn schon nicht auffressen. Er ist ein stilles Wasser, aber glaub mir, stille Wasser sind tief.«

»Gute Nacht.«

»Gute Nacht. Und laß dir gesagt sein – ein einfaches Leben führen, das ist das beste, was man tun kann. Keine Fragen, keine Philosophie. Und sich nicht den Kopf zermartern. In Deutschland hat es einen Philosophen gegeben, der ist vor lauter Philosophieren übergeschnappt.«

Der Alte nahm ein Buch aus dem Regal, doch als er zu lesen begann, schienen die Buchstaben die Farbe zu wechseln – zuerst wurden sie grün, dann goldgelb. Die Zeilen hüpften auf und ab, und mitten auf der Seite konnte Meschulam überhaupt nichts mehr wahrnehmen – die Buchstaben schienen plötzlich davongeflogen zu sein und eine gähnende Leere hinterlassen zu haben. Er schloß einen Moment die Augen. Das Buch, das er in der Hand hielt, war ein Kommentar zu den Geboten, die sich auf den Tod und die Trauerzeit beziehen. Er griff nach seiner Brille, die neben ihm auf dem Tisch lag, setzte sie auf und las:

»Wisse, daß vor dem Hinscheiden des im Todeskampf liegenden Menschen der Todesengel zu ihm kommt, eine schreckliche Erscheinung mit tausend flammenden Augen,

das nackte Schwert in der Hand. Und er führt den Todgeweihten in Versuchung, Gott zu lästern und Götzen anzubeten. Und weil der Mensch schwach und von Todesangst befallen ist, kann er straucheln und in einer einzigen Stunde seine Welt verlieren. Darum hat man in den alten Zeiten, wenn man auf das letzte Schmerzenslager gesunken war, zehn Zeugen herbeigerufen und die Worte, die einem, ehe die Seele aus dem Körper weicht, über die Lippen kommen könnten, wie auch die verwerflichen Gedanken, die vom Bösen kommen, für null und nichtig erklärt. Und dies ist ein Brauch, der angemessen ist und sich für den Gottesfürchtigen ziemt.«

Meschulam klappte das Buch zu. Daß er ausgerechnet diesen Band aus dem vollgestopften Regal gezogen hatte, war ein böses Omen. Ja, seine Frist war abgelaufen. Aber er war noch nicht auf das Ende vorbereitet. Er hatte den Beweis seiner Bußfertigkeit noch nicht erbracht, hatte noch kein gültiges Testament gemacht. Irgendwo in seinem Tresor lagen ein paar Bogen Papier, auf denen er einige Verfügungen niedergeschrieben hatte, aber das Schriftstück war noch nicht von Zeugen unterzeichnet und mit Siegellack versiegelt worden. Er dachte nach, konnte sich aber nicht mehr an den Wortlaut seiner Verfügungen erinnern. Er legte sich aufs Sofa, gab einen Schnarchlaut von sich und schlummerte ein. Als er aufwachte, drang helles Morgenlicht durch die beschlagenen Scheiben.

2

Auch Hadassa verbrachte eine schlaflose Nacht. Der Wind, der an ihrem Fenster rüttelte, hatte sie aufgeweckt, und dann konnte sie nicht mehr einschlafen. Sie setzte sich im Bett auf, schaltete die Lampe ein und blickte um sich. Ihre Goldfische verharrten regungslos zwischen den bunten Steinen und den Moospolstern des Aquariums. Ihr Kleid, ihr Unterrock und ihre Jacke lagen auf einem Stuhl. Ihre Schuhe standen auf dem Tisch – wieso eigentlich? Ihre Strümpfe lagen auf dem Boden. Sie griff sich mit beiden Händen an den Kopf. War das denn zu fassen? Hatte sie sich wirklich verliebt? Ausgerechnet in diesen jungen Provinzler mit dem chassidischen Kaftan?

Wenn das ihr Vater wüßte! Und ihre Mutter – und Onkel Abram! Und Klonja! Was sollte sie denn jetzt tun? Ihr Großvater hatte bereits Absprachen mit Fischel getroffen. Sie war so gut wie verlobt.

Noch weiter zu denken – das brachte sie einfach nicht über sich. Sie stand auf, schlüpfte in ihre Pantoffeln und ging zum Tisch hinüber. Sie nahm ihr Tagebuch aus der Schublade und blätterte darin. Der goldgeprägte Einband war braun, der Schnitt gelb. Zwischen den Seiten lagen gepreßte Blumen und ein paar vertrocknete Blätter, von denen nur die brüchig gewordenen Rippen übriggeblieben waren. Die Seitenränder waren mit Zeichnungen übersät – Rosen, Weintrauben, Nattern, winzige Phantasiefiguren, behaart und gehörnt, mit Fischflossen und Schwimmhäuten. Dazu kam eine erstaunliche Vielfalt anderer Motive – Kreise, Tupfen, Rechtecke, Schlüssel –, deren geheimnisvolle Bedeutung nur Hadassa kannte. Schon als Schulkind, in der dritten Klasse, hatte sie damit begonnen, Tagebucheintragungen zu machen – in kindlicher Handschrift und mit kindlichen Grammatikfehlern. Jetzt war sie erwachsen. Die Jahre waren vergangen wie ein Traum.

Sie überflog die Seiten. Manche Passagen kamen ihr für das Alter, in dem sie die Eintragungen gemacht hatte, merkwürdig erwachsen vor, andere dagegen naiv und albern. Aus jeder Seite aber sprachen Kummer und Sehnsucht. Wieviel Trauriges sie erlebt hatte! Und wie oft sie gekränkt worden war – von Lehrern und Mitschülerinnen, von Vettern und Cousinen! Nur für ihre Mutter und Onkel Abram hatte sie in ihrem Tagebuch echte Zuneigung bekundet. Eine Eintragung lautete: »Was ist der Sinn meines Lebens? Ich bin immer einsam, und niemand versteht mich. Wenn ich meinen törichten Stolz nicht überwinden kann, wäre es besser für mich, zu sterben. Lieber Gott, lehre mich Bescheidenheit!«

Auf einer anderen Seite, unter einem Liedtext, den Klonja für sie aufgeschrieben hatte, stand: »Wird er eines Tages kommen, der für mich Bestimmte? Wie wird er aussehen? Ich kenne ihn nicht, und er kennt mich nicht; ich existiere nicht für ihn. Doch das Schicksal wird ihn zu mir führen. Aber vielleicht ist er nie geboren worden. Vielleicht ist es mein Los, bis an mein Ende allein zu sein.« Unter diese Eintragung hatte sie drei winzige Fische gezeichnet. Was sie bedeuten sollten, wußte sie nicht mehr.

Sie schob einen Stuhl an den Tisch, setzte sich, tauchte den Federhalter ins Tintenfaß und beugte sich über das Tagebuch. Plötzlich hörte sie Schritte vor ihrer Tür. Sie warf sich aufs Bett und deckte sich zu. Die Tür ging auf, ihre Mutter kam herein. Sie trug einen roten Kimono und hatte sich um den Kopf einen gelben Schal geschlungen, unter dem ihr graumeliertes Haar hervorlugte.

»Hadassa, schläfst du? Warum brennt das Licht?«

Hadassa öffnete die Augen. »Ich konnte nicht einschlafen. Ich wollte lesen.«

»Ich konnte auch nicht einschlafen. Der laute Wind – und meine Sorgen. Außerdem hat dein Vater eine neue Errungenschaft: er schnarcht.«

»Papa hat schon immer geschnarcht.«

»Aber nicht *so*! Er muß Polypen haben.«

»Mama, komm zu mir ins Bett!«

»Wieso denn? Es ist zu schmal. Und du hast die Angewohnheit, im Schlaf auszuschlagen wie ein Fohlen.«

»Heute tu ich das bestimmt nicht.«

»Ich setze mich lieber auf einen Stuhl. Mir tun vom Liegen die Knochen weh. Hadassa, ich muß einmal allen Ernstes mit dir reden. Du weißt, mein Kind, wie lieb ich dich habe. Das einzige, was ich auf dieser Welt habe, bist du. Dein Vater ist – ich will ihm nicht übel – ein selbstsüchtiger Mensch.«

»Bitte zieh nicht über Papa her!«

»Ich hab' nichts gegen ihn. Er ist halt so. Lebt nur für sich selber, wie ein Tier. Ich habe mich daran gewöhnt. Aber du ... Ich möchte, daß du glücklich wirst. Du sollst das Glück finden, das mir versagt geblieben ist.«

»Mama, worauf willst du eigentlich hinaus?«

»Ich bin nie dafür gewesen, ein Mädchen zu einer Heirat zu zwingen. Ich habe oft genug miterlebt, wozu das führen kann. Trotzdem muß ich dir sagen, Kind, du schlägst den falschen Weg ein. Erstens ist Fischel ein netter, anständiger Bursche – vernünftig, ein guter Geschäftsmann. Einen wie ihn findet man nicht alle Tage. Und zweitens schwimmt sein

Großvater in Geld, und eines Tages – lang soll er leben, das wünsch ich ihm bei Gott –, eines Tages hinterläßt er alles dem Fischel.«

»Mama, das kannst du dir aus dem Kopf schlagen. Ich heirate ihn nicht.«

»Laß mich doch wenigstens ausreden! Du hältst dich für eine Tochter aus reichem Hause. Leider täuschst du dich. Dein Vater hat ein paar Rubel zurückgelegt – gerade genug, um uns notfalls über Wasser zu halten. Diese Ersparnisse würde er niemals anderweitig verwenden. Du bist ein Mädchen ohne Mitgift, und noch dazu krank. *So* liegen die Dinge. *Das* ist die Wahrheit.«

»Was willst du eigentlich von mir, Mama?«

»Dein Großvater ist entschlossen, störrisch wie ein Maultier zu bleiben. Er hat Koppel bereits Anweisung gegeben, uns den wöchentlichen Zuschuß nicht mehr auszuzahlen. Er schwört, daß er uns in seinem Testament keinen Groschen hinterlassen wird. Worauf du dich verlassen kannst. Und dann sind wir am Ende. Dein Vater, das weißt du ja selber, ist völlig unfähig, für unseren Lebensunterhalt zu sorgen. Essen und schlafen – das ist das einzige, was er kann. Und ich bin eine kranke Frau – du ahnst ja gar nicht, *wie* krank. Weiß Gott, wie lange ich noch durchhalte.«

»Mama!«

»Unterbrich mich nicht! Über deinen Onkel Abram möchte ich mich nicht äußern. Ich jedenfalls habe nichts gegen ihn. Ich hänge an ihm. Aber ein Mensch, auf den man sich verlassen kann, ist er nicht. Er hat seine Frau unglücklich gemacht, und für diese andere . . . wie heißt sie doch gleich . . . ach ja, für diese Ida Prager ist er auch kein Honiglecken. Seine Töchter besitzen keinen roten Heller. Und jetzt hat er sich eng an uns angeschlossen. Um deinem Großvater eins auszuwischen.«

»Ich lasse Onkel Abram von dir nicht schlecht machen! Ich hab' ihn lieb.«

»Ich mag ihn auch. Aber was nützt das schon? Dieser Mann ist wie ein falsch herumgedrehter Schlüssel. Ein Wichtigtuer, der sich in anderer Leute Angelegenheiten einmischt. Und dieser Neuling . . . wie heißt er doch gleich . . . dieser

Euser Heschel, der kann mir gestohlen bleiben. Ich will ihn nicht im Haus haben, kapiert? Hinauswerfen werde ich ihn.«

»Er kommt ja gar nicht mehr.«

»Du bist ein armes Mädchen, vergiß das nicht! Du siehst, unberufen, nicht übel aus, aber man bleibt nicht ewig jung und schön. Bevor du dich versiehst, schnappt dir eine andere den Fischel weg. Und was bleibt dir dann?«

»Soll ihn doch eine andere wegschnappen! Von mir aus gleich heute.«

»Und was wird dann aus dir? Noch dazu ohne Mitgift! Dein Großvater wird dir keinen roten Heller geben.«

»Ich brauche sein Geld nicht.«

»Du wirst deine Meinung schon noch ändern. Solche wie dich, mein Kind, hat's schon viele gegeben. Für deinen Sanatoriumsaufenthalt – der Himmel schenke dir künftig Gesundheit – mußten viele hundert Rubel berappt werden. Ich will dir, weiß Gott, keinen Schrecken einjagen, aber wenn jemand schwach auf der Lunge ist, weiß man nie, wie's ausgeht.«

»Dann muß ich also sterben!«

»Hadassa, du bohrst mir ein Messer ins Herz! Bitte glaub mir, ich habe über alles nachgedacht. Nacht für Nacht liege ich wach und grüble. Wer könnte es besser mit dir meinen als ich? Du bist gefährdet, das kannst du mir glauben. Sehr gefährdet.«

»Ach, Mama, hör auf, mich zu bejammern. Ich bin noch nicht tot. Und ich sage dir ein für allemal, ich werde Fischel nicht heiraten.«

»Ist das dein letztes Wort?«

»Ja.«

»Dann sei Gott dir gnädig! Es stimmt schon, was der Volksmund sagt – hast du ein Kind, so hast du einen Feind. Dein Vater war auch nicht nach meinem Geschmack, als ich ein junges Mädchen war. Aber als meine Mutter weinte und flehte, da habe ich gesagt: ›So sei es. Führt mich unter den Traubaldachin.‹ Heutzutage haben die Kinder an Stelle des Herzens einen Stein. Aber lassen wir das! Ich werde schweigen. Dein Vater allerdings nicht. Wir werden am Hungertuch nagen.«

»Ich werde arbeiten.«

»Ach ja, die feine Dame wird arbeiten! Du Dussel – keinen Finger kannst du rühren! Es ist ja schon ein Wunder, daß du überhaupt noch lebst. Wenn ich dich nicht ständig umsorgen und bedienen würde, wärst du nicht mal imstande, auf den Beinen zu stehen. Du brauchst Bequemlichkeit. Du brauchst Geld. Wenn ich das Zeitliche segne, wird dir dein Vater eine Stiefmutter ins Haus bringen, noch ehe ich im Grab kalt geworden bin.«

»Laß mich in Ruhe!« Hadassa schlug die Hände vors Gesicht.

»Also gut. Ich gehe. Eines Tages wirst du dich an meine Worte erinnern. Aber dann wird es zu spät sein.«

Sobald die Tür ins Schloß gefallen war, sprang Hadassa aus dem Bett. Sie nahm das Tagebuch, zögerte einen Moment und legte es dann wieder in die Schublade. Sie schaltete die Lampe aus, blieb regungslos im Dunkeln stehen und sah hinaus in das dichte Schneegestöber. Der Wind blies große Flokken an die Fensterscheiben.

Zweites Kapitel

I

Seit einiger Zeit verzichtete Euser Heschel darauf, sich dreimal in der Woche bei Hadassa einzufinden. Meschulam Moschkats Erklärung, seine Enkelin werde sich in Kürze verloben und es schicke sich daher nicht für sie, Privatunterricht zu erteilen, hatte ihn verschreckt. Mehrmals hatte er mit dem Gedanken gespielt, sie anzurufen, aber diese vertrackten neumodischen Telefonapparate waren ihm nicht geheuer. In seinem Logis bei Gina blieb er bis zum Spätnachmittag im Bett. Nacht für Nacht wimmelte es in der Wohnung von Untermietern und Gästen. Er hörte, wie Türen geöffnet und geschlossen und lange Telefongespräche geführt wurden; wie Broide und Lapidus ihre endlosen Fehden austrugen; wie die Mädchen russische Lieder sangen und wie Beifall geklatscht wurde. Gina hatte ihn des öfteren eingeladen, mit ins Wohnzimmer zu kommen, aber jedesmal hatte er sich eine andere Ausflucht einfallen lassen. Wie würde *er*, in seiner chassidischen Kleidung, sich denn im Kreis dieser modernen Intellektuellen vorkommen? Er hatte sich einen weichen Kragen und eine schwarze Seidenkrawatte zugelegt, sah damit aber nur noch provinzieller aus. Die laute Grammophonmusik aus dem Wohnzimmer, das Geschrei und Gelächter, die Silhouetten, die sich an der Glastür seines Zimmer vorbeibewegten – das alles brachte ihn in Verlegenheit: Er bildete sich ein, alle diese Leute wüßten, daß er ja doch bloß auf Hadassa wartete, und machten sich über ihn lustig.

Plötzlich fuhr er hoch. Was war eigentlich mit ihm los? Warum verplemperte er seine Zeit mit Hirngespinsten? Er war nach Warschau gekommen, um zu studieren, nicht, um sich in Liebeskummer zu verzehren. Ach, wie sehr er jene alten Philosophen beneidete – die Stoiker, die sich durch noch soviel Kummer und Leid nicht von ihrem Ziel abbringen ließen! Und die Epikuräer, die, selbst wenn ihr Haus in Flammen stand, ihr Brot aßen und ihren Wein tranken! So weit würde er es nie bringen. Er wurde von seinen Empfindungen gepeinigt. Unentwegt mußte er an Hadassa denken, an ihr

Zimmer, ihre Bücher, ihre Eltern, ja sogar an Schifra, das Dienstmädchen. Wenn er wenigstens wüßte, ob Hadassa noch manchmal an ihn dachte! Oder ob sie ihn völlig vergessen hatte? Er würde versuchen, mit ihr zu telefonieren. Oder sollte er ihr einen Brief schicken? Er stieg aus dem Bett, schaltete die Lampe ein und setzte sich an den Tisch, um ihr zu schreiben. Nach den ersten paar Zeilen legte er den Federhalter hin. Es hatte ja doch keinen Sinn! Nein, lieber sterben als jemanden anflehen! Als er einschlief, drang schon fahles Dämmerlicht durchs Fenster. Er stand spät auf. Der Kopf tat ihm weh. Er zog sich an, ging in den Lebensmittelladen, kaufte zwei Semmeln und Käse und kehrte in sein Logis zurück. Dann blätterte er in einem Geographiebuch, einer russischen Grammatik und einer Weltgeschichte. Ein Satz über Karl den Großen sprang ihm in die Augen. Der Kaiser wurde als hervorragende Persönlichkeit, als Verteidiger des Glaubens und politischer Reformer dargestellt. Euser Heschel schüttelte den Kopf.

»Je grausamer ein Tyrann ist, um so größer sein Ruhm. Die Menschheit liebt den Mörder.«

Er versuchte, sich zu konzentrieren und weiterzulesen. Aber dieser Gedanke ließ ihn nicht los. Was war das für eine Welt, in der Mord, Plünderung und Verfolgung an der Tagesordnung waren, und in der gleichzeitig Phrasen gedroschen wurden über Gerechtigkeit, Freiheit und Liebe? Und was tat *er*? Über seinen Schulbüchern hocken, in der Hoffnung, daß er es eines Tages, in zehn Jahren vielleicht, schaffen würde, ein Diplom zu erwerben. Das also war aus seinen Jugendträumen geworden! Was war er denn anderes als ein unnützer Niemand mit unnützen Ideen?

Er stand auf, ging zum Fenster und zog seine Nickeluhr aus der Westentasche. Es war erst halb vier, aber schon setzte die winterliche Abenddämmerung ein. In dem Hof, auf den das Fenster hinausging, war es ganz still. Es schneite leicht. Über den Dächern ringsum war nur ein schmaler Streifen Himmel zu sehen. Auf der Wetterfahne des gegenüberliegenden Hauses saß eine Krähe, deren Gefieder vor dem Hintergrund des fahlweißen Himmels ins Bläuliche spielte. Es schien, als spähte sie in die unendliche Weite einer anderen Welt. Eine

Katze schlich vorsichtig die Dachrinne entlang. Drunten im Hof beugte sich eine Bettlerin, die einen Sack auf dem Rücken hatte, über eine Mülltonne und stocherte mit einem Haken in den Abfällen herum. Sie fischte ein paar Lumpen heraus und steckte sie in den Sack. Dann hob sie den Kopf – sie hatte ein eingefallenes, ausgemergeltes Gesicht –, sah zu den Fenstern der oberen Stockwerke hinauf und leierte mit zittriger Stimme: »Ich kaufe Knochen, ich kaufe Lumpen. Knochen, Knochen!«

Euser Heschel drückte die Stirn an die Fensterscheibe. Auch sie, dachte er, war einmal jung, und der Ochse, dessen Knochen sie jetzt kaufen möchte, ist einmal ein Kalb gewesen, das auf der Wiese herumsprang. Die Zeit macht aus allem Abfall. Daran kann keine Philosophie etwas ändern.

Er legte sich aufs Bett und schloß die Augen. Auch Hadassa würde alt werden. Sie würde sterben, und ihr Leichnam würde im Trauerzug die Genschastraße entlang zum Friedhof getragen werden. Und wenn es das Phänomen Zeit gar nicht gab, war sie schon jetzt ein Leichnam. Was für einen Sinn hatte es dann, zu lieben? Warum sollte er sich nach ihr sehnen? Warum sich über ihre Verlobung mit Fischel grämen? Er mußte sich den Gleichmut der indischen Jogis aneignen. Und schon während er noch lebte ins Nirwana eingehen.

Er nickte ein. Das Schrillen der Klingel draußen an der Wohnungstür weckte ihn auf. Es brach ab und setzte kurz darauf wieder ein. Nach einer Weile klopfte jemand an seine Tür. Noch ganz schlaftrunken stand er auf. Die Decke seines Zimmers schien immer höher zu werden, die Wände schienen zurückzuweichen. Auf der Milchglasscheibe seiner Tür zeichneten sich zwei Silhouetten ab. Er wußte, daß er auf das Klopfen antworten mußte, doch die richtigen Worte fielen ihm nicht ein. Schließlich rief er: »Ich bin da!«

Gina steckte den Kopf herein. »Eine junge Dame möchte Sie sprechen. Darf sie eintreten?«

Sie verschwand, und Hadassa kam herein. Sie trug eine Jacke mit Schlaufenverschluß, ein Samtbarett und dicke Übersocken. Ihre Wangen waren vom Frost gerötet. Am Schulterteil ihrer Jacke hingen ein paar Schneeflocken. In der

Hand hielt sie eine schwarze Tasche und ein schmales, rot eingebundenes Buch. Sie wartete, bis Gina die Tür zugemacht hatte.

Dann sagte sie auf polnisch: »Sie starren mich an, als wüßten Sie gar nicht mehr, wer ich bin.«

»O doch, Hadassa.«

»Sie haben geschlafen, und ich habe Sie aufgeweckt.«

»Nein, nein, es ist nur ... Ich habe nicht erwartet ...«

»Warum sind Sie nicht mehr gekommen? Ich dachte schon, Sie wären krank geworden.«

»Nein, ich war nicht krank. Bitte, nehmen Sie Platz.«

»Ich hatte Sie zum Unterricht erwartet, aber Sie waren plötzlich verschwunden. Onkel Abram hat mir Ihre Adresse gegeben.«

Beide verfielen in Schweigen. Euser Heschel wußte, wie unkonventionell es war, daß Hadassa ihn besuchte, aber was es zu bedeuten hatte, begriff er immer noch nicht.

»Ich dachte, ich hätte Sie irgendwie gekränkt«, hörte er sie sagen.

»O nein, wie könnten *Sie* mich kränken?«

»Weil Sie sich nicht einmal telefonisch gemeldet haben.«

»Man hat mir verboten, Sie zu besuchen.«

»Wer hat Ihnen das verboten?«

»Ihr Großvater. Verboten eigentlich nicht, aber er hat mir gesagt, Sie würden sich verloben.«

»Das ist doch gar nicht wahr!« Sie setzte sich auf die Kante eines Stuhls, streifte den einen Handschuh ab, zog ihn aber sofort wieder an. »Sie sind sicher sehr beschäftigt«, sagte sie nach einer Weile. »Ich möchte jetzt gehen.«

»Bitte bleiben Sie!«

»Ich dachte, ich dürfte Sie, über den Nachhilfeunterricht hinaus, als einen Freund betrachten. Täglich habe ich Schifra gefragt, ob Sie angerufen haben. Auch Onkel Abram hat sich nach Ihnen erkundigt.«

Als läge ihm sehr daran, das Thema zu wechseln, fragte Euser Heschel: »Was für ein Buch haben Sie denn da?«

»*Victoria* von Knut Hamsun.«

»Ein Roman?«

»Ja.«

Wieder Schweigen. Dann sagte Hadassa: »Wie ich sehe, lernen Sie auf eigene Faust weiter.«

»Was bleibt mir anderes übrig? Ich fürchte allerdings, daß ich's nicht schaffen werde – die Prüfungen, die Lehrbücher. Ich bin schon zu alt dafür.«

»Aber Sie dürfen's nicht aufgeben.«

»Warum nicht? Was nützt das alles? Es gibt so etwas wie Resignation.«

»Sie sind zu pessimistisch. Das weiß ich, weil ich selber sehr deprimiert bin. Alle sind gegen mich – mein Großvater, Papa und sogar Mama.«

»Was verlangen sie denn von Ihnen?«

»Das wissen Sie doch. Aber ich kann einfach nicht.«

Sie wollte etwas hinzufügen, schwieg aber plötzlich und ging zum Fenster. Euser Heschel stellte sich neben sie. Draußen war es dämmerblau. Sacht rieselte der Schnee. Aus den Fenstern gegenüber drang Licht. Ein dumpfes Brausen war zu hören, das manchmal wie das Seufzen des Windes, manchmal wie Waldesrauschen klang. Euser Heschel hielt den Atem an und schloß die Augen. Wenn doch die Sonne am Himmel stillstände, wie sie für Josua stillgestanden war, und die Abenddämmerung nie mehr verginge und sie beide, er und Hadassa, Seite an Seite an diesem Fenster stehen könnten bis in alle Ewigkeit!

Er wandte ihr das Gesicht zu, sein Blick begegnete dem ihren. Hadassas Züge waren in Halbdunkel gehüllt. Ihre umschatteten Augen waren weit geöffnet. Euser Heschel hatte das Gefühl, dies alles schon einmal erlebt zu haben. Er hörte sich sagen:

»Ich habe mich so nach dir gesehnt.«

Hadassa zitterte. Ihre Kehle bewegte sich, als müßte sie etwas hinunterschlucken.

»Und ich mich nach dir. Von Anfang an.«

2

Hadassa war gegangen. Es war dunkel geworden, aber Euser Heschel hatte kein Licht gemacht. Er lag angezogen auf dem Bett und starrte in die Finsternis, in die hin und wieder ein Lichtschein fiel, über die Zimmerdecke wanderte und sich in einem Winkel verlor. War das, was sich ereignet hatte, Wirklichkeit oder Traum? Aber war das im Grund nicht das gleiche? War nicht, Berkeley zufolge, die Wirklichkeit nur eine der Seele vom göttlichen Geiste eingeprägte Vorstellung? Ach, Unsinn! Da waren zwei Menschen, ein Mann und eine Frau, und sie liebten einander. Hadassa würde ihn heiraten, und sie würden sich küssen und umarmen und Kinder haben. Nein, das Ganze war Wahnsinn. Ihr Großvater würde es nie erlauben. Ob sie vielleicht schon bedauerte, was geschehen war? Aber die Worte, die sie gesagt hatte, konnten nie mehr zurückgenommen werden. Sie gehörten bereits zur Geschichte des Weltalls.

Jemand klopfte an die Tür, dann noch einmal. Gina schaute herein. Im Schein der Korridorlampe konnte er ihre Haartracht sehen – die wie ein Krönchen aufgesteckten und mit Kämmen geschmückten Flechten. Ihre Ohrgehänge glitzerten.

»Euser Heschel, schlafen Sie?«

»Nein.«

»Was ist los mit Ihnen? Warum haben Sie auf mein Klopfen nicht geantwortet? Warum liegen Sie hier im Dunkeln? Bloß weil eine junge Dame zu Ihnen kommt, brauchen Sie doch nicht gleich außer sich zu geraten! Obzwar ich es Ihnen, offengestanden, nachfühlen kann. Sie ist schön. Darf ich Licht machen?«

»Bitte.«

Eusel Heschel setzte sich im Bett auf und rieb sich, vom Licht geblendet, die Augen. Gina lehnte sich an den Türpfosten.

»Hören Sie mal, mein Junge, haben Sie vor, etwas zu essen, oder fasten Sie heute?«

»Natürlich esse ich etwas. Wie kommen Sie denn darauf, daß ich . . .«

»Wo wollen Sie essen? Ich möchte, daß Sie Ihre Mahlzeiten hier einnehmen. Wie wär's mit einem Imbiß? Frisches Brot, Butter und Käse – oder vielleicht ein paar Eier?«

»Nein, danke. Ich habe keinen Hunger.«

»Warum denn nicht? Sie sind doch den ganzen Tag nicht aus dem Zimmer gekommen! Entschuldigen Sie, daß ich mich in Ihre Privatangelegenheiten einmische, aber dem Alter nach könnte ich Ihre Mutter sein.«

»Ich habe wirklich keinen Hunger.«

»Dann stehen Sie wenigstens auf und kommen Sie mit hinüber! Sie kennen noch nicht einmal mein Eßzimmer. Meine Untermieter sind alle außer Haus – niemand wird Sie behelligen. Und vor mir brauchen Sie keine Bange zu haben, schließlich bin ich kein junges Mädchen mehr.«

Eusel Heschel stand auf, strich seinen Kragen glatt, folgte ihr durch den langen Korridor ins Eßzimmer und nahm Platz. Gina ging hinaus. Kurz darauf kam sie mit einem Teller Gebäck und einer Flasche Likör zurück. »Nehmen Sie was davon, bevor Sie sich die Hände waschen. Und falls Sie auf das Händewaschen vor dem Essen verzichten möchten, soll's mir recht sein. Vor diesem Schnaps brauchen Sie keine Angst zu haben, er ist süß und gar nicht stark. Ein Damenlikör.«

Euser Heschel murmelte »danke«. Gina goß ihm ein Gläschen Likör ein. Er nahm sich ein Stück Gebäck und bewegte flüsternd die Lippen. Ob er den rituellen Segensspruch oder ein höfliches »Auf Ihr Wohl!« murmelte, blieb Gina unklar. Sie ging nochmals hinaus und brachte Butter, Käse und ein Körbchen mit Kümmelbrötchen.

Eine altmodische Wanduhr mit langem Perpendikel und vergoldeten Gewichten begann zu schnarren, dann schlug sie neunmal. Gina sah aufs Zifferblatt.

»Erst neun Uhr. Ich dachte, es wäre schon viel später. So geht's mir – ich sitze hier herum und die Stunden verrinnen. Übrigens, wer war denn diese junge Dame? Ich hätte schwören können, daß es Njunje Moschkats Tochter war.«

»Ja, das stimmt.«

»Ich habe schon viel von ihr gehört, aber persönlich kennengelernt habe ich sie noch nicht. Stellen Sie sich vor – Abram, ihr eigener Onkel, ist in sie verliebt! Regelrecht verliebt!«

Euser Heschel würgte einen Bissen hinunter.

»Ihr Onkel Abram? Das ist doch nicht möglich!«

»Werden Sie erst mal so alt wie ich – dann wissen Sie, daß alles möglich ist. Er macht ein Geheimnis daraus, aber jedermann weiß Bescheid. Nicht zu fassen! So ein alter Bock!«

»Er ist doch verheiratet.«

»Das ist Abram völlig egal. Er ist nicht bloß ein Mann, er ist ein Vulkan! Heiraten kann er sie natürlich nicht – selbst wenn er von seiner Frau geschieden wäre, bekäme er keine Erlaubnis. Aber wenn *er* sie nicht haben kann, soll sie auch kein anderer bekommen. Soviel ich weiß, werden ihr alle möglichen guten Partien angeboten, aber er läßt das einfach nicht zu.«

»Und warum nicht?«

»Er ist schrecklich eifersüchtig. Warum er zuläßt, daß sie mit Ihnen befreundet ist, kann ich einfach nicht verstehen. Wie hat sie Ihre Adresse herausbekommen?«

»Abram hat sie ihr gegeben.«

»Da haben Sie's! Hinter allem steckt Abram! Er geht nach *seiner* Methode vor. Er läßt sie alle nach seiner Pfeife tanzen – Njunje, Dache, Hadassa. Sie unternehmen nichts ohne ihn. Er hat sie förmlich hypnotisiert.«

Furor Heschel wollte etwas erwidern, doch es hatte ihm die Sprache verschlagen. Plötzlich sah er alles doppelt – Gina, die Lampe, den Kachelofen mit dem vergoldeten Sims, die Wanduhr. Er wollte nach einem angebrochenen Brötchen greifen, aber seine Hand griff ins Leere.

»Soviel ich weiß, hat sie Ihnen Nachhilfeunterricht gegeben.«

»Ja.«

»Falls es Ihnen zu viele Umstände macht, sie zu Hause aufzusuchen, könnte sie ja herkommen. Aber verlieben Sie sich bloß nicht in sie! Erstens ist sie schwach auf der Lunge – sie war monatelang im Sanatorium. Und zweitens würde Abram Sie kaputtmachen. Möglich, daß er genau *das* vorhat. Er tüftelt alles auf seine eigene verrückte Art und Weise aus. Bitte glauben Sie mir, ich verfolge keinen bestimmten Zweck damit, daß ich Ihnen das alles erzähle. Mir kann's schließlich egal sein. Ich schwätze, weil ich einsam bin. Ich bin traurig – so traurig, daß ich am liebsten sterben würde.«

»O nein! Sie sind doch noch jung!«

»So jung nicht mehr. Und nicht besonders klug. Ich weiß nicht, was die Leute über mich reden – sicher nichts Gutes –, aber Sie dürfen mir glauben, ich bin das genaue Gegenteil von Abram. Der ist ein Schürzenjäger und kann sich in jede Frau verknallen. Ich dagegen kann nur *einen* Mann lieben. Wäre ich in die richtigen Hände geraten, dann wäre aus mir eine treue Ehefrau geworden. Aber meine Mutter, sie ruhe in Frieden, wollte mich versorgt wissen. Man hat es Ihnen sicher schon erzählt – ich bin die Tochter des Bialodrewner Rebbe.«

»Ich weiß.«

»Das ist eine lange Geschichte. Wenn ich Ihnen auch nur einen winzigen Bruchteil davon erzählen wollte, säßen wir sieben Tage und Nächte hier. Aber warum sollte ich Sie mit meiner Tragödie belasten? Dafür sind Sie noch zu jung. Unter meiner Ehe mit Akiba habe ich elf Jahre gelitten. Ich habe ihn – Gott strafe mich nicht für diese Worte – nie geliebt. Von Anfang an war er mir verhaßt. Und Herz Janowar kenne ich schon seit meiner Kindheit. Sein Vater hat die Jeschiwa in unserem Schtetl geleitet. Weshalb erzähle ich Ihnen das alles? Ich weiß nicht, warum – meine Gedanken gehen wieder einmal mit mir durch. Ach ja, ich möchte, daß Sie ihn kennenlernen. Haben Sie heute abend noch etwas vor?«

»Nein.«

»Dann begleiten Sie mich doch zu ihm! Ich habe ihm von Ihnen erzählt, und nun möchte er Sie unbedingt kennenlernen. Wir könnten einen Pferdeschlitten nehmen. Sagen Sie nicht nein! Die Fahrt wird mich aufmuntern. Sie werden mich sicher auslachen, aber ich wüßte gern, was Sie von ihm halten. Ich bin so durcheinander, daß ich überhaupt nichts mehr begreife. Sie brauchen sich nicht zu beeilen. Essen Sie in aller Ruhe fertig. Für Herz fängt der Abend erst an. Er ist eine von diesen Nachteulen.«

Gina lachte. Die Tränen stiegen ihr in die Augen. Sie stand auf und ging hinaus. Euser Heschel hörte, wie sie im Zimmer nebenan schluchzte und sich die Nase putzte.

3

Herz Janowar wohnte in der Gnojnastraße, in einem großen Häuserblock mit Innenhöfen. Im Treppenhaus war es dunkel. Gina zündete beim Hinaufsteigen ein Streichholz nach dem andern an. Die Wohnung war im zweiten Stock. Ohne zu klingeln oder anzuklopfen, öffnete Gina die Tür und führte Euser Heschel hinein. In den düsteren Flur fiel nur der schwache Schein einer Petroleumlampe, die in der Küche brannte. Ein Dienstmädchen, klein, rundlich, mit rotbackigem Bauerngesicht und strammen nackten Beinen, spülte Geschirr. Als sie Gina sah, kam sie an die Küchentür und legte den Finger an die Lippen.

»Hilde ist da?« Gina schnitt eine Grimasse.

»Pst! Pst! Herr Janowar hat gesagt, ich darf niemanden hereinlassen.«

»Wovor hat er denn Angst? Die Geister werden schon nicht davonlaufen«, entgegnete Gina gereizt. Sie legte Mantel und Hut ab.

»Hoffentlich sind Sie kein Angsthase«, sagte sie zu Euser Heschel. »Mein Professor gibt sich nämlich mit Spiritismus ab. Sie wissen doch, was das ist?«

»Ja, ich habe etwas darüber gelesen. Die Geister der Toten herbeirufen.«

»Eine Verrücktheit, aber was soll ich dagegen tun? In jedem Genie steckt eine Spur Wahnsinn. Sag mal, Dobbje, wer ist denn alles da?«

»Finlender, Dembitzer, Messinger – und diese Hilde. Ach ja, Herr Schapiro ist auch gekommen.«

»Abram? Na sowas!«

Euser Heschel zuckte zusammen. »Ich glaube, ich gehe lieber. Gute Nacht.« Er sah hinüber zu dem Garderobenständer, an dem sein Überzieher und sein Hut hingen.

»Was ist denn los? Warum wollen Sie weglaufen? Ein feiner Kavalier sind Sie! Schämen Sie sich!«

»Ich würde doch bloß stören. Ich gehe lieber nach Hause.«

»Der Herr hat vielleicht Angst vor den Toten«, warf das Dienstmädchen ein.

»Nein, nicht vor den Toten«, sagte Euser Heschel.

»Dann machen Sie sich doch nicht lächerlich!« Gina packte ihn am Arm, zerrte ihn zu einer Tür und führte ihn in ein großes Zimmer, dessen Tapete schon ziemlich abgeblättert und dessen Decke vergilbt war. Das gedämpfte Licht der mit einem roten Tuch bedeckten Stehlampe erinnerte an das Nachtlicht in einem Krankenzimmer. An dem kleinen quadratischen Tisch in der Mitte des Raumes saßen fünf Männer und eine Frau. Alle hatten die Handflächen auf den Rand der

Tischplatte gelegt. Abram, der gegenüber der Tür saß, war der erste, der Notiz von Gina und Euser Heschel nahm. Sein Bart war zerzaust, sein Gesicht sah in der gedämpften Beleuchtung glutrot aus. Er nickte den beiden etwas spöttisch zu und legte den Finger an die Lippen. Rechts von ihm saß ein schmächtiger Mann mit spitzem Kinn und hoher, zerfurchter Stirn. Er machte ein schuldbewußtes Gesicht – wie ein Kind, das bei einer Unart ertappt worden ist. Seine nur noch am Hinterkopf sprossenden Haare waren nicht gestutzt, sondern im Nacken zusammengerafft. Er trug ein locker geschlungenes schwarzseidenes Halstuch. Euser Heschel hatte bei Gina eine Fotografie dieses Mannes gesehen. Herz Janowar.

Links von Abram saß eine Frau mit wallendem schwarzem Haar, ovaler Stirn und dreieckigem Gesicht mit vorspringendem Kinn. Sie trug einen Stehkragen und war in ein seidenes Umhängetuch gehüllt. Offensichtlich verärgert über die Störung, starrte sie finster vor sich hin. Ihr Aussehen erinnerte Euser Heschel an die Nihilistinnen, deren Fotografien er irgendwann einmal gesehen hatte. Neben ihr saß ein großer, dürrer Mann mit aschgrauem, glatt nach unten gekämmtem Haar und schlaffen Tränensäcken. Die beiden anderen Männer saßen mit dem Rücken zur Tür. Euser Heschel sah, daß einer von ihnen einen Buckel hatte.

»Hmm, hmm ...«, nuschelte Herz Janowar – wie ein frommer Jude, der bei einer Andachtsübung gestört wird. »Hmm, hmm ...« Er bedachte Gina mit einem milden Kopfschütteln.

»Also wieder um den Tisch versammelt!« rief Gina. Es klang wie eine Provokation. »Habt ihr die Toten noch nicht auferweckt?«

Worauf Herz Janowar den Kopf etwas heftiger schüttelte und unverständliche Laute von sich gab.

»Hört doch mit dieser Komödie auf! Ich bin nicht hergekommen, um mich mit Hexerei abzugeben.«

Das Medium warf ihr einen wütenden Blick zu und nahm die Hände vom Tisch. Dann schob es den Stuhl zurück und stand auf. Die Frau trug ein bodenlanges Gewand und flache Schuhe. »Es hat keinen Zweck! Lassen wir's genug sein!«

Die anderen nahmen ebenfalls die Hände vom Tisch und

begannen zu plaudern und ihre Kragen zurechtzurücken – wie Studenten, wenn die Vorlesung zu Ende ist. Abram stand auf, klatschte in die Hände und stürmte auf Gina und Euser Heschel zu, ganz so, als ob er sie schon lange erwartet und nichts Eiligeres zu tun hätte, als sie zu begrüßen. Er schloß Gina in die Arme und drückte sein Gesicht an ihre Wange. Dann faßte er Euser Heschel an den Schultern.

»Das ist Gedankenübertragung!« rief er schallend. »Oder der Prophet Elias muß Sie hergeführt haben! Ich halte schon seit Tagen Ausschau nach Ihnen!«

»Gina, du hast alles verdorben«, schmollte Herz Janowar. Er warf dem Medium einen flehenden Blick zu, als wollte er inständig um Verzeihung bitten. Dann ging er auf Gina zu. Euser Heschel sah, daß er eine Samthose und Pantoffeln mit Pompons anhatte. »Das ist mein voller Ernst, Gina, meine Liebe«, sagte er halb zärtlich, halb vorwurfsvoll. »Du hast doch gesagt, du würdest heute nicht kommen.«

»Jetzt soll ich also nicht mehr herkommen! Keine Sorge, die Geister werden schon nicht weglaufen! Und falls ein gewisser Geist sich gekränkt fühlt und beschließt, für immer wegzubleiben, ist mir das völlig egal!« Sie warf dem Medium einen verächtlichen Blick zu.

»Ich gehe, Herr Professor«, sagte das Medium lakonisch. »Gute Nacht.«

»Gina! Bitte, Hilde, gehen Sie noch nicht!« Flehentlich sah Janowar von der einen zur andern. Wutentbrannt begann Hilde, ihre wallenden Haare aufzustecken. »Wozu der ganze Hickhack? Dies ist eine ernste Sache. Wir sind auf der Suche nach neuen Wahrheiten – und Sie . . . Oi, oi, eine Katastrophe! Die Séance hatte erst knapp fünfzig Minuten gedauert. Noch zehn Minuten, und der Tisch hätte reagiert. Wenn Sie doch bloß gewartet hätten!«

»Gewartet? Worauf denn? Jedesmal, wenn ich herkomme, muß ich mir entweder den Unsinn anhören, den Sie über Geister verzapfen, oder mitansehen, wie Sie den Tisch hochheben! Ich werde diesen vermaledeiten Tisch zertrümmern, damit ein für allemal Schluß damit ist!«

»Eine Tigerin! Kein Weib, nein – eine Tigerin!« kommentierte Abram.

»Gute Nacht, Herr Professor!« Das Medium hielt ihm die Hand mit den sorgfältig manikürten Fingernägeln hin.

»Gute Nacht, gute Nacht – ach bitte, bleiben Sie doch!« sagte Janowar verzweifelt. »Gina, wer ist denn dieser junge Mann?«

»Ich habe dir von ihm erzählt. Euser Heschel Bannet. Mein neuer Untermieter.«

»Seien Sie gegrüßt. Freut mich, Sie kennenzulernen. Das ist Hilde Kalischer. Das ist Dr. Messinger ...« – er deutete auf den Mann mit dem runden Haarschnitt und den Tränensäcken – »... und das sind Herr Finlender und Herr Dembitzer. Ich habe schon von Ihnen gehört. Wenn ich mich recht erinnere, ist der Rebbe von Klein-Tereschpol Ihr Großvater. Ein weiser Mann. Ich versichere Ihnen – die Sache mit dem Tisch ist keine Verrücktheit. Einige unserer größten Wissenschaftler glauben daran. Lombroso zum Beispiel, das Idol aller Materialisten ...«

»Herr Professor, ich muß jetzt gehen«, sagte das Medium nachdrücklich.

»Was soll ich machen? Wenn Sie unbedingt gehen wollen ... Aber ich bitte Sie inständig, rufen Sie mich an! Und bitte – nehmen Sie die Sache nicht übel! Gina hat's nicht bös gemeint. Sie ist halt sehr nervös.«

»Du brauchst dich nicht für mich zu entschuldigen. Und laß meine Nerven aus dem Spiel! Wenn du nicht auf Fräulein Kalischers Gesellschaft verzichten willst, kannst du sie ja begleiten.«

»Gina, jetzt legst du dich aber allen Ernstes mit ihm an!« Abram drohte ihr mit dem Finger.

»Alles, was ich tue, ist ernst gemeint. Ich bin, im Gegensatz zu manchen anderen, keine Schauspielerin. Jedenfalls keine *so* schlechte!«

Hilde Kalischer stürmte hinaus, wobei sie einen Stuhl umwarf und einen erstickten Schrei ausstieß. Herz Janowar rang die Hände und hoppelte auf seinen kurzen Beinen hinter ihr her. Die Glastür fiel scheppernd ins Schloß. Aus dem Flur war Schluchzen zu hören. Der Bucklige zog einen Kamm aus der Brusttasche und begann – während er Gina sarkastisch musterte – sein Haar zu striegeln. Er war der Gast, der Euser

Heschel als »Herr Finlender« vorgestellt worden war. Dembitzer, ein kräftig gebauter, schwerfällig wirkender Mann mit einem massigen Gesicht voller Leberflecken, zog ein Päckchen Zigarettenpapier und einen Tabaksbeutel aus der Tasche und rollte sich sachverständig eine Zigarette.

»Weibsbilder – hm?« Verständnisinnig blinzelte er Abram zu. »Eine Spezies für sich!« Dann bückte er sich und hob den Stuhl auf, den Hilde auf der Flucht umgestoßen hatte.

Der einzige, der am Tisch sitzengeblieben war, als ob es keinerlei Aufregung gegeben hätte, war Dr. Messinger. Seine hochgewachsene, hagere Gestalt schien auf dem Stuhl erstarrt zu sein. Seine langen Arme hingen herunter. Seine kleinen, von Fleischwülsten halb verdeckten Augen starrten zum Fenster, als könnten sie durch die Vorhänge hindurchsehen. Offenbar merkte er gar nicht, was im Zimmer vor sich ging.

»Messinger, sind Sie eingeschlafen?« brüllte Abram. Worauf Messinger in stark deutsch gefärbtem Jiddisch sagte: »Ja! Nein! Um Gottes willen, lassen Sie mich gefälligst in Ruhe!«

4

»Meschugge! Plemplem!« brummelte Abram vor sich hin, aber so, daß es im ganzen Zimmer zu hören war. »Gina, was macht's dir denn aus, wenn die Kinder ihren Spaß haben?«

»Sehr viel macht's mir aus! Intelligente Menschen sollten sich mit etwas Vernünftigem beschäftigen und sich nicht wie alte Hebammen mit Wahrsagerei abgeben. Eine Schande ist das! Und dieses Frauenzimmer möchte ich hier nie mehr sehen! Das werde ich Herz klipp und klar sagen. Entweder sie oder ich. Ich dulde nicht, daß sich hier unverschämte Weibsbilder herumtreiben.«

Herz Janowar kam wieder herein. Sein schmales Gesicht war leichenblaß. Schweißperlen standen auf seiner hohen Stirn. Tief bekümmert und den Tränen nahe, sah er Gina an. »Es ist beschämend, Gina. Sie aus dem Haus zu jagen! Eine Schande!«

»Ich habe dich gewarnt, aber du mußtest es ja soweit kommen lassen! Es ist einzig und allein deine Schuld. Zuerst hast du dich mit dem Hypnotismus abgegeben, dann ist das automatische Schreiben an die Reihe gekommen, und jetzt schüttelst du Geister aus dem Ärmel. Hör jetzt gut zu, Herz! Ich habe deinetwegen viel erduldet, aber alles hat seine Grenzen. *Ich* bin diejenige, die in Schimpf und Schande geraten ist, über *mich* redet man so, als ob ich eine Schlampe wäre. Ich mache das nicht mehr mit, hörst du! Mich überläuft es kalt, wenn ich dieses Frauenzimmer sehe! Treib dich entweder mit deinem fabelhaften Medium herum und verplempere deine Zeit mit Schwarzer Magie – oder mach dich an deine Arbeit! Ich halte das nicht mehr aus.«

Sie senkte den Kopf, schlug die Hände vors Gesicht und begann zu schluchzen. Abram zog sein seidenes Taschentuch heraus und hielt es ihr hin. Messinger schob seinen Stuhl zurück und pflanzte sich in voller Länge auf.

»Gute Nacht, Professor. Adieu.«

»Bitte gehen Sie noch nicht!« flehte Herz. »So etwas passiert halt manchmal. Sie wollten uns doch ein Experiment vorführen.«

»Heute abend nicht. Ich bin nicht in der richtigen Stimmung.« Er stürmte hinaus.

»Warum lauft ihr denn alle davon?« Gina nahm Abrams Taschentuch und schneuzte sich. »Euch kann man doch keinen Vorwurf machen. *Ich* bin schuld. An allem.«

Sie rannte aus dem Zimmer und schlug die Tür zu.

»Ich weiß wirklich nicht, was mit ihr los ist«, sagte Janowar seufzend. »Es sind bestimmt bloß ihre Nerven. Sie bekommt tatsächlich von allen Seiten eins ausgewischt. Nichts als Zores . . .« Er lief ihr in den Flur nach.

»Alles bloß Hysterie«, sagte Finlender.

»O nein, keine Hysterie«, erklärte Dembitzer, während er sich eine Zigarette rollte. »Nein, sie ist eifersüchtig – und nicht ohne Grund.«

»Haben Sie's gehört, Euser Heschel?« rief Abram. »Man kann gehen, wohin man will – überall Ärger. Kommen Sie, ich möchte mit Ihnen reden. Wir können uns jetzt ruhig verabschieden. Die beiden werden sich auch ohne uns aussöhnen.«

»Einverstanden.«

Sie gingen in den Flur. Abram zog seinen langen Mantel

mit dem Zobelkragen an, setzte seine hohe Pelzmütze auf, hängte sich den Schirm über den Arm und steckte sich eine Zigarre an. Euser Heschel schlüpfte in seinen Überzieher, dann gingen die beiden hinunter auf die Straße. Abram schnupperte. »Ein bißchen frostig.« Nach ein paar Schritten sagte er: »Jeder macht sich auf seine Weise zum Narren. Der eine ist hinter dem Geld her, der andere hinter den Weibern, und wieder ein anderer möchte die Geister herbeilocken. Ach was, zum Teufel damit! Sprechen wir von was anderem. Sagen Sie mal, war Hadassa bei Ihnen?«

»Ja.«

»Wann?«

»Heute.«

»Was hat sie gesagt? Worüber habt ihr gesprochen?«

»Sie will mir auch weiterhin Unterricht geben. In meinem Logis.«

»Sie sieht mitgenommen aus, was?«

»Ein bißchen blaß.«

»Ich sage Ihnen, das Leben dieses Mädchens ist ein Trauerspiel. Die Familie führt sich auf wie verrückt. Zu einer Heirat will man sie überreden – mit einem rotznasigen Bengel, einer minderwertigen Kreatur. Der ist bloß hinter der Mitgift her. Er taugt nicht dazu, Hadassa zu heiraten, sowenig wie ich dazu tauge, Oberrabbiner zu werden. Hadassa kann ihn nicht ausstehen. Aber der Aufseher ihres Großvaters – ein Speichellecker, Kriecher und Heuchler, der größte Hundsfott in Warschau – ist für die ganze Mischpoke zur letzten Instanz geworden. Und noch einen haben sie angeheuert – Zeinwele Srozker, diesen komischen Kauz mit einem Leistenbruch, der schon fast am Boden schleift. Und alle haben sich gegen ein schwaches Kind verschworen. Ich bin wütend darüber, das kann ich Ihnen sagen – ich muß mich zusammennehmen, um nicht schnurstracks zu diesem alten Bastard zu laufen und ihm die Rippen zu brechen.«

Er fuchtelte wie wild mit seinem Schirm.

»Ich verstehe das nicht«, sagte Euser Heschel. »Man kann sie doch nicht mit Gewalt zum Traubaldachin zerren.«

»Was? Diese Bande ist zu allem fähig. Für mich war Hadassa von Geburt an wie eine Tochter. Ich liebe sie wie mein eigenes Kind. Ihr Vater, dieser Njunje, ist ein gottverdammter Feigling – ein Dummkopf, ein Trottel. Er zittert vor seinem Vater. Der Alte droht ihm ständig mit Enterbung. Auf diese Weise hat er in den letzten dreißig Jahren der ganzen Familie Angst eingejagt. Diese verdammten Narren haben sich eingeredet, daß er ihnen Millionen hinterlassen wird. Ich weiß, was er ihnen hinterläßt – das Nachsehen werden sie haben! Der würde sein Geld lieber in die Weichsel werfen. Zum Teufel mit ihm! Aber was nützt die ganze Rederei? Er ist zum Bialodrewner Rebbe gefahren! Und sie haben die Vertragsbedingungen ausgehandelt. Hat Ihnen Hadassa nichts davon erzählt?«

»Doch, sie hat es erwähnt.«

»Ich muß schon sagen, Sie haben großen Eindruck auf sie gemacht. Irgendwas Ungewöhnliches ist an Ihnen. Ich weiß wirklich nicht, was. Piff, paff! Daß Sie intelligent und gebildet sind, weiß ich natürlich. Aber Mädchen lassen sich vermutlich von ganz anderen Dingen beeindrucken. Ich will ganz offen mit Ihnen reden – und ich möchte, daß Sie mir ehrlich antworten. Wie finden Sie Hadassa? Haben Sie sie gern oder nicht?«

»Ich ... ich habe sie sehr gern.« Es fehlte nicht viel, und Euser Heschel hätte mit den Zähnen geklappert.

»Nu, nu, nicht so verlegen! Und zittern Sie nicht so! Schon gut, zittern Sie, wenn's sein muß. Wissen Sie, meiner Ansicht nach sollte man jetzt noch gar nicht wegen einer Heirat verhandeln. Hadassa ist sehr empfindlich. Eine Treibhausblume. Sie braucht bloß einmal grob angefaßt zu werden – und schon wird sie zugrunde gehen. Nein, statt mitansehen zu müssen, wie sie diesem Tölpel Fischel und seinem Großvater, diesem Wucherer, in die Klauen gerät, wäre es mir lieber, sie wäre tot! Sie halten mich sicher für meschugge, aber glauben Sie mir, lieber ginge ich hinter ihrem Sarg her, als auf einer derartigen Hochzeit zu tanzen.«

Abram blieb stehen und griff sich an die linke Seite. Seine großen Augen wurden feucht. Euser Heschel spürte, wie auch ihm das Wasser in die Augen stieg.

»Was kann man denn bloß tun?« Es klang, als spräche Abram mit sich selbst.

»Oh, ich würde alles tun – alles. Auch wenn ich wüßte, daß mein ganzes Leben ...«

»Ja, Bruderherz, ich weiß, ich weiß. Ich verstehe schon. Also, gute Nacht! Wir sprechen uns bald wieder.« Abram hob den Schirm und winkte einem vorüberfahrenden Pferdeschlitten. Dann drückte er Euser Heschel die Hand. Mit Glöckchengeklingel preschte der Schlitten davon. Euser Heschel ging weiter – mit einer seltsamen Leichtigkeit, fast so, als hätte er plötzlich neuen Auftrieb bekommen. Sein langer Schatten glitt vor ihm her. Im eiskalten Wind, der durch die Straßen fegte, bauschte sich sein Mantel. Ihm war zumute, als ob er nicht liefe, sondern flöge – mit der unvorstellbaren Geschwindigkeit dessen, der seinem Schicksal entgegengetragen wird.

Drittes Kapitel

I

Als Abram sich von Euser Heschel verabschiedet hatte und in den Schlitten gestiegen war, wies er den Kutscher an, ihn zu seiner Wohnung in der Zlota zu fahren. Auf halbem Wege puffte er ihn mit dem Schirm in den Rücken und befahl ihm, umzuwenden und in die Stalowa drüben in Praga zu fahren. Der Kutscher hielt an und kratzte sich unter der Schirmmütze am Kopf. Er hatte keine Lust, in einer so kalten Nacht eine so lange Fahrt zu machen. Doch als er sich den Fahrgast mit dem eleganten Pelzmantel und der Pelzmütze nochmals angesehen hatte, wendete er den Schlitten, ließ die Peitsche knallen und rief: »Hü, Kleiner, vorwärts!«

Der Gaul preschte los, Schneeklumpen flogen ihm um die Hufe. Der Schlitten glitt die Straße entlang, holperte und schlingerte, seine Glöckchen bimmelten. Abram lehnte sich im Sitz zurück. Er wußte, daß Hama zum Himmel schreien würde, wenn er erst morgen zu Hause aufkreuzte. Sie hatte ihm angedroht, daß sie, falls er noch einmal die ganze Nacht über fortbliebe, zu ihrem Vater zurückkehren und ihre beiden Töchter mitnehmen würde. Trotzdem konnte Abram der Versuchung nicht widerstehen, zu Ida, seiner einzigen wahren Liebe, zu fahren, die sich seinetwegen von dem reichen Leo Prager hatte scheiden lassen und in eine Wohnung in einem schäbigen Stadtviertel gezogen war, nur um ihm, Abram, nahe zu sein. Er hatte ihr telefonisch alle möglichen Erklärungen für sein langes Fernbleiben gegeben und ihr erst gestern einen Blumenstrauß und eine Schachtel Konfekt überbringen lassen. Aber Ida war keine von denen, die sich mit Geschenken abspeisen ließen.

Der Schlitten bog in die Senatorska ein. Die Turmuhr des Rathauses zeigte fünf Minuten vor Mitternacht. Kurz darauf erreichte der Schlitten den Zamkowyplatz. Links stand das Palais, in dem früher die polnischen Könige gewohnt hatten und wo jetzt der russische Generalgouverneur residierte. Am Tor standen Wachtposten in Uniformmänteln, mit Bajonetten an den Gewehrläufen. Aus einem einzigen Fenster – in einem der oberen Stockwerke – drang helles Licht. Rechts, unterhalb der Böschung, verliefen Straßen, die von Gaslampen nur schwach beleuchtet waren, und hier und dort ragten Fabrikschornsteine in den mitternächtlichen Himmel.

Die Brücke, auf der es tagsüber von Trambahnen, Fuhrwerken, Lastwagen und Automobilen wimmelte, war zu dieser Stunde fast leer. Die Weichsel war zugefroren und von einer Schneeschicht bedeckt, unter der auch die Uferböschung nicht mehr zu erkennen war. Im fahlen Dunst wirkte die Szenerie wie ein Gemälde. Abram kam es fast unglaublich vor, daß er erst vor ein paar Monaten in der Badeanstalt für Männer herumgetollt war und allerlei Kunststückchen vorgeführt hatte. In Praga war die Luft von Vorstadtgeruch geschwängert. Man konnte den Qualm der Lokomotiven riechen, die pfeifend aus den beiden Bahnhöfen rollten – auf der Fahrt in die fernen russischen Provinzen.

Es war fast ein Uhr, als der Schlitten in einer kleinen Straße vor einem vierstöckigen Haus hielt. Abram gab dem Kutscher zwei Silberrubel und ließ sich nicht herausgeben. Dann zog er an der Glocke. Der Pförtner erschien, schloß das Tor mit einem riesigen Schlüssel auf und machte einen Kratzfuß, als Abram ihm ein Zwanzigkopekenstück in die Hand drückte. Nachdem er zwei Hinterhöfe durchquert hatte, betrat Abram das Rückgebäude, das sich neben einem Stall befand, aus dem Pferdegewieher zu hören war. Idas Wohnung und Atelier lagen im vierten Stock.

Auf jedem Treppenabsatz hielt Abram inne, um Luft zu holen. Katzen miauten. Es roch penetrant nach Schweinefett und Karbol. Seine Beine waren schwer wie Blei, sein Herz klopfte wie wild. Die Mahlzeit, die er am frühen Abend in einem Restaurant eingenommen hatte – Schnaps, Fisch, Gänsebraten – lag ihm schwer im Magen. »Oi, oi, das bringt mich noch um!« japste er. »Wenn Dr. Mintz mich jetzt sehen könnte!«

Im Dunkeln tastete er nach der Türglocke. Das Gebimmel schrillte ihm in den Ohren. Er war darauf gefaßt, daß es eine ganze Weile dauern würde, bis Zosia, das Dienstmädchen, an die Tür kam, doch kaum hatte er geläutet, da hörte er schon ihre Schritte. Als sie Abram vor der Tür stehen sah, stieß sie einen leichten Schrei aus.

»Panje Abram! Beim Leben meiner Großmutter – es ist Pan Abram!«

»Schläft deine Gnädige schon?«

»Nein, noch nicht. Treten Sie ein! Was für ein willkommener Gast!«

Zosia war in den Dreißigern, sah aber jünger aus. Sie war die Witwe eines Unteroffiziers, der in Sibirien gestorben war. Für Ida Prager war Zosia mehr als ein Dienstbote: Sie war ihre Freundin und Vertraute. Immer wenn Abram ein Geschenk für Ida mitbrachte, ließ er auch Zosia nicht leer ausgehen. Sie war rundlich und vollbusig und hatte ein breites Gesicht und eine Stupsnase. Ihre blonden Haare waren zurückgekämmt und über den Ohren zu Schnecken gewunden. Zosia kochte, wusch, schrubbte, nähte und stopfte, hatte aber trotzdem noch genug Zeit für andere Dinge. In ihren Mußestunden verschlang sie Kriminalgeschichten, die in Groschenheftchen veröffentlicht wurden, oder vertiefte sich in ein dickes Buch über Traumdeutung, das sie nachts unter ihrem Kopfkissen liegen hatte.

Sie half Abram aus dem Mantel, nahm seine Pelzmütze und stellte seinen Schirm beiseite. Abram rang nach Atem, was ihn aber nicht daran hinderte, Zosia einen Klaps auf die mollige Hüfte zu geben.

»Wo ist deine Gnädige?«

»Im Atelier.«

Abram öffnete die Tür zum Atelier. An den Wänden hing eine Auswahl von Idas Gemälden. An den Fenstern standen Blumenkübel mit tropischen Pflanzen. Auf Tischchen und Hockern waren Skulpturen und Figurinen aufgestellt. In den Regalen lagen Zeitschriften und Bücher herum. In einem dekorativen Glasständer steckten rote Kerzen. Abram wußte, daß diese bohèmehafte Unordnung bis ins kleinste Detail ausgeklügelt war. Ida saß in einem niedrigen Sessel. Sie trug ein schwarzseidenes Hausgewand mit einer breiten, stickereiverzierten Schärpe, dazu rote Sandalen. Sie rauchte eine Zigarette mit langem Mundstück. Früher war sie eine gefeierte Schönheit gewesen und auf Bällen prämiiert worden.

Jetzt war sie fast vierzig. In ihrem kurzgeschnittenen schwarzen Haar waren bereits Spuren von Grau zu entdecken. Sie hatte dunkle Ringe unter den Augen. Als sie Abram sah, verzogen sich ihre Mundwinkel zu einem erstaunten Lächeln.

»Er ist also endlich gekommen! Mein fabelhafter Held!« sagte sie auf polnisch. »Es geschehen noch Zeichen und Wunder!«

»Guten Abend, Ida, meine Liebe! Wie schön du aussiehst! Ein Glück, daß du noch auf bist!«

»Ich war schon im Bett, bin aber wieder aufgestanden. Was für ein Kraut rauchst du denn da? Es stinkt!«

»Bist du nicht bei Trost? Das ist eine reine Havanna! Kostet pro Stück einen halben Rubel.«

»Wirf sie weg! Welcher böse Geist hat dich denn hergeführt?«

»Willst du Streit anfangen? Du weißt sehr gut, was mich herführt.«

»Du hättest mich vorher anrufen können. Schließlich bin ich nicht deine Ehefrau.«

Zosia kam herein. Sie hatte eine frische Bluse angezogen und ein spitzenbesetztes Tüllschürzchen umgebunden. In ihrem Haar steckte ein Zierkamm. Sie lächelte Ida zu und fragte: »Soll ich etwas zu essen richten?«

»Ich könnte keinen Bissen hinunterbringen«, sagte Abram.

»Vielleicht ein Glas Tee?«

»Einen Schluck Tee könnte ich vertragen.«

»Bring ihm etwas zu essen!« befahl Ida. »Sonst fängt er mitten in der Nacht vor lauter Hunger zu jaulen an.«

»Nein, bitte nicht!« quengelte Abram. »Der Arzt hat mir eingeschärft, nach zehn Uhr abends keinen Bissen mehr zu essen.«

»Du tust vieles, was du lieber nicht tun solltest.«

Zosia schüttelte unschlüssig den Kopf und ging hinaus. Abram stand auf, dann setzte er sich wieder.

»Was machst du denn den lieben langen Tag?« fragte er. »Wie geht's dir? Warum bist du so sarkastisch?«

»Was ich mache? Ich werde allmählich verrückt. Das Atelier ist eiskalt, der Ofen qualmt, meine Bilder werden ganz rußig – ich halte das nicht mehr aus!«

»Schläft Pepi?«

»Sie ist bei ihrem Vater.«

»Was soll das heißen?«

»Er ist nach Warschau gekommen. Hat zwei Zimmer im ›Bristol‹. Er wollte das Kind unbedingt bei sich haben.«

»Und Pepi war einverstanden?«

»Warum nicht? Morgen geht er mit ihr in den Zirkus.«

»Übrigens – hast du die Blumen und das Konfekt bekommen?«

»Ja, danke. Ich habe dich schon tausendmal gebeten, mir keine Süßigkeiten zu schicken. Wir stopfen uns damit zum Platzen voll. Warum bist du eigentlich so aufgelöst? Bist du in eine Rauferei oder sonst was geraten?«

»Eine Rauferei? Gott bewahre! Obzwar ich einer bestimmten Person am liebsten eins überziehen würde. Stell dir vor, Herz Janowar lud mich zu einer Séance ein – diese Kalischer wollte die Geister beschwören. Und plötzlich kommt Gina hereingestürmt und jagt die Kalischer aus dem Haus! Herz und ich, wir haben große Pläne. Wir wollen eine Zeitschrift herausgeben.«

»Was für eine Zeitschrift? Ist das wieder so eine Verrücktheit?«

»Eine Zeitschrift für Selbstunterricht. Hier in Polen und auch in Rußland gibt es Tausende – Hunderttausende – von jungen jüdischen Burschen, die darauf brennen, sich weiterzubilden. Auch auf handwerkliche Berufe wollen wir sie vorbereiten. Uhrmacher, Elektriker, Schlosser und dergleichen. Alles per Post. Eine großartige Idee! Ich übernehme die Leitung.«

»Ich dachte, Herz will in die Schweiz.«

»Wie soll er das denn machen? Akiba verweigert Gina die Scheidung. Übrigens – der Alte versucht wieder, Hadassa zu einer Heirat zu zwingen.«

»Was geht das mich an? Ich gehe nach Paris. Im Frühjahr. Pepi bleibt bei ihrem Vater. Das ist beschlossene Sache.«

»Hast du ihn getroffen?« fragte Abram mißtrauisch.

»Ja, ich habe alles mit ihm besprochen. Er wird mir monatlich hundert Rubel schicken. Und Pepi kommt in eine Privatschule.«

Sie zog an ihrer Zigarette und blies ihm den Rauch ins Gesicht. Abram saß schweigend da. Er zog sein Taschentuch heraus und wischte sich über die Glatze. Wie immer, wenn er erregt war, lief seine Stirn auf der einen Seite puterrot an. Er zupfte sich am Bart, warf die Zigarre weg und starrte Ida mit großen, feuchten Augen an. Er fühlte sich allmählich zu alt für solche Auseinandersetzungen. Ganz gleich, was er tat, um Ida zu besänftigen – sie hackte unentwegt auf ihm herum. Er wollte etwas sagen, doch in diesem Moment erschien Zosia mit dem Teetablett. Um seine melancholische Anwandlung zu verscheuchen, erzählte Abram ihr einen Witz, aber zum ersten Mal ohne jeden Esprit.

2

Idas Schlafzimmer war mit einem breiten Bett und einer Chaiselongue ausgestattet. An den Wänden hingen japanische Seidenmalereien und einige Landschaftsbilder. Die Lampe, die wie ein chinesischer Lampion geformt war, verbreitete gedämpftes Licht. Auf dem Fußboden lag ein Flickenteppich. Obzwar Ida grundsätzlich nur im Atelier malte, roch es auch im Schlafzimmer nach Terpentin und Ölfarbe. Abram zog sich aus und legte sich auf die Chaiselongue. Einer neuen Gesundheitsmarotte entsprechend, war das kleine Kopfkissen nicht mit Federn, sondern mit so etwas Ähnlichem wie Stroh gefüllt. Er deckte sich mit einer karierten Wolldecke zu. Ida war in der Küche, Zosia schlurfte in ihren flachen Schuhen im Atelier herum, deckte den Teetisch ab und summte dabei ein Lied. Das harte Kissen im Nacken, den Kopf voller düsterer Gedanken, lag Abram auf der unbequemen Chaiselongue. Was würde geschehen, wenn Hama ihre Drohung wahrmachte und ins Haus ihres Vaters zurückkehrte? Koppel würde ihm die Gebäudeverwaltung entziehen, und dann hätte er keinen roten Heller mehr. Und Ida? Sie hatte er schon so gut wie verloren. Und seine Töchter? Die ältere, Bella, war ihrer Mutter wie aus dem Gesicht geschnitten. Kein einziger *schadchen* ließ sich bei ihr blicken – alle mieden sie wie die Pest. Die jüngere, Stefa, war ein recht hübsches Mädchen – aber ein Pechvogel! Zweimal hatte sie kurz vor der Verlobung gestanden, aber jedesmal hatte sich der Betreffende aus dem Staub gemacht. Was, zum Beispiel, dachte sich ein Mädchen wie sie, wenn ihr Vater die ganze Nacht nicht nach Hause kam? Einmal war ihm aufgefallen, daß sie Arzybaschews *Sanin* las. Konnte man denn wissen, ob es irgendeinem Studenten, irgendeinem Kadetten nicht bereits gelungen war, sie herumzukriegen? Warum sollte seine Tochter anders sein als gewisse junge Mädchen, die *er* herumgekriegt hatte?

Er rieb sich den Hinterkopf. Wozu sich mit solchen Gedanken herumquälen? Er hatte Herzklopfen und einen bitteren Geschmack im Mund. Jede Sünde, dachte er, hat ihre eigene Strafe.

Ida kam herein, und mit ihr eine Wolke von Salben- und Parfümduft. Ihren flackernden Augen sah Abram an, daß sie etwas Alkoholisches getrunken hatte; in letzter Zeit hatte sie sich angewöhnt, in beschwipstem Zustand zu ihm zu kommen. Sie knallte die Tür zu und rief mit schriller, unnatürlicher Stimme: »Bist du noch wach oder schläfst du schon, mein Pascha?«

»Hör zu, Ida, wenn du willst, können wir Schluß machen. Jetzt gleich!«

»Was ist denn mit dir los? Fühlt sich der Großwesir gekränkt?«

»Ich habe mich noch nie aufgedrängt und werde es auch künftig nicht tun.«

»Was redest du denn da? Wer hat denn etwas von Aufdrängen gesagt?«

»Ich mag diese Finten nicht – dieses ganze Theater. Ich gehe.«

Er hievte sich hoch. Die Chaiselongue knarrte unter seinem Gewicht.

»Bist du meschugge? Wo rennst du denn hin? Zosia wird glauben, wir sind verrückt geworden.«

»Sie kann glauben, was sie will. Alles geht einmal zu Ende.«

»Abram, was ist mit dir los? Paßt es dir nicht, daß ich nach Paris gehe? Ich reise doch nicht sofort ab. Du weißt, das hier ist kein Leben für mich. Ich kleckse unentwegt an Bildern herum und weiß gar nicht, was das soll. Wozu weitermalen?

Wer schert sich um meine Bilder? Ich war noch nie so einsam wie hier in diesem gottverdammten Praga.«

»Ich habe dich nicht hierher verbannt. Praga ist nicht Sibirien, und ich bin nicht der Zar.«

»Doch, das bist du! Ich sitze hier herum und warte Nacht für Nacht auf dich, während du dich herumtreibst – weiß der Teufel, wo. Du hast mir versprochen, dich von Hama scheiden zu lassen und mich zu heiraten. Deinetwegen habe ich meinen reichen Mann verlassen.«

»Diese Geschichte hat schon einen Bart.«

»Was soll denn aus mir werden? Ich werde allmählich alt und krank. Ich bin so durcheinander, daß ich meine Nerven mit Alkohol beruhigen muß.«

»Genau das Richtige für dich! Zur Säuferin werden!«

»Schrei nicht so! Sie kann jedes Wort hören. Ich *kann* nicht malen, so wahr mir Gott helfe. Ich habe kein Talent – ich kann nicht zeichnen. Heute habe ich alle Bilder, die ich der Galerie geschickt hatte, zurückbekommen. Zosia hat sie abgeholt. Man lacht bloß über mich.«

»Wenn man dich *hier* auslacht, was wird man dann erst in Paris tun!«

»Sollen sie doch lachen! Du bist derjenige, der soviel Tamtam darum gemacht hat, daß ich ein Genie sei. Das war *deine* Methode, mich meinem Mann abspenstig zu machen.«

»Halt den Mund!«

»Nur zu, schlag mich doch! Welchen Sinn hat mein Leben jetzt noch?«

Sie brach in Tränen aus und warf sich aufs Bett. Im Zimmer nebenan machte Zosia einen Schritt, dann verhielt sie sich mucksmäuschenstill. Abram zögerte einen Moment, dann drehte er das Licht aus. Wieder ein Sieg. Wie viele hatte er in den fünfunddreißig Jahren errungen, in denen er sich nun schon mit Weibsbildern amüsierte? Er wußte im voraus, was jetzt passieren würde. Sie beide würden sich im Dunkeln versöhnen, Küsse und Zärtlichkeiten austauschen, miteinander flüstern, abenteuerliche Pläne schmieden und allen möglichen Spielarten körperlicher Liebe frönen. Mochte er noch so müde und krank sein – ein fabelhafter Liebhaber war Abram immer noch.

3

Am nächsten Morgen fuhr Abram mit der Trambahn nach Hause. Es war kalt und bewölkt, alles deutete auf Sturm. Die Sonne, die hie und da zwischen den tief herabhängenden Wolken hervorlugte, war schmächtig und frostig weiß. Vereiste Schneewehen säumten die Straßen. An den Dächern und Balkonen hingen Eiszapfen. Fußgänger schlitterten die Gehsteige entlang. Pferde rutschten aus und strauchelten. Abram zog einen kleinen Spiegel aus der Brusttasche und betrachtete sich. Sein Gesicht war gelb, sein Bart zerzaust. Unter den Augen hatte er bläuliche Schatten. »Allmählich sehe ich wie ein alter Landstreicher aus«, dachte er. Am liebsten hätte er sich jetzt bei seinem Barbier in der Zlotastraße die Haare schneiden, das Gesicht massieren und den Bart stutzen lassen, aber er war ihm noch drei Rubel und etwas Kleingeld schuldig. Heute mußte er einige Wechsel einlösen, Kreditschulden zahlen und Indossaten für weitere Kredite finden, die er aufnehmen mußte. Er hatte sich von Zosia zu einem üppigen Frühstück überreden lassen: warme Semmeln, Bratwurst, Omelette, schwarzer Kaffee. Jetzt hatte er Sodbrennen. Er wollte schleunigst nach Hause, ins Bett kriechen und sich nach diesen Ausschweifungen ausschlafen. Vorher würde es allerdings einen heftigen Wortwechsel mit Hama geben. Die Vorwürfe, mit denen sie ihn überschütten, die Schimpfwörter, die sie ihm an den Kopf werfen würde, kannte er auswendig. Hoffentlich waren die Mädchen nicht zu Hause! Er stieg langsam die Treppe hinauf und läutete. Hama stand vor ihm, in einem abgetragenen schwarzen Kleid. Ihr Gesicht war gelblich, auf dem Leberfleck an ihrem Kinn sproßten drei lange Haare. Sie musterte ihn eher verächtlich als zornig.

»Gott steh mir bei! Wie du aussiehst! Wie gespien!«

»Laß mich vorbei!«

»Wer hindert dich daran? Geh doch hinein! Mir kann's egal sein. Ich bin hier bereits ausgezogen. Jetzt hole ich bloß noch ein paar Sachen.«

Abram ging am Wohnzimmer vorbei ins Schlafzimmer. Die Mädchen waren nicht zu Hause. In der Wohnung war es so still und unordentlich wie in den Sommermonaten, wenn die Familie aufs Land gefahren war. Er zog den Mantel aus und warf seinen Hut auf einen Stuhl. Dann ließ er sich aufs Bett fallen. Er schloß die Augen. »Geschehe was mag«, dachte er. »Zum Teufel damit! Von mir aus kann alles vor die Hunde gehen!« Er döste ein.

Er öffnete die Augen und sah auf die Uhr. Keine zehn Minuten hatte er geschlafen. Er stand auf, ging schwankenden Schrittes hinaus und suchte nach Hama. Sie war fort. In dem kleinen Raum, der als Schreibzimmer benützt wurde, stand ein Telefon. Er rief bei Njunje an. Schifra, das Dienstmädchen, meldete sich und fragte nach dem Namen des Anrufers.

»Ich bin's – Abram Schapiro. Wie geht's, mein Täubchen? Ist Hadassa zu Hause?«

»Oh, Herr Abram! Ja, ich hole sie.«

Er mußte eine Weile warten. Durchs Telefon hörte er Stimmengewirr. Dann ein Hüsteln, dann Daches Stimme: »Wer spricht dort?«

»Ich bin's, Dache. Abram.«

»Ja, Abram?«

»Gibt's was Neues? Wie geht's dir? Ich wollte mit Hadassa sprechen.«

»Entschuldige, Abram, aber du *hast* nichts mit ihr zu besprechen. Laß das Kind in Ruhe!«

»Bist du meschugge?«

»Du hast schon genug angerichtet. Ich lasse es nicht zu, daß du unser Familienleben ruinierst.«

»Was zum Teufel ist eigentlich los?«

»Adieu.«

Sie legte so heftig auf, daß es ihm in den Ohren knackte.

Abram erhob sich und schüttelte den Kopf. Die Furche auf seiner Stirn wurde tiefer. Seine Schultern sackten zusammen. »*So* ist das also! Alle gleichzeitig!« Er griff nach dem Telefonbuch und schmiß es auf den Boden. Dann ging er zum Spiegel hinüber und hob die behaarte Faust. »Laß dich nicht überrumpeln!« schrie er seinem Spiegelbild zu. »Banausen! Barbaren!«

Und das Spiegelbild mit dem zerzausten Bart und den wirren Haaren schüttelte die Faust und schrie zurück: »Banausen! Barbaren!«

4

Als Hama gemeinsam mit Bella ihre Wohnung verließ, hatte sie wenig Hoffnung, von ihrem Vater freundlich aufgenommen zu werden. Seit Jahren hatte Reb Meschulam immer wieder gebrummelt, sie sollte sich von ihrem Mann, diesem nichtsnutzigen Herumtreiber, trennen und mit ihren Töchtern zu ihm ziehen. Aber Hama war überzeugt, daß er, falls sie seinem Rat folgte, sofort beginnen würde, an ihr herumzunörgeln, mit ihr zu zanken, weil sie nicht schon eher auf ihn gehört hatte, und sie wie ein Stiefkind zu behandeln. Und nun kam sie sich so armselig vor, daß sie nicht einmal wagte, eine Droschke zu nehmen. Sie und Bella machten sich – mit zwei Koffern, in die sie Kleidungsstücke gepackt hatten – zu Fuß auf den Weg, wie Leute, deren Haus niedergebrannt ist. Die Nachbarn sahen aus ihren Fenstern und schüttelten bekümmert den Kopf. Die Hausmeistersfrau kam aus ihrem Kabuff, rang die roten Hände und wischte sich mit dem Schürzenzipfel die Tränen ab. Ein einäugiger Kater lief den beiden nach. Hama hatte memoriert, was sie sagen würde: »Vater, gib mir nur ein Stück Brot – aber schick mich nicht zurück!«

Doch es kam ganz anders, als sie erwartet hatte. Als Naomi im Arbeitszimmer erschien und Meschulam berichtete, daß Hama ihrem Mann davongelaufen sei und ihre älteste Tochter mitgenommen habe, stiegen dem Alten die Tränen in die Augen. Unsicheren Schrittes ging er in die Küche hinüber, wo Hama mit ihrem Gepäck wartete. Er schloß sie in die Arme und küßte sie – zum ersten Mal seit ihrer Hochzeit. Auch Bella begrüßte er mit einem Kuß. Dann sagte er: »Warum sitzt ihr in der Küche herum? Mein Zuhause ist euer Zuhause.«

Das sagte er mit schallender Stimme, damit alle im Haus es hören konnten. Manja, die am Küchentisch gesessen, Kaffee getrunken und ungerührt zugesehen hatte, stand auf und nahm die Koffer. Naomi richtete sogleich ein Zimmer für die beiden her. Rosa Frumetl, die am Wohnzimmerfenster gestanden und die Morgengebete gesprochen hatte, las einen Vers zu Ende, klappte das Gebetbuch zu, küßte es und begab sich in die Küche. Mit sanfter, betrübter Miene küßte sie

Hama auf beide Wangen, dann nickte sie Bella zu. »Willkommen, willkommen! Das Schicksal hat es so gewollt, möge es eine glückliche Fügung sein!«

Meschulam, der bereits gefrühstückt hatte – wie üblich Schwarzbrot und kaltes Huhn –, ging nicht sofort ins Kontor, sondern blieb seiner Tochter zu Ehren noch eine Weile zu Hause. Zusammen mit den Frauen (auch Adele hatte sich zu ihnen gesellt) saß er im Eßzimmer, nippte hin und wieder an einem Glas mit kaltem Kaffee und schlug einen ungewöhnlich herzlichen Ton an. Er erzählte von jenem Sabbat vor Pessach, an dem Hama geboren war: Er hatte gerade etwas Aufgewärmtes gegessen, als die Hebamme mit der Nachricht hereinkam, daß seine Frau ein Mädchen zur Welt gebracht habe. Das Neugeborene war so schwächlich, daß sie um sein Leben gebangt und befürchtet hatten, sein Tod würde das fröhliche Pessachfest überschatten. »Aber gottlob«, fuhr Meschulam fort, »das Kind blieb am Leben.«

Rosa Frumetl lachte und schneuzte sich in ihr Batisttaschentuch. Hama hörte ihrem Vater zu, und Tränen liefen ihr über die Wangen. Für sie war es etwas Ungewohntes, ihren Namen hier, im väterlichen Hause, erwähnt zu hören. Seit seinem Streit mit Abram hatte sich der Alte angewöhnt, seinen Ärger an ihr auszulassen. Als Bella und Adele sich zurückgezogen hatten, begann Hama von Abrams Seitensprüngen zu berichten: daß er die Nacht oft woanders verbrachte, daß er sich mit Dienstmädchen und Schicksen herumtrieb, daß er alles mögliche aus der Wohnung mitnahm und versetzte, daß er die Mieten schon Monate im voraus kassierte und das Geld für sich verbrauchte. Er habe sich sogar vom Hausmeister einige Rubel gepumpt, der sich dann an sie gewandt habe, um sein Geld zurückzubekommen. Rosa Frumetl rang die Hände und seufzte.

Dem Alten schienen die spärlichen Schnurrbarthaare zu Berge zu stehen. Als Hama zu Ende erzählt hatte, fauchte er sie an: »Warum hast du das bisher verschwiegen? Ich reiße diesen Hundsfott in Stücke!«

»Ach, Vater, wenn du wüßtest!« Hama begann heftig zu schluchzen.

Meschulam stand auf und ging in dem engen Zwischenraum hinter seinem Stuhl wütend auf und ab. »Jetzt reicht's! Du hast genug geweint. Die Eiterbeule ist aufgestochen. Dieser Kerl wird dir nie mehr unter die Augen kommen. Beruhige dich!« Und zu Rosa Frumetl gewandt: »Gib ihr ein Glas Wasser! ... Wo ist denn die andere – wie heißt sie doch gleich?«

»Stefa ist zu Hause«, sagte Hama mit tränenerstickter Stimme. »Sie ... sie hat noch einiges zu erledigen.«

»Was gibt's da noch zu erledigen? Jedenfalls muß zunächst dafür gesorgt werden, daß die ältere Tochter unter die Haube kommt. Sie ist ein braves Mädchen. Sie erhält eine Dreitausend-Rubel-Mitgift. Du bleibst hier – bis du den Scheidebrief bekommen hast.«

Hama überlief ein Schauder, als sie dieses Wort hörte. »Was nützt mir eine Scheidung?« winselte sie. »Ich habe nichts mehr zu erwarten. Ich lebe nur noch für meine Kinder.«

»Du bist noch nicht alt. Wenn du etwas Ruhe gefunden und dir ein paar hübsche Kleider zugelegt hast, wirst du ein neuer Mensch sein. Du bekommst jetzt fünfzig Rubel von mir – kauf dir ein paar neue Sachen.«

Er ging hinaus und kam mit zwei Fünfundzwanzigrubelscheinen zurück. Nach einigem Zögern legte er noch einen Zehnrubelschein aus seinem Geldbeutel dazu. »Als Taschengeld.«

Hama nahm die Scheine und begann wieder zu schluchzen. Angesichts der unerwarteten Freundlichkeit ihres Vaters erschien ihr das Unglück, das ihr widerfahren war, nur noch größer. Naomi kam herein und führte Hama in das Zimmer, das für sie hergerichtet und in dem auch ein Bett für Bella aufgestellt worden war. Die Bettwäsche roch nach Waschblau, Stärke und Lavendel. Naomi, Manja und Bella fuhrwerkten herum. Adele öffnete die Tür, blieb an der Schwelle stehen und erteilte Ratschläge – abwechselnd auf polnisch und jiddisch. Rosa Frumetl erkundigte sich, was Hama zur Hauptmahlzeit essen wolle – Rindfleisch oder Geflügel oder einen Braten oder vielleicht ein Schmorgericht mit pikanter Sauce? Einen Moment lang kam es Hama so vor, als ob sie wieder ein junges Mädchen und ihre Mutter noch am Leben wäre. Vergangene Nacht hatte sie kein Auge zugetan. Jetzt legte sie sich, mit einem feuchten Handtuch auf der Stirn, ins Bett und seufzte hin und wieder vor sich hin. Bella ging mit Naomi auf den Markt. Sie war es gewöhnt, im Haushalt zu arbeiten. Daheim war sie Dienstmädchen, Köchin und Waschfrau in einer Person gewesen. Naomi merkte sofort, daß Bella gut zu gebrauchen war. Manja, der ein bißchen davor bangte, daß sie vielleicht bald überflüssig sein würde, grapschte sich einen Lappen und begann Staub zu wischen.

Als Meschulam nach all dem Gerede und Getue endlich seinen Mantel und die Galoschen anzog, um ins Kontor zu gehen, fühlte er sich erstaunlich beschwingt. Er ertappte sich sogar dabei, daß er eine Melodie summte, die er lange Zeit vergessen hatte. Es war, als hätte ihn die Heimkehr seiner Tochter verjüngt und in die Zeit zurückversetzt, als das Haus noch voller Kinder war. Dazu kam, daß Hamas Heimkehr für ihn einen Sieg über Abram bedeutete. Gewiß, Hama war keine Schönheit, aber wenn sie sich wieder gefangen hatte und er ihr eine anständige Mitgift aussetzte, würde es Zeinwele Srozker schon irgendwie gelingen, ihr einen neuen Ehemann zu verschaffen – einen Witwer oder einen geschiedenen Mann. Nein, Meschulam Moschkat war noch nicht am Ende angelangt! Mit Gottes Hilfe würde er noch etwas erleben, worüber er frohlocken konnte.

Auf der Straße war es windig. Die Luft roch nach Hagel und Schnee. An den Toren riefen die Straßenhändler ihre Waren aus. Bimmelnde Schlitten glitten vorbei. Kutscher feuerten ihre Gäule an und ließen die Peitsche knallen. In der Grzybowstraße roch es nach Pferdeäpfeln und Wagenschmiere. Passanten, die Meschulam unbekannt waren oder die er nicht wiedererkannte, grüßten ihn mit einer höflichen Verbeugung. Ein Goi zog respektvoll den Hut vor ihm. »Nein«, dachte Meschulam, »die Welt steht noch nicht kopf.« Aus einem Hof kam ein Hund gerannt, heftete sich dem Alten an die Fersen und bellte ihn an. Meschulam verscheuchte ihn mit seinem Regenschirm. Der Pförtner öffnete das Tor. Obwohl der ungepflasterte Hof völlig verschneit war, hatte jemand das Federvieh ins Freie gelassen. Tauben pickten Haferkörner auf, Spatzen hüpften herum. Koppel wartete bereits im Kontor, das sich im ersten Stock befand. In seinen blankgewichsten Schaftstiefeln ging er auf und ab, sah immer wieder auf seine Uhr, zog an seiner Zigarette und warf hin und wieder einen Blick in die Zeitung, die auf dem Schreibtisch lag. Als Meschulam ihm berichtete, daß Hama sich von Abram getrennt habe, sagte Koppel kein Wort. Meschulam musterte ihn verwundert. Er hatte erwartet, daß Koppel über diese Nachricht hocherfreut sein würde. Zum tausendsten Mal mußte er sich sagen, daß Koppels Reaktionen unberechenbar waren. Reb Meschulam ließ sich auf dem lederbezogenen Stuhl nieder, der an dem mit Schriftstücken beladenen Schreibtisch stand. Koppel ging in den Nebenraum und kam nach einer Weile mit einem Glas Tee für seinen Chef zurück.

5

Den größten Teil dieses Tages verbrachte Abram im Bett. Die Uhr schlug die vollen und die halben Stunden. Vom Hof herauf waren die Rufe der Hausierer zu hören. Ein Bettler sang ein wehmütiges Lied über den Untergang der »Titanic«. Ein Papagei kreischte. Das alles nahm Abram nur mit halbem Ohr war. Die goldene Uhrkette auf seinem Bauch hob und senkte sich im Rhythmus seiner Atemzüge. Er schnarchte, stöhnte, brabbelte vor sich hin, öffnete hin und wieder die Augen und blickte bekümmert und hellwach um sich – wie wenn er bloß so getan hätte, als ob er schliefe. Als er endlich aufstand, war es schon dunkel. Er hielt den Atem an und lauschte gespannt. Warum war es so still? »Hama ist fort«, sagte er halblaut. »Bella auch. Und wo ist Stefa? Ich bin mutterseelenallein. Allein mit diesen vier Wänden.«

Er war hungrig, hatte aber kein Geld, um in ein Restaurant zu gehen. Er schleppte sich ins Schreibzimmer. Die Lampe machte er nicht an. Ein schwacher Lichtschein drang durch die Gardinen und zeichnete ein schattenhaftes Muster auf die gegenüberliegende Wand.

Er setzte sich an den Schreibtisch und hob ganz mechanisch den Telefonhörer ab. Als sich die Vermittlung meldete, nannte er Idas Nummer. Zosia war am Apparat.

»Zosia, mein Täubchen, ich bin's – Abram. Ist deine Gnädige da?«

»Nein.«

»Wo ist sie denn?«

»Das weiß ich nicht.«

»Was tust du denn ganz allein in der Wohnung?«

»Was soll ich schon tun? Ich bin einsam. Sterbenseinsam.«

»Warum plötzlich so melancholisch?«

»Vergangene Nacht habe ich von drei Krähen geträumt. Zwei haben mir die Augen ausgehackt, die dritte hat immerzu gekrächzt: Zosia, tote Zosia, tot, tot . . .«

»Mumpitz! Du bist ein kerngesundes, strammes Frauenzimmer. Du wirst bestimmt neunzig.«

»Nein, Pan Abram, mein toter Mann ruft nach mir. Ich habe auch von Ihnen geträumt.«

»Von mir? Was denn?«

»Das wüßten Sie wohl gern? Na ja, ich bin zwar keine Hellseherin, aber Ihnen muß etwas Unangenehmes passiert sein.«

»Stimmt.«

»Sehen Sie, ich weiß alles. Meine Gnädige ist mit Pepi und ihrem Vater in den Zirkus gegangen. Werden Sie bloß nicht eifersüchtig!«

»Red keinen Stuß! Wenn sie mich sitzenläßt, nehme ich dich.«

»Mich? Sie machen sich lustig über mich. Wo ich doch eine Waise bin!«

»Ich spaße nicht, Zosia.«

»Was könnte *ich* für Sie sein? Ihr Dienstmädchen?«

»Du bist eine Frau, kein Dienstbote.«

»So etwas sollten Sie nicht sagen. Ich würde meine Gnädige nie hintergehen. Nie. Sie ist wie eine Schwester zu mir.«

»Na und? Manchmal legt eine Schwester die andere rein.«

»O nein, Pan Abram. Nicht meine Gnädige. Sie sollten öfter herkommen. Wie ein Fest ist das, wenn Sie hier sind!«

»Zosia, ich habe einen Wolfshunger.«

»Kommen Sie doch vorbei! Ich kriege den Wolf schon satt.«

»Ich komme, Zosia. Vielleicht heute abend. Hör mal, Zosia, könntest du mir ein paar Rubel leihen?«

»Wieviel brauchen Sie?«

»Zehn Rubel.«

»Wenn Sie wollen, können Sie auch fünfzig haben.«

»Soviel würde ich nicht mal mir selber leihen. Aber ich finde es sehr nett von dir, mir dieses Angebot zu machen. Sag deiner Gnädigen nichts davon!«

»Keine Sorge, ich kann meine Zunge im Zaum halten, das dürfen Sie mir glauben.«

Mit einem Seufzer der Erleichterung hängte Abram ein. Also *so* lagen die Dinge. Sie war mit ihrem Mann zusammen. Und ihm selber ging alles und jeder verloren.

Er ging wieder ins Schlafzimmer, zog ein frisches Hemd an, schlüpfte in seinen Pelzmantel und setzte seine russische Pelzmütze auf. Das Licht schaltete er gar nicht ein – er konnte im Dunkeln sehen, wie ein Tier. Dann verließ er die Wohnung und schloß die Tür ab. »Abram«, murmelte er, »du bist schon so gut wie unter der Erde.«

Als er in den Hof hinunterkam, sah er nahe der Laterne Koppel stehen – in seinem kurzen Überzieher mit dem Pelzkragen, die Melone nach hinten geschoben, den Spazierstock über den Arm gehängt. Er unterhielt sich mit dem Hausmeister. Als er Abram sah, machte er eine Bewegung, als wollte er weggehen. Der Hausmeister legte salutierend die Hand an die Mütze.

»Was will er, Jan?« fragte Abram mit erstickter Stimme.

»Da ist Pan Schapiro!« sagte der Hausmeister zu Koppel.

»Was wollen Sie vom Hausmeister?« herrschte Abram ihn an. »Du kannst jetzt gehen, Jan.«

Der Hausmeister zögerte einen Moment, dann kehrte er in sein Kabuff zurück.

Nach kurzem Schweigen sagte Koppel leise: »Ich bin auf Befehl Ihres Schwiegervaters hergekommen.«

»Sie führen immer nur die Befehle anderer Leute aus. Was wollen Sie?«

»Ihre Häuser werden übernommen.«

»Und *wer* soll sie übernehmen? Sie?«

»Sie verlieren Ihren Verwalterposten. Die Bücher werden Sie *mir* übergeben.«

»Und was tun Sie, wenn ich mich weigere? Streuen Sie mir dann Salz auf den Schwanz?«

»Gar nichts werde ich tun.«

»Dann scheren Sie sich zum Teufel!«

»Wie Sie wollen. Es ist nicht mein Problem. Ich möchte Sie nur darauf hinweisen, daß wir die Wechsel haben.«

»Welche Wechsel? Was faseln Sie denn da?«

»Sie wissen schon, welche Wechsel. Wir haben sie eingelöst, aber nicht zerrissen.«

»Sie reden türkisch! Verduften Sie, bevor ich Ihnen mit diesem Stock den Schädel einschlage!«

»Das werden Sie bestimmt nicht tun. Die Indossamente sind gefälscht.«

»Hinaus mit Ihnen!« brüllte Abram. Es klang gar nicht wie seine eigene Stimme. »Scheren Sie sich weg!« Er hob drohend seinen Stock. Koppel stapfte davon.

Abram stand regungslos da. Sein Herz hämmerte und schien in seinem Brustkorb herumzuflattern, als hinge es bloß noch an einem Faden. Dann ging er hinaus auf die Zlotastraße und weiter in Richtung Marszalkowska. Er sog die eisige Nachtluft in tiefen Zügen ein und atmete sie ächzend wieder aus. Plötzlich hörte er eine vertraute Stimme. Er drehte sich um und entdeckte auf der anderen Straßenseite seine Tochter Stefa. Offenbar hatte sie ihren Vater nicht gesehen. Sie trug eine grüne, mit Persianerfell besetzte Jacke, einen breitkrempigen Hut, eine Pelzboa und wadenhohe Russenstiefel. Die Hände hatte sie in einen Muff gesteckt. Ihr rundes Gesicht war gerötet. Der Student neben ihr war nicht größer als sie. Im schwachen Lampenlicht konnte Abram sehen, daß er einen dünnen Oberlippenbart hatte. War es denkbar, daß sie diesen jungen Mann mit in die Wohnung nahm? Wer konnte das sein? Das war ja etwas ganz Neues!

Er wollte ihren Namen rufen, aber die Stimme versagte ihm. Er ging den beiden nach. Stefa redete laut und deutlich. Er hörte sie sagen: »Albern! Blödsinnig!«

Der Student blieb am Tor stehen, Stefa ging allein in die Wohnung hinauf. Abram stellte sich unter einen Balkon, um im Schutz der Dunkelheit zu beobachten, was da vor sich ging. Die Hände auf dem Rücken verschränkt, schlenderte der junge Mann auf und ab – wie jemand, der sich völlig sicher ist, daß die Frau, auf die er wartet, ihm nicht davonlaufen wird. Abram konnte ihn deutlich sehen. Schmächtiges Gesicht, schmale Nase, langes Kinn. Ein schlauer Fuchs, dachte er. Wenn so ein Filou hinter einem Mädchen her ist, bekommt er, was er haben will. Kurz entschlossen überquerte Abram die Straße, ging ins Haus und stieg die Treppe hinauf. »Warum tue ich das? Ich muß meschugge sein.«

Er zog den Schlüssel aus der Hosentasche, aber als er ihn ins Schloß stecken wollte, wurde die Tür aufgerissen. Stefa stürmte heraus und stieß mit ihm zusammen. Ihre Hutnadel piekte ihn ins Ohr. Pomadenduft, vermischt mit einem Hauch Narzissenparfüm, stieg ihm in die Nase.

»Ach, du bist's, Papa!«

»Ja, ich bin's. Wo rennst du denn hin? Ich hab' dich seit einer Ewigkeit nicht mehr gesehen.«

»Papa, ich muß mich sputen. Ich gehe ins Theater.«

»Mit wem?«

»Ist das so wichtig? Mit einem Herrn.«

»Wann kommst du nach Hause?«

»Gegen zwölf oder eins – so genau weiß ich das nicht.«

»Einen Moment! Ich muß dir etwas sagen. Deine Mutter hat mich verlassen und ist zu deinem Großvater gezogen.«

»Ich weiß. Ach, Papa, du bist ja so ein Filou! Ich *muß* dir einen Kuß geben!« Sie schlang die Arme um ihn und küßte ihn auf Wange und Nase.

»In welches Theater gehst du?«

»Ins Letni-Theater. Warum willst du das so genau wissen? Mach dir keine Sorgen, ich lasse mich schon nicht verführen.«

»Da bin ich nicht so sicher.«

»Fang bloß nicht an, mir Moralpredigten zu halten, Papa! Das paßt nicht zu dir.«

»Hast du etwas Geld bei dir? Ich bin völlig abgebrannt.«

»Ich habe bloß zwanzig Kopeken.« Sie ging die Treppe hinunter, schnell und energisch. Unschlüssig, ob er nochmals in die Wohnung oder gleich wieder hinunter auf die Straße gehen sollte, kratzte sich Abram am Hinterkopf. »*So* ist das also. Koppel hat die Wechsel. Und ich Trottel dachte, ich könnte denen was vormachen. In den Knast können sie mich bringen – vielleicht schon heute nacht.«

Er steckte sich eine Zigarre an, dann hielt er das brennende Zündholz so, daß er auf dem Messingschild an der Tür seinen eingravierten Namen lesen konnte: Abram Schapiro. Er dachte einen Moment nach, dann schnalzte er mit den Fingern. »Ich gehe hinein und trinke einen Schluck. Ich bin sowieso erledigt.« In einem Glasschrank stand noch eine Flasche Kognak, und ein Rest Wischniak war auch noch da. Im Dunkeln ging er in die Küche und nahm Brot, Käse und ein Restchen Hering aus dem Schrank. »Zum Teufel mit Mintz und den anderen Ärzten! Und mit ihren verdammten Diätvorschriften und Rezepten! Zum Teufel mit allen – mit Aufsehern, Ehefrauen, Töchtern! Huren sind sie alle miteinander!«

Er schaute zum Fenster. Durch die obere Scheibe war der Vollmond zu sehen. Aus vollem Halse schrie er ihm zu: »Zum Teufel mit dir! Sollen doch diese frommen Heuchler den Segensspruch über den Neumond sagen! Ich nicht! Ich bin fertig damit! Von mir aus können die alle schön brav auf Händen und Knien kriechen und ihre Nasen *da* hineinstekken!« Und wütend deutete er auf sein Hinterteil.

6

Eine halbe Stunde später war Abram wieder drunten auf der Straße. Diesmal schlug er den Weg zur Gnojnastraße ein – zu Herz Janowars Wohnung. Er kam an der Wielka- und der Bagnostraße vorbei, wo noch etliche Trödelladen geöffnet waren, in denen mit alten Möbeln, Koffern und Peitschen gehandelt wurde. Rollkutscher luden Möbelstücke von den Rampen auf ihre Wagen. Die Zugpferde hatten die Schnauzen in die Futtersäcke gesteckt, Haferkörner rieselten in den Schnee. In der Grzybowstraße kam Abram an Meschulam Moschkats Haus vorbei. Er sah nur kurz zu den hellerleuchteten Fenstern im oberen Stockwerk hinauf, dann hastete er weiter. Seltsamer Gedanke, daß Hama, die Mutter seiner Kinder, jetzt dort oben und für ihn nicht mehr zu sprechen war. Er zuckte die Achseln. Diese elende Kreatur! Auf ihre alten Jahre plötzlich zu rebellieren!

Bei Herz Janowar traf er die übliche Runde an: Hilde Kalischer, Dembitzer und Finlender. Dr. Messinger war bereits gegangen. Anscheinend hatte keine Séance stattgefunden: Der Tisch stand an der Wand, Dembitzers Mantel lag darauf. Janowar, in Schlafrock und Pantoffeln, eilte mit ausgestreckten Händen auf Abram zu.

»Herzlich willkommen, Abram! Gut, daß du kommst! Ich wollte dich anrufen.«

»Warum hast du's nicht getan? Ich sitze in der Patsche, Bruderherz, das kann ich dir sagen!«

»Was ist passiert?«

»Was ist *nicht* passiert? Alle Welt fällt über mich her! Meine Frau, mein Schwiegervater, Koppel, Dache. Sie wollen mich in Stücke reißen. Aber zum Teufel mit ihnen! Ich pfeife auf sie! Warum sitzt ihr wie begossene Pudel herum? Wie geht's den Geistern?«

»Bitte keinen Sarkasmus, Abram!«

»Nein, keinen Sarkasmus – heute bestimmt nicht. Heute würde *ich* dem Tisch gern eine Frage stellen: Wie wird's mit mir zu Ende gehen?«

»Kommen Sie morgen wieder, dann stellen wir diese Frage«, mischte sich Hilde Kalischer ein, die, in einen Seidenschal gehüllt, auf dem Sofa saß. Sie machte einen verdrossenen Eindruck. Im Mundwinkel hatte sie eine dünne Zigarette hängen.

»Das sind Ihre Privatangelegenheiten«, sagte Dembitzer zu Abram. »Aber wie steht's mit unserer Zeitschrift? So etwas darf man nicht auf die lange Bank schieben. Das muß jetzt irgendwie geregelt werden.«

»Ich spreche noch heute mit dem Drucker. Das Wichtigste ist die Schriftleitung.«

»Wir müssen klein anfangen«, sagte Janowar. »Bringen wir doch erst mal ein Probeexemplar von zweiunddreißig Seiten heraus. Dann werden wir sehen, wie man in der Provinz darauf reagiert. Was meinen Sie dazu, Finlender?«

Der bucklige Finlender hatte die ganze Zeit am Bücherschrank gestanden und in einem Band geblättert. Jetzt drehte er sich um.

»Sie kennen meine Meinung«, sagte er scharf und jedes einzelne Wort betonend. »Wir müssen systematisch an die Sache herangehen. Ohne ein fest umrissenes Programm geht's nicht. Und vor allem ist ein Kapital von mindestens dreißigtausend Rubeln erforderlich.«

»Ein Haufen Geld«, sagte Abram und blinzelte Dembitzer zu. Der Junggeselle Finlender, Buchhalter einer Teefirma und Kompilator eines Wörterbuches, war bekannt für seine unrealistischen Projekte. Jedermann lachte über den krassen Gegensatz zwischen seinen phantastischen Plänen und seiner pedantischen Ausdrucksweise.

»Nicht mit einem einzigen Rubel weniger würde ich dieses Projekt in Angriff nehmen«, erklärte er.

»Unsinn! Doch nicht dreißigtausend! Dreihundert Rubel genügen«, warf Herz Janowar ein. »Wir bekommen Kredit. Und ich kenne jemanden, der uns das Papier zur Verfügung stellen wird.«

»Die Frage ist, woher wir die dreihundert Rubel bekommen.«

»Dreihundert kann ich selber aufbringen, auch wenn ich bettelarm bin«, sagte Abram.

»Dann hindert uns also nichts daran, die Sache in Angriff zu nehmen«, erklärte Janowar.

»Und welche Aufgabe ist mir bei diesem Projekt zugedacht?« wollte Hilde Kalischer wissen. Offensichtlich fand sie diese Diskussion langweilig. Mißmutig steckte sie eine Haarnadel, die sich gelockert hatte, in ihren Nackenknoten.

»Sie werden unser Schatzmeister, Hilde. Mit Ihrer Intuition werden Sie genau wissen, wem man trauen kann und wem nicht.«

»Spotten Sie, soviel Sie wollen – ich jedenfalls halte nichts von diesem Projekt. Professor Janowar sollte sich nicht mit solchen Lappalien abgeben. Zumal da er vorhat, ins Ausland zu gehen.«

»Also wirklich, Hilde«, sagte Herz, »ich verstehe nicht, warum Sie gegen dieses Projekt sind. Eine ungebildete und ungehobelte Generation wächst heran. Dies ist eine Möglichkeit, etwas für ihre Bildung zu tun. Nehmen wir zum Beispiel den jungen Mann, der bei Gina wohnt. Er muß mit dem Lernen in einem Alter anfangen, in dem andere ihren Abschluß machen.«

»Goldene Worte! Weise Worte!« bemerkte Abram. »Der hat im kleinen Finger mehr Grips, als alle Universitätsstudenten zusammengenommen im Kopf haben. Und so einer muß sich mit Lehrbüchern für Schulkinder herumquälen! Und bevor er sich versieht, bekommt er den Einberufungsbefehl und muß entweder davonlaufen oder eine Uniform anziehen – für den Zaren. Alle verschwinden sie, unsere jüdischen Burschen.«

Dobbje, das Dienstmädchen, erschien in der Tür und rief: »Das Essen steht auf dem Tisch!«

Sie gingen hinüber ins Eßzimmer.

Auf dem fleckigen Tischtuch standen Schüsseln mit Borschtsch, daneben lagen blecherne Suppenlöffel. An Stelle von Stühlen standen Bänke am Eßtisch. Abrams behaarte Pratzen zitterten, als er sich aus einer Karaffe, die auf der Anrichte stand, Schnaps eingoß. Dembitzer tunkte ein Brötchen in ein Glas Wein.

»Auf die neue Zeitschrift!«

»Auf daß sie blühe und gedeihe! Und darauf, daß dies der Beginn einer jüdischen Universität sein wird – Hildes Meinung zum Trotz!«

»Mir kann's egal sein, ich gehe sowieso ins Ausland.«

Herz Janowar, der gerade Brot und Sardinen mampfte, blieb der Bissen im Hals stecken. »Was? Wann? Was sagen Sie da?«

»Ich habe ein Angebot aus London erhalten. Man sichert mir zu, daß alle Unkosten übernommen werden. Ich wollte es Ihnen nicht erzählen, aber da Sie jetzt alle Drucker oder Schriftleiter oder so was Ähnliches werden, habe ich hier nichts mehr verloren.«

»Ich verstehe kein Wort! *Wer* hat Ihnen etwas zugesichert? Was wollen Sie denn in London tun?«

»Ich werde Ihnen den Brief zeigen. Reden wir jetzt nicht mehr davon!« Nervös löffelte Hilde ein wenig Suppe aus ihrem Teller und ließ sie dann wieder hineintröpfeln.

»Ich habe eine Idee!« rief Abram und schlug mit der Faust auf den Tisch. »Ich gehe auch ins Ausland. Jetzt sehe ich die

Sache ganz klar. Finlender, Sie haben recht. Wir müssen groß anfangen. Dreißigtausend Rubel genügen nicht. Ich werde fünfzigtausend beschaffen, so wahr ich Abram Schapiro heiße! Vielleicht sogar hunderttausend.«

»Was ist denn plötzlich in Sie gefahren?«

»Ich habe, gottlob, meiner Lebtag noch nie um einen Groschen gebettelt. Aber ich bin sicher – ich bin felsenfest überzeugt –, daß ich im Ausland Geld beschaffen kann. Ich fahre nach Deutschland, nach Frankreich, in die Schweiz, nach England. Egal, ob die betuchten Juden dort Assimilanten, Antisemiten oder sonstwas sind – für Bildung haben sie alle etwas übrig. Allein schon Jakob Schiff könnte fünfzigtausend Rubel lockermachen.«

»Jakob Schiff ist in Amerika.«

»Auch vor Amerika schrecke ich nicht zurück. Wir werden eine große Zeitschrift auf die Beine stellen. Die besten Pädagogen werden wir engagieren. Wir schicken Lehrer für handwerkliche Berufsausbildung in die Provinz. Wir gründen einen Stipendienfonds, um begabten jungen Leuten ein Studium im Ausland zu ermöglichen.«

»Weißt du, ganz so ausgefallen ist deine Idee vielleicht gar nicht«, sagte Herz Janowar nachdenklich.

»Alles klar! Sonnenklar! Ich reise sofort ab. Die Sache darf keine Minute hinausgezögert werden«, erklärte Abram mit Stentorstimme. »Als sie von London gesprochen hat, ist mir plötzlich ein Licht aufgegangen. Ich verrate euch ein Geheimnis. Meine Frau hat mich verlassen. Sie hat alles im Stich gelassen und ist zu ihrem Vater zurückgekehrt. Ich bin Strohwitwer. Zum Glück sind meine Töchter erwachsen. Irgendwie wird der Alte schon dafür sorgen, daß er sie loskriegt. Ich möchte etwas Großes tun, etwas Bedeutendes – nicht für mich, sondern für mein Volk. So wahr wir hier miteinander reden – ich habe daran gedacht, nach Palästina zu gehen und eine Siedlung zu gründen. ›Nachlat Abram‹ sollte sie heißen. Aber das Klima dort würde mir nicht bekommen. Jedenfalls nicht jetzt. Mein Herz ist . . . überanstrengt. Nu, wenn ich im Heimatland der Juden nichts tun kann, dann möchte ich wenigstens im Exil etwas tun. In unseren polnisch-jüdischen Dörfern haben wir Tausende, Zehntausende von Wunderkindern. Tausende von Mendelssohns, Bergsons, Aschkenasis verkümmern bei uns in der Provinz, das kann ich euch sagen! Nichts fürchten die Antisemiten so sehr wie unsere Bildung. Deshalb lassen sie uns nicht in ihren Universitäten studieren.«

»Meiner Seel, ist *der* beredsam!« sagte Dembitzer lachend.

»Und Geld wird er auch beschaffen«, bemerkte Finlender. »Wenn er bloß nicht genauso schnell wieder abkühlt!«

Viertes Kapitel

I

Gegen zehn Uhr abends schrillte Ginas Türklingel. Gina verließ die Clique im Wohnzimmer und öffnete. Im Halbdunkel sah sie auf dem Treppenabsatz, ein paar Schritte vor der Wohnungstür, einen schmächtigen Mann mit hängenden Schultern stehen, der ein langes Gewand und einen flachen, breitkrempigen Hut trug. Ein Schnorrer, dachte sie und wollte eine Münze aus ihrem Geldbeutel nehmen. Doch plötzlich zuckte sie zusammen und unterdrückte einen Aufschrei. Es war Akiba, ihr Ehemann. »Er ist tot«, schoß es ihr durch den Kopf. »Er ist gestorben, und jetzt ist er erschienen, um mich zu erwürgen.« Sie ging hinaus, zog die Tür hinter sich zu und faltete die Hände.

»Du bist's, Akiba.«

»Ja.«

»Was tust du hier? Wann bist du gekommen? Was willst du?«

»Ich willige in die Scheidung ein.«

»Jetzt? Mitten in der Nacht? Bist du meschugge?«

»Dann hat es bis morgen Zeit.«

»Wo logierst du? Warum hast du mir nicht geschrieben?«

Akiba antwortete nicht. Gina öffnete die Wohnungstür einen Spaltbreit und lugte hinein, um sich zu vergewissern, daß niemand im Flur war. Dann sagte sie: »Also gut, komm herein!«

Akiba schlurfte hinter ihr her. Er schien einen Geruch nach rituellen Bädern, Bethauskerzen, Schweiß und Moder mit hereinzubringen – jenen Provinzgeruch, den Gina schon längst vergessen hatte. Sie öffnete die Tür von Euser Heschels Zimmer, führte Akiba hinein, machte Licht und betrachtete ihn. Er kam ihr irgendwie zusammengeschrumpft vor. Sein Bart war ungepflegt, Fusseln und Staubflocken hingen in den spärlichen Haaren. Seine Schläfenlocken waren glatt, dünn und durchnäßt. Aus den aufgeplatzten Nähten seines Kaftans schaute die Wattierung heraus. Um den Hals hatte er einen Schal gewickelt. Seine Arme hingen schlaff herunter – wie bei einer Strohpuppe. Seine Augen unter den buschigen Brauen bewegten sich ständig hin und her. Gina überlief es kalt.

»Was ist mit dir los? Warst du krank oder sonstwas?«

»Ich möchte die Sache zu Ende bringen«, sagte Akiba leise. »Sie muß zu Ende gebracht werden. So oder so.«

»Der Rebbe, dein Vater – weiß er davon?«

»Meine Großmutter ist diejenige, die Einspruch erhebt. Aber ich mache mir nichts daraus. Ich bin nicht gewillt, die Sünde auf mich zu nehmen.«

»Also gut, setz dich hin! Ich bringe dir ein Glas Tee.«

»Nein, nicht nötig.«

»Wovor hast du Angst? Daß der Tee nicht koscher sein könnte? Du hättest mir wenigstens eine Karte schreiben und mir Bescheid geben können. Nimm's mir nicht übel, aber du benimmst dich immer noch wie ein Narr.«

Sie ging hinaus und schloß die Tür. Ihre Wangen glühten, Tränen standen ihr in den Augen. Sie war drauf und dran, Herz Janowar anzurufen, fürchtete aber, jemand könnte aus dem Wohnzimmer kommen und zuhören. Sie ging in die Küche und holte einen Krug Wasser, ein Waschbecken und ein Handtuch. Akiba hatte inzwischen den Hut abgenommen und trug jetzt ein verknittertes Scheitelkäppchen. Unter seinem offenen Kaftan war das rituelle Gewand mit den geknüpften Fransen zu sehen.

»Du kannst dich waschen«, sagte Gina. »Soll ich dir etwas zu essen bringen? Drunten ist ein Wurstladen, garantiert koscher.«

Akiba machte eine abwehrende Handbewegung.

»Aber einen Bissen Brot könntest du doch essen, und dazu vielleicht einen Apfel.«

»Ich bin nicht hungrig. Setz dich hin. Ich möchte dich etwas fragen.«

»Was?«

»Ich will die Wahrheit wissen. Hast du mit ihm in Sünde gelebt?«

Gina war zumute, als schlüge eine glühendheiße Woge über ihr zusammen. Sie ging zur Tür, dann wandte sie Akiba das Gesicht zu. »Du fängst also schon wieder damit an! Entschuldige, Akiba, aber du machst dich lächerlich.«

»Im Talmud heißt es, daß eine Ehebrecherin für ihren Gatten wie auch für ihren Verführer unrein ist.«

»Beruf dich mir gegenüber nicht auf den Talmud! Wenn du dich von mir scheiden lassen willst, dann tu's, aber erspar mir deine Beschuldigungen.«

»Es geht nicht um Beschuldigungen. Welchen Sinn hat eine Scheidung, wenn weiterhin gefrevelt wird? Der Talmud vergleicht das mit einem Mann, der seine Waschungen vornimmt und gleichzeitig den Kadaver eines Reptils anfaßt.«

»Meine Strafe in der Gehenna brauchst ja nicht *du* abzusitzen. Selbst wenn ich dazu verurteilt bin, mit Dolchen gestochen zu werden – schmerzliche Erfahrungen habe ich schließlich schon genug gemacht. Ich brauche dir wohl nicht zu sagen, was ich alles durchgemacht habe. Unsere Ehe war von Anfang an keine richtige Ehe. Finde dich damit ab, daß es vorbei ist.«

Akiba schwieg eine Weile. Dann sagte er: »Mir scheint, daß es dir hier in Warschau recht gut geht.«

»Meinen Feinden soll's auch nicht besser gehen! Ein Wunder, daß ich es geschafft habe, am Leben zu bleiben! Noch dazu habe ich Gallensteine. Wenn ich eine Kolik bekomme, könnte ich die Wände hochgehen. Ich müßte eine Thermalkur machen, aber ich besitze keinen Groschen. Weiß Gott, wie lange ich das noch durchhalte.«

»Hättest du dein Leben nicht ganz bewußt ruiniert, dann könntest du alles haben – Trost in dieser Welt und das Paradies in der nächsten.«

»Was soll's? Alles ist vorausbestimmt. Du kannst heute nacht hierbleiben. In diesem Zimmer wohnt zwar jemand – ein junger Mann aus der Provinz –, aber den kann ich woanders unterbringen. Ich muß jetzt gehen. Ich habe Gäste.«

»Ich habe an der Tür keine Mesuse gesehen.«

»An der Wohnungstür hängt eine.«

»An *jeder* Tür sollte eine Mesuse angebracht sein. Ich suche mir woanders ein Nachtquartier.«

»Wo willst du denn so spät noch eines finden?«

»In der Franziskanerstraße.«

»Tu, was ich sage – bleib hier! Wenn du willst, nagle ich eine Mesuse an den Türpfosten. Du bist hergekommen, also kannst du auch hier übernachten. Und morgen, wenn wir's erleben, regeln wir die Sache ein für allemal. Wer weiß denn, ob man nicht wieder auf dich einreden wird und das alles wieder von vorn anfängt.«

»Bevor eine Mesuse angeheftet wird, muß sie überprüft werden.«

»Also gut, überprüf sie.«

»Das kann nur ein anerkannter Schriftgelehrter tun. Es kommt manchmal vor, daß der Text unvollständig ist – daß ein Buchstabe fehlt.«

»Du machst mich wahnsinnig. Großer Gott! An diesen Fanatismus bin ich nicht mehr gewöhnt. Du wartest hier! Ich nehme die Sünde auf mich.«

Sie ging hinaus. Im Flur hörte sie, wie jemand die Wohnungstür aufschloß. Euser Heschel kam herein. Gina warf ihm einen ängstlichen Blick zu und stellte sich ihm in den Weg.

»Entschuldigen Sie bitte. Es ist jemand in Ihrem Zimmer.«

»Ist sie zurückgekommen?«

»Wer? Ach, Sie meinen die Pharmaziestudentin? Nein. Die Sache ist so: Sie müssen heute nacht woanders schlafen. Wissen Sie, was? Sie nehmen die Trambahn und fahren zu Herz Janowar. Ich rufe ihn an. Hier ist etwas Unerwartetes passiert. Mein Mann ist gekommen. Sie wissen ja, daß ich auf die Scheidung gewartet habe, und jetzt, ganz plötzlich ... Er muß übergeschnappt sein. Ich kann ihn nirgendwo sonst unterbringen. Einen Moment ...«

Sie rannte zum Telefon und hämmerte auf die Gabel, dann verlangte sie die Nummer. »Herz? Gut, daß ich dich erreiche. Wenn ich dir sage, was passiert ist, fällst du in Ohnmacht. Stell dir vor, Akiba ist hier! Er willigt in die Scheidung ein. Morgen ... Was? ... Natürlich völlig unerwartet. Ist plötzlich aufgetaucht, wie der Elefant im Porzellanladen. Ich dachte, mich trifft der Schlag. Was? ... In Euser Heschels Zimmer. Ich hielt es für besser, ihn nicht aus den Augen zu lassen. Heute denkt er *so*, und morgen ändert er vielleicht ... Was? ... Dann mußt du dir eben etwas borgen ... Wie bitte? ... Nein, ich kann mir nirgends Geld pumpen. Die Pfandleihe macht erst spät am Tag auf, und ich habe ohnehin nichts mehr zu versetzen. Wieviel? Ich weiß nicht. Mindestens fünfundzwanzig . . . Wie bitte? Herz, ich flehe dich an, mach nicht alles noch schlimmer! Du *mußt* es beschaffen. Vielleicht kann Abram . . . O Gott, wäre ich doch nie geboren!«

Sie schleuderte den Hörer von sich und ließ ihn eine Weile am Kabel baumeln. Dann hängte sie ein, ging auf Euser Heschel zu und sagte mit tränenerstickter Stimme: »Können Sie mir sagen, warum jemand, der so vom Pech verfolgt ist wie ich, dieses qualvolle Leben noch länger ertragen soll?«

»Ich kann Ihnen fünfundzwanzig Rubel leihen.« Er griff in die Tasche und zog den Geldschein heraus, den er vor einigen Tagen von Rosa Frumetl erhalten hatte.

»O Gott! Das ist ja ein Vermögen! Sie muß mir ein Engel geschickt haben.« Sie schneuzte sich heftig. »Sie sind ein hochherziger junger Mann. Das Geld bekommen Sie bald zurück, noch diese Woche. So, und jetzt fahren Sie zu Herz. Dobbje richtet ein Bett für Sie her. Was wollte ich Ihnen denn noch sagen? Ach ja. Zwei Anrufe für Sie. Hadassa, glaube ich.«

»Was hat sie gesagt?« Euser Heschel schoß das Blut ins Gesicht.

»Das weiß ich nicht mehr genau. Daß Sie bei ihr anrufen oder daß Sie zu ihr kommen sollen oder . . . Entschuldigen Sie bitte, ich bin so zerstreut. Aber keine Sorge, sie ruft bestimmt wieder an. Und haben Sie vielen Dank! Gott segne Sie!«

2

In der Gnojnastraße, nicht weit von Herz Janowars Wohnung entfernt, stieß Euser Heschel auf Abram. In seinen Pelzmantel gehüllt, die hohe Pelzmütze auf dem Kopf, stand er auf dem Gehsteig und stocherte mit seinem Regenschirm im niedergetrampelten Schnee herum. Als er Euser Heschel sah, rief er ihm erleichtert zu: »Endlich kommen Sie! Ich habe auf Sie gewartet!«

»Auf mich?«

»Ich weiß bereits Bescheid – über Akiba und die fünfundzwanzig Rubel. Ich habe bei Gina angerufen, und sie hat mir alles erzählt. Sie sagte, sie würden bei Herz übernachten. Schau, schau, Sie sind also ein Philanthrop! Gehen Sie bloß nicht zu Herz hinauf – die Wohnung ist das reinste Irrenhaus. Diese Hilde Kalischer macht ein Theater! Da fliegen die Teller wie Vögel durch die Luft!«

»Ich verstehe nicht«, sagte Euser Heschel verdattert.

»Ganz einfach. Sie ist eifersüchtig. Wie wenn man zwei Katzen in einen Sack steckt – so geht's da zu. Daß ich ohne ein Loch im Kopf herausgekommen bin, ist ein wahres Wunder. Ich sage Ihnen, die hat ihn in den Krallen, diese Kalischer! Sie ist entweder in ihn verliebt oder braucht für diese Schwarze Magie einen Professor. Wer weiß – wahrscheinlich beides zusammen. Wenn Sie gehört hätten, was sie alles gesagt hat! Und dieser Trottel – er heult wie ein Schoßhund. Eine schöne Bescherung, das kann ich Ihnen sagen! Sie werden bei mir übernachten. Sie können im Bett meiner Frau schlafen. Kein Grund zur Aufregung! Sie hat mich verlassen. Jetzt ist sie wieder eine Jungfer, und ich bin Junggeselle. Ich reise ins Ausland, um Geld für eine Zeitschrift zu beschaffen, die wir herausgeben wollen. Ich glaube, ich habe Ihnen schon davon erzählt. Ein großartiges Projekt! Für junge Burschen wie Sie – damit ihr euch nicht ohne Zukunftsaussichten in den großen Städten herumtreiben müßt. Wir werden junge Leute auf das Universitätsstudium vorbereiten. Und die besonders Intelligenten schicken wir ins Ausland. Ich werde sicher auch für Sie etwas tun können. Und zwar schon bald. So, und jetzt erzählen Sie mal, wie's Ihnen inzwischen ergangen ist. Haben Sie Hadassa getroffen? Ich bin dazu verdonnert worden, mich dort nicht mehr blicken zu lassen und auch nicht mehr anzurufen.«

»Ich auch.«

»Von wem denn? Und wann?«

»Ich habe telefoniert, und da hat mir Hadassas Mutter verboten, jemals wieder bei ihnen anzurufen.«

»Sehen Sie, wir sitzen im gleichen Boot. Hören Sie, es ist schon spät, ich habe ein paar Glas getrunken und kann meine Zunge nicht mehr im Zaum halten – also platze ich gleich damit heraus: Mir scheint, ihr beide habt euch ineinander verliebt.«

Euser Heschel schwieg.

»Schweigen bedeutet Zustimmung. Ich bin selber ein alter

Schürzenjäger. Diesen ganzen Sums kenne ich in- und auswendig. Ich merke so etwas schon, bevor den armen Opfern ein Licht aufgeht. Aber was nützt das alles, wenn Hadassa mit diesem Rotzbengel verkuppelt werden soll?«

»Sie hat heute abend angerufen. Zweimal. Aber ich war nicht zu Hause.«

»Sie hat angerufen? Sehen Sie, ich weiß schon, wovon ich rede. Sie will ihn nicht, diesen Fischel, mitsamt den vorgeschriebenen *mikwess* und dem Perückenaufsetzen und diesem Großvater mit seinem dreckigen Ölgeschäft – sie will diesen ganzen Schlamassel nicht! Diese verdammten Narren! Zuerst schicken sie ihre Töchter in gute, moderne Schulen und dann erwarten sie von ihnen, daß sie alles vergessen, was sie gelernt haben, und altmodische, strenggläubige, unterwürfige jüdische Hausfrauen werden. Aus dem zwanzigsten Jahrhundert schnurstracks zurück ins Mittelalter! Erzählen Sie mir was von sich! Wie steht's mit Ihrer Gesundheit?«

»Ich weiß nicht so recht. Manchmal fühle ich mich nicht ganz wohl.«

»Was fehlt Ihnen denn?«

»Der Kopf tut mir weh. Und das Herz. Ich bin eigentlich immer müde.«

»In Ihrem Alter braucht man sich um sein Herz noch keine Sorgen zu machen. Sie sind ein Zweifler, der nicht einmal an seine eigene Tatkraft glaubt. Ohne Ihnen schmeicheln zu wollen: Es gibt keinen Grund, warum Sie nicht Arzt, Professor, Philosoph oder sonst was werden könnten. Sie sehen zwar aus wie einer von diesen provinziellen Rebbe-Anhängern, aber sie haben trotzdem etwas an sich, worauf Frauen fliegen. An Ihrer Stelle würde ich die Welt auf den Kopf stellen, das können Sie mir glauben!«

»Ich bin Ihnen dankbar dafür, daß Sie mir Mut machen. Wenn ich Sie heute nicht getroffen hätte, wäre ich am Ende gewesen.«

»Das reden Sie sich bloß ein. Ihr Schicksal hätte sich nicht geändert. Ich glaube an Vorherbestimmung. Was bedeuten Sie Hadassa? Ihr beide seid ein erstaunliches Gespann.«

»Ich glaube nicht, daß jemals etwas daraus werden kann.«

»Warum nicht? Werfen Sie den Kaftan weg, und schon

werden Sie ein regelrechter Europäer sein. Hadassa hat das richtige Gespür. Keine Sorge! Ihr werdet einander in die Arme fallen, und dann werdet ihr euch zerfleischen. So ist das eben mit der Liebe. An Ihrer Stelle würde ich mit ihr durchbrennen – irgendwohin.«

Sie waren vor Abrams Haus angelangt. Der Pförtner öffnete das Hoftor. Er hatte eine Schnapsfahne. Abram fragte, ob Stefa schon nach Hause gekommen sei, aber der Pförtner konnte sich nicht erinnern, ob er ihr aufgemacht hatte. Im Stiegenhaus war es dunkel. Abram zündete ein Streichholz an. Er sperrte die Wohnungstür auf und ließ Euser Heschel vorausgehen. Ein schrilles Klingeln war zu hören. Das Telefon im Schreibzimmer. Abram rannte durch den dunklen Flur. Als er den Hörer abhob, drehte sich alles vor ihm. Er war einer Ohnmacht nahe und konnte kaum mehr Luft holen.

»Hallo! Hallo! Wer spricht dort?« keuchte er in die Sprechmuschel. »Hier ist Abram Schapiro.«

Aber am anderen Ende der Leitung herrschte Schweigen. Anscheinend hatte der Anrufer aufgelegt.

3

Während Abram die Betten richtete, ging Euser Heschel ins Arbeitszimmer. Neben dem Schreibtisch stand ein verglaster Bücherschrank. Das untere Fach enthielt eine mehrbändige Talmudausgabe, in Leder gebunden und mit goldgeprägten Buchrücken – ein Hochzeitsgeschenk von Meschulam Moschkat. In den oberen Fächern standen verschiedene Kommentare, der *Pentateuch*, Werke von Maimonides, ein Gesetzbuch, der *Sohar* und Predigtsammlungen. Euser Heschel schien es, als wären Jahre vergangen, seit er ein solches Buch in der Hand gehalten hatte.

Er nahm ein Exemplar der Ersten Talmud-Ordnung aus dem Schrank und schlug es auf. Der Anfangsbuchstabe war reich verziert – mit Schnörkeln und anderen kunstvollen Ornamenten. Euser Heschel psalmodierte den Text vor sich hin.

»Schau, schau!« hörte er Abram sagen. »Er liest den Talmud! Den Bären zieht es in den Wald zurück!«

»Es ist schon so lange her, seit ich in einem jüdischen Buch gelesen habe.«

»So wahr ich hier stehe – auch ich habe früher einmal diese Texte studiert. Ich weiß noch genau – als Hama und ich getraut wurden, habe ich einen ganzen Abschnitt auswendig aufgesagt. Der Alte hat übers ganze Gesicht gestrahlt.«

»Er ist also auch in diesen Dingen bewandert?«

»Er kennt sich aus – aber nicht allzu gut. Er ist halb Chassid, halb Antichassid. Der Gelehrte in der Familie ist mein Schwager Mosche Gabriel, Leas Mann. Und Lea, das kann ich Ihnen sagen, macht ihm das Leben zur Hölle. Wenn er später als gewöhnlich aus dem Bethaus nach Hause kommt, läßt sie ihn nicht hinein. Und Mascha, die älteste Tochter, schlägt ganz ihrer Mutter nach.«

»Ist es eine große Familie?«

»Eine ganze Heerschar! Alle möglichen Arten – wie in der Arche Noah. Aber was nützt es, wenn wir uns vermehren? Ich sage Ihnen, wir Juden haben auf Sand gebaut. Wir leben im luftleeren Raum. Man gibt uns keine Chance.«

»Glauben Sie wirklich an Palästina?«

»Wieso? Sie etwa nicht?«

»Und wenn die Türken sich weigern, uns das Land zu überlassen? Man kann sie nicht dazu zwingen.«

»Sie werden uns Palästina überlassen müssen. Es gibt so etwas wie eine Logik der Geschichte. So, und nun gehen wir zu Bett. Es ist schon halb zwei. Mir ist schleierhaft, wer um diese Zeit hier angerufen hat.«

Im Schlafzimmer begann Abram sich auszuziehen. Euser Heschel fummelte lange an seinen Schnürsenkeln herum, weil es ihm peinlich war, sich in Gegenwart eines Älteren zu entkleiden. Er wagte es erst, als Abram noch einmal hinausgegangen war, sich eiligst auszuziehen und in Hamas Bett zu legen. Nach alter Sitte waren die Betten rechtwinklig zueinander aufgestellt. Abram ächzte und warf sich im Bett herum, daß die Sprungfedern quietschten.

»Eine verrückte Idee von diesem Akiba, sozusagen mitten in der Nacht bei Gina aufzukreuzen. Haben Sie ihn gesehen, diesen Tölpel?«

»Nein.«

»Ich habe ihn schon gekannt, als er in Bialodrewna bei seinem Schwiegervater, dem Rebbe, wohnte. Alles, was wir Juden tun, machen wir verkehrt. Wir verkuppeln einen Floh mit einem Elefanten. Und was dabei herauskommt, sind Krüppel, Schlemihle, Verrückte. Ach, das Exil, das Exil! Es hat uns demoralisiert.«

Keine fünf Minuten später begann Abram zu schnarchen. Euser Heschel wälzte sich von einer Seite auf die andere, schob die Kissen weg, holte sie wieder, deckte sich abwechselnd zu und auf und konnte einfach nicht einschlafen. Es kam ihm so vor, als tickte die Uhr im Nebenzimmer irrsinnig schnell. Ja, Abram hatte recht. Das einzig Richtige war, ins Ausland zu gehen. Auch *sie* würde Polen verlassen müssen, wenn sie es vermeiden wollte, ihre Haare abzuschneiden, eine Perücke zu tragen und ins rituelle Reinigungsbad zu steigen.

Er drehte sich zur Wand und schlummerte ein. Plötzlich schreckte er hoch. Er hörte, wie jemand die Wohnungstür aufsperrte. »Abrams Tochter«, dachte er. Am Hoftor hatte er gehört, wie Abram den Pförtner nach ihr gefragt hatte. Er lauschte gespannt. Sie stapfte durch den Flur. Er hörte sie gähnen und etwas auf polnisch vor sich hinsagen. Durch die nicht ganz geschlossene Tür konnte er sehen, daß in einem Zimmer das Licht eingeschaltet und kurz darauf wieder ausgemacht wurde. Dann wurde die Schlafzimmertür aufgerissen. Er sah sie an der Schwelle stehen. Sie hatte ihr Kleid ausgezogen und stand in Mieder und Unterrock da.

»Papa! Schläfst du?«

Abram bewegte sich. »Was ist los? Wer ist da?«

»Papa, tut mir leid, daß ich dich aufgeweckt habe.«

»Was willst du denn? Wie spät ist es?«

»Noch nicht sehr spät. Papa, was soll ich denn tun? Ich habe kein Geld.«

»Mußt du mich ausgerechnet jetzt damit behelligen? Kannst du nicht bis zum Morgen warten?«

»Ich muß frühzeitig weggehen.«

»Wozu brauchst du Geld? Ich besitze keinen Groschen.«

»Ich hab' Schulden bei der Schneiderin. Und meine Schuhe sind durchgelaufen.«

»Pst! Ich bin nicht allein. Im anderen Bett schläft ein junger Mann namens... Es ist der junge Bursche, der bei Gina logiert.«

»Na wenn schon! Ich brauche unbedingt zehn Rubel.«

»Ich habe keine zehn Kopeken.«

»Du willst doch wohl nicht, daß ich zu Großvater gehe?«

»Mir ist jetzt alles egal. Ich gehe ins Ausland. Ich bin pleite – in jeder Hinsicht.«

»Papa, du bist betrunken.«

»Wer ist der Student, mit dem du dich herumtreibst?«

»Woher weißt du, daß es ein Student ist?«

»Ich habe ihn gesehen.«

»Dir entgeht wirklich nichts. Er ist fabelhaft! Beendet gerade sein Medizinstudium. Ihn reden zu hören, ist hochinteressant.«

»Die können alle gut reden, aber wenn's ernst wird, ergreifen sie das Hasenpanier.«

Ehe Stefa etwas erwidern konnte, schrillte das Telefon. Abram hievte sich aus dem Bett, stieß an der Tür fast mit Stefa zusammen und rannte ins Schreibzimmer. Euser Heschel konnte seine aufgeregte Stimme hören, verstand aber nicht, was er sagte. Nach ungefähr fünfzehn Minuten kam Abram wieder herein. Er ging zu Euser Heschels Bett hinüber.

»Junger Mann, schlafen Sie?«

»Nein.«

»Hadassa ist heute nacht nicht nach Hause gekommen. Njunje, dieser Trottel, hat sie geschlagen. Dieser gottverdammte Narr!«

4

Als Euser Heschel die Augen öffnete, schien die Sonne durch die Vorhänge. Abram war schon auf und lief in einem buntscheckigen Schlafrock herum, der über seiner behaarten Brust auseinanderklaffte.

»Aufstehen, Bruderherz! Der Tag des Gerichts ist gekommen. Die Fische im Wasser erzittern.«

»Wie spät ist es denn?«

»Ist doch egal. Dache hat nochmals angerufen. Hadassa ist verschwunden. Wahrscheinlich hat sie bei ihrer Freundin Klonja übernachtet – drüben in Praga. Die haben kein Telefon. Was für ein Mädchen!«

Euser Heschel war klar, daß er schleunigst aufstehen mußte, doch er genierte sich, ohne Schlafrock und Pantoffeln in die Küche zu gehen. Und vor lauter Verlegenheit traute er sich nicht zu fragen, ob Stefa noch zu Hause sei. Als Abram hinausgegangen war, zog sich Euser Heschel an und betrachtete sich im Spiegel der Frisierkommode. Sein Kinn war stopplig. Allem Anschein nach hatte er, seit er in Warschau war, trotz aller Sorgen zugenommen. Seine blonden Haare schimmerten. Er hob die Arme, beugte sie ab und lächelte. Er hatte kräftigere Muskeln bekommen. Und obwohl er diese Nacht nicht durchgeschlafen hatte, fühlte er sich erfrischt.

»Nu, was gibt's denn da zu glotzen?« rief Abram von der Tür her. »Gehen Sie in die Küche und waschen Sie sich!« Euser Heschel ging hinaus. In der Küche sah er Stefa stehen – in Pantoffeln, Unterrock und kurzärmeliger weißer Bluse. Vor ihr stand eine Schüssel, in der sie Strümpfe wusch, wobei sie so heftig rubbelte, daß Seifenblasen aufstiegen. Sie musterte Euser Heschel von Kopf bis Fuß, dann sagte sie: »Also *Sie* sind's!«

»Ich bitte tausendmal um Verzeihung.«

»Sie können sich ruhig waschen. Ich gucke nicht hin. Ich heiße Stefa. Ich habe Sie im Haus meines Großvaters gesehen, aber damals sahen Sie anders aus. Hier ist die Seife.«

»Vielen Dank.«

»Mein Vater redet Tag und Nacht von Ihnen. Lassen Sie sich von ihm nicht an der Nase herumführen! Tun Sie immer genau das Gegenteil von dem, was er Ihnen sagt.«

Euser Heschel wusch sich hastig, ging hinaus und wurde im Flur von Abram aufgehalten. »Wir essen rasch einen Happen, dann machen wir uns auf die Suche nach Hadassa. Wir fahren zu Klonja. Aber vermutlich wird Dache schon vor uns dort sein.«

Er führte Euser Heschel ins Eßzimmer. Auf dem Tisch lag ein halber Laib Brot, daneben etwas Käse und ein Stück Hering. Sie beeilten sich mit dem Essen. Mit seinen kräftigen Zähnen kaute Abram, was das Zeug hielt. Stefa kam alle paar Minuten hereingelaufen. Jedesmal sah sie Euser Heschel so merkwürdig an, als ob nur die Anwesenheit ihres Vaters sie davon abhielte, ihm etwas zu sagen. Sobald sie wieder in der Küche verschwunden war, hörte man sie mit kräftiger

Stimme ein polnisches Lied singen. Nach dem Imbiß ging Abram ins Schreibzimmer, um zu telefonieren. Er rief Ida an, Dache, einen befreundeten Rechtsanwalt, Herz Janowar und Gina. Akiba hatte in der Nacht einen heftigen Anfall erlitten – man hatte einen Arzt holen müssen. Ob es sich um eine akute Verdauungsstörung oder um einen Anfall anderer Art handelte, wußte man noch nicht genau. Die Scheidung mußte aufgeschoben werden. Herz Janowar berichtete Abram, daß Hilde Kalischer in aller Herrgottsfrühe abgereist sei, um ihre Mutter in Otwock zu besuchen. »Ich weiß einfach nicht, was ich tun soll. Ich kann vor Aufregung keinen Gedanken fassen.« Dache war nicht zu Hause. Schifra, das Dienstmädchen, meldete sich am Telefon und teilte Abram mit, die gnädige Frau sei bereits nach Praga gefahren. Vorhin habe das Telefon geklingelt, doch als sie den Hörer abhob, habe der Anrufer aufgelegt. Sicher sei es Hadassa gewesen. »Ein Jammer ist das!« lamentierte Schifra. »Sie wird sich zu Tode erkälten und Lungenentzündung bekommen.« Ida war zum Einkaufen gegangen. Von Zosia erfuhr Abram, daß die Gnädige vergangene Nacht gegen zehn Uhr heimgekommen und sehr nervös gewesen sei. Sie habe bereits gewußt, daß Abrams Frau davongelaufen sei und habe ungeduldig darauf gewartet, daß er anrufen oder vorbeikommen würde.

Abram war putzmunter, als er aus dem Schreibzimmer kam. »Es tut sich was«, murmelte er in seinen Bart. Nichts war ihm lieber, als wenn Tag und Nacht etwas los war. Es amüsierte ihn sogar, daß er keinen Groschen in der Tasche hatte und daß ihm die Polizei vielleicht schon auf den Fersen war. Wie ihm der Rechtsanwalt am Telefon gesagt hatte, konnte man wegen Wechselfälschung zu einer Gefängnisstrafe bis zu drei Jahren verurteilt werden. »Ach was!« dachte er. »Der Alte läßt es bestimmt nicht dazu kommen, daß ich ins Kittchen muß. Ich habe doch keinem Fremden etwas weggenommen, sondern bloß dem Großvater meiner Kinder.« Jeder anständige Mensch in Meschulam Moschkats Alter hätte schon längst das Zeitliche gesegnet und seinen Erben ermöglicht, sich mit seinem Zaster ein bißchen Vergnügen zu leisten.

»Also, los, mein Junge, gehen wir!« sagte er zu Euser Heschel. »Zunächst muß ich mir fünfzig Rubel pumpen. Gestern hat mir jemand ein Darlehen angeboten. Dann möchte ich Ihnen auf Kredit einen anständigen Anzug kaufen. Und einen neuen Hut besorgen wir auch. Danach machen wir uns auf die Suche nach der verschwundenen Prinzessin. Ich habe einen Plan – warten Sie nur ab! Etwas so Ausgekochtes, daß ganz Warschau sich ins Fäustchen lachen wird.«

Draußen war es mild und sonnig. An den Fenstern, die zum Hof hinausgingen, schüttelten Hausfrauen mit rotem Drell bezogene Kissen aus. Dienstmädchen spritzten Putzwasser an die Fensterscheiben. Ein Geruch nach Milch und frischgebackenem Brot hing in der Luft. Abram fragte Euser Heschel, ob er etwas Geld bei sich habe.

»Drei Rubel.«

»Geben Sie her!«

Er winkte eine Droschke herbei. Sie fuhren in die Elektoralna, wo ein alter Freund Abrams ein Konfektionsgeschäft hatte. Auf der Fahrbahn wimmelte es von Automobilen, Droschken und Fahrrädern. Ein Trauerzug bewegte sich die Straße entlang, angeführt von einem korpulenten Priester im spitzenbesetzten Chorrock. Er hielt ein aufgeschlagenes Gebetbuch in der Hand und murmelte Litaneien. Hinter ihm schritten vier Männer, die silbern gepaspelte Mäntel und dreieckige Kopfbedeckungen trugen und Laternen in der Hand hielten. Eine Glocke läutete. Passanten nahmen den Hut ab und bekreuzigten sich. Ein Taubenschwarm flatterte über den Trauerzug und ließ sich auf der Straße nieder, um an den Pferdeäpfeln herumzupicken.

Der Inhaber des Konfektionsgeschäftes war ein kleiner, feister Mann mit einem Schmerbauch. Er umarmte Abram und küßte ihn auf beide Wangen. Abram wisperte ihm etwas ins Ohr. Als Euser Heschel den Laden verließ, hatte er einen funkelnagelneuen Anzug an. Der Geschäftsinhaber wickelte den alten Anzug zusammen und legte das Bündel hinter den Ladentisch. Abram, der sich von seinem Freund ein paar Rubel pumpte, kaufte – nachdem er den Preis heruntergehandelt hatte – in einem benachbarten Laden einen Hut für Euser Heschel.

Dann gingen die beiden zu einem Barbier. Während der

Meister persönlich Abrams Bart stutzte, wurde Euser Heschel rasiert, bekam die Haare geschnitten und wurde dann auch noch mit Eau de Cologne besprüht. Als er sich in dem langen Spiegel betrachtete, erkannte er sich kaum wieder.

»Graf Potocki – oder ich will nicht Abram heißen! Sie sehen aus wie ein Goi!«

Abram hatte recht. Mit seiner chassidischen Kleidung hatte Euser Heschel auch sein jüdisches Aussehen abgelegt.

5

Es ging schon auf Mittag, als die Droschke vor dem Haus in Praga hielt, in dem Klonja wohnte. Abram schickte Euser Heschel hinauf, um nach ihr zu fragen, während er selber im Wagen sitzen blieb. Klonjas Familie wohnte im zweiten Stock. Euser Heschel stieg die sauber gefegte, mit Sand bestreute Stiege hinauf und klopfte an der Wohnungstür. Ein stämmiges junges Mädchen mit dicken flachsblonden Zöpfen machte auf. Es trug einen Hauskittel aus Alpaka, hatte einen Fingerhut aufgesteckt und hielt Nadel und Faden in der Hand.

»Wohnt hier Fräulein Klonja?«

»Ich bin Klonja.«

»Hadassas Onkel wartet drunten in einer Droschke. Er läßt fragen, ob Sie einen Moment hinunterkommen könnten.«

»Welcher Onkel? Abram?«

»Ja.«

»Hadassa hat hier übernachtet, aber sie ist schon weggegangen. Sind Sie . . .«

»Ich bin der, dem sie Nachhilfeunterricht gegeben hat.«

Um die Augen des Mädchens spielte ein Lächeln. »Ich habe Sie sofort erkannt. Hadassas Beschreibung stimmt genau. Schade, daß Sie nicht eine Stunde früher gekommen sind. Ihre Mutter war hier. Hadassa hat schon öfter hier übernachtet. Kommen Sie doch einen Moment herein!«

»Bedaure, aber Herr Schapiro ist in Eile.«

»Bloß einen Moment! Ich möchte Sie meiner Mutter vorstellen.« Sie griff nach seinem Arm und führte ihn durch einen kleinen Flur in ein großes Zimmer. In der Mitte stand ein

Tisch mit Stühlen. An der Wand hingen ein Hirschkopf mit verästeltem Geweih, eine alte zweiläufige Jagdflinte und die goldgerahmten Porträts eines schnurrbärtigen jungen Mannes und einer vollbusigen Frau mit hochgekämmtem, zu einem Dutt geschlungenem Haar. Am Fenster hing ein Käfig mit einem Kanarienvogel, und darunter stand eine Nähmaschine. Über einer Kommode hing ein Bild, auf dem Jesus mit lockigem Bart und der Dornenkrone auf dem Haupt dargestellt war. Auf dem Sofa, aus dessen aufgeplatzten Seitenteilen Roßhaar heraushing, räkelte sich ein großer Schäferhund, der, als Euser Heschel hereinkam, zu knurren begann. Worauf ihm eine ziemlich kleine Frau, dick und rund, mit einem üppigen Doppelkinn, zurief: »Ruhig! Platz!«

»Mamuscha, das ist der junge Mann, der bei Hadassa Nachhilfeunterricht nimmt. Ihr Onkel Abram wartet drunten in einer Droschke.«

»Warum kommt er nicht herauf? Dies ist ein anständiges Haus. Sehr erfreut, Sie kennenzulernen. Hadassa ist mir so lieb wie ein eigenes Kind. Sie ist nicht wie die anderen Mädchen – sie ist wie eine Blume. Klug und so schön wie die Sonne am Himmel. Der Mann, der einen solchen Engel bekommt, kann sich glücklich schätzen. Und nun zu Ihnen, junger Mann. Wie ich höre, sind Sie nach Warschau gekommen, um zu studieren.«

»Ja. Ich habe gerade damit angefangen.«

»Es geht nichts über eine gute Bildung. Ob Jude oder Christ – wer einigermaßen beschlagen ist, vor dem zieht jeder den Hut. Hadassa eignet sich nicht für einen von denen, die im Kaftan herumlaufen, einen von diesen Chassidim. Sie ist zu zart. Der aus dem Ölgeschäft in der Gnojnastraße, der junge Kerl mit den Schläfenlocken, ist nicht der Richtige für sie.«

»Mama, du redest zuviel.«

»Es ist meine Art, mir kein Blatt vor den Mund zu nehmen. Sie hat mir alles erzählt, obwohl sie von Natur aus zurückhaltend ist. Ich habe ihr klipp und klar gesagt, daß man seinen Eltern zwar Gehorsam schuldet, aber immer zuerst das eigene Herz sprechen lassen muß.«

Während ihre Mutter redete, strich sich Klonja übers Haar,

zog ihren Mantel an und nahm eine abgewetzte Handtasche mit Messinggriff. Euser Heschel verabschiedete sich von ihrer Mutter, die ihm ihre dralle, von der Hausarbeit rauhe Hand hinstreckte und ihn aufforderte, wiederzukommen. Der Hund sprang vom Sofa, schnüffelte an Euser Heschels Beinen herum und wedelte mit dem Schwanz. Auf der Treppe sagte Klonja: »Hadassa kommt um ein Uhr wieder zu uns.«

»Wo ist sie hingegangen?«

»Sie bewirbt sich um eine Stellung. Auf Grund einer Zeitungsannonce.«

Euser Heschel blieb am Hoftor stehen, während Klonja mit Abram sprach. Dieser gestikulierte, zupfte sich am Bart, fuhr sich über die Stirn. Dann rief er Euser Heschel zu sich.

»Sie wird um ein Uhr zurück sein. Jetzt ist es zwanzig vor zwölf. Warten Sie hier auf sie! Lassen Sie sie nicht weggehen! Ich bin in etwa einer Stunde wieder hier.«

Damit Klonja ihn verstehen konnte, sprach Abram polnisch – mit so dröhnender Stimme, daß einige Passanten stehenblieben und ihn angafften. Es wurde verabredet, daß Euser Heschel in dem Lokal gegenüber warten sollte. Sobald Hadassa zurückkam, wollte Klonja sie zu ihm hinüberschikken, und dann sollten sie gemeinsam auf Abrams Rückkehr warten. Der Droschkenkutscher wurde allmählich ungeduldig: Er ließ die Peitsche knallen und fluchte. Abram stieg ein, die Droschke setzte sich in Bewegung. Klonja sagte etwas zu Euser Heschel, doch obwohl er jedes einzelne Wort verstand, konnte er sich keinen Reim darauf machen. Der Steinboden des Lokals war mit Sägemehl bestreut. Es roch penetrant nach Bier und Gebratenem. Das Lokal war leer, schmutzige Tücher lagen auf den Tischen. Euser Heschel nahm Platz. Ein untersetzter Mann mit aufgekrempelten Ärmeln erschien.

»Was soll ich Ihnen bringen?«

Eigentlich wollte Euser Heschel »ein Glas Bier« sagen, doch statt dessen sagte er: »Tee, bitte.«

»Das hier ist keine Teestube.«

»Dann also einen Schnaps.« Er war über seine eigenen Worte verdutzt.

»Etwas zu essen?«

»Ja.«

»Wurst?«

»Ist mir recht.«

Er bedauerte es sofort. Die Wurst würde bestimmt nicht koscher sein, aber jetzt war es schon zu spät. Der Wirt brachte ein Glas und einen Teller, auf dem zwei dicke Würste lagen. Seine stechenden grauen Augen musterten Euser Heschel.

»Wo kommen Sie her?«

»Ich wohne in Warschau.«

»In welcher Straße?«

»Swiętojerska.«

»Was sind Sie von Beruf?«

»Ich studiere.«

»Wo? An einer Schule?«

»Nein. Privat.«

»Bei einem Rabbi?«

»Bei einem Lehrer.«

»Warum gehen Sie nicht nach Palästina?«

Der Kneipenwirt war offenbar drauf und dran, dieses Kreuzverhör fortzusetzen, doch da rief aus dem anderen Raum ein junges barfüßiges Mädchen mit sommersprossigem Gesicht nach ihm. Euser Heschel trank einen Schluck Schnaps. Das scharfe Zeug brannte ihm in der Kehle und trieb ihm das Wasser in die Augen. Er nahm eine Wurst und biß ein Stück ab. »Ich bin sowieso verloren«, dachte er. »Ja, Abram hat recht. Ich muß aus Polen weg. Wenn nicht nach Palästina, dann in ein anderes Land, wo es den Juden nicht verboten ist, an einer Hochschule zu studieren. Wenn doch Hadassa mitkäme! Ich muß mir alles genau überlegen.«

Er trank den Schnaps aus, und plötzlich überkam ihn ein Gefühl der Wärme und Benommenheit. Er merkte nicht, daß die Tür aufging und Hadassa hereinkam. Sie stand in der offenen Tür, in einem langen Wintermantel mit Pelzkragen, ein schwarzes Samtbarett auf dem Kopf, eine Zeitung unter den Arm geklemmt. Ihr Gesicht war in den paar Tagen, in denen die beiden sich nicht mehr gesehen hatten, noch blasser geworden: Sie sah aus, als wäre sie gerade erst vom Krankenbett aufgestanden. Sie nickte und lächelte scheu, während sie ihn unentwegt anstarrte. Die neue Garderobe hatte ihn bis zur

Unkenntlichkeit verändert. Nur die schmale schwarze Krawatte erinnerte an den jungen Grünschnabel, der er noch vor wenigen Tagen gewesen war.

6

Als Euser Heschel ihr von seinem Entschluß, in die Schweiz zu gehen, berichtete, bekam Hadassa feuchte Augen.

»Nimm mich mit! Hier halte ich es nicht mehr aus!« Das Blut schoß ihr in die Wangen. Ihre schmalen Hände in den schwarzen Handschuhen spielten nervös mit dem blechernen Aschenbecher. Immer wieder betrachtete sie Euser Heschel und wandte dann rasch den Blick ab. Sie erzählte ihm, daß ihr Vater in blinde Wut geraten sei, daß ihre Mutter sich auf die Seite des Großvaters geschlagen habe und daß sich jetzt sämtliche Familienmitglieder in die Angelegenheit einmischten: Onkel, Tanten, Vettern, Cousinen, ihre Stiefgroßmutter – und sogar Koppel. Alles ginge schief. Auch aus der Stellung, um die sich beworben habe, sei nichts geworden: Dort hätte sie nicht nur das Kind betreuen, sondern auch die Wäsche waschen sollen.

Eine ganze Weile herrschte Schweigen. Dann fragte Hadassa: »Gehst du wirklich fort oder denkst du nur über diese Möglichkeit nach?«

»Wenn du mitkämst, ginge ich noch heute fort.«

»Kaum trägst du städtische Kleidung, da redest du auch schon ganz weltmännisch.«

»Ich *meine* es so – von ganzem Herzen.«

»Um über die Grenze zu kommen, braucht man doch einen Paß.«

»Es gibt auch andere Möglichkeiten.«

»Ich weiß einfach nicht, was ich tun soll. Zu Hause sind alle wütend auf mich. Sogar Schifra. Sie lassen mich keine Minute allein. Nicht einmal, wenn ich ein Buch lesen will. Aber ich schere mich nicht drum. Sie können ihn mir nicht aufzwingen. Lieber würde ich sterben. Ich habe schon daran gedacht, mit allem Schluß zu machen.«

»Hadassa, sag so etwas nicht!«

»Du hast selber gesagt, Selbstmord sei die höchste Bestätigung der menschlichen Freiheit.«

»Das habe ich doch nicht auf einen solchen Fall bezogen.«

»Ich fürchte mich nicht. Als ich im Sanatorium war, habe ich mich mit dem Tod ausgesöhnt.«

Der Wirt kam herein. Als er ein Mädchen am Tisch sitzen sah, zwirbelte er seinen Schnurrbart. »Was möchten Sie haben?«

»Ich ... ich weiß nicht«, sagte Hadassa nervös. »Hier ist es so kalt.«

»Dann empfehle ich der jungen Dame einen Teller Suppe. Ist gerade fertig – Tomatensuppe mit Reis.«

»Also gut.«

»Für Sie auch?«

Euser Heschel schüttelte den Kopf, der Wirt ging hinaus.

»Alles scheint aus den Fugen geraten«, sagte Hadassa. »Ich schau dich an, aber ich erkenne dich kaum wieder.«

»Ich kann mich ja selber kaum wiedererkennen.«

»Du hast auf Klonja und ihre Mutter einen sehr guten Eindruck gemacht. Kurz nachdem du dort weggegangen warst, bin ich zurückgekommen. Ich habe die ganze Nacht nicht schlafen können, und die Nacht davor auch nicht. Zweimal habe ich bei dir angerufen, aber du warst nicht zu Hause.«

»Ginas Mann ist gekommen. Ich habe bei Abram übernachtet.«

»Alles ist so kompliziert. Meine Tante Hama ist zu Großvater zurückgekehrt. Hast du Stefa getroffen?«

»Ja.«

»Was hältst du von ihr?«

»Sie ist wie ihr Vater.«

»Ja, das stimmt. Man hat mir gesagt, daß du telefoniert hast und daß Mama dir verboten hat, nochmals bei uns anzurufen. Ich habe geweint, so durcheinander war ich. Schifra hat's mir erzählt.«

»Es ist nicht deine Schuld.«

Der Wirt erschien und stellte einen Teller Suppe auf den Tisch. Hadassa griff nach dem Löffel.

»Was willst du in der Schweiz studieren?«

»Am liebsten Mathematik.«

»Ich dachte, du bist auf Philosophie erpicht.«

»Die Philosophen wissen gar nichts. Man müßte mit allem noch einmal von vorn anfangen.«

»Ich interessiere mich für Biologie. Ich arbeite gern mit dem Mikroskop. Sicher würde Papa über kurz oder lang seine Meinung ändern und uns Geld schicken.«

»Das glaube ich auch.«

»Wieviel kostet die Reise?«

»Keine fünfzig Rubel. Ich besitze bereits fünfundzwanzig. Die habe ich zwar jemandem gelichen, aber ich bekomme sie zurück.«

»Wem? Ach was – ist ja egal. Ich habe zwei Brillantringe und eine goldene Uhr. Alles zusammen ist einige hundert Rubel wert.«

»Dann ist's dir wirklich ernst damit! Aber sie lassen dich bestimmt nicht fortgehen.«

»Dann bleibt mir nichts anderes übrig als hierzubleiben und zu heiraten.« Sie führte den vollen Löffel zum Mund, dann legte sie ihn, ohne die Suppe gekostet zu haben, wieder auf den Teller.

»Magst du die Suppe nicht?«

»Nein. Ich habe immer gewußt, daß ich eines Tages alles hinter mir lassen werde. Ich laufe in der Wohnung herum und komme mir vor wie ein verlassenes Schiff. Vor ein paar Tagen habe ich geträumt, daß du mit der Eisenbahn fortgefahren bist, in einem langen Zug, dessen Fenster mit Vorhängen verhüllt waren. Ich bin dem Zug nachgerannt – aber es war zu spät.«

»Und ich habe von dir geträumt«, sagte Euser Heschel errötend. »Wir beide waren ganz allein auf einer Insel, an einem Bach. Wir lagen im Gras, und du hast mir etwas vorgelesen.«

»Ich habe immer von Inseln geträumt, schon als kleines Mädchen.«

Plötzlich verfiel sie in Schweigen, nagte an ihrer Unterlippe und lächelte – ein geistesabwesendes Lächeln. Dann wurde ihre Miene tiefernst. Euser Heschel kam wieder der gleiche Gedanke, der ihn schon vorher bewegt hatte. »Wie kann ich mir Hoffnungen auf sie machen? Sie ist ganz Glaube, ich bin ganz Zweifel. Ich würde ihr bloß Kummer bereiten.« Er wollte etwas sagen, aber im selben Moment stapfte Abram herein, die Pelzmütze schräg auf dem Kopf, die unvermeidliche Zigarre zwischen den Lippen. Er blieb einen Augenblick an der Tür stehen und musterte die beiden. Dann rief er schallend:

»Du liebe Güte, die Welt steht kopf, und die sitzen da wie zwei Turteltauben! Schau, schau – Romeo und Julia, so wahr ich Abram heiße!«

»Onkel!« Hadassa stieß fast den Suppenteller um, als sie aufsprang und zu ihm hinüberrannte.

Er zog sie an sich und küßte sie. Dann schob er sie ein wenig zurück und brummelte: »Jetzt muß ich sie erst mal anschauen, die vermißte Erbin, die verwunschene Prinzessin. Deine Mutter rennt herum wie eine Irre. Sie glaubt, daß du irgendwo auf dem Grund der Weichsel liegst. Du mußt sie gleich anrufen, verstanden? Sofort!«

»Hier gibt's kein Telefon.«

»Dann werde ich bei ihr anrufen. Nicht weit von hier ist ein Telefon. Auch wenn dich dein Vater verdroschen hat – läuft man deshalb von zu Hause weg? *Mein* Vater hat mich fast totgeprügelt. Und er hatte recht.«

»Mama war bereits drüben bei Klonja. Sie weiß, daß ich dort übernachtet habe.«

»Das ist keine Entschuldigung. Oi, oi! Eine neue Generation! Und ich dachte, *ich* sei abenteuerlustig gewesen!«

Inzwischen war es Euser Heschel gelungen, die Würste vom Teller zu schieben und auf den Fußboden fallen zu lassen, damit Abram nicht entdeckte, was er gegessen hatte. Eine Katze, die auf der anderen Seite des Raumes lauerte, sprang vom Stuhl und huschte herüber. Der Kneipenwirt, der Abrams Stimme gehört hatte, kam herein.

»Kein Grund zur Aufregung!« brüllte ihn Abram an. »Das sind meine Kinder! Die Rechnung! Ich bezahle.«

Er zog einen Silberrubel aus dem Geldbeutel und warf ihn auf den Tisch. Der Wirt rieb sich die Stirn. Jedesmal das gleiche! Man brauchte bloß einen einzigen Juden hereinzulassen, und schon kamen tausend andere angeschwirrt, wie Fliegen, und dann ging's zu wie im Tollhaus. Die Suppe stand unberührt auf dem Tisch. Die Katze knabberte an den Würsten herum. Eine Horde von Teufeln, diese Juden in ihrer modernen Garderobe! Die Zeitungen hatten schon recht: Diese Bande würde ganz Polen verschlingen, wie ein Heuschrekkenschwarm – schlimmer als die Moskowiter und die Schwaben. Eine verächtliche Bemerkung lag ihm auf der Zunge, doch er schluckte sie hinunter. Dieser massige Kerl mit den funkelnden Augen, der Pelzmütze und dem schwarzen Bart sah aus wie jemand, mit dem nicht gut Kirschen essen ist.

Er gab Abram achtzig Kopeken heraus, worauf dieser ein Zehnkopekenstück auf den Tisch warf. »Trinkgeld!« rief er schallend. *»Masel tow!«*

7

Als Abram erfuhr, daß Euser Heschel in die Schweiz gehen wollte und daß Hadassa das gleiche vorhatte, starrte er die beiden verdutzt an. »Das war mein Plan«, dachte er. »Woher wußten sie das? Soviel ich weiß, habe ich keinem von beiden ein Wort davon gesagt. Das muß Gedankenübertragung sein.« Dann sagte er: »Das ist gar nicht so einfach.«

»Euser Heschel sagt, es kostet nur fünfzig Rubel, und man braucht keinen Reisepaß.«

»Und was wirst du dort tun? Auch in der Schweiz muß man essen.«

»Ich werde etwas verdienen. Und Papa wird uns Geld schicken.«

»Und was tust du, wenn er dir kein Geld schickt? Ihm schlechtes Benehmen vorwerfen?«

»Er *wird* mir Geld schicken.«

»Tu, was du für richtig hältst. Du bist kein Schulmädchen mehr. In deinem Alter hatte meine Mutter schon drei Kinder.«

Er schlenderte mit Hadassa in der Nähe des Lokals auf und ab. Euser Heschel war in einen Laden gegangen, um sich einen Schlips zu kaufen, weil Abram fand, daß es lächerlich wirkte, wenn er zu dem städtischen Anzug seine schmale chassidische Krawatte trug.

Abram zog erregt an seiner Zigarre. »Also *so* liegen die Dinge«, knurrte er. »Ohne mich um Rat zu fragen! Laß dir gesagt sein – erst wägen, dann wagen! Nur nichts überstürzen! *Er* hat nichts zu verlieren. Aber du! Angenommen, du wirst krank – Gott soll schützen! Dann wärst du ganz allein. Andererseits soll ja die Schweizer Luft heilsam sein für Leute, die schwach auf der Lunge sind. Von überall her kommen sie in die Schweiz.«

»Na also, Onkel Abram.«

»Trotzdem – überleg dir's genau! Ein Mädchen in deinem Alter, ein anständiges Mädchen aus guter Familie, das plötzlich aufmuckt und durchbrennt! Dein Großvater wird fuchsteufelswild sein, deine Mutter wird den Verstand verlieren. Die ganze Nachbarschaft wird tuscheln und tratschen. Ich bitte dich um einen einzigen Gefallen: Erzähl mir nichts von dieser Sache! Ich habe kein Wort gehört und will nichts davon wissen. Entschuldige bitte, aber ich bin auf dem linken Ohr taub. Übrigens reise ich ebenfalls ins Ausland. Sollten wir uns dort zufällig treffen, dann werden wir feiern.«

Hadassas Miene hellte sich auf. »Wann reist du ab? Und wohin? Das war doch sicher nur ein Scherz.«

»Was ist daran so verwunderlich? Selbst Pferde können ins Ausland gehen. Ich hab' dir doch von der neuen Zeitschrift erzählt. Herz Janowar ist der Herausgeber, ich bin der Geschäftsführer. Wir müssen fünfzigtausend Rubel beschaffen. Ich werde überall herumreisen. Auch in der Schweiz.«

»Ist das wirklich wahr?« Hadassa hüpfte vor Freude. »Das wäre herrlich! Dann könntest du bei mir wohnen.«

»Besten Dank, aber für meine Unterkunft ist bereits gesorgt. Schaut euch dieses Mädchen an! Hat eine Liebesaffäre und hüpft herum wie ein Kälbchen! Wie stellst du dir denn die Schweiz vor? Himmel, Erde und Wasser – wie woanders auch.«

»Ich halte es hier einfach nicht mehr aus. Es ist gräßlich. Tag und Nacht immer nur Fischel, Fischel. Es hängt mir zum Hals heraus. Außerdem möchte ich studieren. Dort hat man auch als Mädchen die Chance, Doktor der Medizin zu werden.«

»Und was gedenkst du zu tun, wenn du Ärztin geworden bist? Irgendeinem alten Juden ein Klistier geben? Fabelhaft! Aber was geht's mich an? Wenn du fort willst, dann geh! Und Euser Heschel? Wie soll's dort mit euch beiden weitergehen? Werdet ihr heiraten?«

»Warum schon jetzt daran denken? Wir werden beide studieren. Was danach kommt – nun, das werden wir ja sehen.«

»Was heißt ›danach‹? Es dauert sieben Jahre, bis man seinen Doktor hat.«

»Na und? So alt sind wir doch noch nicht.«

»Ihr Dummköpfe! Tot umfallen will ich, wenn ich *das* verstehe! Entweder bist *du* ein sabberndes Wickelkind, oder *ich* bin ein Tattergreis. Gott der Gerechte, was für eine Generation! Ich weiß wirklich nicht, was ich noch in dieser Welt zu suchen habe.«

»Onkel Abram, ich hab' dich ja so lieb! Wenn ich überhaupt jemanden vermissen werde, dann dich und Mama.«

»Du wirst uns bestimmt vermissen. Ich vermisse dich schon jetzt. Ich kann das alles gar nicht fassen. Plötzlich aufzumucken und davonzulaufen! Aus Warschau fortzugehen! Mir ist das unbegreiflich. Auf zwei Monate in ein Kurbad oder Gott weiß wohin reisen – das kann ich verstehen. Aber dein Zuhause verlassen, deine Familie, alles ...«

»Ich sage dir doch, daß ich es hier nicht mehr aushalte.«

»Dann geh fort! *Bon voyage,* schick mir hin und wieder eine Ansichtskarte! Dieser Euser Heschel – ja, ja, stille Wasser sind tief. Ich bedaure, daß ich mich überhaupt mit ihm eingelassen habe, das kannst du mir glauben!«

»Und gerade du hast ihn doch so herausgestrichen.«

»Übrigens – deinem Großvater geschieht's ganz recht. Der soll sich bloß nicht einbilden, er und Koppel könnten Gott den Allmächtigen spielen! Im Grund hast du völlig recht: Man schleift ein anständiges Mädchen nicht zum Traubaldachin. Trotzdem verstehe ich nicht, daß du die Sache so leicht nimmst. Selbst Vögel kehren in ihr Nest zurück.«

»Ich werde zurückkommen – wenn ich fertig studiert habe.«

»Dann geh und warte sieben Jahre darauf! Ach, diese Jugend, diese Jugend! Du wirst dir die Flügel versengen. Euch beiden wird es so ergehen. Aber das ist eure Sache. Frag mich bloß nicht um Rat und erzähl mir nichts! Man wird ohnehin *mir* die Schuld daran geben.«

Er zog noch einmal an seiner Zigarre, dann warf er sie in den Rinnstein und stapfte davon. In der Nähe spielte ein

Blinder Ziehharmonika. Abram nahm eine Münze aus der Tasche und warf sie im Vorübergehen in den Hut des Bettlers. Dann machte er kehrt und lief – mit offenem Mantel und verrutschter Pelzmütze – wieder auf Hadassa zu.

»Also los, geh doch fort!« schrie er sie an. »Sag mir Lebewohl und geh!«

»Du lieber Himmel, ich geh' doch nicht schon heute fort! Warum bist du so zynisch?«

»Wo ist Euser Heschel? Braucht er ein Jahr, um einen Schlips zu kaufen? Da hab' ich mich auf was Schönes eingelassen! Ich staffiere ihn aus, und er brennt mit meiner Nichte durch. Wie in einem Shakespearedrama. Offen gesagt – dem würde ich meine Stefa nicht anvertrauen.«

»Du bist so inkonsequent.«

»Er ist ein Abenteurer. Ich wünsche ihm nichts Schlechtes, aber es ist doch so: Gestern ist er aus seinem Schtetl weggelaufen, heute läuft er aus Warschau weg. Zugegeben, ich bin auch kein Engel, aber ich möchte nicht erleben, daß meinem eigen Fleisch und Blut Leid zugefügt wird.«

»Vor mir wird er nicht davonlaufen müssen. Ich bin unabhängig.«

»Ich hab' schon andere gekannt, die so stolz waren wie du. Aber hast du erst mal einen Bankert im Bauch, dann vergeht dir der Hochmut.«

»Mach dir um mich keine Sorgen. Ich werde ohnehin nie heiraten.«

»Was dann? Freie Liebe?«

»Die Ehe ist eine Farce. Alles nur vorgetäuscht.«

»Wie kommst du denn plötzlich auf solche Ideen? Hast wohl Arzybaschew gelesen? Oder sind das Euser Heschels Ideen?«

»Ist doch egal.«

»O weh, was ein paar läppische Bücher alles anrichten können! Du scheinst, offen gesagt, keine Ahnung zu haben, wie ernst die ganze Angelegenheit ist.«

»Das stimmt nicht.«

»Was bist du eigentlich? Sozialistin? Nihilistin?«

»Ich weiß, daß du mich immer noch für ein Kind hältst. Aber ich habe meine eigenen Ideen.«

»Du lieber Himmel, *was* für Ideen? Erzähl mir davon. Ich möchte es wissen.«

»Du weißt es sehr gut. Du tust bloß so scheinheilig.«

»Was? Na schön, ich geb's zu. Ich glaube fast, ich bin ganz einfach eifersüchtig.«

»Sag doch so was nicht, Onkel Abram! Ich werde dich immer liebhaben.«

»Nenn mich verrückt, aber ich habe mich mein Lebtag nach der wahren Liebe gesehnt. Deine Tante Hama hat nicht viel Liebenswertes an sich. Ich habe alle möglichen Affären gehabt, aber da innen ...« – er schlug sich an die Brust – »... da innen bin ich Idealist. Und plötzlich kommt da einer aus irgendeinem Loch gekrochen und zieht das Große Los. So, jetzt kann ich wirklich nicht länger auf ihn warten. Ich habe Tausenderlei zu tun. Hier ist mein Wohnungsschlüssel. Sag deinem Helden, daß er bei mir wohnen kann, solange Akiba bei Gina bleibt. Tut mir leid, daß ich aus dem Häuschen geraten bin. Kommt wohl daher, daß mein Herz nicht in Ordnung ist.«

»Du solltest zum Arzt gehen. Und du solltest nicht soviel herumrennen.«

»Ach was! Ich renne schon seit dreißig Jahren so herum – ich kann nicht mittendrin damit aufhören. Ein Schnellzug. Ruf mich heute abend an, oder morgen früh.«

»Ja, Onkel Abram. Ich hab' dich lieb, das weißt du, aber wenn ich hierbleibe, muß ich Fischel heiraten.«

»Du hast recht. Komm, laß dir einen Kuß geben! Wenn dein Großvater wenigstens so anständig wäre, endlich das Zeitliche zu segnen ...«

»Schäm dich!« Sie legte ihm die Arme um den Hals und küßte ihn auf beide Wangen. Abram stiegen die Tränen in die Augen. Er hatte das merkwürdige Gefühl, daß *er* diese Ereignisse ausgelöst hatte, obzwar es ihm, weiß Gott, immer bloß Ärger einbrachte, wenn er sich in anderer Leute Angelegenheiten einmischte. »In mir muß wirklich ein Teufel stecken«, dachte er. Eine Droschke kam angerollt. Abram riß sich von Hadassa los und stieg ein. Er winkte noch einmal, dann nannte er dem Kutscher Idas Adresse. »Was ist denn heute mit mir los?« fragte er sich. »Hoffentlich bekomme ich keinen Anfall.« Er zog ein Pillendöschen aus der Brusttasche und schluckte zwei Tabletten. Dann ließ er den Kutscher vor einem Blumengeschäft halten, ging hinein und kaufte ein Bukett Rosen für Ida und einen gelben Blumenstrauß für Zosia – schließlich hatte sie ihm gerade erst fünfzig Rubel geliehen. Ida war nicht zu Hause gewesen, als er vorhin dort erschienen war. Nun beschloß er, den Rest des Tages dort zu verbringen. »Es kommt, wie's kommen muß. Man kann nicht zweimal sterben.«

Als er mit seinen zwei Blumensträußen durchs Tor ging, guckte ihn der Pförtner neugierig an. Eine Nichtjüdin, die in ein Umhängetuch gehüllt war und einen dampfenden Henkeltopf trug, schüttelte mißbilligend den Kopf. Sie, ein anständiger Christenmensch, mußte den ganzen Weg in die Fabrik zu Fuß gehen, um ihrem Mann das Mittagessen zu bringen, während diese Freimaurer und Christusmörder in Droschken herumfuhren und Blumensträuße zu ihren Huren schleppten!

Abram stieg die Treppe hinauf und läutete an der Wohnungstür. Zosia öffnete. Er übergab ihr die beiden Sträuße.

»Ist deine Gnädige zu Hause?«

»Noch nicht.«

Er umarmte sie leidenschaftlich, beugte sich zu ihr hinunter und preßte seinen Mund auf ihre Lippen.

»Gott steh mir bei, du bist ein Prachtstück!« murmelte er auf jiddisch. »Deine Lippen schmecken wie das Paradies.«

»Was sagen Sie da? Was machen Sie denn mit mir?«

»Halt's Maul, Ungläubige! Du verbotener Leckerbissen! Verdammt sei der ganze Stamm Esaus!« Und wieder begann er, ihren Mund zu küssen, leidenschaftlich und verzweifelt.

8

Euser Heschel und Hadassa gingen von Praga aus zu Fuß in die Stadt zurück. Als sie die Brücke überquerten, bot sich ihnen der Anblick der zugefrorenen, schneebedeckten Weichsel. In einiger Entfernung sahen sie eine kleine Gestalt übers Eis stapfen; schwer zu sagen, ob es ein Erwachsener oder ein Kind war. Über eine weiter flußaufwärts gelegene Brücke dampfte ein Zug mit roten Güterwagen. Über ihnen kreisten

Vögel. Die Luft roch nach Rauch und auch schon ein bißchen nach Frühling. Drüben auf der Warschauer Seite waren die alten Häuser mit den verschiedenartigen Giebeln, Türmchen, Balkonen und den dicht aneinandergereihten Fenstern zu sehen. Es kam Hadassa so vor, als sähe sie das alles zum ersten Mal, als wäre *sie* aus der Provinz gekommen und als zeigte Euser Heschel ihr die Herrlichkeiten der großen Stadt.

Sie wanderten durch die Altstadt, durch Gassen, in denen Hadassa noch nie gewesen und deren Gehsteig so schmal war, daß man kaum zu zweit nebeneinander gehen konnte. Hausbewohner füllten an altmodischen Pumpen ihre Wassereimer. Die Ladenfenster hatten Eisengitter. Bei manchen Häusern waren die Fensteröffnungen mit Backsteinen zugemauert. In der Nähe der noch nicht angezündeten Laternen schlenderten Straßendirnen herum.

Kurz vor der Fretastraße schlug Euser Heschel vor, in ein Café zu gehen. Sie waren die einzigen Gäste. Das Lokal hatte ein Buntglasfenster. Hadassa begann von ihrer Cousine Mascha, Tante Leas Tochter, zu erzählen, die gegen den Willen ihres Vaters, Mosche Gabriel, Universitätsvorlesungen besuchte. »Sie hat seit Jahren kein Wort mehr mit ihm gesprochen. Aber er ist in der Familie ohnehin fast so etwas wie ein Fremder geblieben. Merkwürdig, nicht wahr? Eigentlich ist keiner in dieser Familie glücklich.« Sie trank einen Schluck Kaffee, sah Euser Heschel an, führte die Tasse wieder zum Mund und fragte sich insgeheim: »Warum kann ich ihm nicht alles sagen, was ich denke? Was hindert mich daran?« Mit gesenktem Kopf und blassem Gesicht saß Euser Heschel schweigend da. »Ich muß mir das abgewöhnen«, dachte er. »Ich muß diese verfluchte Schüchternheit überwinden.«

Obgleich sie sich jetzt frei und unabhängig fühlten, redeten die beiden immer noch in abgehackten Sätzen und ohne einander ins Gesicht zu sehen. Was war denn schon entschieden worden? Von der Schweiz hatten sie gesprochen – aber war das nicht bloß leeres Gerede gewesen? Die ganze Idee war viel zu simpel, um sich als hieb- und stichfest zu erweisen. Konnten sie denn so leichtfertig über ihre Zukunft entscheiden – hier, in diesem fast leeren Café in der Fretastraße, im Dämmerlicht eines Winternachmittags? Als Euser Heschel zu Hadassa hinübersah, erschien sie ihm viel zu zerbrechlich, um jemals seine Frau zu werden; und er selber kam sich viel zu ungehobelt vor, um sie jemals glücklich machen zu können. Hinter alledem mußte eine Tücke des Schicksals stecken, irgendein Irrtum, der sich im letzten Moment herausstellen und das alles hinfällig machen würde. Ein Wirrwarr seltsamer Gedanken, vage und kindisch, schwirrte ihm durch den Kopf. Er wußte nicht, warum, aber seit den Pubertätsjahren hatte er die Zwangsvorstellung, daß er es niemals über sich bringen könnte, intime Beziehungen zu einer Frau zu haben, und daß seine Hochzeitsnacht eine einzige Demütigung sein würde.

Hadassa warf ihm verstohlene Blicke zu. Sie hatte eine schlaflose Nacht verbracht, das Sofa in Klonjas Wohnung war so zerbeult. Sie war aufgestanden, als es noch dunkel gewesen und die Demarkationslinie zwischen den Ereignissen von heute und denen von gestern noch in Nebel gehüllt war. Noch immer staunte sie darüber, wie verändert Euser Heschel in seiner neuen Garderobe aussah. Und immer wieder mußte sie an Onkel Abrams verwirrende Bemerkungen denken. Sie war überzeugt, daß die Liebe, auf die sie so lange gewartet hatte, jetzt endlich gekommen war. Aber bisher hatte sie geglaubt, eine Liebe mit so vielen Komplikationen gäbe es nur in Büchern. Warum in aller Welt sollte sie durchbrennen? Ihre Mutter würde vor Kummer sterben. »Ich muß jedes Verantwortungsgefühl verloren haben«, dachte sie. Und dann sagte sie: »Du lieber Himmel, wir kennen uns doch erst so kurze Zeit!«

»Wir müssen uns schon vorher gekannt haben, in einer anderen Inkarnation.«

»Glaubst du das wirklich?«

»Die Seele ist unsterblich.«

Durch das Buntglasfenster warf die untergehende Sonne einen roten Schimmer auf Euser Heschels Gesicht. Da saß er, ihr gegenüber, stolz und dennoch irgendwie demütig, voller Geheimnisse, von denen sie nichts wissen konnte, und – wie es ihr schien – bereit, ebenso plötzlich aus ihrem Leben zu verschwinden, wie er darin aufgetaucht war.

Der Abend war hereingebrochen, als sie das Café verließen. Sie kamen am Gefängnis an der Ecke Nalewki- und Dlugastraße vorbei, gingen durch die Rymarska und über den Bankowyplatz. Auf dem Eisernen-Tor-Platz brannten bereits die Straßenlaternen. Vom Sächsischen Garten herüber blies ein kalter Wind. Trambahnen ratterten vorbei. An den Verkaufsständen drängten sich die Kunden. Hadassa klammerte sich so fest an Euser Heschels Arm, als fürchtete sie, ihn zu verlieren. Ein Stück weiter, bei den Marktständen, saßen Händler hinter Bergen von Butter, riesigen Schweizer-Käse-Laiben, Bündeln mit gedörrten Pilzen, Wannen voller Muscheln und Fische. Die Lampen an den Ständen brannten schon. Die beiden kamen an einem Schlachthaus vorbei, aus dem gleißendes Licht drang. Drinnen spritzten Bedienstete den Steinboden mit Wasserschläuchen ab. Schlächter standen an Granitkufen, die mit Blut gefüllt waren, und schnitten Enten, Gänsen und Hühnern den Hals durch. Das Federvieh gackerte ohrenbetäubend. Ein Hahn, dem gerade die Kehle aufgeschlitzt worden war, schlug noch heftig mit den Flügeln. Hadassa, leichenblaß geworden, zog Euser Heschel am Ärmel. Nicht weit davon, in der Fischmarkthalle, standen Bottiche, Fässer und Wannen; im muffig riechenden Wasser schwammen Karpfen, Hechte und Schleien herum. Bettler sangen mit zittriger Stimme, Krüppel streckten ihre Armstümpfe aus. Die Halle war so grell beleuchtet, daß der Hof davor noch dunkler wirkte. Euser Heschel und Hadassa gingen die Krochmalnastraße entlang bis zur Gnojna. Ein kalter Wind fegte durch die Straßen. Hadassa begann zu husten.

»Ich glaube, ich sollte jetzt nach Hause gehen und die Sache durchstehen. Wann sehen wir uns wieder?«

»Wann du willst.«

»Ich rufe dich morgen früh bei Abram an, gegen zehn Uhr. Dieser Tag ist so schnell vergangen.«

»Seit ich dich kenne, ist das Phänomen Zeit für mich noch illusorischer geworden.«

Nur wenige Schritte von ihnen entfernt hielt eine Droschke. Hadassa stieg ein, nickte Euser Heschel zu und drückte die Finger an die Lippen. Unbeholfen machte er die gleiche Geste, dann eilte er weiter.

In Abrams Haus sperrte er die Wohnungstür mit dem

Schlüssel auf, den Hadassa ihm ausgehändigt hatte. Drinnen war es dunkel und kalt. Er schaltete das Licht ein, ging ins Arbeitszimmer, legte sich aufs Sofa und schloß die Augen. Wie ereignisreich dieser Tag gewesen war! Er hatte seine provinzielle Kleidung abgelegt; er war mit Hadassa zusammengewesen. Jetzt begann sein Leben. Das Problem war nur: Wo war in einer auf Haß und Zerstörungswut gegründeten Welt Platz für die Liebe? Bis eine Antwort auf diese Frage gefunden war, hatte das Leben keinen Sinn. Er war schon fast eingeschlummert, als das Telefon klingelte. Ob er sich melden sollte? Vielleicht galt der Anruf ihm. Nein, bestimmt nicht. Dennoch konnte er sich des Gefühls nicht erwehren, daß jemand ihn sprechen wollte. Er hob den Hörer ab. Hadassa. Sie rief an, um ihm zu sagen, daß sie in Gedanken bei ihm sei und morgen früh wieder anrufen werde. Sie sprach hastig. Sie wollte etwas hinzufügen, doch plötzlich hörte Euser Heschel ein Klicken: Sie hatte aufgelegt. Ihre Mutter mußte hereingekommen sein.

Er ging zum Fenster. Hadassa hatte mit einer Eindringlichkeit gesprochen, die ihn erschütterte. Jetzt wußte er, daß die Entscheidung gefallen war. Es gab kein Zurück.

Fünftes Kapitel

Aus Hadassas Tagebuch

3. Februar. Es ist Mitternacht. Papa schläft. Mama ist gerade zu Bett gegangen. Nur ich kann kein Auge zutun. Allmählich kommt mir alles um mich herum so seltsam vor. Ich hätte mir nie träumen lassen, daß ich eines Tages Heimweh nach der Panska haben würde, nach unserem Hof mit den Mülltonnen, nach unserer altmodischen Wohnung und meinem Zimmer, in dem ich so oft traurig und einsam gewesen bin. Und doch sehne ich mich schon jetzt, ehe ich das alles verlassen habe, danach zurück. In den letzten Nächten habe ich geträumt, ich sei bereits in der Schweiz. Was für törichte Träume man haben kann! Ich bildete mir ein, die Berggipfel wären aus Gold. Adler, so groß wie Menschen, flogen hin und her. Meine Träume sind so seltsam. Mir ist, als spräche ich die ganze Nacht mit jemandem. Manchmal bilde ich mir ein, Euser Heschel und Onkel Abram seien ein und derselbe.

4. Februar. Er kommt mir so blaß vor. Er sagt, er habe keine Angst und sei zu allem bereit, weil ja doch alles vorausbestimmt sei. Eigentlich sei er ein Fatalist, wie Petschorin. Aber ich merke ihm an, daß er eben doch Angst hat. Schade, daß er noch so jung ist. Ich habe mir immer gewünscht, daß mein »Ritter auf dem weißen Roß« mindestens zehn Jahre älter wäre als ich.

Um mich selber habe ich überhaupt keine Angst, obzwar ich manchmal überzeugt bin, daß ich einen Fehler mache und daß alles schlecht ausgehen wird. Etwas in mir – ein Geist oder ein anderes Ich – will mich ins Verderben führen. Ich kenne dieses andere Ich seit meiner Kindheit.

5. Februar. Gestern war ich mehrere Stunden mit ihm zusammen. Wir sind im Sächsischen Garten spazierengegangen. Wir standen am Teich, auf dem im Sommer die Schwäne herumschwimmen. Jetzt ist er zugefroren. Burschen und Mädchen glitten auf Schlittschuhen übers Eis und liefen alle möglichen Figuren. Wir gingen in die Rosenallee. Er hat meinen Namen in den Schnee geschrieben. Manchmal ist er fröhlich und unbeschwert. Aber dann wird er wieder mißmutig. In seiner neuen Garderobe sieht er sehr gut aus. Wir sprachen über Weiningers *Geschlecht und Charakter.* Er teilt Weiningers Meinung, daß Frauen keine Seele hätten.

Wie albern das alles ist!

Wir sind mit der Trambahn in die Zlotastraße gefahren. Er wollte mich in Abrams Wohnung mitnehmen, aber ich habe gesagt, ein anständiges Mädchen ginge nicht allein mit einem Mann in eine Wohnung. Er war eingeschnappt. Tatsächlich hatte ich Angst, wir könnten Stefa begegnen. Außerdem kennt mich der Pförtner. Später bin ich dann doch mit hinaufgegangen. Wir beschlossen, daß ich, falls Stefa nach Hause käme, durch die Hintertür verschwinden sollte. Das war alles so peinlich.

Er schaltete das Licht nicht ein. Wir saßen lange auf dem Sofa in Onkel Abrams Arbeitszimmer und plauderten miteinander. Er steckt voller Widersprüche. Und er ist so pessimistisch. Er sagt, die Welt sei ein Dschungel, und der Mensch stehe moralisch unter den wilden Tieren. Er redet mit so viel Überzeugungskraft, daß mir nach Weinen zumute ist. Ich *muß* an den Menschen glauben können, und an einen allmächtigen Gott und an die Liebe und an die Seele. Sonst wäre es mir einfach nicht möglich, weiterzuleben.

Als er im Dunkeln so dicht neben mir saß, kam es mir so vor, als wäre er viel älter – dreißig oder vierzig.

Soll er doch meine Illusionen zerstören – es ist mir egal! Es tut so wohl, seine Stimme zu hören. Ich bin überzeugt, daß er seinen Glauben an die Menschheit wiederfinden wird. In der Schweiz werden wir unsere Ideale gemeinsam wiederentdekken. Wir sind jung, wir lesen und diskutieren gern. Nur darauf kommt es an! Mich schaudert bei dem Gedanken, ich hätte ihn um Fischels willen aufgeben müssen.

Wir haben uns lange geküßt. Er sagte, ich sei das schönste Mädchen der Welt. Ob er das ernst gemeint hat? Manchmal ist er so naiv wie ein siebenjähriges Kind. Genug für heute. Ich bin sehr glücklich.

Mitten in der Nacht. Was würde passieren, wenn unser Geheimnis entdeckt wird? Oder wenn ich krank werde? Es ist schlimm, wenn man sein Glück auf den Zufall gründen muß. Vor dem Einschlafen habe ich *Meine Beichte* von Tolstoj gelesen. Er schreibt, man müsse sich dazu bringen, die ganze Menschheit zu lieben. Dann müßte ich also alle lieben – Schifra, Koppel, meine Stiefgroßmutter, Adele, meinen früheren Mathematiklehrer Mieczyslaw Knopek, ja sogar Zeinwele, den *schadchen*. Kann ein Mensch wirklich dazu gelangen, jedermann zu lieben?

Meine Träume lassen mir keine Ruhe. Sobald ich die Augen zumache, habe ich phantastische Visionen, Blumen in allen möglichen Farben – und ich höre Glockengeläut. Manchmal bilde ich mir ein, daß die ganze Welt in Flammen steht. Was hat das zu bedeuten, was da in meinem armen Kopf vor sich geht?

Ich sitze auf der Bettkante, und alles in mir ist in Aufruhr.

8. Februar. Ich mußte Mama und Papa versprechen, daß ich einwilligen werde, in zwei Wochen meine Verlobung mit Fischel zu feiern. Aber ich habe sie natürlich getäuscht, die Armen. Mein Onkel Abram spielt eine merkwürdige Rolle – er will mir mein »Abenteuer« ausreden, aber andrerseits hilft er uns dabei. Er bemüht sich um eine Beihilfe für Euser Heschel – die hiesige jüdische Gemeinde hat einen Fonds für unbemittelte Studenten. Mir kommt das wie pure Bettelei vor. Onkel Abram trifft Vorbereitungen für eine Auslandsreise. Wäre es nicht herrlich, wenn wir drei in den Alpen zusammensein könnten? Mama ist sehr hinfällig; ihr Gesicht sieht ganz gelb aus. Sie schaut mich an, als ob sie instinktiv wüßte, daß ich sie bald verlassen werde.

Gina hat von ihrem Mann, diesem Fanatiker, den Scheidebrief erhalten. Sie wird wohl schon bald Herz Janowar heiraten. Wahrscheinlich gehen die beiden ebenfalls in die Schweiz. Dann wird eine ganze Anzahl von uns dort sein.

11. Februar. Klonja, ich und Euser Heschel waren in dem Lichtspieltheater in der Zelaznastraße. Er konnte einfach nicht begreifen, was er da sah. Wir mußten ihm alles erklären.

Ich habe das Gefühl, daß alles, was geschieht, auch eine Art kinematographisches Schauspiel ist. Nichts scheint Wirklichkeit zu sein – weder das Leben noch der Tod. Was er wohl in diesem Moment denkt? Manchmal kommt es mir so vor, als sei er nicht eine einzige Person, sondern mehrere Personen auf einmal.

12. Februar. Ich habe das Gefühl, daß Mama alles weiß. Aber sie sagt kein Wort.

Nachts. Ich war bei einem Juwelier in der Chlodnastraße und habe mich erkundigt, wieviel er mir für meine Ringe geben würde. Als ich am Ladentisch stand und der Juwelier die Ringe durch die Lupe betrachtete, ging mir plötzlich auf, daß ich im Begriff bin, etwas zu tun, das mein ganzes Leben beeinflussen wird.

Warum ist mir Papa so fremd geworden? Er hat sich das Zigarrenrauchen angewöhnt und verbringt seine Zeit damit, die Schachprobleme in der Zeitung zu lösen. Im Haushalt sind bereits die Vorbereitungen für die Verlobungsfeier im Gange. Der Rabbi von Bialodrewna, Ginas Vater, wird zugegen sein. Alle nehmen die Sache sehr ernst, und dabei bin ich, die Heldin dieser Geschichte, drauf und dran, durchzubrennen. Es ist wie eine Komödie im Letni-Theater.

14. Februar. Ich habe Halsschmerzen. Die ganze Nacht habe ich gehustet. Ich fürchte, ich habe Fieber. Heute bin ich mit ihm verabredet, aber wer weiß, ob sie mich überhaupt aus dem Haus lassen. Es schneit. Am Tor steht eine Droschke. Der Hausmeister kehrt den Eingang mit einem langen Besen. Der Wetterhahn auf dem Dach gegenüber dreht sich hin und her. Ich lese gerade Zeromskis Roman *Sisyphusarbeit.* Ich war in der Küche und habe zugesehen, wie Schifra das Fleisch auf dem Salzbrett abtropfen ließ und salzte. Heute ist Donnerstag, da gehen die Schnorrer von Tür zu Tür. Ich habe einem alten Mann zehn Groschen gegeben, und er hat mir Glück und Gesundheit gewünscht. Er hat es zweimal gesagt und dabei mit seinem Stab auf den Boden geklopft. Ich weiß, das ist so üblich, aber für mich war es etwas Ungewöhnliches.

Warschau, meine geliebte Stadt, wie traurig ich bin! Noch ehe ich dich verlassen habe, sehne ich mich nach dir zurück. Ich betrachte deine schiefen Dächer, deine Fabrikschlote, deinen verhangenen Himmel, und mir wird klar, wie tief du in meinem Herzen verwurzelt bist. Ich weiß, es wird gut für mich sein, in einem fremden Land zu leben, aber wenn meine Zeit abgelaufen ist, möchte ich im Friedhof an der Genschastraße begraben werden, neben meiner geliebten Großmutter.

Dritter Teil

Erstes Kapitel

1

Im Grzybow-Viertel gab es viel zu bereden: Reb Meschulam Moschkat war ganz plötzlich erkrankt, und seine Enkelin Hadassa war mit einem Grünschnabel aus der Provinz durchgebrannt. Die Warschauer Juden reimten sich das so zusammen: An der Krankheit des Alten war die Flucht des Mädchens schuld. In den chassidischen Bet- und Lernhäusern wuchs die Bestürzung zusehends. Überall wurde getratscht – in den Lebensmittelläden, an den Marktständen, in den Schneider- und Schusterwerkstätten, den Möbelgeschäften in der Bagnostraße, ja sogar in der etwas weiter entfernten Nalewkistraße. Bei Meschulams Söhnen und Töchtern begannen schon am frühen Morgen die Telefone zu klingeln. Vor dem Haus des Alten stand Dr. Mintz' Kutsche, und in einem fort fuhren Droschken vor. Meschulams ältester Sohn, Joel, und seine Frau, »Königin« Esther – beide schwergewichtig –, stiegen schnaufend die Treppe zur Moschkatschen Wohnung hinauf. Nathan, der jüngere Sohn, hatte strikte Anweisung, das Bett zu hüten: Er war zuckerkrank und litt obendrein an Herzbeschwerden. Trotzdem konnte er Saltsche überreden, ihn zu seinem Vater zu begleiten. Sie nahm eine ganze Menge Arzneien und Pillen mit. Perl, Meschulams verwitwete älteste Tochter, die gerade geschäftlich in Lodz zu tun hatte, wurde telegrafisch nach Warschau zurückbeordert. Pinnje kam zu Fuß herbeigeeilt. Am Tor traf er mit seiner Schwester Lea zusammen. Die zahlreichen Gaffer, die auf dem Gehsteig herumlungerten, machten Platz für die beiden. Sie hörten Pinnje fragen: »Was ist los? Was ist passiert?«, und Lea antworten: »Ganz gleich, was passiert ist – jetzt ist er auf die Barmherzigkeit Gottes angewiesen.«

Neugierige drängten sich um Dr. Mintz' Kutsche, spähten durch die blitzblanken Fenster und betrachteten die gepolsterten Sitze und Rückenlehnen. Sie begafften den nichtjüdischen Kutscher mit seinem Zylinder und der Livree mit den Silberknöpfen, desgleichen die stolzen Pferde mit den kurz gestutzten Schwänzen und dem glänzenden Fell. Schon wieder kam ein Wagen angerollt – die Kutsche von Dr. Frankl –, und sofort begann man zu tuscheln, der Zustand des Kranken sei kritisch, die Ärzte müßten eine Beratung abhalten. Mit vor Aufregung glühendem Gesicht kam Naomi an die Tür.

»Was zum Kuckuck ist denn hier los?« zeterte sie. »Ihr versperrt den Weg zur Haustür!«

»Wie geht's dem Chef?«

»Macht Platz, geht nach Hause! Wir lassen euch durch einen Boten Bescheid geben. Steht hier nicht wie Ölgötzen herum!« Sie machte eine drohende Handbewegung.

»Die hat denen eine Menge stibitzt, diese alte Hexe!« sagte das Bäckermädchen. »Die Pest an ihren Hals!«

»Wo bleibt denn Koppel, der Aufseher?« fragte eine Schwangere, die einen Korb mit Lebensmitteln an ihren dikken Bauch drückte.

»Da kommt er!«

Koppel stieg aus einer Droschke und warf dem Kutscher ein paar Münzen zu. Ehe ihn jemand ansprechen konnte, war er die Stufen hinaufgerannt und im Haus verschwunden. Auf dem Gehsteig gegenüber lungerten Lastträger, Bierkutscher, Arbeiter und Müßiggänger herum, drehten sich Zigaretten, spähten neugierig zu den Fenstern der Moschkatschen Wohnung hinauf und unterhielten sich lauthals.

»Sobald der die Augen für immer geschlossen hat, geht die Katzbalgerei erst richtig los.«

»So viel Geld, wie dieser ganze Rummel kosten wird, möchte ich haben!«

»Da bleibt noch ein Haufen übrig.«

»Und eine dritte Ehefrau hat er sich auch noch zulegen müssen, dieser alte Bock!«

»Zerbrich dir darüber nicht den Kopf! Die wird bestimmt an einem saftigen Knochen nagen können.«

»Njunjes Tochter soll mit einem Mann durchgebrannt sein«, sagte jemand.

»Was? Oi, Mame! Mich trifft der Schlag!« Außer sich vor Aufregung, wiegte sich das Bäckermädchen hin und her.

»Welche denn? Wie heißt sie?«

»Hadassa.«

»Der Fluch Gottes! Die Strafe des Himmels! Der Allmächtige läßt sich Zeit, aber wenn er straft, dann gleich zweifach!« sagte die Schwangere gottesfürchtig. »Die stopfen sich die Bäuche voll und jagen die armen Leute mit ihren paar schäbigen Möbelstücken auf die Straße. In der Gehenna sollen ihre Knochen verstreut werden!«

»Halt dein Schandmaul! Reb Meschulam hat noch keinen auf die Straße gejagt.«

Alte Juden, Müßiggänger, die ihre Nase in jedermanns Angelegenheiten steckten und bei jeder Beerdigung mittrotteten, erklärten, Abram Schapiro, der Ketzer mit dem losen Lebenswandel, sei daran schuld, daß Njunjes Tochter vom Pfad der Tugend abgewichen sei. Obzwar sie so taten, als wären sie in alles eingeweiht, was in den Häusern der wohlhabenden Warschauer Juden vor sich ging, wußte in Wirklichkeit keiner von ihnen, welches Unheil über die Familie Moschkat hereingebrochen war. Erst gegen Abend, als Zeinwele Srozker, der *schadchen,* im Bialodrewner Bethaus erschien, wurden einige Einzelheiten bekannt. Hadassa, so erfuhr man, sei mit einem nichtjüdischen Mädchen befreundet. Montagfrüh habe sie ihrer Mutter gesagt, sie ginge mit ihrer Freundin zu einer Einladung drüben in Praga und werde dann bei ihr übernachten. Da sie schon des öfteren über Nacht bei dieser Schickse geblieben war, habe Dache keine Einwände erhoben. Wie sich später herausstellte, war Hadassa aber nicht nach Praga, sondern zum Bahnhof gegangen, wo dieser Bursche auf sie gewartet hatte – ein Student aus Klein-Tereschpol, Enkel eines Rebbe, aber ein Abtrünniger. Alles sei so sorgfältig geplant gewesen, daß Hadassas Eltern erst tags darauf dahintergekommen seien, was tatsächlich passiert war. Als Meschulam die Hiobsbotschaft erhielt, sei er bewußtlos zusammengebrochen. Er habe die Sprache verloren, und sein Gesicht sei ganz verzerrt gewesen. Die Mutter des Mädchens sei ebenfalls krank geworden. Sie bekomme Eispackungen auf die Stirn gelegt. Man habe die Polizei verständigt, doch die beiden seien spurlos verschwunden.

Zeinweles Zuhörern verschlug es die Sprache. Gewiß, die Bialodrewner Gläubigen waren an Skandale gewöhnt. Die Tochter ihres eigenen Rebbe war auch vom Pfad der Tugend abgewichen! Und was war seit der Revolution von 1905 nicht alles in Warschau passiert! Junge Chassidim hatten ihren Kaftan abgelegt, ihr Gesicht glattrasiert, an Streiks teilgenommen und sich den Zionisten angeschlossen. Töchter aus hochachtbaren Familien hatten sich in Universitätsstudenten verliebt und waren mit ihnen nach New York, Buenos Aires oder Palästina durchgebrannt. Familienmütter hatten ihre Perücke abgelegt, so daß alle Welt ihr unbedecktes Haar sehen konnte. Diese weltlichen Bücher, die auf jiddisch erschienen, damit jeder sie verstehen konnte, hatten das Denken anständiger Menschen vergiftet. Und diese »Reformschulen«, in die jetzt viele Eltern ihre Töchter schickten, waren nichts anderes als Brutstätten der Gottlosigkeit und Zügellosigkeit. Und dennoch – wer hätte erwartet, daß so etwas ausgerechnet mit Njunjes Tochter, der Enkelin Meschulam Moschkats, passieren würde? Es war ein Zeichen dafür, daß niemand mehr seiner eigenen Kinder sicher sein konnte. Und wie Meschulam die Nachricht aufgenommen hatte, bewies doch, daß er trotz all seiner Charakterfehler ein Jude der alten Schule, ein echter Chassid geblieben war.

»Ach, das Ende der Welt!« seufzten die Gläubigen.

Fast jeder von ihnen hatte daheim einen Sohn oder eine Tochter, denen diese neumodischen Verhältnisse zum Verhängnis wurden. Sie brachten aus den Bibliotheken Romane mit nach Hause. Sie nahmen an allen möglichen Versammlungen teil. Da wurden donnernde Reden darüber gehalten, daß die Juden nicht auf das Kommen des Messias warten, sondern das jüdische Heimatland eigenhändig aufbauen sollten. Burschen und Mädchen trafen sich heimlich in Kellern oder auf Dachböden und konspirierten gegen den Zaren. Die bittere Wahrheit war, daß die Juden mehr und mehr verfolgt wurden. Von Tag zu Tag wurde es schwieriger für sie, ihren Lebensunterhalt zu verdienen. Wie würde das alles enden? Ihnen blieb nur eine einzige Hoffnung: daß der Messias kommen würde, bevor es überhaupt keine frommen Juden mehr gab.

Zeinwele Srozker hockte auf einer Bank, die Hände auf die Knie gestützt, den Kopf gesenkt. Für ihn bedeutete Hadassas Flucht einen beträchtlichen finanziellen Verlust. Sein Honorar hätte sich auf fünfhundert Rubel belaufen. Das Pessachfest stand vor der Tür – und er hatte selber eine Tochter, die unter die Haube gebracht werden mußte.

2

Im Krankenzimmer hatte man die Lampe heruntergedreht. An Meschulams Bett saß eine Krankenschwester aus dem jüdischen Hospital. Der Oberkörper des Patienten war mit zwei Kopfkissen abgestützt. Meschulams Augen waren geschlossen. Sein eingefallenes Gesicht sah wie Pergament aus. Hin und wieder zuckten sein schütterer Bart und sein Schnurrbart. Zuweilen stieg ihm die Fieberröte in die Wangen.

Rosa Frumetl steckte den Kopf zur Tür herein. Flüsternd erkundigte sie sich, ob der Kranke aufgewacht sei. Als die Pflegerin den Kopf schüttelte, machte Rosa Frumetl die Tür wieder zu.

In der Wohnung waren Meschulams Söhne, Töchter, angeheiratete Verwandte und Enkelkinder versammelt. Außerdem hatten sich ein paar Leute eingefunden, die anscheinend niemand kannte und denen es irgendwie gelungen war, hereinzukommen. Joel und Nathan, die Söhne aus der ersten Ehe des Alten, hatten sich im Wohnzimmer auf Lehnstühlen niedergelassen. Joel fuhr sich mit den Fingern durch seinen bernsteingelben Franz-Joseph-Bart. Von Zeit zu Zeit zog er eine große goldene Uhr aus der Westentasche, öffnete vorsichtig den Sprungdeckel und sah aufs Zifferblatt. Hier gab es für ihn nichts zu tun; er mußte sich um seine eigenen Angelegenheiten kümmern. Immer wieder gab er Königin Esther zu verstehen, daß sie jetzt lieber gehen sollten, doch jedesmal wisperte sie ihm zu, es wäre unschicklich, nicht hierzubleiben. Sie machte eine leise Anspielung auf das Testament, aber Joel konnte beim besten Willen nicht einsehen, was es mit der Erbschaft zu tun hatte, ob sie hierblieben oder nicht. Er paffte eine Zigarre nach der anderen. Ganz beiläufig rechnete er sich aus, daß er, falls er das Alter seines Vaters erreichen würde, noch zwanzig Jahre zu leben hätte, und daß ihm, falls er in den Siebzigern stürbe, bloß noch ein Jahrzehnt oder ein bißchen länger beschieden wäre. Wozu also, philosophierte er, diese irre Jagd nach Geld? Es sei denn, um der Kinder willen –

aber wer konnte schon wissen, ob die eines Tages nicht vielleicht genauso ungeduldig an *seinem* Sterbebett warten würden wie er und seine Geschwister heute am Sterbebett ihres Vaters? Er hustete den Rauch aus und sagte zu seinem Bruder Nathan: »Es ist alles ganz eitel. Alles ganz eitel.«

»Keinen Pappenstiel wert«, erwiderte Nathan und schluckte eine Pille.

Auch in dieser Situation wich Nathan nicht von seinen häuslichen Gepflogenheiten ab. Saltsche hatte ihm die Schuhe ausgezogen, ihm Pantoffeln übergestreift und einen Schemel unter die Füße geschoben. Unentwegt brachte sie ihm etwas: Tee mit Sacharin (Zucker war ihm verboten), ein Stückchen Apfelsine, etwas Hühnerleber, ein Gläschen Schnaps. Um nicht über unangenehme Dinge nachdenken zu müssen, blätterte er in einem Almanach, der einen immerwährenden jüdischen Kalender und Angaben darüber enthielt, wann in russischen Ortschaften Jahrmärkte stattfanden. Des weiteren waren Beschreibungen von China, Siam, Indien und anderen fernen Ländern darin enthalten und auch Berichte über die eisige Kälte in den Gebieten um den Nordpol, wo sechs Monate lang Tag und sechs Monate lang Nacht war. Nathan überlegte sich, wie es den Juden dort überhaupt möglich war, den Sabbat einzuhalten. Er kam zu dem Schluß: »Sie werden sich wohl nach der Uhr richten müssen.« Am liebsten hätte er Saltsche davon erzählt, doch er genierte sich, in Gegenwart Joels etwas zu sagen. Eine komplizierte Welt, dachte er. Wie man so was bloß austüfteln kann!

Pinnje wanderte ziellos von Zimmer zu Zimmer, mit aufgeknöpftem Mantel, den Hut schief auf dem Kopf. Seit dem Frühstück hatte er nichts mehr gegessen. Hanna hatte ihn schon zweimal angerufen und gebeten, zum Essen nach Hause zu kommen, doch er hatte ausgeharrt. Er unterhielt sich mit allen – mit seinen Brüdern, den anderen Familienmitgliedern, den Dienstboten, ja sogar mit den fremden Leuten. »Ich sollte etwas unternehmen«, sagte er sich. »Man kann doch hier nicht alles drunter und drüber gehen lassen.« Aber er wußte einfach nicht, was er tun sollte. Schließlich ging er ins Arbeitszimmer seines Vaters und sah den Papierkram durch, der in einer Schreibtischschublade lag: zerrissene Mitteilungen, Briefe von Rabbinern, Kaufleuten, Verwandten; längst abgelaufene Verträge, gestempelte Quittungen von Jeschiwess und Talmud-Tora-Schulen; Zahlenkolonnen, deren Sinn und Zweck ihm schleierhaft war. »Hat Papa das alles im Kopf behalten können?« fragte er sich. »Bestimmt hat ihm Koppel das Fell über die Ohren gezogen!« Er versuchte, den an der Wand stehenden Tresor zu öffnen, doch der war abgeschlossen.

Lea, Meschulams jüngste Tochter, saß in der Küche und sprach mit Naomi über Hadassa. Naomi erklärte, sie habe von dem jungen Mann, den Rosa Frumetl mit der Überarbeitung des Manuskripts betraut hatte, von Anfang an einen schlechten Eindruck gehabt. Noch nie hätte sie diesen Provinzlern getraut. Die schlichen sich überall ein, nur um sich dann mit allem, was ihnen in die Hände fiel, aus dem Staub zu machen. Hin und wieder kam Koppel in die Küche, um sich an der Glut im Herd eine Zigarette anzuzünden und ein paar Worte mit Lea zu wechseln. Naomi wußte, daß er immer noch in Lea verliebt war. Jedesmal, wenn er hereinkam, überließ sie die beiden sich selbst und ging zu Manja hinüber, die wie üblich damit beschäftigt war, sich die Karten zu legen. Sie war sich noch immer nicht sicher, ob ihr ein blonder oder ein dunkelhaariger Mann ins Haus stand.

Am tiefsten betroffen über Meschulams Erkrankung war Hama. Sie war wirklich vom Pech verfolgt. Eben erst hatte sie sich von Abram getrennt, und nun war ihr Vater todkrank. Ihre Geschwister würden alles an sich reißen, und für sie selber bliebe dann kein roter Heller übrig. Sie befürchtete, daß ihr Vater nicht nur Abram, sondern auch sie und ihre Töchter enterbt hatte. Und dabei hatte sie in den letzten Tagen fast wieder die gleiche Zuneigung für ihn empfunden wie früher.

Sie hatte sich zu Rosa Frumetl gesetzt, weil sie das Gefühl hatte, daß ihre neue Stiefmutter in einer ähnlichen Situation war wie sie selber, nämlich im ungewissen darüber, ob Meschulam ihr etwas vermacht hatte. Die beiden Frauen schluchzten, schnaubten sich die Nase und forderten sich gegenseitig auf, doch etwas zu essen.

Adele hatte sich in ihrem Zimmer eingeschlossen. Bei einem so hochbetagten Mann wie ihrem Stiefvater mußte man eben damit rechnen, daß es eines Tages zu Ende gehen würde. Aber daß dieser provinzielle Euser Heschel sich plötzlich aufgerafft hatte und mit Hadassa durchgebrannt war – das wollte ihr einfach nicht in den Kopf! Sie war nicht eifersüchtig, o nein – sie wünschte den beiden Glück. Und dennoch – warum es ableugnen? – war es wie ein Schlag ins Gesicht. Sie bedauerte zutiefst, daß sie seiner Arbeit an dem Kommentar ihres Vaters zugestimmt hatte. Und sie war beschämt darüber, daß sie jenes Gespräch mit ihm geführt und sich erboten hatte, ihm Privatunterricht zu geben. Sie hatte sich erniedrigt, und er hatte sich doch bloß über sie lustig gemacht. So war es ihr stets ergangen, in Brody, in Wien – und jetzt auch hier in Warschau. Mit Männern hatte sie immer bloß Pech gehabt. War sie wirklich so häßlich, oder hatte sie vielleicht Fehler, deren sie sich nicht bewußt war?

Sie legte sich aufs Bett. Dann eben nicht! Sie würde sich mit ihrem Los abfinden. Sie würde sich mit dem Gedanken aussöhnen, niemals einen Ehemann, Kinder und ein eigenes Heim zu haben. Sie würde allein leben. Plötzlich mußte sie an ihren Vater denken, dessen sterbliche Überreste im Friedhof von Brody zu Staub zerfielen.

»Papa, du hast mich geliebt«, flüsterte sie. »Du bist der einzige gewesen.«

3

Solange Meschulam Moschkat krank darniederlag, schlichen und schnüffelten Rosa Frumetl, Lea, Naomi und Koppel unablässig im Haus herum: Einer verdachtigte den anderen, sich den Schlussel zum Tresor im Arbeitszimmer angeeignet zu haben. Wo – so fragte sich jeder von ihnen – hatte der Alte den Schmuck versteckt, der seinen ersten beiden Ehefrauen gehört hatte, und die Diamanten und anderen Edelsteine, die er – das wußten sie alle – in den letzten Jahren gehortet hatte? Eines Tages, als die anderen gerade außer Haus waren, versuchte Naomi den Tresor mit einem Schürhaken zu öffnen, doch die Tür gab nicht nach. Sicher, es wäre in diesem Tohuwabohu ein leichtes gewesen, einige silberne Becher, Pokale, Leuchter und Tabletts beiseite zu schaffen, doch *so* tief war Naomi noch nicht gesunken. Es standen auch Truhen herum, die vollgestopft waren mit Muffen, Pelzmänteln und Kleidern aus Seide, Atlas und Samt. Aber man hätte ja meschugge sein müssen, wenn man sich darauf eingelassen hätte, etwas von diesem uralten Putz verschwinden zu lassen!

Und da Naomi ohnehin schon ein kleines Vermögen – über siebentausend Rubel – zusammengetragen hatte, entschied sie sich schließlich doch dafür, ehrlich zu bleiben. Sie und Manja paßten scharf auf die anderen auf. Lea machte kein Geheimnis aus ihrer Schnüffelei. Sie spähte in die Truhen, räumte Schränke aus, sah Stöße von Papierkram durch, schüttelte sämtliche Kleidungsstücke des Alten aus. Aber der Schlüssel blieb unauffindbar.

Unterdessen hatten die Söhne und Schwiegersöhne des Alten, denen die Verwaltung einzelner Gebäude oblag, aufgehört, die eingegangenen Mieten bei Koppel abzuliefern. Seit vielen Jahren war es Usus, daß sie sich einmal im Monat, jeweils am Freitag nach dem Achten, in Meschulams Kontor einfanden, um die Abrechnung vorzulegen. Der Schreibtisch war dann jedesmal mit Geldscheinen, Silber- und Kupfermünzen beladen. Jeder Hausverwalter legte eine Liste mit den Namen der säumigen Zahler vor. Ihres Wissens hatte Meschulam zwar noch nie einen pflichtvergessenen Mieter zur Räumung gezwungen, aber es war ständig von eventuellen Räumungsklagen die Rede. Joel wußte immer von dieser und jener Liegenschaft zu berichten, die für ein Butterbrot zu haben war, und Meschulam wies Koppel jedesmal an, die Adresse zu notieren und sich das Objekt nach dem Sabbat anzusehen.

Auch jetzt ging Koppel täglich ins Kontor. Er setzte sich an den Schreibtisch, rauchte Zigaretten, las die Zeitungen und gähnte. Den Hut in der Hand, kamen die alten Faktoten, die eine Rente erhielten, zu ihm herein und erkundigten sich nach dem Befinden des Prinzipals. Koppel teilte ihnen mit, es sei noch keine Besserung eingetreten. Jechiel Stein, der Buchhalter, lag ebenfalls krank darnieder. Seine Tochter kam ins Kontor und beklagte sich darüber, daß er seit zwei Wochen keinen Groschen Lohn erhalten und daß sie keinen roten Heller mehr habe, um den Kranken zu ernähren. Worauf Koppel erwiderte: »Wenn es von mir abhinge, bekäme er sein

Geld.« Auch er selber, so fügte er hinzu, habe sein Gehalt nicht bekommen.

Er ging zum Fenster und sah in den Hof hinunter. Alles ging in die Brüche. Die Stiegen, die zu den oberen Stockwerken führten, waren schon fast verrottet. An den Fenstern fehlten Scheiben, die Öffnungen waren mit Pappkarton abgedichtet oder mit Lumpen zugestopft. Die verarmten Mieter, die sich keine Kohlen leisten konnten, verheizten das Bauholz, das Meschulam gehörte. Schon hundertmal hatte Koppel erklärt, man müßte die Schmarotzer hinauswerfen, die alten Häuser abreißen und einen schmucken Gebäudekomplex errichten. Aber der Alte hatte sich in letzter Zeit einfach nicht dazu bewegen lassen, etwas zu verändern.

Ja, alles hatte sich gewandelt. Als Koppel Aufseher geworden war, hatte Meschulam umfangreiche Geschäfte getätigt. Von überallher war Geld in die Kasse geflossen. Unentwegt hatte Meschulam gebaut, an der Börse spekuliert, Teilhaberschaften erworben und Investitionen gemacht. Damals war Koppel ständig unterwegs gewesen. Er war Zweiter Klasse gereist, hatte in Hotels übernachtet und mit Kaufleuten – wohlhabenden Kaufleuten – und polnischen Grundbesitzern gezecht. Meschulams Töchter und Schwiegertöchter hatten ihm Komplimente gemacht. Geschäftsleute und Handelsvertreter hatten mit Hilfe von Geschenken versucht, sich bei ihm Liebkind zu machen. Seine damaligen Einnahmen hatten es ihm ermöglicht, das zweistöckige Haus in Praga, in dem er jetzt wohnte, zu erwerben und den in die Tausende gehenden Betrag zusammenzuscharren, den er auf seinem Bankkonto hatte. Früher hatte er gehofft, eines Tages Meschulams Schwiegersohn zu werden. Und diese Hoffnung hatte er auch nicht aufgegeben, als Lea mit einem Witwer verkuppelt wurde – mit diesem ständig im Bethaus herumhockenden Mosche Gabriel.

Doch als Meschulam siebzig geworden war, hatte er die Hörner eingezogen. Er hatte den größten Teil seiner Unternehmen liquidiert und nur die Mietshäuser behalten. Sein Barvermögen hatte er in der Kaiserlichen Bank in St. Petersburg angelegt, die niedrige Zinssätze zahlte und Aktien und festverzinsliche Wertpapiere kaufte, die in all den Jahren keinen Kursschwankungen unterworfen waren und sichere Dividenden einbrachten. Nach Koppels Schätzung mußte sich das Vermögen des Alten auf eine runde Million belaufen, wobei der Inhalt seines Tresors und die anderen Kostbarkeiten, die er versteckt hatte, nicht mitgerechnet waren.

Schon des öfteren hatte sich Koppel gesagt, daß es für ihn am vernünftigsten wäre, auf diesen ganzen Schlamassel zu pfeifen und seinen eigenen Weg zu gehen. Er hätte sich als Immobilienmakler betätigen, aber auch bequem von seinem eigenen Kapital leben können. Basche, seine Frau, war keine Verschwenderin: Von den fünfzehn Rubeln, die er ihr wöchentlich als Haushaltsgeld gab, blieb immer etwas übrig. Seine Kinder – Manjek, Schoscha, Jeppe und Teibele – entwickelten sich gut und machten ihm keine Sorgen. Manjek ging in die Handelsschule. Schoscha war eine Schönheit. Jeppe, die leider Gottes ein bißchen hinkte, mußte am linken Bein eine Schiene tragen, aber für ihre Mitgift war bereits gesorgt. Teibele war noch ein Kind. O ja, Koppel hätte es sich leisten können, der ganzen Mischpoke Moschkat zu sagen, sie könnte von ihm aus zum Teufel gehen. Aber es gab viele Gründe, warum er erst noch mit den Moschkats abrechnen wollte.

Seine Gefühle für Lea waren in all den Jahren nicht schwächer, sondern stärker geworden. Lea hatte bereits eine erwachsene Tochter und konnte, falls Mascha in nächster Zeit heiratete, in Jahresfrist Großmutter sein. In Koppels Augen jedoch war sie immer noch ein junges Mädchen. Jedesmal, wenn er sie vor sich sah – mit ihrem prallen Busen, ihren runden Hüften und dem unter dem Rocksaum hervorlugenden spitzenbesetzten Unterrock – packte ihn die Begierde. Lea führte einen hochachtbaren Lebenswandel, aber Koppel wußte genau, daß sie sich nur schwer im Zaum halten konnte. Mosche Gabriel war nicht der richtige Mann für sie – erst vor ein paar Tagen hatte sie zu Koppel gesagt: »Ich werde Schluß damit machen. Aber ich möchte nicht, daß mein Vater sich aufregt.«

Um sich von seiner Frau scheiden zu lassen und Lea zu heiraten, würde Koppel allerdings einen Haufen Geld brauchen. Und deshalb mußte er bei den Moschkats bleiben. Jahrelang hatte er sorgfältig darauf hingearbeitet, daß der Alte ihn zum Testamentsvollstrecker bestimmen würde. In Gedanken sah er sich oft als Ehemann Leas und Chef der Familienunternehmen. Er würde in einer Kutsche mit Gummirädern herumfahren, in den Ältestenrat der Gemeinde gewählt werden und zum Sabbatgottesdienst in die Große Synagoge gehen. Er würde für die Moskatschen Enkelkinder Heiraten arrangieren, die alle großen polnisch-jüdischen Vermögen unter einen Hut brachten. Er würde seine eigene Bank eröffnen, das »Bankhaus Moschkat und Berman«. Er würde Börsenmitglied werden, die Wertschätzung des Generalgouverneurs genießen, mit einem Zylinder auf dem Kopf herumlaufen. Und er würde mit Lea in die eleganten Badeorte reisen.

Aber nichts war so gelaufen, wie er es sich erträumt hatte. Und daß Meschulam plötzlich erkrankt war, hatte ihm gerade noch gefehlt. Der Alte hatte bestimmt kein Testament gemacht. Er, Koppel, würde keinen roten Heller bekommen. Und zudem hatte sich in Lea bereits der Verdacht geregt, daß es mit seiner Machtposition gar nicht so weit her sein konnte. Sie hatte ihm gegenüber den Tresorschlüssel erwähnt und durchblicken lassen, daß sie bereit sei, sich mit ihm zu arrangieren. Er jedoch hatte so getan, als verstände er diese Andeutung nicht. »Und ich hatte den Eindruck, es gäbe einfach nichts, worüber du nicht Bescheid weißt«, hatte Lea gesagt. »Ich dachte, Koppel Berman sei kein gewöhnlicher Angestellter.«

Worauf Koppel erregt erwidert hatte: »Wofür hast du mich denn gehalten? Für einen Zauberer?«

4

Als Koppel an einem Spätnachmittag im Kontor saß und eine Zigarette nach der anderen paffte, schob er versehentlich mit der Stiefelspitze eine der unteren Schreibtischschubladen auf. Er zog sie heraus. Sie enthielt mehrere Stempel, ein Fläschchen Tusche, einige Stangen Siegellack und allerlei andere Utensilien. Ganz hinten befand sich eine kleine Dose. Er nahm den Deckel ab. Da lag er, der Schlüssel zu Meschulams Tresor! Koppel erkannte ihn an den tiefen Kerben und dem dicken Schaft. Er kam gar nicht dazu, sich über den Fund zu wundern: Er war wie vom Schlag gerührt. Es handelte sich ganz zweifellos um einen Nachschlüssel, der noch nie benützt worden war. Koppel wog ihn in der Hand. »Wahrscheinlich haben sie den Tresor schon ausgeräumt«, sagte er sich, »aber nachsehen sollte ich trotzdem.«

Er zog den Mantel an, setzte seine Melone auf, nahm seine Aktentasche und ging hinaus. Auf der Stiege steckte er sich eine Zigarette an. »Ruhe bewahren! Nur darauf kommt's jetzt an.« Im Hof begegnete er der Hausmeistersfrau, die ihn grüßte und von der Gans zu reden begann, die sie bis Pessach für ihn mästen sollte. »Bis dahin ist noch viel Zeit«, erwiderte er. »Da kann sich die Gans noch lange vollfressen.«

Er bog in Richtung Grzybowplatz ein. Die Sonne ging schon unter. Eine Vorahnung von Frühling lag in der Luft. Am anderen Ende des Platzes drängten sich Neugierige um ein Pferd, das ausgerutscht war und sich ein Bein gebrochen hatte. Vor Meschulams Haus kabbelte sich das Bäckermädchen mit einer Kundin, die jedes Brötchen erst einmal betatschen wollte, bevor sie ihre Wahl traf. Im Treppenhaus war es dunkel, die Lampe brannte noch nicht. Koppel läutete. Manja, die unvermeidlichen Spielkarten in der Hand, machte auf. Ihre kurzsichtigen Schlitzaugen musterten ihn.

»Ach, Sie sind's, Koppel.«

»Gibt's was Neues? Wie geht's dem alten Herrn?«

»Seinen Feinden soll's auch nicht bessergehen!«

»Wo ist Naomi?«

»Ausgegangen.«

Das traf sich gut. Naomi hatte ihn in den letzten Tagen so scharf beobachtet, als wäre er ein Dieb. Um in Manja keinen Verdacht aufkommen zu lassen, begann er mit ihr zu schäkern.

»Du legst dir also immer noch die Karten?«

»Was soll ich denn sonst tun?«

»Es heißt, wer Unglück im Spiel hat, hat Glück in der Liebe.«

»Ich hab' Unglück im Spiel *und* in der Liebe.«

Koppel musterte sie wohlwollend. Manja zog sich den Schal enger um die Schultern. Mit einem verheirateten Mann wollte sie sich lieber nicht einlassen.

»Ich mache Licht«, sagte sie.

»Nicht nötig.« Er nahm ein Streichholz und zündete sich eine Zigarette an. Manja ging wieder in die Küche. Koppel hustete leise. Allem Anschein nach war außer dem Kranken, der Pflegerin und Manja niemand in der Wohnung. Aus keinem Zimmer drang Licht. Er drückte die Tür zum Arbeitszimmer auf. Die Jalousien waren halb heruntergelassen, von draußen fiel der schwache Schein der Gaslaternen herein. Lichtreflexe huschten über die Zimmerdecke und verloren sich in den dunklen Ecken. Die Tresortür schimmerte matt – wie ein schwarzer Spiegel. Koppel hielt den Atem an und lauschte. Dann zog er den Schlüssel aus der Tasche. Jetzt oder nie! Er wollte ihn ins Schloß stecken, doch es gelang ihm nicht. Mit kratzendem Geräusch glitt der Schlüssel an der Stahltür ab. Koppel wagte nicht, ein Streichholz anzuzünden. Jeder Nerv in ihm war angespannt. Mit den Fingerspitzen tastete er das Schlüsselloch ab. Es war zugestopft – mit Wachs oder Kitt. Er zog ein Federmesser aus der Tasche und stocherte damit im Schlüsselloch herum. Dann steckte er vorsichtig den Schlüssel hinein und drehte ihn nach rechts. Das Schloß ging knarrend auf, aber die Tür klemmte. Erst als er mit aller Kraft daran zerrte, gab sie nach. Der Tresor mußte vollgestopft gewesen sein: Im Halbdunkel sah Koppel ein Papierbündel nach dem anderen herauspurzeln – ein wüstes Durcheinander. Es war wie in einem Traum. Daß es sich um gebündelte Banknoten handelte, konnte Koppel am Format und an den zerknitterten Rändern erkennen.

Danach ging alles sehr schnell. Koppel kniete sich hin, öffnete den Riemenverschluß seiner Aktentasche, klappte sie auf und stopfte Banknoten hinein. Im Nu war die geräumige Tasche so voll, daß er sie nur mit Mühe schließen konnte. Dann stopfte er sich Scheine in die Jacken-, Hosen- und Manteltaschen. Als er die Aktentasche aufhob, staunte er über ihr Gewicht. Daß Papiergeld so schwer sein konnte, hätte er nicht gedacht. Als er die Riemen zuschnallte, stach er sich den Metalldorn unter den Fingernagel. »Ich hole mir eine Blutvergiftung«, dachte er und saugte an dem Finger. »Ich darf auf keinen Fall Blutspuren hinterlassen.« Er kam sich vor wie ein Mörder, der Spuren beseitigt.

Eine Weile blieb er regungslos stehen, weil er Schritte zu hören glaubte. Dann schloß er mit zitternden Händen den Tresor, sperrte ihn wieder zu und ging in den Flur hinaus. Im Halbdunkel glaubte er die schwachen Umrisse eines Gesichts zu sehen.

»Manja?«

Keine Antwort. Fast so, als hätte er ihn ausgetrieben, löste sich der Schemen in nichts auf. Koppel dröhnte seine eigene Stimme in den Ohren. Auf dem Boden sah er eine Banknote liegen. War sie ihm aus der Tasche gefallen? Er bückte sich danach, doch was er gesehen hatte, war bloß ein schwacher Lichtreflex. »Ich werde nervös.« Er spürte das Blut in seinen Schläfen hämmern und den Schweiß unter seinem Kragen herunterlaufen. Geräuschvoll begann er durch den Flur zu schlurfen. Er öffnete die Tür zu Meschulams Zimmer. Eine schwache Lampe brannte. An der Decke bewegte sich der riesige Schatten eines Kopfes hin und her. Die Pflegerin mit der weißen Haube wandte Koppel das Gesicht zu und legte warnend den Finger an die Lippen.

Im Treppenhaus brannte noch immer kein Licht. Beim Hinausgehen begegnete ihm niemand. »Wo sind sie denn alle? Warum lassen sie den alten Mann allein?« Zusammenhanglose Sätze, längst vergessene hebräische Wörter schwirrten ihm durch den Kopf. Eine ganze Weile war er sich im unklaren darüber, ob er in Richtung Twarda- oder Gnojnastraße gehen sollte. Schließlich bog er in Richtung Twarda ab. Er rutschte aus und wäre um ein Haar hingefallen. Aus einem Bethaus kamen Gläubige. Ein Hausierer hielt allerlei Lärminstrumente für das Purimfest feil. »Sind die Festtage wirklich schon so nahe?« fragte sich Koppel. Er winkte einer vorbeifahrenden Droschke. Beim Einsteigen schürfte er sich das Knie am Trittbrett auf. Er nahm Platz und stellte die Aktentasche neben sich. »Wohin?« fragte der Kutscher. Koppel stellte verblüfft fest, daß ihm seine eigene Adresse nicht mehr einfiel.

»Über die Praga-Brücke«, sagte er.

Der Kutscher kratzte sich am Nacken, schwang die Peitsche und wendete so rasch, daß Koppel fast vom Sitz fiel. Plötzlich dachte er an den Kitt, mit dem das Schlüsselloch des

Tresors zugestopft war. Wer konnte das getan haben? Naomi! Und damit konnte er, Koppel, überführt werden. »Ich bin erledigt. Man wird Ermittlungen anstellen und alles aufdecken. Ich sollte sofort aus der Droschke springen und durchbrennen. Nein, nimm dich zusammen! Bloß nicht den Kopf verlieren!«

Die Gewißheit, daß er die Sache verpfuscht hatte, traf ihn wie ein Blitzschlag. Wenn er doch wenigstens so viel Verstand aufgebracht hätte, den herausgebohrten Kitt aufzusammeln und wieder ins Schlüsselloch zu stopfen! Jetzt war es zu spät. Naomi war bestimmt schon zurückgekommen und hatte die Polizei angerufen. Und die wartete jetzt sicher schon in seinem Haus auf ihn. Man würde ihm Handschellen anlegen. Und ihm alles wegnehmen. Ganz Warschau würde sich an seinem Untergang weiden. Er würde im Gefängnis verrotten. Der kalte Schweiß brach ihm aus. Ade, Koppel Berman, Meschulam Moschkats rechte Hand, angesehener Warschauer Hausbesitzer, Vater anständiger Kinder! Jetzt war er Koppel Berman, der Dieb, der mit seiner Beute in einer Droschke floh. Selbst der Kutscher wußte Bescheid! Wie käme er denn sonst dazu, so merkwürdig vornübergebeugt, mit eingezogenem Kopf auf dem Bock zu sitzen? Von irgendwoher hörte Koppel das langgezogene Schrillen einer Trillerpfeife. Die Polizei war schon hinter ihm her!

Er schloß die Augen und wartete. »Es ist zu Ende«, dachte er. »Was wird Lea sagen?«

Er spürte einen stechenden Schmerz in dem verletzten Finger. Sein Puls hämmerte wie wild. Er öffnete die Augen. Im Schein einer Straßenlaterne konnte er unter seinem Fingernagel etwas Schwarzes entdecken. Da mußte sich ein Rostsplitter festgesetzt haben.

Plötzlich hielt die Droschke. Eine Trambahn fuhr vorbei. Sie befanden sich irgendwo auf der Senatorska. Von der Weichsel herüber blies ein kalter Wind. Koppel war zumute, als ob man ihn plötzlich aus tiefem Schlummer geweckt hätte.

5

Als die Droschke auf die Praga-Brücke zurollte, ließ Koppels Nervosität nach. Niemand war hinter ihm her. Naomi war vermutlich noch nicht nach Hause gekommen, und noch niemand hatte die verstreuten Kittbröckchen entdeckt. Der Alte selber mußte das Schlüsselloch verstopft haben – lange bevor er krank geworden war. Und falls jemand Verdacht schöpfte, würde es sicher eine Weile dauern, bis man die Polizei verständigte. Koppel wischte sich den Schweiß von der Stirn. Dann zog er eine Zigarettenschachtel aus der Tasche und strich (was bei dem Wind, der von der Weichsel herüberfegte, gar nicht so einfach war) ein Zündholz an. Er lehnte sich in die Polster zurück, streckte die Beine aus, nahm die schwere Aktentasche auf den Schoß und schloß die Augen.

Auf der Brücke herrschte ein Höllenlärm. Mit lautem Gebimmel ratterten Trambahnen die Schienen entlang. Automobile und schwerbeladene Lastwagen fuhren vorbei. Bierkutscher krakeelten und ließen die Peitsche knallen. Der Droschkenkutscher drehte sich zu Koppel um. »Wohin soll's denn gehen, Chef?«

Koppel nannte eine jenseits seines Hauses verlaufende Querstraße. Der Kutscher spornte den Gaul mit einem leichten Peitschenhieb auf die Flanke an. Riesige dunkle und rötlich getönte Wolken zogen am Himmel dahin, und zuweilen tauchte dazwischen die Mondsichel auf. Als die Droschke an seinem Haus vorbeifuhr, spähte Koppel zum Eingang hinüber. Niemand lauerte dort auf ihn. Um nicht von einem seiner Nachbarn erkannt zu werden, schlug er den Mantelkragen hoch und zog sich den Hut tief in die Stirn. Er stellte fest, daß nur an einem einzigen Fenster seiner Wohnung Licht durch den Vorhang drang. Baschele ging mit dem Petroleum noch genauso sparsam um wie in den ersten Ehejahren, als der Wochenlohn ihres Mannes ganze zehn Rubel betragen hatte.

»Wir sind da, Chef!« sagte der Kutscher. »Brrr!« Koppel stieg aus, gab dem Mann einen halben Rubel und wartete, bis die Droschke davongefahren war. Dann ging er langsam auf sein Haus zu.

Vor der Wohnungstür blieb er einen Moment stehen und lauschte. Er hörte Baschele in der Küche herumlaufen und etwas vor sich hinsummen. Alles war in Ordnung. Er ging hinein. In der Küche war es warm. Aus den dampfenden Kochtöpfen stieg ihm ein würziger Geruch in die Nase. Baschele beugte sich gerade zur Backröhre hinunter. Ihre Figur wirkte immer noch schlank, fast mädchenhaft. Sie hatte ein breitflächiges Gesicht, wäßrige Augen und eine leichte Stupsnase. Als Koppel sie – die Tochter eines Hausmeisters – geheiratet hatte, war sie Dienstmädchen gewesen. Von seinen Geschäften wußte sie nichts. Sie war vollauf damit beschäftigt, zu kochen, zu backen und Ausschau nach günstigen Einkaufsmöglichkeiten zu halten. Ihr einziges Vergnügen bestand darin, den Gauklern zuzusehen, die im Hof ihre Kunststücke vorführten, oder den Straßensängern zuzuhören. Am Sabbatnachmittag besuchte sie regelmäßig ihre Schwester in der Altstadt. In der ganzen Nachbarschaft war Baschele als treue Ehefrau und liebevolle Mutter bekannt. Wenn Koppel die Nacht woanders verbringen wollte, sagte er seiner Frau, er müßte im Auftrag seines Chefs verreisen, und nie wollte Baschele Näheres darüber wissen. Sie wußte nicht einmal, daß das Haus, in dem sie wohnten, ihrem Mann gehörte. Koppel hatte ihr gesagt, es sei von Meschulam nur auf seinen Namen eingetragen worden.

»Eine rein juristische Angelegenheit«, hatte er ihr erklärt. »Sprich mit niemandem darüber!« Und Baschele hatte kein Wort verlauten lassen.

Obwohl sie, als Koppel die Küche betrat, mit dem Rücken zu ihm am Herd stand, wußte sie, daß ihr Mann hereingekommen war. Sie hatte ihn schon am Schritt erkannt, als er die Treppe hinaufstieg, und es war ihr auch nicht entgangen, daß er einen Augenblick vor der Wohnungstür gewartet hatte.

»Bist du's, Koppel?«

Sie drehte sich um, und beinahe wäre ihr die Pfanne aus der Hand gefallen.

»Gott der Gerechte – du bist ja käseweiß! Bleicher als ein Toter!«

»Ich soll bleich sein? Was faselst du denn da?«

»Kreideweiß! Bist du krank? Tut dir was weh?«

»Nein, mir tut nichts weh.«

»Was schleppst du denn in deiner Aktentasche herum? Die platzt ja fast aus den Nähten.«

Koppel zuckte zusammen. »Ist jemand hiergewesen?«

»Nein, niemand. Wer hätte denn kommen sollen?«

»Wo sind die Kinder?«

»Weiß Gott, wo die wieder herumrennen und sich die Schuhsohlen durchlaufen.«

Koppel ging hinüber in das dunkle Wohnzimmer, das »große Zimmer«, wie es von der Familie genannt wurde, und dann – ohne Licht zu machen – in sein eigenes Zimmer. Hier saß er jeden Sabbat, um seine Kontobücher zu führen und über Lea nachzugrübeln. So oft Baschele dieses Zimmer auch aufräumte – ständig war es mit allem möglichen vollgestopft. Da waren gelbe Reitstiefel, die Koppel nie getragen hatte, ein Sattel, drei alte Wanduhren, die nie die gleiche Zeit anzeigten, auch wenn sie noch so sorgfältig eingestellt wurden. Auf einem Tisch lag eine Mandoline. An der Wand hingen ein Kalender und Bilder von Herrschern, Jägern, Generälen und Opernsängern. Es roch nach Tabak und Leder.

Koppel schloß die Tür und schob den Riegel vor. Er öffnete die Aktentasche und betrachtete die hineingestopften Geldscheine. Dann zog er mit zitternden Händen die Banknotenbündel aus seinen Taschen. Er sah auf den ersten Blick, daß es viel mehr Geld war, als er angenommen hatte. Die meisten Banknoten waren mit Schnur oder Gummibändern zusammengebündelt. Eines dieser Bündel bestand aus lauter Hundertrubelscheinen. An die fünftausend Rubel mußten das sein – allein in diesem Bündel!

»Ein Vermögen!« flüsterte er.

Seine eigene Stimme klang ihm fremd in den Ohren. Er hatte das Gefühl, nicht allein im Zimmer zu sein, das Gefühl, beobachtet zu werden. Die Flamme seiner Lampe flackerte, als wäre sie plötzlich von einem Windstoß erfaßt worden. Die Fensterscheiben klirrten. Koppel begann das Geld zu zählen, aber immer wieder verrechnete er sich. Damit die Banknoten nicht so raschelten, wollte er seine Fingerspitzen anfeuchten, doch sein Mund war wie ausgetrocknet. Er stellte sich mitten ins Zimmer und blickte forschend um sich. Das Geld mußte versteckt werden – so schnell wie möglich. Aber wo sollte er ein Versteck finden, das bei einer möglichen Haussuchung nicht entdeckt wurde? Weder eine Truhe noch der Ofensims kamen dafür in Frage. Und auch nicht der Dachboden, wo das Geschirr und andere Utensilien für das Pessachfest aufbewahrt wurden. Ob er eine Fußbodendiele aufstemmen und das Geld darunter verstecken sollte? Nein, mit diesem Dreh konnte man die Polizei nicht mehr hereinlegen.

Er ging zum Spiegel und betrachtete sich. »Du Teufel! Du Dieb!« Baschele hatte recht – er war kreideweiß. Seine Haare waren schweißnaß. Ich werde bestimmt krank, dachte er. Ich werde alles und alle ruinieren. Plötzlich hörte er jemanden an die Wohnungstür hämmern, dann waren rasche Schritte zu vernehmen. »Sie sind mir schon auf den Fersen! Die Polizei!« Er stürmte zu dem Banknotenstapel und hielt die ausgestreckten Arme darüber, als könnte er das Geld auf diese Weise vor Zugriffen schützen. Wieder spürte er einen stechenden Schmerz im Finger. Jemand klopfte energisch an die Tür. »Wer ist da?« rief er auf polnisch – aber es war nur Baschele, die ihm sagen wollte, das Essen sei fertig.

»Warum hast du dich eingeschlossen?« fragte sie durch die Tür. »Die Nudeln werden kalt!«

Zweites Kapitel

I

Hadassas Verschwinden hatte zur Folge, daß ihre Eltern sich unaufhörlich zankten. Njunje schlief nicht mehr im gemeinsamen Schlafzimmer; das Dienstmädchen mußte ihm das Sofa im Arbeitszimmer als Bett zurechtmachen. Nachts blieb er lange auf und las ein Buch, in dem beschrieben wurde, wie die Erde sich von der Sonne abgespalten hatte und allmählich ausgekühlt war; wie aus der Schlacke die ersten Lebewesen entstanden und sich im Laufe von vielen Generationen – Mikrobe, Fisch, Affe – weiterentwickelten, bis schließlich der Mensch ausgeformt war. Im Vergleich zu den abertausend Millionen Jahren, die vergangen waren, seit sich aus dem kosmischen Nebel das Sonnensystem entwickelt hatte, waren die Jahre, in denen er, Njunje, nun schon auf dieser Erde herumkrauchte, bloß ein winziger Tropfen im Meer der Ewigkeit. Wo jetzt Warschau war, könnte einst – wer weiß? – ein Ozean gewesen sein. Und wo heute tiefe Abgründe gähnten, könnten dermaleinst große Städte aufragen. Selbst die Sterne und Planeten konnten nicht ewig bestehen; sie flammten auf, dann erloschen sie. Der Hexenkessel der Natur brodelte unaufhörlich und brachte unaufhörlich neue Welten, neue Arten, neue Lebensformen hervor.

Wenn Njunje diese Schilderungen las, vergaß er eine Weile, daß er eine kranke, unleidliche Frau hatte, daß sein einziges Kind durchgebrannt war, daß er seit über zwei Wochen nichts von Hadassa gehört hatte, daß sein Vater auf dem Sterbebett lag und daß er, Njunje, nichts aus seinem Leben gemacht hatte. Jahrelang hatte er versucht, sich von Warschau und der Familie loszureißen, um die Welt zu sehen und etwas zu lernen. Aber immer noch war er hier in der Panska lebendig begraben. Ein Tag war wie der andere. Er stand auf, sprach das Morgengebet, frühstückte, wechselte mit Moischele, seinem Verwaltungsgehilfen, ein paar Worte über die Mietzinseintreibung – und im Handumdrehen war es schon wieder an der Zeit, zum Abendgottesdienst ins Bialodrewner Bethaus zu gehen. Bei Tage, nach dem Mittagessen, konnte er gut schlafen, nachts aber wälzte er sich von einer Seite auf die andere, und ein Wust von Gedanken ging ihm durch den Kopf. Seit Hadassa fort war, hatte sich Dache den weinerlichen Singsang alter Weiber angewöhnt. Jedes Wort, das sie zu ihm sagte, war wie ein scharfer Stachel. Nie zuvor war er sich so klar darüber gewesen, daß ihn sein Vater, im Verein mit den Heiratsvermittlern, ein für allemal erledigt hatte.

Das ist keine Ehefrau, dachte er – das ist eine Plage. Ein entsetzlicher Mißgriff!

Wenigstens im Arbeitszimmer blieb es Njunje erspart, sich Daches saure Miene ansehen und ihre endlosen Klagen anhören zu müssen. Er hatte aufgehört, sich Sorgen um Hadassa zu machen. »Sie ist gescheiter, als ich es war«, sagte er sich. »Ich wollte, ich hätte auch soviel Mut gehabt!« Er beschloß, seiner Tochter, sobald sie von sich hören ließ, monatlich dreißig Rubel zu schicken, und zwar so lange, bis sie ihr Universitätsstudium beendet hatte. Und – wer weiß? – vielleicht würde er es sogar irgendwie schaffen, sie in der Schweiz zu besuchen. Was konnte es denn schaden, sich einige dieser weltlichen Kleidungsstücke zuzulegen und sich ein bißchen weiterzubilden? Fühlte denn nicht auch er sich von der großen, freien Welt jenseits der polnischen Grenze angezogen?

Dache schlief noch nicht. Auf drei Kopfkissen gestützt, saß sie in ihrem Bett. Sie mußte sich über mehr Probleme den Kopf zerbrechen als Njunje, dieser Trottel, der auf dem Sofa im Arbeitszimmer übernachtete – was sie trotz allem als Beleidigung empfand. »Er ist kein Mann«, dachte sie, »er ist ein Schwein. Seine Frau wird krank, und er läuft davon. Für den zählt nur eins: sich den Bauch vollzustopfen.« Oder hatte er sich vielleicht mit anderen Frauen eingelassen? Bei einem Mann konnte man da nie ganz sicher sein – bei keinem!

Erst kurz vor Morgengrauen schlummerte sie ein. Als sie gegen zehn Uhr aufwachte, fühlte sie sich erschöpfter als vor dem Einschlafen. Der Postbote hatte nichts gebracht. Ihre Tochter war verschwunden wie ein Stein, den man in einen Teich geworfen hat. Wie lautete der Vers aus dem *Buch Hiob*? »Nackt bin ich aus meiner Mutter Leib gekommen, nackt werde ich wieder dahin gehen.«

Schifra brachte Tee mit Milch, dazu eine Semmel und Butter, aber Dache begnügte sich mit dem heißen Tee. Sie hatte keinen Appetit. Njunje war bereits ausgegangen. Dache hatte keine Ahnung, wo sich dieser Hohlkopf tagsüber herumtrieb. Vermutlich hatte er sich mit diesem anderen Musterexemplar, seinem Schwager Abram, ausgesöhnt. Um zwölf Uhr war Dache zu Dr. Mintz bestellt, bei dem sie einer Elektrobehandlung unterzogen wurde und Strychnin-Nitrit injiziert bekam. Sie müsse gut auf sich achtgeben, hatte er ihr erklärt – andernfalls könnte ihr Zustand kritisch werden.

»Um die Tochter mache ich mir keine Sorgen«, hatte Dr. Mintz gesagt. »Aber um die Mutter.«

Schifra blieb allein in der Wohnung. Sie stellte das Essen auf den Herd (für sich selber ein Stück Rindfleisch, für die Hausherrin ein Hühnerviertel), dann ging sie ins Wohnzimmer. Sie setzte sich hin, hüllte sich in ihren Schal und ließ sich von der Wintersonne, die durchs Fenster schien, wärmen. Ihren Rock zog sie bis weit über die Knie hinauf, damit auch ihre Schenkel etwas von der Wärme abbekamen, und ihre Bluse knöpfte sie am Ausschnitt auf, wie es die Töchter wohlhabender Familien taten, wenn sie sich auf ihren Landsitzen aufhielten. Hadassas Flucht hatte Schifra zu einer gewissen Liederlichkeit verleitet. Wenn Mädchen wie Hadassa das Benehmen der Andersgläubigen nachahmten, was sollte dann *sie* daran hindern, das gleiche zu tun – auch wenn sie bloß ein Dienstmädchen war? Das Telefon klingelte. Schifra stand auf und meldete sich. Der Anruf war für sie selber. Itschele, ein Bierkutscher, den sie unlängst kennengelernt hatte, wollte wissen, ob sie Samstagabend mit ihm ins Theater gehen würde. Schifra lächelte verschämt in den Spiegel, der neben dem Telefon hing.

»Warum willst du mich mitnehmen?« fragte sie kokett. »Weil ich gar so hübsch bin?«

»Du weißt schon, warum.«

»Ach geh – du bist ja gar nicht an mir interessiert«, behauptete Schifra, wobei sie sich wie jemand vorkam, der sich auf ein pikantes Abenteuer eingelassen hat. »Dich interessiert doch bloß dieses Mädchen in Praga.«

»Die hab' ich schon längst vergessen.«

Schifra hatte gewisse Zweifel, ob es sich überhaupt lohnte,

mit dieser neuesten Eroberung anzubändeln. Sicher, Itschele hatte sein Auskommen, aber die Leute tratschten über ihn. Es hieß, das Mädchen, das er heiraten sollte, habe die Verlobung gelöst, und er treibe sich bei dem Gesindel in der Krochmalnastraße herum. Sie traute diesen glattzüngigen Burschen mit den kecken Augen und den blankgewichsten Schaftstiefeln nicht. Es war zwar nichts dabei, mit einem Mannsbild wie Itschele ins Lichtspieltheater zu gehen oder sich von ihm in eine Imbißstube einladen zu lassen, aber wenn es ums Heiraten ging, mußte ein Mädchen nach einem soliden Mann Ausschau halten.

Itschele wollte sich weiter mit ihr unterhalten, doch da klingelte es an der Wohnungstür. Schifra legte auf und ging in den Flur.

»Wer ist da?«

»Polizei.«

Schifra zitterte am ganzen Leib. Ob Itschele etwas angestellt hatte? Sie öffnete die Tür einen Spaltbreit. Draußen stand ein untersetzter Polizist, der eine hohe Schirmmütze und eine silbergraue Uniform mit Epauletten trug. Schifra machte die Tür ganz auf und stieß einen Schrei aus. Hadassa stand vor ihr. Sie sah elend aus. Ihr Mantel war zerrissen, sie hatte keine Kopfbedeckung auf. Ihre Haare waren zerzaust. Unterm Arm trug sie einen unförmigen Papiersack. Sie wirkte so verschüchtert und ängstlich wie ein Dienstmädchen aus der Provinz. Impulsiv legte ihr Schifra beide Hände an die blassen Wangen.

»Ist das die Wohnung von Nachum Leib Moschkat?« Der Polizeibeamte las den Namen von einem Zettel ab.

»Ja.«

»Wo ist er?«

»Er ist nicht zu Hause.«

»Und seine Frau?«

»Ist ausgegangen.«

»Kennen Sie dieses Mädchen?« Er deutete auf Hadassa. Es fehlte nicht viel, und er hätte ihr seinen behandschuhten Zeigefinger in die Brust gebohrt.

»Du lieber Himmel, das ist meine junge Gnädige!«

»Wie heißt sie?«

»Hadassa.«

»Ga-da-sa.« Der Polizist sprach den Namen russisch aus. »Wann kommt der Hausherr heim?«

»Ich weiß nicht. Irgendwann heute abend.«

»Und wer sind Sie?«

»Das Dienstmädchen.«

»*Da*. Morgen früh um neun komme ich wieder. Und Sie ...« – er fixierte Hadassa – »... Sie werden diese Wohnung nicht verlassen, verstanden? *Do swedanja.*«

Forsch legte er die Hand an den Griff seines Bajonetts, dann hob er zwei Finger andeutungsweise an sein Mützenschild und ging die Treppe hinunter.

Schifra rang die Hände und bewegte die Lippen, aber es dauerte eine Weile, bis sie zusammenhängend sprechen konnte.

»Gott der Gerechte! Was sehen meine Augen? Warum bleiben Sie denn vor der Tür stehen?«

Unsicher sah Hadassa dem entschwindenden Polizisten nach. Dann trat sie ein. Ihr Gang hatte etwas Gezwungenes, Starres an sich. Schifra begleitete sie in ihr Zimmer. Regungslos, ihr Bündel immer noch unter den Arm geklemmt, blieb Hadassa an der Tür stehen. Ihre Augen, die tief eingesunken schienen, blickten starr geradeaus.

»Allmächtiger Gott, was ist passiert?« ächzte Schifra.

Hadassa schwieg. »Soll ich Ihnen Tee bringen?« Hadassa schüttelte den Kopf. »Möchten Sie sich waschen?« Hadassa starrte sie ganz merkwürdig an.

»Nein. Nicht jetzt.«

Schifra überlief es kalt. Sie ging ins Wohnzimmer und lehnte sich an den Kachelofen. »Oi, oi, Gewalt geschrien!« lamentierte sie. »Wenn die nach Hause kommen! Das wird schlimmer als Jom Kippur!«

Als sie wieder in Hadassas Zimmer kam, lag diese, noch im Mantel, auf dem Bett. Sie hatte das Gesicht zur Wand gedreht und gab keinen Laut von sich. Schifra wußte nicht, ob sie wach war oder schlief. Hadassas Schuhsohlen waren durchlöchert, ihre Strümpfe zerrissen. Das Bündel lag auf dem Tisch. Es war aufgegangen, und Schifra sah, was es enthielt: ein Strumpfband, einen zerbrochenen Kamm und einen Kanten Schwarzbrot. Schifra traute ihren Augen nicht. Solches Brot hatte sie in dieser Gegend noch nie gesehen, nicht einmal als Proviant für Soldaten. Es sah schwerverdaulich aus: unausgebacken, klitschig und voller Kleie. Plötzlich hatte Schifra einen Kloß im Hals. Solches Brot bekam man im Gefängnis zu essen.

2

Gegen vier Uhr kam Dache nach Hause. Sie läutete und mußte eine ganze Weile warten, bis sie Schifra rufen hörte: »Wer ist da?«

»Ich bin's.«

Zögernd öffnete Schifra die Tür.

»Gnädige Frau«, sagte sie nach einigem Zaudern, »ein Brief von Hadassa ist da.«

»Ein Brief! Wann ist er gekommen? Gib her!«

»Er liegt in Hadassas Zimmer.«

Dache ging durch den Flur und machte die Tür auf. Hadassa war hochgeschreckt und saß jetzt, zusammengekauert, mit gesenktem Kopf auf der Bettkante. Ihr Gesicht war auf der einen Seite – dort, wo sie es ins Kopfkissen gedrückt hatte – rot angelaufen. Als ihre Mutter hereinkam, machte sie eine Bewegung, als wollte sie aufstehen, sackte aber wieder in sich zusammen. Dache war feuerrot geworden – es schien, als glühte sie vor Zorn.

»Du lebst also noch.«

Hadassa schwieg.

»Da bist du also wieder!« sagte Dache schroff und wunderte sich über ihre eigenen Worte. Sie warf einen Blick über die Schulter, sah Schifra an der Schwelle stehen und knallte die Tür zu. Am liebsten hätte sie Hadassa in die Arme genommen, ihr aber gleichzeitig gehörig den Kopf gewaschen.

»Wann bist du zurückgekommen?«

Wieder keine Antwort.

»Bist du taubstumm oder sonstwas?«

»Ich bin heute gekommen – bevor ...«

»Gott steh dir bei – wie du aussiehst! Daß ich diesen Tag erleben muß!« Es klang wie eine Art Singsang, so, als spräche ihre verstorbene Mutter, die fromme Frau des Rabbis von Krostinin, aus ihr.

Eine ganze Weile stand sie da und musterte ihre Tochter. Hadassas Mantel war völlig verdreckt. Zwei abgerissene Knöpfe hatten im Stoff Löcher hinterlassen. Das Oberteil ihres Kleides war zerfetzt. Ihre Haare waren verfilzt. Daches Blick fiel auf das Bündel.

»Was für ein Brot ist das?«

»Brot.« Nur dieses eine Wort.

»Jaja, das sehe ich selber.«

Sie ging hinaus und schlug die Tür zu. Schifra stand immer noch im Flur.

»Wann ist sie gekommen? Und wie?«

»Ein Polizist hat sie hergebracht.«

»Ein Polizist? Das bedeutet, daß sie verhaftet war.«

»Scheint so.«

»Was hat er gesagt?«

»Daß er morgen früh wiederkommt, um neun.«

»War noch jemand zugegen?«

»Der Hausmeister war auf der Treppe, mit seiner Frau.«

»Und die Nachbarn sind natürlich auch alle angerannt gekommen.«

»Schon möglich.«

»Jetzt läßt es sich nicht mehr verheimlichen. Alle Welt soll von meiner Schande wissen!« Daches Augen flackerten. »Lange wird sie ohnehin nicht mehr in dieser Welt weilen.«

»Bitte, gnädige Frau, sagen Sie so was nicht!«

»Schweig! Kümmre dich ums Badewasser! Sie starrt vor Schmutz. Und laß niemanden in die Wohnung!«

»Das Telefon klingelt.«

»Geh nicht hin!«

Schifra eilte ins Badezimmer, um Wasser warm zu machen. Dache ging ins Wohnzimmer. Die Hände über der Brust gefaltet, begann sie, auf und ab zu gehen. Ihre Müdigkeit war wie weggewischt; plötzlich fühlte sie sich gekräftigt. Sie stieß an einen Hocker und schleuderte ihn mit dem Fuß beiseite. Sie murmelte Worte, die sie selber überraschten: »Beerdigung ... Krankenhaus ... schwanger ... Bankert ...« Dann, in lauterem Ton: »Und dieser Trottel – den ganzen Tag treibt er sich Gott weiß wo herum.« Sie hatte das Bedürfnis, lauthals zu schreien, eine Verwünschung nach der anderen auszustoßen. Wieder klingelte das Telefon. Sie hob den Hörer ab.

»Wer spricht dort?«

»Dache, meine Liebe, ich bin's, Abram.«

»Was willst du?«

»Dache, bitte hör zu! Ich rufe wegen Hadassa an. Es ist wichtig.«

»Jetzt ist nichts mehr wichtig. Du hast sie auf dem Gewissen. Jetzt kannst du vergessen, daß sie jemals gelebt hat!«

»Du hörst jetzt zu, verstanden? Ich habe eine Postkarte bekommen . . .«

»Ach was, eine Postkarte! Du Mörder, du Dieb, du Ganove!«

»Entschuldige, Dache, aber du keifst wie ein Marktweib.«

»Verflucht sollst du sein, wie du Fluch über uns gebracht hast! Deinen Töchtern soll's genauso ergehen wie meiner Tochter! Du Satan, du Mörder!« Sie knallte den Hörer auf die Gabel, der Apparat fiel scheppernd auf den Fußboden.

Schifra kam herein. »Gnädige Frau, der Ofen brennt.«

»Von mir aus kann alles brennen! Laß das Badewasser ein! Ist grüne Seife da?«

»Ja, gnädige Frau.«

»Hol einen leeren Sack und stopf ihre sämtlichen Kleidungsstücke hinein! Dann wirfst du alles in die Mülltonne.«

Sie ging wieder zu Hadassa hinüber, die inzwischen ihren Mantel ausgezogen hatte. Auch ihr Kleid war völlig verschmutzt. Ihr Hals war ausgemergelt und mit blauen und braunen Flecken übersät. Sie stand an der Kommode und wich, als ihre Mutter hereinkam, erschreckt einen Schritt zurück. Dache nahm den Brotkanten vom Tisch und wog ihn in der Hand.

»Schwer wie Blei.«

Hadassa rührte sich nicht.

»Was stehst du herum wie ein Ölgötze? Warum starrst du immerzu vor dich hin? Wo bist du gewesen? Rede! In was für elenden Löchern hast du gehaust? Wer hat dein Kleid zerfetzt?«

»Niemand.«

»Wo ist er? Wohin hat er sich verdrückt? Was hat er dir angetan? Ich werde es in alle Welt hinausschreien!«

»Mama!«

»Ich bin nicht deine Mutter! Ich merze diesen Schandfleck aus, hörst du? Was hat er dir angetan? Sag mir die Wahrheit!«

»Mama!«

»Wir müssen wissen, was wir dem Arzt sagen sollen. Vielleicht ist es noch nicht zu spät. O mein Gott!«

»Ich brauche keinen Arzt.«

»Was brauchst du denn? Eine Hebamme?«

Schifra erschien an der Tür. »Gnädige Frau, das Wasser ist heiß.«

»Komm jetzt! Damit du wenigstens die Läuse los wirst.«

»Das kann ich selber tun.«

»Du schämst dich wohl? So ein Luder wie du kann doch gar kein Schamgefühl mehr haben!«

Daches Gesicht bekam einen Stich ins Grünliche. Ihre Augen flackerten, ihre Lippen zuckten. Ihre Hakennase hatte etwas Bedrohliches an sich. Mit beiden Händen packte sie Hadassa bei den Schultern und bugsierte sie vor sich her.

»Du kommst jetzt mit, kapiert? Vorwärts, du schamlose Kanaille!«

Hadassa wehrte sich nicht.

»Ich lebe gar nicht mehr«, dachte sie. »Ich bin tot. Sie werden einen Leichnam waschen.« Sie ließ sich von ihrer Mutter das Kleid vom Leib zerren, den Unterrock, das Hemd, den Schlüpfer, die Strümpfe. Schifra stopfte alles in den Sack, dann drehte sie die Wasserhähne auf. Während die Wanne vollief, stand Hadassa bewegungslos, mit klappernden Zähnen, auf dem gefliesten Fußboden. Sie senkte den Kopf und schloß die Augen. In einem fort redete sie sich ein, daß sie bereits tot sei, daß ihr nichts mehr zustoßen könnte, daß sie sich nicht mehr zu schämen brauchte.

3

Dr. Mintz, der auf Daches Anruf hin gekommen war, befaßte sich lange mit Hadassa. Er hörte ihr Herz und ihre Lunge ab, fühlte ihr mit seinen kurzen, dicken Fingern den Puls und sah dabei auf seine Uhr. Nachdem er mehrmals »hm, hm« gemacht und sich ausgiebig geräuspert hatte, erklärte er, Hadassa müßte wieder ins Sanatorium. Zunächst aber dürfte sie ein, zwei Wochen lang das Bett nicht verlassen. Und keine Besuche empfangen – sie brauche absolute Ruhe.

Der kleine, grobknochige Doktor mit dem enorm großen Kopf und dem buschigen Schnauzbart griff nach seiner Tasche, zog den Mantel mit dem dicken Pelzkragen an und setzte seinen breitkrempigen Professorenhut auf.

»Das Wichtigste ist jetzt, ihr keine Fragen zu stellen und keine Vorwürfe zu machen.«

»Herr Doktor, versprechen Sie mir, daß sie es gut übersteht.«

»Bin ich Gott der Allmächtige oder einer von diesen Wunderrabbis? Wir werden tun, was in unserer Kraft steht.«

Er stieg die Treppe hinunter und mußte auf halbem Weg innehalten: Er hatte selber ein schwaches Herz.

Neben seiner Kutsche warteten mehrere Frauen mit Kopftüchern. Sie umringten ihn und begannen über allerlei Wehwehchen und die üblichen Frauenbeschwerden zu klagen. Dr. Mintz schwang drohend seinen Regenschirm.

»Laßt mich in Ruhe! Dumme Gänse! Ich bin kränker als ihr!« Ärgerlich stampfte er mit dem Fuß auf. »Ihr seid noch nicht am Abkratzen – keine von euch!«

Er hievte sich in die Kutsche, lehnte sich im Sitz zurück und zog einen Bleistift und ein kleines Notizbuch aus der Tasche. In seiner absonderlichen Handschrift, die nur er selber entziffern konnte, vermerkte er, daß er mit jemandem von der Regierung über Euser Heschel sprechen wollte, der jetzt bestimmt in irgendeinem modrigen Gefängnis schmachtete. Auch er selber war einmal ein bettelarmer chassidischer Student gewesen und hatte eine Liebschaft mit einer Tochter aus reichem Hause gehabt. Wer hätte sich damals schon träumen lassen, daß sie sich zu einer wahren Xanthippe entwickeln würde! Hadassa würde es nicht mehr lange machen. Ein Jammer!

Hadassa war allein in ihrem Zimmer. Wie unfaßlich und dennoch wie vertraut – diese Wärme und Behaglichkeit, der saubere Körper und das weißseidene Nachthemd; die makellose Bettwäsche, der geheizte Ofen; die Landschaftsbilder und die Porträts, die von den Wänden auf sie herabblickten! Auf dem Nachttisch standen ein Teller mit Orangenscheiben, ein Schüsselchen Haferflockenbrei und eine Tasse Kakao. Hier gab es keine Wanzen. Und keine Gefängniswärterinnen, die an ihr herumfummelten. War es denn zu glauben? Ja, jetzt konnte sie friedlich in ihrem eigenen Bett sterben.

Sie schloß die Augen und öffnete sie wieder. Wie viele Tage waren seit ihrer Heimkehr verflossen? Sie schlief oft den ganzen Tag, aber müde war sie trotzdem. Die Zeit schien so schnell zu vergehen. Es wurde Tag, dann Nacht, dann wieder Tag. Sie hörte, wie es drei Uhr schlug, und kurz darauf war ihr, als schlüge es bereits neun. Ihre Träume hatten etwas Alptraumhaftes. Manchmal glaubte sie, wie eine Fledermaus durch die Luft zu fliegen und dann plötzlich wie ein Stein herunterzufallen. Schattenhafte Gestalten flüsterten ihr etwas zu – in einer grobschlächtigen Mischung aus Russisch, Polnisch und Jiddisch. Abram und Euser Heschel schienen zu ein und derselben, doppelgesichtigen Gestalt verschmolzen. Ihr Vater und Dr. Mintz wurden *eine* Person und dann wieder zwei verschiedene. Und sie selber war in diesen Träumen auf dem Weg ins Ausland, doch die Grenze wich immer weiter zurück, plötzlich aber rückte sie näher und verwandelte sich – erst sah sie wie ein Berg aus, dann wie ein Fluß.

Ihre Mutter sah zur Tür herein. »Deck dich zu, mein Kind, sonst erkältest du dich.«

»Wann ist Purim?«

»Komische Frage! Nächste Woche, so Gott will.«

»Wie geht's Onkel Abram?«

»Weiß der Teufel – und zum Teufel mit ihm!«

»Wie geht's Großvater?«

»Seinen Feinden soll's auch nicht besser gehen!«

Hadassa hätte gern gefragt, ob man etwas von Euser Heschel gehört habe, doch sie ließ es bleiben. Sie drehte sich zur Wand und dämmerte ein. Dann hatte sie das sonderbare Gefühl, daß ihr Kopf immer größer wurde, aufgeblasen wie ein Ballon, und daß ihre Finger ins Riesenhafte wuchsen. Sie schreckte hoch. Draußen mußte es schon dunkel sein, denn die Lampen brannten. Ihre Mutter, vornübergebeugt, in einem langen schwarzen Kleid, hielt ein Fieberthermometer in der Hand.

»Immer das gleiche. Unverändert«, murmelte sie vor sich hin.

»Mama, wie spät ist es?«

»Zehn Uhr.«

»Ist es noch heute?«

»Was? Hast wohl gedacht, es ist noch gestern? Da, nimm deine Medizin!«

»Sie ist wach?« Hadassa erkannte die Stimme ihres Vaters und sah ihn hereinkommen. Es kam ihr so vor, als wäre er kleiner geworden. Er sah sie an und lächelte. »Eine schöne Missetäterin!« hörte sie ihn sagen.

Sie mußte wieder eingeschlafen sein, denn das nächste, dessen sie gewahr wurde, war die Finsternis ringsum. Sie konnte sich nicht erinnern, wo sie war. Sie setzte sich im Bett auf und preßte die Hände an die Stirn. »Ja, ich bin im Gefängnis. Alles ist zu Ende!« Sie hielt den Atem an und lauschte. Wo waren die anderen Frauen? Kein Laut war zu vernehmen. Waren sie alle gestorben oder hatte man sie freigelassen? Sie streckte die Hand aus. Ihre Finger berührten ein Glas. Sie setzte es an die Lippen. Es war Tee, kalt, mit Zucker und Zitrone. Und plötzlich kam die Erinnerung an alles, was geschehen war, zurück: wie sie sich am Muranower Bahnhof mit Euser Heschel getroffen hatte; die Dritte-Klasse-Fahrt nach Reiwitz; die gemeinsam mit ukrainischen Bauern in der kalten Bahnstation verbrachte Nacht; die Fahrt – in einem Karren – nach Krasnystaw; das von Kutschern, Handelsvertretern und Chassidim wimmelnde Wirtshaus; die lange Reise nach Krzeszow und das Warten an der Mühle – das Warten auf den nichtjüdischen, dunkelhaarigen Mann, der sie über die Grenze nach Österreich bringen sollte. Sie erinnerte sich an den Namen des Dorfes: Bojari. Euser Heschel hatte sich nicht rasiert. Er war auf den Heuboden gestiegen und hatte gelesen. Von einem Bauern hatten sie erfahren, daß der Grenzposten abgelöst worden war und nun auch der neue Posten bestochen werden mußte. Dann, mitten in der Nacht, der lange Weg zum zugefrorenen San. Der Mann, der sie führte, behauptete, es sei bloß ein Kilometer, aber es hatte Stunden gedauert und entsetzliche Anstrengung gekostet. Sie waren über vereiste Felder gestapft, durch Wälder und Sümpfe. Es hatte geregnet, sie waren völlig durchnäßt gewesen. Der Wind hatte Euser Heschels Hut davongeweht. Und sie selber hatte eine Galosche eingebüßt. Hunde bellten. Eine Laterne blitzte auf, dann war es wieder stockfinster. Dann hatten sie plötzlich Rufe und Schüsse gehört. Sie hatten sich auf den Boden geworfen. Euser Heschel hatte ihren Namen gerufen. Ein Soldat hatte sie gepackt und zu einem Schilderhaus gezerrt, wo ein zweiter Soldat mit einem Bajonett stand. Sie hatte geweint und die Wachtposten angefleht, sie laufen zu lassen, aber sie hatten mit steinerner Miene erklärt: »Gesetz ist Gesetz.«

Unter Bewachung war sie nach Janow gebracht worden, dann nach Zamosc, Izbica, Lublin, Piaski, Pulawy, Iwangorod, Zelabow und Garwolin. In Janow hatte sie die Gefängniszelle mit einer Mörderin teilen müssen, die ihr erzählte, sie habe ihrer Schwiegermutter mit einer Sichel den Kopf abgehackt. In anderen Städten war sie zu Diebinnen und Prostituierten in die Zelle gesteckt worden. Sie hatte eine politische Gefangene, ein Mädchen aus Zamosc, kennengelernt. In Warschau schließlich war sie eine Nacht lang im Siebten Kommissariat inhaftiert gewesen. Am nächsten Morgen hatte man sie dem Vierten Kommissariat überstellt, von wo aus sie von jenem Polizeibeamten nach Hause gebracht worden war.

Jetzt, in der Dunkelheit, konnte sie sich wieder an alles erinnern. Ihr Plan, in die Schweiz zu fliehen, war gescheitert. Euser Heschel hatte es irgendwohin verschlagen. Und sie selber war schwer krank und entehrt. Nein, es hatte keinen Sinn, weiterzuleben. Sie konnte Gott nur noch um eines bitten: sie aus dieser Welt abzuberufen – jetzt gleich. Sie ließ sich zurücksinken und versuchte, sich vorzustellen, daß das Leben allmählich aus ihrem Körper wich. Im Geist nahm sie Abschied von ihrer Mutter und ihrem Vater, von Abram und Euser Heschel. Lebte er noch oder war er tot? Sie wußte es nicht.

Drittes Kapitel

I

In der Familie Moschkat war es Brauch, das Purimfest in Meschulams Haus zu begehen, wo sich die Söhne und Töchter, die angeheirateten Verwandten und die Enkelkinder einfanden, um gemeinsam zu feiern. Auch dieses Jahr hielt man, obwohl der alte Herr krank war, an dem Brauch fest. Naomi und Manja waren eifrig dabei, Plätzchen, Torten und Strudel zu backen sowie das traditionelle Kichererbsengericht und Fladen zuzubereiten. Nathan las das *Buch Esther* vor. Zum Festmahl am Spätnachmittag zündete Rosa Frumetl zwei kurze, dicke Kerzen an. Manja ließ den großen Kronleuchter herunter, um die Dochte anzuzünden. Eigentlich hatte man erwartet, daß Meschulam im Bett bleiben würde, während die Familie feierte, doch den Gesten des alten Herrn war eindeutig zu entnehmen, daß er an der Festtafel das Präsidium führen wollte. Er wurde angezogen und im Rollstuhl ins Eßzimmer gefahren. Im Kerzenlicht sah sein Gesicht so gelb aus wie der Safran auf dem Purim-Brotzopf. Der Kranke trug einen seidenen, stickereiverzierten Schlafrock, Pantoffeln und ein Samtkäppchen. Damit er sich nicht erkältete, hatte man ihm einen Schal über die Knie gelegt. Die Füße stützte er auf einen Schemel. Nathan brachte ein Waschbecken und einen kupfernen Schöpflöffel. Joel goß Wasser über die Hände seines Vaters und trocknete sie mit einem Handtuch ab. Naomi und Manja servierten süßsauren Karpfen, Suppe, Fleischklößchen mit Rosinensauce und zum Nachtisch Aprikosenkompott. Außerdem konnte man sich an *Hamantaschn* – dreieckigem, mit Mohn gefülltem Gebäck –, Mandeln, Walnüssen und Eingemachtem gütlich tun. Dazu gab es Wein, Wischniak und Honigwein. Ab zwölf Uhr mittags überbrachten Boten die Purimgeschenke von Verwandten und Freunden. Rosa Frumetl und Naomi sorgten dafür, daß alle Boten ein angemessenes Trinkgeld erhielten und mit einem passenden Geschenk für den jeweiligen Auftraggeber zurückgeschickt wurden. Meschulam saß am Kopfende des Eßtisches und starrte vor sich hin. Er hörte und verstand jedes

Wort, doch ihm schien die Zunge am Gaumen zu kleben, und es widerstrebte ihm, unverständliche Laute von sich zu geben oder immer nur Kopfbewegungen zu machen. Er bemerkte, daß Pinnjes Ärmel in der Fischsauce hing und daß Joels vierjähriger Enkel sich mit Obst und Süßigkeiten vollstopfte. Er wird sich überessen und sich den Magen verderben, dachte der Alte. Ich wollte, ich könnte ihm zurufen: »He, du Schlingel, jetzt reicht's!«

In einem fort kamen Schnorrer, arme Leute und maskierte Jugendliche herein. Rosa Frumetl hielt Kleingeld im Wert von fünfundzwanzig Rubeln bereit, das sie vor sich auf einen Teller gestapelt hatte. Sie verteilte es an die jungen Burschen aus der benachbarten Jeschiwa, an die Beauftragten von Wohlfahrtsorganisationen, Armenküchen und Waisenhäusern und an die »in eigener Sache« erscheinenden Schnorrer, die reichlich anmaßend auftraten – immer schnell bei der Hand, sich heftig zu beschweren, wenn das Almosen nicht ihren Erwartungen entsprach. Sie warfen Meschulam verächtliche Blicke zu, die zu sagen schienen, daß ihn jetzt das gerechte Los all derer ereile, die den Bedürftigen verweigern, was ihnen zusteht.

Singend kamen die Purimspieler herein. Sie hatten sich Wattebärte umgebunden und hohe Papiermützen mit dem Davidstern aufgesetzt. Ihre Augen konnte man durch die Schlitze der Masken aufgeregt funkeln sehen. Manche Spieler hatten sich ein Schwert oder einen Dolch aus Pappdeckel umgehängt. Sie sangen, führten ziemlich schwerfällig ihre Tänze vor und gingen spielerisch mit den Schwertern aufeinander los. Einige Jugendliche führten ein Stück auf, das von König Ahasverus und Königin Esther handelte. Als Meschulam noch wohlauf gewesen war, hatte er den Purimspielern ihren Obolus gegeben und sie schleunigst hinausgejagt: Für solchen Mummenschanz hatte er nichts übrig. Und obendrein waren unter diesen Purim-Störenfrieden auch Taschendiebe. Diesmal aber erhob niemand Einspruch. Ahasverus – mit langem schwarzem Bart und Papierkrone – reckte Königin Esther sein goldenes Zepter entgegen. Zwei Henkersknechte taten so, als schlügen sie der Königin Vasthi (die gehörnt war und unter deren Gewand die Stiefel eines jungen Burschen hervorlugten) das Haupt ab. Haman, der einen riesigen Schnurrbart hatte und einen Dreispitz trug, zollte Mordechai Tribut, derweil Seres, seine Gemahlin, einen Nachttopf über seinem Kopf ausleerte. Meschulam konnte das Geplapper der Akteure nicht verstehen. Die anderen lachten, kicherten und klatschten Beifall. Nathan wieherte vor Vergnügen, wobei sein Wanst auf und ab hüpfte. Als er vor lauter Begeisterung zu husten und keuchen begann, rannte Saltsche zu ihm und klopfte ihm auf den Rücken.

Meschulam musterte die ganze Gesellschaft verächtlich.

»Blödes Pack!« dachte er. »Dummköpfe!«

Jetzt bedauerte er alles: daß er zweimal ein Mädchen mittelmäßiger Herkunft zur Frau genommen und Kinder gezeugt hatte, die zu nichts taugten; daß er bei der Auswahl seiner Schwiegersöhne nicht anspruchsvoller gewesen war; daß er die Narretei begangen hatte, ein drittes Mal zu heiraten; und, am allermeisten, daß er es versäumt hatte, ein ausführliches Testament zu machen, einen Testamentsvollstrecker zu bestimmen und einen beträchtlichen Teil seines Vermögens für wohltätige Zwecke zu hinterlassen. Jetzt war es zu spät dafür. Die würden sein Vermögen durchbringen, bis auf den letzten Groschen! Zanken und raufen würden sie sich. Koppel würde stehlen, soviel er nur konnte. Abram würde die ganze Familie begaunern. Und für Hama würde kein roter Heller übrigbleiben. Man hatte ihm berichtet, Hadassa sei zurückgekommen, doch er konnte sich das alles nicht so recht zusammenreimen. Von *wo* war sie zurückgekommen? Was war aus dem Burschen geworden, mit dem sie durchgebrannt war? Wie sollte man das Mädchen jetzt, da es entehrt war, unter die Haube bringen? Eine Stelle aus dem *Prediger Salomo* fiel ihm ein: »Und siehe, da war alles eitel und Haschen nach Wind.« Er sah zum Fenster hinüber. Die Sonne war untergegangen, aber noch war der Himmel von sonnendurchfluteten Wolken erhellt. Sie sahen aus wie glühende Segelschiffe und flammende Besen, wie purpurne Fenster und fremdartige Geschöpfe. Und mitten am Himmel war eine große, leuchtende Stelle – wallend und brodelnd, gelb und grün wie siedender Schwefel –, die ihn an den Flammenstrom gemahnte, in dem seine Seele reingewaschen werden mußte. Eine Hand aus

Licht, Nebel und Unendlichkeit bewegte sich blitzschnell hin und her, wob kunstvolle Muster, schrieb geheime Botschaften. Doch was das alles zu bedeuten hatte – das zu verstehen, war den Menschenkindern nicht beschieden. Würde er, Meschulam Moschkat, denn wenigstens drüben im Jenseits die Wahrheit aller Dinge erkennen?

»Auf dein Wohl, Vater! Auf daß du bald wieder gesund wirst!« Joel trank ihm zu.

Meschulam rührte sich nicht. Warum mußte dieser Vielfraß auch noch Wein schlabbern? War sein Wanst nicht schon fett genug?

Der Alte verzog das Gesicht und bewegte den Kopf. Naomi und Pinnje brachten ihn ins Schlafzimmer zurück. Sie hoben ihn aus dem Rollstuhl, legten ihn ins Bett und deckten ihn zu. Er lag lange wach und beobachtete, wie die Dämmerung hereinbrach. Die Wolkengebilde hatten sich aufgelöst, nur noch ein paar winzige Wölkchen standen am Himmel. Die Sterne gingen auf. Die Kirchtürme auf der anderen Straßenseite waren noch vom Abendrot überhaucht, und dahinter stand der gelbe Mond am Firmament. Wie schon als kleiner Junge glaubte Meschulam auch jetzt noch, im fahlen Antlitz des Mondes die Gesichtszüge Josuas zu erkennen. Was bedeuteten ihm jetzt noch die Angelegenheiten dieser Welt? Er hatte nur noch den einen Wunsch, die Herrlichkeit jener anderen Welt zu erblicken, die, in geheimnisvollem Licht erschimmernd, hoch über den Dächern des Grzybow-Viertels auf ihn wartete.

2

In früheren Jahren pflegte Abram den Abend des Purimfestes im Hause Meschulams zu verbringen. Seit er mit seinem Schwiegervater auf dem Kriegsfuß stand, hatte er diesen Feiertag in seiner eigenen Wohnung begangen. Hama und Bella hatten Honigkuchen und *Hamantaschn* gebacken. Am späten Abend, nach der Feier im Haus des Alten, waren dann jedesmal, beschwipst und singend, die Verwandten bei ihm erschienen und bis spät in die Nacht geblieben. Die Frauen und Mädchen tanzten miteinander. Die Männer tranken Bier. Abram zog eines vom Hamas alten Kleidern und darüber eine

Bluse an, setzte eine ihrer ausrangierten Perücken auf, stopfte sich ein Kissen in den Ausschnitt und spielte eine Ehefrau, die nach einem Streit mit ihrem Mann zum Rabbi gelaufen kommt. In schrillem Falsett beklagte er sich darüber, daß Njunje (der Ehemann), dieser Taugenichts, sich nicht um den Familienunterhalt kümmere und den ganzen Tag im chassidischen Bethaus verbringe. Außerdem habe er die schlechte Angewohnheit, seine Finger in die Töpfe auf dem Herd zu stecken. Dann krempelte Abram die Ärmel auf.

»Rebbe! Ich bin Mutter von acht Kindern! Schaut Euch das hier an – grün und blau hat er mich gekniffen!«

»Pfui! Schäm dich! Bedeck deine Arme! Liederliches Frauenzimmer!« schrie sie der (von Pinnje gespielte) Rabbi an.

»Rebbe, mein Juwel! Nu guckt's Euch doch an – es wird Euch schon nichts schaden. Ihr seid eh zu alt dafür.«

Jahr für Jahr zogen sie am Purimfest diese Nummer ab, und trotzdem brachen die Frauen jedesmal in schallendes Gelächter aus. Sie fielen einander in die Arme und jauchzten vor Vergnügen. Und der Mieter im Stockwerk darunter wollte die nächste Monatsmiete nicht zahlen, weil bei dieser Tollerei der Verputz an der Decke Risse bekommen hatte.

Noch eine andere Nummer hatten die beiden auf Lager. Abram, angeblich von einem Dibbuk besessen, wurde zu Pinnje (der wieder den Rabbi spielte) gebracht, um sich den Dibbuk austreiben zu lassen. Auf Pinnjes Frage, welche Sünden er in seinem bisherigen Leben begangen habe, erwiderte Abram bekümmert:

»Oi, oi, Rebbe, welche habe ich *nicht* begangen?«

»Hast du verbotenes Fleisch gegessen?« fragte Pinnje streng.

»Nur wenn es gut geschmeckt hat.«

»Hast du's mit Weibern getrieben?«

»Mit wem denn sonst? Etwa mit Männern?«

»Hast du an Jom Kippur gefastet?«

»Bloß einen Bissen Schweinefleisch hab' ich zwischen den Mahlzeiten zu mir genommen.«

»Und weiter?«

»Ich bin zur verheirateten Tochter des Rebbe hinübergefahren.«

»Was hast du dort gemacht?«

»Der Rebbe war in der *schul*, also hab' ich die Kerzen ausgeblasen, und dann haben wir den Psalter rezitiert.«

»Im Dunkeln?«

»Ich kann ihn auswendig.«

Worauf die Frauen jedesmal erröteten und kicherten. Und Joel, dessen Gesichtsfarbe dann immer an eine rote Rübe erinnerte, stieß ein lautes »Ha!« aus, wobei ihm die Zigarre aus dem Mund fiel.

Jahr für Jahr gab Pinnje die gleiche Spottpredigt zum besten. Er erläuterte seinen Zuhörern, daß der biblische Mordechai in Wirklichkeit ein Warschauer Chassid gewesen sei. Bei Haman handle es sich in Wirklichkeit um Rasputin, bei Vasthi um die Zarin und bei Esther um eine von Abram protegierte Opernsängerin. Spitzfindig verdrehte er die Bibelstellen, um darzulegen, daß Mordechai ein Heringshändler gewesen sein mußte. Die Frauen lachten sich halbtot über Pinnjes drastische Gesten und piepsige Stimme. Spät in der Nacht tat man sich nochmals an Kichererbsen, Honigwein, kaltem Fleisch und Kren gütlich. Dann machten sich die Gäste lauthals lachend und plaudernd auf den Heimweg, klopften an die Wohnungstüren der Nachbarn und weckten deren Kinder auf. Im Hof schmetterte Nathan ein Purimlied und tanzte mit dem Pförtner. Einmal war es sogar passiert, daß Njunje vom Balkon aus einen ganzen Krugvoll Bier auf die Straße schüttete. Die Uniformmütze eines zufällig vorbeigehenden Polizisten war klatschnaß geworden. Daraufhin kam der Ordnungshüter die Treppe heraufgestürmt und wollte die ganze Gesellschaft verhaften. Man mußte ihm etwas in die Hand drücken, damit er sich wieder beruhigte.

Dieses Jahr aber war die Wohnung verödet. Am Spätnachmittag ging Abram aus dem Haus, besorgte eine Flasche Wein und einen Blumenstrauß und fuhr per Droschke zu Ida. Als Tochter einer frommen und wohlhabenden Familie war Ida daran gewöhnt, das Purimfest fröhlich zu feiern. Doch diesmal war auch sie allein. Zosia war zu einer Freundin gegangen. Ida blickte nicht von ihrem Buch auf, als Abram hereinkam.

»Guten Purim! Warum schaust du so mißmutig drein? Heute ist Feiertag.«

»Davon merken wir aber herzlich wenig!«

Seit Ida vor Jahren ihren Mann verlassen hatte, war es zwischen ihr und Abram schon mehrmals zum Bruch gekommen. Ihre Freunde hatten ihr warnend erklärt, Abram sei ein falscher Fuffziger. Leo Prager, ihr Ehemann, hatte nie die Hoffnung aufgegeben, daß Abram eines Tages von der Bildfläche verschwinden und Ida zu ihm, Leo, zurückkehren würde. Pepi, die bei der Trennung ihrer Eltern drei Jahre alt gewesen war, hatte kein richtiges Zuhause. Zeitweise war sie bei ihrer Mutter in Warschau, zeitweise bei ihrem Vater in Lodz oder bei ihrer Großmutter oder im Internat. Schon mehrmals war Ida aus Warschau abgereist und hatte Abram in langen Abschiedsbriefen angefleht, sie endlich in Ruhe zu lassen. Doch immer wieder war es ihm gelungen, sie zur Rückkehr zu bewegen: Er hatte ihr Briefe und Telegramme geschickt oder war ihr in die Kurorte nachgefahren, in denen sie Zuflucht gesucht hatte. Ida schwor, daß er sie behext haben mußte. Sie konnten beide keinen Frieden finden, weder gemeinsam noch getrennt voneinander.

Meschulam verglich die beiden mit einem Hund und einer Hündin, die sich ineinander verkeilt haben.

3

Es war kurz vor Mittag, als Abram tags darauf Idas Wohnung verließ. Er beschloß, diesmal keine Droschke, sondern die Trambahn zu nehmen; er hatte bloß noch drei Rubel im Geldbeutel und wußte nicht, wer ihm noch etwas leihen würde. Doch als er aus dem Hoftor kam, fuhr prompt eine Droschke vor. Er stieg ein und befahl dem Kutscher, in die Zlotastraße zu fahren. Dann steckte er sich eine Zigarre an. Die Vorfrühlingssonne schien, in den Rinnsteinen plätscherte das Tauwasser. Vom Wald in Praga wehte ein lindes Lüftchen herüber. Als die Droschke über die Brücke fuhr, sah Abram, daß das Eis auf der Weichsel zu bersten begann. Während er die Eisschollen betrachtete, war ihm, als glitte die Brücke an ihm vorbei. Auf der Warschauer Seite sah es noch mehr nach Frühling aus. Das Bronzeschwert gezückt, stand König Sigismund auf seiner Säule. Die Nixenfiguren tranken durstig aus ihren leeren Pokalen. Vor dem Schloß waren Soldaten aufmarschiert. Eine Militärkapelle schmetterte. Offiziere brüllten Kommandos. Ein katholischer Trauerzug, der einem mit Kränzen bedeckten Sarg folgte, bahnte sich einen Weg durch die Menge, die zusammengeströmt war, um die Militärparade zu sehen.

»Ein Jammer, ausgerechnet jetzt sterben zu müssen«, dachte Abram. »Wenn alles wieder zum Leben erwacht.«

Die Droschke hielt vor seiner Wohnung. Er stieg aus, ging hinauf, legte sich zu Bett und schlummerte ein. Ein Geräusch riß ihn aus dem Schlaf: Jemand sperrte die Wohnungstür auf. Er rappelte sich hoch. Hama kam herein. Er starrte sie ungläubig an. Ihr Gesicht hatte einen Stich ins Grünliche, dicke Tränensäcke hingen unter ihren Augen. Auf der Wange hatte sie einen häßlichen roten Fleck, wie von einem Schlag ins Gesicht. Sie wollte etwas sagen, brachte aber keinen Ton heraus. Dann begann sie zu schluchzen. »Er ist tot. Vater ist gestorben.«

Abram starrte sie mit offenem Mund an. »Wo? Wann?«

»Heute früh. Er ist eingeschlafen – wie ein Kind.«

Sie schwankte. Abram stürzte auf sie zu und fing sie auf.

»Nu, nu – nicht mehr weinen! Er war ein alter Mann.«

»Er war mein Vater.« Wieder brach Hama in Tränen aus. »Ach Gott, was soll jetzt aus mir werden? Ich bin mutterseelenallein.«

»Hama, beruhig dich doch! Setz dich hin.«

»Wozu lebe ich überhaupt noch? O Gott, ich wollte, ich läge neben ihm!«

Abram half ihr auf einen Stuhl. Dann ging er im Zimmer auf und ab. »Jaja, so ist das eben. Alles ist einmal zu Ende.«

Hama schneuzte sich. »Und du – du hast dich mit ihm überworfen. Und jetzt liegt er da, mit den Füßen zur Tür.«

»Gott soll mich strafen, wenn ich jemals sein Feind war.«

»Ach Gott, was soll ich denn tun? Jetzt bin ich ganz allein.«

»Du bist nicht bei Trost! Eine reiche Frau wirst du sein. Was für einen Stuß redest du denn da? Du wirst Häuser haben und obendrein einige Hunderttausend in bar!«

»Das will ich aber nicht! Ich will überhaupt nichts haben. Wenn ich doch neben ihm läge!«

»Was faselst du denn da? Du hast Töchter, die du unter die Haube bringen mußt.«

»Wozu bin ich denn noch nütze? Zu gar nichts! Ein Hund ist besser dran als ich.« Plötzlich sprang sie vom Stuhl auf. »Abram! Du hast mir genug Schande gemacht! Damit muß jetzt Schluß sein!«

Sie machte eine Bewegung, als wollte sie sich ihm an den Hals werfen. Abram wich einen Schritt zurück.

»Ich weiß nicht, worauf du hinaus willst«, murmelte er fast ängstlich.

»Abram, so kann es nicht weitergehen. Bring mich um, schlag mich, zerfleisch mich, aber laß mich nicht allein!« Sie streckte die Hände nach ihm aus. »Um Gottes willen, hab Mitleid mit mir!«

Sie begann krampfhaft zu schluchzen. Plötzlich warf sie sich vor ihm zu Boden und umklammerte seine Beine. Er verlor fast das Gleichgewicht.

»Hama, um Gottes willen, was soll das?«

»Bitte, Abram, ich flehe dich an! Versuchen wir's noch einmal – ich halt's nicht mehr aus!«

»Steh auf!«

»Schaffen wir uns wieder ein anständiges Zuhause! Damit die Kinder wieder wissen, was es heißt, einen Vater zu haben.«

Abram spürte, wie ihm das Blut ins Gesicht schoß. Tränen rannen ihm über die Wangen.

»Also gut.«

»Und du kommst zur Beerdigung?«

»Ja. Steh doch auf!«

»Ach, Abram, ich liebe dich, das weißt du doch! Ich liebe dich.«

Er bückte sich und half ihr beim Aufstehen. Sie klammerte sich an ihn. Er spürte ihre Tränen auf seinem Gesicht. Eine ungeahnte Wärme ging von ihr aus. Plötzlich überkam ihn ein längst vergessenes Verlangen nach dieser abgehärmten Frau, der Mutter seiner Kinder. Er beugte sich zu ihr hinunter und küßte sie auf die Stirn, die Wangen, das Kinn. Mit einemmal war ihm sonnenklar, daß eine Scheidung nicht in Frage kam, ganz gleich, wie es weitergehen würde. Sie mußten den Rest ihres Lebens beieinander bleiben – zumal da der Alte jetzt tot war und Hama eine fürstliche Erbschaft zu erwarten hatte.

4

Meschulam Moschkats Beerdigung fand erst zwei Tage nach seinem Hinscheiden statt, obwohl es jüdischer Brauch war, die Trauerfeier am Todestag abzuhalten. Die Verzögerung wurde dadurch verursacht, daß der Vorstand der jüdischen Gemeinde darauf bestand, die Vereinbarung, derzufolge Reb Meschulam für den Preis von zweitausend Rubeln in den Besitz eines Doppelgrabes auf dem Friedhof an der Genscha gelangt war, für null und nichtig zu erklären. Die Bevollmächtigten des Beerdigungsvereins erhoben nämlich den Vorwurf, Meschulam hätte ihnen die Grabstätte für einen lächerlich geringen Preis abgeluchst, und beriefen sich darauf, daß dem Talmud zufolge irrtümlich getroffene Vereinbarungen null und nichtig seien. Und nun verlangten sie von Meschulams Erben eine Nachzahlung von zehntausend Rubeln.

Joel geriet derart in Wut, daß er wüste Drohungen ausstieß: Er werde sie verklagen, er werde sie verhaften lassen. Doch sie lachten bloß über ihn.

»Er kann's ja versuchen, wenn er unbedingt will«, sagten sie. »Uns soll's recht sein.«

Nach vielem Hin und Her schloß man einen Kompromiß: Die Familie erklärte sich zu einer Nachzahlung von dreitausend Rubeln bereit. Die Streitigkeiten und Verhandlungen zogen sich etwas länger als einen Tag hin. In den chassidischen Kreisen Warschaus wurde über diese Angelegenheit debattiert. Vor dem Gebäude, in dem die jüdische Gemeindeversammlung zusammentrat, herrschte dichtes Gedränge. Dann und wann fuhr eine Droschke vor, aus der ein Gemeindeältester oder ein anderer Amtsträger stieg. Die Zuschauer zuckten die Achseln.

»Nein, es zahlt sich nicht aus, Millionär zu sein!«

»Ich sehe die Sache so: Verkauft ist verkauft.«

»Ein anständiger Mensch versucht nicht, mit der *kehila* zu feilschen.«

Als die Angelegenheit mit der *kehila* geregelt war, traf eine

Eilbotschaft aus Bialodrewna ein: Der Rabbi teilte mit, er werde den nächsten Zug nehmen und man sollte mit der Beerdigung warten, bis er eingetroffen sei. Vor lauter Aufregung hatte die Familie vergessen, ihn von Meschulams Ableben zu benachrichtigen. Das bedeutete eine weitere Verzögerung.

Während der Leichnam in der Moschkatschen Wohnung lag, herrschte im Haus das reinste Tohuwabohu. Naomi und Manja gaben sich alle Mühe, keine fremden Leute hereinzulassen, doch die Neugierigen rissen fast die Türen aus den Angeln. In ein schwarzes Totenhemd gehüllt, lag der Leichnam auf einer Strohschütte im Wohnzimmer. Ihm zu Häupten brannten zwei Kerzen in silbernen Haltern. Der Spiegel war verhängt, die Fenster standen halb offen. Mitglieder des »Totenwächter-Vereins« saßen auf niedrigen Schemeln und skandierten den Psalter. Leute, die irgendwann einmal Differenzen mit Meschulam Moschkat gehabt hatten, kamen herein, um den Verstorbenen um Vergebung zu bitten. Das schwarze Totenhemd ließ Meschulams Kopf fast so klein wie den eines Kindes erscheinen. Rosa Frumetl lief schluchzend und schniefend herum. Sie hatte ihre Perücke abgenommen und ihr kurzgeschorenes Haar mit einem Schal bedeckt. Adele blieb in ihrem Zimmer. Die Söhne, Töchter, Schwiegerkinder und Enkel des Alten kamen und gingen. Der Tresor im Arbeitszimmer war versiegelt worden. Die Familienmitglieder behielten den Besucherstrom ständig im Auge, um sicherzugehen, daß nichts entwendet wurde.

»So ein Gesindel!« lamentierte Naomi. »Man könnte glauben, jemand hat es herbestellt.«

»Wenn *die* wieder draußen sind, kriegt man das Haus bestimmt nicht mehr sauber«, erklärte Manja. »Nichtsnutziges Pack!«

Als sich herumgesprochen hatte, daß der Bialodrewner Rabbi zur Beerdigung erwartet wurde, war die Grzybowstraße im Nu ein brodelndes Menschenmeer. Die Trambahnen mußten auf die Mirowska, in Richtung jüdisches Krankenhaus, umgeleitet werden. Ein verärgerter Fahrgast zuckte die Achseln. »Wo sind wir eigentlich? In Palästina?«

Auch andere chassidische Rabbis kamen zur Beerdigung –

der Nowominsker, der Amschinower, der Koschenitzer. Akiba, der erst kürzlich von Gina geschieden worden war, saß bei seinem Vater, dem Rabbi von Sencymin, in der Kutsche. Er hatte sich auf ein mitgebrachtes Kissen gesetzt, um nicht mit dem Überzug der Polster in Berührung zu kommen, einem groben Halbwollstoff, der nach dem mosaischen Gesetz verboten war. Um die Menschenmassen in Schach zu halten, waren Polizisten im Einsatz. Sie schrien aus vollem Halse und schlugen mit ihren Säbelscheiden um sich. Schülerabordnungen aus einigen der Talmud-Tora-Schulen, die Spenden von Meschulam erhalten hatten, sollten den Trauerzug anführen. Frauen schluchzten, als hätten sie einen engen Verwandten zu betrauern. Die meisten Ladenbesitzer in der Grzybowstraße hatten ihre Geschäfte geschlossen. Da bei einer so großen Beerdigung mit einer starken Nachfrage nach Droschken zu rechnen war, kamen Kutscher aus allen Stadtteilen ins Grzybow-Viertel gefahren. Einige Tattergreise erklärten einander mürrisch, diese Ehrungen habe der Verstorbene gar nicht verdient.

Gegen zehn Uhr setzte sich der Leichenwagen in Bewegung. Die Pferde – drapiert mit schwarzem Stoff, in den Sehschlitze geschnitten waren – zogen ihn langsam hinter sich her. Der Zug der Trauerkutschen erstreckte sich durch die Grzybow-, Twarda-, Krochmalna- und Gnojnastraße. Die Kutschpferde scheuten und wieherten. Kleine Jungen, die auf den Trittbrettern mitfahren wollten, bekamen mit der Peitsche eins übergezogen. Kein anderes Ereignis genossen die Warschauer Juden so sehr wie eine große Beerdigung. Lange bevor der Leichenwagen am Friedhof eintraf, hatte sich dort eine riesige Menschenmenge versammelt. Jugendliche waren auf Grabsteine geklettert, um eine bessere Aussicht zu haben. Jeder Balkon in der Genschastraße war überfüllt. Friedhofswärter, die Mützen mit glänzenden Schirmen und Mäntel mit blankpolierten Knöpfen trugen, brachten Bretter und Schaufeln angeschleppt. Bettler und Krüppel belagerten die Friedhofstore und den Weg zur Grabstätte. Die Zuschauer auf den Balkonen und an den Fenstern befürchteten, die in den Friedhof drängende Menschenmenge könnte den Leichenwagen umwerfen oder einen der Rabbis in das offene Grab schubsen. Doch die Warschauer Juden waren es gewöhnt, bei solchen Massenauftrieben Fassung zu bewahren. Trotz des Durcheinanders ging alles nach Gesetz und Sitte vonstatten. Der Leichnam wurde für die Grablegung in Leichentücher und dann in einen Gebetsmantel gehüllt. Tonscherben wurden ihm auf die Augen gelegt. Und zwischen die Finger steckte man ihm einen Zweig, auf daß der Verstorbene, wenn der Messias kam, sich den Weg ins Heilige Land freigraben konnte. Die Trauergemeinde seufzte. Die Frauen brachen in Wehklagen aus. Der Totengräber rezitierte den traditionellen Grabspruch:

»Er ist der Fels. Seine Werke sind vollkommen; denn alles, was Er tut, ist gerecht: Ein Gott der Wahrheit und ohne Fehl, gerecht und wahrhaftig ist Er.«

Als die Erde wieder ins Grab geschaufelt war, sprachen Meschulams Söhne den Kaddisch. Die um das Grab Versammelten rissen verdorrte Grashalme aus und warfen sie über die Schulter. Abram stand neben Hama und seinen beiden Töchtern. Tränen rannen ihm übers Gesicht, als der Leichnam ins Grab gesenkt wurde. Hama schluchzte während der ganzen Zeremonie bitterlich.

Mosche Gabriel stand ein wenig abseits. Stumm blickte er zum wolkenlosen Himmel empor. »Er ist jetzt schon dort oben«, dachte er. »Befreit von der Bürde des Lebens. Ihm steht die Feuerprobe der Läuterung bevor, wehe! Aber er wird ins Paradies gelangen. Schon jetzt erblicken seine Augen, was keiner von uns sehen kann.« Stefa, Mascha und die anderen »modernen« Enkeltöchter des Verstorbenen waren schwarz gekleidet und trugen mit schwarzem Krepp drapierte Hüte und modische Schleier. Trotz der düsteren Kleidung sahen sie frisch und reizvoll aus und zogen die Blicke der jüngeren Männer auf sich. Lea ließ ihr Taschentuch fallen, Koppel hob es auf. Einige aus der Menschenmenge verließen den Friedhof, um ins Bethaus zu gehen. Andere gingen in Restaurants oder Imbißstuben. Als das Gedränge nachließ, hatten die Dagebliebenen Gelegenheit, die von auswärts angereisten Rabbis zu begaffen – schwarzbärtige und rotbärtige, mit Pelzhüten und pelzgefütterten Seidenmänteln. Ihre langen Schläfenlocken flatterten im Wind. Um den Hals hatten sie sich Wollschals geschlungen. Jeder einzelne wurde von Synagogendienern und Gefolgsleuten abgeschirmt. Die Rabbis seufzten, nahmen Prisen aus großen Schnupftabaksdosen, tauschten höfliche Begrüßungsworte aus, unterhielten sich aber kaum miteinander. Schon seit langem gab es Meinungsverschiedenheiten zwischen den chassidischen Höfen. Als der Bialodrewner Rabbi den Sencyminer Rabbi sah, schaute er sogleich in die andere Richtung. Von der näheren Beziehung, die sich zwischen den beiden entwickelt hatte, als ihre Kinder ein Paar wurden, war jetzt, da Akiba und Gina geschieden waren, nichts übriggeblieben. Dessenungeachtet ging Akiba, dieser Einfaltspinsel, zum Bialodrewner Rabbi hinüber und sagte: »Friede mit Euch, Schwiegervater.«

Worauf dieser ungehalten die Achseln zuckte und nuschelte: »Friede mit dir.«

5

In der Wohnung des Verstorbenen saßen seine Söhne *schiwe*. Alle vier, Joel, Pinnje, Nathan und Njunje, hockten während der vorgeschriebenen sieben Trauertage ohne Schuhe auf niedrigen Schemeln. Die Wandspiegel waren noch verhängt, auf dem Fensterbrett stand ein kleines Becken mit Wasser und einem leinenen Waschlappen, damit die Seele des Verstorbenen die rituellen Waschungen vornehmen konnte. In einem gläsernen Kerzenhalter brannte eine Gedenkkerze. Frühmorgens und am späten Nachmittag versammelte sich ein Männerquorum zum Gebet.

Den Sabbat verbrachten Meschulams Söhne zu Hause bei ihren Familien. Am Samstagabend, als die ersten drei Sterne aufgegangen waren, kehrten sie ins Trauerhaus zurück, um *schiwe* zu sitzen. Nach dieser Unterbrechung war es freilich nicht mehr ganz so wie vorher. Joel und Nathan begannen über aktuelle Probleme zu reden: über den Grundbesitz ihres Vaters, über sein Testament, seine Bankkonten und den Inhalt seines Tresors. Koppel kam aus Praga herüber, und nun machten sich alle fünf daran, schriftliche Kalkulationen anzustellen. Perl, Lea und ihre Schwägerinnen Esther und Saltsche führten in einem anderen Zimmer Privatgespräche. Die Schmucksachen, die Meschulams erster und zweiter Frau gehört hatten, waren verschwunden, und die vier verdächtigten Rosa Frumetl, die Pretiosen an sich genommen zu haben.

»Nur sie kann's gewesen sein«, erklärte Lea. »Sie hat diebische Augen.«

»Wo könnte sie denn den Schmuck versteckt haben?« fragte Saltsche.

»Es gibt gewisse Leute, die ihr dabei geholfen haben könnten.«

Es dauerte keine zwei Tage, bis das Gezänk und Gerangel begann. Aus den heimlichen Verdächtigungen wurden offene Beschuldigungen. Die Frauen forderten Rosa Frumetl auf, zu beschwören, daß sie den Schmuck nicht an sich genommen habe. Rosa Frumetl brach sofort in Tränen aus, beteuerte ihre Unschuld, betete ihren hochachtbaren Stammbaum herunter und rief Gott mit erhobenen Händen zum Zeugen dafür an, daß die Beschuldigungen falsch und die Ankläger üble Verleumder seien. Doch je bitterlicher sie weinte, desto fester waren die anderen von ihrer Schuld überzeugt. Koppel bat Rosa Frumetl in die Bibliothek und sperrte die Tür zu.

»Ehefrauen haben das Recht, sich zu nehmen, was sie wollen«, erklärte er pfiffig, »und Töchter haben das Recht, Beschwerde einzulegen.« Er erbot sich, ihr im Namen der Töchter die schriftliche Zusage zu geben, daß sie, sobald der Schmuck wieder aufgetaucht wäre, ihren vollen Anteil daran erhalten werde. Aber Rosa Frumetl kräuselte verächtlich die Lippen. »Auf Ihre Zusagen kann ich verzichten. Die sind genausowenig wert wie Sie selber.«

In dem nicht unterzeichneten Testament, das im Schreibtisch des Alten gefunden worden war, hatte Meschulam seine Tochter Hama enterbt und verfügt, daß ihr Anteil drei Jahre nach Stefas und Bellas Heirat zwischen den beiden aufgeteilt werden sollte. Auch für wohltätige Zwecke hatte Meschulam Legate ausgesetzt. Nach langen Debatten einigte sich die Familie darauf, das Testament nicht anzuerkennen – mit der Begründung, der alte Herr habe in den letzten Jahren zu viele andere Dinge im Kopf gehabt. Bevor dieser Beschluß gefaßt wurde, kam es zwischen Abram und Nathan beinahe zu Tätlichkeiten. Joel wiederum berief sich darauf, daß ihm, als dem Erstgeborenen, nach mosaischem Gesetz ein doppelter Anteil zustände. Und Pinnje verlangte die Auszahlung der von ihm bisher nicht in Anspruch genommenen Mitgift von dreitausend Rubeln. Als ihn die anderen fragten, ob er einen schriftlichen Beleg vorweisen könnte, rief er erregt: »Es war einer da, aber er ist mir abhanden gekommen!«

»Dann bist du ein Dussel«, erklärte Joel.

»Wenn ich ein Dussel bin, bist du ein Spitzbube!«

Vor vielen Jahren hatte Meschulam ein Haus auf den Namen seiner ersten Frau eintragen lassen. Jetzt beanspruchte Perl, die verwitwete älteste Tochter, dieses Haus für sich, Joel und Nathan – als Hinterlassenschaft ihrer Mutter. Und Rosa Frumetl bewies der Familie schwarz auf weiß, daß Meschulam ihr vor der Trauung in Karlsbad die Zusage gemacht hatte, ihr ein Haus zu überschreiben und ihrer Tochter eine Mitgift auszusetzen. Sie schlug mit der Faust auf den Tisch und drohte, sie alle vor ein rabbinisches Schiedsgericht zitieren zu lassen. Joel kaute wütend an seiner Zigarre herum.

»Mit irgendwelchen Rabbinern kannst du uns keine Angst einjagen.«

»Seid ihr denn ohne jede Gottesfurcht?«

Es sah ganz so aus, als würde sich die Aufteilung des Erbes noch lange verzögern. Zahlreiche Schriftstücke mußten angefertigt, Übertragungsurkunden und Bescheinigungen kopiert, Schätzwerte von Häusern und Grundstücken festgestellt, Archive durchforstet werden. Jeder in der Familie wußte, daß Naomi ihrem Dienstherrn einen beträchtlichen Geldbetrag zu Anlagezwecken übergeben hatte; doch obwohl sie allgemein als sehr gewieft galt, hatte sie es versäumt, sich eine Quittung ausstellen zu lassen. Jetzt mußte man sich darauf verlassen, daß ihre eigenen Angaben über diese Investitionen stimmten. Mit jedermanns Einverständnis blieb Koppel vorläufig mit der Wahrnehmung der geschäftlichen Angelegenheiten betraut. Nach wie vor lieferten Meschulams Söhne und Schwiegersöhne jeden Monat (am Freitag nach dem Achten) die eingegangenen Mieten bei ihm ab. Und schon bald sahen sie ein, daß Koppel für sie jetzt genauso unentbehrlich war wie vorher für ihren Vater. Joel und Nathan kamen jeden Vormittag ins Kontor, wo Koppel ihnen Tee servierte und über den Stand der Dinge berichtete.

Abram geiferte, daß Koppel alles mögliche beiseite schaffen werde, und nannte seine Schwäger Schafsköpfe. Aber keiner scherte sich darum. Statt dessen versuchte man, ihn zu bewegen, sich mit dem Aufseher auszusöhnen. Worauf Abram nur höhnisch grinste. »Nie im Leben!«

Immerhin hatte er jetzt wieder etwas Geld in der Tasche. Er durfte zwar keine Mieten kassieren (das taten jetzt Hama und Bella), aber jeden Freitag bekam er vierzig Rubel für Haushaltsausgaben ausbezahlt. Er kaufte ein paar Geschenke für Ida und dachte jetzt allen Ernstes daran, Vorbereitungen für seine Auslandsreise zu treffen. Jede Woche verbrachte er zwei, drei Abende bei Herz Janowar.

Auch Adele bereitete sich auf ihre Abreise vor. Jetzt, da ihr Stiefvater nicht mehr lebte, hatte sie nur den einen Wunsch, Polen möglichst bald zu verlassen und ihr Studium wiederaufzunehmen – obzwar sie nicht so recht wußte, was und weshalb sie studieren sollte. Ein Familienrat wurde abgehalten, und die Söhne Meschulams einigten sich darauf, Adele eine Ausbildungsbeihilfe von zehn Rubeln pro Woche zu gewähren und ihr eine Mitgift von zweitausend Rubeln auszuzahlen, falls sie sich innerhalb von achtzehn Monaten verehelichen würde.

Als Adele an einem regnerischen Mainachmittag aus der Stadtbibliothek nach Hause kam, fand sie einen Brief vor, der in der Schweiz aufgegeben worden war. Sie riß den Umschlag auf. Es war ein Brief von Euser Heschel, in polnischer Sprache und linkischer Handschrift auf eine herausgerissene Notizbuchseite geschrieben.

Sehr verehrtes Fräulein Adele!

Ich wage nicht zu hoffen, daß Sie sich noch an mich erinnern. Ich bin der junge Mann, der das Manuskript Ihres verehrten verstorbenen Vaters überarbeitet hat und der, Gott sei's geklagt, wie ein Dieb geflohen ist, bevor diese Aufgabe vollendet war. Ja, ich bin noch am Leben. Ich kann mir nur zu gut vorstellen, was Sie, Ihre Mutter und die anderen von meiner Handlungsweise halten. Ich hoffe, daß es mir möglich sein wird, wenigstens das Geld zurückzuzahlen, das ich für diese Arbeit erhalten habe.

Ich hätte nicht gewagt, Sie zu belästigen, wenn ich mich nicht in einer höchst unangenehmen Lage befände. Bei meiner Flucht über die Grenze ist alles, was ich bei mir hatte, verlorengegangen – auch mein Notizbuch. Die einzigen Adressen, die ich im Gedächtnis behalten habe, sind die Ihrige und die von Madame Gina, bei der ich logiert habe. Ich habe an letztere geschrieben, aber der Brief kam zurück – leider wußte ich Madame Ginas Nachnamen nicht.

Ich erlaube mir, Sie um einen großen Gefallen zu bitten. Würden Sie mir Abram Schapiros Anschrift mitteilen? Das wäre äußerst wichtig für mich. Und ich würde Ihre Güte nie vergessen.

Ich erwarte natürlich nicht, daß Sie sich dafür interessieren, wie es mir inzwischen ergangen ist. Ich möchte Ihnen nur sagen, daß ich hier in Bern wohne, im Hause eines Mannes, der aus Galizien stammt und früher in Antwerpen gelebt hat. Ich unterrichte seine Kinder in Hebräisch und anderen jüdischen Lehrfächern. Es ist mir auch gestattet, als Hospitant Vorlesungen an der Universität zu besuchen, und ich bereite mich darauf vor, die Reifeprüfung abzulegen. Ich habe meine Ambitionen längst aufgegeben und mich mit meinem Los abgefunden; nur mein Wissensdurst ist mir erhalten geblieben. Die Schweiz ist sehr schön, aber leider Gottes kann ich mich an der Natur nicht erfreuen. Ich bin immer allein – es ist, als lebte ich auf dem Mond.

Im voraus tausend Dank für Ihre Güte.

Mit vorzüglicher Hochachtung!
Euser Heschel Bannet

Adele schloß sich in ihrem Zimmer ein und schrieb sofort einen Antwortbrief – acht Seiten lang, in dekorativer Handschrift und gespickt mit Frage- und Ausrufungszeichen –, dessen Ton zwischen Heiterkeit und Ernst wechselte. Sie legte eine Fliederblüte und ihre Fotografie bei, auf deren Rückseite sie geschrieben hatte: »Einem hinterwäldlerischen Don Quijote zum Andenken an eine erfolglose Dulcinea.« Sie vergaß allerdings, ihm Abrams Adresse mitzuteilen.

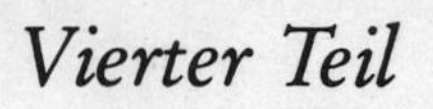

Vierter Teil

Erstes Kapitel

1

Brief von Adele an ihre Mutter

Liebste Mame!

Es ist fast zwei Wochen her, seit ich dir telegrafierte, daß ich geheiratet habe. Inzwischen sind ein Telegramm und zwei Briefe von Dir eingetroffen. Jeden Tag wollte ich an Dich schreiben, aber ich war so in Anspruch genommen, daß ich buchstäblich keine Minute für mich allein hatte. Heute komme ich endlich dazu, Dir alles zu berichten.

Von Wien aus bin ich in die Schweiz gefahren. Wie Du ja weißt, hatte ich vor, mein Studium fortzusetzen. Ich wußte, daß Euser Heschel in Bern gelandet war, aber ich habe mir eigentlich keine Gedanken darüber gemacht. Nie hätte ich mir träumen lassen, daß es eines Tages zwischen uns beiden so weit kommen würde. Wir kannten uns doch nur ganz flüchtig und sind zudem zwei ganz verschiedene Naturen. Als ich ihm in Njunje Moschkats Haus zum ersten Mal begegnet bin, hat er keinen besonderen Eindruck auf mich gemacht. Gleichwohl hielt ich es nach meiner Ankunft in der Schweiz für angebracht, ihn aufzusuchen, um ihm zu berichten, wie es seinen Warschauer Bekannten geht. Außerdem dachte ich mir, daß ich ihm vielleicht irgendwie helfen könnte. Wie sich dann herausstellte, ist er die ganze Zeit in mich verliebt gewesen. Als er mich vor sich sah, ist er mir beinahe um den Hals gefallen. Ganz offensichtlich hatte er seither keinen Gedanken mehr an Hadassa verschwendet. Die ganze Angelegenheit war für ihn bloß ein Abenteuer. Nicht einmal geschrieben hat er ihr. Ganz unabsichtlich ist mir dann herausgerutscht, daß sie jetzt verlobt ist, und da wurde ihm völlig klar, wie wankelmütig sie ist.

Du wirst es kaum glauben, Mame, aber schon am ersten Abend hat er mir gesagt, daß er mich liebt, und mich gefragt, ob ich seine Frau werden will. Ich war wirklich überrascht und erklärte ihm, eine so wichtige Entscheidung dürfe man nicht spontan treffen. Aber er hat immer nur vom Heiraten gesprochen. Die ganze Zeit habe er an mich gedacht, hat er gesagt – und so weiter und so weiter. Ich merkte ihm an, daß er es ernst meinte. Du weißt ja, Mame, daß ich auf bloße Komplimente nicht hereinfalle. Er ist ein eigenartiger junger Mann – so empfindsam und voller Hemmungen. Während des ganzen Gesprächs habe ich große Sympathie für ihn empfunden. Die Lage, in der er sich befand, ist wirklich unbeschreiblich. Er besaß keinen Groschen. Ich bin überzeugt, daß er am Verhungern war, obschon er natürlich zu stolz ist, das zuzugeben. Ich mußte ihn überreden, ein paar Franken von mir anzunehmen – leihweise, wie ich vorsichtshalber sagte. Es würde zu weit führen, dir ausführlich zu schildern, wie wir dann doch zu dem Entschluß gelangten, zu heiraten. Ich wollte eigentlich noch eine Weile damit warten, aber er hat mir das Jawort sozusagen abgerungen. Einem derart impulsiven Menschen bin ich wirklich noch nie begegnet. Ich muß sagen, daß ich ihn hier in der Schweiz plötzlich in einem ganz anderen Licht gesehen habe. Er ist so romantisch und verliebt bis über beide Ohren. Manchmal ist er richtig ausgelassen und redet allerlei Unsinn, der aber immer mit so viel Philosophie und so vielen Talmudzitaten durchsetzt ist, daß man genau merkt, was wirklich dahintersteckt. Die Talmudisten müssen große Bewunderer des schwachen Geschlechts gewesen sein. Immerzu denke ich: Wenn doch Papa meine Heirat noch miterlebt hätte! Er hat immer gesagt, er wünsche sich einen jungen Gelehrten als Schwiegersohn, auch wenn es einer von diesen »Emanzipierten« wäre. Und Euser Heschel hat so viel von Papa an sich! Manchmal, wenn er zu sprechen beginnt, kommt es mir wirklich so vor, als hörte ich Papa reden. Sie gleichen sich wie zwei Wassertropfen. Es ist einfach nicht möglich, Dir das alles in einem Brief zu erläutern.

Er wollte gleich am nächsten Morgen zum Berner Rabbiner gehen, aber ich habe mich strikt geweigert, mich derart drängen zu lassen. Da ist er vor Ungeduld fast verrückt geworden. Und da habe ich mir gesagt, es muß wohl Bestimmung sein, daß alles so gekommen ist. Du hast mir einmal etwas gesagt, Mame, das ich im Gedächtnis behalten habe: »Ums Heiraten und ums Sterben kommt man nicht herum.« Es ist doch, wenn man's recht bedenkt, sehr merkwürdig, daß der junge Mann, der zu uns kam, um Papas Manuskript zu redigieren, sozusagen Papas Platz eingenommen hat! Jetzt *weiß* ich, daß ich ihn liebe und wie sehr ich an ihm hänge. Ich habe mich *nach* der Hochzeit in ihn verliebt - genau wie es damals bei Dir und Papa gewesen ist.

Es war natürlich eine ruhige Hochzeit. Eusel Heschel hat hier einige junge Leute aus Rußland kennengelernt. Er traf sie in dem Lokal, wo sie ihre Mahlzeiten einnahmen, und sie sind alle zur Hochzeit gekommen. Wir hatten einen Ring gekauft und Honigkuchen und Wein – das war alles. Der Schammes trug unsere Namen ein und füllte einen Trauschein aus. So komisch es klingt – mir fiel auf, daß das jüdische Gesetz ihn für den Fall, daß wir, Gott bewahre, jemals geschieden werden sollten, dazu verpflichtet, mir zweihundert Gulden Trennungsentschädigung zu zahlen. Im Studierzimmer des Rabbiners wurden zwei Kerzen angezündet, und Euser Heschel bekam ein weißes Gewand angezogen. Ich weinte fast vor Rührung. Ich trug mein Schwarzseidenes und den Hut, den ich vor der Abreise in Warschau gekauft habe. Die Frau des Rabbiners führte mich zum Traubaldachin. Ich brauche Dir nicht zu sagen, liebste Mame, daß ich mir nie hätte träumen lassen, ohne Dich Hochzeit zu feiern. Ich dachte an Dich und Papa. Ich weiß noch, daß ich früher immer lachen mußte, wenn ich sah, wie eine Braut hinter ihrem Schleier Tränen vergoß, aber ich muß gestehen, daß auch ich bei meiner Trauung geweint habe. Ich mußte mir das Taschentuch an die Augen halten. Der Rabbiner sprach die Trauformel und hielt uns ein Glas Wein an die Lippen. Dann steckte mir Euser Heschel den Ring an. Vier Männer hielten den Traubaldachin hoch. Das war alles. Danach gingen wir alle in mein Hotel, wo wir ein gutes Menü und dazu Wein bestellten. Einer unserer Gäste spendierte eine Flasche Champagner.

Wir verbrachten die Nacht in meinem Hotel, und ich kann Dir gar nicht beschreiben, wie glücklich wir waren. Am nächsten Morgen traten wir unsere Hochzeitsreise an. Zuerst ging's nach Lausanne. Die Bahnstrecke verläuft inmitten von Gebirgszügen – Du kannst Dir gar nicht vorstellen, wie schön die Berge im Frühsommer sind! Mir war, als freute sich die ganze Natur an unserem Glück. Später fuhr der Zug am Genfer See entlang. Wir blieben zwei Tage in Lausanne, in einer jüdischen Pension, wo wir einige sehr interessante Leute kennenlernten. Es gab nur koscheres Essen. Anscheinend wußten alle, daß wir frisch verheiratet waren – man machte allerlei Witze über uns. Euser Heschel geriet beinahe mit einem ziemlich albernen Mann aneinander. Einerseits ist er schüchtern wie ein Kind und möchte alles vor den Leuten verbergen, andererseits sagt er schier unglaubliche Dinge. Ich muß ständig auf ihn aufpassen, damit die Leute nur ja keinen falschen Eindruck von ihm bekommen. Leider Gottes muß ich sagen, daß er sich in den letzten zwei Monaten nicht viel ums Lernen gekümmert hat. Er muß hier erst einmal die Reifeprüfung machen, aber statt sich darauf vorzubereiten, verplempert er seine Zeit mit einem Haufen nutzloser Bücher. Ihm mangelt es völlig an Selbstdisziplin, aber Du kannst dich darauf verlassen, daß ich von jetzt an ein wachsames Auge auf ihn haben werde. Er ist wirklich hochbegabt, und ich bin überzeugt, daß er es noch weit bringen wird. Ihm ist gar nicht klar, wie froh er sein kann, eine Frau wie mich gefunden zu haben. Ohne mich wäre er hier buchstäblich zugrunde gegangen.

Von Lausanne aus fuhren wir nach Montreux. Der Ort liegt eingebettet in steile Weinberge und Schafweiden. Man erwartet eigentlich jeden Moment, daß alles auf die Häuser herunterstürzt. Während unseres Aufenthalts wurde eine Art Fest gefeiert. Die Burschen und Mädchen hatten ihre Tracht angelegt. Die Schweizer sind unbeschwert wie Kinder. Wir Ausländer existieren eigentlich gar nicht für sie. In Montreux blieben wir eine Nacht, dann fuhren wir nach Visp, einem Dorf, von wo aus eine kleine Eisenbahn nach Zermatt fährt. Dort sieht man das Matterhorn aufragen, dessen Gipfel mit Schnee bedeckt ist, als ob tiefer Winter wäre. Euser Heschel war von allem hell begeistert. Wir haben zweimal in Zermatt übernachtet und waren vor Entzücken fast außer uns. Ich kann Dir nicht einmal den tausendsten Teil von alledem schildern, was wir erlebt haben. Eigentlich hatten wir vor, von dort aus nach Italien zu fahren, aber Euser Heschel wollte nicht, daß ich soviel Geld ausgebe. Wenn ich zurückdenke, muß ich wirklich sagen, daß er in mancher Hinsicht sehr komisch ist. Er führt Buch über jeden Pfennig, den wir ausgeben. Er trägt alles unter der Überschrift »Schulden« in ein Notizbuch ein und achtet auf jeden Centime. Ach ja – er hat eine Art Hauslehrerstelle, die ihm ein paar Franken einbringt.

Liebste Mame, jetzt sind wir also wieder in Bern. Wir wohnen noch im Hotel, halten aber Ausschau nach einer Wohnung. Ein Schreiben, in dem der hiesige Rabbiner unsere Heirat bestätigt, lege ich bei – die Moschkats können mir jetzt also die versprochenen zweitausend Rubel schicken. Ich hätte die Trauung ja auch hinausschieben und noch monatelang den wöchentlichen Zuschuß von zehn Rubeln kassieren können – du weißt ja, daß ich vereinbarungsgemäß noch achtzehn Monate Zeit gehabt hätte. Aber ich wollte das nicht ausnützen. Wenn sie auch nur einen Funken Ehrgefühl besitzen, werden sie sicher nicht wollen, daß ich eine finanzielle Einbuße erleide, sondern diese durch ein Geschenk ausgleichen. Wenn Dein zweiter Mann noch am Leben wäre, hätte er mich bestimmt großzügig beschenkt. Denk daran, daß wir beide noch studieren und keine Möglichkeit zum Geldverdienen haben. Ich küsse Dich vielmals und wünsche Dir und uns von Herzen »Masel tow«, denn ich weiß, daß Du Dich über das alles genauso freust wie wir. Euser Heschel hat seiner Mutter ein Telegramm geschickt, aber noch keine Antwort erhalten. Aus allem, was er mir über seine Familie erzählt, schließe ich, daß es lauter sehr fromme, primitive Leute sein müssen. Ihre Lebensweise ist fast noch so wie im Mittelalter. Auch Euser Heschel ist eine Mischung aus Rückständigkeit und Modernität. Deshalb ist es oft so schwer, ihn zu verstehen.

Schreib mir bitte, wie es Dir geht und ob Dir das Haus, das Dir mein verstorbener Stiefvater hinterlassen hat, inzwischen überschrieben worden ist. Ich brenne darauf, jede Einzelheit zu erfahren. Ist Hadassa schon verheiratet? Warst Du auf der Hochzeit? Was sagt die Familie dazu, daß ich geheiratet habe? Bitte teile mir alles mit. Euser Heschel verspricht, Dir bald einen Brief zu schreiben. Inzwischen sendet er Dir herzliche Grüße. Viele Küsse von Deiner auf ein baldiges frohes und glückliches Wiedersehen hoffenden Tochter

Adele Bannet

2

Aus Hadassas Tagebuch

3. Juli. Er hat Adele geheiratet. In der Schweiz.

4. Juli. Eine schlaflose Nacht. Ein schrecklicher Verdacht hat mich gequält: Er hat mir bestimmt geschrieben, und Mama muß die Briefe an sich genommen haben. Wütend lag ich bis Tagesanbruch wach. Immer wieder sah ich mich auf Mama losgehen und ihr die Briefe aus der Hand reißen.

Abends. Warum haben wir keine Religion, die es jüdischen Mädchen erlaubt, in eine Synagoge zu gehen, sich vor Gott auf die Knie zu werfen und zu beten? Ich habe gerade den *Psalter* in polnischer Übersetzung gelesen. Ich erinnere mich daran, daß ich meine Großmutter, als ich sie eines Tages weinend über ihr Gebetbuch gebeugt sah, ausgelacht habe. Gott verzeih mir. Jetzt tropfen *meine* Tränen auf die Seiten. Vater im Himmel, bitte gib mir meinen Glauben wieder! Ich möchte sterben – aber erst nach Mama. Ich wage nicht, mir vorzustellen, wie sie den Leichnam ihrer einzigen Tochter zum Grab geleitet. Ich habe ihr schon so viel Kummer gemacht.

Mitten in der Nacht. Gott hat alles erschaffen, Himmel und Erde und die Gestirne. Und alles nach Seinem Willen. Wie tröstlich das ist! Wenn Gott will, daß wir leiden, dann müssen wir es in Dankbarkeit auf uns nehmen. (Das darf ich nie vergessen!!)

5. Juli. Eine gedruckte Vermählungsanzeige ist angekommen – in hebräischer und deutscher Sprache. Schifra hat sie mir gebracht. Sicher hat Adele die Karten nur drucken lassen, um sie nach Warschau zu schicken. Um über uns alle zu triumphieren. Wie kindisch das ist und wie abscheulich! Die beiden sind in Bern. Ich bin überzeugt, daß er unglücklich ist, aber nicht so unglücklich wie ich.

6. Juli. In meinem Gehirn müssen irgendwelche Teufel herumtoben. Ich kämpfe mit aller Kraft dagegen an, Mama zu hassen. Ich habe sie lieb, aber ich kann ihre Gegenwart nicht ertragen. Lieber Gott, nimm mir nicht auch noch meine Liebe zu ihr! Mein Onkel Abram will nichts mehr mit mir zu tun haben. Mir scheint, daß alle sich an meinem Unglück weiden. Aber das kann einfach nicht wahr sein. Es ist wirklich schrecklich, wie viele Kleider und andere Sachen für mich genäht werden. Hausschneiderinnen sind bestellt worden, die drüben im Wohnzimmer ein ganzes Sortiment Hemden und Unterwäsche nähen – alles mit Spitzen besetzt. So altmodisch und umständlich ist das, als wären wir irgendwo im Mittelalter steckengeblieben. Einen Pelzmantel lassen sie mir auch nähen. Ich bin so froh, daß Klonja in Miedzeszyn ist. Vor ihr schäme ich mich am allermeisten. Man hat mir Maß genommen für eine Perücke. Ich habe sie aufprobiert und mich im Spiegel kaum wiedererkannt. Obwohl das alles so traurig ist, war ich nahe daran, in Lachen auszubrechen. Ja, ich werde die Perücke tragen, als wäre sie das Kreuz, das ich auf mich nehmen muß.

Bei Tagesanbruch. Ich habe volle sechs Stunden geschlafen. Ich träumte, ich wäre im Friedhof an der Genscha. Dort war ein schräges Brett, auf dem tote Kinder hinunterrutschten. Ein kleines Mädchen hatte ein Band im blonden Haar und eine Narbe auf der Stirn. Ich sehe es noch genau vor mir. Wenn alles von Gott kommt, welchen Sinn haben dann solche Träume? Die Hochzeitsfeier soll nicht in einem Saal, sondern in Großvaters alter Wohnung stattfinden. Die Einladungen werden bereits gedruckt. Das alles habe ich mir selber zuzuschreiben. Ich habe mich bereitwillig geduckt, um das Joch auf mich zu nehmen. Und ich weiß, daß mir noch mehr Kummer bevorsteht.

Ich habe einen Brief von meinem Bräutigam bekommen. Seine Handschrift ist sehr abgerundet, und jedes Wort endet mit einem kleinen Schnörkel. Der Brief ist eine Mischung aus drei Sprachen: Jiddisch, Polnisch und Russisch. Ganz offensichtlich hat er ihn aus einem jener Bücher abgeschrieben, die alle möglichen Musterbriefe enthalten.

8. Juli. Ich saß auf einer Bank im Sächsischen Garten, und da kam mir der verrückte Gedanke, *ihm* einen Brief zu schreiben. Ich weiß seine Schweizer Adresse. Obwohl mir klar war, daß ich ja doch nicht wagen würde, den Brief aufzugeben, ging ich in einen Laden und kaufte einen Bogen Papier und ein Kuvert. Auf jiddisch schrieb ich »masel tow«, aber dann habe ich das Blatt zerrissen und die Papierfetzen weggeworfen. Das ist alles so albern. Und die ganze Zeit habe ich so bitterlich geweint, daß die Leute mich angafften.

9. Juli. Gestern bin ich Onkel Abram auf der Straße begegnet. Als er mich sah, machte er eine Bewegung, als ob er mir ausweichen wollte, aber dann zog er den Hut, verbeugte sich und hastete weiter. Ich hätte nie geglaubt, daß mein Onkel Abram jemals den Hut vor mir ziehen und dann wie ein Fremder weitergehen würde. Ganz abgesehen davon, daß er meinen künftigen Ehemann nicht leiden kann, ist meine Heirat für ihn ein persönliches Debakel. Es bedeutet, daß Koppel den Sieg über ihn davongetragen hat. Wie merkwürdig, daß in unserer Familie alles durch Hader und persönlichen Ehrgeiz kompliziert wird. Papa ist in Otwock und schreibt mir nicht einmal. Nach Großvaters Tod hätte ich in allem meinen Willen haben können, das steht fest. Ich hätte Papa sogar dazu bewegen können, mich in die Schweiz gehen zu lassen. Aber ich war zu kaputt. Jetzt springe ich freiwillig in den Abgrund. Ich begreife das gar nicht. Es ist, als beginge ich Selbstmord.

Abends. Es fällt mir so schwer, mir vorzustellen, daß er bei Adele ist. Eigentlich ist es ganz simpel, aber mein Verstand kann es nicht fassen. Ich weiß genau, daß er Tag und Nacht an mich denkt. Es kann gar nicht anders sein. Wir sind Naturen, die eine Art elektrische Anziehung aufeinander ausüben. Gottlob empfinde ich Adele gegenüber keinen Haß. (Jetzt eben *habe* ich einen Anflug von Haß empfunden – es steckt so viel Heuchelei in ihr. Lieber Gott, bewahre mich!) Das einzige, wovor mir graut, ist, daß ich den Verstand verlieren könnte. Mich scheint so etwas wie kindisches Entsetzen gepackt zu haben. Ich kann es nicht beschreiben. Aus irgendeinem Grund jagt mir jetzt jede Art von Schmutz eine panische Angst ein. Immerzu wasche ich mich. Und alle paar Minuten habe ich das Gefühl, ins Badezimmer gehen zu müssen. Das ist alles so unerquicklich. Stefa hat mir ein Buch von Forel gebracht. Ich hatte es schon einmal gelesen, aber diesmal kam mir alles so widerlich vor. Warum muß alles auf der Welt in den Schmutz gezogen werden?

Später. Es gibt etwas, das ich tun muß, aber was es ist, weiß ich nicht. Ich beneide die Nonnen, die ich die Straße entlanggehen sehe. Sie haben offenbar ihren Seelenfrieden gefunden. Wenn Mama nicht wäre, würde ich mich entschließen, Nonne zu werden. Ich habe das sonderbare Gefühl, daß meine Hochzeit mit Fischel gar nicht stattfinden wird. Irgend etwas wird passieren. Ich werde entweder sterben oder im letzten Moment davonlaufen. Meine Mutter hat mir die Hälfte ihres Schmucks gegeben. Plötzlich kommt mir der Gedanke, daß ich sämtliche Schmuckstücke verkaufen und nach Amerika durchbrennen könnte. Andere haben das auch getan. Aber warum überhaupt an so etwas denken? Für mich gibt es keine Hoffnung mehr.

Morgens. Mir ist völlig entfallen, welches Datum wir haben. Ich weiß bloß, daß ich in ungefähr zwei Wochen unter dem Traubaldachin stehen muß. Vorhin ist das Brautkleid gebracht worden. Ich habe es anprobiert und, als ich in den Spiegel sah, zu meinem Erstaunen festgestellt, daß ich immer noch gut aussehe. Die Schneiderinnen haben immer wieder ganz entzückt erklärt, wie wunderbar mir das Kleid stehe. Es ist sehr faltig gearbeitet und hat eine lange Schleppe. Eine Weile war mir etwas leichter ums Herz. So schrecklich ist das alles ja gar nicht, sagte ich mir – ich bin jung, ich sehe gut aus und ich bin nicht arm. Ich merkte, wie mich die anderen beneideten, und das heiterte mich ein bißchen auf.

Montag. Nächsten Samstag wird mein Bräutigam im Bethaus zur Lesung »aufgerufen«. Mama hat mit Papa telefoniert. Er hat versprochen, sofort aus Otwock zurückzukommen. Die Trauung ist am Freitag, und am Samstagabend findet ein Empfang statt. Mama bereitet alles vor. Tag und Nacht ist sie mit Kochen und Backen beschäftigt. Sie regt sich über jede Kleinigkeit auf, und dadurch werden ihre Gallenbeschwerden nur noch schlimmer. Aber wie soll ich ihr denn helfen, wenn ich es einfach nicht ertrage, sie um mich zu haben? Und während ich hier soviel Kummer leide, ist *er* mit Adele in einer Pension irgendwo in den Alpen. Von Schifra erfahre ich alle Neuigkeiten. All das, was ich für mich selber nicht einmal zu erträumen wagte. Ich bin überzeugt, daß sie ihn gar nicht liebt. Welche Schadenfreude sie über mein Unglück empfinden wird!

Mitten in der Nacht. Es wäre so leicht, allem ein Ende zu

machen. Ich habe ein Stück Schnur gefunden und eine Schlinge geknüpft. An der Wand ist ein Haken, und einen Schemel habe ich auch. Das ist alles, was ich brauche, um meinen Kummer für immer loszuwerden. Aber etwas hält mich zurück. Mitleid mit Mama, glaube ich. Und ich weiß ja auch, daß Gott nicht will, daß man sich vor Seinem Strafgericht davonstiehlt. Und ganz tief in mir regt sich immer noch die Hoffnung, daß doch noch nicht alles verloren ist.

Dienstag. Liebes Tagebuch, mein guter Freund, seit meiner letzten Eintragung sind fast drei Wochen vergangen. Die heutige Eintragung stammt nicht mehr von derselben Hadassa, die du früher gekannt hast. Ich sitze an einem Schreibtisch, trage die traditionelle Perücke der verheirateten Frauen, und mein eigenes Gesicht ist mir so fremd wie meine Seele. Ich habe alles durchgestanden: das rituelle Bad, die Trauungszeremonie und alles andere. Ich werde dir, liebes Tagebuch, keine Geheimnisse mehr anvertrauen. Du bist rein, ich bin unrein. Du bist ehrlich, ich bin unaufrichtig. Ich bringe kaum mehr den Mut auf, in deinen Seiten zu blättern. Ich werde dich irgendwo verstecken, zusammen mit ein paar anderen Andenken, die mir lieb und teuer sind. Auch mein Name hat sich geändert. Jetzt heiße ich Hadassa Kutner. Und dieser Name ist für mich genauso sinnlos wie alles andere, das mir widerfahren ist. Adieu, Tagebuch. Vergib mir.

3

Brief von Rosa Frumetl an Adele

An meine innigst geliebte, treue Tochter Adele Bannet.

Zuallererst möchte ich Dir mitteilen, daß ich, gottlob, bei guter Gesundheit bin; gebe Gott, daß ich das gleiche von Dir hören werde, jetzt und immerdar, amen. Zweitens möchte ich Dir nochmals von Herzen »Masel tow« wünschen, ein langes, erfülltes Leben und alles Gute. Möge Deine Heirat ein gutes Omen für Frieden und Wohlstand sein, möge die Zukunft Dir Gesundheit und hohes Ansehen bescheren. Denn wen habe ich denn noch in dieser Welt außer Dir, meine Tochter? Gewiß, ich hätte mir gewünscht, daß mir die Ehre zuteil geworden wäre, mein einziges Kind zum Traubaldachin zu führen – aber in den Augen Gottes bin ich wohl einer so großen Gnade nicht würdig. Als Dein Telegramm kam, habe ich Tränen der Dankbarkeit und Freude vergossen. Hätte doch Dein seliger Vater diesen Tag erleben dürfen! Möge er als Fürbitter vor Gottes Thron treten und um Gnade für Dich, Deinen Gatten und uns alle flehen! Sein Geist ist, dessen bin ich sicher, über Deinem Traubaldachin geschwebt und hat darum gebetet, daß Dir Glück und Segen beschieden sein mögen, aller Kummer Dir fortan erspart bleiben und Dein Gatte Dich in Ehren halten wird. Denn er hat wahrlich ein seltenes Juwel gefunden, eines, nach dem man in der ganzen Welt lange suchen müßte – intelligent und schön und, unberufen, mit allen Tugenden ausgestattet. Ich bete darum, daß Du eine vorbildliche Ehefrau sein wirst. Zweifellos hat der Himmel es so gewollt, denn alles ist, schon ehe wir geboren werden, im Himmel vorherbestimmt. Des weiteren muß ich Dir sagen, daß ich, als Euser Heschel mir in Njunjes Haus zum ersten Mal begegnet ist, einen merkwürdigen Stich im Herzen verspürte, der mir darauf hinzudeuten schien, daß dies der Dir bestimmte Ehemann sein müßte. Und nun ist es fast so, als wäre er mein eigenes Kind. Ich kann Dir gar nicht sagen, wie gespannt ich darauf bin, seine Mutter kennenzulernen, seine Großmutter und seinen Großvater, den Rebbe von Klein-Tereschpol. Gott sei Lob und Dank, meine Tochter, denn Du hast einen Mann von edlem Geblüt bekommen, wie es sich für ein Mädchen so vornehmer Herkunft ziemt, und Du kannst erhobenen Hauptes durchs Leben gehen. Seine Jugendeseleien sind längst vergessen – Ende gut, alles gut!

Des weiteren möchte ich Dir mitteilen, daß alle über Deine gute Nachricht erfreut waren und Dir alles erdenkliche Gute wünschen, auch Dache, obzwar – um der Wahrheit die Ehre zu geben – ihr Glückwunsch nicht ganz aufrichtig war. Die zweitausend Rubel sind bereits auf Deinen Namen bei der Bank einbezahlt worden. Wegen des wöchentlichen Taschengeldes von zehn Rubeln hat es Diskussionen gegeben. Die Angelegenheit wäre zufriedenstellend geregelt worden, wenn Koppel, dieser Gauner, sich nicht eingemischt und Lea nicht ebenfalls ihren Senf dazugegeben hätte. Du weißt ja, meine Tochter, was hier so alles über die beiden getuschelt wird – mir ist jetzt klargeworden, daß es kein Klatsch, sondern die Wahrheit ist. Eine Hand wäscht die andere. Ich habe die Familie darauf hingewiesen, daß ich sie, falls die Sache nicht anständig geregelt wird, vor ein Schiedsgericht zitieren lasse. Auch die Sache mit dem Haus, das mir Dein verstorbener Stiefvater hinterlassen hat, ist noch nicht geregelt. Mir scheint, sie wollen die Angelegenheit so lange hinauszögern, bis ich klein beigebe. Aber ich kann Dir versichern, meine Tochter, das werde ich nicht zulassen. Die schwimmen doch im Geld! Die wissen ja selber nicht, wie reich sie eigentlich sind. Viele Leute sagen, dieser Teufelsbraten Koppel habe die Moschkats nach Strich und Faden ausgeplündert. Trotzdem ist *er* jetzt das eigentliche Familienoberhaupt – *er* hält die Zügel in der Hand, zumal die anderen, leider Gottes, Schafsköpfe sind. Wie oft habe ich Deinen Stiefvater gewarnt! Jetzt ist es zu spät. Mittlerweile hat man mich genötigt, aus der großen Wohnung auszuziehen, und mir eine Zweizimmerwohnung in der Twardastraße gegeben. Joel ist in die große Wohnung gezogen. Ich hätte natürlich Schwierigkeiten machen können, aber ich wollte mich nicht auf einen Streit mit ihnen einlassen, weil sie – Gott verzeih mir – ein grobes Pack sind.

Tochterleben, während ich an Dich schreibe, habe ich das Gefühl, daß du neben mir sitzt und wir beide ein vertrauliches Gespräch führen. Hier ist eine große, laute Hochzeit gefeiert worden. Am Freitag wurde Hadassa mit Fischel getraut, und am Abend nach dem Sabbat fand ein Empfang statt. Ich hatte, wie Du verstehen wirst, keine Lust, hinzugehen, aber es wäre unschicklich gewesen, abzusagen und wer weiß welchem Klatsch Vorschub zu leisten. Ich mußte ihr wohl oder übel ein Hochzeitsgeschenk geben – einen Schmuckkasten, der noch aus Brody stammt und jahrelang bei mir herumlag. Die Hochzeit war laut und vulgär – damit sollte wohl vertuscht werden, daß die Braut Schande über die Familie gebracht hat. Ich kann mir vorstellen, daß ihr die Galle hochgekommen ist, als sie von Deiner Heirat erfuhr. Ganz Warschau hat davon gesprochen. Fischel kommt aus einer reichen Familie, aber er ist ein Trottel. Kein Wunder, daß sie nach der Sache mit Euser Heschel keinen Gefallen an Fischel findet. Sie soll bei der

Trauung die ganze Zeit geflennt haben. Es heißt, man habe ständig auf sie aufpassen müssen, um sie am Durchbrennen zu hindern, und die Hochzeit sei überhaupt nur auf Betreiben von Koppel zustande gekommen, der sich auf diese Weise die Verwaltung eines weiteren Vermögens sichern will. Niemand traut sich, etwas gegen ihn zu sagen – ausgenommen Abram Schapiro. An der Hochzeit hat Abram nicht teilgenommen – Du kannst Dir vorstellen, welche Aufregung das verursacht hat. Unlängst ist er mir auf der Straße begegnet und hat weggeschaut. Er hat alle Welt gegen sich – ein Skandal, wie der sich mit seinen Frauenzimmern herumtreibt!

Die Trauung fand in der Wohnung Deines verstorbenen Stiefvaters statt. Die Braut hatte den ganzen Tag gefastet und sah wahrhaftig wie eine Leiche aus. Eigentlich ist sie gar nicht so unansehnlich, aber sie war kreideweiß. Die Frauen, die sie zum Traubaldachin führten, mußten sie geradezu hinzerren. Und die jungen Mädchen weinten bitterlich. Das Ganze glich eher einem Begräbnis. Der Hochzeitsmarsch klang ganz anders, als wir es aus Brody gewöhnt sind. Hier in Polen sind alle Bräuche anders. Den Tanz zum Beispiel, bei dem die alten Frauen mit einem Laib Brot vor der Braut herumhüpfen, gibt es hier überhaupt nicht. Man bekam weder Kuchen noch Likör angeboten, weil es auf den Sabbat zuging und die Frauen nach Hause mußten, um die Kerzen anzuzünden. Trotzdem zog sich das Ganze so lange hin, daß beinahe eine Entheiligung des Sabbats daraus geworden wäre. Der Rabbi, einer von diesen staatlich anerkannten Rabbinern, trug einen Zylinder. Eigentlich sollte der Bialodrewner Rebbe den Traugottesdienst halten, aber er kam nicht. Für die Familie ein Schlag ins Gesicht.

Am Freitagabend blieben nur die Familienmitglieder zusammen. Ich ging nach Hause, denn der Sabbat ist und bleibt für mich der Sabbat. Am Samstagabend mußte ich aber wohl oder übel hingehen. Die Wohnung war so überfüllt, daß man sich gar nicht bewegen konnte, und es war so heiß, daß allen der Schweiß heruntertropfte. Die Leute, die das Essen servierten, zwängten sich ganz verzweifelt durch das Gedränge. Manche Gäste bekamen eine doppelte Portion, manche überhaupt nichts. Das Essen war nicht besonders. Der Fisch war nicht frisch, die Suppe war wässerig. Wenn Du gesehen hättest, wie es da zugegangen ist! Massenhaft Hochzeitsgeschenke, aber alles Tinnef. Du hättest Königin Esther und Saltsche sehen sollen! Sie hatten sich so herausstaffiert, daß man sie vor lauter Putz kaum mehr erkennen konnte.

Joel und Nathan, diese Fettwänste, tanzten einen *kozak* – wie zwei Elefanten. Die Chassidim schrien auf die Männer und Frauen ein, die miteinander tanzten, aber niemand achtete auf sie. Koppel kam ohne seine Frau zur Hochzeitsfeier und soll mit Lea einen Walzer getanzt haben, aber das habe ich nicht mit eigenen Augen gesehen. Mosche Gabriel, der ein sehr frommer Mann ist, ging frühzeitig; ihm war dieser Trubel zuwider. Auch der Großvater des Bräutigams erhob Einspruch. Das reinste Tollhaus – dergleichen habe ich meiner Lebtag nicht gesehen. Es ging zu wie auf einer Bauernhochzeit. Die Kapelle spielte Militärmärsche. Hanna, Pinnjes Frau, verlor in diesem Trubel eine Brosche (kann auch sein, daß sie ihr gestohlen worden ist) und fiel in Ohnmacht. Ich kann Dir, meine geliebte Tochter, aus tiefstem Herzen versichern, daß es tausendmal besser ist, in aller Stille zu heiraten, wie Du es getan hast, als sich auf eine Hochzeitsfeier wie diese einzulassen. Sie soll übrigens ein Vermögen gekostet haben.

Und jetzt, Tochterleben, möchte ich Dich daran erinnern, daß Du einer hochangesehenen, rein jüdischen Familie entstammst. In weltlichen Dingen kann ich Dich nicht beraten; aber ich bete darum, daß Du nie vergessen wirst, daß eine jüdische Tochter stets auf die Einhaltung der Reinheitsgebote achten muß. Es steht geschrieben, dreier Sünden wegen stürbe das Weib im Kindbett – Gott soll schützen! –, und eine dieser Sünden ist die Mißachtung der vorgeschriebenen rituellen Waschungen. Die Kinder aus einer solchen Verbindung werden den unehelich geborenen gleichgesetzt. Nimm es mir nicht übel, daß ich Dich an diese Dinge erinnere, die heutzutage zu leicht genommen werden. Ich sende Dir ein Exemplar des Traktats *Der reine Quell*, in dem Du alle Reinigungsgebote nachlesen kannst, und ich hoffe und bete, daß Du sie befolgen wirst. Ich weiß, daß dies in einem fremden Land wie der Schweiz nicht leicht sein wird, doch wer sich wirklich bemüht, wird immer eine *mikwe* finden und einen Rabbi, den man um Rat fragen kann, denn fromme Juden gibt es überall.

Schreib mir und laß mich wissen, wann ich Dir Geld schikken soll und wieviel. Glaub mir, Tochterleben, wenn ich daran denke, daß Du mit Gottes Segen endlich Ehefrau geworden bist, fühle ich mich wie von neuer Lebenskraft durchdrungen. Ich hoffe nur, daß Dein lieber Mann zu würdigen weiß, welch kostbaren Schatz er jetzt zu behüten hat, und daß er so gut zu Dir ist, wie Du es verdienst. Schreib mir umgehend und ausführlich, denn jetzt, da Du fort bist, habe ich nur noch Deine Briefe.

Soviel für heute von Deiner sich stets nach guter Nachricht von Dir sehnenden Mame

Rosa Frumetl Moschkat

Zweites Kapitel

I

Auch in diesem Jahr – zwei Jahre nach Hadassas Heirat – fuhr die Moschkat-Sippe wieder in die Sommerfrische aufs Land. Joel, Nathan und Pinnje quartierten sich in der Villa ihres Vaters in Otwock ein. Auch Hama und ihre Tochter Bella bezogen dort Logis. Perl, die verwitwete älteste Tochter Meschulams, hatte ein eigenes Haus in Falenitz. Njunje mietete gemeinsam mit Lea eine Villa in Swider. Fischel hatte vor seiner Heirat mit Hadassa ein Haus mit dreißig Morgen Land in Usefow erworben. Im vergangenen Jahr hatte Rosa Frumetl den Sommer in Meschulams Villa verbracht. Von ihren Stieftöchtern Saltsche und »Königin« Esther war sie damals nach Strich und Faden gepiesackt worden: Sie hatten sich darüber lustig gemacht, wie sie die Texte aus ihrem Gebetbuch psalmodierte, wie sie mit ihren dürren Fingern am Hühnerfleisch herumbohrte, wie sie ihre Perücke aufsetzte, wie sie sich die Hände wusch und, wenn sie aus der Toilette kam, den entsprechenden Segensspruch sagte. Vor lauter Kummer hatte Rosa Frumetl letzten Sommer fünf Pfund abgenommen. Dieses Jahr aber war sie nicht mehr auf die Moschkats angewiesen. Jetzt hatte sie wieder einen Ehemann, Wolf Hendlers, der betucht und obendrein ein gelehrter Mann war. Er besaß in Swider ein Landhaus. Nun konnte Rosa Frumetl die Briefe an ihre Tochter in der Schweiz mit »Rosa Frumetl Hendlers« unterzeichnen, wobei sie ihrem neuen Namen jedesmal einen stolzen Schnörkel hinzufügte.

Als erste begab sich Königin Esther aus Warschau in die Sommerfrische. Gleich nach Pessach begann sie zu jammern, ihr Bandwurm söge das letzte bißchen Leben aus ihr. Und die Luft in Warschau sei zum Schneiden dick. Die Kleider, die sie sich im Winter geschneidert habe, seien bereits einige Nummern zu weit, so rapide habe sie abgenommen. Ihre Töchter – Minna, Nesche und Gutsche – seien bloß noch Haut und Knochen, und ihr Sohn Manes ebenfalls. Joel machte eine saure Miene. Einerseits behagte es ihm nicht, ganz allein in Warschau zu bleiben, andrerseits konnte er das Getue, das um frische Landluft, Bäume und Felder gemacht wurde, nicht ausstehen – und eine Herde babbelnder Frauenzimmer um sich herum erst recht nicht. Immer wieder erklärte er, es sei Blödsinn, den Sommer auf dem Land zu verbringen. Wenn es heiß sei, schwitze man hier wie dort, und vom kühlen Nachtwind bekomme man ja doch bloß Katarrh. Aber wie gewöhnlich setzte Königin Esther ihren Kopf durch. Im Frühsommer fuhren vor Joels Haus zwei Wagen vor, die mit einer Unmenge Bettzeug, Kleidungsstücken, Töpfen, Pfannen, Geschirr und Nahrungsmittelvorräten beladen wurden. Die Fuhrleute baten inständig, weniger aufzupacken, weil ihre Gäule magere alte Klepper seien. Außerdem könnte es passieren, daß unterwegs die ganze Ladung herunterpurzeln würde. Aber Königin Esther ließ immer noch mehr aufladen – eine Schüssel, einen Kleiderkasten oder einen Sack mit alten Kartoffeln, die schon zu keimen begonnen hatten. Und jedesmal ergab es sich, daß als letztes der Samowar obenauf gepackt und, damit er nur ja nicht herunterfiel, mit einem Strick festgebunden werden mußte. Der einäugige Hund des Hausmeisters kläffte. Kinder rissen den Gäulen Haare aus dem Schwanz. Weniger wohlhabende Hausfrauen spähten aus den Fenstern und schüttelten heftig die perückenbedeckten Köpfe. Ihre Blicke hätten töten können.

»Jetzt schon hinaus ins Grüne zu fahren! Die werden vor lauter Zaster noch meschugge!«

Auf Saltsches Drängen mußte Nathan wegen seines Zukkerleidens frühzeitig in die Sommerfrische fahren. Obwohl die beiden die Stadt an einem schwülen Tag verließen, bestand Saltsche darauf, daß ihr Mann eine warme Weste anzog und seinen Mantel zuknöpfte. Königin Esther warf ihr vor, es ginge ihr nur ums eigene Vergnügen, denn die frische Landluft rege Nathans Appetit an, und der Arme dürfe doch fast nichts essen.

Pinnje fuhr hauptsächlich deshalb in die Sommerfrische, weil noch keine seiner vier Töchter verlobt war. Jedermann wußte, daß es für ein Mädchen leichter war, sich »auf diese Tour« einen Mann zu angeln als in Warschau einen abzubekommen, wo die Mädchen meistens zu Hause blieben und ein möglicher Heiratskandidat wenig Gelegenheit hatte, sie genauer zu betrachten. Aus dem gleichen Grund hatte es Hama eilig, aus der Stadt hinauszukommen. Bella war nicht mehr die Jüngste. Stefa ging mit einem Studenten, aber Hama hatte nicht den Eindruck, daß es ein guter Fang war. Und außerdem: Wozu denn in Warschau schwitzen? Abram bekamen sie ohnehin nur selten zu sehen. Tag und Nacht war er bei diesem Frauenzimmer, dieser Ida Prager, obzwar Hama zu Ohren gekommen war, er werde seiner alten Flamme allmählich überdrüssig und sei auf eine neue Eroberung aus. Im Sommer kam er wenigstens, wie die meisten Warschauer Familienväter, am Wochenende hinaus aufs Land, und manchmal brachte er sogar ein Geschenk mit.

Dache fuhr in die Sommerfrische, weil Dr. Mintz es ihr geraten hatte und weil Njunje, dieser Dussel, ihr zu Hause das Leben schwer machte. Das Beste, was sie gegen ihre diversen Leiden tun konnte, war, es sich in einer Hängematte bequem zu machen und – ein Kissen unter dem Kopf und die Brille auf der Nase – die jiddische Zeitung zu lesen. Sie las alles, was darin stand: die Nachrichten, die Artikel, die Fortsetzungsromane. So vieles konnte man da erfahren: was die Amtspersonen in Petersburg sagten; was für ein Leben die Rothschilds in London, Paris und Wien führten; wer dieser Tage in Warschau gestorben war und wer geheiratet oder Verlobung gefeiert hatte; wie die Juden in fernen Ländern lebten, im Jemen zum Beispiel, in Äthiopien oder in Indien; und was die Leibspeise von Nikolai Nikolajewitsch, dem Onkel des Zaren, war.

Wenn ihr dann Rebekka (ihr Dienstmädchen, seit Schifra in Hadassas Haushalt arbeitete) eine Tasse Kakao, Plätzchen und Eingemachtes brachte, goß sich Dache aus einem Krug, den sie immer neben sich stehen hatte, Wasser über die Hände, sagte den Segensspruch und labte sich an dem Imbiß. Dann stellte sie das Tablett beiseite und streckte sich wieder in der Hängematte aus. Hier auf dem Land ließen ihre Rücken- und Gliederschmerzen nach. Und ihre Galle machte ihr auch nicht mehr so zu schaffen. Das einzige, was ihr hier nicht behagte, war, daß sie Lea zur Nachbarin hatte. Deren Mann, Mosche Gabriel, verbrachte den Sommer mit seinem Sohn Aaron in Bialodrewna. Es war ein offenes Geheimnis, daß

Leas Ehe unaufhaltsam auf die Scheidung zusteuerte, und Lästerzungen tuschelten bereits, daß Koppel dann sofort seine Frau verlassen und Lea heiraten werde. Immer wenn Dache diese Gerüchte zu Ohren kamen, lief es ihr kalt über den Rücken. Koppel zum Schwager zu haben – das fehlte ihr gerade noch! Nach all diesen Jahren hatte sich Dache noch immer nicht an Leas durchdringende Stimme gewöhnt, die von der Nachbarvilla herüberschallte; und auch nicht an das Grammophon, das Lea jeden Sommer aus Warschau mitbrachte und das Tag und Nacht Theatermusik und Arien quäkte; und auch nicht an Leas kurzärmelige Blusen und Röcke, unter denen – wie bei einer Ungläubigen – die nackten Beine hervorsahen. Junge Mädchen konnten sich so etwas leisten – dafür hatte man Verständnis. Aber was in aller Welt dachte sich Lea dabei? Kam sie sich denn so viel jugendlicher vor als ihre Schwägerin?

Und dann machte Dache die Augen zu und döste vor sich hin. All die Jahre hatte sie sich über ihren Schwiegervater beklagt und ihn als anmaßend und hart bezeichnet. Jetzt, da er tot war, konnte sie ihm nachfühlen, wie schwer er es gehabt hatte. Seine Hinterlassenschaft war immer noch nicht aufgeteilt. Nach wie vor hatte Koppel die Moschkats in der Hand. Lea benahm sich skandalös. Königin Esther und Saltsche spielten sich als große Damen auf. Abram hatte den letzten Rest von Anstand verloren. Und Njunje, ihr eigener Mann, hatte sich zu Lebzeiten des alten Herrn ihr gegenüber nie so schlecht benommen wie jetzt. Und wie stand es um ihre Tochter, ihre Hadassa? Darüber dachte Dache lieber nicht nach. Sie war eine kranke Frau. Jeder Tag, den sie noch zu leben hatte, war ein Geschenk des Himmels. Warum also sich vor Gram verzehren? Njunje wartete doch bloß darauf, daß sie die Augen für immer schließen würde.

2

Brief von Hadassa an Euser Heschel

Lieber Euser Heschel!

Heute bin ich ganz zufällig auf Deine Adresse gestoßen. Du hast sicher alles erfahren, was uns hier betrifft. Ich weiß eigentlich gar nicht, warum ich diesen Brief schreibe. Es ist albern von mir, und ich erwarte, offen gesagt, keine Antwort. Du hast eine Ehefrau, ich habe einen Mann. Ich habe erfahren, daß Du Dich dort niedergelassen hast, und es freut mich, daß wenigstens einer von uns beiden sein Ziel erreicht hat. Ich bin überzeugt, daß Du mich nicht völlig aus Deiner Erinnerung getilgt hast. Du bist ein Philosoph und weißt, daß die Vergangenheit nicht ausgelöscht werden kann. Ich kann mir vorstellen, wie erstaunt Du warst, als du erfahren hast, daß ich heirate. Das muß für Dich ein weiterer Beweis dafür gewesen sein, daß Frauen leichtfertige Geschöpfe sind. Ich war mir die ganze Zeit klar darüber, daß Du Verachtung empfunden hast, und das hat mich am meisten geschmerzt. Ich war wochenlang krank. Ich habe den Tod herbeigesehnt, das Ende all dieser Qualen. Du hast nichts von Dir hören lassen, und Dein Schweigen hat mich zur Verzweiflung getrieben. Ich gebe zu, daß meine Eltern nicht verantwortlich sind für das, was geschehen ist. Es ist alles meine Schuld. Als ich einsah, daß mir der Weg zum Glück für immer versperrt sein wird, habe ich mich für den entgegengesetzten Weg entschieden. Schon als Kind habe ich gewußt, daß ich im entscheidenden Moment versagen würde.

Wie geht es Dir? Wie kommst Du zurecht? Studierst Du an der Universität? Hast Du interessante Leute kennengelernt? Ist die Schweiz wirklich so schön, wie Du sie Dir vorgestellt hast? Wenn ich an unsere Reise zurückdenke, kommt sie mir fast wie ein Traum vor. Auf dem Rückweg habe ich großes menschliches Leid miterlebt. Wenn ich früher durch die Pawia- und die Dlugastraße geschlendert bin, ist mir nie der Gedanke gekommen, daß auch ich eines Tages hinter Gittern sitzen könnte. Jetzt weiß ich wenigstens, was für ein Gefühl das ist.

Hier ist alles so wie immer. Mutter ist meist krank und schlecht gelaunt. Vater ist viel mit Onkel Abram zusammen. Eine Zeitlang haben die beiden nicht mehr miteinander gesprochen, jetzt sind sie wieder Freunde. Ich wohne in der Gnojna. Wie treffend der Name dieser Straße (*gnoj* bedeutet »Mist«) meine persönliche Situation beschreibt! Im Sommer bin ich auf dem Land, in der Nähe von Otwock. Dort kann ich wenigstens mit meinen Gedanken allein sein.

Falls Du mir antworten möchtest, kannst Du den Brief an meine Adresse in Usefow schicken. Ich hoffe, daß Du mit Deiner Frau glücklich bist und sende ihr Grüße.

Hadassa

P.S. Klonja hat geheiratet.

Brief von Euser Heschel an Hadassa

Liebe Hadassa!

Du kannst Dir gar nicht vorstellen, wie sehr ich mich über Deinen Brief gefreut habe. Ich habe ihn immer wieder gelesen, unzählige Male. Mitten in der Nacht bin ich aufgewacht, habe den Brief unter meinem Kopfkissen hervorgezogen und ihn im Mondschein gelesen. Ich kann es immer noch nicht glauben. Aber es ist Deine Handschrift. Du sollst wissen, daß sich meine Liebe zu Dir – auch wenn wir beide eine große Dummheit begangen haben – niemals gewandelt hat. In Gedanken bin ich immer bei Dir. Wie oft wollte ich jede Erinnerung an Dich aus meinem Gedächtnis löschen! Es ist hoffnungslos, habe ich mir gesagt. Aber ich konnte es einfach nicht. Irgendwie wußte ich, daß Du mich nicht vergessen hast und daß ich irgendwann von Dir hören würde. Als ich Deinen Brief las, dachte ich: Jetzt bin ich bereit, zu sterben. Ich möchte Dir mitteilen, daß ich Dir geschrieben habe, nicht nur *einen* Brief, sondern viele. Als Adele nach Bern kam, erzählte sie mir, Du hättest Dich verlobt. Sie sagte kein Wort davon, daß Du krank gewesen bist und im Gefängnis warst. Wie schrecklich! Ich habe oft das Gefühl gehabt, daß die höheren Mächte im Streit mit mir liegen. Seit meiner Kindheit habe ich immer nur Pech gehabt. Dich zu verlieren, war für mich der schwerste Schlag. Hätte ich gewußt, daß es noch einen Funken Hoffnung gab, dann wäre ich zurückgekommen. In den ersten Wochen war ich ganz benommen von dem Schicksalsschlag, der mich in diesem fremden Land ereilt hat. Ich konnte mich nicht am Anblick der Berge und all des Schönen um mich herum erfreuen. Ich war unsagbar einsam! Ich glaubte, Du würdest mich hassen und deshalb meine Briefe nicht beantworten. Als ich von Deiner bevorstehenden Heirat erfuhr, war ich überzeugt, daß meine Befürchtungen stimmten. Auch ich wollte jede Hoffnung in mir ausmerzen.

Dein Brief hat meine Hoffnung im Nu wieder aufleben lassen. Von jetzt an habe ich nur noch ein Ziel: noch einmal bei Dir zu sein. Ich werde nicht rasten, bis ich dieses Ziel erreicht habe. Ich habe immer nur Dich geliebt. Das ist die reine Wahrheit. Ich hoffe und bete, daß Du bald antworten wirst. Ich weiß, welche Hindernisse, materielle und moralische, zwischen uns stehen, aber es *kann* gar nicht anders kommen. Schreib mir alles, alles! Ich besuche Vorlesungen der philosophischen Fakultät, aber bloß als Gasthörer. Auch hier kann man sich erst nach bestandener Reifeprüfung immatrikulieren. Der Lehrstoff ist so begrenzt – verglichen mit den Ideen, die einem ständig durch den Kopf gehen! Mein Privatleben ist eine einzige Sinnlosigkeit. Ich gebe niemandem die Schuld daran. Es fällt mir schwer, mir vorzustellen, daß Du einen Ehemann hast. Aber es ist nun einmal so. Die Schweiz ist wunderschön, aber alles ist so fremdartig: die Menschen, die Landschaft, die Sitten und Bräuche. Manchmal bin ich mir selber fremd. Wenn ich hier mit Dir zusammen wäre, könnte alles ganz anders sein. Warschau scheint so weit entfernt – wie eine verhexte Stadt.

Euser Heschel

P.S. Ich gebe eine andere Adresse an. Du weißt schon, warum.

3

Brief von Adele an ihre Mutter

Liebste Mame!

Ich weiß nicht so recht, warum ich diesen Brief schreibe. Vielleicht, weil mein Herz voller Kummer ist und ich ihn nicht mehr im Zaum halten kann. Du hast mich in Deinen Briefen oft gefragt, wie die Dinge hier stehen, ob mein Mann wirklich etwas erreichen will und wie er mich behandelt. Bisher habe ich versucht, in meinen Briefen an Dich alles zu beschönigen und in helleren Farben zu malen, als es den Tatsachen entspricht. Aber jetzt kann ich die Wahrheit nicht mehr für mich behalten. Du, liebste Mame, sollst wissen, daß Deine Tochter sich wie lebendig begraben vorkommt. In den zwei Jahren seit meiner Hochzeit ist mir, offen gestanden, noch kein einziger glücklicher Monat beschieden gewesen. In den ersten Tagen war ich wirklich glücklich. Ich glaubte, meine jahrelange Einsamkeit wäre jetzt endlich vorbei. Doch schon bald hat sich gezeigt, daß ich immer noch vom Pech verfolgt bin. Ich bin die Tochter meines Vaters. Ich bin zum Leiden geboren und werde wohl ebenfalls vorzeitig sterben.

Jetzt will ich Dir alles schreiben und nichts mehr vor Dir verbergen. Euser Heschel hat seine guten Seiten, er versteht es, bei fremden Leuten, die noch nie etwas für ihn getan haben und denen er nichts schuldet, Sympathie zu wecken. Auf seine Weise ist er ein Idealist. Tag und Nacht träumt er davon, wie man die Welt kurieren könnte, Tag und Nacht trägt er dieses oder jenes philosophische Werk mit sich herum. Das hindert ihn aber keineswegs daran, kaltherzig und grausam zu sein. Und obendrein spinnt er. Wenn ich Dir alle seine Verrücktheiten schildern wollte, müßte ich ein ganzes Buch schreiben. Um es kurz zu machen: Ich war bereit, mein ganzes Geld für ihn auszugeben. Mein einziger Wunsch war, daß er etwas Anständiges lernen und sich wie ein normaler Mensch benehmen würde. Aber diese zwei Jahre waren für mich eine einzige bittere Enttäuschung. Ich wollte ein Haus mieten und so einrichten, daß es für uns ein richtiges Heim geworden wäre, aber das hat er strikt abgelehnt. Wir wohnen immer noch in einem möblierten Zimmer. Ich dachte, nach einiger Zeit würde er sich, wie alle normalen Menschen, ein Kind wünschen, aber er drohte mir an, daß er, falls ich in andere Umstände käme, davonlaufen und nie wieder von sich hören lassen würde. Und das hätte er bestimmt getan, denn er besitzt überhaupt kein Verantwortungsgefühl. Zweimal war's tatsächlich soweit (beide Male ist *er* daran schuld gewesen), und da hat er darauf bestanden, daß ich es abtreiben lasse und dabei mein Leben aufs Spiel setze. Beim zweiten Mal hatte ich starke Blutungen und hohes Fieber. Da hier kein Arzt zu finden ist, der einen solchen Eingriff vornehmen würde, mußte ich zu einer alten, nichtjüdischen Hebamme gehen. Gottlob war ich wenigstens nicht dazu verurteilt, zu sterben.

Liebste Mame, ich weiß, daß ich Dir so etwas gar nicht schreiben sollte. Ich weiß, wie sehr Du Dich darüber grämen wirst, aber wem sonst könnte ich denn mein Herz ausschütten? Gleich nach der Hochzeit hat er angefangen, sich meiner zu schämen, wie wenn ich eine Aussätzige wäre. Er verbot mir, in das Lokal zu gehen, wo er sich mit seinen russischen Freunden trifft – lauter Taugenichtsen, die eigentlich in den Zoo oder sonstwohin gehören. Stell Dir vor – ich bin ihm nicht hübsch und gebildet genug, um mich bei solchen Kreaturen blicken zu lassen! Er hat sogar abgeleugnet, daß er verheiratet ist, und mich dadurch in schrecklich peinliche Situationen gebracht. Und noch nie hat er jemanden zu uns eingeladen. Statt zu studieren, verplempert er den halben Tag damit, Kindern Hausunterricht zu erteilen. Er findet sich damit ab, ein mieser Hebräisch- oder Nachhilfelehrer zu werden – bloß um von mir keinen roten Heller annehmen zu müssen. Er sagt mir ganz offen, daß er das alles nur deshalb tut, weil er sich von mir trennen will und keinerlei Verpflichtungen haben möchte. Wenn er zornig ist, brüllt er mich an und sagt Dinge, die man eher von einem aus dem Irrenhaus Entsprungenen erwarten würde. Er hat sich mit Ideen eines Philosophen vollgestopft, eines Verrückten, der die Frauen gehaßt hat, eines konvertierten Juden, der sich mit dreiundzwanzig Jahren das Leben nahm. Und er sagt, er wolle nur deshalb kein Kind haben, weil er fürchte, es könnte kein Knabe sein. Das ist nur *ein* Beispiel für seine Verrücktheit. Hier ist es allgemein üblich, frühzeitig zu Bett zu gehen: Um neun Uhr schläft die ganze Stadt. Er dagegen liegt bis drei Uhr wach, liest oder schreibt allen möglichen Stuß, den er dann wegwirft. Am Morgen bleibt er wie ein Toter im Bett liegen und schläft bis mittags. Wegen seines Lebenswandels hat man uns schon einige Male aufgefordert, aus dem Logis auszuziehen, denn in diesem Teil Europas leben zivilisierte Menschen, die für solch wüste russische Gepflogenheiten nichts übrig haben. Daß regelmäßig gekocht und zu bestimmten Zeiten gegessen wird, kommt für ihn überhaupt nicht in Frage. Er fastet praktisch den ganzen Tag, und mitten in der Nacht bekommt er plötzlich Hunger. Ich hätte, weiß Gott, schon längst meine Koffer gepackt und ihn verlassen – aber er kann, wenn es ihm in den Kram paßt, so zartfühlend und aufmerksam sein und dann sagt er Dinge, die wie ein warmer Umschlag auf einer schmerzenden Wange sind, und behauptet, daß er mich liebe.

Liebste Mame, Du wunderst Dich sicher darüber, daß Deine Tochter es fertigbringt, soviel Schimpf und Schande zu ertragen. Ich bin nur deshalb bei ihm geblieben, weil ich unser Leben nicht kaputtmachen wollte und weil ich meinen eigenen Charakter kenne. Ich zähle nicht zu den Frauen, die heute diesen und morgen jenen lieben. Ich bin wie jene Insekten, die nur einmal lieben können. Ich wollte nicht nach drei Monaten als verkrachte Existenz zu Dir zurückkommen. Also habe ich die Zähne zusammengebissen und das alles durchgestanden. Immerzu habe ich auf eine Wendung zum Besseren gehofft. Ich glaubte, er würde mit der Zeit einsehen, was für ihn das beste ist. Vor einiger Zeit begann er davon zu sprechen, daß er nach Warschau zurückkehren möchte. Ich hatte immer den Verdacht, daß er diese Hadassa nie vergessen konnte, obzwar er mir hoch und heilig versichert hat, er dächte überhaupt nicht mehr an sie. Aber er hat mich ja schon so oft belogen. Jetzt weiß ich genau, daß die beiden in Verbindung stehen. Er bekommt Briefe von ihr, die an eine andere Adresse gerichtet sind. Und nun sagt er, daß er nach Warschau zurückkehren wird, egal, ob ich mitkomme oder nicht. Er ist erst Anfang zwanzig, und ich bin sicher, daß man ihn einziehen wird, weil er keine körperlichen Gebrechen hat. Aber ihn kümmert es nicht, daß ihm so etwas passieren könnte. Hadassa, dieses Luder, hintergeht ihren Mann. Ich mache mir in dieser Hinsicht keine Illusionen: Euser Heschel geht zu ihr, das steht fest. Seit zwei Wochen scheint er völlig plemplem zu sein; er läuft herum wie in einer völlig fremden Umgebung. Er ist gewillt, alles aufs Spiel zu setzen – seine eigene Existenz, meine und die anderer Leute. Ich bin jetzt dahintergekommen, daß sein Vater in einem tristen galizischen Dorf an einer Gemütskrankheit gestorben ist. Eine Anlage dazu muß auch der Sohn haben.

Liebste Mama, entschuldige bitte, daß ich Dir zu Deiner Vermählung nicht »masel tow« gewünscht habe. Ich kann Deine Situation verstehen und nehme Dir Deinen Entschluß weiß Gott nicht übel. Die Moschkats sind eine Bande von Halsabschneidern. Was blieb Dir denn anderes übrig? Ich hoffe, daß Du jetzt endlich in Ruhe und Zufriedenheit leben kannst.

Ich habe mich noch nicht entschieden. Er möchte, daß ich mitkomme und verspricht mir auch jetzt noch das Blaue vom Himmel herunter. Er will die Reise in Klein-Tereschpol unterbrechen, um mich seiner Mutter, seiner Schwester und seinem Großvater, dem Rebbe, vorzustellen. Eigentlich ist er immer noch ein Kind – er steckt voller kindischer Ideen. Mir ist der Gedanke gekommen, seine Mutter könnte vielleicht einen gewissen Einfluß auf ihn ausüben. Sie hat mir ein paarmal sehr herzlich geschrieben. Andrerseits bin ich mir klar darüber, daß Hadassa auf seine Rückkehr nach Polen wartet und daß es zwischen ihm und mir früher oder später zur Scheidung kommen wird. Ich bin so durcheinander, daß Dir dieser Brief sicher wie ein Haufen Unsinn vorkommt. Aber glaub mir, er spiegelt tatsächlich all das wider, was mich bewegt. Bete für mich, liebste Mame, denn Er ist der einzige, der mir helfen kann.

Deine unglückliche Tochter
Adele Bannet

Drittes Kapitel

I

In Klein-Tereschpol trockneten die durch die Schneeschmelze entstandenen Wasserlachen allmählich in der warmen Sonne, die nach Pessach schien. Die Bäume und Sträucher rings um das Dorf setzten kleine grüne Äpfel und Birnen, Stachelbeeren, Kirschen und Himbeeren an. Wie alljährlich kostete vor der neuen Ernte der Scheffel Weizen ein paar Groschen mehr. Geflügel und Eier dagegen gab es in Hülle und Fülle. Weil die Tage immer wärmer wurden und genug Regen fiel, sagten die Bauern ein besonders ertragreiches Jahr voraus. Gleichwohl fanden im Mai die üblichen Flurbegehungen statt, bei denen die Bauern vor den Bildstöcken am Wegrand um eine gute Ernte beteten – die Männer in Leinenkitteln und altmodischen viereckigen Hüten, die Frauen in geblümten Kleidern und mit ihrem über einen Holzreif drapierten Kopfputz, die Mädchen farbenfroh ausstaffiert und mit bunten Perlenketten geschmückt. Andächtig schritten sie mit ihren Kruzifixen, Heiligenbildern und Wachskerzen in der Prozession und leierten ihre Gebete herunter, als gingen sie hinter einem Sarg her.

Bei den ortsansässigen Juden nahm das Leben seinen gewohnten Gang. Auf dem Marktplatz gingen die Händler ihren Geschäften nach. In den Nebenstraßen und Gäßchen waren Handwerker an der Arbeit. Im ärmeren Viertel fertigten Männer und Frauen die Roßhaarsiebe an, die überall in der Provinz verkauft wurden. In der Straße, die zur Brücke führte, wimmelte es von Siebmacherwerkstätten. Mädchen kämmten gebündeltes Roßhaar aus, wobei sie traurige Lieder von unglücklichen Waisen und entführten Bräuten sangen. Männer woben das Roßhaar auf hölzernen Webstühlen und sangen zuweilen ein paar Takte aus diesem und jenem Synagogenlied.

In den Sommermonaten war auf dem Marktplatz wenig Betrieb. In den Läden saßen meist nur die Frauen hinter den Ladentischen, so daß die Männer genug Zeit hatten, sich ihrer Jüdischkeit zu widmen. Aus den Lernhäusern war talmudischer Singsang zu hören. In den *chadorim* plackten sich die Lehrer von morgens bis abends mit den Elementarschülern ab. Aber auch »der Böse« war eifrig am Werk. Jekuthiel Uhrmacher hatte aus Zamosc eine ganze Kollektion »verbotener« moderner Bücher mitgebracht und eine Leihbücherei eröffnet. Einige junge Männer waren doch tatsächlich Zionisten geworden. Außerdem ging das Gerücht, daß etliche Siebmacher und Gerbereiarbeiter sich zusammengetan hatten, um einen Streik vorzubereiten – genau wie im Jahre 1905. Und so mancher war aus dem Schtetl nach Amerika ausgewandert.

Die Lubliner Zeitung berichtete, das österreichisch-ungarische Thronfolgerpaar sei in Sarajevo von einem serbischen Studenten erschossen worden, und Kaiser Franz Joseph habe daraufhin Serbien ein Ultimatum gestellt. Der Arzt, der Apotheker und der Bader von Klein-Tereschpol debattierten abends über dieses Ereignis, während ihre Frauen Tee aus dem Samowar tranken und Karten spielten. Die anderen ortsansässigen Juden scherten sich wenig um diese Nachricht. Was da draußen in der großen Welt nicht alles passierte!

Reb Dan Katzenellenbogen, der Rabbi, übte im Schtetl nicht mehr den gleichen Einfluß aus wie früher. Erstens ging er schon auf die achtzig. Zweitens: War denn nicht sein eigener Enkel vom Volk Israel abgefallen? Und drittens waren weder seine Söhne Zadock und Levi noch seine Tochter Finkel ein Trost für ihn. Zadock hätte eigentlich der Nachfolger seines Vaters werden sollen; er bekleidete bereits das Amt eines staatlich anerkannten Rabbiners. Aber er benahm sich nicht so, wie man es von jemandem in dieser Position erwarten konnte. Die prominenten Gemeindemitglieder sagten bereits, sie würden, wenn ihr Rebbe von hinnen schiede – »nicht in hundert Jahren!« – einen Nachfolger von außerhalb holen müssen. Levi hatte gleich nach seiner Heirat begonnen, sich nach einem Rabbinat umzutun, aber es war nichts daraus geworden. Seit zwanzig Jahren verplemperte er nun schon seine Zeit im väterlichen Haushalt und auf Kosten seines Vaters. Finkels Ehemann Jonathan hatte sich ein paar Jahre nach der Hochzeit scheiden und seine Frau mit zwei Kindern – Euser Heschel und Dina – sitzen lassen. Fast neunzehn Jahre war sie allein gewesen, dann hatte sie Reb Paltiel, einen Gemeindeältesten, geheiratet, der ein paar Monate später gestorben war. Reb Dan war überzeugt, daß er aus irgendeinem Grund vom Himmel drangsaliert wurde. Die Chassidim sagten, zuviel Nachgrübeln über Maimonides' Religionsphilosophie habe den Rebbe schwermütig gemacht.

Reb Dans Tagesablauf war der gleiche wie eh und je. Nach den Abendgebeten legte sich der Rebbe – in seinen weißen Beinkleidern und Strümpfen und ohne den Gebetsmantel abzulegen – zu Bett, und um Mitternacht stand er auf, um die Klage über die Zerstörung des Tempels anzustimmen. Zum Schreiben benützte er einen Gänsekiel. Er aß nur zweimal am Tag – Brot, Roterübensuppe und ein Stückchen gedörrtes Rindfleisch. Das Haus, das er bewohnte (als rabbinischer Amtssitz wurde es von der Gemeinde instand gehalten) war alt und baufällig. Die Gemeindeältesten wollten es renovieren lassen, doch das erlaubte der Rebbe nicht.

Es schien fast so, als wollte er sich hinter den gelben Vorhängen, die sein Studierzimmer gegen die »Schulgass« abschirmten, vor der Welt verstecken. Sämtliche Schlichtungsangelegenheiten und alle Entscheidungen in rituellen Fragen überließ er seinen Söhnen. Um Gemeindeprobleme kümmerte er sich nur, wenn sie besonders kompliziert und wichtig waren. Rabbis aus anderen Gemeinden schrieben ihm lange Briefe, die er nie beantwortete. Er wurde gebeten, Hochzeiten und Beschneidungsfeiern mit seiner Anwesenheit zu beehren, aber solche Einladungen nahm er nur selten an. Sein Leben lang hatte er gehofft, im Alter gegen alle weltlichen Versuchungen gefeit zu sein, damit er dem Ewigen in bedingungslosem Glauben dienen könnte. Aber noch jetzt, an der Schwelle des Grabes, ließ er sich dazu verleiten, langwierige Kämpfe mit Satan auszufechten, sich von fremden Ideen verwirren zu lassen und sich mit Problemen herumzuschlagen, mit denen ein Frommer sich gar nicht erst befassen sollte. Das alte Rätsel blieb bestehen: Jene, die reinen Herzens sind, müssen leiden, und die Bösen triumphieren. Noch immer wurde das von Gott auserwählte Volk in den Staub getreten – und anstatt ein bußfertiges Leben zu führen, wandten sich dic Kinder Israels der Ketzerei zu. Wohin würde das alles führen? Was hatte er, Reb Dan, in seiner Lebensspanne auf Erden erreicht? Welche verdienstvollen Taten würde er in der nächsten Welt in die Waagschalen des Gerichts legen können?

Gewöhnlich stand er nach solchen Grübeleien vom Stuhl auf und ging – seine zu weit gewordene Jarmulke schief auf dem Kopf und ohne den verknitterten Samtkaftan zuzuknöpfen – ins Lernhaus. Sein Bart, der jahrelang schlohweiß gewesen war, hatte jetzt wieder einen Stich ins Gelbliche. Seine Augen waren fast ganz von den buschigen Brauen verdeckt. Manchmal empfand er das dringende Bedürfnis, mit jemandem zu reden – nicht bloß eine seichte Unterhaltung zu führen, sondern ein ernsthaftes Gespräch. Doch dafür bot sich im Lernhaus kaum je Gelegenheit. Meist ging Reb Dan auf irgendeinen jungen Burschen zu, der über ein Buch gebeugt da saß, und kniff ihn in die Wange.

»Du lernst, mein Sohn? Du willst ein gottesfürchtiger Jude werden?«

»O ja, Rebbe.«

»Und du setzest deinen Glauben in den Allmächtigen?«

»Was denn sonst, Rebbe?«

»Es ist gut, mein Sohn. Der Gerechte wird kraft seines Glaubens leben.«

2

Das Fuhrwerk, das Euser Heschel und Adele von der Bahnstation nach Klein-Tereschpol beförderte, bog, nachdem es zunächst die Hauptstraße entlanggefahren war, in die sogenannte Polnische Landstraße ein. Sie führte mitten durch die Felder. Der Weizen stand schon hoch. Vornübergebeugt in den Furchen stehend, zogen Bauern büschelweise Unkraut heraus. Vogelscheuchen reckten die hölzernen Arme, an denen zerlumpte Ärmel im Wind flatterten. Tschirpend und krächzend kreisten Vögel über den Feldern. Als das Fuhrwerk vorbeiratterte, zogen die Bauern ihre Strohhüte vor den Fahrgästen, und die Mädchen wandten ihnen die von bunten Kopftüchern umrahmten Gesichter zu und lächelten. Obwohl er gerade erst die landschaftliche Schönheit der Schweiz, Süddeutschlands und Österreichs erlebt hatte, fand Euser Heschel, daß der polnischen Landschaft etwas eigen war, das jenen Ländern fehlte. Es mußte, so schien es ihm, die eigentümliche Stille sein, die hier über allem lag. Das Himmelsgewölbe war der Erde fast zum Greifen nahe und verschmolz mit ihr zu einem kreisrunden Horizont. Auch die Form der langsam dahinziehenden Silberwölkchen hatte etwas eigentümlich Polnisches. Alle Laute flossen zu einem einzigen verhaltenen Klang zusammen: das Zirpen der Heuschrecken, das Summen der Bienen, das Quaken der Frösche in den Sümpfen. Die Sonne, die eigenartig rötlich schimmerte, schien ein wenig schief am Himmel zu stehen – fast so, als wäre sie an dem der Erde nahegerückten Firmament aus der Bahn geraten. Von weitem gesehen, wirkten die strohgedeckten Bauernkaten wie Überreste einer uralten Siedlung. Auf einer Weide hatten Hirten ein Holzfeuer gemacht. Der Rauch stieg kerzengerade auf, wie die Rauchsäule eines heidnischen Opferaltars. Im Schrein eines Bildstocks am Straßenrand war die Figur einer Madonna mit Kind zu sehen. Der Bildhauer hatte Maria wie eine Schwangere dargestellt – mit dickem, rundem Bauch. Vor dem Schrein stand eine brennende Kerze. Die Luft war geschwängert von dem scharfen Geruch des Kuhmists und dem Geruch ausgegrabener Wurzelstöcke. Und man konnte auch schon etwas von jenem typischen Geruch wahrnehmen, der die nahe Erntezeit ankündigt. Von den weißen Birken, die in die unendliche Weite hinausblickten, und den silbergrauen Trauerweiden, die gebeugten alten Männern mit langen Bärten glichen, schien eine zeitlose Gelassenheit auszugehen. Euser Heschel mußte an König Kasimir den Großen denken und an die Juden, die vor tausend Jahren nach Polen kamen und um Erlaubnis baten, hier Handel treiben, ihre Tempel errichten und Grund und Boden für die Bestattung ihrer Toten erwerben zu dürfen.

Adele hatte letzte Nacht nicht schlafen können. Jetzt legte sie sich auf das im Fuhrwerk aufgeschüttete Stroh und nickte ein. Der untersetzte, breitschultrige Fuhrmann saß, die Schaffellmütze auf dem Kopf, regungslos da und ließ die Zügel schleifen. Es war schwer zu sagen, ob er eingeschlafen oder in Gedanken versunken war. Der Gaul trottete mit gesenktem Kopf die Landstraße entlang. An einem Waldrand entdeckte Euser Heschel ein Zigeunerlager. Ein kleinwüchsiger Mann mit breitem, kohlschwarzem Bart hantierte mit einer Kupferpfanne. Eine Horde Kinder, alle splitterfasernackt, tollte im Sonnenschein herum. Frauen in farbenfrohen Kattunkleidern kochten das Essen über offenem Feuer, das in flachen Gräben brannte. Zigeunern war Euser Heschel jenseits der polnischen Grenzen nie begegnet. Für ihn war dieses Zigeunerlager ein untrügliches Zeichen dafür, daß er wieder zu Hause war.

Das Fuhrwerk bog in den Wald ein, und mit einemmal war alles in Halbdunkel getaucht. Die Tannen am Wegrand standen so regungslos da, als wäre ihr dichtes Grün in Trance gesunken. Ein schriller Vogelpfiff ertönte, dann ein Kuckucksruf. Der Gaul spitzte die Ohren und blieb wie angewurzelt stehen. Es war, als scheute er vor etwas Unheilvollem zurück, das nur Tiere wittern können.

Der Fuhrmann schreckte hoch.

»Hü! Vorwärts!«

Eusel Heschel setzte sich auf einen Sack Stroh und blickte um sich. Er war zurückgekehrt in die vertraute Umgebung seiner Jugendjahre. Jeder Augenblick rückte ihm Klein-Tereschpol näher. Er hatte viel erlebt, seit er vor nicht ganz drei Jahren als junger Grünschnabel Abschied genommen hatte, um nach Warschau zu reisen. Er hatte sich in ein Mädchen verliebt und ein anderes geheiratet; er hatte heimlich die Grenze überschritten; und er hatte studiert. Wie ihm Jekuthiel Uhrmacher geschrieben hatte, wurde er von allen jungen Burschen im Schtetl als ein wahrer Glückspilz beneidet. Trotzdem fühlte er sich jetzt nicht wohl in seiner Haut. Sein Anzug war nach der langen Bahnfahrt zerknittert und zudem mit Strohhalmen und Heu übersät. Um seiner Mutter und dem Großvater den Anblick seines glattrasierten Gesichts zu ersparen, hatte er sich seit einigen Tagen nicht mehr rasiert, und nun waren sein Kinn und seine Wangen mit Stoppeln bedeckt. Und weil er übernächtigt war, hatte er blutunterlaufene Augen. Was war denn bei all seinen Abenteuern herausgekommen? Er hatte eine Frau geheiratet, die er nicht liebte. Er hatte sein Studium vorzeitig abgebrochen. Bald würde er Militärdienst leisten müssen. Wie oft hatte er geschworen, sich an die Zehn Gebote, den Grundstein jeder Morallehre, zu halten! Statt dessen unterhielt er eine Liebesbeziehung zu einer verheirateten Frau. Und wie stand es denn um seine Träume, zu einer Neubewertung aller Werte zu gelangen, die Wahrheit zu entdecken, die Welt zu erretten? Er war in jeglicher Hinsicht in eine Falle geraten, als er Adele geheiratet hatte.

Als ob sie gespürt hätte, welche Gedanken ihm durch den Kopf gingen, wurde Adele wach und setzte sich auf. Sie trug eine weiße Bluse und einen schwarzweißkarierten Rock. Vom langen Liegen auf den harten Bohlen hatte sie rote Striemen auf den Wangen. Ihre Frisur hatte sich aufgelöst. Sie strich die losen Strähnen zurück und steckte sie wieder mit Haarnadeln fest. Ihre fast farblosen Augen fixierten Euser Heschel.

»Wo sind wir?«

»Kurz vor Klein-Tereschpol.«

»Wo ist meine Handtasche? Und mein Kamm? Und unser Gepäck?«

Dann überschüttete sie ihn mit Vorwürfen. Warum hatte er sie überhaupt mit hierher geschleppt? Was hatte sie mit Klein-Tereschpol zu schaffen? Das Leben, das sie miteinander führten, sei ein einziger Fehlschlag. Was hatte er eigentlich gegen sie? Was hatte ihn dazu bewogen, ihr junges Leben zu zerstören? Sie wisse nur zu gut, warum er unbedingt nach Polen zurückkehren wollte. Sie müsse ja meschugge sein, diesen Umweg mit ihm zu machen! Direkt nach Warschau hätte sie fahren und ihn allein hier herumkutschieren lassen sollen! Gott im Himmel! Für sie wäre es wirklich das beste, ein Fläschchen Jod auszutrinken und dieser Erniedrigung ein Ende zu machen! Das alles warf sie ihm in deutscher Sprache an den Kopf, damit der Fuhrmann es nicht verstehen konnte. Während dieses Wortschwalls zuckte alles an ihr – der Hals, das Kinn, die Schläfen. Hin und wieder kamen unter ihrer krampfhaft gefletschten Oberlippe die kleinen, spitzen, weit auseinanderstehenden Zähne zum Vorschein.

Euser Heschel musterte Adele wortlos. Wozu das ganze Geseire? Hatten sie nicht ein Abkommen getroffen? Vor der Abreise nach Polen hatte er ihr versprochen, daß er sie seiner Familie vorstellen und auf jeden Fall ein paar Tage mit ihr zusammen bei seiner Mutter bleiben würde. Dieses Versprechen wollte er halten. Adeles Gerede über ihre Liebe zu ihm und über seine Treulosigkeit war pure Phrasendrescherei. Sie hatte doch schon an dem Tag, als sie ihn zum Traubaldachin zerrte, genau gewußt, daß er nicht sie, sondern Hadassa liebte. Sie selber hatte diese Ehe als Experiment bezeichnet, als ein Zusammenleben ohne Liebe. Das konnte er ihr schwarz auf weiß geben, und zwar in ihrer eigenen Handschrift.

Das Fuhrwerk war am Ortsrand angelangt, am Wohnviertel der Christen. Zwischen den weißgetünchten Häusern waren kleine Gärten angelegt, und hie und da grenzten zwei Bauernkaten an einen Kartoffelacker an. Die Fenster hatten Gardinen, auf den Simsen standen Blumentöpfe. Eine Katze sonnte sich hinter einer Fensterscheibe. An einem Ziehbrunnen stand ein barfüßiges Mädchen. Als es sich nach vorn beugte, um einen Eimer Wasser heraufzuziehen, lugte unter seinem Kleid der stickereiverzierte Unterrocksaum hervor. Am Ende der Straße stand eine zweitürmige katholische Kirche. Und hinter einer ganzen Reihe von Kastanienbäumen waren die mit bärtigen Apostelfiguren geschmückten Mauern der russisch-orthodoxen Kirche zu sehen.

Kurz darauf ratterte das Fuhrwerk auf den Marktplatz. Hier waren die Häuser höher. Sie standen dicht nebeneinander und machten einen ziemlich baufälligen Eindruck. Die Läden hatten ein Sammelsurium von Waren ausgestellt – Textilien und eiserne Töpfe, Kerosin und Schreibgarnituren, Lederwaren und Besen. Die Turmuhr des Rathauses zeigte (wie schon seit Gott weiß wieviel Jahren) die zwölfte Stunde an. Auf Euser Heschels Wunsch hielt das Fuhrwerk vor Jekuthiels Uhrmacherwerkstatt. Jekuthiel kam heraus – ein kleiner, verwachsener, fast buckliger Mann, der einen Alpakakaftan, gestreifte Beinkleider und ein seidenes Scheitelkäppchen trug. Vor das linke Auge hatte er sich eine Lupe geklemmt. Schweigend musterte er das Fuhrwerk. Euser Heschel stieg aus.

»Erkennst du mich denn nicht?«

»Euser Heschel!«

Sie umarmten einander.

»Willkommen! Willkommen! Du hast mir nichts davon geschrieben. Und das ist sicher deine Frau.«

»Adele, das ist Jekuthiel. Ich hab' dir von ihm erzählt.«

»Ich kannte Ihren Mann schon lange, bevor Sie ihm begegnet sind«, sagte Jekuthiel lächelnd.

Sie unterhielten sich eine Weile, dann stieg Euser Heschel wieder ein und ließ den Fuhrmann in Richtung »Schulgass« fahren. Jetzt wurde er sich der vertrauten Atmosphäre des Schtetls erst richtig bewußt. Das Haus, in dem sein Großvater wohnte, schien im Lauf der Jahre geschrumpft zu sein. Die Fenster hingen schief in den Rahmen. Aus dem Schornstein quoll eine weiße Rauchfahne. Irgend jemand mußte bereits die Nachricht von Euser Heschels Ankunft überbracht haben, denn als das Fuhrwerk sich näherte, kamen drei Frauen an die Haustür: seine Mutter, seine Großmutter und seine Schwester. Der Rücken seiner Großmutter war altersgebeugt, ihr Gesicht ausgedörrt wie eine Feige. Unter ihren Augen waren gelbliche Tränensäcke. Auf ihrem Kinn sproßten ein paar weiße Barthaare. Sie spähte über den Rand ihrer Brille und schüttelte den Kopf.

»Du bist's, mein Junge. Bei Gott, ich hätte dich nicht wiedererkannt. Ein richtiger Ausländer!«

Seine Mutter hatte ein weites Hauskleid an, ihre weißbestrumpften Füße steckten in Pantoffeln, und ihre kurzgeschorenen Haare waren unter einem enganliegenden Kopftuch verborgen. Seit Euser Heschel sie das letzte Mal gesehen hatte, schien ihr Kinn kleiner und ihre Nase spitzer geworden zu sein. Ihre Augenwinkel hatten Krähenfüße bekommen. Sie breitete die Arme aus. Ihr blasses Gesicht wurde glutrot.

»Mein Sohn! Mein Sohn! Daß ich diesen Tag noch erleben darf!«

Euser Heschel küßte sie. In seinen Armen fühlte sie sich leichtgewichtig und mager an. Er atmete ihren vertrauten Duft ein. Seine Lippen waren feucht und salzig von ihren Tränen.

Dina hatte letztes Jahr geheiratet. Ihr Mann, Menasse David, hatte gerade auswärts zu tun. Sie war nicht wiederzuerkennen. Sie trug ein loses Kleid und eine bauschige Perücke.

Und sie war stämmiger geworden. Man konnte ihr ansehen, daß sie irgendwie bestürzt war.

»Mame, Mame, guck ihn dir an!«

An alle drei gewandt, sagte Euser Heschel: »Das ist Adele, meine Frau.«

Finkel machte eine fahrige Bewegung. Sie wußte nicht so recht, wie sie sich verhalten sollte. Nach kurzem Zögern ging Adele auf sie zu und küßte sie.

»Meine Schwiegermutter ist das Ebenbild ihres Sohnes«, sagte sie. »Ihm so ähnlich wie ein Wassertropfen dem anderen.«

»Du bist Euser Heschels Frau – jetzt bist du meine Tochter.«

»Euser Heschel hat an uns alle geschrieben«, sagte Dina schüchtern. »Und uns alles von dir berichtet. Es ist kaum zu fassen. Mir kommt es so vor, als ob wir gestern noch Kinder gewesen wären und miteinander gespielt hätten.« Sie legte die Hand an die Flechten ihrer Perücke – eine Geste, bei der sie plötzlich wieder wie ein junges Mädchen wirkte.

Es dauerte nicht lange, bis die ganze Verwandtschaft versammelt war: Onkel Zadock und seine Frau Zissle; Onkel Levi und seine Frau Mindel; und natürlich auch Euser Heschels Vettern und Cousinen. Dann fanden sich auch die Nachbarn ein, und bald hallte die Küche von all dem Lärm und munteren Geplauder wider. Unterdessen hatte der Fuhrmann Adeles großen Koffer und die vier mit Zollplaketten beklebten Reisetaschen abgeladen. Und bald duftete es im ganzen Haus nach Kuchen, Milch und frisch gebrautem Kaffee, der auf einem Dreifuß über dem offenen Feuer stand. Die Kiefernzweige und -zapfen, die hier in Flammen aufgingen, waren von den jungen Mädchen aus der Verwandtschaft im Wald gesammelt worden.

3

Gegen Abend läutete die Kirchturmglocke: Die frommen Christen wurden zur Messe gerufen. Aus dem nichtjüdischen Ortsteil kamen die Frauen scharenweise zum Gottesdienst – in langen schwarzen Kleidern und altmodischen Schuhen mit spitzen Kappen und flachen Absätzen, Rosenkränze und

Ketten mit Kruzifixen um den Hals und schwarze Tücher um den Kopf geschlungen, goldgeprägte Gebetbücher in der Hand. Die ortsansässigen Juden begaben sich in die Bet- und Lernhäuser.

Euser Heschels Onkel, Tanten, Vettern und Cousinen waren nach Hause gegangen, und auch die Nachbarn hatten sich verabschiedet. Seine Mutter hatte Kopfweh bekommen und sich hingelegt. Dina bereitete das Nachtmahl zu. Die Großmutter stand an der Ostwand und sprach die Abendgebete. Adele war ins hintere Zimmer gegangen, wo man sie und ihren Mann einquartiert hatte. Euser Heschel ging in den Hof hinter dem Haus, der durch einen Zaun von der Synagoge abgegrenzt war. Der Erdboden war von wildwachsenden Pflanzen und Unkraut überwuchert. Die Blätter des Apfelbaums, der im Spätsommer geleert wurde, schimmerten jetzt wie kleine, glühende Lanzen. Das Unkraut war fast mannshoch. Dazwischen standen Butter- und Pusteblumen und viele andere, deren Namen Euser Heschel nicht wußte. Ständig war das Geraschel der Feldmäuse und Maulwürfe und das Zirpen der Grillen zu hören.

Euser Heschel blickte um sich. In den wenigen Stunden, die seit seiner Ankunft vergangen waren, hatte er bereits allerlei erstaunliche Dinge zu hören bekommen. Onkel Zadock hatte angedeutet, daß ihm Levi, sein eigener Bruder, das Wasser abgraben und ihm das Amt des Rabbiners wegschnappen wolle. Tante Mindel beschuldigte Tante Zissle, sie behext zu haben. Soviel Euser Heschel ihren Äußerungen entnehmen konnte, hatte Zissle verfilztes Haar – »Hexenzopf« genannt – und einige Besenborsten in Mindels Truhe gelegt. Zwischen den Mädchen, Euser Heschels Cousinen, gab es allerlei Zwistigkeiten, und die jungen Burschen machten abfällige Bemerkungen übereinander. Diese Sippe, so klein sie auch war, strotzte nur so von Haß, Rankün e und Eifersüchtelei. Seine Mutter hatte ihm zugeflüstert, ihre beiden Schwägerinnen seien ihre Todfeinde.

»Sie gucken mich an, als wollten sie mich auffressen. Alles Böse, das sie mir wünschen, soll untergehen und in der Wildnis verzehrt werden!«

Euser Heschel sah hinüber zu den Fenstern des Zimmers,

in dem er und Adele untergebracht waren. Drinnen brannte Licht. Er konnte beobachten, wie Adele den Koffer auspackte – ganz so, als richtete sie sich auf einen längeren Aufenthalt ein. Im Lampenschein wirkten ihre Gesichtszüge angespannt. Sie hatte dunkle Ringe unter den Augen. Sie nahm ein weißes Kleidungsstück aus dem Koffer, betrachtete es eine Weile und legte es dann wieder zurück. Wirklich sonderbar, daß er ausgerechnet mit dieser Frau verheiratet war, daß ausgerechnet sie ihr Schicksal mit dem seinen verbunden hatte!

Er stand noch im Hof, als er plötzlich seinen Großvater sah. Der alte Mann war unversehens aufgetaucht, wie eine Erscheinung aus einer anderen Welt. Sein langer Samtkaftan bauschte sich um ihn. Über seinen weißen Beinkleidern flatterten die Fransen des Gebetsmantels. Sein Bart stand schief vom Kinn ab – wie von einem Windstoß erfaßt. Der Alte machte einen Schritt nach links, dann einen nach rechts, dann blieb er nahe bei Euser Heschel stehen, der unwillkürlich zurückwich.

»Soso, du bist's, Euser Heschel.«

»Ja, Großvater.«

»Soso! Du bist gewachsen. Ich glaube, du bist gewachsen.«

»Kann schon sein, Großvater.«

»Ich weiß über alles Bescheid. Du bist verheiratet. Ein Brief ist angekommen. Also – *masel tow*! Ich habe dir kein Hochzeitsgeschenk geschickt.«

»Das macht nichts, Großvater.«

»Habt ihr wenigstens nach den Gesetzen Mose und Israels geheiratet?«

»Ja, Großvater. Sie kommt aus einer frommen Familie.«

»Und dir gilt das als ein Vorzug?«

»Gewiß, Großvater.«

»Ist das so? Anscheinend ist das letzte Fünkchen Glauben noch nicht in dir erloschen.«

»Ich leugne nicht die Existenz Gottes.«

»Und *was* leugnest du?«

»Was auf menschlicher Anmaßung beruht.«

»Du meinst die Tora Mose?«

Euser Heschel schwieg.

»Ich weiß, ich weiß. Die Argumente der Ketzer: Es gibt einen Schöpfer, aber er hat sich noch keinem offenbart; Moses hat gelogen. Und andere behaupten, die Natur sei Gott. Ich weiß, ich weiß. Im Endergebnis läuft es darauf hinaus, daß jede Sünde erlaubt sei. Das ist der Kern des Ganzen.«

»Nein, Großvater.«

»Ich gehe jetzt zum Abendgottesdienst. Du kannst mitkommen, wenn du willst. Was hast du zu verlieren?«

»Ja, Großvater. Natürlich.«

»Laß sie wenigstens sehen, daß noch ein klein wenig von einem Juden in dir steckt.«

Der Alte legte die Hand auf Euser Heschels Ellenbogen, dann gingen die beiden langsam weiter. Als sie im Vorraum angelangt waren, blieben sie am Kupfergefäß stehen, um sich die Hände zu waschen, bevor sie das Bethaus betraten. In der Menora flackerte eine Kerze. Die Säulen rings um das Vorleserpodium warfen lange Schatten. Die Regale an den Wänden waren mit Büchern beladen. Im Halbdunkel saßen noch einige Lernende, über Bücher gebeugt, an den Tischen. Leise psalmodierend, gingen Betende auf und ab. In einer Ecke stand ein junger Bursche, der sich ekstatisch hin und her wiegte. Neben dem Toraschrein befand sich eine gerahmte Inschrift in roten Lettern: »Gott ist immer vor mir.« Auf der Deckplatte des Toraschreins hielten zwei vergoldete Löwenfiguren die Gesetzestafeln empor. Es kam Euser Heschel so vor, als setzte sich der eigentümliche Geruch, der den ganzen Raum erfüllte, aus dem des Kerzenwachses, des Staubes, der Fasttage und der Ewigkeit zusammen. Schweigend stand er da. Hier, in diesem Halbdunkel, erschien ihm alles, was er in der Fremde erlebt hatte, bedeutungslos. Die Zeit war verronnen wie eine Illusion. Das hier war sein wahres Zuhause, hierher gehörte er. Hier würde er Zuflucht suchen, wenn alles andere fehlschlug.

4

Nach den Abendgebeten ging Euser Heschel mit seinem Großvater nach Hause und saß dann noch lange bei ihm im Studierzimmer. Der Rabbi stellte ihm viele Fragen über die

Welt jenseits von Klein-Tereschpol. Was war das eigentlich für ein Land – die Schweiz? Was für Leute lebten dort? Gab es dort Juden, und wenn ja, hatten sie Synagogen und Lernhäuser und rituelle Bäder und Rabbis? Euser Heschel erzählte ihm von dem Gottesdienst, den er am Tag der Gesetzesfreude in der Synagoge von Lausanne miterlebt hatte. Der Gemeindeälteste, der zur Lesung der Tora aufrief, habe französisch gesprochen. In Bern und Zürich dagegen sprächen der Synagogenvorstand und die Gemeindemitglieder deutsch. Die Rabbiner in der Schweiz verfaßten Bücher über weltliche Philosophie. Und ihre Frauen trügen, im Gegensatz zu den frommen osteuropäischen Jüdinnen, keine Perücke. Reb Dan hörte zu, schmauchte seine Pfeife, strich sich über die Stirn und zog die Brauen zusammen. Jaja, daß die Juden in den westlichen Ländern die Christen nachäfften, war für ihn nichts Neues. In ihren Tempeln wurde Orgel gespielt, genau wie in den Kirchen der Andersgläubigen (sie in einem Atemzug zu nennen, war eine Entweihung). Und es gab in ihren Synagogen keine Weiber-Galerie, nein, die Frauen mischten sich unter die Männer. Was konnte die Gläubigen dann noch davor bewahren, unreine Gedanken und Wünsche zu hegen? Und er hatte auch gehört, daß in den westlichen Ländern viele Juden nur noch an den höchsten Feiertagen, Rosch Haschana und Jom Kippur, in die Synagoge gingen. Wie oft hatte er sich schon gefragt: Sind solche Juden überhaupt noch Juden? Und was ging eigentlich – das fragte der Rabbi seinen Enkel – in den Köpfen jener Juden vor, die gänzlich zu Ketzern geworden waren? Wenn Gott für sie jede Bedeutung verloren und die Welt nicht nach Seinem Plan erschaffen hatte – was berechtigte sie dann dazu, sich weiterhin als Juden zu bezeichnen? Euser Heschels Antwort lief darauf hinaus, daß die Juden ein Volk wie jedes andere seien und daß sie von den Weltmächten verlangten, ihnen das Heilige Land zurückzugeben. Der Rabbi gab sich mit dieser Antwort keineswegs zufrieden. Wenn sie, so argumentierte er, nicht mehr an die Bibel glaubten, warum sollten sie sich dann nach dem biblischen Land der Juden sehnen? Warum nicht nach irgendeinem anderen Land? Und außerdem: Wer konnte denn so töricht sein, von den Türken zu erwarten, daß sie Palästina an die

Juden abtreten würden? Der Lohn dieser Welt werde den Starken zuteil, nicht den Schwachen.

Dann ging der Rabbi zu persönlichen Fragen über. Was hatte Euser Heschel in den Universitäten der Andersgläubigen gelernt? Verhalf ihm das, was er gelernt hatte, wenigstens dazu, seinen Lebensunterhalt zu verdienen? Was würde er tun, wenn er den Einziehungsbefehl erhielt? Wollte er etwa die zaristische Uniform anziehen? Euser Heschel mußte sich eingestehen, daß er dem alten Mann nicht einmal auf so simple Fragen eine befriedigende Antwort geben konnte. Er habe sein Studium nicht abgeschlossen, erklärte er ihm. Wenn man seinen Lebensunterhalt verdienen müsse, würde ein Philosophiestudium ohnehin wenig nützen. Und was den Dienst in der zaristischen Armee beträfe, so sei er nicht scharf darauf, Rekrut zu werden, aber er habe auch nicht vor, sich eigenhändig untauglich zu machen. Dem alten Mann lag die Frage auf der Zunge: »Warum bist du dann nach Polen zurückgekehrt? Was hat es dir eingebracht, daß du den Fleischtöpfen dieser Welt wie besessen nachgejagt bist?« Aber er verzichtete darauf. Hatte er nicht immer wieder feststellen müssen, daß Menschen dieses Schlages zeitlebens stur blieben?

Der Rabbi stand auf. »Nu – geh jetzt und iß etwas. Wir werden noch genug Zeit zum Reden haben.«

Er lief im Zimmer auf und ab, runzelte die Stirn, zupfte sich am Bart und seufzte. Euser Heschel wartete noch eine Weile, aber als er merkte, daß sein Großvater keine Notiz mehr von ihm nahm, stand er auf und ging hinaus.

In der Küche wartete bereits das Nachtmahl auf ihn. Seine Großmutter hatte Graupensuppe, Rindfleisch mit Erbsen und, als Nachspeise, Zwetschgenmus zubereitet. Alle machten sich schrecklich viel Umstände – seine Mutter, Dina und eine Dienstmagd, die er bisher noch nicht gesehen hatte. Kaum war er mit dem Essen fertig, da wimmelte es in der Küche schon wieder von Verwandten und Nachbarn. Etliche Besucherinnen, die die traditionelle Perücke der verheirateten Frauen trugen, kannte Euser Heschel von früher, als sie alle noch Kinder waren und miteinander gespielt hatten. Sie warfen ihm neugierige Blicke zu, lächelten verschämt und nickten. Adele stand bereits mit allen auf gutem Fuß. Sie hatte sich einen Schal um die Haare gebunden, und diese provinzielle Note ließ ihre Gesichtszüge irgendwie vertrauter erscheinen. Sie zeigte Euser Heschels Cousinen eine selbstgestickte Schürze und ein Seidenmieder, das sie in Wien gekauft hatte. Aus ihrem Geldbeutel nahm sie einige ausländische Münzen, die von allen begafft wurden. Finkel zog ihren Sohn beiseite und flüsterte ihm zu, er habe ihr eine Schwiegertochter gebracht, die ein wahres Juwel sei – gescheit und gutherzig. Er müßte ihr versprechen, Adele in Ehren zu halten und vor jedem Kummer zu bewahren. Dina blinzelte ihrem Bruder vielsagend zu – ein Zeichen dafür, daß sie Gefallen an ihrer Schwägerin gefunden hatte. Euser Heschels Tanten und Cousinen ließen sich kein Wort entgehen, das Adele sagte, und bewunderten sie unverhohlen.

Die Großmutter brachte eine kleine Jarmulke, die Euser Heschel an Stelle des neumodischen Hutes tragen sollte, den er die ganze Zeit aufbehalten hatte. Alle seufzten, als er das Käppchen aufsetzte. Adele holte einen Handspiegel, und als Euser Heschel hineinsah, erkannte er sich kaum wieder: Mit seinen Bartstoppeln und der traditionellen Jarmulke hatte er nicht mehr die geringste Ähnlichkeit mit einem Westeuropäer.

Während des Essens warf ihm Adele immer wieder triumphierende Blicke zu, die zu sagen schienen: »Da siehst du's – deine ganze Verwandtschaft ist auf meiner Seite. Für sie bin *ich* deine Frau – nicht Hadassa.« Sie ließ keine Gelegenheit aus, Finkel mit »Schwiegermutter« anzureden, berichtete lang und breit von ihrer vornehmen Herkunft und zählte die Namen berühmter Rabbis auf. Da Euser Heschels Großmutter schwerhörig war, mußte ihr Adele zwischendurch alles, was sie erzählt hatte, direkt ins Ohr sagen. Die alte Frau wiegte gravitätisch den Kopf: Hier in Klein-Tereschpol hatte man befürchtet, Euser Heschel würde ein Mädchen gewöhnlicher Herkunft zur Frau nehmen – aber er hatte, gottlob, standesgemäß geheiratet.

Nach Tisch ließen sich Adele und die anderen Frauen auf den Bänken vor dem Haus nieder. Euser Heschel unternahm allein einen Spaziergang durchs Schtetl. Vor dem Lernhaus blieb er ein Weilchen stehen. Nahe der Tür, an einem langen Tisch, waren ein paar alte Männer bei flackerndem Kerzenlicht in Bücher vertieft. Aus der Schulgass bog Euser Heschel in die Lubliner Landstraße ein. Bei einer alten Wasserpumpe, deren Schwengel abgebrochen war, hielt er einen Augenblick inne. In Klein-Tereschpol ging die Sage, aus der längst versiegten Quelle sei während einer Feuersbrunst plötzlich Wasser gesprudelt, so daß die Synagoge und die umliegenden Häuser vor der Vernichtung gerettet werden konnten.

Dann bog er in den Weg ein, der zum Wald führte. Gewaltige Bäume, Kastanien und Eichen, säumten diesen Weg. In manche hatte der Blitz eingeschlagen. Tiefe Risse klafften in den Stämmen, und die ausgehöhlten Stellen wirkten so unheimlich wie Räuberhöhlen. Einige uralte Bäume neigten die Wipfel so tief zur Erde, als würden sie im nächsten Moment umstürzen und dabei das dichte Geflecht ihrer jahrhundertealten Wurzeln aus dem Boden reißen.

5

Am Waldrand, nicht weit von der Stelle, wo früher die Kaserne stand, entdeckte Euser Heschel ein kleines, einstöckiges Haus, aus dessen vorderen Fenstern helles Licht drang. Er ging darauf zu. Durch die Scheiben konnte er einen Raum sehen, an dessen Wänden deckenhohe Bücherregale standen. Eine Kerosinlampe war an einer Kette aufgehängt. Ein Lernhaus? Aber wieso denn hier außen, so weit von der Schulgass entfernt? Dann entdeckte er an der hinteren Wand ein Theodor-Herzl-Porträt. Also *hier* war die Bücherei, von der man ihm erzählt hatte! Er stieg die drei Stufen hinauf und klopfte an die Tür. Als niemand antwortete, trat er ein. In dem Raum waren Männer und Frauen versammelt, die jetzt alle zu ihm herübersahen. Jekuthiel, der Uhrmacher, hoppelte auf ihn zu. Dann eilten auch die anderen herbei. Euser Heschel erkannte die meisten von ihnen wieder, konnte sich aber nicht an ihre Namen erinnern. Die Mehrzahl der Männer trug den herkömmlichen Kaftan, die anderen waren im westlichen Stil gekleidet und hatten steife Kragen und Krawatten angelegt. Die Mädchen, die Kattunkleider oder Röcke und bunte Blusen trugen, hatten Schnürschuhe an. An der einen Wand entdeckte Euser Heschel eine Schultafel, auf der, in sorgfältig geschriebenen Lettern, ein hebräischer Satz – »Das Tintenfaß steht auf dem Tisch« – und darunter die jiddische Übersetzung stand.

»Du bist also doch noch gekommen«, sagte Jekuthiel voller Genugtuung. »Wir haben gerade darüber gesprochen, wie wir dich hierher lotsen könnten.«

»Ich bin David Katz.« Ein kleinwüchsiger, jugendlich wirkender Mann streckte Euser Heschel die Hand hin. »Sie müssen unsere Genossen kennenlernen.« Und zu den anderen gewandt: »Das ist Euser Heschel Bannet. Eben erst aus der Schweiz zurückgekehrt.«

Nun stellten sich die anderen vor. Zuerst die Männer. Einer nach den anderen tauschte einen feuchten Händedruck mit Euser Heschel aus: Rosenzweig, Meisner, Beckermann, Silbermintz, Kohen, Frampolski, Rappaport. Euser Heschel konnte kaum fassen, daß diese Männer die Spielgefährten aus seiner Kindheit waren. Meisner war Chaim, der jüngste Sprößling des Schrotthändlers. Frampolski war der Sohn von Leibusch, dem Kutscher. Und Rappaport war der, den sie »Schorfkopf« genannt hatten – sie beide waren gemeinsam in den Cheder gegangen. Für Euser Heschel waren die Gesichter dieser Männer eine verblüffende Mischung aus Vertrautem und Fremdem. Es hatte etwas Verwirrendes an sich, diese Brauen, Augen, Nasen und Münder zu sehen, diese Gesichtszüge, die irgendwo in seiner Erinnerung verborgen und schon nahe daran gewesen waren, für immer in Vergessenheit zu geraten. Die Mädchen standen etwas abseits und steckten die Köpfe zusammen. Sie lächelten verschämt, kicherten und versuchten, sich gegenseitig vorwärtszuschubsen. Aber trotz ihrer Verlegenheit strahlten sie eine Herzlichkeit aus, wie sie Euser Heschel da draußen in der großen Welt nur selten begegnet war.

»Laßt euch durch mich nicht bei der Arbeit stören«, sagte er. »Ich wollte bloß mal hereinschauen.«

»Du störst uns doch nicht.«

»Ist die Bücherei schon lange hier?«

»Erzähl's ihm, Jekuthiel!« sagte David Katz.

»Warum denn ich? Du leitest sie doch.«

»Aber über die Schwierigkeiten, die wir gehabt haben, weißt du am besten Bescheid.«

»Ach was! Es ist halt eine Bücherei. Dein Großvater wettert zwar dagegen, aber auf ihn hört, offen gesagt, niemand mehr. Die Chassidim haben bei den Behörden schon dreimal Beschwerde gegen uns eingelegt, aber bisher sind wir einigermaßen über die Runden gekommen.«

»Erzähl ihm, wie sie hier eingedrungen sind und sämtliche Bücher verbrannt haben.«

»Ja, das stimmt. Die Fanatiker haben die Fenster eingeschlagen. Jetzt haben wir massive Fensterläden. Aber Zores gibt's immer wieder. Zur Zeit macht uns der Parteigeist schwer zu schaffen: Hebräisch kontra Jiddisch, Zionismus kontra Sozialismus – und weiß Gott was sonst noch. Die reinste Narretei – genau wie in den großen Städten.«

Euser Heschel sah sich den Buchbestand an. Die meisten Bände waren abgegriffen, die Einbandprägungen verblaßt. Aufs Geratewohl schlug er ein paar Bücher auf und entdeckte darin unterstrichene Sätze und ausführliche Randbemerkungen. Manche Autorennamen hatte er noch nie gehört; offenbar waren in den Jahren, die er außerhalb Polens verbracht hatte, einige neue Schriftsteller hervorgetreten. Auf einem Tisch lagen Zeitschriften und eine Literaturanthologie, die einen Pappeinband hatte und deren Seiten nur zusammengeheftet waren. Er blätterte darin und entdeckte Gedichte, deren Verszeilen oft nur aus ein paar Wörtern und zahlreichen Pünktchen bestanden – etwas typisch Europäisches war hier gewissermaßen in die jiddischen Schriftzeichen eingedrungen. Der Verfasser eines Artikels, dessen Titel »Juden mit einer Berufung« lautete, hatte geschrieben:

»Wir Juden haben diese ganze metaphysische Berufung satt, die uns die deutschen Rabbiner und andere jüdische Autoritäten auf die schwachen Schultern geladen haben. Wir weisen die Behauptung zurück, daß wir das Uhrwerk der Geschichte zurückdrehen und nach Palästina zurückkehren müßten. Die jüdischen Massen lieben ihr Zuhause. Sie wollen in brüderlichem Geiste mit ihren Nachbarn zusammenleben und Seite an Seite mit ihnen für eine bessere Welt kämpfen, in der es weder

Nationen noch Klassen noch Religionen, sondern einzig und allein eine vereinte, fortschrittliche Menschheit geben wird.«

Es war fast Mitternacht, als die Bücherei geschlossen wurde. Euser Heschel, Jekuthiel und David Katz gingen voraus, die anderen folgten in einigem Abstand – Männer und Frauen Arm in Arm. Laute, von Gelächter begleitete Gespräche wurden geführt. Eines der Mädchen stimmte ein Lied an, die Männer sangen mit. Ihre Schritte hallten auf dem Kopfsteinpflaster, ihre Schatten glitten vor ihnen her, bewegten sich aufeinander zu, vereinten und trennten sich, wie bei einem Reigen.

Jekuthiel zog an seiner Zigarette und lächelte.

»Wenn das dein Großvater sähe!«

»In Klein-Tereschpol werden Sünden begangen, die viel schlimmer sind«, warf jemand ein.

An der Schulgass verabschiedeten sich die anderen von Euser Heschel. Er schüttelte jedem die Hand. Ein Mädchen, dessen Brillengläser im Mondschein blitzten, verabschiedete sich mit einem besonders herzlichen Händedruck. Als Euser Heschel allein war, holte er tief Luft, dann lauschte er angespannt. Irgendwo schrie eine Eule; es klang wie das Wehklagen über einen unerträglichen Kummer. Adele würde bestimmt noch wachliegen und ihn mit Vorwürfen, Klagen und Nörgeleien empfangen. Er wußte schon auswendig, was sie sagen und was er antworten würde. Und danach die übliche Versöhnung, die Zärtlichkeiten im Dunkeln – und die Lügen.

Viertes Kapitel

I

Eines Abends, als Hadassa allein war und auf der Veranda des Landhauses in Usefow ein Buch las, hörte sie jemanden hüsteln. Sie hob den Kopf. Drunten auf dem Rasen, an einen Kiefernstamm gelehnt, stand Rosa Frumetl. Sie trug ein geblümtes Kleid und weiße Schuhe. Ihr runzliges Gesicht war sonnenverbrannt, ihre Nase gerötet, ihr Mund zusammengepreßt. Die Art und Weise, wie sie Hadassa fixierte, ließ darauf schließen, daß sie nichts Gutes im Schilde führte. Hadassa ließ das Buch fallen.

»*Mich* hast du wohl nicht erwartet, was?« fragte Rosa Frumetl barsch. »Ich bin hergekommen, um dir zu sagen, daß wir genau wissen, wie du's treibst. Die Wahrheit kommt immer ans Licht.«

»Was ... was soll das?«

»Das weißt du ganz genau. Spiel bloß nicht die Heilige! Glaub bloß nicht, daß die Welt völlig verrückt geworden ist! Es gibt noch einen Gott im Himmel, der alles sieht und alles hört. Der Allmächtige läßt sich Zeit, doch Er straft mit starker Hand.«

»Entschuldige, aber ...«

»Das ist kein gutnachbarlicher Besuch! Ich nehme mir kein Blatt vor den Mund. Du hintergehst deinen Mann. Und du nimmst einer anderen den Mann weg. Ich warne dich, du spielst mit dem Feuer. Was du mit dir selber machst, ist deine Sache. Wenn du es für richtig hältst, mit unbedeckten Haaren herumzulaufen wie eine Schlampe – nu, ich bin nicht der Kosak Gottes. Wenn die Zeit gekommen ist, wird dich die Strafe Gottes treffen. Aber ich lasse es nicht zu, daß du das Leben meiner Tochter ruinierst. Verlaß dich drauf – ich werde Krach schlagen, so laut, daß die ganze Nachbarschaft zusammenläuft!«

Hadassa wich das Blut aus dem Gesicht. »Ich weiß nicht, wovon du sprichst.«

»Du schreibst ihm Liebesbriefe. Du machst alles zum Gespött, was zum natürlichen Anstand einer jüdischen Frau gehört. Du bist drauf und dran, mit ihm durchzubrennen und seine Kebse zu werden. Glaubst du denn, wir sind alle mit Blindheit geschlagen? Erstens dürfte es bloß ein paar Wochen dauern, bis er deiner überdrüssig ist. Und zweitens – laß dir das gesagt sein! – werde ich es gar nicht erst so weit kommen lassen. Ich kläre deinen Mann auf. Und deine Mutter ebenfalls. Gott sei's geklagt, sie ist eine kranke Frau, und was du treibst, wird sie ins Grab bringen. Außerdem machst du dich strafbar. In Polen müssen Huren einen gelben Ausweis bei sich tragen.«

»Geh jetzt gefälligst!«

»Ich gehe, wann es *mir* paßt. Wenn du nicht aufhörst, dich wie eine Dirne aufzuführen, reiße ich dir die Haare einzeln aus! Und denk daran – ein Gefängnis von innen zu sehen, ist für dich ja nichts Neues.«

Hadassa sprang auf und rannte zur Glastür. Rosa Frumetl trippelte hinter ihr her. »Hure! Dirne! Zu Hilfe!«

Hadassa schloß die Verandatür. Rosa Frumetl hämmerte mit den Fäusten an den Rahmen. Der Hund des Verwalters wurde von dem Lärm geweckt und rannte kläffend auf sie zu. Rosa Frumetl griff nach einem Stock, der am Geländer lehnte, und versuchte, den Hund zu verscheuchen.

»Fort mit dir! Fort! Jetzt hetzt du also schon die Hunde auf mich! Gott der Gerechte! Aber es gibt ein Jenseits. Die Plagen Ägyptens sollen über dich kommen! Die Fallsucht sollst du kriegen, haushoch soll's dich werfen!«

Die Frau des Verwalters kam aus ihrer Kate und beschwichtigte den Hund. Rosa Frumetl sagte etwas auf polnisch zu ihr. Hadassa rannte zum Kleiderschrank, zerrte Mantel, Hut und Handtasche heraus und stürmte durch die Küchentür zu dem Tor, das auf den Anger führte. Sie rannte in Richtung Bahnstation. Hin und wieder hielt sie inne und sah sich um, als ob sie fürchtete, von Rosa Frumetl verfolgt zu werden. Am Bahnsteig wartete ein Zug. Sie stieg ohne Fahrkarte ein. Erst als der Zug aus dem Bahnhof rollte, stellte sie fest, daß er nach Otwock fuhr. In der Nähe von Swider badeten einige Männer und Frauen im Fluß. Die Sonne war untergegangen, und purpurne Schatten lagen auf der glatten Wasseroberfläche. Ein großer Vogel flog darüber hinweg. Aus den kleinen Häusern am Bahndamm drang quäkende Grammophonmusik. Auf den Waldwegen gingen Paare spazieren. Neben einem Baum stand ein ehrwürdiger alter Jude, der sich andächtig hin und her wiegte, während er die Abendgebete rezitierte.

In Otwock stieg Hadassa aus und kaufte eine Fahrkarte nach Warschau. Der Zug, der bereits am Bahnsteig stand, fuhr erst in zwanzig Minuten ab. Hadassa setzte sich in ein dunkles Abteil, in dem sie ganz allein war. Sie schloß die Augen. Die Lokomotive keuchte und fauchte. Der Qualm ihrer Schornsteine drang durchs Abteilfenster. Eine tiefe Gelassenheit schien Hadassa zu überkommen. Das Schicksal hatte ihr einen so verheerenden Schlag versetzt, daß sie jetzt nicht einmal mehr fähig war, Schmerz zu empfinden. Gleichwohl war sie sich klar darüber, daß die Seelenqual später um so größer sein würde. Sie fror und schlug den Mantelkragen hoch. »Wenn er dort gewesen und das alles mit angehört hätte!« schoß es ihr durch den Kopf. »Wenn er wüßte, wie teuer ich bezahlen muß!«

In ihrem letzten Brief hatte sie ihm genau erklärt, wo und wann sie auf ihn warten würde. Er sollte zu ihr ins Landhaus kommen. An normalen Wochentagen war Fischel nie da, und sie hatte dafür gesorgt, daß auch sonst niemand zu Besuch kommen würde. Und nun war ihr Plan zunichte gemacht worden, und sie wußte nicht, was sie jetzt tun sollte. Zu Klonja gehen? Aber wie sollte er denn wissen, daß sie dort war? Nein, sie mußte nach Hause gehen, in die Gnojnastraße. Aber welche Erklärung sollte sie Fischel dafür geben, daß sie in dieser drückenden Hitze nach Warschau zurückgekehrt war? Und was würde Schifra sagen, wenn sie ins Landhaus zurückkam und vergeblich nach ihr suchte? Und die Verwaltersfrau? Sicher hatte ihr Rosa Frumetl alles erzählt, und nun würde sich der Tratsch wie ein Lauffeuer in der ganzen Gegend ausbreiten. Und konnte sie denn sicher sein, daß Fischel noch nichts davon wußte? Vielleicht rief ihn Rosa Frumetl aus der Sommerfrische an. Bestimmt war sie schnurstracks zu Mama gegangen, die jetzt sicher wieder einen Anfall hatte.

Das einzig Vernünftige wäre, sofort nach Usefow zurückzufahren. Was nützte es, davonzulaufen? Ihr Geheimnis war keines mehr. Aber wie hätte sie jetzt noch dorthin zurückkehren können? Rosa Frumetls Beschimpfungen, ihr wütendes Hämmern an der Verandatür und ihre Hilferufe hatten ihr eine panische Angst eingejagt. Das alles hatte etwas von jenen kindischen Alpträumen an sich, die sie immer dann heimsuchten, wenn ihr etwas Angst machte. Auch jetzt krampfte sich ihr Magen zusammen, auch jetzt überlief sie ein kalter Schauder, auch jetzt prickelte ihre Kopfhaut.

Der Zug setzte sich in Bewegung. Der Schaffner kam herein, machte Licht und lochte Hadassas Fahrkahrte. Sie sah aus dem Fenster. Nächtliche Stille lag über dem Fluß Swider. Die Wälder ringsum waren in Dunkel gehüllt. In Falewitz konnte man vom Zug aus in ein Wirtshaus sehen, in dem Lastträger und Fuhrleute Domino spielten. In Miedzeszyn, wo Klonja wohnte, stand Hadassa auf, als ob sie nun doch hier aussteigen wollte, aber dann setzte sie sich wieder. Kurz hinter Wawer fuhr der Zug an Fabriken vorbei. Schornsteine rauchten. Hinter vergitterten Fenstern waren Arbeiter am Werk. Wenig später kam der Friedhof von Praga in Sicht. Hadassa empfand plötzlich so etwas wie Neid. Wie stand es um jene, die unter diesen Grabhügeln lagen? Wußten sie, daß sie tot waren? Ein beleuchteter Trambahnwagen ratterte am Gitterzaun des Friedhofs vorbei. Ein Leuchtsignal schaltete von Rot auf Grün. Kurz darauf fuhr der Zug auf die Brücke. Drunten strömte klar und schimmernd die Weichsel dahin. Über den Wassern lag eine göttliche Ruhe, wie die Stille vor dem Schöpfungsakt.

Der Zug hielt. Hadassa stieg aus. Wo war ihr Koffer? Ach ja, sie hatte doch gar keinen mitgenommen! Wie drückend die Luft in der Stadt war! Der Betonboden des Bahnsteigs strömte Hitze aus. Hadassa ging an der Lokomotive vorbei, die schwarz und riesig dastand und stinkenden Kohlenqualm ausstieß. Öl tropfte von den massiven Rädern und Achsen. Der Schornstein keuchte noch. Durchs Fenster konnte man einen halbnackten Mann sehen, der vor der offenen Feuerung stand. Sein Gesicht war verrußt. Im Schein der Flammen funkelten seine Augen – er sah aus wie ein Teufel der Gehenna. Vor dem Bahnhof herrschte reger Droschkenverkehr. Zeitungsjungen riefen Extrablätter aus. Hadassa schnappte ein paar Worte auf, etwas über ein österreichisches Ultimatum an Serbien. Das Gerede über einen drohenden Krieg war wohl doch nicht bloß leeres Geschwätz gewesen. Und ausgerechnet jetzt war Euser Heschel zurückgekommen! Ihretwegen würde er in das Debakel hineingerissen werden!

In der Muranowstraße ging sie in einen Laden und rief bei Abram an. Niemand meldete sich. Vermutlich war er mit Ida weggefahren. Vielleicht trieb er sich aber auch irgendwo mit der Schauspielerin herum, über die Hadassa schon einiges zu Ohren gekommen war. Dann rief sie bei ihrer Tante Lea an. Sie fragte nach Mascha, die aber nicht zu Hause war. Sicher hatte sie eine Verabredung mit diesem Maler, ihrem nichtjüdischen Freund. Du lieber Gott, war denn niemand da, mit dem sie sprechen konnte? Sie hob nochmals den Hörer ab und rief bei ihrem Vater an. Auch dort meldete sich niemand. Sie verließ den Laden, winkte eine Droschke herbei, stieg ein und ließ sich zu ihrer Wohnung in der Gnojnastraße fahren.

2

In der Woche darauf, am Mittwochabend, klingelte das Telefon im Flur. Hadassa ging hin und hob mit zitternder Hand den Hörer ab. »*Prosze?* Bitte?« Keine Antwort. Nur ein dumpfes Rauschen und Pfeifgeräusche. Dann war plötzlich eine leise Stimme zu vernehmen.

Seine Stimme. Hadassa wollte etwas sagen, aber ihre Kehle war wie zugeschnürt. Sie schien die Sprache verloren zu haben. Ihre Zähne schlugen aufeinander. »Ich bin's. Hadassa.«

Wieder Schweigen. »Wo bist du?« fragte sie.

»In einer Drogerie in der Krochmalnastraße.«

»Wann bist du angekommen? O mein Gott!«

Sie hörte ihn etwas murmeln, konnte aber kein Wort verstehen.

»Sprich lauter!«

Er sagte etwas, aber sie begriff, obwohl sie Wort für Wort verstand, den Zusammenhang nicht. Dann hörte sie ihn sagen: »Gestern . . . nein, vorgestern nacht. Aus Swider.« Sie wunderte sich. Was hatte er denn in Swider zu tun?

»Warte auf mich«, sagte sie. »An der Ecke Krochmalna- und Gnojnastraße. Du weißt, wo das ist?«

»Ja.«

»Ich komme gleich.«

Sie wollte einhängen, konnte den Hörer aber einfach nicht loslassen. Erst nach einer Weile legte sie auf. Ein Glück, daß Fischel nicht zu Hause war! Sie ging in ihr Zimmer und öffnete einen Schrank. O Gott, endlich war es soweit! Sie betrachtete die Kleider, die im Schrank hingen. Lauter Wintersachen. Ihre Sommerkleider waren in Usefow. Sie öffnete eine Kommode und zog einen Gürtel heraus. Dann setzte sie einen breitkrempigen Hut auf. Wo war ihr Schlüssel? Und ihre Handtasche? Sie wollte das Gaslicht ausdrehen, konnte aber nicht weit genug hinaufreichen. Ach was, dann blieb das Licht eben an! Sie ging hinaus und ließ das Türschloß einschnappen. Sie hastete die dunkle Treppe hinunter, zwang sich dann aber, langsamer zu gehen. Bloß jetzt nicht hinfallen! Sie spürte einen Schmerz in der linken Brust. »Bloß nicht sterben, bevor ich an der Ecke Krochmalnastraße bin!« Sie kam an Fischels Laden vorbei. Die verglasten Türen waren schon zugesperrt, aber drinnen brannte noch eine Gaslampe. Schwacher Lichtschein fiel auf die glitschigen Wände, den Steinboden, die Fässer, Tonnen und Blechbehälter. Fischel war nicht zu sehen. Wahrscheinlich hielt er sich im hinteren Teil des Ladens auf. In der Gnojnastraße herrschte dichtes Gedränge. Gesichter, überschattet von der Abenddämmerung, tauchten auf und huschten vorbei. Zeitungsjungen verkauften das neueste Extrablatt. Hadassa sah die riesigen Schlagzeilen, konnte sie aber nicht entziffern. Wie sich die Leute um die Zeitungen rissen! Und wie fingerfertig die Zeitungsjungen das Wechselgeld herausgaben! Hadassa hörte, wie eine Münze klirrend aufs Pflaster fiel. Ein schwerbeladener Lastträger stapfte an ihr vorbei. Ein Bäckerjunge, der ein mit Flicken ausgebessertes Hemd und eine lange weiße Hose anhatte, balancierte ein Brett mit frischgebackenem Kuchen auf dem Kopf. Wer hatte denn diese Äpfel auf dem Gehsteig verstreut? Ein Polizist, der mit der Stiefelspitze im Korb einer schluchzenden Straßenhändlerin herumstocherte. Kinder balgten sich um die Äpfel. Hadassa hastete weiter, bis zur Krochmalnastraße. Euser Heschel war nicht da. Konnte das alles bloß ein Hirngespinst gewesen sein? Plötzlich entdeckte sie ihn. Er sah aus, wie sie ihn in Erinnerung hatte, und dennoch irgendwie verändert. Er war noch ein Stück gewachsen und etwas fülliger geworden. Und er hatte etwas Ausländisches an sich.

»Hadassa!«

»Euser Heschel!«

Wortlos standen sie voreinander.

Hadassa zögerte einen Moment, dann umarmte sie ihn. Ihr Gesicht wurde heiß und feucht. Sie küßte ihn auf die Wange, er küßte sie auf die Stirn. Sie spürte das salzige Naß auf ihren Lippen. Passanten blieben stehen und gafften. Daran, daß Fischels Laden in der Nähe war, dachte Hadassa jetzt nicht. Sie faßte Euser Heschel bei den Händen.

»Komm!«

»Wohin?«

»Komm mit!«

»Du meinst nach Usefow?«

Ihr war gar nicht bewußt, was sie gesagt und was er gefragt hatte.

Eine Droschke fuhr vorbei. Hadassa winkte, der Kutscher hielt. Beim Einsteigen prallte sie mit dem Knie ans Trittbrett. Euser Heschel zögerte einen Moment, ehe er einstieg. Der Kutscher drehte sich zu ihnen um.

»Wohin soll's denn gehen?«

»Fahren Sie einfach weiter«, sagte Hadassa. »Irgendwohin.«

»Zum Lazienkipark?«

»Ja.«

Die Droschke wendete abrupt. Hadassa verlor das Gleichgewicht. Sie hielt sich an Euser Heschels Ärmel fest. Alles schien sich im Kreis zu drehen – der Himmel, die Häuserzeilen, die Straßenlaternen.

»Wann bist du gekommen?«

»Montag. Heute.«

»Heute ist Mittwoch.«

»Ich war in Swider. Bei ihrer Mutter. Ich meine im Haus ihres Stiefvaters.«

Hadassa schwieg. Es war, als ob sie erst darüber nachsinnen müßte, was sich hinter seinen Worten verbarg. Für eine

Weile hatte sie vergessen, daß er gemeinsam mit Adele nach Polen zurückgekehrt war und daß Rosa Frumetl mit ihrem neuen Ehemann in Swider wohnte.

»Jetzt gehören wir zusammen. Für immer.«

»Ja. Für immer.«

»Niemand kann uns trennen.«

»Niemand.«

Die Droschke schaukelte, als ginge es bergab. Sie fuhren am Sächsischen Garten entlang. In den dichtbelaubten Baumkronen glühten Funken auf und erloschen wieder. Am Himmel glänzte die Mondsichel. Ein Stern funkelte. Erst vor ein paar Stunden war Hadassa hier gewesen; jetzt sah alles ganz anders aus – die Straßen, die Laternen, die Bäume. Die Droschke rollte weiter. Über ihnen glitt der Mond dahin. Die Kruppe des Pferdes bewegte sich auf und ab. Zwei Mädchen hielten große Blumensträuße in der Hand. Du liebe Gute, wie viele Nachtfalter um diese Laternenpfähle schwirrten! Und was für Schatten sie warfen! Und der Duft der Akazien. »Das ist der glücklichste Augenblick meines Lebens«, dachte Hadassa. Und plötzlich fiel ihr ein, daß sie beide in Usefow verabredet gewesen waren.

»Bist du in Usefow gewesen?«

»Zweimal. Die Frau dort hat mir gesagt, daß du abgereist bist.«

»Ich hatte auf dich gewartet.«

»Ich wußte nicht, was los war. Warum bist du nicht dortgeblieben?«

»Weil . . . Ach, ist doch egal. Jetzt sind wir beieinander. Bis in den Tod.«

»Falls ich nicht eingezogen werde.«

»Da sei Gott vor! Nimm den Hut ab! Ich möchte dich anschauen.«

Sie zog ihm den Hut vom Kopf, er fiel ihr aus der Hand, und sie wollte ihn aufheben. Im selben Moment bückte sich auch Euser Heschel danach. Die Droschke neigte sich plötzlich seitwärts. Einen Moment lang schienen sie beide in der Luft zu schweben. Um ein Haar wären sie auf die Straße geschleudert worden. Sie hielten sich aneinander fest. Der Kutscher zügelte das Pferd und brachte die Droschke zum Stehen. Dann drehte er sich um, schob sich die Mütze übers Ohr und betrachtete die beiden mit der gutmütigen Nachsicht dessen, der es gewöhnt ist, daß Liebespaare sich närrisch aufführen – zumal an Sommerabenden.

»Vorsicht! Sonst fallen Sie noch aus dem Wagen.«

Hadassa sah ihn strahlend an.

»Entschuldigung. Aber wir sind ja so glücklich.«

3

Die Droschke bog in die Marszalkowska ein und fuhr am Wiener Bahnhof vorbei. Auf dem Platz davor herrschte, obwohl die Turmuhr schon auf Viertel vor elf zeigte, ein so reger Betrieb, als hätte der Abend gerade erst begonnen. Die Trambahnen waren überfüllt. Droschken rollten in alle Richtungen. Auf den Gehsteigen drängten sich die Menschen. Männer in hellen Anzügen und Strohhüten flanierten, ihre Spazierstöcke schwingend, mit Mädchen, die geblümte Kleider, weiße Handschuhe und mit Blüten und Kirschen dekorierte Hüte trugen. Im Schein der elektrischen Straßenbeleuchtung wirkten die nackten Arme und Hälse der Frauen auffallend blaß. Unter den Krempen und Schleiern ihrer Hüte strahlten ihre Augen vor sommerlicher Verliebtheit. Euser Heschel hatte Warschau noch nie im Sommer erlebt. Die Stadt kam ihm jetzt größer, prächtiger und eleganter vor. Obwohl seit seiner Abreise aus der Schweiz erst knapp zwei Wochen vergangen waren, hatte er das Gefühl, monatelang unterwegs gewesen zu sein. Seit seinem Besuch in Klein-Tereschpol hatte er keine Nacht genug Schlaf bekommen. Zuerst diese schier endlosen Fahrten in Zügen und Fuhrwerken. Dann die Nacht, die er und Adele in einem Hotel in der Nalewkistraße verbracht hatten. Bis zum Morgengrauen hatte Adele mit ihm gestritten. Schließlich hatte er sich überreden lassen, mit ihr nach Swider zu fahren, zu ihrer Mutter und deren neuem Ehemann, Wolf Hendlers. Rosa Frumetl hatte ihm sofort eine Standpauke gehalten. Adele hatte einen hysterischen Anfall bekommen. Und auch von Wolf Hendlers war er wegen seines Benehmens getadelt worden.

Zweimal war er nach Usefow gefahren, um Hadassa zu treffen. Das erste Mal hatte er das Landhaus nicht finden können, das zweite Mal hatte ihm die Verwaltersfrau gesagt, Hadassa sei abgereist. Er war zurück nach Swider gefahren, wo er Adele aus demselben Zug steigen sah. Offenbar hatte sie ihm nachspioniert. Auf dem Bahnsteig hatte sie ihn am Arm gepackt und geschrien: »Jetzt weiß ich alles! Du Schuft!« Gezetert hatte sie und geflennt. Er war davongelaufen und bis nach Falenitz gerannt, wo er gerade noch einen Zug nach Warschau erwischte. Gleich nach der Ankunft hatte er bei Hadassa angerufen, aber niemand hatte sich gemeldet. Dann war er zu Gina gegangen. Sie hatte ihn herzlich begrüßt, ihn aber nicht bei sich einquartieren können. Sie war mit ihm in die Wohnung zweier Näherinnen gegangen, die sich bereit erklärten, ihm eine dunkle Kammer zu vermieten.

Das alles berichtete er Hadassa in holprigen, abgehackten Sätzen.

»Was für Näherinnen?« fragte sie. »Ich verstehe das alles nicht.«

»Gina hatte kein Quartier für mich. Ihre Zimmer sind alle vermietet.«

»Warum bist du denn erst noch zu deinem Großvater gefahren? Ich dachte schon, du hättest Bedenken bekommen.«

»Nein, Hadassa. Ich liebe dich. Mehr als alles auf der Welt.«

In der Jerusalemer Allee mußte die Droschke halten. Arbeiter gruben die Straße auf, um Reparaturen an den Abwässerkanälen vorzunehmen. In den ausgehobenen Gräben brannten elektrische Lampen. Ein Scheinwerfer verbreitete grelles gelbliches Licht. Ringsum roch es nach Asphalt, Gas und Moder. In den Gräben waren schmutzverkrustete Rohre und halbnackte Arbeiter zu sehen. Es dauerte eine ganze Weile, bis die Droschke weiterfahren konnte.

Hadassa sagte etwas, das Euser Heschel in all dem Lärm nicht verstehen konnte. In der Ujasdowski-Allee waren die Bänke dicht besetzt. Euser Heschel sah Hadassa an.

»Wohin fahren wir?«

»Ich habe ihm gesagt, er soll uns zum Lazienkipark fahren.«

»Ist der um diese Zeit geöffnet?«

»Ich weiß nicht.«

»Was tun wir, wenn er geschlossen ist?«

Sie sah ihn schweigend an. Die Droschke hielt.

»So – wir sind da!«

Euser Heschel zog eine Silbermünze aus der Tasche. Der Kutscher betrachtete sie und probierte, ob sie sich verbiegen ließ.

»Das ist ausländisches Geld, Panje!«

»Oh, ich hab' mich geirrt.« Euser Heschel griff nochmals in die Tasche, drückte ihm ein Fünfzigkopekenstück in die Hand und ließ sich nicht herausgeben.

Der Kutscher salutierte mit der Peitsche. »Besten Dank, mein Herr!«

Die beiden stiegen aus, die Droschke fuhr davon.

Das Parktor war noch offen, aber ein Wächter stand davor und ließ niemanden mehr hinein. Sie gingen weiter. Nach ein paar Schritten blieb Hadassa plötzlich stehen.

»Du liebe Güte, ich hab' dich noch gar nicht gefragt, ob du Hunger hast. Wieso bist du eigentlich in der Krochmalnastraße gewesen?«

»Weil du in der Nähe wohnst.«

»Ich wollte gerade weggehen. Wenn du fünf Minuten später angerufen hättest, wäre ich nicht mehr zu Hause gewesen. Als das Telefon klingelte, wußte ich sofort, das bist du!«

»Den ganzen Tag warst du nicht zu Hause. Ich habe bestimmt zwanzigmal angerufen.«

»Das kann doch nicht sein! Ach ja, ich war bei Stefa, Abrams Tochter. Ihre Schwester Bella hat geheiratet. Ich habe mit Stefa über dich gesprochen. Sie weiß über uns Bescheid. Mascha auch.«

»Und was ist mit *ihm*?« fragte Euser Heschel nach einigem Zögern.

Hadassa wurde ganz blaß. »Ich habe dir alles geschrieben. Ich habe ihn aus Verzweiflung geheiratet. Jetzt ist es vorbei. Ich wollte mich selber bestrafen. Du wirst das nie verstehen.«

»O doch. Wir waren beide verzweifelt. Warum bist du nicht in Usefow geblieben?«

»Hab' ich dir das noch nicht erzählt? Ihre Mutter war bei mir und hat mir eine Szene gemacht. Es war gräßlich.«

»Wir müssen hier weg.«

»Ja. Aber wohin? Ich müßte ein paar Sachen einpacken, aber das geht jetzt nicht. Er ist zu Hause.«

»So.«

»Alle Welt ist gegen uns, aber niemand wird uns mehr trennen. Ich muß dir noch etwas sagen. Papa ist in Warschau. Es gibt Reibereien zwischen ihm und Mama. Er trifft sich öfter mit Abram. Sie hatten Streit miteinander, aber jetzt sind sie wieder versöhnt. Papa schwärmt geradezu für Abram. Alles macht er ihm nach. Wie verrückt das alles ist! Falls Papa nicht daheim ist, kann ich mir vom Hausmeister den Schlüssel geben lassen.«

»Ruf lieber erst dort an.«

»Hier ist kein Telefon in der Nähe. Komm, da ist eine Bank.«

Sie setzten sich. Gegenüber stand eine von Akazien umgebene Villa. Aus den hohen, mit Brokatvorhängen drapierten Fenstern drang Licht. Hin und wieder sah man drinnen eine schattenhafte Gestalt herumlaufen. Über den Fenstern war ein aus Stein gemeißelter, von drei Herkulesfiguren abgestützter Balkon. Es wehte ein kühler Wind. Euser Heschel sah auf seine Armbanduhr. Sie war fünf Minuten vor elf stehengeblieben. Inzwischen mußte es schon ziemlich spät geworden sein. Aus der Innenstadt kamen leere Trambahnwagen, die schwankend vorbeiratterten. Schatten glitten über Hadassas Gesicht. Euser Heschel spürte, wie seine von der Reisemüdigkeit fast betäubte Liebe zu ihr wieder aufflammte. »O Gott«, dachte er, »ich sitze wirklich neben ihr. Ich halte ihre Hand. Es ist kein Traum.« Er beugte sich zu ihr, aber ausgerechnet in diesem Moment setzte sich jemand auf das andere Ende der Bank.

»Hadassa«, flüsterte er, »bist du's wirklich?«

»Ja.« Das Laubwerk der Bäume zeichnete ein Schattengeflecht auf ihr Gesicht. Sie senkte den Kopf. »Wir könnten ja in dein Logis gehen.«

»Da müssen wir aber durch ihr Zimmer.«

»Ihr Zimmer? Ach so, du meinst die Näherinnen.« Sie verfiel in Schweigen, völlig verwirrt von all den Komplikationen, die sie immer mehr in die Enge trieben.

4

Es war schon lange nach Mitternacht, als die beiden in eine Droschke stiegen. Hadassa wies den Kutscher an, in die Panska zu fahren. Offenbar war er betrunken. Auf halbem Wege, kurz vor der Jerusalemer Allee, blieb die Droschke plötzlich stehen. Der Gaul schlug aus, das Kopfsteinpflaster klirrte unter seinen Hufen. Der Kopf des Kutschers sank nach vorn, und im nächsten Moment war lautes Schnarchen zu hören. Euser Heschel beugte sich vor und klopfte ihn auf die Schulter. Der Kutscher schreckte hoch und griff nach seiner Peitsche. Ehe er weiterfuhr, fragte er nochmals nach der Adresse. Er solle am Ende der Wielkastraße halten, sagte Hadassa. Als sie dort ausstiegen, gab ihm Euser Heschel einen halben Rubel. Auf Hadassas leise Bemerkung, er gäbe zuviel Geld aus, murmelte er etwas vor sich hin. Sie waren beide so übermüdet, daß sie gar nicht mehr wußten, was sie sagten.

Die Panska war wie ausgestorben. Die ziemlich weit voneinander entfernten Straßenlaternen warfen einen schwachen gelben Lichtschein aufs Pflaster. An den Geschäften waren die Rolläden heruntergelassen. Hadassa mußte lange läuten, bis der Hausmeister ans Tor kam. Ob ihr Vater daheim war, wußte er nicht. Sie bat ihn – während Euser Heschel etwas abseits wartete –, das Tor aufzuschließen, doch er behauptete steif und fest, er hätte den Schlüssel nicht. Hadassa kehrte um, hakte sich bei Euser Heschel ein und ging mit ihm durch die Twarda- zur Grzybowstraße. Sie deutete auf Meschulam Moschkats Haus. Die Fenster waren dunkel, bis auf eines, hinter dem eine rote Lampe brannte.

»Das Haus meines Großvaters. Hier wohnt jetzt mein Onkel Joel.«

»Gina hat mir erzählt, er sei krank.«

»Ja. Sehr krank.«

Sie bogen in die Gnojnastraße ein. Offenbar wollte Hadassa nach Hause. Vor einem Hoftor blieb sie stehen. Rechts davon entdeckte Euser Heschel ein Schild, auf dem »Fischel Kutner« stand. Hadassa zog an der Türglocke. Er starrte sie ungläubig an. Wollte sie ihm auf diese Weise Lebewohl sagen? Sie griff nach seinem Arm und lächelte. Ihr Gesicht war auffallend blaß. Goldene Fünkchen glommen in ihren Augen. Dann waren plötzlich Schritte zu hören.

»Geh hinter mir her!« flüsterte sie ihm ins Ohr.

Er wollte fragen, was sie vorhatte, kam aber nicht mehr dazu: Ein schwerer Schlüssel wurde herumgedreht, das Tor ging auf. Euser Heschel sah das längliche rote Gesicht des Pförtners – einäugig, mit einer schwarzen Klappe an Stelle der Nase. Er zog eine Silbermünze aus der Tasche und drückte sie dem Mann in die schwielige Hand.

»Wohin will der Herr?«

»Ist schon gut, Jan. Er ist unser Gast«, sagte Hadassa und zupfte Euser Heschel am Ärmel. Dann huschte sie in den Hof. Unsicher folgte er ihr. Zunächst konnte er überhaupt nichts sehen, so stockfinster war es ringsum. Der Hof mußte von massiven Mauern umgeben sein. Dann sah er hoch über sich ein gestirntes Stückchen Himmel. Er kam sich wie auf dem Grund einer tiefen Grube vor. Eine Weile war er ganz allein, dann tauchte Hadassa neben ihm auf. Sie schlangen die Arme umeinander. Hadassas Hut fiel hinunter.

»Komm mit!« flüsterte sie. Ihre Lippen berührten sein Ohrläppchen.

Sie nahm ihn bei der Hand. Er folgte ihr blindlings. »Es kommt, wie's kommen muß«, sagte er sich beklommen und zugleich draufgängerisch. »Sie führt mich zu ihrem Mann. Ach was – ich sage ihm klipp und klar, daß sie zu mir gehört.« Der Hof war ziemlich weitläufig. Euser Heschel prallte gegen einen Karren, gegen Fässer und Kisten. Es roch nach Öl und Salzlake. Hadassa zog ihn in einen Hausflur. Er folgte ihr zur Treppe. Sie schlichen hinauf. Im zweiten Stock blieb Hadassa vor einer Tür stehen. Sie wollte sie aufdrücken, doch es war zugesperrt.

»Moment!«

Sie verschwand irgendwohin. Euser Heschel fühlte sich so verlassen wie ein kleiner Junge, der warten muß, bis sein Beschützer zurückkommt. Er streckte die Hand aus, spürte das Holz, betastete den Türdrücker, das Schlüsselloch – und drückte die Tür auf. Aber sie war doch eben noch zugesperrt gewesen! Am liebsten hätte er nach Hadassa gerufen, aber er wagte keinen Laut von sich zu geben. Drinnen war es stockfinster. Ein muffiger Geruch stieg ihm in die Nase. So roch es in Wohnungen, die lange unbenützt und völlig verstaubt waren. Wo war sie denn hingegangen? Vielleicht holte sie den Schlüssel. Ja, sie hatte ihn zu einer leeren Wohnung geführt, hier, im Haus ihres Mannes. Jetzt konnte er sich alles erklären. Wo war sie denn? Daß sie bloß nicht irgendwo stolperte und hinfiel! War er jetzt glücklich? Ja, dies war Glückseligkeit. Nun war er bereit zu sterben.

Er hörte Schritte.

»Hadassa, wo bist du?«

»Hier.«

»Die Tür ist offen.«

»Hast du sie aufgebrochen?«

»Nein, sie ist aufgegangen.«

»Wieso denn? Ach, ist ja egal.«

Er machte die Tür ganz auf und trat ein. Hadassa folgte ihm. Als er nach ihrer Hand greifen wollte, berührte er etwas Weiches, Wolliges. Sie mußte ein Umhängetuch oder eine Decke mitgebracht haben. Durch einen schmalen Flur gelangten sie in ein großes, mit Möbeln vollgestopftes Zimmer. Im Vorbeigehen streifte Euser Heschel einen Schaukelstuhl, der heftig zu wippen begann. Dann stieß er mit dem Kopf an den Sims eines Kachelofens. Hadassa nahm ihn bei der Hand und zog ihn hinter sich her. Mit dem Fuß stieß sie die Tür auf, die in ein kleineres Zimmer führte. Allmählich gewöhnten sich Euser Heschels Augen an die Dunkelheit. Er konnte eine Tapete erkennen, eine eiserne Bettstatt, eine Kommode, einen Spiegel, über den ein Lichtschein huschte. Am Fenster hing ein zerrissener Vorhang. Hadassa legte die Wolldecke auf die Matratze.

»Was für ein Zimmer ist das?«

»Unser Zimmer.«

Sie fielen einander in die Arme und hielten sich schweigend umschlungen. Er konnte ihr Herz schlagen hören. Sie griff nach seiner Hand und hielt sie fest umklammert.

Dann löste sie sich von ihm und breitete die Decke über die Matratze. Sie legten sich aufs Bett. Durch den zerrissenen Vorhang war ein Stück Himmel zu sehen. Eine wundersame, ungeahnte Wärme umfing Euser Heschel. Wie ein Blinder ließ er seine Hände über Hadassas Körper gleiten, berührte ihre Augen, ihre Stirn, ihre Wangen, ihren Hals, ihre Brüste. Sie sahen einander an, und ihre geweiteten Pupillen bargen das Geheimnis der Nacht.

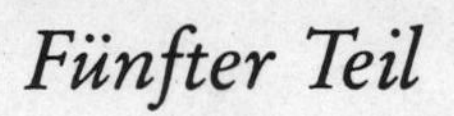

Fünfter Teil

Erstes Kapitel

I

Ein paar Tage nach Kriegsausbruch verlas der öffentliche Ausrufer auf dem Marktplatz von Klein-Tereschpol einen Erlaß: Sämtliche Juden hatten binnen vierundzwanzig Stunden die Ortschaft zu verlassen. Nun war in Klein-Tereschpol der Teufel los. Der Magistrat erklärte den jüdischen Gemeindeältesten, der Erlaß sei aus Zamosc gekommen. Zwei angesehene jüdische Bürger fuhren sofort per Kutsche nach Zamosc, doch der *natschalnik* lehnte es ab, sie zu empfangen. Die Verordnung, so ließ er sie wissen, sei von Nikolai Nikolajewitsch, dem Onkel des Zaren, erlassen worden.

Diejenigen Juden, die Pferd und Wagen hatten, packten sofort ihre Habe ein. Die anderen versuchten, bei den benachbarten Bauern Fuhrwerke zu mieten oder zu kaufen. Die ortsansässigen Polen taten so, als ginge sie das alles nichts an. Unbekümmert gingen sie ihrem Tagwerk nach. Markewicz, der Schlachter, schnitt einem Schwein die Kehle durch. Dobusch, der Fleischer, ließ sich durch nichts beim Dreschen und Apfelpflücken stören. Antek Liss, der Schuhmacher, unterbrach seine Arbeit, schlenderte hinüber in den Laden Mottels, des Lederhändlers, dem er den Vorschlag machte, ihm den Ledervorrat für ein Drittel des Einkaufspreises zu überlassen.

»Sie werden ihn dir sowieso wegnehmen«, erklärte er. »Es geht das Gerücht, daß alle Juden umgebracht werden sollen.« Anzüglich fuhr er sich mit dem Finger über die Gurgel. »Kch-kch!«

Die jüdischen Hausfrauen liefen zu ihren nichtjüdischen Nachbarinnen, um zu jammern und sich auszuweinen, doch diese hatten etwas anderes zu tun als ihnen zuzuhören. Sie waren eifrig damit beschäftigt, Mehl zu sieben, Obst einzumachen, zu buttern und zu käsen. Die älteren Frauen spannen Flachs, die Kinder spielten mit Hunden und Katzen oder gruben nach Regenwürmern. Sie alle konnten recht gut ohne die Juden auskommen.

Einige jüdische Hausfrauen, die bei ihren Nachbarn Möbelstücke in Verwahrung geben wollten, bekamen zu hören, das Haus sei leider schon bis obenhin vollgestopft. Man hätte aber nichts dagegen, Kleiderbündel, Bettwäsche, Silberzeug und Schmuck in Verwahrung zu nehmen.

Die Verlautbarung war am Montagmorgen vom Ausrufer verlesen worden. Dienstag nachmittag hatten bereits Dreiviertel der jüdischen Einwohner die Ortschaft verlassen. Auf der Lubliner Landstraße wimmelte es von Fuhrwerken, Karren und Ausgewiesenen, die zu Fuß unterwegs waren. Die Schächter trieben das Schlachtvieh vor sich her. Die armen Leute trugen die Bündel mit ihren Habseligkeiten auf dem Rücken. Die Torarollen aus der Synagoge waren sorgfältig in ein mit Spreu ausgepolstertes Fuhrwerk gelegt worden, und über die Heiligtümer hatte man Gebetsmäntel und Vorhänge von Toraschreinen gebreitet. Mehrere Männer und Frauen gingen neben dem Fuhrwerk her, um über die Heiligtümer zu wachen. Die Bauersleute kamen aus ihren Katen. Manche brachten den fliehenden Juden Kännchen mit Wasser; manche lachten und höhnten.

»Oi, oi! Jidden! Tatele! Mamele!«

Reb Dan und seine Angehörigen zählten zu den letzten, die das Schtetl verließen. Der alte Rabbi hatte Anweisung gegeben, die Bücher aus seinem Studierzimmer auf dem Dachboden zu verstecken. Er wollte nur seinen Gebetsschalbeutel und ein paar Bücher mitnehmen, die ihm besonders ans Herz gewachsen waren. Er stopfte seine Manuskripte in den Ofen und sah zu, wie sie verbrannten.

»Die Welt wird auch ohne sie weiterbestehen.«

Er lehnte am Türpfosten, während die Schriftstücke brannten. Drei Sackvoll Manuskripte und Briefe hatten sich angesammelt, seit er vor mehr als vierzig Jahren das Rabbinat übernommen hatte. Jetzt fragte er sich, wie er überhaupt dazugekommen war, soviel zu schreiben. Früher einmal hatte er mit dem Gedanken gespielt, einige seiner Kommentare drukken zu lassen. Jetzt gehörte das alles der Vergangenheit an. Die Flammen hatten es nicht eilig. Der Wind im Abzug blies ein paar Seiten aus dem Ofen. Der Rabbi mußte sie aufsammeln und wieder ins Feuer werfen. Die gebündelten Manuskripte waren zu dick, um rasch Feuer zu fangen; sie mußten erst auseinandergerissen werden. Inmitten der Flammen blieb, wie durch ein Wunder, ein vergilbtes Papierbündel lange unverkohlt liegen. Als es schließlich zu brennen begann, blieb das Format der Seiten noch eine Weile erhalten, und die Schriftzeichen des Textes hoben sich flammendrot von den glimmenden Seiten ab.

Als die Säcke leer waren, ging der Rabbi hinaus zu dem wartenden Fuhrwerk. Er küßte die Mesuse am Türpfosten und warf einen letzten Blick in den von Gras und Unkraut überwucherten Hof. Er betrachtete den Apfelbaum, das Schindeldach, den Schornstein, die Fenster, die für das Laubhüttenfest errichtete Hütte. Über dem Bethaus kreiste ein Storch. In den Fensterscheiben des Lernhauses spiegelten sich die goldenen Sonnenstrahlen. Aus dem Schornstein der *mikwe* stieg Rauch auf; von nun an würden die christlichen Dorfbewohner das Badehaus der vertriebenen Juden benützen. Vor der Tür des Armenhauses stand noch der Leichenwagen.

Die Frau des Rabbis, seine Tochter Finkel und deren Tochter Dina saßen bereits auf dem mit Kissen, verschnürten Kartons und gebündelter Bettwäsche bepackten Fuhrwerk. Die alte Frau weinte. Dina hatte sich ein Handtuch um den Kopf gewickelt. Ihr Mann, Menasse David, war irgendwo in Galizien verschollen. Reb Dan setzte sich ins Fuhrwerk und blickte zum Himmel empor.

»Es ist Zeit zum Fortgehen.«

Sie fuhren durch die Schulgass und über den Marktplatz. Vor der Kirche herrschte dichtes Gedränge. Eine Beerdigung vermutlich, oder eine Hochzeit. Vergoldete Kruzifixe schimmerten in der Sonne. Aus dem dämmrigen Kirchenschiff hallten Orgelmusik und Chorgesang. Ein Stückchen weiter, auf der linken Seite, war der jüdische Friedhof. Unter seinen Weißbuchen stand, inmitten der anderen Grabsteine, das Grabmal des großen Rabbis Menachem David, der hier in Klein-Tereschpol zweiundfünfzig Talmudkommentare verfaßt hatte. Auf dem Grabmal saß, den Blick in die Ferne gerichtet, eine Krähe. Am Ende der Chaussee hielt das Fuhrwerk vor einem Gasthaus. Die Inhaberin, eine jüdische Witwe, war dageblieben. Weil ihr Anwesen zu einem anderen

Verwaltungsbezirk gehörte, war anzunehmen, daß sie von dem Ausweisungsbefehl nicht betroffen war. In einem Hinterzimmer lagen auf Strohschütten etliche Kranke aus dem Armenhaus. Reb Dans Fuhrwerk hielt neben dem Karren, auf dem Jekuthiel Uhrmacher saß – umgeben von seinen aufeinandergestapelten Werkzeugen. Er sah den Rabbi an und lächelte wehmütig.

»Nu, Rebbe?«

Was er damit sagen wollte, war klar: Wo ist jetzt dein Herr der Welt? Wo sind Seine Wunder? Wo ist dein Glaube an die Tora und die Kraft des Gebets?

»Nu, Jekuthiel?« erwiderte der Rabbi. Was er damit sagen wollte, war: Wo sind jetzt deine weltlichen Allheilmittel? Wo ist dein Vertrauen zu den Andersgläubigen? Was hat es dir eingebracht, Esau nachzuäffen?

Die Wirtin kam heraus und bat Reb Dan und seine Angehörigen ins Haus, wo sie ihm eine Stube hergerichtet hatte. Hier sollte er bleiben, bis man die Pferde getränkt und Vorkehrungen für die nächste Etappe der Wanderschaft getroffen hatte. Der Rabbi nahm seinen Gebetsschalbeutel, stieg aus dem Fuhrwerk und zog sich in die Stube zurück. Eine ganze Weile ging er auf und ab. An der Wand hing eine Chanukkalampe. Ein kleiner Bücherschrank, der nur wenige Bände enthielt, und zwei Himmelbetten standen in der Stube. Draußen im Hof, nahe beim Fenster, stand ein Ziegenbock. Der Rabbi sah ihn an, und der Bock beäugte ihn. Plötzlich wurde Reb Dan von tiefer Zuneigung zu diesem Geschöpf – dem »Tapferen unter den Grasfressern« – ergriffen, das im Talmud mit Israel – dem »Tapferen unter den Völkern« – verglichen wird. Am liebsten hätte er das armselige Tier gestreichelt oder ihm irgendeinen Leckerbissen gegeben. Nach einer Weile zog er seine Talmudausgabe aus dem Beutel und begann zu lesen. Schon seit langem hatte er in den alten Texten nicht mehr soviel Sanftmut entdeckt wie in diesem Augenblick.

Seine Frau kam herein, um ihm zu sagen, daß sie jetzt weiterziehen müßten. Sie sah den entrückten Ausdruck auf seinen Zügen. Sie setzte zum Sprechen an, doch ihre Kehle war wie zugeschnürt. Ihr Mann kam ihr in dieser ungewohnten

Umgebung wie ein altehrwürdiger Weiser, ein *tanna*, vor. Ein Gefühl der Verzückung, in das sich Wehmut mischte, überkam sie bei dem Gedanken, daß es ihr beschieden gewesen war, fast sechzig Jahre lang an der Seite dieses Heiligen zu leben.

2

Gegen zwei Uhr setzte sich das Fuhrwerk wieder in Bewegung. Zadock und Levi, die Söhne des Rebbe, waren mit ihren Frauen und Kindern vorausgefahren. Man hatte damit gerechnet, daß die Fahrt nach Żamosc höchstens vier Stunden dauern würde, aber die Fuhrwerke kamen nur langsam voran. Immer wieder mußten sie anhalten. Die Landstraße war überfüllt: Soldaten, Lafetten mit Geschützen und Militärfahrzeuge waren unterwegs zum San, wo die österreichischen Truppen angegriffen hatten.

Soldaten in den verschiedenartigsten Uniformen zogen vorbei: mit Lanzen bewaffnete Kosaken, die runde Mützen und Ohrringe trugen; Tscherkessen mit Pelzmützen, bodenlangen Mänteln und allen möglichen Dolchen, die sie sich vorne in die Uniform gesteckt hatten; Kalmücken, klein wie Pygmäen und schlitzäugig. Gespanne von acht oder auch zehn Pferden zogen die schweren Geschütze. Die mächtigen Räder der Lafetten zermalmten die Steine auf der Landstraße. Die Rohrmündungen waren mit Zweigen und Blumengirlanden geschmückt. Auf den Feldern und Wiesen rechts und links der Landstraße waren Feldküchen aufgestellt, in riesigen Kesseln wurde das Essen für die Truppen gekocht. Berittene Soldaten sprengten auf und ab, stießen Rufe aus und ließen ihre Peitschen knallen. Die Pferde wieherten, bäumten sich auf, Schaum sprühte von ihren Lefzen. Vogelschwärme kreisten krächzend. Staubwolken flimmerten über den Bajonetten der Marschkolonnen. Die paar Fuhrwerke und Karren mit den fliehenden Juden erregten den Groll der Soldaten.

»Die Christusmörder haben sich schon auf den Weg gemacht«, murrten sie. »Die Ratten verlassen das sinkende Schiff.«

Einige Flüchtlinge versuchten zu erklären, daß sie ihre Dörfer nicht freiwillig verlassen hatten, doch die Offiziere befahlen ihnen umzukehren und schlugen mit der Reitpeitsche nach ihnen. Die Frauen begannen zu schluchzen, die Kinder plärrten. Die nichtjüdischen Bauern auf den Kutschböcken erklärten mürrisch, sie hätten nicht vor, bis zum Nimmerleinstag mit diesem Judenpack herumzufahren; sie wollten das ganze Gesindel loswerden und auf ihre Höfe zurückkehren. Vor allem Reb Dan wurde von den Soldaten begafft. Sein weißer Bart, sein Samthut, sein seidener Kaftan – das alles kam ihnen sonderbar vor. Wohin, zum Teufel, zogen sie denn, diese verfluchten Christenfeinde? Auf welcher Seite standen sie denn in diesem Krieg? Was wollten sie eigentlich? Warum nahmen diese Hunde nicht endlich den einzig wahren Glauben an? Am Bart oder an ihren vermaledeiten Schläfenlocken sollte man diese Ungläubigen packen – oder sie gleich mit dem Bajonett durchbohren! Den Soldaten juckte es in den Fingern, den Frauen die Perücken vom Kopf zu reißen oder den jungen Weibsleuten unter den Rock zu fassen. Warum denn warten, bis man dem österreichischen Feind jenseits des San gegenüberstand? Der jüdische Feind war *hier* – direkt neben den Militärfahrzeugen krauchte er herum!

»Hundesöhne! Ungläubige! Spione! Deutsche Schweine!«

Manche Soldaten spuckten den Juden ins Gesicht, manche brachten die um Verständnis Flehenden mit einem Faustschlag zum Schweigen oder versetzten ihnen einen Fußtritt. Die meisten freilich glotzten diese in lange Mäntel gehüllten, zerzausten, verängstigten Menschen bloß teilnahmslos an. Die Fuhrleute bekreuzigten sich vor jedem Bildstock am Straßenrand und flehten zu Maria und Jesus, sie zu beschützen und mit Pferd und Wagen unversehrt heimkehren zu lassen.

Die Sonne ging schon unter, aber noch immer war kein Dorf in Sicht. Die Infanteristen grölten Lieder, die barbarisch klangen. Die Kavalleristen brüllten, fluchten und schwenkten ihre blanken Säbel. Pferde stolperten und stürzten. Von der Front waren bereits Verwundete zurückgebracht worden. Mit blutgetränkten Verbänden, die fahlen Gesichter schmerzverzerrt, lagen sie auf dem Erdboden. Es stank nach Schweiß, Urin und Wagenschmiere. Zusammengekauert saß Reb Dan auf der Strohschütte des Fuhrwerks. Er hatte nie bezweifelt, daß das Volk Israel ein Schaf unter Wölfen war, umgeben von Götzendienern, Mördern, Wüstlingen und Säufern. Dies war die Unterwelt, in der das Böse regierte. Wo sonst könnte Satan sein Bollwerk errichten? Wo sonst könnten die Mächte der Finsternis lauern? Doch er hatte sich mit der Erkenntnis getröstet, daß alles von Gott kommt. Auch der Teufel hatte seinen Ursprung in der göttlichen Schöpfung. Das Wesentliche war der freie Wille des Menschen. Jeder Makel würde seine Läuterung finden. Unreinheit war eigentlich bloß eine Einbildung.

Jetzt aber, auf der Wanderung ins Ungewisse, sah sich der Rabbi den Mächten des Bösen Auge in Auge gegenüber. Es war, als hätten der Lärm und der Gestank der Verderbnis das Licht der Frömmigkeit in ihm ausgelöscht. Der Pfeiler, der ihm Halt gegeben hatte, war ihm verlorengegangen. Er wollte beten, doch seine Lippen konnten die Worte nicht formen. Er schloß die Augen. Er hatte das Gefühl, in einen Abgrund zu stürzen. Er klammerte sich an die Seitenbretter des Fuhrwerks und begann, das Nachmittagsgebet zu sprechen, aber vor lauter Verwirrung wußte er den Text nicht mehr. Immer wieder sagte er denselben Satz vor sich hin: »Glücklich sind, die in Deinem Hause wohnen.«

Am späten Abend erreichte der Flüchtlingszug das Dorf Modly-Boszycz. Hier war vom Krieg nichts zu merken. Der Marktplatz war leer. Hinter den Fenstern brannten Petroleumlampen. Im Lernhaus saßen Burschen und ältere Männer über Bücher gebeugt an den Tischen. Der Rabbi des Dorfes und einige Gemeindeälteste begrüßten Reb Dan und seine Söhne und führten sie in die Synagoge, während die Frauen ins Haus des Rabbis gingen. Reb Dan stellte sich an die Ostwand und murmelte die Abendgebete. Es tat gut, wieder neben einem Toraschrein zu stehen. Von den Tischen drang das Gemurmel der Gläubigen herüber, die im Talmud lasen. Reb Dan atmete die vertraute Bethausluft. Dort draußen Fäulnis und Unreinheit, hier drinnen der erquickende Duft der Heiligkeit und Frömmigkeit. »Vergib uns, Vater im Himmel, denn wir haben gesündigt. Vergib uns, Du unser König, denn wir haben gefrevelt.« Er flüsterte die Worte und schlug sich, reumütig, weil er gezweifelt hatte, an die Brust.

Ein junger Bursche mit langen Schläfenlocken und großen dunklen Augen trat auf ihn zu und bat ihn um seine Auslegung einer schwierigen Stelle in den Kommentaren. Ihm schien die Auslegung des berühmten Rabbis Tam einen Widerspruch zu enthalten. Reb Dan nahm ihm die Kerze aus der Hand und spähte in den aufgeschlagenen Band, dessen vergilbte Seiten mit Wachstropfen übersät waren. »Nein, das ist kein Widerspruch. Rabbi Tam hat recht«, sagte er und erläuterte dem jungen Burschen die schwierige Stelle.

Reb Dan hatte vorgehabt, mit seiner Familie nach Lublin zu ziehen und so lange dortzubleiben, bis die Lage sich etwas entspannt hatte. Levi jedoch, der sich in Sachen Politik für sehr beschlagen hielt, erklärte, die Front werde sich bestimmt bald in Richtung Lublin verlagern. Seiner Ansicht nach wäre es besser, nach Warschau zu ziehen. Nach einigen Diskussionen sandte Reb Dan zwei Briefe ab – den einen an seinen Enkel Euser Heschel, den anderen an Godel Zinamon, der früher einmal zu seinen Anhängern gezählt hatte und in der Hauptstadt reich geworden war. An beide richtete er die Bitte, eine Unterkunft für ihn und seine Angehörigen zu beschaffen. Dem Brief an Euser Heschel fügten die anderen Verwandten ein paar Worte hinzu – seine Großmutter, seine Mutter und seine Schwester sowie die Onkel, Tanten, Vettern und Cousinen: Herzliche Grüße an seine Frau Adele und unbekannterweise beste Empfehlungen an seine Schwiegermutter, Rosa Frumetl, und seinen Schwiegervater, Reb Wolf Hendlers.

Zweites Kapitel

I

Die meisten wohlhabenden Warschauer Juden, die Landhäuser in der Umgebung von Otwock hatten, blieben gewöhnlich bis kurz vor Rosch Haschana in der Sommerfrische. Manche verbrachten auch noch das Neujahrsfest auf dem Land. Dieses Jahr aber kehrten alle vorzeitig nach Warschau zurück. Es war Krieg. Der Mangel an Lebensmitteln wurde von Tag zu Tag schlimmer. Die deutschen Truppen errangen einen Sieg nach dem andern, die russischen befanden sich im Rückzug. Die Front rückte immer näher. Wer brachte in solchen Zeiten die Gemütsruhe auf, es sich in der Sommerfrische wohlsein zu lassen?

Wie jedes Jahr hatten die weiblichen Mitglieder der Familie Moschkat auch in diesem Sommer zugenommen, und die männlichen waren sonnengebräunt. Bei der Rückkehr nach Warschau stellten sie fest, daß ihre Wohnungen frisch getüncht und gründlich überholt werden mußten, aber Pläne dieser Art wurden vorläufig aufgeschoben. Die Frauen gingen sogleich auf den Markt, um ihre Speisekammern aufzufüllen, doch es war schwierig, sich mit Vorräten einzudecken. An den meisten Geschäften waren die Rolläden heruntergelassen. Die Inhaber standen in ihren Kaftanen vor der Ladentür, tuschelten mit Stammkunden und ließen sie dann durch die Hintertür hinein. Manche Ladenbesitzer nahmen kein Papiergeld mehr an, andere bestanden darauf, daß die Kundschaft mit Silber- und Goldmünzen zahlte. Als ob sie sich miteinander verschworen hätten, entrichteten die Mieter in den Moschkatschen Häusern plötzlich keinen Mietzins mehr. Die Familie Moschkat nahm nichts mehr ein.

Nathan, Pinnje und Njunje sprachen bei Koppel im Kontor vor, doch er wußte auch keinen Rat. Derzeit war gar nicht daran zu denken, Möbelstücke pfänden zu lassen oder auf Zwangsräumung zu klagen. Die jungen Männer wurden zum Kriegsdienst eingezogen. Und zudem war Meschulams Nachlaß noch nicht unter den Erben aufgeteilt. Nathan, der immer dann am optimistischsten war, wenn die Lage besonders düster erschien, erklärte, der Krieg könne ja nicht ewig dauern.

»Die werden einander grün und blau schlagen, diese unverbesserlichen Narren, und dann wird ihnen gar nichts anders übrig bleiben, als sich irgendwie zu einigen.«

Pinnje dagegen, der alle Zeitungen las und sich in politischen Dingen für sehr beschlagen hielt, behauptete, der Krieg könnte ein Jahr, wenn nicht sogar zwei dauern.

»Die haben genug Soldaten. Und die Herrscher können sich Zeit lassen.«

»Aber was sollen wir denn tun?« fragte Nathan.

»Den Gürtel enger schnallen und warten, bis es vorüber ist. Du kannst ruhig ein paar Pfund abnehmen.«

Währenddessen ging Koppel im Kontor auf und ab. Auch ihm machte dieser Krieg Sorgen. Er besaß ja selber zwei Häuser, eines drüben in Praga und eines hier in der Stadt. Er nagte an seiner Unterlippe und paffte eine Zigarette. »Der Alte hat recht gehabt«, sagte er sich. »Die meisten Leute sind Diebe, Schwindler und Halunken. Fluch über ihre verkommenen Seelen!«

Koppel hatte erreicht, wonach er so lange gestrebt hatte. Jetzt war er in jeder Hinsicht der Treuhänder und Verwalter des Moschkatschen Vermögens. »Königin« Esther, Joels Frau, jammerte unentwegt, sie hätte keinen roten Heller mehr. Ihr Mann sei krank, und das Haushaltsgeld reiche nicht einmal für einen Sack Mehl oder Kartoffeln. Hanna, Pinnjes Frau, verlangte, daß ein Familienrat abgehalten und Meschulams Hinterlassenschaft unverzüglich aufgeteilt werden sollte. Was ihren Anteil beträfe, so sei sie jederzeit bereit, ihn zu verkaufen. Njunjes Äußerungen war nicht zu entnehmen, welchen Standpunkt er eigentlich vertrat. Tatsache war, daß er zehntausend Rubel auf die hohe Kante gelegt hatte. Und zudem war sein Schwiegersohn Fischel ein wohlhabender Mann.

Perl, Reb Meschulams verwitwete älteste Tochter, sprach nicht bei Koppel vor. Sie hatte eigene Liegenschaften und Geschäftsinteressen. Außerdem hatte ihr der Arzt dringend geraten, wegen ihres schlechten Gesundheitszustands jede Aufregung zu vermeiden. Auch Lea erschien nicht im Kontor.

Koppel würde sie schon nicht vor die Hunde gehen lassen. Wie es so schön heißt: »Alte Liebe rostet nicht.«

Hama wollte sofort zu Koppel rennen und um Hilfe flehen, doch Abram drohte ihr an, er würde das Haus nie mehr betreten, wenn sie sich vor seinem Erzfeind demütigen würde.

»Diesen Speichellecker um einen Gefallen bitten!« brüllte er. »Nicht, solange ich lebe!« Er schlug mit der Faust auf den Tisch, daß die Lampe wackelte.

»Aber, Abram«, jammerte Hama und schnaubte sich die vom Schnupfen gerötete Nase, »wenn das so weitergeht, haben wir bald kein Stück Brot mehr!«

»Dann essen wir eben Kuchen.«

Er stürmte aus dem Zimmer und knallte die Tür zu. Warum sie derart in Panik geriet, war ihm unbegreiflich. Angenommen, sie müßte eine Zeitlang hungern – war das denn so schlimm? Sie aß ohnehin wie ein Spatz. Und Stefa war doch nur selten zu Hause – ständig trieb sie sich mit diesem Studenten herum. Bella allerdings... Sie stillte ihr Kind, sie mußte viel Milch trinken. *Sein* Enkel – eine wahre Pracht!

Obzwar Abram sich nicht gern als »Großvater« bezeichnen ließ, war er einfach hingerissen von dem Säugling, der ihm wie aus dem Gesicht geschnitten war. Nur daß die Familie darauf bestanden hatte, den Kleinen nach seinem Urgroßvater »Meschulam« zu nennen, ärgerte ihn. Was für ein Name für einen hilflosen Säugling! Wenn es um Kinder ging, deichselten eben die Frauen alles. Nu ja, immerhin mußten *sie* die Kleinen herumtragen und ertragen und aufziehen. Vater konnte man werden, ohne sich hinterher um das Gequengel zu scheren.

Auf der Straße zündete sich Abram eine Zigarre an, dann schlenderte er in Richtung Marszalkowska. Jetzt erst fiel ihm ein, daß er Euser Heschel noch nicht wiedergesehen hatte. Der Kriegsausbruch, die überstürzte Rückkehr aus der Sommerfrische, die Mobilmachung, das Herumrennen nach Lebensmitteln, der Ärger über Koppel – all das hatte jeden anderen Gedanken verdrängt. Und obendrein hatte Bella eine schwierige Geburt gehabt. Drei Tage hatten die Wehen gedauert. Hama war zum Grab ihrer Eltern gelaufen, um dort für Bella zu beten. Bellas Schwiegermutter war in die Synagoge gerannt. Die Ärzte hatten eine Zangengeburt in Erwägung gezogen. Hätte er sich unter diesen Umständen auch noch über Hadassas und Euser Heschels Angelegenheiten den Kopf zerbrechen sollen? Jetzt, da Bella und das Kind, gottlob, wohlauf waren, konnte er sich wieder um andere Dinge kümmern. Das Leben ging weiter, auch wenn Krieg geführt wurde zwischen Gog und Magog. Er ging in eine Drogerie und rief Gina an.

»Gina, meine Liebe, ich bin's. Abram.«

»Na sowas! Du redest noch mit unsereins? Ich dachte schon, es wäre dir zu Kopf gestiegen, daß du Großvater geworden bist. Das will was heißen! Gratuliere! Herzlichen Glückwunsch! Wie geht's dem Sprößling?«

»Ein Prachtbursche! Dergleichen hat's noch nie gegeben, seit Kinder gezeugt werden. Eine Stimme wie ein Löwe! Und seine Augen! Der braucht mich bloß anzugucken, und schon bin ich hin! Die Mädchen, die dem einmal in die Hände fallen, können einem schon jetzt leid tun.«

»Schäm dich! Ein Wickelkind, ein Täubchen – und du redest bereits über so was! Du mußt ja plemplem sein.«

»Du auch. Warte mal fünfzehn, sechzehn Jahre, dann wirst du schon sehen, was dieses Wickelkind alles anstellt. Übrigens, Gina, ich habe gehört, daß Euser Heschel wieder in Warschau ist.«

»Du meine Güte, fällt dir das erst jetzt ein? Wie egozentrisch du bist, Abram! Der junge Mann hat überall nach dir gefragt. Tausendmal hat er angerufen, aber du warst wie vom Erdboden verschluckt.«

»Wo ist er?«

»Das fragst du *mich*? Du bist doch sein Gönner gewesen! Jedenfalls ist er eines Tages bei mir aufgetaucht – das war kurz vor Kriegsausbruch. Leichenblaß ist er gewesen, wie einer, der zum Galgen geführt wird. Ich sage dir, er war völlig verstört. ›Was ist denn passiert?‹ habe ich gefragt. Um's kurz zu machen: Er hatte sich mit seiner Frau gezankt und war ihr davongelaufen.«

»Wo ist er? Was macht er? Wo wohnt er? Hat er sich mit Hadassa getroffen?«

»Woher soll ich das wissen? Ich habe ihm nicht nachspioniert. Er wohnt hier, in diesem Häuserblock. Meine Zimmer waren alle vermietet, aber ich konnte ihm ein Logis beschaffen. Bei den Näherinnen, diesen Sozialistinnen. Dort haust er zwar in einem Kabuff, aber das ist immer noch besser, als in der Gosse zu landen.«

»Was? Jaja. Gut. Ist er telefonisch zu erreichen?«

»Du spinnst wohl? So arme Leute können sich doch kein Telefon leisten.«

»Gina, glaub ja nicht, daß ich diesen jungen Mann vergessen habe. Abram Schapiro vergißt seine Freunde nicht. Ich habe Tag und Nacht an ihn gedacht. Aber wenn man eine Tochter hat, die in den Wehen liegt und zum Gotterbarmen schreit, dann sieht alles etwas anders aus. Eine Entbindung ist schließlich kein Kinderspiel. Ich habe auch an dich gedacht, Ginuscha. Wie geht's dir denn?«

»Mir? Alle Welt hat mich vergessen.«

»Red keinen Stuß! Es gibt auf der ganzen Welt nur *eine* Gina. Ich brauche bloß an dich zu denken, und schon wird mir warm ums Herz.«

»Deine Schmeicheleien kannst du dir sparen.«

»Nu gut. Jedenfalls werde ich dich bald besuchen.«

Auf der Marszalkowska konnten die Trambahnen nicht weiterfahren. Militärkolonnen marschierten in Richtung Mokotow. Kavallerieeinheiten ritten vorbei, gefolgt von Infanteriekompanien in voller Ausrüstung. Die Soldaten plärrten eine Art Knittelvers über ein Mädchen, das zum Pilzesammeln gegangen war. Pferde, die Geschütze zogen, trotteten die Fahrbahn entlang. Auf Karren wurden Maschinengewehre transportiert, die mit wasserdichten Planen abgedeckt waren. Eine Militärkapelle schmetterte. Abram ging hinter den Marschkolonnen her. Wie von selbst paßten sich seine Schritte dem Takt der Marschmusik an. »Was soll das ganze Tamtam?« dachte er. »Da müssen Männer fortziehen, um sich töten zu lassen, und vorher bringt man ihnen noch ein Abschiedsständchen. Gott im Himmel, was für einen Schlamassel du angerichtet hast! Eine schöne Welt hast du zustande gebracht! Ich würde viel darum geben, wenn ich wüßte, was du jetzt dort oben auf deinem Thron der Herrlichkeit im siebenten Himmel denkst. Ob du weißt, daß es hier auf Erden einen Menschen namens Abram Schapiro gibt? O Vater im Himmel, du hast das Herz eines Banditen!«

Kurz vor dem Eisernen-Tor-Platz stieg Abram in eine Droschke und befahl dem Kutscher, in die Swiętojerska zu fahren. Er hatte es auf einmal sehr eilig, Gina aufzusuchen und Näheres über Euser Heschel zu erfahren. »Wie konnte ich bloß so lange warten? Jetzt glaubt er bestimmt, daß ich nichts mehr mit ihm zu tun haben will. An allem ist dieser verfluchte Krieg schuld!«

»He, Kutscher! Schneller! Sie bekommen ein gutes Trinkgeld!«

Er schämte sich seiner eigenen Worte. Die unter staatlicher Aufsicht stehenden Spirituosenläden hatten bei Kriegsausbruch strikte Anweisung erhalten, ihre Vorräte wegzuschütten. Dieser Nikolaus befürchtete wohl, daß eine betrunkene Bevölkerung auf den Gedanken kommen könnte, ihn mitsamt seiner Zarin und diesem Rasputin zu stürzen.

2

Die Droschke hielt vor dem Häuserblock, in dem Gina wohnte. Abram bezahlte. Am Hoftor blieb er stehen und sah hinüber zum Krasinskipark. Bildetete er sich das bloß ein, oder war tatsächlich von fern der Klang eines Schofar zu hören, das vertraute Stakkato und Glissando des traditionellen Widderhorns? »Bald ist Versöhnungstag«, dachte er melancholisch. »Die Fische im Wasser erzittern. Der Tag des Gerichts rückt näher. Und wie wird das alles enden? Welcher Urteilsspruch wird für das, was ich dieses Jahr getan habe, im Buch des Lebens verzeichnet sein? Herrgott, nach allem, was ich mir geleistet habe, erscheint es doch unglaublich, daß ich Jude bin!«

Ein zerlumpter Bettler kam mit ausgestreckter Hand auf ihn zu. Abram gab ihm ein Vierzigkopekenstück. »Ich kann nicht herausgeben«, stammelte der Bettler. »Schon gut.« Überschwenglich wünschte ihm der Bettler ein gesegnetes Neues Jahr und auch weiterhin das große Glück, den Armen etwas spendieren zu können.

Zu Tränen gerührt, ging Abram in den Hof. An der Haustür zögerte er einen Moment, dann beschloß er, nicht sofort zu Gina zu gehen, sondern erst bei den Näherinnen vorzusprechen. Vielleicht traf er Euser Heschel dort an.

Er wandte sich an ein kleines Mädchen, das im Hof spielte.

»Kannst du mir sagen, wo die Näherinnen wohnen? Die eine heißt Franja.«

»Meinen Sie die mit den dunklen Haaren? Die Hübsche?«

»Ja.«

»Und die andere hinkt?«

»Ja.«

»Da drüben im letzten Haus. Dritter Stock.«

»Na, Kleine, wie wär's mit einem Zehngroschenstück?«

»Weiß nicht.«

»Da hast du zehn Groschen. Für Bonbons.«

»Meine Mama sagt, ich darf von Fremden nichts annehmen.«

»Ich sag's bestimmt nicht weiter. Es bleibt unser Geheimnis.« Er drückte der Kleinen die Münze in die Hand. Sie sah ihn verwundert an. »Danke.«

»Gott segne dich, mein Kind.«

Er sah ihr nach, als sie davonrannte. Ihre Beine waren schrecklich dünn. In ihre Zöpfe war ein Band eingeflochten. Er hielt ein Streichholz an seine Zigarre. »Wie leicht es doch ist, Gutes zu tun! Herrgott, warum tue ich denn nichts? Ich bin ganz den materiellen Dingen verfallen. Ich habe völlig vergessen, daß der Mensch eine Seele hat. Vater im Himmel, vergib mir!«

Es fiel ihm schwer, die drei Treppen hinaufzusteigen. Immer wieder mußte er stehenbleiben und nach Atem ringen. Die Stufen waren staubig und mit Abfällen übersät. Auf einem Treppenabsatz kam er an einem Mädchen vorbei, das gerade eine Stange Kren rieb. Aus den Wohnungen roch es nach Gebratenem, Rübensuppe und Hafergrütze. Offenbar wohnten auch Handwerker in diesem Haus: Hämmern, Sägen und das Surren einer Maschine waren zu hören. Da Abram nicht wußte, wo er im dritten Stock klopfen sollte, lauschte er, ob aus einer der Türen das Geräusch einer Nähmaschine drang. Dann nahm er einen leichten Geruch wahr – Holzkohle, wie sie zum Erhitzen von Bügeleisen benützt wurde, und versengte Wolle. Die Tür dort – das mußte die richtige sein.

Er klopfte und trat ein. Ja, das war die Wohnung. In dem großen Zimmer waren Franja und Lila, die beiden Näherinnen, und eine Frau, die gerade ein Kleid anprobieren wollte. Sie stand in ihrer langen Schlupfhose da. Das Korsett, in das sie ihre üppigen Hüften gezwängt hatte, erinnerte Abram an einen Panzer. Sie kreischte, als sie ihn hereinkommen sah, und rannte hinter den Wandschirm. Franja ging hinaus. Lila hielt die Nähmaschine an und musterte ihn erstaunt.

»Entschuldigen Sie bitte. Ich habe geklopft, aber es hat niemand geantwortet.«

»Womit kann ich dienen?«

»Ich möchte einen jungen Mann sprechen, der hier wohnt. Euser Heschel.«

»Da drüben links.«

Als Abram auf die Tür zuging, hörte er die Frauen hinter seinem Rücken wispern. »Ich habe mich benommen wie ein Elefant im Porzellanladen«, dachte er beschämt. Er wollte klopfen und berührte dabei den Schnappriegel, der sofort aufsprang. Der Anblick, der sich ihm bot, verschlug Abram die Sprache: Euser Heschel saß mit Hadassa auf dem Bett. Er war in Hemdsärmeln. Hadassa hatte den Hut abgenommen, ihr Haar war zurückgekämmt und im Nacken zu einem Knoten geschlungen. Sie hatte eine weiße Bluse und einen gestreiften Rock an. Eine Gaslampe brannte. Euser Heschel sprang auf und stieß beinahe den kleinen Tisch um. Auch Hadassa war aufgesprungen.

Abram begann zu zetern – wie stets, wenn er in eine peinliche Situation geriet. »Ihr wißt wohl gar nicht mehr, wer ich bin? Zu hochnäsig geworden, um mich wiederzuerkennen, was?«

»Onkel Abram!«

»Wer denn sonst? Ich bin ja schon dankbar, wenn du noch weißt, wer ich bin.«

Er machte die Tür zu, packte Euser Heschel bei den Schultern und küßte ihn überschwenglich auf beide Wangen. Dann schob er ihn beiseite und zog Hadassa an sich.

»Ja, ich bin's! Dein Onkel Abram!« Er küßte sie auf den

Mund. Hadassa schmiegte sich an ihn und bedeckte sein Gesicht und seinen Bart mit Küssen.

»So, jetzt reicht's! Erst vergißt du, daß es mich noch gibt, und dann machst du so viel Getue um mich!«

Seine Zigarre war hinuntergefallen. Sein Spazierstock, der neben ihm gelehnt hatte, rutschte weg und fiel scheppernd auf den Fußboden.

»Schon gut«, brummelte Abram. »Ihr braucht keine Angst zu haben. Nennt mich, was ihr wollt – einen Halsabschneider, Schwindler, Halunken. Aber selbst ein Bösewicht fügt seinem eigen Fleisch und Blut keinen Schaden zu.«

»Ich habe überall nach Ihnen Ausschau gehalten«, sagte Euser Heschel.

»Kein Wort mehr davon, sonst ziehe ich Ihnen mit diesem Stock eins über! Sie hätten gleich nach Ihrer Rückkehr zu mir kommen sollen. Du lieber Himmel, Tag und Nacht denke ich an ihn, rede ich von ihm – und er ist hier in Warschau und hält sich Gott weiß wo versteckt, wie eine Maus in ihrem Loch! Wenn Sie mir über den Weg gelaufen wären, hätte ich Sie in Stücke gerissen – so wütend war ich. Aber jetzt habe ich mich beruhigt. Zum Kuckuck mit Ihnen! Wenn Sie sich einen Dreck um mich scheren, kann ich das Kompliment nur erwidern! Soviel zu Ihnen. Und was dich betrifft – mit dir muß ich auf andere Weise abrechnen. Wenn du keine Vertreterin des schwachen Geschlechts wärst, keine ›Guck-mich-an-aber-rühr-mich-nicht-an‹, dann würde ich dich verprügeln, daß du auf dem Boden herumkriechen und deine Zähne einzeln aufklauben müßtest.«

»Wenn du *so* darüber denkst, dann tu's doch!«

»Kümmre dich um deine eigenen Angelegenheiten! Ich tue, was *mir* beliebt. Du kannst dich halten, wofür du willst – eine Schönheit, eine *grande dame* oder sonstwas – für mich bist du immer noch ein kleines Mädchen. Ein Wickelkind.«

»Onkel Abram, man kann jedes Wort durch die Tür hören.«

»Na und? Was ich sage, ist die reine Wahrheit. Warum verkriecht ihr euch in diesem muffigen Loch? Herrgott noch mal, draußen ist's hell und sonnig, und ihr beide hockt im

Finstern herum! Hinaus mit euch! Kommt mit! Wir stürzen uns ins Vergnügen! Wir toben uns aus, bis die Häuser von Warschau einstürzen wie die Mauern von Jericho!«

»Ach, Onkel, wenn du wüßtest...«

»Was soll ich wissen? Ich weiß gar nichts. Ich bin ein Esel. Schau, schau, wie sich der Bursche, den du dir eingehandelt hast, entwickelt hat! Ein richtiger *boulevardier*, ein europäischer Dandy! Herrgott, wie die Jahre verfliegen! Kommt her, ihr zwei! Ich muß euch küssen!«

Er zog sie an sich und wiegte sie hin und her. Das Tischchen fiel um. Die Tür wurde einen Spaltbreit geöffnet, und Franja guckte lächelnd herein.

»Was ist denn hier los? Ein Pogrom?«

»Sie erinnern sich also doch noch an mich? Als ich hereinkam, dachte ich, Sie hätten mich nicht wiedererkannt.«

»Jemanden wie Sie vergißt man doch nicht, Herr Abram.«

»Hätte ich gewußt, daß er bei Ihnen wohnt, dann wäre ich Tag und Nacht hier gewesen.«

»Bitte entschuldigen Sie«, sagte Hadassa. »Mein Onkel ist sehr temperamentvoll. Ich bringe das Zimmer gleich wieder in Ordnung.«

»Machen Sie sich keine Umstände.« Franja wandte sich Euser Heschel zu. »Eine Frau möchte Sie sprechen.«

»Mich?«

»Ich habe sie in die Küche geführt. Sie können dort mit ihr sprechen.«

Sie ging hinaus und machte die Tür zu. Euser Heschel war ganz rot vor Verlegenheit. Abram schüttelte vielsagend den Kopf. Hadassa setzte sich auf die Bettkante, stand aber sofort wieder auf.

»Wer ist es?« fragte Abram. »Herrgott noch mal, sind denn alle Weiber hinter Ihnen her?«

»Ich weiß nicht, wer es ist. Hier hat noch niemand nach mir gefragt. Ich verstehe das einfach nicht.« Vielleicht Adele! Oder ihre Mutter! Wie hatten sie seine Adresse herausbekommen?

»Sehen Sie doch nach, wer es ist! Wir warten hier.« Abram stellte sich ans Fenster und starrte die nackte Mauer an, auf die es hinausging. Hadassa hob den umgefallenen Stuhl und das Tischchen auf. Euser Heschel schlüpfte in sein Jackett und brachte seinen Schlips in Ordnung.

»Mir ist das völlig unerklärlich«, murmelte er im Hinausgehen. Hadassa setzte sich und blätterte mit zitternden Händen in einem Buch. Abram betrachtete das Stückchen Himmel zwischen den Dächern. Daß Hadassa sich mit Euser Heschel treffen würde, hatte er sich gedacht. Aber daß sie ihn in diesem dunklen Kabuff besuchte, in einem Haus, wo man sie beide kannte – auf diesen Gedanken wäre er nie gekommen. Wenn Dache davon erführe! Das wäre ihr Tod!

Er schüttelte den Kopf. Plötzlich empfand er einen tiefen Widerwillen gegen diese neue Generation. Er dachte daran, daß Stefa, seine eigene Tochter, sich schon seit vier Jahren mit diesem Studenten herumtrieb, daß aber allem Anschein nach nichts dabei herauskam. Und er dachte daran, daß Jom Kippur vor der Tür stand, daß er ein schwaches Herz hatte und daß der Tag, an dem er Bilanz ziehen mußte, immer näher rückte.

3

Die Frau, die in der Küche auf Euser Heschel wartete, war seine Mutter. Sie trug einen langen Mantel mit weiten Ärmeln und über ihrer Perücke einen Häkelschal. In der einen Hand hielt sie einen Beutel, in der anderen ein Bündel. Euser Heschel war so überrascht, daß er nach Worten rang.

»Mame!«

»Mein Sohn!«

Sie umarmte ihn, ohne ihre Bündel loszulassen.

»Wann bist du angekommen? Wie hast du hierher gefunden?«

»Ich bin mit dem Zug gekommen. Dein Großvater hat dir einen Brief geschrieben. Warum hast du nicht geantwortet? Ich dachte schon... weiß Gott was.«

»Ich konnte keine Unterkunft für euch finden.«

»Ist das ein Grund, uns nicht zu antworten? O Gott, um das zu überstehen, was ich durchgemacht habe, muß man eine eiserne Gesundheit haben! Wo wohnst du? Wo ist deine Frau? Wer ist das Mädchen, das an die Tür gekommen ist?«

Euser Heschel spürte seinen Mund ganz trocken werden.

»Ich wohne nicht hier«, würgte er heraus. »Ich habe hier bloß ein Zimmer.«

»Wozu denn?« Ihre grauen Augen blickten ihn forschend an. Ihre Hakennase war bleich, ihr Kinn spitz.

»Ich lerne hier. Entschuldige mich einen Moment!«

Er ging in seine Kammer. »Es ist meine Mutter«, sagte er kleinlaut. »Meine Mutter ist da.«

Abram und Hadassa saßen auf der Bettkante und hatten anscheinend über ihn gesprochen.

»Deine Mutter?«

»Ja.«

»Wirklich ein aufregender Tag«, sagte Abram und schlug die Hände zusammen. »Von wo ist sie denn gekommen? Haben Sie ihren Besuch erwartet? Wo wollen Sie denn mit ihr reden? Hier können Sie sie doch nicht hereinführen.«

»Ich gehe mit ihr irgendwohin. Das kommt alles so unerwartet.«

»Nu, nu, Bruderherz – bloß nicht den Kopf verlieren! Ihre Mutter ist wichtiger als alles andere. Übrigens – ich bin heute abend bei Herz Janowar. Kommen Sie doch hin, wenn Sie's einrichten können. Du auch, Hadassa.«

Hadassa erhob sich wortlos und setzte ihren Hut auf. Ihr Gesicht war fahl. Sie sah Euser Heschel an, und ihr Blick verriet Zweifel und Angst.

»Ich würde deine Mutter gern kennenlernen«, sagte sie nach einigem Zögern.

»Wann? Jetzt?«

»Nein, jetzt lieber nicht.«

»Alles ist so verwickelt. Ich begreife das einfach nicht. Mein Großvater hat mir geschrieben. Ich sollte für sie alle eine Unterkunft beschaffen. Und jetzt, so plötzlich...«

»Wollen Ihre Angehörigen nach Warschau ziehen?«

»Sie sind vertrieben worden.«

»Eine schöne Bescherung! Jetzt sitzen Sie in der Patsche, Bruderherz. Wohin wollen Sie denn mit Ihrer Mutter gehen? Am besten gehen Sie beide zuerst aus dem Haus, und wir warten hier noch eine Weile.«

»Tut mir leid. Ich weiß wirklich nicht, wie...«

»Lassen Sie nur. Eine Mutter ist eben eine Mutter.«

»Dann also auf Wiedersehen. Ich kann Ihnen gar nicht genug dafür danken, daß Sie gekommen sind.«

»Schon gut, Bruderherz. Sputen Sie sich!«

»Auf Wiedersehen, Hadassa. Ich rufe dich an. Es ist mir wirklich...« Er ging hinaus. Er war wie in Schweiß gebadet. Seine Mutter stand mit dem Gesicht zur Tür in der Küche.

»Komm, Mame, wir gehen hinunter.«

»Wohin denn? Ich bin todmüde. Den ganzen Tag bin ich herumgelaufen. Die Straßen sind so lang. Wo ist Adele?«

»Gib mir das Bündel. Wir nehmen eine Droschke.«

»Wohin denn? Nu gut.«

Er nahm das Bündel und ging mit ihr hinaus.

»Was für ein Haus ist das eigentlich? So viele Treppen! Da kann man ja einen Herzschlag bekommen.«

»Du bist in Warschau. Hier sind die Häuser hoch.«

»Geh ein bißchen langsamer!«

Euser Heschel nahm ihren Arm. Sie ging unsicher und hielt sich am Treppengeländer fest.

»Jetzt muß du erst etwas essen. In der Nähe ist ein koscheres Lokal.«

»Woher willst du wissen, daß es tatsächlich koscher ist?«

»Der Inhaber ist ein frommer Jude.«

»Was weißt du über ihn?«

»Er hat einen Bart und Schläfenlocken.«

»Das ist keine Garantie.«

»Er hat eine rabbinische Konzession.«

»Ach, die Rabbiner heutzutage! Die erteilen jedem eine Genehmigung, der sie darum ersucht.«

»Willst du etwa fasten?«

»Keine Bange, ich werde schon nicht verhungern. In dem Bündel sind ein paar Plätzchen. Ist hier eigentlich immer soviel Betrieb und Lärm, oder kommt das daher, daß Krieg ist?«

»Das ist hier immer so.«

»Ich bin den ganzen langen Weg gelaufen, und überall war ein solcher Krach, daß man davon taub werden könnte. Unmöglich, die Straße zu überqueren. Eine Frau hat mir hinübergeholfen. Wie kann man bloß in einer solchen Gehenna leben? Sobald ich aus dem Zug gestiegen war, habe ich Kopfweh bekommen.«

»Man gewöhnt sich daran.«

»Dein Großvater will herkommen. Godel Zinamon – du hast vielleicht schon von ihm gehört, ein alter Anhänger deines Großvaters – hat uns eine Wohnung besorgt. Er beteuert uns, daß alles gutgehen wird. Er hat unseren Brief umgehend beantwortet. Obwohl er für uns ein Fremder ist.«

»Ich weiß nicht, was ich sagen soll, Mame.«

»Uns nicht eine einzige Zeile zu schreiben! In dieser schweren Zeit! Was ich alles durchgemacht habe! Als ob ich nicht schon genug Kummer gehabt hätte! Ich habe schon Gott weiß wie lang kein Auge zugetan. Alle möglichen bitteren Gedanken – ich will gar nicht davon sprechen. Du wirst dir ja denken können, wie verzweifelt unsere Lage ist, wenn die Familie mich ganz allein nach Warschau fahren läßt. Der Zug war überfüllt – lauter Soldaten. Und jetzt heraus mit der Sprache! Was ist zwischen dir und deiner Frau vorgefallen? Mir kommt das alles verdächtig vor.«

»Wir haben uns getrennt.«

»So bald! Eine schöne Bescherung! Mir bleibt wirklich nichts erspart.«

»Wir sind nicht miteinander ausgekommen.«

»Glaubst du, damit ist alles erklärt? Was ist denn mit ihr? Was hast du gegen sie? Gewalt geschrien! Zuerst Dinas Mann irgendwo in Österreich verschollen, und dann läufst du deiner Frau davon! Wozu bin ich überhaupt auf der Welt?«

»Mame, ich erzähle dir alles.«

»Was gibt's da noch groß zu erzählen? Wo gehst du mit mir hin? Mir tun sämtliche Knochen weh.«

»Ich besorge dir ein Hotelzimmer.«

»Ich brauche kein Hotel. Wo ist deine Frau?«

»Ist doch egal. Du wirst ja wohl kaum zu ihr gehen wollen.«

»Warum nicht? Sie ist meine Schwiegertochter.«

»Es wäre zwecklos.«

»Willst du sie vor mir verstecken?«

»Wo sie jetzt wohnt, kann ich nicht hingehen.«

»Dann gehe ich eben allein hin. Es ist anscheinend mein Los, mit Schmach und Schande geschlagen zu sein. Sag mir ihre Adresse!«

»Sie wohnt in der Siennastraße. Nummer dreiundachtzig.«

»Wo ist das? Wie finde ich hin? Gott steh mir bei, ich bin mutterseelenallein!«

Euser Heschel versuchte nochmals, sie zu bewegen, mit ihm in ein Lokal zu gehen, aber sie weigerte sich. Schließlich rang er sich dazu durch, mit ihr zu Wolf Hendlers' Wohnung zu fahren, doch nirgends war eine Droschke zu sehen. Seine Mutter betrachtete die Gegend und schüttelte verwundert den Kopf.

»Was ist das für ein Garten – mitten zwischen all den Straßen?«

»Das ist der Krasinskipark.«

»Oh, diese Hitze! Laß dich anschauen! Du siehst nicht gerade gut aus. Was ißt du? Wer sorgt für dich? Adele ist eine anständige Frau, und gescheit obendrein. Und sie ist Halbwaise! Du hast ihr genug Kummer gemacht. Sie wollte es verbergen, aber ich hab's ihr angemerkt. Du bist ganz der Sohn deines Vaters, Gott steh mir bei!«

»Mame!«

»Wieviel kann ein Mensch ertragen? Seit ich alt genug war, um den Dingen ins Auge zu sehen, habe ich immer nur Pech gehabt. Jetzt habe ich keine Kraft mehr. Da besuche ich meinen Sohn, in der törichten Hoffnung auf ein bißchen Freude – und was muß ich erleben? Sie ist ein anständiges Mädchen aus guter Familie. Gott verzeih dir, was du angerichtet hast.«

Euser Heschel wollte etwas sagen, aber im selben Moment entdeckte er auf der anderen Straßenseite Abram und Hadassa. Sie gingen Arm in Arm. Hadassa hatte den Kopf gesenkt. Abram schwenkte seinen Spazierstock. Jetzt erst fiel Euser Heschel auf, daß er gealtert war. Sein Rücken war gebeugt, sein Bart graumeliert. Plötzlich wurde Euser Heschel von seinen Gefühlen für Abram, für Hadassa, für seine Mutter übermannt. Tränen stiegen ihm in die Augen. Er sah Abram mit ernster Miene auf Hadassa einreden. »Sicher warnt er sie davor, ihr Leben zu ruinieren«, dachte er. »O Gott, was für ein Dilemma!« Er beobachtete die beiden. Sie schienen ihm so nahe und dennoch so fern zu sein – wie enge Verwandte, denen man Lebewohl sagt, bevor man eine lange Reise antritt.

Er wandte sich wieder seiner Mutter zu und küßte sie auf die Wange.

»Mach dir keine Sorgen, Mame«, flüsterte er. »Alles wird wieder gut.«

»Wann denn? In der nächsten Welt vielleicht.«

Als sie in eine Droschke gestiegen waren, um zur Wohnung der Hendlers zu fahren, hielt sich seine Mutter mit der einen Hand an seinem Arm und mit der anderen am Seitengriff fest. All die Jahre hatte sie ihren Sohn in Schutz genommen – gegenüber seinen Großeltern, Onkeln und Tanten. Jede seiner Ungehörigkeiten hatte sie ihm verziehen. Sie hatte sich das Geld, das sie ihm in die Schweiz geschickt hatte, vom Mund abgespart. Und jetzt schleifte er sie durch die Straßen dieser großen Stadt, erzählte ihr Dinge, die keinen Sinn ergaben, und machte ihr nichts als Kummer und Schande. Aber wie hätte sie sich denn allein hier zurechtfinden sollen? Und was sollte sie tun, falls Adele sie nicht bei sich aufnahm? In großen Städten konnte einem alles mögliche passieren.

Die Droschke hielt. Euser Heschel zahlte, dann führte er seine Mutter in einen Hauseingang, in dem eine ganze Reihe Namenschilder angebracht war. Er drückte auf einen Klingelknopf und wartete, bis er den Türöffner summen hörte. Dann küßte er seine Mutter, hielt ihr die Tür auf und eilte davon. Statt in Richtung Twardastraße zu gehen, wie er es vorgehabt hatte, ging er die Zelaznastraße entlang. Er überquerte die Panska, die Prosta-, Lucka- und Grzybowstraße. Bei der Kirche in der Chlodnastraße blieb er stehen. »Und wenn Adele nicht zu Hause ist?« Vielleicht hatte das Dienstmädchen seine Mutter gar nicht hineingelassen. Vielleicht stand sie jetzt vor der Tür und wußte nicht, was sie tun sollte. »Gott im Himmel, was ist aus mir geworden? Ich sinke tiefer und tiefer.« Plötzlich kam ihm der Gedanke, daß zwischen dem vierten und dem siebten Gebot eine enge Verbindung besteht. Wieder begann er, ziellos herumzuwandern. Er hielt Ausschau nach einem Feinkostgeschäft, um eventuell von dort aus zu telefonieren. In der Solnastraße ging er in einen Laden. Die Inhaberin, die eine weiße Schürze umgebunden hatte und eine Perücke mit aufgesteckten Zöpfen trug, benützte gerade das Telefon. Sie führte ein langes Gespräch.

Wenn sie lachte, blitzten ihre Goldzähne. Sie sprach offenbar mit einem Mann über geschäftliche Dinge, machte aber immer wieder Bemerkungen über ihren Ehemann. Mehrmals hörte Euser Heschel sie fragen: »Und mein Mann? Meinst du, er wird den Mund halten?«

Er wollte den Laden wieder verlassen, doch da legte die Inhaberin – nachdem sie noch rasch zehn Pfund Leber und fünf Pfund Truthahnfleisch bestellt hatte – den Hörer auf. Als Euser Heschel ihn abhob, meldete sich sofort die Vermittlung. Er sagte die Nummer und wartete. Wer würde dort ans Telefon gehen? Das Dienstmädchen? Wolf Hendlers? Rosa Frumetl? Adele? Dann hörte er Adeles Stimme.

»Hallo, wer dort?«

»Ich bin's. Euser Heschel.«

Es dauerte eine Weile, dann sagte sie: »Ja, ich höre.«

»Meine Mutter ist in Warschau. Sie hat darauf bestanden, daß ich sie zu euch bringe.«

»Sie ist hier.«

»Du wirst verstehen, daß...«

»Du hättest wenigstens so viel Anstand aufbringen können, deine Mutter aus dieser Komödie herauszuhalten«, sagte sie auf polnisch. »Dir ist das vielleicht egal, aber das Dienstmädchen hat sie für eine Bettlerin gehalten und wollte ihr ein Almosen geben.«

Euser Heschel gab es einen Stich.

»Ich konnte nicht... das heißt, ich hatte keine Zeit. Es war mir peinlich.«

»Deiner Mutter brauchst du dich nicht zu schämen. Sie ist eine hochachtbare Frau. Und Verstand hat sie auch. Meiner Mutter war sie sofort sympathisch. Und meinem Stiefvater auch.«

»Du hast mich mißverstanden. Ich habe nicht gesagt, daß es mir wegen meiner Mutter peinlich war. Die ganze Situation war mir peinlich.«

»Wenn du wenigstens so viel Mut hättest, den Dingen ins Auge zu sehen! Glaub ja nicht, daß ich dich zurückhaben möchte. Daß du in Swider davongelaufen bist, war nur ein weiterer Beweis dafür, wozu du fähig bist. Was meine Mutter und mein Stiefvater dazu gesagt haben, kannst du dir ja denken. Ich habe nach dir gesucht, aber du hast dich versteckt gehalten wie ein Dieb. Ohne ein sauberes Hemd auf dem Leib zu haben, Naja, mich wundert gar nichts mehr. Wenn ein Sohn es fertigbringt, eine so liebevolle Mutter im Stich zu lassen, dann ... Wie geht's dir? Ich hoffe, du bist glücklich mit ihr.«

»Was redest du denn da? Sie ist verheiratet. Sie ist bei ihrem Mann.«

»Du meinst, sie macht ihm Schande. Deine Mutter bleibt bei uns. Wenn du nur einen Funken Ehrgefühl besitzt, wirst du sie hier besuchen.«

»Das geht doch nicht.«

»Was hindert dich daran? Du kannst dich doch nicht ewig verstecken. Man muß einander ins Gesicht sehen – auch wenn man sich scheiden lassen will.«

»Wann soll ich kommen?«

»Jetzt gleich, wenn du willst. Mein Stiefvater muß weggehen. Die anderen wollen ein Mittagsschläfchen halten. Wir können also unter vier Augen miteinander reden.«

»Ich bin in einer Stunde dort.«

»Ich erwarte dich. Auf Wiedersehen.«

Obzwar er sich am Morgen rasiert hatte, ging Euser Heschel zu einem Barbier, wo er sich nochmals rasieren und sich die Haare schneiden ließ. Nachdem er in einem Lokal etwas gegessen hatte, nahm er – statt die kurze Strecke zu laufen – die Trambahn zur Siennastraße: Er wollte nicht erhitzt dort ankommen, sondern einen gepflegten und gelassenen Eindruck machen. Und er wollte ihnen die Wahrheit sagen, die nackte Wahrheit.

Langsam stieg er die Treppe zur Wohnung der Hendlers hinauf. Kaum hatte er auf die Klingel gedrückt, da wurde auch schon die Tür geöffnet. Adele stand vor ihm. Sie trug einen blauen Rock und eine weiße Bluse. Und sie hatte sich das Medaillon umgehängt, das sie in Klein-Tereschpol von seiner Mutter bekommen hatte. An ihrer Hand sah er den goldenen Ehering schimmern. Sie schien etwas korpulenter geworden zu sein. Der Duft ihres Kümmelparfüms stieg ihm in die Nase. »Komm herein!« Sie hielt ihm die Tür auf.

Dann führte sie ihn in ihr Zimmer, das früher vom Sohn ihres Stiefvaters, einem Chirurgen, als Arbeitszimmer benützt worden war. Sie deutete auf einen Stuhl. Euser Heschel setzte sich. Adele machte sich's mit untergeschlagenen Beinen auf der Chaiselongue bequem. Sie musterte ihn.

»Na, du Held, wie geht's dir denn?«

»Wo ist meine Mutter?«

»Sie schläft.«

Sie wollte die ganze Wahrheit hören – nichts sollte er ihr verschweigen. Er gab alles zu. Daß er mit Hadassa zusammengewesen war, in der Wohnung ihres Vaters, bei ihrer Freundin Klonja in Miedzeszyn und in einer unbenützten Wohnung in Fischels Haus. Adele wollte alle Einzelheiten wissen. Um ihre blassen Augen spielte ständig ein Lächeln. Wie hätte sie ihm böse sein können, diesem linkischen Burschen mit den typisch chassidischen Gesten – dieser sonderbaren Mischung aus Verlegenheit und schamloser Offenheit? Ihr war jetzt klar, daß er sich nie ändern würde. Der scharfe Verstand, der hinter dieser hohen Stirn arbeitete, würde eine Rechtfertigung für jedes Vergehen finden.

»Jedenfalls bringst du noch so viel Anstand auf, mir die Wahrheit zu sagen.«

Sie stand auf, ging hinaus und brachte ein Tablett mit Tee und Kuchen herein.

»Ich möchte nichts«, sagte Euser Heschel.

»Wovor hast du denn Angst? Ich werde dich bestimmt nicht vergiften.«

Sie sah ihm zu, wie er das Glas an die schmalen Lippen setzte und den Tee schlückchenweise schlürfte. Er kam ihr wie ein Kind vor. Ein Stückchen Kuchen fiel ihm hinunter. Er bückte sich danach, ließ es dann aber doch liegen. Die blauen Adern an seinen Schläfen pulsierten, sein Gesicht zuckte. »Der arme Narr«, dachte Adele. »Ich lasse mich nicht von ihm scheiden. Warum der anderen dazu verhelfen, wieder ehrbar zu werden? Soll sie doch eine Hure bleiben!« Sie stand von der Chaiselongue auf. »Wozu hinterm Berg halten? Du wirst Vater.«

Das Teeglas in seiner Hand klirrte.

»Ist das dein Ernst?«

»Es ist die Wahrheit.«

»Ich verstehe nicht...«

»Ich bin im vierten Monat.«

Unwillkürlich musterte er ihre Figur.

»Was ist mit dir los? Du bist ja leichenblaß. *Du* mußt das Kind doch nicht austragen.«

Vom Flur her waren Schritte zu hören. Die beiden Mütter hatten ihr Mittagsschläfchen beendet.

Drittes Kapitel

Gewöhnlich ging Fischel nach der Abendandacht im Bethaus noch einmal in seinen Laden. An diesem Abend jedoch wollte er sofort heimgehen. Im Laden gab es in diesen Kriegszeiten ohnehin nicht viel zu tun. Öl, Seife und Fett wurden von Tag zu Tag knapper, und Fischel war nicht darauf aus, seine Vorräte zu verkaufen. Im Bethaus steckten die jungen Burschen, die den Einberufungsbefehl erhalten hatten, die Köpfe zusammen und tuschelten miteinander über Ärzte, die sich möglicherweise bestechen ließen, und über einen Bader, der sich darauf verstand, einem das Trommelfell so zu durchstechen, daß es einen Riß bekam, oder einem sämtliche Zähne zu ziehen oder dafür zu sorgen, daß man steife Fingergelenke bekam. Sie erzählten einander von einem Beamten, der bereit war, gefälschte Geburtsurkunden und Personalausweise zu beschaffen. Die meisten dieser jungen Burschen unternahmen bereits etwas auf eigene Faust. Sie aßen Hering, tranken Salzlake und Essig und rauchten unzählige Zigaretten, weil man auf diese Weise angeblich sehr rasch abnahm. Als Fischel sich zu ihnen gesellte, verstummten sie, nicht weil sie Angst vor ihm hatten – ein Spitzel war er bestimmt nicht –, sondern weil er eben doch nicht zu ihnen gehörte. Fischel hatte den blauen Ausmusterungsbescheid, eine hübsche Frau, ein Geschäft, ein Haus auf dem Land, eine goldene Uhr und einen reichen Schwiegervater. Wie hätte so einer verstehen sollen, was in denen vorging, die sich nicht davon freikaufen konnten, in die zaristische Uniform gesteckt zu werden?

Fischel machte sich auf den Heimweg. Langsam ging er die Straße hinunter. Was mochte Hadassa jetzt tun? Ob sie immer noch unterwegs war? »Ihre Mutter ist krank, und ihr Vater verplempert seine Zeit mit diesem närrischen Abram. Wenn seine Frau stirbt, wird er sicher sofort wieder heiraten. Wer weiß, ob er nicht noch ein Halbdutzend Kinder zeugen wird?« Fischel runzelte die Brauen. Mit diesen Erbschaften ist es doch immer das gleiche, dachte er. Sie werden hoffnungslos verzettelt. Ihm selber war es mit Gottes Hilfe gelungen, seinen Besitz zusammenzuhalten. Wer hatte ihm denn kürzlich erzählt, daß dieser Student aus der Schweiz zurückgekehrt war? Ob sie sich irgendwo mit ihm traf? Nein, sie war kein liederliches Frauenzimmer. Und bestimmt keine Lügnerin. Gleich nach der Hochzeit hatte sie ihm alles gestanden.

Er stieg die Treppe hinauf und klopfte an der Wohnungstür. Hadassa öffnete. Beim Hineingehen murmelte er: »Guten Abend.«

»Ach, du bist's.«

Das Telefon, das im Flur an der Wand hing, begann zu klingeln. Hadassa rannte hin und hob den Hörer ab.

»Ja, ich bin's. Wie bitte? Sprich doch etwas deutlicher! Was? Mein Onkel Abram? Wir sind eine Weile spazierengegangen, dann haben wir in einem Lokal zu Mittag gegessen. Wo bist du gewesen? Jaja, ich verstehe. Hab' ich mir schon gedacht. Die Eintrittskarten? Warte bitte um Viertel nach acht am Ende der Niecalastraße auf mich, beim Sächsischen Garten.« Sie legte auf.

»Wer hat angerufen?«

»Eine Freundin. Wir sind zusammen zur Schule gegangen.«

»Was hat sie denn gewollt?«

»Nichts Besonderes. Bloß ein bißchen plaudern.«

»Du hast etwas von Eintrittskarten gesagt.«

»Eintrittskarten? Ach ja, wir gehen ins Theater.«

»Schon wieder?«

»Warum nicht? Was soll ich denn sonst tun?«

»In letzter Zeit bist du ständig unterwegs. Mittagessen mit Abram, abends ins Theater. Unsere Weisen nennen solche Frauen ›Herumtreiberinnen‹. Der Talmud sagt, man kann sich von ihnen scheiden lassen, ohne ihnen Unterhalt zu zahlen.«

»Dann laß dich doch scheiden!«

»Ich habe bloß einen Scherz gemacht. Es wird allmählich kühler. Du solltest lieber zu Hause bleiben, sonst erkältest du dich vielleicht.«

»Dann werde ich sterben.«

»Sei nicht kindisch! Du hast vom Leben noch viel zu erwarten. Wir werden reich sein. Öl ist heutzutage Gold wert.«

»Das soll mich wohl glücklich machen?«

»Warum denn nicht? Geld ist etwas sehr Wichtiges. Wann ist das Abendessen fertig? Ich habe Hunger.«

Hadassa ging in die Küche. Auf den zurückgedrehten Gasflammen standen dampfende Töpfe. Schifra war weggegangen. Ihr Schatz war eingezogen worden, und nun rannte sie ständig zu den Dienstmädchen in der Nachbarschaft, um nachzufragen, ob sie Briefe bekommen hatten, die vielleicht irgendwelche Nachrichten über ihn enthielten. Und inzwischen war das Essen angebrannt. Hadassa goß eine Tasse Wasser in einen der Töpfe. Es zischte und dampfte entsetzlich. Mit dem Kochen kam sie einfach nicht zurecht, auch wenn sie sich noch so viel Mühe gab, die Anweisungen im Kochbuch genau zu befolgen. Sie stand am Herd, hielt die Tasse in der Hand und dachte an die unerwartete Ankunft von Euser Heschels Mutter. Und jetzt war er bei Adele, und seine Mutter würde alles tun, um die beiden miteinander auszusöhnen.

Schifra stürmte herein. »Gnädige Frau, ich habe Nachricht von meinem Itschele!«

Hadassa fuhr zusammen.

»Wo ist er denn?«

»In einer Ortschaft namens Zychlin.«

»Na also. Du hast dich umsonst geängstigt.«

Schifra krempelte die Ärmel hoch, band sich eine Schürze um und kümmerte sich um die Kochtöpfe. Hadassa ging ins Wohnzimmer, wo Fischel, die Hände auf dem Rücken verschränkt, auf und ab lief und etwas vor sich hin murmelte. Im Schein der Gaslampe blitzten seine Brillengläser.

»Hast du wirklich vor, nach dem Essen auszugehen?«

»Ja. Warum?«

»Hör auf mich – geh nicht aus.«

»Warum nicht? Sie ist eine gute Freundin von mir.«

»Hör zu, Hadassa. Die hohen Feiertage stehen vor der Tür, die Tage der Buße. Der Mensch lebt nicht ewig.«

»Ich weiß nicht, worauf du hinauswillst.«

»Du weißt, was ich meine. Ich warne dich. Du hast einen gefährlichen Weg eingeschlagen.«

Hadassa stürmte hinaus und schlug die Tür zu, daß die

Scheiben klirrten. Fischel ging zum Bücherschrank. Er wußte Bescheid; er hatte deutlich gehört, daß sie am Telefon mit einem Mann gesprochen hatte. Sie wollte sich mit ihm am Sächsischen Garten treffen. »Vielleicht küssen sie sich. Vielleicht hat sie ein Techtelmechtel mit ihm. Vielleicht ... Gott verzeih mir diesen Gedanken ... vielleicht hat sie mit ihm gesündigt.«

Er spürte, wie sich sein Herz zusammenkrampfte. »Vater im Himmel, was soll ich tun? Wie kann ich sie retten? Hilf mir, Vater im Himmel!« Mit zitternden Händen suchte er im Bücherschrank herum. Er schlug einen Band des Gesetzbuches auf und las noch einmal den Passus, den er schon auswendig wußte: Ein Weib, das Ehebruch begeht, ist unrein für ihren Gatten wie auch für den Verführer. Er stellte den Band zurück und nahm eine Ausgabe des *Psalters* aus dem Schrank. Es verlangte ihn danach, zu beten, Gott sein Herz auszuschütten, die eigenen Sünden zu bekennen, zum Höchsten zu flehen, daß Hadassa, seine geliebte Ehefrau, die Tochter Daches, errettet werde vom Bösen. Er setzte sich, schloß die Augen, wiegte den Oberkörper hin und her und flüsterte: »Wohl dem, der nicht wandelt im Rat der Gottlosen noch tritt auf den Weg der Sünder noch sitzet, wo die Spötter sitzen.«

Ihm kamen die Tränen. Seine Augengläser beschlugen sich. Er nahm die Brille ab und putzte sie. Er hatte keinen Hunger mehr. Auf den vergilbten Buchseiten waren Flecken, wie von Tränen und Kerzenwachs. Eine tiefe Schwermut ergriff ihn. Diese Ausgabe des *Psalters* hatte seinem Großvater gehört. Aus diesem Band hatte er psalmodiert, als sein einziger Sohn, Ben Zion, der Vater Fischels, todkrank im Hospital lag. Plötzlich drängte es Fischel, seine Kleider zu zerreißen wie ein Trauernder, seine Schuhe auszuziehen und sich auf den nackten Fußboden zu kauern. Sein Großvater war gestorben, sein Vater auch. Und seine Mutter ... Sie lebte mit ihrem neuen Ehemann irgendwo in Großpolen. Jetzt hatte er niemanden mehr, keine Verwandten und keine Nachkommen. Seit er geheiratet und seinen Reichtum gemehrt hatte, waren ihm selbst die Chassidim im Bethaus feindlich gesinnt; sie gönnten ihm seinen Wohlstand nicht. Und jetzt auch noch dieser Schicksalsschlag! Was nützte ihm sein Wohlstand?

Wieder flüsterte er Worte aus dem Psalter vor sich hin: »Ach Herr, wie sind meiner Feinde so viel und erheben sich so viele wider mich! Viele sagen von meiner Seele: Sie hat keine Hilfe bei Gott. Sela.«

Viertes Kapitel

Ein paar Tage vor Jom Kippur traf Reb Dan Katzenellenbogen mit seinen Angehörigen in Warschau ein. In der Franziskanerstraße stand eine Wohnung für ihn bereit – drei Zimmer und Küche. Godel Zinamon, sein einstiger Schüler, hatte sich um alles gekümmert. Als bettelarmer junger Bursche hatte er am Hof des Klein-Tereschpoler Rebbe gelernt. Sein Sabbatmahl hatte er im Haus des Rebbe eingenommen. Jetzt, da er ein reicher Mann geworden war, zahlte er zurück, was er seinem alten Wohltäter schuldete. Er beglich die Miete für mehrere Monate im voraus und sorgte dafür, daß die Wohnung mit Betten, Tischen, Stühlen und den notwendigen Haushaltsutensilien ausgestattet wurde. Im mittleren Zimmer hatte er einen Toraschrein und Bücherregale aufstellen lassen.

Er holte Reb Dan am Bahnhof ab – gemeinsam mit Finkel, der Tochter des Rebbe, und ihrem Sohn Euser Heschel. Godel hatte ein rötliches Gesicht und einen gabelförmigen weißen Bart. Die Brille auf seiner fleischigen Nase war goldgerändert. Unter seinen Mantelärmeln lugten gestärkte Manschetten hervor. Der Rebbe erkannte Godel Zinamon kaum wieder.

»Bist du's wirklich, Godel? Ein Aristokrat!«

Reb Dan hatte eine ganze Schar Familienangehöriger mitgebracht: seine Söhne Zadock und Levi, seine Schwiegertöchter Zissle und Mindel sowie eine Herde Enkelkinder.

Die Frauen begannen sogleich mit den Vorbereitungen für den hohen Feiertag. Der Rebbe überprüfte die Mesusen an den Türpfosten und erteilte Anweisung, keinerlei Fleisch einzukaufen, ehe er sich persönlich davon überzeugt hätte, daß beim Schächten die rituellen Gebote strikt eingehalten wurden. Er verbot der Familie sogar, Milch zu kaufen, weil er sich erst vergewissern wollte, daß beim Melken alle Vorschriften befolgt wurden.

»Und was sollen die Kinder bis dahin essen?« jammerte Mindel. »Kohlen?«

Der Rebbe wanderte verwirrt in der Wohnung herum. Sie lag im zweiten Stock, die Fenster gingen auf die Straße und auf den Hof hinaus. Man hörte das Rattern der Trambahnen und Lastwagen und die Rufe der Händler, die an den Ständen ihre Ware feilboten. Straßenmusikanten spielten und sangen. Kinder kreischten. Erst jetzt wurde dem Rebbe die volle Bedeutung jenes Satzes aus dem Talmud klar: »In großen Städten zu leben ist schwierig.«

Es war schwer, sich in Warschau einzugewöhnen. Der Hof grenzte an ein Bethaus an, aber die *mikwe* befand sich auf der anderen Straßenseite, und die Fahrbahn zu überqueren, war ein Abenteuer, bei dem man Leib und Leben aufs Spiel setzte. In der Küche mußte auf Gasflammen gekocht werden, und wer konnte denn wissen, ob das Gas unter Aufsicht strenggläubiger Juden produziert wurde? Das Wasser lief aus einem Hahn, aber wie sollte man wissen, ob die Leitungsrohre nicht vielleicht mit allen möglichen unreinen Dingen in Berührung kamen?

Ungeachtet aller Schwierigkeiten wurden die Vorbereitungen für Jom Kippur getroffen.

Am Tag vor dem Feiertag ging Reb Dan ins Bethaus, wo er nach den Morgengebeten mit den anderen Gläubigen ein Glas Wein trank und ein bißchen Kuchen aß. Zu Mittag hatte seine Frau Karpfen, Klöße und Gelbe Rüben zubereitet. Am Nachmittag legte Reb Dan seinen seidenen Kaftan an, sein weißes Rabbinergewand und seinen Gebetsmantel mit dem goldgestickten Saum. Seine Frau zog ihr bestes Kleid an und bedeckte ihren Kopf mit einem perlenbestickten Schal. Und auch seine Töchter und Schwiegertöchter erschienen im Feiertagsstaat. Nachdem der Rebbe die Segenssprüche rezitiert hatte, machte er sich auf den Weg ins Bethaus, um am *Kol-Nidre*-Gebet teilzunehmen. Im Hof ging es laut zu. Frauen, deren Männer eingezogen worden waren, wehklagten und schluchzten. Einige ältere Frauen, die mit Schals bedeckte Perücken trugen und goldgeprägte Gebetbücher in der Hand hielten, tauschten überschwengliche Neujahrswünsche aus. Die Dämmerung war noch nicht hereingebrochen, doch das Bethaus war bereits hell erleuchtet. Der Fußboden war mit Heu und Sägemehl bestreut. Reb Dan wurde vom Schammes zu einem Sitzplatz an der Ostwand geführt.

Die Art und Weise, wie hier die Gottesdienste abgehalten

wurden, mißfiel ihm. Die Form wurde hier nicht so streng gewahrt, wie er es aus Klein-Tereschpol gewöhnt war. Es wurde weniger geschluchzt und geseufzt. In der Nähe der Tür plauderten einige junge Männer miteinander, während der Vorbeter las. In Klein-Tereschpol hätte der Rebbe mit der Faust aufs Lesepult geschlagen und »Ruhe!« gerufen. Er zog sich den Gebetsmantel über den Kopf und lehnte sich an die Wand. Beim Achtzehngebet blieb er lange bewegungslos stehen. Gewöhnlich weinte er beim Beten nicht, aber bei dem Gedanken, daß an diesem hochheiligen Abend jüdische Soldaten Gott weiß wo herumzogen, unreine Speisen aßen und Gott weiß was für Qualen erleiden mußten, stieg ihm das Wasser in die Augen. Bei der Sündenaufzählung sprach er jedes Wort klar und deutlich aus und schlug sich heftig an die Brust.

Als die Gläubigen sich auf den Heimweg machten, blieben Reb Dan und etliche andere alte Männer im Bethaus, um hier die Nacht zu verbringen. Der Rebbe vertiefte sich in einen alten Folianten und grübelte über die einstige Herrlichkeit Israels nach.

»Der Priester hielt Wache an drei Stätten des Tempels: an der Kammer des Abtinas, an der Kammer der Flamme und an der Kammer des Herdes . . .

Dies ist der Gesang, den die Leviten im Tempel zu singen pflegten. Am ersten Tage sangen sie: ›Die Erde ist des Herrn und was drinnen ist, der Erdboden und was drauf wohnet.‹ Am zweiten Tage sangen sie: ›Groß ist der Herr und hochberühmt.‹ Am dritten Tage sangen sie: ›Gott stehet in der Gemeinde Gottes.‹ Am Sabbat sangen sie einen Psalm, ein Lied für die Zeit, die kommen wird, für den Tag, der ein einziger Sabbat sein wird und Ruhe im ewigen Leben.«

Die Kerzen flackerten und zischten. Ein alter Mann mit verschrumpeltem Gesicht und buschigem weißem Bart streckte sich auf einer Bank aus und schlummerte ein. Durch die Fenster konnte man den blaßgestirnten Himmel und den Dreiviertelmond sehen. Während er, in sein weißes Gewand und den Gebetsmantel gehüllt, hier ausharrte, konnte Reb Dan vergessen, daß man ihn aus Klein-Tereschpol vertrieben hatte. Er war in einem Heiligtum, umgeben von Menschen seines Volkes und von den vertrauten Büchern des heiligen Gesetzes. Nein, er war nicht allein. Es gab noch einen Gott im Himmel, Engel, Seraphim und einen Thron der Gnade. Er brauchte nur die Hand auszustrecken, um eines der heiligen Bücher zu berühren, deren Worte die Stimme des lebendigen Gottes waren, die Lettern, mit denen er die Welt erschaffen hatte. Plötzlich überkam ihn Mitleid mit den Ungläubigen, die in tiefster Finsternis umherirrten, aufeinander schossen, einander töteten, plünderten, stahlen und schändeten. Wonach strebten sie? Wozu würden ihre endlosen Kriege führen? Wie lange würden sie noch im Morast der Frevelhaftigkeit waten und tiefer und tiefer darin versinken? Ihm ging der Gebetstext durch den Kopf:

»Laß kommen die Furcht vor Dir, Ewiger, unser Gott, über alle Deine Geschöpfe, und die Scheu vor Dir über alles, was Du erschaffen hast, auf daß Ehrfurcht vor Dir haben alle Geschöpfe und vor Dir sich beugen alle Erschaffenen und auf daß sie einen Bund bilden, Deinen Willen zu tun mit ganzem Herzen, so wie wir es heute wissen, Ewiger, unser Gott, daß Dein die Herrschaft ist, Macht in Deiner Hand, Stärke in Deiner Rechten und Dein Name erhaben über alles, was Du erschaffen!«

Reb Dan stützte die Stirn auf die geballte Faust und schlief ein. Als die Sonnenstrahlen durchs Fenster fielen, wachte er auf. Aus dem Kübel goß er sich Wasser über die Fingerspitzen. In den Winkeln des Bethauses waberten purpurne Schatten, wie bei Sonnenuntergang. Die Kerzen waren fast niedergebrannt, ihre fahlen Flammen flackerten. Draußen krähte ein Hahn. Reb Dan hatte gar nicht gemerkt, daß es schon Zeit für den Morgengottesdienst war. Zadock, sein ältester Sohn, kam auf ihn zu.

»Wie fühlst du dich, Vater? Hier – nimm eine Prise Schnupftabak!«

Reb Dan starrte ihn verwundert an. »Wie alt er geworden ist!« dachte er. »Ein Graubart. In den Sechzigern.« Er nahm eine Prise.

»Danke.« Und plötzlich rief er zornig: »Genug! Es ist Zeit! Höchste Zeit für den Messias!«

Fünftes Kapitel

Nach Meinung der Familie Moschkat war Lea schuld daran, daß Mascha vom Pfad der Tugend abgewichen war. Schon seit sie in die Quarta gegangen war, hatte die inzwischen Fünfundzwanzigjährige Umgang mit älteren Männern gepflogen. Königin Esther und Saltsche hatten ihrer Schwägerin Lea unzählige Male vorgehalten, daß man ein so hübsches Mädchen wie Mascha nicht sich selber überlassen dürfte. Aber Lea war einfach nicht imstande, Einfluß auf ihre Tochter auszuüben, die ihr völlig wesensfremd war. Lea war füllig und grobknochig, Mascha schmal und schlank. Lea hatte einen Mordsappetit, Mascha aß wie ein Spatz. Lea war eine schlechte Schülerin gewesen, Mascha hatte die Reifeprüfung mit Auszeichnung bestanden. Lea redete lauthals, wobei sie heftig gestikulierte und hemmungslos lachte, Mascha war zurückhaltend und feinfühlig. Selbst an den kältesten Wintertagen war sie nicht davon abzubringen, nur einen leichten Mantel anzuziehen. Alle wunderten sich, daß sie sich noch nicht zu Tode erkältet hatte. Wenn die Familie im Sommer aufs Land fuhr, blieb Mascha allein in der stickigen Stadt zurück. Genau wie ihr Vater ging sie ihre eigenen Wege. Wenn sie morgens das Haus verließ, wußte niemand, wohin sie ging. Und sie kam erst spät in der Nacht zurück, wenn die anderen Familienmitglieder schon längst schliefen. Sie schloß viele Bekanntschaften, war in reichen Häusern zu Gast, ging auf Bälle und Einladungen – aber immer kam Lea erst später dahinter oder erfuhr es von anderen Leuten. Eine Zeitlang war Mascha mit einem Studenten namens Edek gegangen, dem Sohn einer wohlhabenden Familie in Wloclawek – aber Lea hatte ihn nie zu Gesicht bekommen. Und sie hatte auch nie erfahren, warum die Sache auseinandergegangen war. Immer wenn sie den Versuch unternahm, ernsthaft mit ihrer Tochter zu reden, sagte Mascha lächelnd: »Keine Sorge, Mama, es wird schon alles gutgehen.«

Die vielseitige Begabung ihrer Tochter setzte Lea in Staunen. Fast wie von selbst hatte Mascha Französisch, Klavierspielen, Tanzen, Zeichnen und Malen gelernt. Aus Stoffresten bastelte sie Handpuppen, für die ihr reiche Damen fünfundzwanzig Rubel pro Stück zahlten. Sie entwarf ihre Hüte selbst und ließ sich ihre Garderobe von polnischen Schneiderinnen in nichtjüdischen Stadtvierteln nähen. Sie sprach das Polnisch der Aristokraten. Abram war ihr einmal im Lazienkipark begegnet, als sie gerade einen Ausritt unternahm. Auf seine Frage, wo sie denn reiten gelernt habe, hatte sie erwidert: »Ach, das ist gar nicht schwer.«

Lea, die sonst nie ein Blatt vor den Mund nahm, hielt sich Mascha gegenüber zurück. Wenn deren Zimmer geputzt wurde, paßte sie auf, daß das Dienstmädchen nichts anfaßte, was Mascha gehörte. Und sie achtete sorgfältig darauf, daß das Wasser in Maschas Goldfisch-Aquarium regelmäßig erneuert wurde. Immer wenn dieses Thema zur Sprache kam, sagte sie: »Ich bin nicht ihre Mutter, ich bin ihr Dienstbote.«

Schon seit Monaten wurde in der Verwandtschaft gemunkelt, Mascha treibe sich mit einem Goi herum. Als Lea sich endlich ein Herz faßte und ihre Tochter fragte, ob etwas an diesem Gerücht sei, erwiderte Mascha auf polnisch: »Ich bin volljährig und durchaus imstande, zu verantworten, was ich tue.«

Wie immer, wenn Mascha von jiddisch zu polnisch überwechselte, kam sich Lea völlig hilflos vor. Sie ging aus dem Zimmer. Am liebsten hätte sie die Tür zugeknallt, aber dann machte sie sie doch ganz leise zu. Später, als sie bei Koppel im Kontor saß, schüttete sie ihm ihr Herz aus.

»Was sagst du zu diesem Benehmen? Schmach und Schande wird sie über mich bringen.«

Koppel überlegte eine Weile.

»Wenn du sie anschreist, zieht sie endgültig aus.«

Lea wußte nur zu gut, daß er recht hatte. Mascha hatte schon des öfteren durchblicken lassen, daß es ihr nicht behagte, in der Cieplastraße zu wohnen. Es sei zu weit von der Trambahn entfernt und zu nahe bei der Krochmalnastraße. Wieder einmal stellte Lea fest, daß Koppel nicht einfach so daherredete, sondern sich jedes Wort genau überlegte.

Er saß ihr gegenüber an dem Schreibtisch, der Reb Meschulam gehört hatte. Vor ihm lagen ein Kontobuch und ein

Rechenbrett. Er paffte seine Zigarette, redete und überprüfte gleichzeitig die Bücher.

»Zieh endlich den Schlußstrich und laß dich von diesem Waschlappen scheiden! Wir werden nicht jünger.«

»Das sagt sich so leichthin. Stell dir vor, was für ein Gezeter das gäbe!«

»Das hört auch wieder auf. Die können ja nicht ewig zetern.« Er ging in den Nebenraum und brachte ihr ein Glas Tee. Weil sie ihn gern süß trank, gab er drei Stückchen Zucker dazu, obwohl seit Kriegausbruch Mangel an Zucker herrschte. Im Schrank hatte Koppel immer einen kleinen Vorrat Käsekuchen und Korinthenbrötchen.

Lea rührte eine ganze Weile in ihrem Glas. »Was soll ich denn tun? Seine Einwilligung aus ihm herausquetschen?«

»Sieh zu, daß du ihn loswirst!«

»Und was dann?«

»Das weißt du doch.«

»Und deine Frau? Soll sie vielleicht betteln gehen?«

»Für sie wird gesorgt sein.«

»Aber... ist denn kein bißchen Gottesfurcht in dir?«

»Darüber komme ich schon hinweg.«

Er wurde blaß, als er das gesagt hatte, aber dann rang er sich ein Lächeln ab. Lea sah ihn unsicher an. Sie war sich nie ganz klar darüber gewesen, ob sie ihn liebte oder haßte. Als Koppel ungeniert auf ihren Busen starrte, geriet ihr Blut in Wallung, aber gleichzeitig beschlich sie ein unangenehmes Gefühl. Am liebsten hätte sie ihm ins Gesicht gespuckt. Gewiß, er beteuerte ihr immer wieder seine Liebe – aber er machte auch anderen Frauen schöne Augen. Wer wußte schon, was für ein Leben er führte, in welchen Lasterhöhlen er sich herumtrieb? Immer wenn er sie drängte, schon vor der Scheidung mit ihm zusammenzuleben, mit ihm in ein Hotel zu gehen oder in irgendein Dorf zu fahren, empfand sie einen tiefen Widerwillen. »Nein, Koppel«, sagte sie dann jedesmal, »so tief bin ich noch nicht gesunken.«

Seit sie ihn vor achtundzwanzig Jahren kennengelernt hatte, war sie sich über ihre Beziehung zu ihm nie ganz klar gewesen. Als sie noch ein junges Mädchen war, hatte er sie geküßt und ihr glühende Liebesbriefe geschrieben. Nach ihrer

Heirat schien er jedes Interesse an ihr verloren zu haben. Und sie selber hatte jahrelang genug damit zu tun gehabt, Kinder zu gebären und ihren Haushaltspflichten nachzukommen. Zwei ihrer Kinder waren gestorben. Später hatte Koppel wieder Annäherungsversuche gemacht, doch jedesmal war es zwischen ihnen beiden zu Meinungsverschiedenheiten und Auseinandersetzungen gekommen. Aber obwohl er es nie geschafft hatte, mehr von ihr zu bekommen als dann und wann einen Kuß, hatte er sich nie geschlagen gegeben. Sobald er mit ihr allein war, hatte er ihr von neuem seine Liebe beteuert. Er gehörte nicht zu jenen Männern, die zu Besuch kommen, zehn Glas Tee trinken und dann plötzlich maulfaul werden. Ganz im Gegenteil: Er hatte eine lose, scharfe Zunge. Für Mosche Gabriel hatte er alle möglichen Spitznamen parat. Er brüstete sich mit seinen Erfolgen bei Frauen. Ohne jedes Schamgefühl erzählte er ihr, wie man als Mann von Welt mit liederlichen Frauenzimmern umgeht. Lea hatte, wenn er gegangen war, stets ein ungutes Gefühl gehabt. Seit Reb Meschulams Tod war Koppel noch anmaßender geworden. Und seit Krieg war und kein Mietzins mehr einging, hatte er Lea vollends in der Hand. Wenn sie ins Kontor kam und Geld haben wollte, sagte er jedesmal: »Und was springt dabei für mich heraus?«

Koppels Plan stand fest. Er wollte sich von Baschele scheiden lassen und ihr als Abfindung fünftausend Rubel geben. Und sobald Lea von diesem Trottel geschieden war, wollte er sie heiraten. Zum Teufel mit den anderen! Er war nicht mehr der Sklave der Moschkats. Jetzt war er der Chef, jetzt verwaltete er den Familienbesitz. Und Privatvermögen hatte er auch. Er besaß zwei Häuser und außerdem einen erklecklichen Betrag in bar. Wieviel es war, das würde er ihr erst nach der Hochzeit sagen. Sicher, er hatte bereits die Fünfzig überschritten, aber noch verfügte er über seine volle Leistungskraft. Wenn Lea die Angelegenheit nicht zu lange verzögerte, könnten sie sogar noch Kinder bekommen. Er würde ein Landhaus in Druskenik kaufen. Und er würde mit Lea ins Ausland reisen – der Krieg konnte ja nicht ewig dauern. Nach Monte Carlo würden sie fahren, an die Riviera, in die Schweiz, nach Paris, Berlin – überallhin. Seine und Leas Liegenschaften würden zusammen sechshundert Rubel pro Woche einbringen. Für ein Butterbrot würde er Nathan, Pinnje und Hama ihre Erbansprüche abkaufen und dann der größte Unternehmer in ganz Warschau werden – ein zweiter Meschulam Moschkat.

»Glaub mir, Lea, gemeinsam können wir beide die Welt auf den Kopf stellen.«

Ja, er hatte recht – Mosche Gabriel war nicht der richtige Mann für sie. Diese Ehe war von Anfang an eine Qual gewesen. Und trotzdem: Wie sollte sie jetzt noch, in der Mitte ihres Lebens, den Mut aufbringen, mit allem zu brechen und Koppel zu heiraten? Was würde Abram dazu sagen? Und Pinnje? Und Saltsche? Und Esther? Was würden die jungen Familienmitglieder sagen – ihre Kinder, ihre Neffen und Nichten? Du lieber Himmel, ganz Warschau würde hinter ihrem Rücken über sie lachen. Verhöhnen würde man sie, verdammen und ihr tausend Plagen an den Hals wünschen. Und wie sollte sie es denn über sich bringen, Bascheles Familienleben kaltblütig zu zerstören? Sicher, Baschele war ein Rindvich, aber immerhin die Mutter seiner Kinder. Und es gab einen Gott im Himmel, der über solche Dinge nicht hinwegsehen würde.

»Also, was meinst du?« drängte Koppel. »Heraus damit!«

»Das sagt sich so leicht.«

»Die ganze Angelegenheit läßt sich im Handumdrehen erledigen.«

»Und was ist mit deinen Weibsbildern? Du hast doch bestimmt ein Dutzend.«

»Wenn ich *dich* haben kann, zum Teufel mit den anderen!«

»Da bin ich nicht so sicher.«

Sie steckte die paar Geldscheine ein, die er ihr ausgehändigt hatte, und machte sich auf den Heimweg. Auf der Straße dröhnten ihr Koppels Worte immer noch in den Ohren. »Er hat recht«, dachte sie. »Ich werde älter. Bevor ich mich versehe, wird kein Mann mehr einen Blick auf mich werfen wollen. Mosche Gabriel ist mein Unglück. Er ist schuld daran, daß Mascha ausziehen will. Was bleibt einem Mädchen denn anderes übrig, wenn es einen Schlemihl zum Vater hat?«

Sie zog ihren Taschenspiegel heraus und betrachtete sich.

Ja, ihr Gesicht war noch jugendlich, ihr Hals noch glatt. Doch die Jahre würden verfliegen, das Fieber in ihrem Blut würde verebben. Sie war doch wirklich ein Dussel! Aber sie würde ihr Leben nicht vollends von diesem weltfremden Trottel ruinieren lassen.

Koppels Worte hatten ihr so warm gemacht, als hätte sie Schnaps getrunken. Flotten Schrittes ging sie weiter. Sie holte tief Luft.

»Ich mache Schluß damit! Noch diese Woche!«

Sechstes Kapitel

Pan Zazicki erklärte seinem Sohn Janek, daß er dessen Heirat mit Mascha niemals zustimmen werde – auch dann nicht, wenn das Mädchen bereit wäre, zum christlichen Glauben überzutreten. Es war nicht im mindesten daran zu zweifeln, daß Pan Zazicki seine Drohung ernst meinte: Sofort nach der Eheschließung würde er einen Notar kommen lassen und sein gesamtes Vermögen seiner Tochter Paula überschreiben. Und Janek dürfte sich dann nie mehr zu Hause blicken lassen. Der alte Herr hatte die Angewohnheit, beim Sprechen auf einem Blatt Papier herumzukritzeln. In einen altmodischen Schlafrock gehüllt, Pantoffeln mit Pompons an den nackten Füßen, saß er an seinem Schreibtisch. Die wenigen grauen Haare, die ihm noch geblieben waren, hatte er sich schräg über die Glatze gekämmt. Er hatte buschige Brauen und stechende Augen, unter denen schlaffe Tränensäcke hingen. Ständig bewegte er die Lippen, wobei sein dünner Schnurrbart bibberte. Beim Sprechen bekam er asthmatische Hustenanfälle.

»Du mußt deine Wahl treffen, mein Sohn. Entweder deine Familie oder diese Jüdin. Das ist mein letztes Wort.«

»Aber warum denn, Vater? Wenn sie konvertiert, ist sie doch eine von uns.«

»Ich will nichts mit ihr zu schaffen haben. Ich hasse ihresgleichen wie die Pest. Wenn du in ganz Polen kein christliches Mädchen finden kannst, das dir gefällt, dann... dann...«

Pan Zazicki bekam einen Hustenanfall.

Seine schmalen Hände waren knotig und blaugeädert. In seinem dürren Hals bewegte sich der Adamsapfel krampfhaft auf und ab. Noch während er nach Luft rang, griff Pan Zazicki nach einem Buch und schlug es auf. Es war eine von Priestern verfaßte Geschichte der Freimaurerei.

»Was zum Teufel wollen sie eigentlich, diese Juden?« Er sagte es halb zu sich selber, halb zu seinem Sohn. »Zweitausend Jahre lang war für sie alles Christliche unrein. Wenn einer von uns eine Flasche Wein auch nur angeguckt hat, ist sie für die Juden tabu gewesen. Und jetzt wollen sie auf einmal unsere Brüder werden.«

»Vater, das hat doch nichts mit Mascha zu tun.«

»Die sind alle gleich. Angefangen bei den jüdischen Freimaurern in Frankreich bis hin zu den räudigen Bälgern, die im Dreck unserer polnischen Dörfer spielen. Sie haben Polen ruiniert. Sie sind daran schuld, daß ich Asthma bekommen habe.«

»Uns hat Rybarski ruiniert, nicht die Juden.«

»Schweig, du Verräter! Ich habe mich für dich aufgeopfert, und du treibst dich mit diesen Schwindlern und ihren Töchtern herum! Du malst nackte Huren. Und jetzt willst du mir diesen Unflat ins Haus bringen.«

»Vater, das lasse ich mir nicht bieten!«

»So? Willst du mich etwa schlagen? Ich bin ein alter, zermürbter Mann. Aber ich kann wenigstens mit dem stolzen Gefühl sterben, ein treuer Sohn Polens gewesen zu sein und kein Judenfreund. *Sie* haben die Deutschen dazu angestiftet, unser polnisches Volk zu vernichten.«

Seine Frau kam herein. »Was ist denn jetzt wieder los? Komm, trink ein Glas Milch, Vater. Warum mußt du ihn denn so aufregen, Janek?«

»Tu ich ja gar nicht. Er redet halt gern, und...«

»Sei jetzt lieber ruhig, mein Junge. Er hustet die ganze Nacht. Macht kein Auge zu. Und jetzt regst du ihn auch noch auf. Was für ein Sohn!«

Pani Elisa Zazicki war klein und schlank. Sie hatte auffallend dunkle Augen, wie sie für Jüdinnen typisch sind – wahrscheinlich trug sie aus diesem Grund stets ein massives Kruzifix an einem Rosenkranz um den Hals. Ihr graumeliertes Haar war im Nacken zu einem Knoten geschlungen. An der Taille hatte sie einen Schlüsselbund hängen. Sie war fünfzehn Jahre jünger als ihr Mann, aber ihre Stirn war bereits zerfurcht. Seit die Familie das Landgut in der Woiwodschaft Lublin aufgegeben und sich in Warschau niedergelassen hatte, war Elisa Zazicki kränklich. Und ständig hatte sie eine panische Angst vor Dieben, Brandstiftern und Großstadtdienstboten, die ihre Herrschaft vergifteten und den Familienschmuck stahlen. Täglich las sie jede Zeile des *Warschauer*

Kuriers, einschließlich der Inserate. Und vom Hausmeister borgte sie sich das antisemitische Blatt *Zwei Groschen*.

Sie stellte das Glas auf den Schreibtisch. »Trink deine Milch, Vater! Das wird dich beruhigen.«

»Ach, ich mag das Zeug nicht!«

»Es ist gut für deinen Husten. Du lieber Gott, Milch wird von Tag zu Tag teurer. Und es heißt, daß es bald auch keinen Tee mehr geben wird.«

»Bald wird es überhaupt nichts mehr geben«, sagte Pan Zazicki. »Niemand will mehr seinen Mietzins zahlen. Ja, ja – Räuber und Diebe sind die Leute geworden. Die jüdischen Spekulanten horten die Nahrungsmittel, die unsere hart arbeitenden Bauern im Schweiße ihres Angesichts produzieren.«

»Ja, das stimmt. Ich bin durch die jüdischen Straßen gegangen und hab's mit eigenen Augen gesehen. Die Juden mit ihren vergilbten Bärten stehen vor ihren Läden und lassen keinen Kunden hinein. Ihre Keller sind vollgestopft mit Mehl und Zucker und Kartoffeln. Aber fragt man einen von ihnen, ob man ein Pfund Mehl bekommen kann, dann sagt er: ›Nichts, nichts.‹«

»Und dein Sohn will eine von denen heiraten!«

»Dann laß ihn doch, Papuscha. Wir sterben ja doch bald. Aber es wird ihm noch leid tun, daß er Schande über einen guten polnischen Namen gebracht hat.«

Janek stand auf und ging hinaus. Im Flur sah er seine Schwester Paula vor dem Spiegel stehen und ihr Haar kämmen. Sie war einundzwanzig, fünf Jahre jünger als er, blond, blauäugig und mit Grübchen in den Wangen. Vor zwei Jahren hatte sie die Schule absolviert. Sie war mit einem wohlhabenden jungen Mann befreundet, der am Polytechnikum studierte. Janek war hochgewachsen wie sein Vater und hatte die dunklen Augen seiner Mutter – Augen, die nicht so recht zu seiner slawischen Stupsnase paßten. Sein hoch über der Stirn ansetzendes rotbraunes Haar war schütter. In der Kunstakademie, wo er Malerei studierte, machten sich seine Kommilitonen oft einen Spaß daraus, ihn »Jude« zu nennen.

»Warum machst du dich denn so fein, Paula? Triffst du dich mit Bolek?«

»Ach, du bist's! Tauchst plötzlich auf wie ein Gespenst! Ich dachte, du bist bereits ausgezogen.«

»Bald.«

»Ist es dir in deinem Schweinestall nicht zu kalt?«

»Bezeichne mein Atelier gefälligst nicht als Schweinestall!«

»Oje, wie empfindlich du geworden bist! Ich habe im *Kurier* einen Bericht über die neue Ausstellung gelesen. Dein Name war nicht mal erwähnt.«

»Eines Tages wird man ihn nennen.«

»Wie ich festgestellt habe, sind die jüdischen Maler nicht übergangen worden.«

»Na und?«

»Wie wortkarg du geworden bist! Weshalb zankst du dich denn mit Papa? Man kann euer Gezeter im ganzen Haus hören.«

»Entschuldige, wenn wir dich aufgeweckt haben.«

»Mit deiner Narretei bringst du die beiden noch ins Grab.«

»Halt den Mund!«

»Und wenn ich ihn nicht halte? Du Judenfex!«

Früher hätte ihr Janek für solche Unverschämtheiten eine Ohrfeige gegeben. Aber jetzt war Paula über das Alter hinaus, in dem man ihr einfach eine runterhauen konnte. Und zudem war Janek seinem Zuhause schon so entfremdet, daß er sich gar nicht mehr auf eine Familienfehde einlassen wollte.

Er verließ das Haus. Im Hof sah er eine Laubhütte stehen – für die christlichen Hausbewohner alljährlich ein Ärgernis. Von den beiden jüdischen Familien, die hier wohnten, war die Hütte jedes Jahr für die Feiertage errichtet worden, doch Janeks Vater hatte sie unweigerlich vom Hausmeister abreißen lassen. Angesichts der Tatsache, daß Pan Zazicki seine Wohnung nicht mehr verließ, hatten die jüdischen Mieter auch dieses Jahr die symbolische Hütte aufgestellt. Janek betrachtete sie neugierig. Er hätte sich diese sonderbare Bude gern von innen angesehen, aber er wollte auf keinen Fall für einen Spötter gehalten werden. Es wäre reizvoll, dachte er, auf einem Gemälde darzustellen, wie Juden bei Kerzenschein in der Laubhütte feiern und singen und wie die Frauen ihnen das Festmahl hereinbringen.

Pan Zazickis Haus war in der Hozastraße, Janeks Atelier in

der Heiligkreuzstraße. Er teilte es mit drei Kollegen – jüdischen Künstlern. Merkwürdig, daß ihn das Schicksal von Jugend an in engen Kontakt mit Juden gebracht hatte! Im Gymnasium hatte er nur einen einzigen jüdischen Mitschüler gehabt, und ausgerechnet mit ihm war er eng befreundet gewesen. Während des Jurastudiums hatte er sich an seine jüdischen Kommilitonen angeschlossen. Und als er in die Kunstakademie überwechselte, war er in den kleinen Kreis der jüdischen Kunststudenten aufgenommen worden. Die christlichen Studenten hatten sogar bezweifelt, daß er Katholik und der Sohn eines polnischen Adligen war. Mehr als einmal hatten sie zu ihm gesagt: »Na, du Jude, warum gehst du nicht nach Palästina zurück?«

Manchmal hatte Janek seine dunklen jüdischen Augen, seine rotbraunen Haare und die ganze jüdische Sippschaft, der er so ähnlich sah, gehaßt. Er hatte Karikaturen von Juden gezeichnet, mit seinen Kollegen gestritten, sich wie ein Antisemit benommen. Er hatte vorgehabt, sich in Italien niederzulassen, wo die Christen dunkle romanische Typen waren und wo man sich nicht über sein jüdisches Aussehen mokieren würde. In Polen war es unmöglich, sich von den Juden fernzuhalten. Sein Vater ereiferte sich Tag und Nacht über sie; der Priester in der Kirche griff sie in seinen Predigten an; und seine Mutter beschwerte sich über sie. Auf den Straßen Warschaus wimmelte es von Juden. Wenn Janek unterwegs war, kam unweigerlich ein Jude oder eine Jüdin auf ihn zu und fragte irgend etwas auf jiddisch. Tag für Tag mußte er die gleiche verlegene Antwort geben: »Tut mir leid. Ich bin kein Jude.«

Er war sich klar darüber, daß er nicht nur wie ein Jude aussah, sondern auch Wesenszüge hatte, die den Juden zugeschrieben werden. Er vermied jede Art Kampf, verabscheute Alkohol, war ein scheuer, in sich gekehrter Mensch. Als Schüler hatte er ernste Bücher gelesen, kein Interesse an Sport gehabt, Museen und Kunstausstellungen besucht. Damals hatte er phantastische Bilder gemalt – seltsames Getier und Laubwerk. Um dem Wunsch seines Vaters nachzukommen, hatte er Jura studiert, obzwar er von Anfang an gewußt hatte, daß er niemals die juristische Laufbahn einschlagen würde. In der Kunstakademie hatte er ständig Schwierigkeiten mit den Professoren gehabt, von denen er als »Dekadenter«, »Nihilist« und »Jude« bezeichnet wurde. Mit einundzwanzig hatte er sich zum Militärdienst gemeldet, war aber ausgemustert worden: Er hatte ein schwaches Herz. Als es ihn zum ersten Mal dazu trieb, ein Bordell zu besuchen, wollte es das Schicksal, daß er an eine jüdische Prostituierte geriet. Seit er Kraushars *Geschichte der Frankisten* gelesen hatte, vermutete er, ein Nachkömmling dieser konvertierten Juden zu sein. Seine Großmutter hatte ihm einmal erzählt, sein Urgroßvater sei ein Wolowski gewesen – und das war der Name, den die Söhne des Elischa Schur angenommen hatten.

Schon oft hatte sich Janek vorgenommen, den Juden aus dem Weg zu gehen und alles, was sie betraf, zu vergessen. Doch das Schicksal wollte es anders. Er verliebte sich Hals über Kopf in Mascha. Er lernte sie kennen, als sein Freund, der Bildhauer Jascha Mlotek, eine Büste von ihr anfertigte, und wußte auf den ersten Blick, daß dies das Mädchen war, von dem er immer geträumt hatte. Er wechselte ein paar Worte mit ihr, und schon hatte er seine Befangenheit überwunden. Maschas Porträt war das beste Bild, das er bisher gemalt hatte. Darin waren sich alle einig. Sie wurden ein Liebespaar und benützten für ihre Rendezvous den Alkoven, in dem eine ganze Anzahl unvollendeter Gemälde, ein Ofen mit gekrümmtem Abzugsrohr und ein uraltes Sofa standen, dessen Sprungfedern kaputt waren und aus dem die Roßhaarfüllung heraushing. Im großen Atelier sang Mlotek währenddessen wehmutsvolle jüdische Lieder. Und Chaim Zeidenman, Litauer und einstiger Jeschiwa-Schüler, kochte sich Pellkartoffeln, zu denen er Hering aß. Und Felix Rubinlicht lag auf dem Kanapee und las Zeitschriften. Im Atelier gab es keine alkoholischen Getränke und keinen Streit. Alles, was diese jüdischen Künstler taten, hatte etwas Gemütvolles an sich, etwas, das sich nicht mit Worten beschreiben ließ – ihre Arbeit, ihre Gespräche über Kunst, ja sogar ihre Witzeleien und Anzüglichkeiten. Auch bei den Mädchen, die ins Atelier kamen, war eine seltsame Mischung aus Religiosität und Freizügigkeit festzustellen. Mascha hatte Janek von ihrem Großvater, dem Patriarchen Meschulam Moschkat, erzählt, von ihrem Vater, ihren Onkeln und dem Bialodrewner Rabbi. Sie ging mit ihm durch die Straßen und zeigte ihm die Häuser, in denen ihre Verwandten wohnten – Nathan, Njunje, Abram. Immer, wenn Janek sie darauf hinweis, daß man ihnen beiden – der Jüdin und dem Nichtjuden – nur Schwierigkeiten machen würde, tat Mascha seine Bedenken mit einer Handbewegung ab.

»Das ist doch ganz einfach. Entweder werde ich Christin oder du wirst Jude.«

Ja, irgendeine geheimnisvolle Kraft trieb ihn auf die Juden zu. Seine Kinder würden die Enkel von Mosche Gabriel und Lea sein – Blutsverwandte von Meschulam Moschkat. Etwas schien ihn zu zwingen, in den jüdischen Straßen und Gassen herumzuwandern, wo er ein Meer von eigentümlichen Gestalten, Typen und Szenen vor sich wogen sah. In diesem Stadtviertel stieß man immer auf Leute, die hitzige Debatten über religiöse Fragen führten. Talmudisten mit langen Schläfenlocken verbrachten ganze Nächte mit dem Studium der Heiligen Schrift. Chassidim disputierten erregt über ihre Rabbis und deren Fähigkeit, einen Dibbuk auszutreiben. Ihre *zaddikim* zogen sich in die Wälder zurück, um Zwiesprache mit Gott zu halten. Heiligmäßige Männer mit weißen Bärten grübelten bis an ihr Lebensende über die Geheimnisse der Kabbala nach. Junge Phantasten verließen ihre Familien, um sich in Palästina damit abzuplacken, Sümpfe trockenzulegen und Sandwüsten urbar zu machen, um die sich seit Jahrhunderten kein Mensch gekümmert hatte. Junge Mädchen bastelten in Dachkammern Bomben für Attentate auf zaristische Beamte. Wenn eine Hochzeit gefeiert wurde, weinten diese Leute, als ob sie auf einer Beerdigung wären. Ihre Bücher lasen sie von rechts nach links. Ihr Warschauer Wohnviertel war eine Art Bagdad, verpflanzt in die westliche Welt. Janek wurde es nicht müde, Näheres über dieses Volk zu erfahren, das seit achthundert Jahren auf polnischem Territorium lebte, aber nie die polnische Sprache angenommen hatte. Woher waren diese Menschen gekommen? Waren sie die Nachfahren der alten Hebräer? Oder vielleicht die Nachkommen der Chasaren? Welche Idee hielt diese Menschen zusammen? Woher hatten sie diese kohlschwarzen oder flammendroten

Bärte, diese feurigen Augen, diese blassen, aristokratischen Gesichter? Warum waren sie den anderen Völkern so verhaßt? Weshalb wurden sie aus einem Land nach dem anderen verjagt? Was trieb sie dazu, nach England, Amerika, Argentinien, Südafrika, Sibirien und Australien auszuwandern? Warum war es ausgerechnet diesem Volk bestimmt gewesen, einen Moses und einen David hervorzubringen, die Propheten, Jesus, die Apostel, Spinoza, Karl Marx? Es drängte Janek, Menschen dieses Volkes zu malen, ihre Sprache zu erlernen, ihre Geheimnisse zu verstehen, einer von ihnen zu werden. Bei ihnen suchte er sich seine Modelle aus – bettelarme Mädchen, Lastträger, Hausierer. Die Künstler, mit denen er sein Atelier teilte, zuckten die Achseln und begannen, jiddisch mit ihm zu sprechen.

»Du bist ja meschugge!« erklärte Mlotek. »Deine Juden sehen wie Türken aus.«

»Du weißt ja gar nicht, auf was du dich da einläßt«, behauptete Felix Rubinlicht. »Ein richtiger gojischer *kop*.«

Siebtes Kapitel

An den Halbfeiertagen des Laubhüttenfestes fand sich Koppel wie gewöhnlich um elf Uhr vormittags im Kontor ein. Es gab nicht viel zu tun. Die Mieter beglichen ihren Wohnzins nicht, aber es waren etliche Einnahmen aus Werkstätten, Bäckereien und kleinen Fabrikationsbetrieben zu verbuchen, in denen Meschulam Moschkat einen Teil seines Kapitals angelegt hatte. Die paar hundert Rubel, die monatlich eingingen, teilte Koppel, den jeweiligen Bedürfnissen entsprechend, unter den Moschkatschen Erben auf. Den größten Anteil erhielt Joel, der schwerkrank war. Den kleinsten bekam Abram. Sobald Koppel diese Angelegenheiten erledigt hatte, beschäftigte er sich mit seinen eigenen Finanzen. Er schob die Holzkugeln des Rechenbretts hin und her, stieß den Zigarettenrauch durch die Nase aus und summte ein gerade sehr populäres Lied:

»Geheimnisvoll ist sie,
Die kleine Melodie . . .«

Während er an Meschulam Moschkats altem Schreibtisch über Abrechnungen, Zinsen, Hypotheken und Valuten brütete, hörte er von der Stiege her energische Schritte. Die Tür ging auf, Lea kam herein. In der Hand hielt sie einen nassen Regenschirm, der eine Silberkrücke hatte. Sie trug einen Persianermantel und einen Hut mit Federschmuck. In so eleganter Aufmachung hatte Koppel sie schon lange nicht mehr gesehen. Er erhob sich.

»Guten Morgen, Koppel«, sagte sie lächelnd. »Warum stehst du auf? Ich bin doch kein Rebbe. Nicht mal eine Rebbezin.«

»Du bist mir wichtiger als tausend Rebijim und ihre Frauen.« Plötzlich wurde Lea ernst.

»Ich möchte, daß du mir jetzt genau zuhörst, Koppel«, sagte sie fast ärgerlich. »Bist du noch der gleichen Ansicht? Ich meine, was mich betrifft.«

»Was dich betrifft? Aber das weißt du doch.«

»Liebst du mich noch ein wenig?«

»Du weißt, was ich für dich empfinde.«

»Dann möchte ich dir sagen, daß mein Entschluß feststeht.«

Koppel wurde blaß. »Eine gute Nachricht«, sagte er mit erstickter Stimme, die Zigarette schief zwischen den Lippen.

Dann faßte er sich, ging um den Schreibtisch herum, half ihr aus dem Mantel und vergaß nicht einmal, ihren nassen Schirm beiseite zu stellen. Lea hatte ein enganliegendes schwarzes Atlaskleid an (von dem Koppel einmal gesagt hatte, es wirke aufreizend auf ihn). Es betonte ihre molligen Hüften und ihren strammen Busen. Als sie ihre Handschuhe abstreifte, fiel Koppel auf, daß sie ihren Ehering nicht mehr trug.

»Alles geht nach deinem Kopf, Koppel. Du bist ein Glückspilz. Warum bietest du mir keinen Stuhl an?«

»Ich bitte dich, Lea – du bist hier der Chef.«

»Ach, wirklich? Ein schöner Chef! Hör zu, Koppel, wir sind keine Kinder mehr.«

»Nein.«

»Und bevor wir vielleicht eine Dummheit begehen, sollten wir uns alles genau überlegen. Letzte Nacht konnte ich einfach nicht schlafen. Das kannst du meinen Augen ansehen. Ich habe über alles nachgedacht. Ich habe nichts zu verlieren. Ich muß meinen törichten Stolz ein für allemal loswerden. Aber falls du Bedenken hast, Koppel, werde ich dir keine Vorwürfe machen. Es fällt einem ja nicht leicht, eine Familie auseinanderzureißen.«

»Ich bereue nichts. Dies ist der glücklichste Tag meines Lebens.«

»Warum bist du denn so blaß geworden? Du siehst aus wie Jom Kippur vor Sonnenuntergang.«

»Mir fehlt nichts.«

»Kurz vor Rosch Haschana«, sagte Lea nach einer Weile, »ist er nach Bialodrewna gefahren und hat Aaron mitgenommen. Er ist immer noch dort. Dieser Einfaltspinsel bildet sich ein, daß ich die verlassene Ehefrau spiele und meine Tage damit zubringe, ihm nachzutrauern. Da täuscht er sich! Ich werde nach Bialodrewna fahren und die Scheidung verlangen. Diese fünfundzwanzig Jahre reichen mir!«

»Ich habe immer gewußt, daß du zur Vernunft kommen wirst.«

»Wie hast du das wissen können? Solange mein Vater gelebt hat, war ich bereit, das alles durchzustehen. Ich wollte ihm den Lebensabend nicht vermiesen. Ich habe gelitten und geschwiegen. Ich habe wachgelegen und mein Kopfkissen naßgeweint, während Mosche Gabriel chassidische Feste gefeiert hat. In Bialodrewna hat er sich mehr zu Hause gefühlt als in seiner eigenen Wohnung. Und die ganze Verantwortung hat er mir überlassen – den Haushalt, die Sorge um den Lebensunterhalt, alles. Er hat immer nur an mir herumgenörgelt, weil ich dafür gesorgt habe, daß aus den Kindern keine Nichtsnutze nach dem Beispiel ihres Vaters werden. Jetzt reicht's mir. Von jetzt an möchte ich wie ein menschliches Wesen und nicht wie ein Tier leben.«

»Du hast völlig recht.«

Koppel nickte heftig und zog an seiner Zigarette, die aber inzwischen ausgegangen war. Er begann nach einem Streichholz zu suchen, kramte in seinen Taschen, fummelte auf dem Schreibtisch und in den Schubladen herum. Das Rechenbrett fiel hinunter. Eine Weile war das Surren der rotierenden Holzkugeln zu hören.

»Was suchst du eigentlich?«

»Ach, nichts. Streichhölzer. Da sind sie ja!«

»Sei doch nicht so konfus! Seit achtundzwanzig Jahren erzählst du mir, daß du mich über alles liebst. Erst kürzlich hast du's mir wieder beteuert. Falls du aber inzwischen deine Meinung geändert hast, bleiben wir trotzdem Freunde. Entweder man tut so etwas mit ganzem Herzen oder man läßt es bleiben.«

»Lea, ich weiß wirklich nicht, warum du so redest.«

»Das weiß ich selber nicht. Aber jedenfalls will ich eine klare Antwort.«

»Ich bin entschlossen, die Sache durchzuziehen. Du mußt mir allerdings ein paar Tage Zeit lassen.«

»Du kannst dir ein paar Wochen Zeit lassen. Es pressiert nicht. Ich möchte dich nur um eines bitten: Sieh zu, daß deine Frau nicht zu sehr in Mitleidenschaft gezogen wird. Sie muß ein anständiges Auskommen haben – für sich und die Kinder.«

»Es wird ihr an nichts fehlen.«

»Wieso glaubst du eigentlich, daß sie in die Scheidung einwilligen wird?«

»Ich behaupte nicht, etwas voraussagen zu können.«

»Ich verstehe. Das heißt, daß du all die Jahre bloß so dahergeredet hast.«

»Nein, Lea, das ist nicht wahr.«

»Sehr begeistert scheinst du nicht zu sein. Nu ja, vor zwanzig Jahren war ich halt jünger und hübscher.«

»Für mich bist du immer schön.«

»Für Komplimente ist jetzt nicht der richtige Moment. Glaub bloß nicht, daß es mir leicht fällt, eine solche Entscheidung zu treffen. Die ganze Nacht habe ich mich im Bett herumgewälzt. Ich bin keines von deinen jungen Weibsbildern. Bald werde ich vierundvierzig. Man sagt zwar, ich sei raffiniert, aber ein Quentchen Torheit steckt auch im raffiniertesten Menschen. Alle halten dich für einen Dieb und Schwindler, der immer nur darauf aus ist, andere auszutricksen – aber ich habe dir vertraut. Warum wirst du denn so blaß? Ich wollte dich nicht beleidigen.«

»*Wer* hält mich für einen Dieb?«

»Ist doch egal. *Ich* jedenfalls nicht.«

»Ich *bin* ein Dieb.«

Lea spürte einen Stich in der Brust.

»Wen hast du bestohlen?«

»Deinen Vater.«

»Das kann doch nicht dein Ernst sein!«

»Wenn alle es sagen, muß es wohl stimmen.«

»Koppel, red nicht so! Du weißt doch, wie die Leute tratschen. Die sagen alles mögliche und lästern über jeden. Man hat sogar gemunkelt, Mascha sei in Wirklichkeit deine Tochter.«

»Ich wollte, sie wär's.«

»Heraus mit der Sprache, Koppel! Was bedrückt dich? Wenn du dich nicht von deiner Familie trennen möchtest, dann lassen wir's bleiben. Bis jetzt ist die ganze Angelegenheit unser Geheimnis.«

»Aber nicht mehr lange.«

»Was soll das heißen?«

»Wir werden im Wiener Saalbau Hochzeit feiern.«

»Bist du übergeschnappt? Geschiedene heiraten in aller Stille. Was ist denn mit dir los? Bist du Bascheles wegen so bedrückt?«

»Sie tut mir leid, aber das wird mich nicht von meinem Entschluß abbringen.«

»Liebst du vielleicht eine andere? Du hast doch ein Dutzend Weibsbilder.«

»Nicht mal ein halbes Dutzend.«

»Ich glaube, allmählich verstehe ich dich, Koppel. Du hast mir immer gesagt, daß du Affären hast, aber das alles nicht ernst nimmst. Alles bloß Getändel. Nach meinen Maßstäben allerdings ist es nicht bloß Spielerei, wenn ein Mann lange Zeit mit ein und derselben Frau ein Verhältnis hat. Ich kenne deine Affären nicht und will auch nichts davon wissen. Entschuldige, aber so etwas widert mich an. Falls du aber eine von diesen Frauen wirklich liebst, dann flehe ich dich an, mach mir bitte nichts vor! Ich bin immerhin die Tochter Meschulam Moschkats.«

»Ich bin in keine verliebt und habe vor niemandem Angst.«

»Wer hat denn von Angsthaben gesprochen?«

»Hast du das nicht gesagt?«

»Du fürchtest wohl, sie könnte dir Vitriol ins Gesicht spritzen?«

»Von welcher ›sie‹ faselst du eigentlich?«

»Hör zu, Koppel – ich sehe dir an, daß du mir etwas verheimlichst. Ich kann die Wahrheit nicht aus dir herausquetschen und will's auch gar nicht versuchen. Vergiß die ganze Angelegenheit! Tu so, als hätte ich kein Wort gesagt. Ich werde mich auf jeden Fall von ihm scheiden lassen, aber mit dir hat das nichts zu tun.«

»Jetzt hast also du deine Meinung geändert.«

»Wenn du es so nennen willst – bitte sehr.«

»Lauf nicht weg! Du weißt, daß ich dich vom ersten Augenblick an geliebt habe. Seit ich anfing, für deinen Vater zu arbeiten. Nur für dich habe ich das alles getan. Jede Nacht habe ich davon geträumt, daß der Tag kommen wird, an dem... Ich weiß nicht, wie ich es ausdrücken soll. Ich habe Träume gehabt, in denen ich den Chef ›Schwiegervater‹ nannte.«

Lea war den Tränen nahe. Sie zog ein Taschentuch aus ihrer Handtasche und schneuzte sich. »Warum hast du mich dann so gequält?«

»In deinen Augen werde ich immer ein Dienstbote bleiben.«

»Red nicht so! Du willst mir bloß weh tun.«

»Hast du mich vorhin etwa nicht als Dieb bezeichnet?«

»Ich? Glaubst du, ich würde einen Dieb heiraten?«

»Und *wenn* ich gestohlen hätte, dann doch nur um deinetwillen.«

Das Telefon klingelte. Koppel hob den Hörer ab, dann legte er wieder auf. Er zog seine Uhr heraus, sah aufs Zifferblatt und steckte sie wieder in die Westentasche. Dann sah er Lea an, halb unsicher, halb gespannt. Er biß sich auf die Lippen und wurde aschfahl, dann trieb es ihm die Röte ins Gesicht. Es drängte ihn, ihr alles zu gestehen. Er wußte genau, daß er es später bereuen würde, doch er konnte seine Zunge nicht mehr im Zaum halten. »Lea, ich muß dir etwas sagen.«

»Dann tu's doch.«

»Lea, ich habe über sechstausend Rubel in bar. Bei mir zu Hause.«

Lea zog die Brauen hoch. »Na und? Das freut mich für dich.«

»Es ist das Geld deines Vaters.«

Sie zuckte die Achseln. »Weshalb erzählst du mir das? Um dein Gewissen zu erleichtern?«

»Ich kann nicht in Warschau bleiben. Hier werde ich niemals Ruhe finden.«

»Was hast du vor?«

»Nach Amerika auszuwandern.«

Es war, als hätte man Lea ein Messer in den Leib gestoßen. »Allein?«

»Mit dir.«

»Wie denn? Es ist doch Krieg.«

»Wir können durch Sibirien fahren. Also, was sagst du dazu?«

»Was soll ich dazu sagen? Ich weiß bloß, daß ich bis zu den Ohren im Dreck stecke.«

Jetzt konnte sie sich nicht mehr beherrschen. Sie versuchte, den Kloß in ihrem Hals hinunterzuwürgen, dann brach sie in Tränen aus. Koppel schloß das Fenster, obzwar es bloß einen Spaltbreit offen gewesen war. Dann begann er auf und ab zu gehen. Mit einemmal fühlte er sich unendlich erleichtert. Um seine Mundwinkel spielte ein Lächeln. Er fühlte sich wie von einer entsetzlichen Last befreit. Sie hatte ihn bedrückt, irgendwo auf der linken Seite seines Brustkorbs. Er ging zu Lea hinüber, fiel auf die Knie und legte den Kopf in ihren Schoß. Etwas jugendlich Frisches, längst Vergessenes stieg in ihm auf. Lea legte ihm die Hand auf den Kopf und strich ihm zärtlich übers Haar. Er wußte nicht, ob er weinte oder lachte. Sie nahm sein Gesicht in beide Hände und sah ihn an. Ihre Wangen waren feucht, aber ihre Augen lächelten. »Koppel«, flüsterte sie, »was tun wir in Amerika?«

»Wir fangen ein neues Leben an.«

Achtes Kapitel

I

Die Front war schon so nahe, daß der Geschützdonner die Fensterscheiben in Warschau zum Klirren brachte. Die deutschen Truppen waren im Vormarsch, die russische Gegenoffensive konnte sie nicht aufhalten. Ständig marschierten Regimenter durch die Straßen Warschaus – Kosaken, Kirgisen, Baschkiren, Kaukasier, Kalmücken. Die Krankenhäuser waren mit Verwundeten überfüllt. Die Verwaltungsbeamten hatten ihre Familien schleunigst aus der Stadt ins Hinterland gebracht. Es wurde gemunkelt, der Generalgouverneur werde Warschau in Kürze verlassen und an den Weichselbrücken würden bereits Sprengladungen angebracht. Und es ging das Gerücht, daß die auf dem Rückzug befindlichen russischen Truppen Warschau in Brand stecken würden. Trotz alledem wurde das Fest der Gesetzesfreude gefeiert wie eh und je. Die staatlichen Spirituosengeschäfte waren geschlossen, aber im Schwarzhandel konnte man sich genug alkoholische Getränke für die Festtage besorgen. Es mangelte weder an Wein noch an Bier. Im Bialodrewner Bethaus genehmigten sich die Gläubigen am achten Tag des Laubhüttenfestes den ersten Schluck Alkohol. Am Morgen des Simchat-Tora-Festes waren die Chassidim bereits betrunken.

Es war drückend heiß im Bethaus. Die Kinder hielten Wimpel in der Hand und Stecken, auf die Äpfel mit brennenden Kerzen gespießt waren. Frauen und Mädchen drängten herbei, um die Seidenhüllen der Torarollen zu küssen. Knaben und junge Burschen trieben allerlei Schabernack. Sie gossen den nichtsahnenden Gläubigen Wasser in die Taschen, verknoteten die Fransen der Gebetsmäntel, versteckten Scheitelkäppchen und Gebetbücher. Der Kantor stimmte den Wechselgesang an, doch die Gemeinde fiel nicht ein. Zum Vorsteher wurde Nathan Moschkat gewählt. Er jammerte, er sei ein kranker Mann und habe nicht die Kraft, sich um die Gemeindeangelegenheiten zu kümmern. Zudem sei sein Bruder Joel sterbenskrank. Doch die Chassidim scherten sich nicht um seine Ausflüchte, und als die Wahlformalitäten erledigt waren, packten die Jüngeren den neuen Vorsteher, legten ihn der Länge nach auf einen Tisch und verpaßten ihm zum Scherz eine Tracht Prügel. Nathan ächzte und protestierte, während die jungen Burschen skandierten:

»Eins und eins,
Eins und zwei,
Eins und drei...«

Als sie Nathans Hinterteil lange genug versohlt hatten, durfte er vom Tisch aufstehen. Gutmütig lud er alle ein, in seiner Wohnung zu Ehren des Tages ein Glas zu trinken. Saltsche, die im voraus gewußt hatte, daß man ihren Mann zum Vorsteher wählen würde, hatte entsprechende Vorbereitungen getroffen: Wein, Wischniak und Honigwein standen bereit, Torten, Fladen und Nüsse. In der Küche dampfte ein riesiger Topf mit Kraut, vermischt mit Rosinen und gewürzt mit Safran. Im Backofen brutzelten zwei Gänse. Der köstliche Geruch durchzog die ganze Wohnung. Abram brachte eine Zweiliterflasche Wein mit, die er noch aus den Vorkriegstagen hatte. Er zog Rock und Schuhe aus, tanzte auf Nathans Eichentisch und trällerte ein Bialodrewner Liedchen:

»Abraham frohlockte über die Gesetzesfreude,
Isaak frohlockte über die Gesetzesfreude,
Jakob frohlockte über die Gesetzesfreude,
Moses frohlockte über die Gesetzesfreude,
Aaron frohlockte über die Gesetzesfreude,
David frohlockte über die Gesetzesfreude.«

Vergeblich bat ihn Saltsche, mit diesem Unsinn aufzuhören. Sie wies die Chassidim darauf hin, daß man auf dem blankgebohnerten Fußboden leicht ausrutschen konnte, aber keiner scherte sich um ihre Warnung. In ekstatischer Festtagsstimmung faßten sie sich an den Händen, stellten sich im Kreis auf, sangen mit tremolierender Stimme Bialodrewner Lieder und stampften mit ihren schweren Stiefeln auf den Fußboden. Die kleinen Jungen drängten sich in den Kreis und hopsten mit den Männern herum. Hausfrauen und junge Mädchen aus den Nachbarwohnungen kamen herein, schauten dem Spaß zu, klatschten in die Hände und bogen sich vor Lachen. Als

Saltsche den ersten Gänsebraten hereinbrachte, fielen die Chassidim darüber her und stopften sich das dampfende Fleisch mit den bloßen Fingern in den Mund. Im Nu war von der Gans bloß noch ein Haufen Knochen übrig. Pinnje, der vom Johlen und Singen schon ganz heiser war, schlang die Arme um Saltsche und versuchte, sie zu küssen. Nathan wieherte, daß sein Wanst wackelte.

»He, Pinnje«, kreischte er, »muß ich jetzt zu dir sagen, was der König zu Haman gesagt hat? ›Willst du der Königin Gewalt antun in meinem Hause?‹«

»An Simchat Tora ist jeder Jude ein König«, konterte Pinnje.

Saltsche rannte davon, Pinnje stapfte ihr nach. Die Frauen in der Küche rannten aufgescheucht herum und kreischten. Abram lief hinter Pinnje her, packte ihn am Kragen und brüllte: »Schafskopf! Schürzenjäger!«

»Oi, Mame«, rief eine Zuschauerin, »ich kann nicht mehr vor Lachen!«

»Wir kennen dich, Abram!« quiekte Pinnje in komischem Falsett. »Du alter Hühnerdieb!«

»Liebe Leute, haltet mich fest! Ich falle um! Ich lache mich tot!« prustete eine alte Frau mit einem ungeheuer großen Nackenknoten.

»Ach, mein Zwerchfell, mein Zwerchfell!«

Abram hob Pinnje hoch und trug ihn in die Küche. Pinnje zeterte und stieß mit den Füßen um sich, wie ein Schulkind, das hinausbefördert wird, um eine Tracht Prügel zu beziehen.

Danach zogen die Zelebranten geschlossen hinüber in Pinnjes Wohnung. Hanna und die vier Töchter hatten mit dieser Invasion gerechnet und den ganzen Tag Vorbereitungen dafür getroffen. Vorsichtshalber hatte Hanna, die allgemein als geizig galt, alle wertvollen und zerbrechlichen Gegenstände aus dem Wohnzimmer entfernt, damit die Chassidim in ihrer Ausgelassenheit nichts kaputtmachen konnten. Sie hatte ein Strudelgericht und Kirschpunsch zubereitet. Die Chassidim suchten in Schränken und Truhen nach Leckerbissen, aber alle Verstecke waren abgeschlossen. Sie vertilgten den Strudel, tranken den Punsch, tanzten ein paar von ihren

Tänzen, sangen ein paar von ihren Liedern, dann zogen sie ab – in Abrams Wohnung. Auch hier kam diese Heimsuchung nicht unerwartet. Hama und ihre verheiratete Tochter Bella hatten ein würziges Krautgericht gekocht und eine Gans gebraten. Außerdem standen Honigkuchen, Fleischpastetchen und Kirschlikör bereit. Abram hatte Hama schon vor dem Fest ermahnt, ihn nicht durch ihre Knauserei in Verruf zu bringen. Sie hatte ihr Festtagskleid und ihren gesamten Schmuck angelegt. Die Ohrgehänge, die Brosche, die goldene Halskette und die Ringe paßten freilich nicht so recht zu ihrer plumpen Figur. Bella trug ein Kleid, das zu ihrer Hochzeitsgarderobe gehört hatte. Auch Avigdor, ihr Ehemann, nahm an der Festlichkeit teil. Er war Witwer gewesen und hatte in der Mirowska ein Schnittwarengeschäft. Er war ein fanatischer Chassid, ein gelehrter Mann mit blassem Gesicht und einer Brille mit auffallend dicken Gläsern. Abram hatte seinen Schwiegersohn dazu bewegen wollen, sich der Gemeinde des Bialodrewner Bethauses anzuschließen, aber Avigdor war ein getreuer Sochaczewer Chassid.

»Guten Feiertag, mein Juwel!« rief ihm Abram zu. »Bist du besoffen oder nüchtern?«

»Ich betrinke mich nie.«

»Dann scher dich zum Teufel!«

Hama kam angestürzt. »Abram, halt deine Zunge in Zaum! Redet man so mit seinem Schwiegersohn?«

»Ein Mann muß trinken! Sonst ist er nicht imstande, Kinder zu zeugen.«

»Schäm dich, Abram! Du bringst die Familie in Verruf.«

Hama bekam augenblicklich eine rote Nase und war den Tränen nahe. Offensichtlich war Abram schon betrunken. Als Bella angerannt kam und ihm etwas zuflüstern wollte, zog er sie an sich und schmatzte sie ab. »Tochterleben, dein Tate taugt eben nichts.«

»Besoffen wie Lot«, sagte Hama seufzend.

»Lot ist mit seinen Töchtern besonders nett umgegangen«, trompetete Abram.

»Pfui, Abram!« wies ihn Pinnje zurecht. »Wirklich allerhand für einen Großvater!«

»Hast ja recht, Pinnje.« Abram packte ihn am Bart und zog

ihn hinter sich her wie einen Ziegenbock. Die anderen begannen zu lachen und vor Vergnügen zu kreischen.

Stefa kam aus dem Nebenzimmer. Sie war hochgewachsen, fast so groß wie Abram. Zu ihrem roten Kleid trug sie eine schwarze Schärpe. Sie war jetzt siebenundzwanzig, sah aber so aus, als hätte sie die Dreißig schon überschritten. Sie hatte einen üppigen Busen und breite Hüften. Ihr dunkles Gesicht war reizvoll, verriet aber eine gewisse Erschöpfung. Der Medizinstudent, mit dem sie vier Jahre gegangen war, hatte sein Studium abgebrochen. Und heiraten wollte er auch nicht. In der Verwandtschaft wurde gemunkelt, Stefa sei schwanger gewesen und habe eine Fehlgeburt gehabt.

Als die Chassidim Stefa bemerkten, wichen sie mit verlegenem Lächeln zurück. Die älteren Männer umklammerten ihren Bart und tuschelten miteinander.

»Guten Feiertag, Scheba!« sagte Abram. »Für alle guten Juden ist heute ein großer Feiertag.«

»Dir auch einen guten Feiertag!« erwiderte Stefa.

»Trag den Imbiß auf! Du bist immerhin eine jüdische Tochter.«

»Das leugne ich ja gar nicht.«

Sie ging wieder ins andere Zimmer. Es behagte ihr nicht, daß ihr Vater sie mit ihrem hebräischen Namen – Scheba – angeredet hatte. Und es mißfiel ihr auch, daß er sich genauso benahm wie diese orthodoxen Juden. Was führte er denn jetzt wieder im Schilde, dieser Heuchler? »Er ist tausendmal schlechter als ich. Es ist seine Schuld, daß ich so bin, wie ich bin – ohne einen Gott und ohne Ehemann.«

Im Wohnzimmer wurde weitergefeiert, gesungen und getanzt. Abram stieg auf einen Tisch und hielt die *babkes* in die Höhe, die Hama hereingebracht hatte. Er teilte sie aus – genauso, wie es Israel Eli, der Schammes, in Bialodrewna tat – und deklamierte schallend:

»Jung und alt, arm und reich,
Babkes gibt es jetzt für euch.
Doch wie Gabeln ohne Zinken,
Sind Babkes ohne was zu trinken...«

Hama versuchte, etwas Branntwein für den Hausgebrauch

beiseite zu schaffen, aber Abram belegte alles mit Beschlag und goß den Zelebranten ein Glas nach dem anderen ein. Dann beauftragte er einige junge Burschen, zu den geschlossenen Läden zu gehen und die Inhaber aufzuscheuchen. Als sie zurückkamen, waren sie beladen mit Äpfeln, Birnen, Trauben, Wassermelonen und Walnüssen. Aus dem Weinkeller eines Ladens brachten sie herben Weißwein mit, einen ganzen Korb voll. Die Flaschen waren verstaubt und mit Spinnweben bedeckt. Und irgendwo hatten die jungen Burschen ein Fäßchen Bier und einen Zapfhahn aufgetrieben. Als Abram den Spund einschlug, lief der Schaum am Faß hinunter. Nun wurde mit wahrem Feuereifer gesungen und getanzt. Weitere Chassidim fanden sich ein. Immer, wenn der Trubel ein bißchen nachließ, sorgte Abram dafür, daß alles wieder in Schwung kam. »Hoppla, Brüder! Schlaft nicht ein! Frohlockt über die Tora!«

»Zum Wohl! Zum Wohl, Brüder! Nächstes Jahr in Jerusalem!«

Hama stand mit einigen Nachbarsfrauen an der Tür. Sie lachte und weinte, schnaubte sich die Nase und wischte sich die Augen. »Wenn er doch das ganze Jahr so wäre!« dachte sie. »Die ahnen ja nicht, was ich alles durchmachen muß!« Abram brachte ihr ein Glas Bier. »Trink, Hama! Zum Wohl!«

»Abram, du weißt doch, daß es mir nicht bekommt.«

»Trink! Der Teufel holt dich jetzt bestimmt noch nicht.« Er gab ihr einen Schmatz auf die Wange.

Hama wurde rot – vor Freude und vor Verlegenheit. Die Frauen kicherten. Dann überwand sie sich dazu, ein paar Schluck Bier zu trinken. Und mit einemmal fühlte sie sich wie neu belebt. Mordechai, der letztes Jahr Gemeindevorsteher gewesen war, faßte Zeinwele Srozker am Arm. »Ein Meschuggener – aber einer von uns. Ein Chassid durch und durch!«

2

Dieses Jahr beging Fischel den Festtag nicht im Familienkreis. Das Bethaus verließ er gleich nach dem Gottesdienst. In der Pause hatte er, wie am Tag der Gesetzesfreude üblich, etwas getrunken, und nun war er leicht benebelt. In den vergangenen Jahren hatte er mit den anderen getanzt und gezecht und sie in seine Wohnung eingeladen, wo Hadassa und Schifra einen Imbiß und Wein aufgetragen hatten. Seine Schwiegereltern und die anderen Verwandten hatten mitgefeiert. Von alt und jung war er um sein Glück beneidet worden. Dieses Jahr aber ging er allein nach Hause. Verstohlen hastete er durch die Straßen. Die Wohnungstür war nicht abgesperrt. Er ging hinein. Weder Hadassa noch das Dienstmädchen war da. Fischel nahm seine Brille ab und putzte sie mit dem einen Ende seines Schals. Wirklich allerhand, daß die beiden nicht einmal mehr die Tür absperrten, wenn sie ausgingen! Es war schon ziemlich spät. Er hatte Hunger. Nach einigem Zögern ging er in die Küche, nahm sich Weißbrot, Fisch und eine Keule von dem Gänsebraten im Backrohr. Aber obwohl ihm der Magen knurrte, verging ihm schon nach dem ersten Bissen der Appetit. Er versuchte, während der Mahlzeit ein liturgisches Lied zu psalmodieren, brachte aber bloß ein paar jämmerliche Töne heraus. Eine Buhlerin – ja, das war aus ihr geworden! Ein liederliches Frauenzimmer. In alten Zeiten hätte man ihr bitteres Wasser zu trinken gegeben. Dann wäre, so sie tatsächlich unrein geworden war, ihr Bauch geschwollen, und ihre Hüften wären dahingeschwunden. Pfui, was für Gedanken das waren! »Ich bin nicht ihr Feind. Es gibt einen Vater im Himmel. Er sieht die Wahrheit.«

Fischel hörte, wie jemand die Wohnungstür öffnete. Hadassa? Oder Schifra? Er blickte auf und sah eine fremde junge Frau vor sich, die in ein Umhängetuch gehüllt war. Hatte er sie nicht schon irgendwo gesehen? Ihr Gesicht kam ihm irgendwie bekannt vor.

»Die Gnädige ist nicht zu Hause?«

»Was wünschen Sie?«

»Ich arbeite im Haushalt Ihres Schwiegervaters, Njunje Moschkat, und...«

»Ach ja. Was gibt's?«

»Meine Gnädige läßt ausrichten, daß Sie beide sofort hinüberkommen sollen.«

»Was ist denn los? Meine Frau ist nicht da.«

»Sie sollen sofort kommen. Ihr ist plötzlich sehr übel geworden. Jetzt geht's ihr schon besser, aber...«

»Ja – ich komme sofort.«

Er zog sich an, ging mit dem Mädchen hinaus, sperrte die Tür zu und legte den Schlüssel unter die Fußmatte. Schweigend gingen sie die Straße hinunter. »Ein verdorbener Feiertag«, dachte Fischel. »Aber was bleibt mir anderes übrig?« Gleichwohl empfand er eine gewisse Genugtuung darüber, daß man nach ihm geschickt hatte, daß er der Verwandtschaft noch nicht völlig entfremdet war. Was die Meinungsverschiedenheiten zwischen ihm und Hadassa betraf, so stand Dache auf seiner Seite. Er hastete hinter dem Mädchen her. Wunderliche Gedanken gingen ihm durch den Kopf. Wie wäre es, wenn er Hadassa den Scheidebrief gäbe und dieses Dienstmädchen heiraten würde? Sie war sicher eine Waise. Sie würde ihm treu sein. Und was wäre, wenn er sie statt dessen bloß bitten würde, mit ihm zu sündigen? Er schämte sich seiner Gedanken und versuchte, sie zu verscheuchen, aber es gelang ihm nicht. Kein Wunder, dachte er. Hadassa hatte seit Monaten kein rituelles Reinigungsbad mehr genommen. Und er war schließlich ein Mann aus Fleisch und Blut.

Das Dienstmädchen ging so rasch, daß er Mühe hatte, Schritt zu halten. »Lieber hinter einem Löwen herlaufen als hinter einem Weib...« Die warnenden Talmudworte waren ihm ganz plötzlich eingefallen.

Die beiden stiegen die Treppe zu Njunjes Wohnung hinauf, das Dienstmädchen führte Fischel hinein. Er merkte schon im Flur, daß es seiner Schwiegermutter sehr schlecht gehen mußte: Der unverkennbare Geruch nach Arznei und Krankenzimmer stieg ihm in die Nase. Er ging ins Wohnzimmer. Dort stand sein Schwiegervater, rauchte eine Zigarette und starrte vor sich hin.

»Geh hinein! Sie möchte dich sehen. Aber red nicht zuviel mit ihr!«

»Was ist passiert?«

»Es sieht gar nicht gut aus...«

Das Krankenzimmer war gleich nebenan. Eines der beiden Betten war gemacht, im anderen lag Dache. Ihr Gesicht war gelblich verfärbt. Fischel erkannte sie kaum wieder.

»Komm her! Du brauchst keine Angst zu haben.« Ihre Stimme klang erstaunlich kräftig. »Setz dich zu mir! Mir ist plötzlich übel geworden. Ein Herzanfall oder so was Ähnliches. Dr. Mintz mußte geholt werden.«

»Was hat er gesagt?«

»Das weiß ich nicht. Ich weiß bloß, daß es schlimm um mich steht. Wo ist Hadassa?«

»Sie war gerade außer Haus.«

»Wo ist sie hingegangen?«

»Zu einer Nachbarin vermutlich.«

»Ist die Tür zu?«

»Ja.«

»Dreh bitte den Schlüssel herum.«

Fischel sperrte die Tür zu.

»Und jetzt komm her! Du mußt mir etwas versprechen. Ich möchte, daß *du* den Kaddisch für mich sagst.«

»Aber... aber dir geht's bestimmt bald besser. Du wirst wieder gesund.«

»So Gott will. Komm her, ganz nahe! Ja, ja, du bist Chassid, aber eine kranke Frau ist keine richtige Frau mehr. Ich weiß alles. Hadassa ist auf Abwege geraten. O Gott, daß ich *das* noch erleben muß!«

»Bitte... du darfst dich deshalb nicht aufregen.« Daches große schwarze Augen wurden feucht, Tränen rannen ihr über die Wangen.

»An allem ist *er* schuld. Er bringt mich ins Grab, und er hat seine Tochter auf dem Gewissen. Ich vergebe ihm. Aber ob Gott ihm vergeben wird, das weiß nur Er.«

»Bitte, Schwiegermutter, es ist Feiertag. Mit Gottes Hilfe wirst du genesen.«

»Ganz gleich, wie weit es zwischen dir und Hadassa noch kommen wird – versprich mir, daß du nach meinem Tod den Kaddisch für mich sagen wirst. Ich sorge dafür, daß du meinen Anteil am Vermögen erhältst. Morgen überschreibe ich ihn dir.«

»Bitte, Schwiegermutter, ich will ihn nicht.«

»Aufgeopfert habe ich mich für sie! Tag und Nacht habe ich nur an ihr Wohl gedacht. Und *das* ist der Dank dafür! Ich werde im Grab keine Ruhe finden.«

»Sie ist jung. Sie weiß nicht, was sie tut.«

Dache begann krampfhaft zu schluchzen. Fischel würgte es

in der Kehle. Das Wasser stieg ihm in die Augen. Er wollte etwas sagen, aber da hörte er vom Wohnzimmer her hastige Schritte, dann Klopfen, dann Hadassas Stimme: »Mama, Mama, laß mich hinein!«

»Laß sie herein«, sagte Dache.

Fischels Hand zitterte so heftig, daß es eine Weile dauerte, bis er den Schlüssel herumgedreht hatte. Hadassa riß die Tür auf und stieß beinahe mit ihm zusammen. Wütend starrte sie ihn an. Noch nie hatte Fischel so viel Haß in ihren Augen gesehen. Er ging beiseite, Hadassa stürmte zum Krankenbett.

»Mamuscha...«

Dache öffnete nur das eine Auge. »Was willst du? Ich bin noch am Leben.«

»Mamuscha! Was ist denn mit dir?«

»Nichts. Mir tut bloß das Herz ein bißchen weh. Das geht vorüber.«

Hadassa sah zu Fischel hinüber. »Geh ins andere Zimmer! Laß uns allein!«

»Er soll hierbleiben. Ich habe nach ihm geschickt.«

Dache schloß die Augen. Eine Weile war kein Laut zu vernehmen. Ob sie schlief oder nachdachte, war schwer zu sagen. Ein leichtes Zucken ging über ihre Stirn. Ihre Lippen waren zu einem seltsamen Lächeln verzogen. Hadassa beugte sich übers Bett, nahm ein Arzneifläschchen vom Nachttisch und roch daran. »Wenn's doch Gift wäre!« dachte sie. »Ich halte das nicht mehr aus. An allem bin ich schuld.« Als hätte sie die Gedanken ihrer Tochter erraten, öffnete Dache die Augen.

»Komm, gib mir deine Hand!«

Hadassa legte die Hand auf die knochendürren Finger ihrer Mutter. Eigentlich hatte Dache ihr das feierliche Versprechen abnehmen wollen, Euser Heschel aufzugeben. Aber sie schwieg. »Sie würde ihr Versprechen ja doch nicht halten«, dachte sie. »Und damit eine weitere Sünde begehen.« Sie schlummerte ein. Ihr war, als ob sich das Bett in die Luft höbe und mit ihr davonflöge. »Ist das der Tod? Ist es *das*, wovor die Menschen solche Angst haben? Nein, so einfach kann es doch nicht sein.«

Neuntes Kapitel

I

Die Familie lag Euser Heschel ständig in den Ohren: Wenn er nicht eingezogen und an die Front geschickt werden wollte, dann müßte er sich auf irgendeine Weise selber untauglich machen. Seine Mutter hatte sich aufs Psalmenlesen verlegt und benetzte jede Seite des *Psalters* mit ihren Tränen. Sein Onkel Zadock meinte, es wäre am einfachsten, wenn Euser Heschel sich sämtliche Zähne ziehen ließe. Sein Onkel Levi riet ihm, sich das Trommelfell durchstechen zu lassen. Seine Schwester Dina meinte, wenn er nichts mehr äße, würde er wegen Untergewichts nicht eingezogen werden.

Tag für Tag kam Adele zu ihrer Schwiegermutter in die Franziskanerstraße, um ihr etwas vorzujammern. Ihre Mutter und ihr Stiefvater, Reb Wolf Hendlers, sprachen bereits ganz offen von einer Scheidung. Adele erklärte immer wieder, falls Euser Heschel dieses Weibsstück aufgäbe, würde sie ihm genug Geld geben, um sich vom Militärdienst freizukaufen. Doch Euser Heschel wollte sich weder zum Krüppel machen noch bei seiner Frau bleiben. Die Angst vor dem Militärdienst, die ihn in den ersten Kriegstagen gepackt hatte, legte sich allmählich. Je näher Adeles Niederkunft rückte, um so heftiger drängte es ihn, davonzulaufen. Er konnte sich diesen ganzen Schlamassel nur zu gut vorstellen: das Wochenbett, die Hebamme, das Krankenhaus, die Ärzte. Er mußte Zuflucht in der Armee suchen, wie ein Mörder in der Freistatt.

Für ihn waren diese Tage ein Wirrwarr aus Festtagsstimmung und drohendem Unheil. Sein Großvater redete nicht mehr mit ihm. Die Feiertage hatte Euser Heschel in Gesellschaft der beiden Näherinnen verbracht. Zum Neujahrsfest fuhr Fischel nach Bialodrewna zu seinem Rabbi. Hadassa sollte mit ihrer Mutter in die Synagoge in der Panska gehen, hatte sich aber bereits eine Platzkarte für eine Synagoge in der Granicznastraße besorgt. Gleich nach dem feierlichen Blasen des Schofar verließ sie das Bethaus. Am Sächsischen Garten traf sie sich mit Euser Heschel, der mittlerweile seinen Überzieher, seine Anzüge und seine Wäsche bei Adele abgeholt hatte. Sie nahmen eine Droschke, und auf Euser Heschels Bitte ließ der Kutscher das Verdeck herunter. In einem kleinen Café, das sie in einer Nebenstraße nicht weit vom Lazienkipark entdeckt hatten, bestellten sie Kaffee und Kuchen. Hadassa hatte Schifra gesagt, sie sollte das Festmahl, das sie zubereitet hatte, alleine essen und dürfte über Nacht bei ihren Verwandten in Praga bleiben.

Nach der Rückkehr in die Innenstadt trennten sich die beiden und trafen sich erst vor Hadassas Wohnung in der Gnojnastraße wieder. Hadassa führte Euser Heschel hinauf, dann verabschiedete sie sich, um zum Festmahl zu ihrer Mutter zu gehen. Er saß allein im Dunkeln und wartete auf ihre Rückkehr. Als das Telefon klingelte, hob er nicht ab. Er ging zum Fenster und betrachtete den Sternenhimmel. Verzweiflung und Hoffnung erfullten ihn. Noch war es nicht so weit, daß man ihn an die Front schicken würde. Und selbst wenn er dort ums Leben käme, mußte das nicht unbedingt das Ende bedeuten. War es denkbar, daß der Kosmos tot und daß nur im Protoplasma Leben und Intelligenz enthalten war? Er begann, auf und ab zu gehen. Seine Augen gewöhnten sich allmählich an die Dunkelheit. Wie dramatisch das Leben war! Sie hatte einen Ehemann, er hatte eine Frau. Sie war zu ihren Eltern gegangen, um Festtagsbrot und Honig zu essen. Er wartete darauf, ihren Körper zu genießen... Und der Fötus in Adeles Schoß? Der entwickelte sich wie vorbestimmt. Die Zentrosomen teilten sich, die Chromosomen spalteten sich. Jede Krümmung und Windung trug das Erbe unzähliger Generationen weiter.

Während der zehn Bußtage trafen sich Hadassa und Euser Heschel täglich. Sie kam in sein Logis bei den Näherinnen, er kam in ihre Wohnung. Schifra war in alles eingeweiht. Fischel ging tagsüber seinen Geschäften nach. Und wäre er plötzlich zu Hause erschienen, so hätte Euser Heschel durch die Hintertür verschwinden können. Die Jalousien im Schlafzimmer waren den ganzen Tag heruntergezogen. Hadassa hatte jedes Schamgefühl verloren. Es machte ihr nichts mehr aus, sich vor ihm zu entkleiden. Ihr Körper war mädchenhaft schlank, ihre Brustwarzen waren flammendrot. Sie hatte seltsame Gelüste. Es reizte sie, so zu tun, als ob Euser Heschel ihr Gebieter und sie seine Sklavin wäre, die er auf dem Sklavenmarkt gekauft und die sich ihm völlig unterworfen hatte. Immer wieder fragte sie ihn über Adele aus. Warum liebte er sie nicht? Weshalb hatte er sie geheiratet? Was war an ihr, das sie, Hadassa, nicht zu bieten hatte? Zuweilen sprach sie auch über Fischel: Wie er in der Hochzeitsnacht gezittert hatte, wie er zu ihr gekommen und von ihr gegangen war, Beschwörungen gemurmelt und geweint hatte.

Zum *Kol-Nidre*-Gebet gingen die beiden in dieselbe Synagoge. Hadassa saß oben bei den Frauen, Euser Heschel stand unten. Hin und wieder sah er hinauf zum Gitterwerk der Weibergalerie. Der Schein der Kerzen verschmolz mit dem Licht der elektrischen Lampen. Der Kantor sang die traditionellen Rouladen und Appogiaturen. Die Seufzer der Gläubigen begleiteten seinen kunstvollen Gesang. Alte Gemeindemitglieder in weißen rituellen Gewändern, Gebetsmänteln und goldgestickten Hüten beteten und weinten abwechselnd. Von der Galerie her war das Wehklagen der Frauen zu hören. Der Krieg hatte Ehemänner von ihren Frauen, Söhne von ihren Müttern getrennt. An der Eingangstür standen heimatlose Männer, die auf Anordnung des Großfürsten Nikolai aus ihren frontnahen Wohnorten ausgewiesen worden waren. Diese Juden beteten auf ihre Art – mit lauter Stimme und ekstatischen Gebärden. Euser Heschel stand schweigend da. Er hatte vor Einbruch der Dunkelheit seine Mutter aufgesucht, um bei ihr die letzte Mahlzeit vor dem Fasttag einzunehmen. Sein Großvater war bereits ins chassidische Bethaus gegangen. In einem mit Sand gefüllten Topf hatte eine große Kerze gesteckt. Seine Mutter trug das goldschimmernde Kleid, das sie sich zu ihrer Hochzeit genäht hatte, dazu ihren Seidenschal und das Kopftuch aus Satin. Sie war ihm entgegengelaufen, hatte ihn umarmt und gerufen: »Gott schütze und bewahre dich vor den Händen der Ungläubigen!« Dann hatte sie Krämpfe bekommen. Dina hatte ihr zur Beruhigung ein Stückchen Zucker mit Baldriantropfen gegeben.

Nach dem Gottesdienst trafen sich Euser Heschel und Hadassa vor der Synagoge. Sie gingen in den Sächsischen Garten und setzten sich auf eine Bank. Über Schäfchenwolken stand der Dreiviertelmond. Blätter fielen raschelnd durchs Geäst; ihre Umrisse zeichneten sich unheimlich klar auf dem Erdboden ab. Eine ganze Weile saßen die beiden wortlos nebeneinander. Dann gingen sie in die Gnojnastraße. Schifra war nicht zu Hause. Hadassa sperrte die Wohnungstür zu und schob den Riegel vor. Sie hatte die schwerste Sünde begangen. Sie war bereit, die Strafe auf sich zu nehmen.

Schuldig geworden der Entheiligung des höchsten Feiertages, gab sie allen Begierden ihres Geliebten nach. Sie gab sich ihm auf dem Sessel hin, auf dem Teppich und in Fischels Bett. Euser Heschel schlummerte ein und wachte auf – von einem Traum erschreckt und von Leidenschaft entflammt. Hadassa seufzte im Schlaf. Er stand auf und ging zum Fenster. Ja, das war *er*, Euser Heschel. Sein Vater, dem Irrsinn nahe, war in einem dreckigen galizischen Kaff gestorben. Generationen von Rabbis, heiligen Männern und frommen Rabbinerfrauen hatten sich gereinigt, auf daß er, Euser Heschel, eines Tages geboren werden konnte. Und nun verbrachte er die Nacht vor Jom Kippur mit der Frau eines anderen! Und enden würde er vermutlich im Schützengraben, mit einer Kugel im Herzen. Er war nicht traurig, nur zutiefst verwundert. War dies das Walten Gottes? War es denkbar, daß er ein Teil Gottes war, Fleisch von Seinem Fleisch, Geist von Seinem Geist? Was würde geschehen, wenn er sich aus dem Fenster stürzte? Was würde dann aus seiner Liebe werden, aus seiner Angst und seiner Verwirrung? Nein, zum Sterben war immer noch Zeit. Er fröstelte und ging hinüber zu Hadassas Bett.

2

Am Tag der Gesetzesfreude hatte sich Euser Heschel bei den Säulen vor dem Bankowyplatz mit Hadassa verabredet. Er wartete schon eine halbe Stunde, aber sie kam nicht. Als er in Fischels Wohnung anrief, meldete sich niemand. Nach einer Stunde und zehn Minuten war Hadassa immer noch nicht erschienen. Da die beiden Näherinnen weggegangen waren und nicht vor zwei, drei Uhr morgens zurückkommen würden, hatte Euser Heschel die Gelegenheit nützen und den letzten der hohen Feiertage mit Hadassa verbringen wollen. Nun war dieser Plan ins Wasser gefallen, und er mußte allein in sein Logis zurückkehren. In der dunklen Kammer zündete er die Gaslampe an, setzte sich und zog einen Handkoffer unter dem Bett hervor. Darin lag zwischen Hemden, Socken und Taschentüchern ein in deutscher Sprache verfaßtes Manuskript. Der Titel lautete: *Das Laboratorium der Glückseligkeit.* Euser Heschel blätterte darin. Die meisten Kapitel waren unvollendet. Auf einem Zettel waren etliche Themen notiert: 1. Zeit als ein Attribut Gottes. 2. Die Gottheit als Summe sämtlicher möglicher Kombinationen. 3. Die Wahrheit der Falschheit. 4. Kausalität und Spiel. 5. Heidentum und Sinnenfreude. 6. Seelenwanderung aus spinozistischer Sicht. Darunter stand der Satz: *»Falls ich mit X nicht Schluß mache, sollte ich lieber sterben.«*

Während er darin herumblätterte, läutete es plötzlich an der Wohnungstür. Er rannte hinaus. Das mußte Hadassa sein! Im Flur war es dunkel. Er öffnete und nahm den Duft von Kümmelparfüm wahr. »Adele!«

»Ja, ich bin's. Was für ein Schweinestall ist das hier eigentlich?«

»Wie kommst *du* denn hierher?« Er bedauerte sofort, daß ihm diese Frage herausgerutscht war.

»Du wirst mich doch wohl nicht hinauswerfen?«

»Gott bewahre! Komm herein.«

Er führte sie in seine Kammer. Im Lampenlicht sah ihr Gesicht gelb und fleckig aus. Ihr altmodischer Hut erinnerte an einen umgedrehten Blumentopf. Sie ließ sich sofort auf einem Stuhl nieder.

»Also hier wohnst du! Ein Palast! Du ißt wohl überhaupt nichts mehr?«

»Doch, ich esse.«

»Meine Mutter weiß einen Spruch darauf: ›Sag mir, was einer ißt, und ich sage dir, wie er aussieht.‹«

Euser Heschel schwieg.

»Du wunderst dich sicher über meinen Besuch. Ich muß mit dir sprechen. Meinen Zustand kann man mir ja ansehen.«

»Ich gehe zum Militär. Das weißt du doch.«

»O ja. Wenn jemand Selbstmord begehen will, läßt er sich durch nichts daran hindern. Ich möchte offen mit dir reden.«

»Dann tu's doch.«

»Wenn du fortgehst, hänge ich völlig in der Luft. Du kennst die jüdischen Gesetze besser als ich.«

»Willst du die Scheidung?«

»Ich weiß nicht, was ich überhaupt noch will. Du hast mein Leben verpfuscht. Auch wenn ich weiterlebe.«

»Für solche Gespräche ist es zu spät.«

»Keineswegs. Du bist doch kein siebzigjähriger Greis. Was machst du denn aus deinem Leben? Du bringst deine Mutter ins Grab – und alles wegen dieser dummen Pute!«

»Sag lieber kurz und bündig, was du willst.«

»Warum hast du's so eilig? Du erwartest sie wohl?«

»Schon möglich.«

»Soll sie doch kommen! Ich spucke ihr ins Gesicht! Ich bin immer noch deine Frau, und sie ist eine Hure. Du bist mein Mann, und ich trage dein Kind unter dem Herzen.«

»Adele, was soll das ganze Gerede? Wir müssen die Sache zu Ende bringen. Es ist deine eigene Schuld, daß du...« Er brach mitten im Satz ab.

»Wir müssen gar nichts. Wenn ich es so will, bleibst du dein Leben lang an mich gebunden. Für mich ist die Ehe keine Spielerei. Ich kann euch beiden das Leben vermiesen.«

»Du redest wie deine Mutter.«

»Ich sage die Wahrheit. Dieses Weibsstück hat dir nur Unglück gebracht. Ihretwegen sind wir kurz vor Kriegsausbruch nach Polen zurückgekehrt. Du hättest studieren und etwas erreichen können. Was soll denn jetzt aus dir werden? Jedenfalls wirst du dich um die besten Jahre deines Lebens bringen. Glaub ja nicht, daß sie auf dich warten wird! Du wirst im Schützengraben verrotten, und sie wird sich keinen Deut darum scheren. Was glaubst du, würde passieren, wenn du zu ihr zurückkämst und nur noch ein Bein hättest?«

»Sag endlich, was du willst!«

»Du hast es zwar nicht verdient, aber ich möchte dir helfen. Und ich werde dir nichts vormachen, denn ich erhoffe mir selber etwas davon. Du darfst dich nicht in diesen irrsinnigen Krieg stürzen. Wir können dich davor bewahren. Mein Stiefvater, meine Mutter und ich. Es war uns möglich, unser Bargeld von der Bank ausgezahlt zu bekommen. Und es gibt sogar eine Möglichkeit, in die Schweiz zurückzukehren. Du mußt nur eines tun: mit dieser Narretei Schluß machen.«

»Adele, ich liebe sie.«

»Ist das dein letztes Wort?«

»Es ist die Wahrheit.«

»Das alles hast du dir bloß eingeredet. Du bist überhaupt nicht fähig, zu lieben.«

Eine ganze Weile saß sie mit gesenktem Kopf da. Ihre Lippen waren verzerrt. Ihre Nase war lang und spitz geworden. Ihre Stirn und ihre hochgezogenen Brauen hatten jetzt etwas Männlich-Rationalistisches. Euser Heschel hatte das merkwürdige Gefühl, daß hinter Adeles weiblicher Fassade der Geist ihres gelehrten Vaters zum Vorschein gekommen war. Seltsam, daß er sich jetzt, da sie vor ihm saß, nicht von ihr abgestoßen fühlte. Nein, er haßte sie nicht. Er hatte bloß Angst davor, die Bürde des Ernährers auf sich nehmen zu müssen; die Schande, ein Mann mit Familie zu sein, der es zu nichts gebracht hatte. Ihm kam der Gedanke, daß es ihm, falls er mit Adele ebenso heimlich zusammenleben würde wie mit Hadassa, nichts ausmachen würde, zwei Frauen zu haben. Er hätte es Adele gern erklärt, aber er wußte im voraus, daß sie es nicht begreifen würde. Er konnte es sich ja selber nicht ganz erklären.

Adele stand plötzlich auf. »Was für ein Kabuff ist das eigentlich. Auf was geht denn das Fenster hinaus?«

Sie stellte sich ans Fenster, dem gegenüber die nackte Mauer aufragte. Man konnte von hier aus in den Hof des Nachbarhauses hinunterschauen und die strohgedeckten Dächer einiger Laubhütten sehen. Sie lehnte sich so weit hinaus, daß Euser Heschel Angst bekam.

»Vorsicht, Adele!«

Sie richtete sich auf und drehte sich zu ihm um.

»*Du* bist derjenige, der Selbstmord begeht. Nicht ich.«

»Das stimmt.«

»Armer Kerl!«

Sie musterte ihn lächelnd. Er hing also immer noch an ihr! Er wollte nicht, daß sie aus dem Fenster fiel. Wer weiß – vielleicht empfand er schon etwas für das Geschöpf, das sie unter dem Herzen trug. Es war *sein* Kind. Mit einemmal war ihr klar, daß sie weder auf ihren Stiefvater noch auf ihre Mutter hören würde. Nein, sie ließ sich nicht von ihm scheiden! Niemals! Nach dem Gesetz würde er für immer ihr Ehemann bleiben. Und sie seine Frau.

»Komm her! Einen Kuß darfst du mir schon noch geben.« Und dann tat sie etwas völlig Unerwartetes: Sie streckte die Hand aus und löschte die Lampe. Dann blieb sie regungslos stehen, bestürzt über ihre eigene Torheit.

Zehntes Kapitel

I

Als Lea an jenem Halbfeiertag des Laubhüttenfestes das Kontor verlassen hatte, ging Koppel eine ganze Weile auf und ab. Seine Ziegenlederstiefel knarrten. Seine Zigarette war ausgegangen, klebte aber noch an seiner Unterlippe. Schließlich ging er in den Nebenraum, wo ein kleiner Gaskocher und ein Topf mit frisch gebrautem Tee standen. Er sah in den Spiegel, der über dem Tisch hing. »Dieses Weibsbild aus guter Familie hat sich also doch nicht aus meinen Fängen befreien können. Wenn das der Alte wüßte – oi, der würde sich im Grab umdrehen!« Er grinste seinem Spiegelbild zu. »Koppel, du bist ein durchtriebener Kerl!«

Er ging wieder in den anderen Raum, machte ein Fenster auf und spähte in den Hof hinunter. Ein kleines nichtjüdisches Mädchen saß auf einem Steinhaufen. Eine barfüßige Frau leerte einen Eimer Schmutzwasser aus. Koppel begann, mit dem Fingernagel auf der beschlagenen Scheibe herumzukritzeln. Wenn er und Lea wirklich nach Amerika durchbrannten, was würde dann aus den Häusern werden, die Reb Meschulam hinterlassen hatte? Zu Staub würde alles zerfallen.

Er zog seinen Mantel an und ging auf die Straße hinaus. Früher einmal hatte er geglaubt, er würde vor Leidenschaft außer sich geraten, wenn Lea ihm auch nur einen Kuß gegeben hätte. Das war eben der Haken bei allem, was man sich sehnlichst wünschte: Man bekam es immer zu spät. Es sagte sich so leicht: »Laß dich von Baschele scheiden! Und dann ab nach Amerika!« Aber konnte man damit ernst machen? Baschele war eine treue Ehefrau, die Mutter seiner Kinder. Wenn er ihr erklärte, daß er sich scheiden lassen wollte, würde sie das für einen schlechten Scherz halten. Und was würden die Leute sagen? Die ganze Stadt wäre empört.

So früh wie an diesem Tag war er noch nie nach Hause gegangen. Er sehnte sich danach, daheim zu sein, in seinem eigenen Zimmer, wo er, auf dem alten Sofa ausgestreckt, stets seine Pläne geschmiedet hatte. Er winkte eine Droschke herbei, stieg ein, lehnte den Kopf ans Rückenpolster, streckte die Beine aus und machte die Augen zu. Er konnte allein schon an den verschiedenen Geräuschen und Gerüchen erkennen, durch welche Straßen die Droschke fuhr. In der Zabiastraße merkte er am Geruch des welken Laubes, daß sie gerade am Sächsischen Garten vorbeifuhren. In der Senatorska lag schon etwas vom typischen Geruch der Weichsel und der Wälder drüben in Praga in der Luft. Und die vertrauten Geräusche konnte nicht einmal der Geschützdonner übertönen, der von der nahen Front zu hören war. Zeitungsjungen riefen Extrablätter aus: »Vormarsch der deutschen Armee von den russischen Truppen aufgehalten!« Koppel öffnete die Augen, winkte einen Zeitungsjungen herbei und warf ihm eine Kopeke zu. Während die Droschke weiterfuhr, überflog er das Extrablatt.

»Der Bär ist noch nicht geschlagen«, murmelte er.

An der Brücke mußte die Droschke halten. Eine Lazarettwagenkolonne bewegte sich auf die Brücke zu. Durch die Fenster der omnibusähnlichen Wagen konnte man Soldaten mit verbundenen Köpfen, Armen und Beinen sehen. Krankenschwestern beugten sich über die Verwundeten. In einem Wagen lag jemand, der von Kopf bis Fuß verbunden war. Nur die Nasenspitze schaute heraus. Zwei Sanitäter in weißen Kitteln hantierten an einer Apparatur und an Gummischläuchen herum.

Koppel spürte einen stechenden Schmerz in der Magengrube.

»Oi, Mame«, flüsterte er.

Zu Hause wurde er nur von Schoscha, seiner ältesten Tochter, begrüßt. Sie war sechzehn – elf Monate jünger als ihr Bruder Manjek –, überragte bereits ihren Vater, hatte aber noch ein kindliches Gesicht. Die blonden Zöpfe mit den eingeflochtenen Bändern reichten ihr bis zur Taille. Sie war im vergangenen Schuljahr durchgefallen und mußte jetzt die Quarta wiederholen. Ehe ihr Vater etwas sagen konnte, schlang sie die Arme um ihn und drückte ihn an die Brust. »Tatusch!«

Koppel machte sich los. »Wo ist deine Mame?«

»Beim Einkaufen.«

»Und Jeppe und Teibele?«
»Teibele schläft. Und Jeppe ist beim Schreiner.«
»Wie war's in der Schule?«
Schoschas Augen funkelten. »Ach, Tatusch, wir haben ja so viel Spaß gehabt! Unsere Geschichtslehrerin ist gestolpert und hingefallen. Wir haben gebrüllt vor Lachen! Ich hab' jetzt noch Seitenstechen.« Sie prustete, kicherte kindisch und bleckte ihre schiefen Zähne.

Koppel zuckte die Achseln. »Was gibt's denn zu lachen, wenn jemand stolpert? Das kann jedem passieren.«

»Ach, Tatusch, es war ja so komisch! Sie ist direkt zwischen den Schulbänken hingeplumpst. Komm, ich muß dir einen Kuß geben!«

Sie schloß ihn wieder in die Arme und schmatzte sein Gesicht ab. Koppel konnte sich nur mit Mühe von ihr losmachen. Genau wie ihre Mutter, dachte er. Einfältig und gutmütig. Nicht zum ersten Mal kam ihm der Gedanke, daß ein so dummes Schäfchen wie Schoscha sich bloß in einen jungen Burschen zu verlieben brauchte – und schon würde sie mit einem Klumpen unter der Schürze nach Hause kommen.

Er ging in sein Zimmer, hakte die Türkette ein und legte sich aufs Sofa. Je länger er rauchte und grübelte, um so mehr wunderte er sich über sich selber. Was für eine blödsinnige Idee! Seine Familie im Stich lassen und nach Amerika durchbrennen! Wer würde dann auf Schoscha aufpassen? Wer würde dafür sorgen, daß Jeppe einen anständigen Ehemann bekam? Zumal da das arme Ding hinkte. Und was sollte aus Teibele und Manjek werden? Lea war schließlich kein junges Mädchen mehr. Sie war vierundvierzig, wenn nicht sogar noch älter. Wenn sie ihn wirklich liebte, warum sollte sie sich dann nicht damit zufriedengeben, seine Geliebte zu werden – hier in Warschau?

Bei dem Gedanken daran, daß sie jetzt wußte, daß er den Tresor ihres Vaters ausgeplündert hatte, kam ihm die Galle hoch. »Ich muß meschugge gewesen sein! Ich habe mir eigenhändig ein Messer in den Bauch gestoßen.«

Er drehte sich zur Wand und schlummerte ein. Gegen sieben Uhr wurde er von seiner Frau geweckt, die das Abendessen schon aufgetragen hatte. Schlaftrunken schleppte er sich ins Eßzimmer. Alles kam ihm sonderbar vor – die gläserne Hängelampe, der gedeckte Tisch, die Kinder, die vor ihren Tellern saßen. Jeppe und Schoscha schwatzten miteinander und brachen immer wieder in Gelächter aus. Manjek, in seiner kurzen Schuljacke mit den Goldknöpfen, saß schweigend da. Sein Kopf mit dem kurzgeschorenen Haar warf einen riesigen Schatten an die Wand.

Baschele konnte sich gar nicht genug tun, ihren Mann zu bedienen. Noch ein Stück Fleisch? Eine Essiggurke? Sauerkraut? »Koppel, du sitzt da, wie wenn du hier fremd wärst. Hast du Kopfweh oder sonstwas?«

»Wie? Nein, mir fehlt nichts.«

»Es ist doch sonst nicht deine Art, am hellichten Tag zu schlafen.«

Koppel sah zu Manjek hinüber. »Wie war's in der Schule?«

Ehe der Junge etwas sagen konnte, begann Schoscha wie verrückt zu kichern. »Ihr hättet sehen sollen, wie unsere Lehrerin hingeplumpst ist!«

Ein Mann, dessen Frau ein Rindvieh ist und dessen Kinder Schafsköpfe sind, dachte Koppel. Ihm war der Appetit vergangen. Sobald die anderen fertiggegessen hatten, zog er seinen Mantel an und ging zur Tür.

»Koppel, komm nicht so spät nach Hause!« rief ihm Baschele nach, obwohl sie schon längst gewöhnt war, daß er kaum je vor zwei Uhr morgens schlafen ging.

Im Stiegenhaus war es dunkel. Auf der Straße bog Koppel nach links ab. In der Malastraße, nicht weit vom St. Petersburger Bahnhof, wohnte die Familie Ochsenburg, bei der Koppel oft zu Gast war. Im selben Haus, ein Stockwerk höher, wohnte Frau Goldsober, die junge Witwe eines alten Teppichhändlers. Koppel und seine Kumpel trafen sich ein paarmal in der Woche bei den Ochsenburgs, die eine geräumige Fünfzimmerwohnung hatten. Die Mieten in Praga waren niedrig. Der einzige Nachteil war, daß man die ganze Nacht das Pfeifen der Lokomotiven hörte. Die Ochsenburgs hatten sich allerdings so sehr an diesen Lärm gewöhnt, daß sie in der Sommerfrische draußen auf dem Land nicht schlafen konnten.

»Die Stille dröhnt einem in den Ohren«, beklagte sich Isidor Ochsenburg jedesmal.

Früher hatten ihm einige Lokale in Praga und drüben auf der Warschauer Seite gehört. Ochsenburgs Kutteln waren berühmt gewesen. Seit er nicht mehr gesund war, verdiente er sein Geld damit, Küchengerät und Geschirr für Hochzeitsfeiern zu verleihen. Reize, seine Frau, vermittelte Dienstboten. Sie hatten einen Sohn, der dem Vernehmen nach Hehlerei betrieb. Dagegen machten die beiden Töchter, Zilke und Regine, den Eltern viel Freude. Zilkes Mann verdiente als Angestellter einer Schnittwarenfirma in der Genschastraße dreißig Rubel in der Woche. Regine war verlobt. Frau Ochsenburg mußte in jungen Jahren eine Schönheit gewesen sein. Jetzt war sie so dick, daß sie sich durch die Tür zwängen mußte. Sie wog zweieinhalb Zentner, was sie freilich nicht daran hinderte, den Haushalt zu führen, das Dienstmädchen zu piesacken und sich mit ihrem Mann zu zanken. Ochsenburg, der groß und hager war, einen dürren, blaugeäderten Hals und einen bierfarbenen, nach polnischer Manier gewachsten und gezwirbelten Schnurrbart hatte, war ein Saufbruder und verbrachte mehr Zeit auf dem Sofa als auf den Beinen. Er legte leidenschaftlich gern Patiencen. Immer wenn er und seine Frau aneinandergerieten, schlug er sich mit der Faust an die Brust und brüllte: »Weißt du eigentlich, mit wem du sprichst? Mit Isidor Ochsenburg! Du hast mich ausgesaugt wie ein Blutegel! Schau doch, was du aus mir gemacht hast!«

Und dann deutete er auf seine eingefallenen Wangen, die einen Stich ins Bläuliche hatten und aussahen, als wäre kein bißchen Fleisch mehr an den Knochen.

2

Wie Koppel gehörte auch Isidor Ochsenburg dem Ansche-Zedek-Verein an. Koppel galt bei den Ochsenburgs gewissermaßen als Familienmitglied; er hatte sogar einen Hausschlüssel. Im Flur hängte er Mantel und Hut an einen Kleiderhaken, dann fuhr er sich mit einem Taschenkamm durchs Haar. Im Wohnzimmer war bereits die ganze Clique versammelt: David Krupnick, Leon der Hausierer und Motje der Rote spielten mit Frau Goldsober Karten. Itschele Pelzewisner spielte mit Zilke Domino. Alle waren so konzentriert, daß sie Koppel gar nicht bemerkten. Beim Hereinkommen hörte er Frau Goldsober sagen: »Ich muß mit meinen Königen ausscheiden.«

»Und ich leiste Ihnen Gesellschaft«, erklärte David Krupnick. Er war Möbelhändler und galt als wohlhabend. Er war Witwer und hatte eine Schwäche für Frau Goldsober.

»Passe.«

»Ich setze sechs Groschen.«

»Ich erhöhe auf zehn.«

Frau Goldsober, die am Kopfende des Tisches saß, hatte sich einen gestrickten Schal umgelegt. Ihr kastanienbraunes, rötlich gesträhntes Haar war von der Stirn zurückgekämmt, ihre Frisur von einem Schmuckkamm gekrönt. Sie hatte eine gerundete Stirn, eine kleine Nase und ein mädchenhaftes Kinn. Unter ihrer leicht geschürzten Oberlippe waren kleine, perlweiße Zähne zu sehen. Ihre Augenbrauen waren sorgfältig ausgezupft. Da sie früher einmal an Asthma gelitten hatte, rauchte sie nur noch Spezialzigaretten, die sehr lang und dünn waren und angeblich die Bronchien freimachen sollten. Sie stieß den Rauch durch die Nase aus und sagte:

»Also, meine Herren, was habt ihr?«

»Kopfweh hab' ich, sonst nichts«, jammerte Motje der Rote, ein schmächtiger kleiner Kerl mit pockennarbigem Gesicht und kurzgeschorenem rötlichem Haar.

»Drei Königinnen.« David Krupnick legte sein Blatt auf den Tisch.

»Da hast du's!« Leon der Hausierer schob ihm das Tellerchen mit den Münzen hin. »Mehr Glück als Verstand.«

Frau Goldsober blickte auf und entdeckte Koppel. Sie sah ihn halb neugierig, halb spitzbübisch an. »Warum so spät? Ich dachte schon, wir müßten heute abend auf Ihre Gesellschaft verzichten.«

Koppel zog die Brauen hoch. »Ohne mich kommen Sie wohl nicht aus?«

»Natürlich nicht. Wissen Sie denn nicht, daß ich immerzu Sehnsucht nach Ihnen habe?«

»Habt ihr das mitgekriegt?« rief Motje der Rote und schlug mit der Faust auf den Tisch. »Sie hat Sehnsucht nach ihm!«

»Ach, das ist eine alte Liebe«, sagte Leon der Hausierer. »Das geht schon seit Jahren.«

»Ist das wahr? Und ich habe mir die ganze Zeit eingebildet, daß sie in mich verliebt ist.« David Krupnick begann die Karten zu mischen.

»Sie haben zuviel Glück im Spiel«, sagte Frau Goldsober.

»Was will dieses Weibsbild eigentlich von mir?« fragte sich Koppel. »Sie wird sich mit Krupnick gezankt haben. Vielleicht möchte sie auch bloß Süßholz raspeln.« Ganz so, als fühlte er sich hier wie zu Hause, ging er hinüber ins Eßzimmer. Er wollte ein bißchen mit Frau Ochsenburg plaudern, aber sie war nicht da. Auf einem Polsterstuhl am Kopfende des Tisches saß ihr Mann. Er legte gerade eine Patience. Neben sich hatte er eine Schnapsflasche stehen. Als die Tür aufging, griff er hastig nach der Flasche, offenbar um sie zu verstecken, doch als er Koppel sah, zog er die Hand zurück.

»Guten Abend, Isidor.«

Ochsenburg verzog die dünnen bläulichen Lippen zu einem Lächeln. »Spielst du heute abend nicht?«

»Was hab' ich davon? Ist doch alles Blödsinn.«

Ochsenburg wiegte trübselig den Kopf. »Kartenspielen nennt ihr das! Heutzutage wird bloß noch mit Murmeln gespielt.«

»Ganz meine Meinung.«

Ochsenburg legte die Hand auf die mit Wachstuch überzogene Tischplatte. »Was gibt's Neues im Verein? Bist du noch erster Vorsitzender?«

»Nicht einmal zweiter.«

»Aber im Vorstand bist du doch noch?«

»Ich habe nicht mehr die Ehre.«

»Was ist denn passiert? Hat man dich hinausgeworfen?«

»Mich kann keiner hinauswerfen.«

»Bist ein hartgesottener Bursche, was? Ihr jungen Leute habt's gut. Ihr nehmt überhaupt nichts mehr ernst. Zu meiner Zeit war das anders. Damals war der Verein in der Stalowastraße. Satzungsgemäß mußten wir Essen ins jüdische Hospital in der Chistastraße bringen. Straßenbahnen gab's damals noch nicht, bloß eine Pferdetram, aber am Sabbat durften wir sie nicht benützen. Da haben wir Weißbrot, geschmorte

Zwiebeln, Kutteln und Leber in einen Korb gepackt und sind zu Fuß gegangen. Ein weiter Weg war das! An der Brücke haben die Polen mit Steinen nach uns geworfen. Wenn wir einen von diesen Dreckskerlen erwischt haben, ist er grün und blau geschlagen worden.

In der Krochmalnastraße war eine Bande Rowdies, die uns den Weg versperrt hat. Beim ersten Mal haben sie uns fix und fertig gemacht. Das Essen aus unserem Korb war über die ganze Straße verstreut. Jossel Batz haben sie die Rippen gebrochen. Und ich hatte eine große Beule auf der Stirn. Am Abend hatten wir Versammlung. ›Hört mal!‹ habe ich gesagt. ›Sollen wir uns vor ein paar Raufbolden fürchten?‹ ›Aber was sollen wir denn tun?‹ haben die anderen jungen Burschen gefragt. ›Am Schabbes dürfen wir doch keine Stöcke benützen.‹ Unser Rebbe war aus Litauen – Reb Feifke hieß er. Der hat gesagt: ›Ihr dürft es, wenn Gefahr im Verzug ist.‹ ›Nu‹, sagte ich, ›wenn dieser heilige Mann so etwas sagt, dann stimmt es auch.‹ Er hat immer in einem Folianten so groß wie ein Tisch studiert.

Am nächsten Samstag haben die Frauen das Essen getragen, und wir sind vor ihnen hergegangen – grüppchenweise. Kurz vor Janaschs Basar haben wir einen Pfiff gehört. Ich bin mit vier anderen vorausgegangen. Plötzlich waren wir von dieser Bande umzingelt. Ihr Anführer war Itsche der Blinde – ein richtiger Schlägertyp. Die Hausiererinnen mußten ihm Schmiergeld zahlen. ›Ihr da!‹ sagt Itsche. ›Die Krochmalna ist mein Revier!‹ ›Was willst du?‹ sage ich. ›Wir sind nicht zum Vergnügen hier. Das Essen ist für Kranke.‹ ›Milde Gaben aus Praga brauchen wir hier nicht‹, sagt er. ›Trollt euch, oder ich drehe euch den Hals um!‹ Dann hat er mir einen Faustschlag auf den Brustkorb verpaßt. Ich sah, daß es keinen Ausweg gab, also habe ich mit dem Stock ausgeholt und ihn direkt am Kinn getroffen. Er war so baff, daß ihm beinahe die Augen herausgefallen wären. ›Los, Brüder‹, sage ich, ›auf geht's!‹ Und schon begann der Kampf. Unsere Burschen haben's denen nach Strich und Faden heimgezahlt. Die Nachricht, daß Itsche der Blinde mitten auf der Straße niedergemetzelt wird, hat sich wie ein Lauffeuer verbreitet. In der Krochmalnastraße gab es Schuhmacher, die Itsche Schmiergeld zahlten, damit er ihre Frauen nicht belästigte. Als sie hörten, daß wir die Bande verprügelten, kamen sie angelaufen. Ein Polizist tauchte auf, aber der hat sich gleich wieder verdrückt. Um's kurz zu machen: Wir haben sie zusammengeschlagen. Seitdem weiß jeder in Warschau, daß Isidor Ochsenburg vor keinem in die Knie geht.«

Er wischte sich den Schweiß von der Stirn. »Möchtest du was trinken?«

»Nein.«

»Was gibt's Neues bei den Moschkats? Wie sieht's dort für dich aus?«

»Ich überlege mir, ob ich versuchen soll, aus Polen hinauszukommen und nach Amerika zu gehen.« Koppel wußte selber nicht, warum er das ausgerechnet diesem Trunkenbold anvertraute.

Ochsenburg bekam den Mund nicht mehr zu. Dann begann er so krampfhaft zu kauen, als wollte er die Spitzen seines Schnurrbarts verschlucken.

»Weshalb denn? Soll das ein Scherz sein?«

»Ich meine es ernst.«

»Was ist denn mit dir los? Ist dir Warschau zu klein geworden? Was willst du denn in Amerika tun? Dort muß man sich abplacken, um sein Auskommen zu haben.«

»Wo ist deine Frau?«

»Weiß Gott wo. Ich sage dir, Bruder, hier in Warschau bist du ein König. In Amerika wirst du Hosen bügeln.«

Koppel stand auf und ging wortlos aus dem Zimmer. Im Flur blieb er unschlüssig stehen. Sollte er zu den anderen hineingehen oder sich auf den Heimweg machen? Dieser Trunkenbold hat recht, dachte er. Was tue ich in Amerika? Er versuchte, sich sein Leben dort vorzustellen – zusammen mit Lea, in einem dieser hohen Häuser. Über den Dächern würden Eisenbahnen dahinrasen und unter der Erde Züge donnern – vollgestopft mit Menschen, die alle englisch sprachen. Und er würde herumwandern, allein in einer fremden Welt, ohne Kinder, ohne Freunde, ohne Weiber. Lea würde alt und griesgrämig werden. Baschele würde ihm eine Zeitlang nachweinen und dann den Kohlenhändler von gegenüber heiraten. Der würde in seinem, Koppels, Bett schlafen und am

Morgen von ihr geweckt werden: »Chaim Leib, mein Schatz, der Kaffee wird kalt.«

»Die Pest über die Weiber!« dachte Koppel. »Falsche Schlangen und Huren – alle miteinander!«

Plötzlich kam er sich so schäbig und hilflos vor wie einst als verwaister Grünschnabel aus der Provinz, der wöchentlich ganze zwei Rubel verdient hatte. Damals war er so einsam gewesen, daß er samstags schon frühzeitig ins Bethaus ging und dort blieb, bis der Sabbat vorbei war. Später hatte sich das Blatt gewendet. Er war Gemeindemitglied geworden, hatte Meschulam Moschkat kennengelernt, ein armes, anständiges Mädchen geheiratet, nette Kinder in die Welt gesetzt und es zu einem gewissen Wohlstand gebracht. Warum sollte er sich denn in der Fremde herumschlagen? Weshalb zwei Familien auseinanderreißen? Wo stand geschrieben, daß er Meschulam Moschkats Schwiegersohn werden sollte?

Während er vor sich hinbrütend im Flur stand, kam Frau Goldsober aus dem Wohnzimmer – lächelnd und mit glühenden Wangen. Unter ihrem Schal war die spitzenbesetzte Bluse zu sehen, und unter ihrem Faltenrock lugte der Saum ihres Unterrocks hervor. Sie guckte Koppel etwas verwundert an. »Schau, schau! Da steht er wie ein geprügelter Schuljunge.«

»Gehen Sie schon heim? So früh?«

»Wie kommen Sie denn darauf? Ich will bloß meine Asthma-Zigaretten holen.«

Sie blieb einen Moment vor ihm stehen, dann machte sie eine jähe Kopfbewegung. »Wissen Sie was? Begleiten Sie mich doch hinauf!«

»Warum nicht?«

Als sie die Treppe hinaufstiegen, lehnte sich Frau Goldsober an seine Schulter. Dann sperrte sie die Wohnungstür auf.

»Treten Sie ein. Haben Sie vielleicht ein Streichholz?«

Drinnen war es dunkel. Es roch nach Bohnerwachs. Man konnte geradezu spüren, daß man in der sorgfältig gepflegten Wohnung einer alleinstehenden Frau war. Plötzlich schlang sie die Arme um Koppels Hals und küßte ihn auf den Mund. Sie roch nach Rauch und Schokolade. Vor Koppels Augen glommen Lichtpünktchen auf.

»*So* ist das also?« murmelte er.

»Ja, so ist das!«

Sie küßte ihn wieder und wieder – mit der Hemmungslosigkeit einer Frau, die den letzten Rest Schamgefühl über Bord geworfen hat. »Was zum Teufel stellt sie mit mir an?« dachte Koppel. »Das ist zuviel des Guten! Da *muß* doch was schiefgehen.«

3

Frau Goldsober riß sich von Koppel los.

»Ich muß wieder hinuntergehen. Krupnick wird sich Gott weiß was denken.«

»Wieso hast du seinetwegen Bedenken?«

»Ich möchte ihm keinen Anlaß zu allerlei Gerede geben. Weißt du, was? Komm doch später herauf. Gegen elf. Ich muß mich drunten nochmals sehen lassen.«

Koppel dachte einen Moment nach. »Den ganzen Abend möchte ich nicht bei den Ochsenburgs herumlungern. Ich komme später wieder.«

»Wohin willst du denn jetzt noch gehen, Koppel? Du bist ein seltsamer Mensch. Steckst immer voller Geheimnisse. Weißt du, was? Du gehst zuerst zu ihnen hinunter. Wenn wir zusammen hineingehen, fangen sie sofort zu tuscheln an.«

Koppel stieg die Treppe hinunter. Vor dem Spiegel im Flur strich er sich die Haare glatt, dann ging er ins Wohnzimmer. Das Kartenspiel war zu Ende. David Krupnick unterhielt sich mit Leon dem Hausierer, der mit Antiquitäten und Schmuck handelte. Da Zilke, die verheiratete Tocher der Ochsenburgs, hinausgegangen war, wurden typische Männergespräche geführt.

»Ist doch alles Stuß«, sagte Leon der Hausierer. »Jede Frau hat ihren Preis.« Als wollte er ihm ein Geheimnis anvertrauen, packte er Krupnick am Revers. »Nimm zum Beispiel mich. Ich bin weder jung noch schmuck. Ich laufe – Gott soll euch davor bewahren – mit Magengeschwüren herum. Operiert müßte ich werden. Vergangene Woche, am Mittwoch war's, glaube ich, wurde ich telefonisch in die Rosenallee bestellt, zu einer nichtjüdischen Familie. Sie wollten Schmuck kaufen, weil die Hochzeit der Tochter bevorstand. Ich habe ein paar Musterstücke von Jekel Dreiman mitgenommen und bin per Droschke hingefahren. Bin die Marmorstufen hinaufgestiegen und habe geläutet. Eine Frau hat aufgemacht. Ich guck' sie an – und da hab' ich mir erst einmal die Augen reiben müssen, das kann ich euch sagen! Groß und blond. Und wie sie gelächelt hat – so was kann einem wirklich in die Glieder fahren! ›Entschuldigung‹, sage ich, ›sind Sie die Braut?‹ Sie lacht und sagt, sie ist die Brautmutter. Also wirklich, ich bin fast umgefallen. ›Nu‹, sage ich, ›wenn die Mutter eine solche Schönheit ist, kann ich mir vorstellen, wie die Tochter aussieht.‹ Worauf sie wieder lacht und mir erklärt, daß ihre Tochter gerade zur Anprobe bei der Schneiderin ist, aber bald heimkommen wird. Also, diese Frau war ganz allein zu Hause. Ich hab' gar nicht mehr ans Geschäft gedacht. Sie betrachtet meine Ware, probiert den Schmuck an und seufzt. ›Warum seufzen Sie denn?‹ frage ich. ›Ich will Sie bestimmt nicht übers Ohr hauen.‹ Nu ja, wir kommen ins Gespräch, und sie erzählt mir die ganze Geschichte. Ihr Mann hat das gesamte Vermögen durchgebracht. Und der Bräutigam der Tochter ist ein Graf. Das Ansehen soll natürlich gewahrt bleiben, aber woher das Geld nehmen? Ich erlaube mir also einen kleinen Scherz: ›Nu, ich bin nicht reich, ich bin bei diesem Geschäft nur der Mittelsmann. Aber wie ich die Sache sehe, sind Sie die schönste Brillantbrosche wert, die man mit Geld kaufen kann.‹ Ich dachte schon, jetzt packt sie mich am Wickel und wirft mich die Treppe hinunter. Aber sie reißt bloß ihre großen Gucker auf – also wirklich, mir haben die Knie geschlottert – und sagt: ›Für meine Kinder bin ich zu jedem Opfer bereit.‹ Daß mich nicht auf der Stelle der Schlag getroffen hat, spricht dafür, daß ich wahre Löwenkräfte haben muß.«

Motje der Rote klatschte mit der Hand auf den Tisch. »Hast du bekommen, was du wolltest?«

»Wenn ja, würde ich's dir bestimmt nicht auf die Nase binden.«

Koppel verschränkte die Hände auf dem Rücken. »Nur weiter mit deinen Märchen! Wir sind ganz Ohr.«

»Wo warst du denn, Koppel?« fragte Itschele Pelzewisner. »Hinter Frau Goldsober her?«

»Ich bin hinter niemandem her.«

»Setz dich und spiel mit!«

»Ich muß jetzt gehen.«

Im Flur zog er seinen Mantel an, dann verließ er das Haus und ging in Richtung Brücke. Wenngleich er daran gewöhnt war, Glück bei Frauen zu haben, fand er es erstaunlich, daß Lea zu ihm ins Kontor gekommen war und daß Frau Goldsober sich ihm an den Hals geworfen hatte. Unter einer Laterne blieb er stehen und zündete sich eine Zigarette an. »Ich habe alles – Geld, Weiber, Grundbesitz. Was brauche ich denn noch? Wozu von hier weggehen?«

An der Kreuzung Mala-, Stalowa- und Mlinarstraße ging er in ein Lokal und rief – nach einigem Zögern – bei Lea an.

»Lea, ich bin's.«

»Koppel! Den ganzen Tag sitze ich hier herum und denke an dich! Mir kommt das alles wie ein Traum vor.«

»Können wir uns treffen?«

»Wo bist du denn? Komm doch herüber! Niemand ist da, bloß die Kinder.«

Koppel nahm die Straßenbahn, Linie fünf. Lea wohnte in der Cieplastraße. Kurz hinter dem Stadtmarkt stieg er aus und ging den Rest des Weges zu Fuß. Er kam an den Kasernen, an einer Heeresbäckerei und kurz darauf an der Gendarmerie vorbei, in deren dunklem Hof Licht flackerte. Ein bewaffneter Wachtposten stand in einem Schilderhaus. In der nächtlichen Stille war der Geschützdonner von der Front noch deutlicher zu hören. Es begann zu nieseln. Alles hängt an einem seidenen Faden, dachte Koppel. Er mußte plötzlich an etwas denken, das er als Schuljunge gehört hatte: Die Erde werde vom Leviathan getragen, einem Meeresungeheuer, das seinen eigenen Schwanz im Rachen hält – und wenn es ihn losließe, würde die ganze Welt einstürzen.

Auf der Treppe in Leas Haus wischte er sein feuchtes Gesicht mit dem Taschentuch ab. Er klingelte und hörte Leas Schritte. Als sie vor ihm stand, starrte er sie überrascht an: So herausstaffiert hatte er sie noch nie gesehen. Ihr Haar war von einem Seidenschal bedeckt. Sie trug ein stickereiverziertes Hausgewand aus Satin und Pantöffelchen mit Pompons. An ihrer Hand glitzerte ein Brillantring. Sie hakte sich bei ihm ein und zog ihn in Mosche Gabriels Zimmer. Hier war Koppel noch nie gewesen. Er sah Bücherschränke und ein Lesepult, auf dem ein Band des Talmud lag. Wäre kein Sofa in dem Zimmer gewesen, so hätte man glauben können, in ein chassidisches Lernhaus geraten zu sein. Koppel überkam so etwas wie Verlegenheit. »Sie sieht aus wie eine Rebbezin«, dachte er. Etwas unschlüssig nahm er Platz. Es kam ihm plötzlich so vor, als hätte er Lea lange nicht mehr gesehen.

»Möchtest du ein Glas Wischniak?«

Sie ging hinaus und kam mit einem Tablett zurück, auf dem eine Schnapsflasche, zwei Gläser und ein Teller mit Honigkuchen standen. Ihre Hände zitterten so heftig, daß das Tablett schwankte. »Bedien dich, Koppel. Warum bist du so blaß? Ist etwas passiert?«

»Nein, Lea, nichts. Ich liebe dich, das ist alles.«

»Trink doch was! Ich habe mir alles durch den Kopf gehen lassen. Ach, Koppel, ich habe Angst. Was wird mit den Kindern? Zlatele und Mejerl brauchen ihre Mutter noch. Ich kann meine Nesthäkchen doch nicht im Stich lassen – vielleicht sollte ich sie mitnehmen.«

»Das ließe sich vielleicht machen.«

»Aber wie denn? Mitten in dieser Schießerei? Koppel, ich... ich weiß einfach nicht, was ich sagen soll. Komm, setz dich zu mir – du bist doch kein Chassid.«

Er rückte näher und griff nach ihrer Hand.

»Bedauerst du, was geschehen ist?«

»Nein, Koppel. Was gibt's da zu bedauern? Das hier ist kein Leben für mich. Die Kinder sind alle auf meiner Seite, natürlich mit Ausnahme Aarons. Erst kürzlich hat Mejerl zu mir gesagt: ›Mamuscha, du bist immer allein.‹ Auch Mascha versteht meine Probleme, aber sie sagt kein Wort darüber. Zlatele ist sanft und weich wie Seide. Sie spielt das Nesthäkchen, hat aber bereits viel Einfühlungsvermögen. Sag mir, was ich tun soll, Koppel. Warum wolltest du mich treffen? Hast du Sehnsucht nach mir gehabt?«

»Ja.«

»Ich wollte mit dir allein sein. Deshalb habe ich dich in dieses Zimmer geführt. Wart einen Moment! Ich hole uns Tee.«

Als sie aufstand, streifte ihr Knie das seine, ihr Hausgewand verschob sich und klaffte ein Stück weit auf. Koppel konnte ihr nacktes Bein sehen. Er erhob sich und ging zum Lesepult hinüber. Als er das Buch aufschlug, sah er eine Betschalfranse darin liegen und daneben ein rotes Haar – vermutlich von Mosche Gabriels Bart. Ein Gefühl der Demut ergriff ihn. »Ein Gelehrter, ein Rebbe«, dachte er. »Und sie ist seine Frau. Sie ist Meschulam Moschkats Tochter, und ich bin Koppel, der Aufseher.«

Als Lea ein Tablett mit Teegeschirr, Kuchen und Zitronenscheiben hereinbrachte, empfand Koppel den verzweifelten Wunsch, sich vor ihr auf die Knie zu werfen und den Saum ihres Gewandes zu küssen, wie er es in polnischen Theateraufführungen gesehen hatte. Er ging auf sie zu und legte den Arm um ihre Hüften. Das Tablett in ihrer Hand klirrte.

»Vorsicht, Koppel, verbrüh dich nicht!«

»Lea, du mußt mir gehören!« stammelte er. »Ich liebe dich. Seit dem Tag, als du ins Kontor kamst und dein Vater dich ›Schickse‹ nannte.«

Sie stellte das Tablett hin. Koppel nahm sie in die Arme und küßte sie. Leidenschaftlich preßte sie die vollen Lippen auf seinen Mund. Ihr Gesicht war von mädchenhafter Röte übergossen, ihre Augen schienen größer und tiefblau zu werden. Koppel sah zum Sofa hinüber, doch Lea riß sich von ihm los.

»Nein, Koppel. So Gott will, werden wir heiraten. Dann haben wir dafür noch Zeit genug.«

Als Koppel sich auf den Weg machte, hatte der Regen aufgehört, aber die Gehsteige waren noch naß und glitschig. Die Straßenlaternen waren in Dunst gehüllt. Er sah auf seine Uhr. Viertel vor elf. »Zum Teufel mit dieser Goldsober! Das fehlte mir gerade noch, mich mit diesem Frauenzimmer einzulassen!« Aber er hatte keine Lust heimzugehen. Er war viel zu erregt. Und irgend etwas fehlte ihm eben doch. »Warum zögere ich noch! Baschele wird ja nicht die einzige geschiedene Frau sein. Es wird ihr gutgehen. Ich sorge dafür, daß es ihr an nichts fehlen wird. Und was Gott betrifft – darüber werde ich mir bestimmt nicht den Kopf zerbrechen. Wer weiß denn schon, ob es wirklich einen Gott gibt? Drück einem Menschen die Kehle zu – und schon ist er futsch.«

Und plötzlich wußte er, was er jetzt nötig hatte. Einen

Menschen, dem er anvertrauen konnte, was heute geschehen war, jemanden, der ihm zuhören würde. Mit jemandem reden – nicht so wie Leon der Hausierer, dieser Dussel, der sich mit seinen Eroberungen brüstete, sondern auf seine eigene Weise, bei einem Glas Bier, mit einem Kumpel reden. Früher hatte er Freunde gehabt. David Krupnick war für ihn so etwas wie ein Busenfreund gewesen. Und damals konnte man auch mit Isidor Ochsenburg, Motje dem Roten und einigen von Meschulam Moschkats Leuten vertrauliche Gespräche führen. Aber im Lauf der Zeit hatte sich das geändert. David Krupnick war ihm jetzt feindlich gesinnt, auch wenn er seine Feindseligkeit kaschierte. Motje der Rote hatte eine Frau, die ihn an der Nase herumführte, und interessierte sich nicht mehr für Junggesellentratsch. Und Isidor Ochsenburg war ein Trunkenbold geworden. Koppel blieb einen Moment stehen und lauschte dem fernen Geschützdonner. Nein, die alten Zeiten kamen niemals wieder. Vor seinen Augen war schon eine ganze Generation vorbeigezogen.

Er fuhr mit der Straßenbahn nach Praga zurück und stieg in der Mlinarska aus. Er war fest entschlossen, schnurstracks nach Hause zu gehen, aber die Malastraße schien ihn magnetisch anzuziehen. Zum Schlafengehen war es ihm noch zu früh. Das Hoftor des Ochsenburgschen Hauses war schon zugesperrt, doch der Pförtner kam sofort heraus und machte ihm auf. Koppel gab immer anständige Trinkgelder. In Frau Goldsobers Wohnung brannte noch Licht. Er stieg die Treppe hinauf und klopfte leise an die Tür.

»Wer ist da?« fragte sie mit gedämpfter Stimme.

»Ich.«

Frau Goldsober öffnete. Sie hatte einen rosa Morgenrock und rote Pantöffelchen an. Ihr Haar hing lose herab. Ihr Gesicht war sorgfältig geschminkt und gepudert. Der Duft ihres Nelkenparfüms stieg Koppel in die Nase. Sie griff nach seinen Händen und zog ihn hinein. Dann lachte sie leise. »Was für ein Mannsbild!«

Sechster Teil

Erstes Kapitel

I

Punkt elf Uhr nachts setzte sich der Zug in Bewegung. Dina, Euser Heschels Schwester, lief daneben her. Auf die eine Hälfte ihres Gesichts fiel das Licht aus den vorbeifahrenden Waggons, die andere Hälfte war im Dunkeln. Adele, die stehengeblieben war, winkte mit dem Taschentuch. Rosa Frumetl und Euser Heschels Mutter standen hinter ihr. Der Zug rollte den schlechtbeleuchteten Bahnsteig entlang. Der Himmel war rot und violett überhaucht. Die Wolken hingen tief. Erst als der Zug über die Brücke gefahren war, wandte Euser Heschel das Gesicht vom Fenster weg. In dem düsteren Waggon brannte nur eine einzige Kerze. Er war überfüllt mit Soldaten und Zivilisten – Männern und Frauen. Die wenigen Juden saßen dicht beieinander. Euser Heschel stellte seinen Koffer hin und setzte sich darauf. Im ganzen Waggon stank es nach billigem Tabak. Von den Feldern blies ein kalter Wind herein.

Etliche Fahrgäste waren schon nahe am Einschlafen. Andere plauderten und rauchten. Der Schaffner kam, um die Fahrkarten zu kontrollieren. Mit seiner rot-weißen Laterne leuchtete er unter die Bänke, um sich zu vergewissern, daß niemand sich darunter versteckt hatte. Ein Gendarm kam herein und ließ sich die Personalpapiere zeigen. Er sah sich Euser Heschels Geburtsschein ziemlich lange an. Als der Zug in Otwock hielt, brachte ein Fahrgast einen Teekessel mit in den Waggon. Euser Heschel wickelte das Päckchen auf, das ihm Hadassa gegeben hatte. Es enthielt Kuchen, Schokolade und Eingemachtes. Eine Woge der Leidenschaft durchflutete ihn. Er war letzte Nacht mit Hadassa zusammengewesen, aber nun schien es ihm, als läge das schon weit zurück. Nie zuvor hatte er einen derart hektischen Tag erlebt. Mit Hadassa durch die Straßen gewandert; dann das Hotel; dann das Abschiednehmen vor Tagesanbruch; dann der Besuch bei seiner Mutter und das Zusammensein mit Dina, seinen Großeltern, Onkeln, Tanten, Vettern und Cousinen. Dina war im neunten Monat. Sie hatte Nachricht von ihrem Mann, Menasse David, erhalten, der jetzt wieder auf der russischen Seite der Grenze war.

Und jetzt wurde die Entfernung zwischen ihnen allen und Euser Heschel jede Minute, jede Sekunde größer. Die Nacht flog an den Fenstern des Zuges vorbei. Häuser tauchten auf und verschwanden. Bäume glitten vorüber. Das Scheinwerferlicht der Lokomotive fiel auf eine Vogelscheuche. Vor dem Hintergrund des grauen Himmels wirkte die zerzauste Figur mit dem Strohhut und dem zerfetzten Mantel fast dämonisch.

Euser Heschel schloß die Augen, konnte aber nicht einschlafen. Ein russischer Soldat brummelte etwas, das darauf hinauslief, daß alle Juden Spione seien. Dann erzählte er lang und breit von einem Rabbi, der russische Lagepläne in seinen Gebetsriemen versteckt hatte und sie den Deutschen übergeben wollte. Die Russen hatten ihn erwischt und aufgehängt. Ein Pole berichtete von einem Mord, den Rekruten in seinem Heimatdorf begangen hatten. Die jüdischen Passagiere unterhielten sich mit gedämpfter Stimme. In Iwangorod hatte der Zug einen mehrstündigen Aufenthalt. Die Soldaten gingen hinaus, um Tee zu trinken. Ein junger, blondbärtiger Jude, der einen zerschlissenen, geflickten Mantel anhatte, lud Säcke in den Zug. Die Kerze im Waggon war niedergebrannt und vom Schaffner noch nicht durch eine neue ersetzt worden. Ein Soldat wollte ein polnisches Mädchen betatschen. »Hände weg!« schrie es ihn an.

Der Morgen graute schon, als der Zug den Stadtrand von Lublin erreichte. Aus den Schornsteinen der Bauernkaten quoll bereits Rauch. Der Himmel hellte sich allmählich auf, der Erdboden wurde grau. Die Pfützen an den Feldrainen bekamen einen bläulichen Schimmer. Aus Abfallhaufen stieg Dampf auf, wie wenn irgendwo in der Tiefe das Erdreich in Flammen stände. Auf einem verwilderten Stück Weideland stand, den Kopf nach oben gereckt, eine einsame Kuh – wie eine Verkörperung frühmorgendlicher Melancholie.

Bis auf Euser Heschel stiegen in Lublin alle jüdischen Passagiere aus. Soldaten mit Gewehren, Patronengurten und Feldbeuteln drängten in den Waggon. Der Zug hatte lange Aufenthalt. Auf dem nächsten Gleis ratterte ein langer Zug mit Viehwaggons vorbei, die mit Soldaten überfüllt waren.

Ein hochgewachsener Soldat in einem knöchellangen Uniformmantel und mit Sporen an den Stiefeln sprach Euser Heschel an. »Wohin fahren Sie denn?«

»Zur Musterung.«

Der Soldat lachte. »Sie sehen nicht gerade wie ein Kämpfer aus.«

»Wenn man mich nimmt, werde ich kämpfen.«

»Quatsch! Wo gibt's denn Juden in Uniform? Die verstekken sich doch alle unter den Röcken ihrer Großmütter.« Er brüllte vor Lachen.

»He, Kamerad, gib ihm ein Stück Schweinefleisch!« rief ihm ein schmächtiger Soldat zu.

»Eine gute Idee!« Er zog eine Wurst aus der Tasche, schnitt eine Scheibe ab und hielt sie Euser Heschel hin.

»Da, iß das!«

»Nein, danke. Ich bin nicht hungrig.«

»Siehst du – du hast Angst!« Er lachte schallend.

»Die essen nichts vom Schwein, weil's quiekt«, höhnte der andere Soldat.

»Auch wenn's tot ist?«

»Ja, im Bauch eines Juden schon.«

»So ein Witzbold!«

Euser Heschel stand auf und suchte sich einen anderen Sitzplatz – in einer Ecke des Waggons. Er schlug den Kragen hoch, zog sich den Hut in die Stirn und brütete vor sich hin. »Die bringen mich um, ehe wir in Reiwitz ankommen. Ich sollte lieber aus dem Zug springen, bevor er weiterfährt.« Aber in diesem Moment setzte sich der Zug in Bewegung. Je weiter er Lublin hinter sich ließ, desto lauter ging es im Waggon zu. Die Soldaten zankten sich, brüllten einander an und fuchtelten mit ihren Bajonetten. Einer wollte das Gepäck eines Kameraden aus dem Fenster werfen, doch der andere klammerte sich daran fest. Dann fanden sich einige Soldaten zu einer Art Spiel zusammen. Einer von ihnen mußte sich über eine Bank beugen, die anderen droschen auf sein Hinterteil ein. Der schmächtige Soldat deutete auf Euser Heschel.

»Legt ihn über!«

»He da, Jude, willst du mitspielen?«

»Nein.«

»Warum nicht? Hast wohl die Hosen voll?«

»Laß ihn in Ruhe, Kleiner!« rief der hochgewachsene Soldat.

Er flüsterte den anderen etwas zu, worauf diese in Gelächter ausbrachen. Euser Heschel spähte zu ihnen hinüber und sah, daß sie den Kuchen vertilgten, den Hadassa ihm mitgegeben hatte. Er kauerte sich zusammen und zog sich den Hut noch tiefer ins Gesicht. Die Kälte ging ihm durch und durch. Seine Kopfhaut prickelte. Alles war so sinnlos: seine Fahrt zur Musterung; das Gejohle dieser Rüpel. Für wen wollte er eigentlich kämpfen? Was hatte er mit diesen Nationen und ihren Zwistigkeiten zu schaffen? Was kümmerte ihn die menschliche Spezies im allgemeinen?

Als der Zug in Reiwitz hielt, war es erst neun Uhr morgens, aber Euser Heschel war zumute, als ginge es schon auf den Abend zu. Auf dem Bahnhof wimmelte es von Soldaten. Hinter der Imbißtheke hantierten zwei dicke Mädchen. Überall lagen haufenweise Gewehre, Säbel und andere Waffen herum. Draußen auf der Straße luden ukrainische Bauern (die, wie Euser Heschel feststellte, Judenbärte hatten) Säcke in einen Güterzug, der auf einem Nebengleis abgestellt war. Sie trugen Schaffellmäntel und Pelzkappen. Um ihre Füße hatten sie Lappen gewickelt. Ein großer Kosak mit einer hohen Pelzmütze verrichtete seine Notdurft direkt neben dem Bahngleis. Die Sonne, klein und so weißlich wie Blech, schien durch die Wolken. Euser Heschel erinnerte sich daran, daß früher Pferdewagen vor dem Bahnhof gewartet hatten, um die Reisenden nach Izbica, Krasnystaw und Janow zu fahren. Jetzt war kein einziger Wagen zu sehen. Von irgendwoher tauchte ein hochgewachsener Jude mit einem Sack auf dem Rücken auf. Er hatte ein pockennarbiges Gesicht, einen Spitzbart und große, schwermütige Augen. Er ging auf Euser Heschel zu. »Wollen Sie noch weiter?«

»Ich muß nach Janow, aber ich sehe kein Fuhrwerk.«

»Sie sollten lieber mit mir in die Stadt gehen. Die tun Ihnen sonst, Gott soll schützen, etwas an.«

Euser Heschel nahm seinen Koffer und ging mit dem Fremden in die Stadt.

2

Es war üblich, daß Rekruten nach der Vereidigung wieder nach Hause zurückkehren durften, um dort auf ihre endgültige Einberufung zu warten. In der Zwischenzeit konnten sie von ihren Verwandten Abschied nehmen, die notwendigen Kleidungsstücke einpacken und ihre Privatangelegenheiten regeln. Dieses Jahr allerdings hatte der Militärbefehlshaber des Bezirks Janow angeordnet, daß die jüdischen Rekruten inzwischen im Gefängnis einquartiert werden sollten, weil, wie er vorgab, zu viele von ihnen desertierten. Die Zelle, in der Euser Heschel untergebracht wurde, befand sich im zweiten Stock des Janower Gefängnisses. Ein paar Bänke standen darin. Auf dem Sims des vergitterten Fensters lagen matschige Brotbrocken. Euser Heschel sah aus dem Fenster. Es ging auf einen großen Hof hinaus, in dem österreichische Kriegsgefangene arbeiteten – bärtige, verdreckte Gestalten in zerlumpten Uniformen und schweren Schuhen. Man konnte hören, wie sie sich miteinander unterhielten – teils auf deutsch, teils auf ungarisch und bosnisch. Die Kriegsgefangenen hoben Gräben aus, zerkleinerten Steine, zogen mit Sand und Kies beladene Karren. Sie wurden von russischen Soldaten mit Bajonetten bewacht.

Euser Heschel hätte sich gern hingelegt, aber alle Bänke waren besetzt. Zwei junge Burschen, der eine ein blasser, der andere ein dunkler Typ, spielten Karten. Ein Rekrut verteilte Tabak, den er aus seinen Stiefelschäften zog. Zwischen den Rekruten und den Strafgefangenen kam es sofort zu einer Auseinandersetzung. Ein Häftling, der eine geflickte Jacke, ein Hemd mit offenem Kragen und eine mit Kleisterflecken übersäte Hose anhatte, schlug Euser Heschel auf die Schulter.

»He, du Holzklotz! Hast du Piepen?«

»Was meinen Sie damit?«

»Geld! Geld!« Er rieb Daumen und Zeigefinger aneinander.

»Man hat mir bei der Untersuchung alles weggenommen.«

»Her mit den Latschen!« Er deutete auf Euser Heschels Stiefel. Der blasse junge Bursche kam Euser Heschel zu Hilfe. »He, du Rabauke! Laß ihn in Ruhe!«

»Und wenn nicht?«

»Wenn nicht, Kamerad, dann kriegst du eins in die Fresse!« Er stand von der Bank auf, duckte sich, schnellte hoch und hielt ihm die Faust vor die Nase.

Der andere nahm die Hände hoch. »Bist ein mutiger Kerl, was?«

»He, Jungs – was ist denn los?« rief ein Häftling, der sich gerade die Zehennägel mit einem Taschenmesser geschnitten hatte. Er war groß und breitschultrig, ein wahrer Hüne. Sein kariertes Hemd wurde von einem Perlmutt-Kragenknopf zusammengehalten. Er hatte einen Oberlippenbart.

»Dieser Kerl will dem jungen Mann die Stiefel wegnehmen«, klärte ihn ein anderer Häftling auf.

Der Hüne schüttelte mißbilligend den Kopf, dann fragte er Euser Heschel: »Wo kommst du denn her, Bürschchen?«

»Aus Warschau.«

»Soso, aus Warschau. Wo hast du denn dort gewohnt?«

»In der Swiętojerska.«

»Komm her! Solange ich hier bin, vergreift sich keiner an einem, der aus Warschau kommt.«

Wie sich herausstellte, stammten mehrere Häftlinge aus Warschau; sie waren aus Lublin ins Janower Gefängnis gebracht worden. Sie bestürmten Euser Heschel mit Fragen nach ihren früheren Warschauer »Revieren«: dem Stadtmarkt, Janaschs Basar, dem Rathaus, der Altstadt. Der Häftling, der ihm vorhin die Stiefel wegnehmen wollte, erinnerte sich plötzlich daran, daß seine Mutter in Warschau wohnte, irgendwo in der Bonifatiusstraße. Ein anderer bot ihm eine Zigarette an, aber Euser Heschel lehnte ab.

»Man kann dort also schon den Geschützdonner hören?«

»Ja. Nachts.«

»Die Russen stinken uns, was?«

Euser Heschel zog sich in eine Ecke der Zelle zurück und setzte sich auf den Fußboden. Er hatte vergangene Nacht kein Auge zugetan und den ganzen Tag in der Musterungszentrale herumgestanden. Erschöpft lehnte er sich an die Wand und döste apathisch vor sich hin. Er hatte auf ein Wunder gehofft, das ihn vor alledem bewahren würde. Vor lauter Angst hatte er sich geschworen, achtzehn Rubel für wohltätige Zwecke zu spenden. Und er hatte alle möglichen Alpträume und Vorahnungen gehabt. Aber den höheren Mächten war offenbar nicht daran gelegen, ihn zu verschonen.

Ein Wärter kam herein und befahl den Zelleninsassen, in Sechsergruppen zum Essenfassen zu marschieren. Jemand gab Euser Heschel einen Schubs. Er stand auf. Gemeinsam mit den anderen ging er durch einen langen Gang in einen großen Raum, in dem Tische mit Blechbelägen standen. Er nahm einen Blechnapf und einen schwärzlich angelaufenen Löffel und wartete, bis ein Wärter den Napf mit einer Art Eintopfgericht, das bräunlich aussah, füllte und ihm einen harten Brotkanten gab. Dann mußten sie in die Zelle zurückmarschieren. Heißhungrig vertilgten die Häftlinge das Essen, fluchten und rissen Witze. Es wurde allmählich dunkel. Vom Gang her war zu hören, wie die Zellentüren zugeschlagen wurden. Die Männer rückten enger zusammen, redeten und gestikulierten. Im Halbdunkel sahen die Gesichter verschwommen und unheimlich aus. Ein Häftling erzählte von Heiratsplänen, die nie zustande gekommen waren, und von einem Verlobungsring, den er nie zurückbekommen hatte.

»He, Kameraden, wer möchte Karten spielen?«

Ein Wärter brachte eine Laterne herein und hängte sie an einen Deckenhaken. Sofort herrschte in der Zelle großer Trubel. Einige Männer schoben die Bänke an die Wand, andere breiteten Mäntel auf den Fußboden. Zwei Jugendliche begannen eine Partie Dame zu spielen – auf einem mit Kreide auf den Boden gezeichneten Spielfeld. An Stelle von Damesteinen benützten sie Brotbrocken. Ein Häftling berichtete vom Gefängnis in Siedlce und den dort eingebuchteten polnischen Häftlingen, die eine Selbstverwaltung organisiert hatten. Am 1. Mai färbten sie ein Hemd rot (mit Blut) und benützten es als Fahne. Ein schwindsüchtiges Mädchen, das in einer Einzelzelle eingesperrt war, hatte seine Kleidung mit Kerosin getränkt und angezündet.

»Ist es verbrannt?«

»Zu Staub und Asche.«

»Na ja, immer noch besser, als zeitlebens Blut zu spukken.«

Nach einer Stunde wurde die Laterne aus der Zelle entfernt. Wieder war es stockdunkel. Einige Häftlinge legten sich schlafen und begannen sofort zu schnarchen. Andere unterhielten sich, rissen Witze und rangen miteinander. Ein Lumpen, den jemand von sich schleuderte, flog Euser Heschel direkt ins Gesicht. In der Zelle nebenan mußten Frauen eingesperrt sein. Ihr Geplauder und Gekicher war durch die Wand zu hören.

»He, bohren wir doch ein Loch durch die Wand!« rief ein Häftling.

»Womit denn?«

Worauf jemand etwas Obszönes sagte, das mit wieherndem Gelächter quittiert wurde.

Ein Häftling, der sich irgendwo ein Messer beschafft hatte, kratzte damit an der Wand herum. Gipsklumpen fielen herunter. Um das Geräusch zu übertönen, begannen einige aus voller Kehle zu singen. Euser Heschel streckte sich auf dem Boden aus. Und schon stach ihn etwas. Er klaubte sich eine Wanze von der Stirn.

Allmählich wurde es ruhiger in der Zelle. Die Häftlinge gähnten, legten sich hin und schliefen ein. Der Gestank wurde noch schlimmer.

Als Euser Heschel die Augen aufmachte, war der Himmel vor dem Fenster scharlachfarben. Am östlichen Horizont standen flammendrote Wolken. Er setzte sich auf. Aus dem Schornstein der Kaserne quoll eine blutrote Rauchsäule. Ihm war, als ob der Herrgott selber in dieser Morgenfrühe seufzte.

Zweites Kapitel

Mitten in der Nacht schreckte Adele hoch, wie wenn ihr jemand etwas ins Ohr geschrien hätte. Da Dr. Leon Hendlers, ihr Stiefbruder, ihr versichert hatte, daß sie erst Ende des Monats niederkommen werde, wollte sie, obwohl sie Schmerzen hatte, ihre Mutter nicht aufwecken. Im schwachen Licht der Nachtlampe begann sie im Zimmer herumzulaufen. An den Wänden hatte ihre Mutter – zum Schutz vor bösen Geistern – Texte aus dem *Psalter* aufgehängt. Und unter Adeles Kopfkissen hatte sie *Das Buch Rasiel* gelegt. Adele blieb vor dem Spiegel stehen und betrachtete sich. Ihr Bauch war rund und hoch, ihre Brüste waren geschwollen. Ihr Gesicht hatte fahle Flecken. »Ich sterbe bald«, dachte sie. Schon zum dritten Mal hatte sie geträumt, sie läge tot auf dem Fußboden, mit den Füßen zur Tür.

»Lieber Gott, erbarm dich mein«, flüsterte sie. »Um meines geliebten Vaters willen.«

Und plötzlich lachte sie. »Wie fromm man wird, wenn's einem schlecht geht!«

Die Schmerzen hatten etwas nachgelassen. Sie legte sich wieder hin und nickte ein. Ihr war, als ob ein unheimliches Lebewesen bei ihr wäre, halb Hund, halb Schildkröte, mit einem Ringelschwanz und vielfüßig wie ein Tausendfüßler. Woher konnte ein solches Monstrum gekommen sein? Es war ein böses Omen. Sie machte eine jähe Handbewegung und schreckte aus dem Halbschlaf hoch. Das Kind in ihrem Leib bewegte sich. Ihr Rücken schmerzte, als hätte man ihr ein Messer hineingebohrt. Sie schleppte sich zur Tür. Rosa Frumetl hatte ihre Tochter stöhnen gehört und war zu ihr hineingegangen – barfuß, in einem viel zu weiten Nachthemd, eine verrutschte Nachtmütze auf den grauen, schlechtgeschnittenen Haaren. Ihr Gesicht war verknittert und abgespannt. »Tochterleben! Ai wai geschrien! Was ist mit dir?«

»Ich glaube, die Wehen haben eingesetzt.«

»Ich rufe sofort die Hebamme an.«

»Nein, Mame, noch nicht. Dazu ist's vielleicht noch zu früh.«

Mutter und Tochter begannen im Zimmer auf und ab zu gehen. Im Schein der Nachtlampe warfen sie riesige Schatten.

»Du siehst krank aus, Mame. Hast du Schmerzen?«

»Nur die üblichen Beschwerden, Tochterleben. Möge Er, dessen Namen auszusprechen ich nicht würdig bin, dir in dieser schweren Prüfung beistehen. Ich bin schon eine alte Frau.«

»Soll ich dir deine Baldriantropfen holen?«

»Ach, meine gute Tochter! Du sorgst dich um mich, wo du doch selber so viel leiden mußt. Mein unschuldiges Kind!«

Reb Wolf Hendlers kam herein. Sein Gesicht war rot, sein Bart rund und weiß. Mit seinem Spitzbauch sah er auch fast so aus, als wäre er schwanger. »Die Wehen haben eingesetzt, was? Alles ist mit Leiden verbunden... Geburt... der Messias...«

Am Morgen kam sein Sohn Leon, bevor er ins Krankenhaus ging, auf einen Sprung vorbei. Reb Wolf empfing ihn an der Tür. Leon war ein Hüne. Mit seinem rotbackigen Gesicht sah er wie ein Metzger aus. Auf seiner Stirnglatze thronte ein steifer runder Filzhut. »Nu, Tate, wie geht's ihr denn?« rief er schallend. Sein Jiddisch klang ungehobelt.

»Woher soll *ich* das wissen? Schau doch selber nach ihr!«

»Ich sage dir, die kann sogar Drillinge bekommen.«

Er lachte dröhnend, dann ging er zu Adele hinein. Ohne viel Federlesens zog er die Bettdecke zurück und tastete ihren Leib ab.

»Nu, wie fühlst du dich? Der Fluch Evas ist über dich gekommen.«

»Hast du schon gefrühstückt?« fragte Rosa Frumetl ihren Stiefsohn.

»Ich frühstücke schon um sechs! Schwarzbrot und Fleischbrühe.«

Dann stürmte er hinaus. An der Haustür begegnete er Euser Heschels Mutter. Seit ihr Sohn Warschau verlassen hatte, war sie abgemagert wie eine Schwindsüchtige. Unter dem Schal, mit dem sie ihre Perücke bedeckt hatte, sprang ihre Hakennase scharf hervor. Ihr Rücken war gebeugt wie der einer Greisin.

»Tantchen«, rief Leon, »jetzt wirst du bald Großmutter!«

»So Gott will.«

»Komm, Tantchen, halt dich schön gerade! Du bist doch noch keine hundert!«

Er stürmte davon. Euser Heschels Mutter wurde an der Wohnungstür von Rosa Frumetl empfangen. Die beiden umarmten sich und küßten einander auf die runzligen Wangen.

»Wie geht's Adele?«

»Mögen die Engel Gottes ihre Fürsprecher sein.«

Finkel strich sich vor dem Spiegel die Perücke glatt. Rosa Frumetl schneuzte sich.

»Und immer noch kein Wort von Euser Heschel?«

»Verschwunden wie ein Stein im Wasser«, sagte Finkel mit tonloser, unbewegter Stimme. Sie konnte keine Tränen mehr vergießen.

Sie ging zu ihrer Schwiegertochter hinein. Adele faßte sie bei den Händen.

»Schwiegermutter! Du mußt ja halb erfroren sein!«

Wie stets, wenn sie Finkel betrachtete, empfand sie so etwas wie Verwunderung. Mutter und Sohn waren einander so ähnlich wie zwei Erbsen. Die gleichen Augen, die gleiche Nase, der gleiche Mund, das gleiche Kinn und der gleiche Gesichtsschnitt. Finkel hatte sogar den gleichen nervösen Tick wie ihr Sohn: Ständig nagte sie an der Unterlippe. Es ging so etwas wie eine fromme Melancholie von ihr aus, die generationenalte Wehmut der jüdischen Mütter, die geblutet und gelitten hatten – auf daß die Mörder immer neue Opfer niedermetzeln konnten. Was, so fragte sich Adele, unterscheidet mich denn von ihr? Was wird mit *meinem* Kind geschehen? Wer weiß denn, ob in zwanzig Jahren nicht wieder Krieg sein wird?

Plötzlich stieß sie einen Schrei aus. Es klang nicht wie ihre eigene Stimme. Ihre Lenden schienen zu bersten, als hätte jemand ein Messer hineingestoßen. Finkel sprang vom Stuhl auf und rang die Hände. Rosa Frumetl, das Dienstmädchen und die Krankenschwester stürzten herein. Reb Wolf rannte zum Telefon, um die Hebamme zu verständigen. Finkel blieb bei ihrer Schwiegertochter, die den ganzen Tag und die halbe Nacht in den Wehen lag und gellend schrie. Um drei Uhr morgens brachte sie einen Knaben zur Welt. Mit Tränen in den Augen betrachtete Finkel ihren Enkelsohn. Das Ebenbild seines Vaters! Die beiden Großmütter sanken einander in die Arme und wiegten sich hin und her. Adele war gleich nach der Entbindung eingeschlummert. Um ihre blutleeren Lippen spielte ein seltsames Lächeln.

Um neun Uhr wurde Finkel aufgeweckt. Nach der langen Wache an Adeles Bett war sie, in ihren Kleidern, auf dem Sofa eingeschlafen. Ein Telefonanruf für sie! Da sie mit dem Apparat nicht umzugehen wußte, kam ihr Reb Wolf zu Hilfe. Ihre Tochter Dina wollte sie sprechen. Sie hatte ihren sechs Wochen alten Säugling in die Obhut einer Nachbarin gegeben und war zum Telefonieren gegangen, um ihrer Mutter die gute Nachricht zu übermitteln, daß Euser Heschel geschrieben hatte. Er sei gesund. Sein Regiment sei in Galizien.

Finkel streckte die Arme hoch, blickte zum Himmel empor und dankte dem Schöpfer aller Dinge. Der Allerbarmer hatte ihren Kummer gesehen. Er hatte ihre Gebete erhört. Und sie, die Rebellische im Geiste, hatte in ihrer Verbitterung an Seiner Weisheit gezweifelt! Sie beschloß sogleich, den ganzen Tag zu fasten und den Höchsten um Vergebung ihrer sündhaften Gedanken anzuflehen. Erst als am Abend die ersten drei Sterne aufgegangen waren, aß sie ein paar Bissen.

Drittes Kapitel

Am Abend setzte sich Dache plötzlich im Krankenbett auf. Ihr Gesicht war gelb verfärbt, ihre Augen waren unnatürlich groß und glänzten fiebrig. Sie rief nach dem Dienstmädchen, bekam aber keine Antwort. Hadassa war weggegangen, um ein Medikament zu besorgen. Dache nahm einen silbernen Löffel vom Nachttisch und klopfte damit an die Stuhllehne. Endlich kam das Dienstmädchen herein.

»Alle lassen mich allein«, ächzte Dache. »Ich muß sogar allein sterben.«

»Ich wollte mich doch bloß ein bißchen ausruhen, gnädige Frau. Letzte Nacht habe ich kein Auge zugetan.«

»Zieh mir ein frisches Nachthemd an! Und bring mir ein Becken zum Händewaschen!«

Das Mädchen ging zum Schrank und nahm das einzige Nachthemd heraus, das darin lag. Es war reich mit Stickerei verziert, aber zerrissen – ein Überbleibsel von Daches Brautausstattung. Sie verzog das Gesicht. »Ist kein anderes da? Das ist doch keine Art, einen Haushalt zu führen!«

Das Mädchen half ihr beim Umziehen. Im Verlauf ihrer Krankheit war Dache entsetzlich abgemagert. Ihre Rippen standen heraus, ihr Busen war schlaff geworden. Ihr Körper strömte einen widerlich süßlichen Geruch aus. Das frische Nachthemd war ihr zu weit und rutschte ihr von den Schultern herunter; die Stickerei an den Ärmeln und am Oberteil war ausgefranst. Ihre Miene verdüsterte sich. »Bring mir den Spiegel!«

Nach kurzem Zögern holte das Mädchen den Handspiegel. Dache sah lange hinein. »Ein Leichnam!«

»Möchten Sie etwas essen, gnädige Frau?«

»Wozu? Für die Würmer?«

Das Mädchen brachte einen Krug Wasser und einen Schöpflöffel und half ihr beim Händewaschen. Dache wollte ein Gebet murmeln, konnte sich aber nicht mehr an den Text erinnern. Plötzlich verließen sie die Kräfte. Ihre Augäpfel drehten sich nach oben. Das Dienstmädchen stopfte ihr ein paar

Kissen in den Rücken. Die Kranke bewegte unablässig die Lippen. Auf einmal fiel ihr ein altes Lied ein, das sie als Kind gesungen hatte: »Deine rosenroten Wangen...«

Sie versuchte, die Melodie zu summen. Sie konnte sich daran erinnern, wußte aber nicht, wie der Text weiterging. Dann schlummerte sie ein. Sie träumte, es sei Freitag – der Tag ihrer Hochzeit. Die Wintertage waren kurz, bald würde man die Sabbatkerzen anzünden. Ihr Bräutigam wartete vor der Synagoge. Die Musikanten spielten. Aber sie, die Braut, hatte nur *einen* Schuh an. Der andere Fuß war nackt. Sie öffnete die Eichentruhe, aber die hatte überhaupt keinen Boden. Die Tür ging auf, eine Schar Frauen drängte herein. Ihre Gesichter waren gelb und halb verwest. Ihre Augen starrten ins Leere. In den runzligen Händen hielten sie Sabbat-Striezel. Sie tanzten um sie herum. Auch ihre verstorbene Mutter war dabei; sie hatte zerschlissene Schuhe an und hielt ein Büschel Stroh in der Hand. Sie nahm ihre Tochter bei der Hand und zerrte sie hinter sich her.

»Mame, wohin führst du mich?«

»Zum schwarzen Traubaldachin... im dunklen Grab...«

Dache öffnete die Augen und sah ihre Tochter am Bett stehen.

»Bist du's, Hadassa?«

»Ja, Mama.«

»Wo warst du?«

»In der Apotheke.«

»Hol jemanden! Ich möchte das Sündenbekenntnis beten.«

Hadassa erbleichte. »Wen soll ich denn holen?«

»Stell keine Fragen! Es eilt!«

Als Hadassa hinausgehen wollte, rief Dache sie zurück. »Wo ist dein Vater? Wo treibt er sich herum, dieser herzlose Narr?«

»Ich weiß nicht.«

»Was für ein Ende wird es mit *dir* nehmen? Ich kenne deine Missetaten.«

»Mama!«

»Schweig! Du bist unrein. Deine Lippen sind unrein.«

»Mamuscha!«

»Du Hure! Geh mir aus den Augen!«

Hadassa brach in Tränen aus und war einem Zusammenbruch nahe. An der halboffenen Tür tauchte Fischel auf. Als er Daches erbitterte Miene und Hadassas tränenüberströmtes Gesicht sah, wich er zurück.

»Wovor fürchtest du dich?« fragte Dache barsch. »Ich bin noch nicht tot.«

Fischel ging auf sie zu.

»Wie geht's dir?«

»Meinen Feinden soll's nicht...« Sie zögerte einen Moment. »Es gibt Menschen, die zeitlebens Glück haben. Ein leichtes Leben und einen leichten Tod. Mein Leben ist verflucht. Meine Mutter war eine fromme, aber eine harte Frau. Sie hat mich immer nur bestraft und zum Arbeiten angetrieben. Gott im Himmel, keine ruhige Minute! Ich war die Älteste. Mir hat man die ganze Last aufgebürdet. Seit meinem fünften Lebensjahr. Mein Vater war ein heiliger Mann, aber nicht von dieser Welt. Wie hätte er Verständnis für mich aufbringen sollen? ›Dache, Tee! Dache, hol meine Pfeife! Dache, du mußt irgendwo Geld pumpen – wir haben zum Schabbes keinen roten Heller im Haus!‹ Ich mußte von fremden Leuten Geld borgen. Wie eine Bettlerin stand ich vor ihrer Tür. Mir ist das Blut ausgesaugt worden. Gewalt geschrien – ich war noch keine acht Jahre alt.«

»Schwiegermutter, sie haben es nicht bös gemeint. Man muß vergeben können.«

»Ich vergebe ihnen. Aber warum haben sie mir das angetan? Die anderen Kinder haben gespielt, getanzt und gesungen, während ich vor Kummer fast vergangen bin. Meine Mutter, Gott hab sie selig, hat ihre Zeit damit verbracht, sich mit ihren Busenfreundinnen zu unterhalten.«

»Schwiegermutter, denk nicht mehr daran. Dafür ist jetzt nicht...«

»Ich weiß. Ich sündige mit meinem letzten Atemzug. Für mich sind beide Welten dahin.«

Sie schlummerte wieder ein. Die eine Seite ihres Gesichts war zu einer Art Lächeln verzerrt, die andere wirkte ernst und starr. Hadassa ging ins Wohnzimmer. Nach kurzem Zaudern gesellte sich Fischel zu ihr.

»Was sagt der Arzt?«

»Ich weiß nicht. Laß mich in Ruhe!«

»Hadassa, du mußt mir jetzt zuhören. Ich habe dir etwas zu sagen.«

»Nicht jetzt.«

»Hadassa, ich weiß alles. Das Gesetz verbietet uns, weiterhin zusammenzuleben.«

Sie sah ihn erstaunt an. Tränen rannen ihr übers Gesicht. »Was willst du tun?«

»Wir müssen uns scheiden lassen. Ich werde keinen Einspruch erheben.«

»Also gut.«

»Du weißt, wie sehr ich dich geliebt habe. Von ganzem Herzen und von ganzer Seele. Aber nachdem es *so* weit gekommen ist, müssen wir Schluß machen. Gemäß dem heiligen Gesetz.«

»Ich verstehe.«

»Wir dürfen nicht mehr unter demselben Dach leben.«

Seine Brillengläser beschlugen sich. Auf seinen Wangen zeichneten sich rote Flecken ab. Er lächelte verlegen und wartete auf ein letztes freundliches Wort von ihr. Hadassa wollte etwas sagen, doch da läutete es an der Wohnungstür. Sie ging hinaus und öffnete. Ihr Vater, Dr. Mintz und Abram waren gekommen. Dr. Mintz, der einen dicken Zigarrenstummel zwischen den Lippen und Asche auf dem Mantelkragen hatte, japste nach Luft. Im Vorbeigehen kniff er Hadassa in die Wange. Abram warf seine Zigarre weg, bevor er, gelassen und wortlos, hereinkam. Njunje trug seinen Mantel mit dem Fuchspelzkragen und seinen pelzverbrämten Hut. Seit Dache krank darniederlag, hatte er sich angewöhnt, regelmäßig seinen Bart zu stutzen, der von Tag zu Tag kürzer wurde.

»Komm mit in die Küche und mach den Herd an!« sagte Dr. Mintz zu Hadassa. In einem Tiegel sterilisierte er eine Injektionsspritze und ein paar andere Instrumente. Die Gasflamme flackerte fahl. Er ging zum Spülbecken, wusch sich die Hände und spuckte den Zigarrenstummel aus.

»Du siehst schlecht aus, Hadassa. Treib nicht Schindluder mit deiner Gesundheit. Du mußt sie dir erhalten.«

»Wozu? Ich bin bereit, zu sterben.«

»Dazu ist's noch zu früh, mein Kind. Damit tust du niemandem einen Gefallen.«

Er ging hinüber ins Krankenzimmer. Abram kam in die Küche und legte Hadassa die Hände auf die Schultern.

»Hast du etwas von Euser Heschel gehört?« fragte er leise.

Hadassa zuckte zusammen. »Nein. Nichts.«

»Dann hat er's also geschafft, sich abzusetzen.«

Njunje ging in sein Zimmer. Obwohl er sich kurz vorher eine üppige Mahlzeit einverleibt hatte – gehackte Leber, Nudelsuppe, Gänsebraten und Apfelmus –, war er schon wieder hungrig. Krieg und Lebensmittelknappheit wirkten sich auf seinen Appetit offenbar anregend aus. In seinem Zimmer hatte er in einer Tischschublade ein Stück Honigkuchen und eine Birne aufbewahrt. Daß er ständig Hunger hatte, war ihm peinlich, zumal da seine Frau dem Tod nahe war. Er verriegelte die Tür, dann begann er zu mampfen. Krümel blieben an seinem Bart hängen. »Ach ja, es ist bitter!« dachte er. »Es geht aufs Ende zu. Jeder Minute kann's soweit sein. Schlimm für Hadassa...« Er schluckte den letzten Bissen hinunter und ging zum Bücherschrank. Im unteren Fach stand ein ethnologisches Werk. Er nahm es heraus, schlug es ungefähr in der Mitte auf und begann zu lesen. In diesem Teil des Buches wurden die Sitten und Bräuche eines zentralafrikanischen Stammes geschildert. Dort wurden nicht nur die Knaben, sondern auch die Mädchen beschnitten. Bei der nach heidnischem Ritus vollzogenen Zeremonie wurden wilde Tänze aufgeführt. Für die Beschneidung wurde kein Messer, sondern ein geschliffener Stein benützt. Njunje zupfte an seinem Bart. Die Schilderung weckte sinnliche Begierde in ihm. Er hatte all die Jahre an der Seite einer kranken Frau gelebt, einer frommen und strengen Frau, der Tochter eines Rebbe. Sie hatte entweder keine Lust gehabt, sich ihm hinzugeben, oder war leidend gewesen oder hatte aus rituellen Gründen Bedenken gehabt. Ihm kam der Gedanke, daß er gleich nach der vorgeschriebenen Trauerzeit von dreißig Tagen der Witwe Gritzhendler einen Besuch abstatten und ohne Umschweife mit ihr reden würde. Entsetzt über diese Idee, nahm er sein Taschentuch und spuckte hinein.

»Pfui! Was ist bloß in mich gefahren? Gott soll schützen! Sie wird sich erholen. Alles renkt sich wieder ein.«

Viertes Kapitel

Anfang Januar gab es in der Familie Moschkat ein Doppelbegräbnis: Dache und Joel waren am selben Tag gestorben. Die beiden Trauerzüge trafen auf dem Grzybowplatz zusammen und zogen gemeinsam weiter. Es war ein feuchter Tag; der Himmel sah nach Regen, Graupel- und Schneeschauern aus. Der Trauerzug war kurz – jedenfalls nach den Maßstäben der Sippe Moschkat: Hinter den beiden Leichenwagen fuhren nur ein paar Droschken. Hadassa, ganz in Schwarz, wurde von ihren Cousinen Stefa und Mascha gestützt. Im Friedhof starrte sie durch ihren Schleier auf die beiden frisch ausgehobenen Gräber. Joel war groß und massig gewesen. Die Männer, die den Leichnam ins Grab senkten, mußten ihre ganze Kraft aufbieten. Daches Leichnam wirkte im Totenhemd merkwürdig klein und schmal. Gleich nachdem er ins Grab gelegt worden war, wurde er mit Erdklumpen bestreut. Dem Wunsch der Verstorbenen entsprechend, sagte Fischel das Kaddischgebet für sie. Er wiegte den Oberkörper, seine Stimme war tränenerstickt.

»*Isgadal wiskadasch* ... erhöht und geheiligt sei Sein Name im Weltall, das Er erschaffen hat nach Seinem Willen. Sein Reich komme, solange euch Leben und Tag gegeben, und beim Leben des ganzen Hauses Israel...«

Die Frauen schluchzten. Die Männer seufzten. Abram stützte Hama, die einem Schwächeanfall nahe war. Njunje trug seinen warmen Mantel mit dem Fuchspelzkragen und seinen pelzverbrämten Hut. Über die Ziegenlederstiefel hatte er sich spiegelblanke Galoschen gezogen. Unter den Trauergästen, die Dache die letzte Ehre erwiesen, war auch die Witwe Gritzhendler, Inhaberin eines Antiquitätengeschäfts. Sie trocknete sich die Augen mit einem seidenen Taschentuch. Njunje warf ihr verstohlene Blicke zu.

Nach der Beerdigung fuhren Hadassa, Njunje und Fischel gemeinsam ins Trauerhaus zurück. Dort brachten ihnen Nachbarn nach altem Brauch einen Laib Brot, ein hartgekochtes Ei und eine Prise Asche. Hadassa brachte keinen Bissen hinunter. Der Spiegel im Wohnzimmer war verhängt. Im Schlafzimmer brannte eine Trauerkerze, und in einem Glas Wasser lag ein Stückchen Leinen. Hadassa zog sich in das Zimmer zurück, das sie vor ihrer Heirat bewohnt hatte, und sperrte die Tür zu. Sie ließ die Jalousien herunter, dann legte sie sich angezogen aufs Bett. Den ganzen Tag und die ganze Nacht blieb sie so liegen. Das Dienstmädchen klopfte einige Male, bekam aber keine Antwort.

Pantoffeln an den Füßen, saß Njunje ungefähr eine halbe Stunde lang auf einem Schemel und las Kapitel aus dem *Buch Hiob*. Als ihm die Klagen Hiobs und die tröstenden Worte seiner Freunde langweilig wurden, ging er ins Arbeitszimmer, zündete sich eine Zigarre an und legte sich aufs Sofa. Das Telefon klingelte. Es war Bronja Gritzhendler.

»Njunje, ich wollte fragen, ob ich irgendwas für dich tun kann. Gebe Gott, daß du künftig von Kummer verschont bleibst!«

»Tausend Dank. Warum kommst du nicht her? Das wird mich bestimmt aufmuntern.«

Dann nahm er ein Buch über Volksbräuche aus dem Schrank, blätterte darin und betrachtete die Holzschnitte. Er hatte nicht die nötige Ausdauer, um in Strümpfen auf einem Schemel zu hocken und den frommen Juden zuzuhören, die sich während der Trauerzeit in seiner Wohnung einfinden und beten würden. Jetzt, da Dache nicht mehr lebte, konnte er die Maske der Frömmigkeit ablegen. Und nichts hinderte ihn jetzt mehr daran, diese althergebrachten östlichen Kleidungsstücke auszuziehen und europäische Garderobe zu tragen. Nur Hadassa machte ihm Sorgen. Ihre Husterei hatte ihn letzte Nacht mehrmals aufgeweckt. Der Tod ihrer Mutter und Euser Heschels Einberufung hatten sie offenbar niedergeschmettert. Aber was konnte *er* denn schon tun? Sie weigerte sich ja sogar, mit ihm zu reden.

In der dritten Nacht der Trauerzeit schreckte Njunje aus dem Schlaf hoch. Aus Hadassas Zimmer war entsetzliches Keuchen und Stöhnen zu hören. Er schlüpfte in seine Pantoffeln, zog den Schlafrock an und ging hinüber. Die elektrische Lampe brannte. Hadassa hatte sich im Bett aufgesetzt. Ihr Gesicht war leichenblaß, ihre Lippen waren blutleer.

»Was ist denn, Hadassa? Ich rufe Dr. Mintz an.«

»Nein, nein, Papa.«

»Was soll ich denn tun?«

»Gar nichts. Laß mich sterben.«

Njunje überlief es kalt. »Bist du meschugge? Du bist doch fast noch ein Kind! Ich rufe sofort den Doktor an.«

»Nein, Papa, nicht mitten in der Nacht.«

Njunje weckte das Dienstmädchen auf. Sie brachten Hadassa Tee mit Himbeersaft und ein weiches Ei. Und sie gaben ihr Kandiszucker zu lutschen. Aber der Husten ließ die ganze Nacht nicht nach. Dr. Mintz kam in aller Frühe. Er legte sein behaartes Ohr an Hadassas Rücken. Im Zimmer nebenan warteten Njunje und Fischel. Mit gerunzelter Stirn kam der Arzt zu ihnen herein.

»Ihr Zustand gefällt mir gar nicht.«

Fischel erbleichte. »Was kann man tun?«

»Sie muß nach Otwock. In Barabanders Sanatorium.«

Njunje kratzte sich am Bart. Ungebührliche Gedanken gingen ihm durch den Kopf. Ein Glück, daß Fischel ein reicher Mann war, der sich solche Ausgaben leisten konnte! Und außerdem – wenn Hadassa nicht in Warschau war, so konnte das seinen eigenen Plänen bezüglich der Witwe Gritzhendler nur förderlich sein. Um diese selbstsüchtigen Gedanken zu verscheuchen, zeigte sich Njunje sofort sehr besorgt. »Sagen Sie, lieber Doktor, es besteht doch wohl keine ernste Gefahr?«

»Die Sache muß rechtzeitig kuriert werden.« Dr. Mintz zog seinen Wintermantel an, setzte seinen Plüschhut auf und ging, ohne auf sein Honorar zu warten, hinaus. Er wußte genau Bescheid über Hadassa. Sämtliche Gerüchte, die in der Stadt kursierten, kamen ihm früher oder später zu Ohren. Fischel folgte Dr. Mintz ins Treppenhaus und drückte ihm einen Geldschein in die Hand. »Herr Doktor, wie lange muß sie dort bleiben?«

»Vielleicht ein Jahr – vielleicht aber auch drei«, sagte Dr. Mintz mit ernster Miene. »Sie haben einen schlechten Handel gemacht, was?«

»Gott bewahre!«

Er begleitete den Arzt hinunter. »Einen schlechten Handel«, dachte er. »Wie kommt er denn auf sowas? Diese assimilierten Juden glauben, sie sind die einzigen, die ein Herz in der Brust haben.« Er sah der Kutsche nach, bis sie um die Ecke verschwunden war. Er zupfte an seinen Schläfenlocken und biß sich auf die Lippen. Hadassa hatte ihn betrogen und Schande über ihn gebracht. Aber die Liebe zu ihr konnte er sich nicht einfach aus dem Herzen reißen. »Das arme Ding. Verloren für diese Welt und für die kommende. Und dennoch ist sie im Angesicht Gottes vielleicht mehr wert als all diese Frömmler. Auf ihre Weise ist sie eine reine Seele. Wer weiß, für wessen Sünden sie büßen muß. Vielleicht ist sie das Gefäß für den Geist irgendeines heiligen Mannes, dessen Läuterung ihr auferlegt ist.«

Als er die Treppe hinaufstieg, faßte er den Entschluß, sich vorläufig unter keinen Umständen von ihr scheiden zu lassen. Er wollte ehrenhaft zu ihr stehen und alles tun, damit sie kuriert wurde. Mit Gottes Hilfe würde sie genesen und über ihre törichten Ideen hinwegkommen.

Er ging zu ihr hinein.

»Wie fühlst du dich?«

»Danke...«

»Dr. Mintz sagt, du mußt nach Otwock. Du brauchst frische Luft.«

»Ich brauche gar nichts mehr.«

»So etwas darfst du nicht sagen. Mit Gottes Hilfe wirst du wieder gesund. Ich werde gut auf dich achtgeben. Du bist ja, gottlob, nicht unter fremden Leuten.«

»Weshalb? Was hab' *ich* dir denn Gutes getan?« Sie sah ihn verwundert an. Hinter den blitzenden Brillengläsern spielte ein Lächeln um seine Augen. Die Röte stieg ihm in die Wangen. »Weshalb sollte er jetzt noch etwas für mich übrig haben?« fragte sich Hadassa. »Wer ist er eigentlich, dieser Mann, den ich geheiratet habe? Hat sein Talmudstudium ihn das gelehrt? Aber die Talmudisten sagen doch, daß die Frauen zu den geringeren Geschöpfen Gottes zählen.«

Gleich nach der Trauerzeit fuhr Hadassa nach Otwock. Im Zweite-Klasse-Waggon saß Fischel neben ihr. Sie hielt ein Buch mit schwarzem Samteinband in der Hand – Novalis' *Hymnen an die Nacht.* Dr. Mintz hatte einen Bericht an Dr.

Barabander geschickt, in dessen Sanatorium ein Zimmer für die Patientin reserviert war. Sofort nach der Ankunft mußte sich Hadassa zu Bett legen. Das Zimmer hatte eine Tür, die auf eine Veranda führte. Schneeklumpen hingen an den Kiefernästen, Eiszapfen an der Dachrinne. Vögel zwitscherten, als ob schon wieder Sommer wäre. Die untergehende Wintersonne warf purpurne Silhouetten auf die Tapete. Fischel verabschiedete sich. Eine Krankenschwester hing eine Fiebertabelle am Kopfende des Bettes auf und steckte Hadassa ein Thermometer in den Mund. Es tat gut, hier zu sein – fort von Warschau, von der Verwandtschaft, vom Friedhof an der Genschastraße, von Fischels Laden und von Papa. Was mochte Euser Heschel jetzt tun? Ob er an sie dachte? Wo war er? In welcher Kaserne, welchem Schützengraben, inmitten welcher Gefahren?

Sie schlief ein. Gegen Mitternacht schreckte sie hoch. Die Fensterscheiben waren von Eisblumen gerändert. Der Mond kämpfte sich durch die Wolken. Die Sterne funkelten. Der Himmel blieb ewig gleich. Was kümmerten ihn die belanglosen Leiden auf einem winzigen Planeten namens Erde? Trotzdem flüsterte Hadassa ein Gebet. Auf polnisch. »Lieber Gott, nimm die Seele meiner Mutter in Deine gnädige Obhut. Bewahre meinen Liebsten vor Hunger und Gefahr, vor Krankheit und Tod. Denn Du bist es, der mir diese Liebe ins Herz gepflanzt hat.«

In äußerster Anspannung wartete sie einen Moment.

»Mama! Hörst du mich? Antworte mir!«

Aber sie hörte nur das dumpfe Rattern eines Güterzugs. Die Scheinwerfer warfen einen grellen Lichtstrahl auf die Kiefern, die immer weiter zurückzuweichen schienen.

Fünftes Kapitel

Eines Nachmittags, als Koppel zigarettenpaffend am Schreibtisch im Moschkatschen Kontor saß, kam Fischel herein. Er begrüßte Koppel, putzte seine beschlagenen Brillengläser mit einem Wildlederläppchen und fragte: »Haben Sie einen Moment Zeit?«

Koppel bat ihn, Platz zu nehmen. Fischel setzte sich auf die Stuhlkante. »Wie gehen die Geschäfte?«

Koppel blies ihm den Rauch ins Gesicht. »Welche Geschäfte? Meine oder Ihre?«

»Die Familiengeschäfte.«

Koppel lag die Frage auf der Zunge: »Was geht das Sie an?« Aber dann sagte er: »Alles ist wie abgeschnitten.«

»Das Problem ist, daß die Familienmitglieder etwas zu essen und etwas zum Anziehen haben müssen. Ich spreche nicht nur von meinem Schwiegervater. Königin Esther ist leider Gottes verwitwet und muß für eine ganze Schar Kinder sorgen. Sie leiden tatsächlich Hunger.«

»Das brauchen Sie mir nicht zu sagen.«

»Onkel Nathan ist schon fast bettelarm. Pinnje besitzt keinen Groschen. Abram weiß nicht, woher er die nächste Mahlzeit nehmen soll.«

»Erzählen Sie mir etwas, das ich noch nicht weiß.«

»Es muß etwas unternommen werden.«

»Dann tun Sie doch was!«

»Die Sache muß geklärt werden. Der Großvater meiner Frau – Friede seiner Seele – hat ein beträchtliches Vermögen hinterlassen.«

Koppel hätte ihn am liebsten am Kragen gepackt und die Treppe hinunterbefördert, doch er beherrschte sich. »Was wollen Sie? Machen Sie's kurz!«

»Die Sache muß überprüft werden. Weshalb ist, zum Beispiel, die Hinterlassenschaft noch nicht aufgeteilt worden?«

»Erwarten Sie etwa, daß ich Ihnen einen Bericht vorlege?«

»Gott bewahre! Aber warum soll die Familie Not leiden, wenn etwas unternommen werden kann? Soviel ich weiß, gehört zu der Hinterlassenschaft ein Grundstück in Wola, auf dem die Stadt eine Reparaturwerkstätte für Trambahnwagen errichten möchte. Wenn das stimmt, verstehe ich nicht, warum der Verkauf hinausgezögert wird. Es wäre besser als nichts.«

»Ich habe nichts dagegen.«

»Mein Schwiegervater ist kein Geschäftsmann. Pinnje hat keinen Sinn für praktische Dinge. Nathan ist krank. Perl ist es egal, weil sie über eigene Mittel verfügt. Es ist niemand da, der sich wirklich um die Sache kümmert.«

»Dann kümmern *Sie* sich doch darum!«

»Was ist mit den Geschäftsbüchern? Nicht einmal Bilanzen werden vorgelegt.«

»Der Buchhalter ist blind.«

»Soll das eine Entschuldigung sein?«

Koppel verlor die Beherrschung. »Sie sind noch nicht mein Chef! Ich brauche Ihnen keinen Geschäftsbericht vorzulegen!«

»Ich habe hier ein Schriftstück, demzufolge Sie dazu verpflichtet sind.«

Vorsichtig zog er ein gefaltetes Blatt Papier aus der Tasche. In verschnörkelter Schrift stand darauf folgender, in einer Mischung aus Hebräisch und Jiddisch abgefaßter Text:

»Wir, die Unterzeichneten, ermächtigen unseren Verwandten, den gelehrten und wohlhabenden Fischel Kutner, die Häuser, Wälder, Höfe, Grundstücke, Getreidespeicher, Stallungen, Lagerhäuser und anderen Liegenschaften in Warschau und andernorts, welche wir von unserem Vater, dem frommen Reb Meschulam Moschkat seligen Angedenkens, geerbt haben, so lange zu verwalten, bis die Hinterlassenschaft rechtmäßig unter den Erben aufgeteilt ist. Der obengenannte Fischel Kutner ist berechtigt, sich vom Aufseher Koppel Berman die Geschäftsberichte vorlegen zu lassen und die Mieten sowie alle anderen Einnahmen aus besagter Hinterlassenschaft zu verteilen. Des weiteren wird er ermächtigt, mit Privatpersonen oder Körperschaften, welche am Erwerb besagter Liegenschaften interessiert sind, so zu verhandeln, als wäre er selber der Eigentümer. Der Aufseher Koppel Berman wird hiermit angewiesen, Fischel Kutner eine vollständige Bilanz vorzulegen. Besagter Fischel Kutner wird hiermit ermächtigt, nach eigenem Gutdünken Hilfskräfte einzustellen oder zu entlassen. Diesen Beschluß haben wir aus freiem Willen gefaßt am Abend nach dem Sabbat, am 27. Tag des Monats Kislew im Jahre 5676, in der Stadt Warschau.«

Das Schriftstück war von sechs Erben Meschulam Moschkats unterzeichnet. Leas Unterschrift fehlte.

Koppel brütete lange über dem Dokument. Mehrere Wörter konnte er wegen der verschnörkelten Schrift nicht entziffern. Andere – rein hebräische – Wörter verstand er nicht. Aber was das Ganze zu bedeuten hatte, war ihm klar: Von jetzt an war Fischel der Chef. Und er, Koppel, mußte ihm die Bilanz vorlegen und konnte von Fischel jederzeit hinausgeworfen werden. Und das alles war ohne Leas Wissen und Zustimmung verfügt worden. Die anderen hatten miteinander konspiriert und ihm den Boden unter den Füßen weggezogen. Sein Gesicht wurde so grau wie das Papier, das er in der Hand hielt. »Soso«, murmelte er. »Ich verstehe.«

Jetzt schlug Fischel einen energischeren Ton an. »Ich möchte genau wissen, wie die Dinge stehen.«

Koppel stand so abrupt auf, daß er beinahe das halbvolle Glas Tee umgestoßen hätte, das vor ihm auf dem Schreibtisch stand. »Sie können den ganzen Kram übernehmen. Ich gehe nach Hause. Dreißig Jahre – jetzt reicht's mir!«

Fischel schüttelte den Kopf. »Wir wollen Sie doch nicht hinauswerfen – Gott behüte!«

»Hier sind die Schlüssel!» Koppel zog eine Schublade auf, nahm einen Schlüsselbund heraus und warf ihn auf den Schreibtisch. Dann nahm er seinen Hut, seinen Mantel und seinen Regenschirm.

Wieder schüttelte Fischel den Kopf. »Sie sind ein impulsiver Mensch. Sie ziehen voreilige Schlüsse.«

»Ich habe etwas gegen hinterhältige Finten.«

»Niemand will Ihnen unrecht tun. Ich habe der Familie vorgeschlagen, daß Sie Ihren Posten behalten sollten. Außerdem habe ich den Vorschlag gemacht, Ihr Gehalt zu erhöhen.«

»Darauf kann ich verzichten. Ich hätte nach dem Tod des alten Herrn keinen Tag länger Aufseher bleiben sollen.«

»Einen Moment, Reb Koppel! Laufen Sie nicht davon! Ich bin nur als Emissär hier.«

Koppel gab keine Antwort. Er überlegte einen Moment, ob er sich von Fischel verabschieden sollte, dann ging er wortlos hinaus und machte die Tür lauter als sonst zu. Wirklich sonderbar! Jahrelang hatten sie ihn mißtrauisch beobachtet, gegen ihn intrigiert, sich über ihn beschwert und ihn verleumdet. Aber nie war es ihnen gelungen, ihm den Laufpaß zu geben. »Und jetzt taucht dieser Fischel auf, mit einem Blatt Papier, und schon bin ich draußen. Es geht eben alles einmal zu Ende.« Langsam ging er die Stiege hinunter. Im Hof zog der Pförtner den Hut vor ihm. Koppel nickte ihm zu und lächelte bitter. Dann sah er sich noch einmal im Hof um. Und plötzlich fühlte er sich so erleichtert, als hätte ihn die Arbeit hier immer nur bedrückt. Er ging die Grzybowska entlang und atmete die kalte Luft in vollen Zügen ein. »Es ist mir also doch bestimmt, nach Amerika zu gehen. Der Himmel hat es so gewollt.«

Er ging in die Cieplastraße, aber Lea war nicht zu Hause. Da er jetzt noch nicht heimgehen wollte, besuchte er die Ochsenburgs. Frau Ochsenburg hockte auf einem Schemel und rupfte ein Huhn. Auf einer Bank saßen zwei Dienstmädchen aus der Provinz, die große Kopftücher umgebunden hatten. Frau Ochsenburg sprach mit ihnen über Stellungen, die sie ihnen vermitteln wollte. Im Flur begegnete Koppel der ältesten Tochter, Zilke, die eine große Tüte Mehl trug. Er fragte sie scherzhaft, wo sie denn das Zeug stibitzt habe, worauf sie mit einem Scherz antwortete. Er kniff sie in den Busen. Im Eßzimmer saß Isidor Ochsenburg am Tisch und legte eine Patience. »Pik«, murmelte er. »Immerzu Pik.«

»Was ist denn mit dir los, Isidor? Begrüßt du einen nicht mehr?«

»Ach, du bist's, Koppel. Komm, setz dich! Übrigens – ich gratuliere dir!«

»Wozu?«

»Deine Freundin, Frau Goldsober, heiratet Krupnick.«

»Nicht möglich! Wann? Wo?«

»Gefeiert wird hier. Du wirst eingeladen.«

Koppel lächelte, aber etwas in ihm krampfte sich vor Wut

zusammen. Schweinerei – alles Schweinerei! Wenn man doch diesem ganzen miesen Pack den Rücken kehren und auf eine Insel fliehen könnte! Wortlos ging er hinaus und machte sich auf den Heimweg.

Baschele war in der Küche und versuchte, ein Messer an der eisernen Herdkante zu wetzen. Sie betrachtete die Klinge.

»Koppel! So bald?«

Er setzte sich auf das Kanapee, das Jeppe nachts als Bett benützte. »Baschele, ich muß etwas mit dir besprechen.«

»Ja?«

»Baschele, das Leben, das wir miteinander führen, ist kein Leben.«

Sie ließ das Messer fallen. »Ich geb' mich damit zufrieden – was willst du mehr?«

»Ich möchte mich scheiden lassen.«

»Ach geh, du machst Witze.«

»Nein, Baschele, es ist mein Ernst.«

»Warum? Ich bin dir immer treu gewesen.«

»Ich möchte Lea heiraten.«

Baschele wurde blaß, lächelte aber immer noch. »Willst du mich ins Bockshorn jagen? Was soll das?«

»Nein, Baschele, es ist die reine Wahrheit.«

»Und was ist mit den Kindern?«

»Für sie wird gesorgt sein.«

Noch immer lächelte sie. »Wirklich ein Jammer!«

»Und du kannst den Kohlenhändler von gegenüber heiraten.«

Kaum hatte er das gesagt, da brach Baschele in heftiges Schluchzen aus. Tränen strömten über ihr Gesicht. Sie schlug die Hände vor die Brust und rannte ins Zimmer nebenan.

Koppel streckte sich aus und legte die schmutzigen Stiefel auf die sorgfältig über das Kanapee gebreitete Decke. Er sah hinaus in die winterliche Dämmerung. Dann fiel sein Blick auf das Küchenmesser. »Ich sollte mir die Gurgel aufschlitzen. Jetzt ist ja doch alles egal.« Er schloß die Augen. Um ihn war eine ungewohnte Stille, die von der Straße hereinzudringen schien. Eine geheimnisvolle Kraft trieb ihn von hier fort, machte seinen Affären ein Ende, trennte ihn von seiner Familie und seinen Freunden. Wie hatte das alles passieren können? Frau Goldsober hatte ihm kein Wort von ihren Heiratsplänen gesagt. Er drehte sich zur Wand. Er hörte Baschele hereinkommen, hin und her gehen, die Lampe anzünden, mit den Töpfen hantieren. Er hörte das Feuer im Herd knistern, das Wasser im Kessel aufwallen, überkochen und auf der Herdplatte zischen. Jeppe kam herein (die Schiene an ihrem lahmen Bein schlug auf dem Fußboden auf) und flüsterte ihrer Mutter etwas zu. »Genau so«, dachte er, »muß es sein, wenn jemand gestorben ist und der Leichnam bis zur Beerdigung in der Wohnung liegt.«

Sechstes Kapitel

I

Das Bethaus in Bialodrewna war leer. Wegen des Krieges versammelten sich die Gläubigen dieses Jahr nicht bei ihrem Rebbe, auch nicht am Chanukka-Sabbat. An Werktagen fanden sich nicht einmal zehn Männer – die erforderliche Mindestzahl – zum Gebet ein. Israel Eli, der Kantor, der auch der Kassenverwalter des Rebbe war, hatte kein Geld mehr. Alle drängten auf Bezahlung – der Krämer, der Fleischer, der Fischhändler, der Bäcker, die Zugehfrau. Israel Eli klagte dem Rebbe sein Leid. Der Rebbe führte ihn in die seit Jahren abgesperrten Zimmer seiner verstorbenen Frau. Das Mobiliar hatte sich durch die Sonnenwärme verzogen. Die Tapeten blätterten ab. In den Ecken hingen Spinnweben. Aus den Fußbodenritzen krochen weiße Würmer. Der Rebbe zog eine Kommodenschublade auf, in der Ringe, goldene Haarnadeln, eine verbogene Brosche, ein Elfenbeinfigürchen und verschiedene andere Sachen lagen. Er nahm eine Perlenkette heraus. »Verkauf sie!«

»Ihren Schmuck? Gott behüte!«

»Was soll ich damit? Ich heirate nicht mehr.«

»Vielleicht bereut Gina Genendel doch noch, und dann...«

»Wer in den Abgrund stürzt, kehrt nicht wieder.«

Israel Eli fuhr nach Warschau und versetzte die Perlenkette für zweihundert Rubel. Seinen Aufenthalt in der Stadt benützte er dazu, bei einigen wohlhabenden Bialodrewner Chassidim vorzusprechen. Alle stellten ihm die gleiche Frage: Warum blieb der Rebbe in dieser gefährlichen Gegend? Alle anderen chassidischen Rabbis – von den Höfen in Amschinow, Radzymin, Pulawy, Strikow, Nowo Minsk – hatten sich schon längst in Warschau niedergelassen. Israel Eli kehrte nach Bialodrewna zurück und beglich die Schulden. Der Rebbe hatte allem Anschein nach die ganze Angelegenheit ad acta gelegt. Er fragte Israel Eli nicht, wo er gewesen sei, und verlangte auch keine Abrechnung.

Er ging in seinem Zimmer auf und ab. Sein schütterer Bart

war ergraut, aber seine Augen blickten noch so lebhaft wie die eines jungen Mannes. Er stellte sich ans Fenster und sah in den Hof hinaus. »Israel Eli«, sagte er, »sei so gut und bitte Reb Mosche Gabriel zu mir.«

Israel Eli ging hinaus. Der Rebbe blickte immer noch aus dem Fenster. Die Obstbäume im Garten waren kahl, die Äste verschneit. Im Schnee waren Vogelfährten zu sehen; es war, als hätten die Totenseelen, die der *Gemara* zufolge Vogelkrallen haben, hier ihre Spuren hinterlassen. Und droben am verhangenen Himmel brachen gleißende Strahlen durch die Wolkenfetzen.

»Ihr wollt mich sprechen, Rebbe?«

»Ja, Mosche Gabriel. Ich möchte wissen, wie es mit uns weitergehen soll.«

Mosche Gabriel faßte sich an die breite Schärpe, die Jarmulke und die Schläfenlocken. »Wenn ich das wüßte!«

»Was soll man tun? Reb Mosche Gabriel, lehrt mich, ein Jude zu sein.«

»Wie könnte ich den Rebbe etwas lehren?«

»Seid nicht so bescheiden. Wie kann ich den Glauben finden?«

Mosche Gabriel wurde blaß. »Das ist nicht unbedingt vonnöten.«

»Was dann?«

»Es genügt, einen Psalm aufzusagen.«

»Sagt ihn! Ich höre.«

»*Aschrej ha'isch ascher lo halach . . .*«

»Übersetzt es, Mosche Gabriel. Ich bin ein einfacher Mann.«

»Wohl dem, der nicht wandelt im Rat der Gottlosen noch betritt den Weg der Sünder noch sitzt, wo die Spötter sitzen, sondern sich erfreut am Gesetz des Herrn und sich erbaut an Seinem Gesetz Tag und Nacht. Und er soll sein wie ein Baum gepflanzt an den Wasserbächen, der seine Frucht hervorbringt zu seiner Zeit; und seine Blätter sollen nicht verwelken; und was er tut, soll wohlgeraten.«

Mit zusammengezogenen Brauen hörte der Rebbe zu.

»Und was hat der Psalmist damit gemeint?«

»Genau das, was er sagt.«

»Ihr habt einen guten, schlichten Glauben, Reb Mosche Gabriel. Ich beneide Euch.«

Dann schwieg er eine ganze Weile. Er senkte die Lider und strich sich über die hohe Stirn. Die Adern in seinen Schläfen pulsierten. Dann begann er – mit geschlossenen Augen – auf und ab zu gehen. »Und was sollte man nach dem Psalmenlesen tun?«

»Ein Kapitel der *Mischna* studieren.«

»Und nachts?«

»Schlafen.«

»Was nützt uns der Schlaf?«

»Er ist notwendig.«

»Ihr seid ein Buchstabengläubiger geworden, Reb Mosche Gabriel.«

»Es gibt keine andere Möglichkeit.«

»Ihr habt recht, Reb Mosche Gabriel. Der Herr verlangt nicht viel von uns. Einen Vers aus einem Psalm und ein Kapitel aus der *Mischna*. Er erwartet nicht, von uns zu hören, wie Er die Welt regieren soll. Das weiß Er selbst.«

Nach einer Weile verabschiedete sich Mosche Gabriel. Ehrerbietig ging er rückwärts bis zur Türschwelle. Draußen blieb er einen Moment stehen und fuhr sich mit den Fingern durch den Bart. »Die Kraft eines Heiligen.«

Ein Junge in einem verknitterten Mantel und mit zerzausten Schläfenlocken rannte aufgeregt auf ihn zu. »Reb Mosche Gabriel, Eure Frau wartet auf Euch!«

»Meine Frau?«

»Ja. In Naftalis Gasthof.«

Mosche Gabriel starrte ihn ungläubig an. Dann machte er sich auf den Weg. Er ging am Brunnen vorbei, an einer Reihe Läden und am Wirtshaus, in dem – obwohl wegen des Krieges kein Alkohol zu bekommen war – Bauern mit trunkener Stimme zum Klang einer Ziehharmonika sangen. In der Küche des Gasthofs stand ein riesiger dampfender Kessel mit Wäsche auf dem Herd. In einem Nebenraum waren Strohsäcke gestapelt, die an die Zeiten erinnerten, als die Gläubigen scharenweise nach Bialodrewna pilgerten und viele von ihnen auf dem Fußboden schlafen mußten. Im Gastzimmer wartete Lea.

»Guten Tag«, sagte Mosche Gabriel förmlich.

»Ein gutes Jahr! Wo ist Aaron?«

»Aaron? Im Lernhaus.«

»Mach die Tür zu! Setz dich! Ich muß mit dir reden.«

Mosche Gabriel schloß die Tür, dann setzte er sich so hin, daß er Lea nicht direkt im Blickfeld hatte. Er nahm den weltlichen Geruch ihrer parfümierten Seife wahr und hielt sich das Taschentuch an die Nase.

Lea hüstelte. »Ich sage es frei heraus. Ich möchte mich von dir scheiden lassen.«

Mosche Gabriel senkte den Kopf. »Wenn es dein Wunsch ist.«

»Wann?«

»Unter der Bedingung, daß du mir Mejerl überläßt.«

»Mejerl geht mit mir nach Amerika.« Eigentlich hatte sie das gar nicht sagen wollen.

»Nach Amerika? Damit er ein Goi wird?«

»Auch in Amerika gibt es gute Juden.«

»Nein, Mejerl bleibt bei mir. Was Mascha betrifft – die gehört ja fast schon zu den Andersgläubigen. Und Zlatele empfehle ich der Gnade Gottes. Sie geht in eine nichtjüdische Schule, und dabei kann nichts Gutes herauskommen.«

»Glaubst du denn, daß Mejerl bei dir bleiben möchte? Entschuldige, Mosche Gabriel, aber du bist ein Anhänger des Rebbe und nicht viel mehr als ein Bettler.«

»Lieber ein Bettler als ein Ketzer.«

»Nein, Mosche Gabriel, ich überlasse dir den Jungen nicht. Du hast unserem Aaron schon genug angetan. Ein Jammer, was du aus ihm gemacht hast! Es ist nicht meine Schuld, Mosche Gabriel. Die Art und Weise, wie du all die Jahre gelebt hast, ist schuld daran. Und falls du dich weigerst, mir den Scheidebrief zu geben, verlasse ich dich trotzdem. Dann komme die Sünde auf dein Haupt!«

»Selbst dazu bist du imstande.«

»Ich bin zu allem imstande.«

»Dann...« Er schwieg. Die Wanduhr mit dem großen Perpendikel und den langen Gewichten surrte und schlug zweimal. Mosche Gabriel stand auf. Er sah hinüber zu der Mesuse am Türpfosten, dann ging er zum Fenster und blickte hinaus.

Lea zog ihren Pelzmantel aus. Sie hatte ein rotes Kleid an. »Also?«

»Du wirst meine Antwort bekommen.«

»Wann? Ich kann doch nicht hierbleiben – in dieser Wildnis!«

»Nach den Abendgebeten.«

»Wohnt ihr in diesem Gasthof? Wo schlaft ihr? Ich meine, wo schläft Aaron?«

»Bei mir.«

»Ich möchte, daß der Scheidebrief hier in Bialodrewna ausgefertigt wird«, sagte Lea barsch.

»Mir ist das alles eins.«

Lea biß sich auf die Lippen. So war Mosche Gabriel immer gewesen, seit sie mit ihm verheiratet war. Weit weg, in einer anderen Welt. Es reizte sie, eine heftige Auseinandersetzung vom Zaun zu brechen, über finanzielle Dinge zu streiten, ihn – zum letzten Mal – zu kränken. Aber das war sinnlos – man kam ja doch nicht an ihn heran. Obwohl er von zu Hause fort war, machten sein Gesicht, sein Bart und seine Kleidung einen gepflegten Eindruck. Durch die goldgeränderte Brille blickten seine blauen Augen in die Ferne. Lea mußte an etwas denken, das man ihr einmal über einen heiligmäßigen Rabbi erzählt hatte: »Ihm ist immer der Name Gottes erschienen.« Mosche Gabriel und Koppel – was für ein Vergleich! dachte sie plötzlich. Und dann wurde sie zornig. »Schick Aaron zu mir!«

Mosche Gabriel ging sofort hinaus. Im Lernhaus stand Aaron neben einer Bank und goß heißes Wasser aus einem Teekessel in eine Tasse. Sein schmales Gesicht war winterlich blaß. Seine Schläfenlocken hingen schief herunter. Sein Hemdkragen war offen, man konnte den spitzen Adamsapfel sehen. Auf seinem Kinn sproßten ein paar Barthaare. Mosche Gabriel beobachtete ihn, als er einen Brocken Zucker in die Tasse gab und mit einem Stück Draht vom Vorhang des Toraschreins darin herumrührte.

»Was tust du denn da, Aaron? Das ist ein heiliger Gegenstand.«

»Alle benützen ihn dazu.«

»Aaron, deine Mutter ist hier.«

Der Junge wurde kreideweiß. »Wo?«

»In Naftalis Gasthof. Sie will sich von mir scheiden lassen. Sie geht nach Amerika.«

Aaron wollte den Vorhangdraht hinlegen, doch er fiel ihm aus der Hand direkt auf die Tasse, so daß der Tee überschwappte.

Als sein Sohn hinausgegangen war, stellte sich Mosche Gabriel ans Betpult und zündete sich an der Gedenkkerze eine Zigarette an. »Es gibt offenbar eheliche Verbindungen«, dachte er, »denen es bestimmt ist, aufgelöst zu werden.« Er stieß einen Rauchkringel aus. »Eine besondere Art Vorsehung.« Er rieb sich die Stirn, um diese unwillkommenen Gedanken zu vertreiben. Koppel. Liebe. Liebe zwischen zwei Leibern. Würde man – Gott behüte! – Koppel kastrieren, dann wäre es mit dieser Art Liebe vorbei. »Du sollst den Herrn, deinen Gott, lieben von ganzem Herzen, von ganzer Seele und mit ganzer Kraft...« »Ja, Mosche Gabriel, liebe Ihn, dessen Name geheiligt ist. Wie lange willst du dich noch von solch banalen Gedanken verwirren lassen?« Plötzlich kam ihm die Antwort in den Sinn, die er dem Rebbe gegeben hatte. Er schlug einen Band der *Gemara* auf, wiegte sich rhythmisch hin und her und las bis Anbruch der Dunkelheit.

2

Eines Abends, es war schon ziemlich spät, saß Lea in ihrem Wohnzimmer auf dem Sofa und flickte eine zerrissene Hose von Mejerl. Da läutete es an der Wohnungstür. Weil das Dienstmädchen nicht da war, ging Lea hinaus. Sie rief: »Wer ist da?«, worauf eine unverständliche Antwort kam. Sie machte auf und sah Abram vor sich. Sein Mantel und sein Hut waren verschneit, sein Bart weiß von Schneeflocken. Er hatte seinen Regenschirm geschultert und eine Zigarre zwischen den Lippen. Lea starrte ihn verblüfft an; er kam ihr massiger vor denn je. Er atmete schwer und stieß dicken Zigarrenrauch aus. Lea holte eine Bürste und wischte den Schnee von seinen Galoschen. »Steh doch nicht da wie ein Golem! Komm herein!«

In den dunklen Flur fiel nur ein schwacher Lichtschein aus dem Wohnzimmer. Abram begann zu trampeln und zu husten. Dann ging er auf Lea zu und faßte sie bei den Schultern.

Sie zuckte zusammen. »Was ist denn in dich gefahren? Bist du übergeschnappt?«

»Lea, ist das wahr?«

Sie brauchte nicht erst zu fragen, was er meinte. »Ja. Wir haben uns scheiden lassen.«

»Und alles andere ist auch wahr?«

»Ja. Nimm gefälligst deine Pfoten weg!«

»Das ist doch nicht möglich!« Er wich ein paar Schritte zurück.

»O doch, Abram. Wenn's dir nicht paßt, kannst du meinen Namen aus dem Familienregister streichen. Ich gehe auf jeden Fall fort.«

»Und wohin willst du gehen?«

»Nach Amerika.«

»Jetzt? Mitten im Krieg? Wie willst du das denn anstellen?«

»Wenn man unbedingt fort will, gibt es Mittel und Wege.«

»Und was soll aus den Kindern werden?«

»Ihretwegen brauchst du dir keine Sorgen zu machen. Mejerl und Zlatele nehme ich mit. Mascha will hierbleiben. Sie ist alt genug, um zu wissen, was sie tut. Soll sie doch in Warschau bleiben! Aaron scheint sich seiner Mutter zu schämen.«

»Und Mosche Gabriel ist einverstanden, daß du Mejerl mitnimmst?«

»Ich habe ihm schwören müssen, daß ich Mejerl hierlasse – aber ich werde meinen Eid brechen.«

»Lea, du Kosak!«

»Abram, wenn dir nicht paßt, was ich tue, dann kehr schleunigst in den Schoß der Familie zurück! Ich hab' sie alle so satt! Den ganzen Schlamassel!«

»Weshalb schreist du so? Ich fresse dich doch nicht auf. Daß du eine Rebellin bist, habe ich immer gewußt, aber daß du so weit gehst, das hätte ich nie gedacht.«

»Abram, geh nach Hause.«

»Wirf mich nicht hinaus. Du siehst mich zum letzten Mal. Wenn du auf Koppel hereingefallen bist, schaufelst du dir dein eigenes Grab.«

»Weshalb bist du hergekommen? Um mich zu verfluchen? Von den anderen hätte ich das erwartet, aber daß ausgerechnet du mir mit Verleumdungen...«

»Es handelt sich nicht um Verleumdungen.«

»Du hast Hama unglücklich gemacht. Du hast die Familie ruiniert. Du treibst dich mit liederlichen Frauenzimmern herum. Und *du* hast die Chuzpe, mir Vorwürfe zu machen! Ich werde in allen Ehren heiraten, wie es sich für eine anständige jüdische Tochter gehört.«

»*Masel tow!* Wann soll die Hochzeit sein?«

»Ich teil's dir mit.«

»Also dann – gute Nacht.«

»Scher dich zum Teufel! Keiner von euch ist es wert, Koppel die Schuhe zu küssen! Mein Vater – Friede seiner Seele – hat mich sozusagen verkauft. Meine Brüder liegen sich wegen der Erbschaft in den Haaren. Ich pfeife auf euch alle! Amerika ist ein freies Land. Wir beginnen ein neues Leben. Dort schämt sich niemand, für seinen Lebensunterhalt arbeiten zu müssen.«

»Viele Grüße an Kolumbus!«

»Hinaus mit dir!«

Abram brach plötzlich in Gelächter aus. »Dussel! Warum regst du dich denn so auf? Wenn du Koppel liebst, ist es *dein* Problem. *Du* wirst mit ihm zusammenleben müssen, nicht ich.«

»Und ich werde stolz darauf sein.«

Eine Weile standen sie einander schweigend gegenüber. Im Halbdunkel schimmerten Leas Augen blaßgrün. Von Abrams Zigarre fiel glühende Asche auf seinen Bart.

»Warum stehst du im Flur herum? Komm herein, falls es dir hier elegant genug ist.«

»Nein, Lea. Jemand wartet auf mich.«

»Wer? Diese Schauspielerin? Du hast auf sie viel länger gewartet.«

»Was soll's, Lea? Jeder sieht die Schwächen des anderen. Ich habe selber genug Probleme. Offengestanden – ich beneide dich. Du benimmst dich zwar wie eine Meschuggene, aber jedenfalls hast du Mut. Und ich? Eine Memme bin ich – in jeder Hinsicht.«

Lea schüttelte den Kopf. »Meiner Seel, Abram, ich glaube allmählich, du weißt gar nicht, was du redest.«

»Nebbich. So wie mir heute zumute ist, brauchst du dich

über gar nichts zu wundern. Du siehst einen lebenden Leichnam vor dir.«

»Was ist denn mit dir los? Spielst du Komödie oder bist du angeschickert oder sonstwas?«

»Ganz nach Belieben. Wenn *du* den Mut hast, dich von Mosche Gabriel scheiden zu lassen und Koppel zu heiraten, warum hab' dann ich Schafskopf nicht den Mut gehabt, mich von Hama zu trennen und Ida zu heiraten? Sie ist eine große Künstlerin. Sie hat mich geliebt. Und ich sie. Ich kann ohne sie nicht leben. Das ist die reine Wahrheit.«

»Die alte Geschichte. Soviel ich weiß, ist Ida jetzt wieder bei ihrem Mann in Lodz.«

»Ja. An allem bin ich schuld. Ich bin ein elender Feigling. Ich ersticke ohne sie. Ich könnte mit dem Kopf gegen die Wand rennen, so ratlos bin ich.«

»Geschieht dir ganz recht.«

»Wenn nicht Krieg wäre, wüßte ich schon, was ich täte. Aber wir sitzen fest – Ida bei den Deutschen und ich hier. Ich höre sie nach mir rufen, nachts. Zwischen uns beiden besteht so eine Art...«

»Was besteht zwischen euch? Was faselst du denn da?«

»Ach, ist ja egal. Ich weiß nicht, was ich rede. Hab' ein Glas über den Durst getrunken. Njunje hat mich in Fukers Weinkeller mitgenommen. Er ist jetzt wieder Bräutigam. Verlobt mit Bronja Gritzhendler. Was für ein Gespann! Man könnte sich kaputtlachen! Sie wickelt ihn um den Finger.« Er schwieg einen Moment, dann sagte er: »Übrigens – diese Schauspielerin macht mich wahnsinnig! In was hab' ich mich da hineinziehen lassen! Ach, ich Esel! Hör zu, Lea – ich bin in der Klemme. Ich brauche hundert Rubel. Sonst muß ich mich aus dem oberen Stockwerk stürzen.«

Lea sah ihn entgeistert an. »Also deshalb bist du hergekommen!«

»Red keinen Stuß! Doch nicht deshalb.«

»Wozu brauchst du das Geld? Für einen Arzt?«

»Für einen Rebbe bestimmt nicht.«

Lea stieß einen Seufzer aus. »Ein Mann in deinem Alter!«

»Es ist ihre Schuld. Zuerst beteuert sie mir, daß sie unbedingt ein Kind haben möchte. Daß es ihr egal sei, was die

Leute sagen. Berauscht sich an diesen verrückten Büchern. Arzybaschew. Kollontaj. Und jetzt ist sie zehnmal am Tag nahe daran, sich umzubringen. Sie ist im fünften Monat.«

»Schon im fünften? Dann wird es sie vielleicht das Leben kosten.«

»*Mein* Leben wird es kosten! Diese Frau ist mein Tod.«

»Ich habe keinen Groschen. Ich dachte, du bist mit allen Wassern gewaschen, aber du bist ein Narr. Ein Mann in deinem Alter sollte klüger sein.«

»Du hast recht, Lea. Ich bin ein geprügelter Hund. Dann also gute Nacht!«

»Moment, du Idiot! Wo rennst du denn hin? Ich kann dir einen Ring geben. Den kannst du versetzen. Aber du mußt ihn auf jeden Fall einlösen, bevor ich abreise. Bring mir den Pfandschein. Der Ring ist ein Erbstück von meiner Mutter, Gott hab sie selig.«

Sie ging in ihr Zimmer, um den Ring zu holen. Abram griff sich an den Kopf und begann zu schwanken. Sein Herz schmerzte wie von Nadeln durchbohrt. Ein kalter Schauder lief ihm über den Rücken. Er war hungrig, durstig, müde, beschämt, von Sehnsucht nach Ida und zugleich von Todesangst erfüllt. »Das ist vielleicht meine letzte Nacht. Sie hat recht, ich bin ein Narr.«

Lea kam mit einem roten Schächtelchen zurück, in dem, auf einer Watteunterlage, ein Brillantring lag. Im schwachen Lichtschein funkelte der Brillant in allen Regenbogenfarben.

»Ein herrlicher Stein«, sagte Abram.

»Ich bitte dich, verplempere ihn nicht!«

»Bestimmt nicht, Lea. Komm, ich muß dich küssen!«

Er spuckte den Zigarrenstummel aus, schlang die Arme um sie und küßte sie überschwenglich auf die Stirn, die Wangen und die Nase. Lea stieß ihn zurück. »Betrunken wie Lot!«

»Nein, Lea, nein! Ich liebe dich! Du bist ein großherziger Mensch. Ich möchte mich mit Koppel aussöhnen. Ich möchte zu eurer Hochzeit kommen.«

Lea stiegen die Tränen in die Augen. »O Gott, daß ich diesen Tag noch erleben darf!« Ihr versagte die Stimme.

3

Jedermann wußte von Abrams neuer Affäre. Seit Ida zu ihrem Mann nach Lodz zurückgekehrt war, trieb er sich mit Ninotschka, einer Schauspielerin aus Odessa, herum. Sie war vom Kompagnon eines Theaters nach Warschau geholt worden. Dieser Mann prahlte damit, daß sie seine Mätresse sei und daß er sie einem reichen Pfandleiher ausgespannt habe. Ninotschka benahm sich wie eine Dame. Sie legte Wert darauf, jedermann wissen zu lassen, daß sie das Gymnasium absolviert hatte. Sie zitierte Puschkin und Lermontow. Sie ließ durchblicken, daß sie mit der revolutionären Bewegung in Verbindung stand. Sie hatte einen Koffer voller Dramenmanuskripte mitgebracht – vorwiegend Übersetzungen der Werke Ibsens, Strindbergs, Hauptmanns und Andrejews. Die jüdischen Schauspielerinnen in Warschau hatten Ninotschka von Anfang an nicht leiden können. Sie verbreiteten allen möglichen Klatsch über sie: daß sie ihren Glauben gewechselt, ihre beiden kleinen Kinder im Stich gelassen, im Theater Diebstähle begangen habe und sich für Geld verkaufe. Ninotschka war in Warschau in einem Melodrama aufgetreten und hatte gute Kritiken bekommen, mußte dann aber die Rolle abgeben, weil hinter den Kulissen gegen sie intrigiert wurde. Es hieß, der Direktor des Jüdischen Theaters in New York habe ihr einen Vertrag angeboten, der ihr eine Wochengage von zweihundert Dollar garantiert hätte; aber weil ihre Gegner wieder in Aktion getreten seien, habe sich die Sache im letzten Moment zerschlagen. Als Abram sie kennenlernte, war sie nicht mehr beim Theater. Sie litt an Herzklopfen. Im Kurort Mrozy hatte sie ein Mansardenzimmer im Haus eines Nichtjuden gemietet. Ida Prager, die dort eine Sommerwohnung hatte, freundete sich mit Ninotschka an und porträtierte sie. Häufig verbrachte Ninotschka den ganzen Abend in Gesellschaft Idas und Abrams. Sie erzählte von ihren Plänen bezüglich eines künstlerisch anspruchsvollen, von jüdischen Organisationen subventionierten Theaters, von ihren Erfolgen in Druskenik, wo ihrer Mutter ein erstklassiges Hotel gehört hatte, und von berühmten russischen Theaterdirektoren, Schauspielern, Schriftstellern und Regisseuren, die zu ihrem Bekanntenkreis zählten. Ninotschka ging um zwei Uhr morgens zu Bett und machte erst mittags ihre Fensterläden auf. Als sie noch eng mit Ida befreundet war, sich ständig von ihr zum Essen einladen ließ und Abram immer wieder vorwarf, er unterschätze Idas Begabung und Idealismus, hatte sie ihn eines Tages – angeblich um ihm ihre Bühnenfassung einer Erzählung von Gorki vorzulesen – mit in ihr Mansardenzimmer genommen und sich klammheimlich auf eine Liebschaft mit ihm eingelassen. Hauptsächlich Ninotschkas wegen hatte Ida schließlich ihre Koffer gepackt, um nach Lodz zu fahren. Auf der Bahnstation hatte sie zu Abram gesagt: »Adieu für immer, du Dreckskerl!«

Abram hatte sie sofort mit Briefen und Telegrammen bombardiert, aber keine Antwort erhalten. Mittlerweile war Ida aus Lodz in einen benachbarten Kurort umgezogen. Und dann war der Krieg ausgebrochen. Die deutschen Truppen besetzten Lodz. Ninotschka hatte ein Zimmer in Warschau gemietet – in der Ogrodowastraße – und nahm jetzt Gesangsunterricht bei einem Professor. Immer wenn sie Abrams Besuch erwartete, rief sie ihn vorher an und sagte ihm, was er alles mitbringen sollte – Brötchen, Räucherlachs, Käse, Wein, Schokolade, ja sogar Bohnerwachs. Obzwar sie seine Mätresse war, duzte sie ihn nicht. Ständig erinnerte sie ihn daran, daß er altersmäßig ihr Vater sein könnte. Abram sprach recht gut russisch, aber Ninotschka hatte ständig etwas an seiner Grammatik auszusetzen. Abends stellte sie gern eine Kerze auf, hockte sich auf den Fußboden und klagte ihm ihr Leid: wieviel Unrecht man ihr zu Hause, in der Schule, beim Schauspielunterricht und in den Theatern von Odessa angetan habe. Sie redete und schluchzte. Sie rauchte Zigaretten und naschte Rosinen, Nüsse und Karamelbonbons aus einer Tüte. Im Bett seufzte sie, weinte, zitierte Gedichte, wies Abram darauf hin, daß er bereits Großvater sei und ein schwaches Herz habe, und sprach von ihren Liebhabern in Odessa, für die sie Kosenamen benützte.

Abram warf ihr hebräische Schimpfwörter an den Kopf, die sie nicht verstand. »Pestbeule! Stinkendes Aas!«

Und nun wartete Ninotschka vor Leas Haus, unter einem Balkon, auf ihn. Sie trug eine Pelzjacke, einen breitkrempigen

Hut, einen grünen Rock und hohe Winterstiefel. Die Hände hatte sie in einen Muff gesteckt. Um sich warmzuhalten, hüpfte sie von einem Fuß auf den anderen. Als Abram erschien, fixierte sie ihn ärgerlich. »Ich dachte schon, Sie bleiben die ganze Nacht da oben.«

»Ich habe die hundert Rubel.«

In einigem Abstand voneinander gingen sie schweigend die Straße hinunter. Abram ließ die Spitze seines Schirms auf dem Pflaster schleifen. Er schüttelte den Kopf. Koppel, der Aufseher, wurde jetzt also Reb Meschulam Moschkats Schwiegersohn! Und sein, Abram Schapiros, Schwager! Abscheulich, daß es soweit kommen mußte!

In der Ogrodowastraße ging er mit hinauf in Ninotschkas Zimmer, das einen separaten Eingang hatte. Auf der Treppe mußte er immer wieder stehenbleiben. Sein Herz hämmerte wie wild. Er dachte an Idas »Adieu für immer!«. Ninotschka, die ihm vorausgeeilt war, forderte ihn an der Zimmertür in gereiztem Ton auf, sich die Füße abzustreifen. Das Zimmer war kalt und unaufgeräumt. Neben dem Ofen stand ein Eimer, in dem ein paar Brocken Kohle lagen. Auf dem Klavier waren Töpfe, Gläser, Tassen und eine Schüssel Reis abgestellt. Auf dem ungemachten Bett lag ein zur Hälfte mit einem Handtuch umwickelter eiserner Ofendeckel. Ninotschka benützte ihn nachts dazu, ihren Magen warmzuhalten: Sie litt an Krämpfen.

Abram setzte sich auf die Bettkante. »Ninotschka, mach was zu essen! Ich sterbe vor Hunger.«

»Kochen Sie sich doch was!«

Aber dann machte sie sich doch am Petroleumkocher zu schaffen. Sie beschnitt den Docht, pumpte und fluchte. Abram schloß die Augen. Plötzlich lachte er schallend.

»Was ist denn? Sind Sie verrückt geworden?«

»Ich gehöre jetzt zur Hautevolee! Koppel, der Aufseher, wird mein Schwager. Wenn das der alte Fuchs noch erlebt hätte!«

Siebtes Kapitel

1

Während der ersten Tage in der Kaserne war Euser Heschel überzeugt, daß er die Qualen, die er hier erdulden mußte, nicht durchstehen würde. Wenn er sich nachts auf seine Pritsche legte, hatte er jedesmal entsetzliche Angst, nicht mehr aufstehen zu können. Wegen der kritischen Lage hatte der Generalstab angeordnet, daß die Rekruten in aller Eile gedrillt werden sollten. Sie wurden nicht, wie sonst üblich, zur Ausbildung ins russische Hinterland geschickt, sondern mußten in frontnahen Kasernen bleiben. Vom ständigen Exerzieren taten Euser Heschel alle Knochen weh. Sein Magen rebellierte gegen die schauderhafte Kasernenverpflegung. Wenn die Offiziere mitten in der Nacht Alarm blasen ließen, mußte Euser Heschel halb angezogen aus der Stube stürmen. Beim Morgenappell schlotterte er vor Kälte. Die anderen Rekruten hänselten ihn. Immer wieder drohte man ihm mit dem Kriegsgericht. Von allen »grünen« Rekruten war er der grünste. Aber eine Woche um die andere verging, und er stand das alles durch. Abends, vor dem Zapfenstreich, wenn er sein Gewehr gereinigt und blankgeputzt hatte, setzte er sich hin, um ein paar Seiten von Spinozas *Ethik* zu lesen. Jemand spielte Ziehharmonika, und einige Bauernburschen tanzten eine Kamarinska. Die Kerosinlampe verbreitete grelles Licht. Manche Soldaten tranken Tee, manche schrieben Briefe. Einige erzählten Witze, andere nähten Uniformknöpfe an. Die christlichen Soldaten lachten über Euser Heschel. Die jüdischen Rekruten scharten sich um ihn und fragten, was er denn da lese. Sie konnten einfach nicht begreifen, wie jemand sich ausgerechnet jetzt in etwas so klein Gedrucktes vertiefen konnte.

Euser Heschel saß da und führte vor dem Zapfenstreich einen Disput mit Spinoza. Also, gehen wir einmal davon aus, daß alles, was geschieht, notwendig ist. Daß dieser ganze Krieg bloß eine Modifikation der göttlichen Substanz ist. Weshalb aber verlangt die Gottnatur das alles? Warum macht sie nicht dieser ganzen Tragikomödie ein Ende? Er las den fünften Teil der *Ethik*, in dem Spinoza sich mit der intellektuellen Gottesliebe befaßt.

Propositio 35: Gott liebt sich selbst mit unendlicher intellektueller Liebe.

Propositio 37: Es gibt nichts, das der intellektuellen Gottesliebe konträr ist oder sie aufheben kann.

Er sah vom Buch auf. Traf das wirklich zu? Konnte man wirklich alle diese Iwans lieben? Auch den mit dem pockennarbigen Gesicht und den verschlagenen Schweinsaugen?

Er senkte den Kopf. Er war in der festen Absicht hierhergekommen, ein pflichttreuer Soldat zu werden. Er hatte sich selber beweisen wollen, daß er genausoviel aushalten konnte wie andere.

Er hatte die jungen Burschen, die, um dem Militärdienst zu entgehen, sich eigenhändig verstümmelten oder desertierten oder Ärzte bestachen, immer schief angesehen. Damit lieferten sie den Feinden der Juden einen Vorwand für die Behauptung, die Juden seien immer darauf aus, sich irgendwelche Privilegien zu verschaffen. Aber so sehr er sich auch bemühte – er konnte einfach nicht mit den anderen Soldaten zusammenleben. Ihre Gespräche und Vergnügungen ödeten ihn an. Die militärische Ausbildung interessierte ihn nicht im mindesten. Von dem ordinären Soldatenjargon war er angewidert. Er wich den anderen aus, und sie mieden ihn. Was hatte *er* bei diesen Leuten zu suchen? Er war Jude, die meisten von ihnen waren Christen. Er war der geborene Intellektuelle, sie waren Ignoranten. Sie glaubten an Gott, an den Zaren, an Familie, Vaterland und Heimaterde. Er dagegen zweifelte an allem. Selbst nach den Maßstäben Spinozas, den er so sehr bewunderte, führten sie ein tugendhafteres Leben als er mit all seinem Stolz, seiner Bedürfnislosigkeit, seinem Individualismus, seinen schier unerträglichen Qualen, die keinem etwas nützten.

Er legte seine *Ethik*-Ausgabe wieder in den Kasten, der unter seiner Pritsche stand. Dann ging er in den Kasernenhof. In Bretterverschlägen, die keine Türen hatten, verrichteten Soldaten ihre Notdurft und unterhielten sich dabei miteinander. In der Küchenbaracke schälten die Köche Kartoffeln, die sie in riesige Bottiche warfen. Ein Ukrainer sang ein Lied, seine

Baßstimme klang so dumpf, als käme sie aus einem Grab. Euser Heschel war erst vier Wochen hier, aber es kam ihm wie Jahre vor. Abgezehrt, übernächtigt, unrasiert, in Stiefeln, die ihm zu groß waren, mit Schwielen an den Händen, einen breiten Gürtel umgeschnallt, stand er da und hatte das Gefühl, sogar sich selber fremd zu sein. Er hatte keine Angst vor dem Tod; aber es ging, so schien es ihm, über seine Kräfte, das Leben zu ertragen. Er hatte nur noch *einen* Wunsch: an die Front geschickt zu werden.

2

Vor dem Purimfest wurde Euser Heschels Regiment an die Front geschickt. General Seliwanow belagerte die Festung Przemysl. Die eingeschlossene österreichische Besatzung unternahm Ausbruchsversuche, und um ihr den Rückzugsweg abzuschneiden, mußten weitere Truppen eingesetzt werden. Der Marsch zur Front führte am San entlang, durch eine Gegend, die Euser Heschel vertraut war. Drei volle Tage brachte er in seinem Heimatort Klein-Tereschpol zu. Das Haus seines Großvaters wurde jetzt von einem polnischen Schweineschlächter bewohnt. Im Hof stand ein Bottich, in dem die geschlachteten Schweine abgebrüht wurden. Im Lernhaus wurde jetzt Viehfutter gespeichert. Am ersten Tag, den Euser Heschel in Klein-Tereschpol verbrachte, wurden die Öfen in der *mikwe* geheizt, und die polnischen Dörfler kamen zum Baden. Es war seltsam, das Schtetl ohne Juden wiederzusehen.

In Bilgoraj, wo Euser Heschels Regiment einen Tag Station machte, war eine Epidemie ausgebrochen. Kleine Kinder starben an Masern, Keuchhusten und Scharlach. Ständig liefen Hausfrauen ins Bethaus, um am Toraschrein zu wehklagen und Kerzen für die Seelen der Kranken anzuzünden. Im Friedhof sah man fromme Frauen, die mit Kerzendochten Gräber abmaßen. Euser Heschel stattete dem Rabbi von Bilgoraj, einem entfernten Verwandten mütterlicherseits, einen Besuch ab. Die Rebbezin hieß ihn herzlich willkommen und tischte ihm etwas auf. Obwohl der Rebbe erfahren hatte, daß Euser Heschel auf Abwege geraten war, verwickelte er ihn sofort in einen Disput über talmudische Themen. Die

Frauen, die gekommen waren, um sich in rituellen Fragen beraten zu lassen, begafften den Soldaten, mit dem ihr Rebbe über talmudische Weisheiten disputierte. Die Enkelkinder des Rebbe kamen herein, probierten die Uniformmütze auf und hingen sich den Gürtel und das Seitengewehr um. Der Rebbe gab Euser Heschel eines seiner Scheitelkäppchen, um ihn vor der Sünde zu bewahren, sich barhäuptig zu zeigen. Im Schtetl wimmelte es von Infanteristen, Kavalleristen und Nachschubfahrzeugen, doch der Rabbi von Bilgoraj verbrachte seine Zeit damit, über ein schwieriges Maimonides-Zitat nachzugrübeln.

Als das Regiment in Richtung Tarnogrod weiterzog und ungefähr die halbe Strecke zurückgelegt hatte, begann es in Strömen zu gießen. Die Fahrzeuge blieben im Schlamm stekken, Pferde strauchelten, brachen sich die Fußgelenke und mußten erschossen werden. Das Blut, das aus den Kadavern rann, vermischte sich mit dem Regenwasser. Krähen flogen umher und pickten nach den Augen der toten Pferde. Allem Anschein nach war irgendwo weiter vorn die Straße blokkiert; es mußte gewartet werden, bis die Spitze der Marschkolonne sich wieder in Bewegung setzen konnte. Die Soldaten benützten den Aufenthalt dazu, auf den angrenzenden Feldern ihre Notdurft zu verrichten. Die Feldküchen wurden aufgestellt. Jemand versuchte, Feuer zu machen, doch der Regen löschte es rasch wieder aus. Die hungrigen und erschöpften Soldaten murrten und fluchten. Die Offiziere ritten von einer Gruppe zur andern, brüllten und fuchtelten mit der Reitpeitsche. Immer wieder wurde »vorwärts marsch!« befohlen, doch jedesmal mußte schon nach wenigen Metern wieder angehalten werden. Beladen mit seinem Marschgepäck, behängt mit Patronengurten, das Gewehr an der Schulter und das Eßgeschirr am Gürtel, stand Euser Heschel da und starrte in den Nebel. Er war völlig durchnäßt. Das Wasser war sogar durch seine dicken Stiefelsohlen gedrungen. Er war unrasiert und erschöpft. Kälteschauer liefen ihm über den Rücken. Der rothaarige Soldat neben ihm, ein Flickschuster aus Lublin, fluchte in einem fort. »Dieser gottverdammte Zar! Der Bauch seiner Mutter soll verfaulen! Immer bloß auf Krieg sind sie aus, diese kapitalistischen Schweine!«

»Du da, Jude!« schrie ein Obergefreiter. »*Was* nuschelst du in eurem verfluchten Kauderwelsch? Schimpfst wohl auf die Regierung, was?«

»Zerbrich dir darüber nicht den Kopf!«

»Wartet nur, ihr Drecksjuden! Ihr kommt vors Kriegsgericht!«

Da es in Tarnogrod keine Kaserne gab, wurden die Soldaten in jüdischen Häusern einquartiert. Es war gerade Markttag. Die Soldaten zertrümmerten die Tontöpfe und -schüsseln, die die Händler vor ihren Ständen aufgestellt hatten, warfen die Stände um und versuchten sogar, die Läden zu plündern. Die meisten Pferde in dieser Gegend waren bereits requiriert worden. Den übrigen hatte man Stempel aufgeprägt. Jetzt sollten auch diese Pferde für die Armee konfisziert werden. Die Besitzer wehrten sich dagegen und hielten die Gäule am Schwanz fest, während die Unteroffiziere mit dem Gewehrkolben auf die Bauern einschlugen. Sie gaben den Pferdebesitzern Besatzungsgeld, aber die Bauern warfen die Scheine verächtlich weg. »Diebe! Räuber! Mörder! Damit könnt ihr euch den Hintern abwischen!«

Die Frauen weinten. Die Männer lamentierten mit rauher Stimme. Ein hochgewachsener Bauer, der einen Schaffellmantel und Schaftstiefel mit Holzsohlen anhatte, nahm eine Axt und ging damit auf einen Feldwebel los. Er wurde festgenommen, mit Stricken gefesselt und ins Gefängnis gebracht. Seine Frau lief schreiend hinterher und schüttelte die Fäuste. Der Soldat versetzte ihr einen Fußtritt. Sie taumelte und fiel in den Schlamm.

Es war Donnerstag. Wegen der heftigen Regenfälle mußten die Soldaten übers Wochenende im Schtetl bleiben. Der Oberst erteilte den jüdischen Bäckern Befehl, am Samstag einen Schub Brot zu backen. Die Bäcker waren entsetzt darüber, daß man ihnen zumuten wollte, den Sabbat zu entheiligen, aber der Oberst drohte, er werde sie samt und sonders aufhängen lassen, falls sie dem Befehl nicht Folge leisteten. Der Rabbi entschied, daß dies eine Notlage sei, die die Übertretung des Gebotes, am Sabbat nicht zu arbeiten, rechtfertige. Und so waren die Bäcker genötigt, Freitagnacht ihre Backöfen anzuheizen. Einige alte Frauen mißbilligten die

Entscheidung des Rebbe. Wehklagend prophezeiten sie, daß furchtbare Plagen über das Schtetl kommen würden.

Am Sabbat ging Euser Heschel ins Bethaus, wo für die jüdischen Soldaten ein Tisch gedeckt worden war. Die Mädchen des Dorfes trugen den Tscholent auf, das frische Weißbrot und den Kartoffelpudding. Ein Soldat – ein schmächtiger Mann, der daheim in seinem Schtetl im Synagogenchor gesungen hatte – stimmte die Sabbatgesänge an.

»Wie köstlich ist deine Ruhe, du Königin Sabbat!
Drum eilen wir dir entgegen, kehre ein, gekrönte Braut.
Alle, die zur Wonne ihn machen,
schauen Fülle der Freude.
Aus den Leiden vor der Ankunft des Gesalbten
werden sie errettet werden.«

Nach dem Sabbat marschierten sie weiter – nach Galizien. Dort, auf feindlichem Territorium, hatten die Russen alle möglichen Grausamkeiten begangen. Sie nahmen die angesehensten Bürger fest und schickten sie als Geiseln nach Sibirien. Bei den Plünderungen drückten die Offiziere beide Augen zu. Die ruthenischen Christen und ihre Priester erschienen mit Kruzifixen und Heiligenbildern zur Begrüßung der Russen, brachten ihnen Brot und Wasser und hießen sie als »Brüder« willkommen. Der polnische Bevölkerungsteil lebte vorwiegend in ländlichen Gegenden. Die russischen Truppen ließen ihre ganze Wut an den Juden aus. Kosaken stülpten sich die mit dreizehn Zobelschwänzen verbrämten Festtagshüte der Chassidim auf und hängten sich die sorgfältig gepflegten Seiden- und Satingewänder um. Die Lernhäuser wurden als Ställe benützt, die heiligen Bücher in den Staub getreten. Jüdische Halbwüchsige wurden zur Zwangsarbeit abkommandiert. Zahlreiche Rabbis und wohlhabende Juden waren bereits nach Wien oder Ungarn geflohen. Den galizischen Juden, die an Verfolgungen nicht gewöhnt und loyale Untertanen Kaiser Franz Josephs waren, blieb nur die Hoffnung, daß man diese Moskowiter bald wieder aus dem Land vertreiben und zurück nach Petersburg jagen würde. Der berühmte Rabbi von Belz hatte sogar im *Sohar* einen Hinweis darauf entdeckt, daß die russischen Eindringlinge Gog und Magog seien.

3

Am 22. März kapitulierte der österreichische Kommandant der Festung Przemysl. Die Russen machten über hunderttausend Kriegsgefangene. Euser Heschels Regiment, das in Przemysl stationiert war, mußte die Gefangenen bewachen. Sie waren ein bunt zusammengewürfelter Haufen: ungarische Husaren in roten Reithosen, polnische Ulanen mit federbuschgeschmückten Tschakos, tschechische Dragoner mit messinggeränderten Helmen, bosnische Moslems mit roten Fezen. Die Soldaten trugen keine Militärstiefel, sondern Schnürschuhe. Und es herrschte eine geradezu babylonische Sprachverwirrung: Polnisch, Bosnisch, Tschechisch, Jiddisch. Die Russen bogen sich vor Lachen.

»Eine barfüßige Armee! Ein Haufen Marktweiber!«

Nach Pessach wurde Euser Heschels Division in die Karpaten verlegt. Die Straße nach Sanok wimmelte von Soldaten. Ein Sanitätswagen nach dem andern schaffte Verwundete von der Front zurück. Die Felder, auf denen Winterweizen gesät war, grünten schon. Am vorpfingstlichen Himmel schien die Frühlingssonne. Störche kreisten fast feierlich über der Landschaft. Bienen summten, Grillen zirpten. Wo man hinsah, sprossen Blümchen – weiße, gelbe, gesprenkelte, farbig gesäumte und mit langen Staubfäden gezierte. Das militärische Getöse konnte das Quaken der Frösche in den Sümpfen nicht vollends übertönen. Frauen und Mädchen kamen aus den Bauernhäusern und machten den feindlichen Truppen schöne Augen. An einem dicht an der Straße errichteten Galgen hatte man einen der Spionage verdächtigten Bauern aufgehängt. Seine nackten Füße baumelten über dem Straßengraben. Um seine Pelzmütze flatterte ein Schmetterling.

Der Marschtritt der Soldaten dröhnte. Im Sonnenschein glänzten die Bajonette wie die Borsten einer gigantischen Bürste. Trompeter und Trommler marschierten voraus. Infanteristen bäuerlicher Herkunft sangen ein Lied über Mädchen, die zum Pilzesammeln in den Wald gegangen waren.

Euser Heschel war nicht nach Singen zumute. Mit der Langeweile des Kasernenalltags war es, gottlob, vorbei. Auf dem Marsch konnte er seinen eigenen Gedanken nachhängen. In all dem Lärm grübelte er über Spinoza und Darwin nach. Wie konnten diese beiden Weltanschauungen in Einklang gebracht werden? Wie ließen sich pantheistische Statik und heraklitische Dynamik auf einen Nenner bringen?

»He, Jude! Tritt mir nicht auf die Füße!«

»Wetten, daß er sich in die Hose geschissen hat?«

Euser Heschel lag eine Antwort auf der Zunge, doch er schluckte sie hinunter. Der Soldat rechts von ihm hatte gewaltige Fäuste und wollte offensichtlich einen Streit vom Zaun brechen. Ständig hatte er etwas daran auszusetzen, wie Euser Heschel das Russische aussprach, wie er marschierte und wie er sein Gewehr trug. Hin und wieder schob er ihm die Hand unter den Gürtel, um ihn darauf aufmerksam zu machen, daß dieser zu locker saß. Und zwischendurch riß er Witze über das Buch, das Euser Heschel im Tornister hatte. Aus unerfindlichen Gründen war dieser Bauernbursche, der aus einem Dorf östlich von Wladowa stammte, sein Feind geworden. Ein unverkennbarer Haß auf Euser Heschel glomm in seinen kleinen, wäßrigen Augen und war ihm sogar an der Boxernase mit den breiten Nasenlöchern und an den vorstehenden Pferdezähnen anzusehen. Euser Heschel zweifelte nicht im mindesten daran, daß dieser Bursche, falls er irgendwo im Wald mit ihm allein wäre, einen Mord begehen würde. Aber weshalb? Was hatte er ihm getan? Was hatten ihm die Juden getan, daß er immer nur auf sie fluchte? Wenn Haß niemals zu etwas Gutem führen konnte, warum hatte Gott ihn dann erschaffen? Ach, welchen Sinn hatte es denn, über das alles nachzudenken? Gott hatte einen Schleier über Seine Geheimnisse gezogen und erlaubte niemandem, ihn wegzuziehen. Das Problem war nur: Was sollte man tun? Um sein Leben kämpfen? Dem Zaren dienen? Weshalb sollte er, Euser Heschel, darauf aus sein, die Ungarn zu besiegen?

Die Division machte in Sanok Rast. Von hier aus sollte sie an die Front bei Bialogrod geschickt werden. Ein paar Tage vergingen, aber noch immer wurde kein Marschbefehl gegeben. In der Stadt herrschte ein heilloses Durcheinander. Viele Soldaten waren darauf erpicht, alles aufzukaufen, was noch in den Läden zu haben war, viele versuchten aber auch zu plündern. Manche Einwohner stellten Fässer mit Trinkwasser für die Soldaten vor die Haustür. Euser Heschel sah einen Kosaken in einem rabbinischen Kaftan durch die Straßen stolzieren. Auf dem Marktplatz wurde eifrig mit Beuteware und Hausrat gehandelt. Und inmitten dieses wüsten Treibens haderten die Juden miteinander. Die Chassidim des Rabbis von Belz stritten sich heftig mit den Chassidim des Rabbis von Bobow. Der Vorstand der Synagoge forderte die Verurteilung eines Schächters. Im Lernhaus ging alles seinen gewohnten Gang: Halbwüchsige mit Schläfenlocken saßen in ihren Kaftanen da und sagten im Singsang ihre Lektionen auf. Junge Burschen versteckten sich auf Dachböden und in Kellern, um nicht von den Russen zur Zwangsarbeit verschleppt zu werden. Am Stadtrand wurden Schützengräben ausgehoben und Abfallhaufen und Pferdeskelette weggeräumt. Die Schwerverwundeten wurden im Städtischen Krankenhaus untergebracht, die leichter Verwundeten in Sanitätsfahrzeugen nach Rußland transportiert. Eine Typhusepidemie drohte. Und es gab bereits einige Cholerafälle. Die Behörden stellten schleunigst eine Baracke zur Verfügung, in der sich die Zivilbevölkerung desinfizieren lassen mußte. Strenggläubige Juden wurden gezwungen, sich den Bart und die Schläfenlocken abzurasieren, und den Mädchen wurde der Kopf geschoren. Sogleich traten einige Schieber in Aktion, die denen, die sich dieser entwürdigenden Anordnung nicht fügen wollten, für Schmiergeld Desinfizierungsbescheinigungen besorgten.

In diesem Tohuwabohu erhielt Euser Heschel drei Briefe von Hadassa. Die Kuverts waren geöffnet und mit braunem Packpapier wieder zugeklebt worden. Die Zensur hatte etliche Zeilen unleserlich gemacht. Euser Heschel wunderte sich. Wie in aller Welt sollte Hadassa dazugekommen sein, ihm etwas militärisch Wichtiges mitzuteilen? Als er die Briefbogen in der Hand hielt, wurde ihm erst richtig bewußt, wie verzweifelt er sich nach ihr sehnte. Er las die Briefe nicht in einem Zug durch, sondern klaubte zunächst einzelne Sätze heraus. Am Rand und zwischen den Zeilen hatte Hadassa einiges hinzugefügt.

In dem Brief, in dem sie von der Beerdigung ihrer Mutter und von ihrer eigenen Erkrankung berichtete, fand sie immer wieder zärtliche Worte für Euser Heschel, benützte intime Kosenamen und spielte auf Dinge an, von denen nur sie beide wußten. Beim Lesen spürte Euser Heschel, wie ihm das Blut aus dem Gesicht wich. Ihre Worte stachelten sein Verlangen nach ihr an. Unwillkürlich mußte er an die kleinen Freudenhäuser an der Lemberger Landstraße denken, an die Bauernmädchen, die für einen halben Laib Brot, ein Päckchen Tabak, ein Pfund Zucker zu haben waren. Die jungen Männer in seinem Regiment, die aus Bilgoraj, Zamosc und Szczebrzeszyn stammten, redeten ständig von ihren Weibergeschichten, von ihren Liebesabenteuern in Wohnungen und Scheunen, auf Dachböden, ja sogar auf Weizenfeldern. Und zwar nicht bloß mit Bäuerinnen, sondern auch mit jüdischen Mädchen und jüdischen Ehefrauen, deren Männer beim Militär waren und die sich wie Huren aufführten.

Das Regiment wartete immer noch auf den Befehl, sich in Richtung Bialogrod in Marsch zu setzen. Die Soldaten zogen in die benachbarten Dörfer und requirierten Hennen, Eier, ja sogar Kälber. Die jüdischen Soldaten begannen Geschäfte zu machen. Trotz des strengen Alkoholverbots betranken sich die Offiziere Tag für Tag im Kasino. Euser Heschel hatte plötzlich sehr viel freie Zeit. In einer verlassenen jüdischen Wohnung entdeckte er einen vollen Bücherschrank. Poesiealben mit Goldschnitt standen darin, wie er sie ähnlich bei Hadassa gesehen hatte. Sie enthielten Gedichte in polnischer und deutscher Sprache, Zitate aus Werken von Goethe, Schiller, Heine, Hofmannsthal. Auch ein Tagebuch war zurückgelassen worden. Und unter den Büchern befand sich auch eine vollständige, in Leder gebundene Talmudausgabe.

Er legte sich auf das von Bajonetten aufgeschlitzte Sofa und schloß die Augen. (Wenn er die Augen zumachte, war er kein Soldat mehr.) Die Sonne schien ihm ins Gesicht, ein roter Schimmer drang ihm durch die Lider. Die Laute, die von draußen zu hören waren, verschmolzen zu einer wunderlichen Geräuschkulisse: das Rattern der Räder, das Knallen der Gewehre, das Bellen der Hunde, das Lachen der Mädchen. Sein Magen gab blubbernde Laute von sich; er hatte sich immer noch nicht daran gewöhnt, daß die russische Verpflegung vorwiegend aus Kohl bestand. Schon öfter in seinem Leben hatte Euser Heschel an Hypochondrie gelitten. Als Junge hatte er gefürchtet, daß er bei seiner Bar-Mizwa-Feier sterben würde. Später hatte er geglaubt, der Tod würde ihn an seinem Hochzeitstag ereilen. Und immer wieder hatte er befürchtet, an Lungenschwindsucht oder an Magenkatarrh zu leiden oder allmählich zu erblinden. Jetzt aber, da er fest damit rechnete, an die Front geschickt zu werden, wo man jeden Augenblick fallen konnte, empfand er eine große Gelassenheit. Die Angst vor dem Tod quälte ihn nicht mehr. Seine Gedanken kreisten um Hadassa und um alle möglichen Sexphantasien. Im Geist sah er sich als Maharadscha mit achtzehn Frauen, reizvollen Inderinnen, Perserinnen, Araberinnen, Ägypterinnen – und ein paar bildschönen Jüdinnen. Hadassa war die Königin des Harems. Jede seiner Frauen brachte ihm ihre Zofe – lauter dunkelhäutige, schwarzäugige Sklavinnen, denen er seine Huld erwies und in deren Schoß er lag. Hadassa war eifersüchtig, aber er beteuerte ihr immer wieder, daß sie seine einzige Liebe sei – und wenn er es mit den anderen treibe, dann nur, weil das Brauchtum des Königreiches es so verlange.

Plötzlich stach ihn etwas. Er öffnete die Augen. Alle Bemühungen der Offiziere, ihre Soldaten möglichst sauber zu halten, waren vergeblich gewesen: Überall wimmelte es von Läusen.

4

Schließlich wurde Marschbefehl gegeben, aber es war ein Rückzugsbefehl. Eine gewaltige, aus deutschen und österreichischen Truppen bestehende Streitmacht unter Führung des Generalobersten von Mackensen griff die russische Hauptkampflinie am Fluß Dunajec an, durchbrach sie und stieß bis zum San vor. Der Rückzug der russischen Truppen wurde zur wilden Flucht. Es ging das Gerücht, daß bei dem Umfassungsangriff des Feindes ganze Armeekorps aufgerieben und mehrere hunderttausend Gefangene gemacht worden seien. Euser Heschel hoffte, daß auch er in Kriegsgefangenschaft geraten würde, doch das Schicksal wollte es anders: Seine Division konnte der zangenförmigen Umfassung entkommen. Er mußte enorme Marschstrecken zurücklegen: nach Przemysl und weiter nach Jaroslaw, Bilgoraj, Zamosc. Wieder kam er durch Klein-Tereschpol. Er war sich seiner müden Glieder, seiner Rückenschmerzen, seines rebellierenden Magens gar nicht mehr bewußt. Wie im Fieberdelirium spürte er Tage und Nächte in rasend schnellem Wechsel an sich vorübergleiten. Alle Angst, alle Sorge um die Zukunft verflüchtigte sich. Sinnliche Begierde und geistige Beweglichkeit erloschen. Der strömende Regen, der stürmische Wind, die ringsum krepierenden Granaten – ihm war das alles einerlei. Sogar sein Verlangen nach Ruhe und Schlaf ließ nach. Das einzige, was blieb, war eine tiefe Verwunderung: »Bin das *ich*? Ist das wirklich Euser Heschel? Habe ich wirklich die Kraft, das alles auszuhalten? Ist mein Körper wirklich so widerstandsfähig? Bin ich Reb Dan Katzenellenbogens Enkel, meiner Mutter Sohn, Hadassas Geliebter?«

Irgendwo auf einem Feld setzten er und einige andere Soldaten die Gewehre zusammen und streckten sich auf dem Erdboden aus. Euser Heschel, der inmitten niedergetrampelter Kornhalme lag, schloß nicht gleich die Augen. Der Mond stand blutrot am Himmel, ein Wölkchen teilte ihn in zwei Hälften. Vom nahen Fluß stieg Nebel auf. Jemand hatte Feuer gemacht, die Flammen versprühten Funken. »Wer bin ich? Woran denke ich?« Aber je mehr er in sich hineinhorchte, desto weniger konnte er seine Gedanken entwirren. Alles hatte sich verknäuelt: die dumpfe Schläfrigkeit seines Körpers, die Feuchtigkeit des Erdbodens, das Ächzen der Soldaten. Ein Wurm kroch ihm über die Stirn. Er zerquetschte ihn. Nicht einmal Ekel konnte er jetzt noch empfinden. Hatte Adele einen Knaben oder ein Mädchen geboren? Plötzlich war er fest überzeugt, daß es ein Mädchen war. Aber nicht einmal dieser Gedanke quälte ihn. War das letzten Endes nicht egal? Und dann wurde er taub und stumpf wie ein Stein.

Achtes Kapitel

Im Hochsommer zogen sich die russischen Truppen aus Warschau zurück. Über die Praga-Brücke (an deren Pfeilern Sprengsätze angebracht waren) rollten lange Wagenkolonnen – Motorfahrzeuge und Pferdewagen. Die Frauen der Offiziere und Regierungsbeamten nahmen so viele Einrichtungsgegenstände wie irgend möglich mit nach Rußland – Stühle, Klaviere, Sofas, Wandspiegel, ja sogar Zimmerpalmen. Offiziersburschen schlugen lauthals fluchend auf die Zugpferde ein. Auf der Brücke, die für so viel Verkehr zu schmal war, herrschte ein heilloses Durcheinander: Trambahnen, Radfahrer, Fuhrwerke mit heimatlosen Juden, Soldaten in voller Ausrüstung. In den Kasernen verscherbelten Soldaten in aller Eile Stiefel, Uniformen, Unterwäsche, Mehl, Grütze und Kochfett. Die Käufer schleppten die unrechtmäßig erstandene Ware weg, ohne auch nur den Versuch zu machen, sie zu verbergen. Im Polizeipräsidium herrschte Panikstimmung. Die Polizisten waren zum Kriegsdienst eingezogen und durch eine Bürgermiliz ersetzt worden, die Armbinden trug und statt mit Säbeln mit Gummiknüppeln ausgerüstet war. Unter den Milizionären waren auch einige junge Burschen, die Jiddisch sprachen. Die Warschauer Juden nahmen das als Zeichen dafür, daß für sie bald bessere Zeiten anbrechen würden. Am letzten Tag des Truppenabzugs gingen die Hausmeister von Wohnung zu Wohnung und schärften den Leuten ein, ihre Fenster geschlossen zu halten, weil die Brükken gesprengt werden sollten. Die Pessimisten sagten voraus, daß die Russen im letzten Moment ein Pogrom begehen, die Stadt in Brand stecken und die Geschäfte plündern würden. Es ging das Gerücht, die Abwasserkanäle seien mit Sprengstoff vollgestopft. Aber anscheinend hatten die Russen nicht vor, der Stadt endgültig Ade zu sagen. Von den Polizeikommissaren und den anderen Dienstgraden bekam man zu hören: »*Nitschewo.* Wir kommen wieder.« Worauf sie noch einmal die Hand hinhielten, um das übliche Schmiergeld zu kassieren.

Wie viele andere jüdische Familien in Warschau war auch die Familie Moschkat in zwei Lager gespalten: das eine favorisierte die Russen, das andere liebäugelte mit den Deutschen. Perl, Reb Meschulams älteste Tochter, erklärte mit aller Entschiedenheit, die Deutschen würden ihnen allen bloß Unglück bringen. In der Verwandtschaft wurde gemunkelt, Perl habe fünfzigtausend Rubel in der Kaiserlichen Bank in St. Petersburg liegen. Königin Esther wies die anderen warnend darauf hin, daß es unter deutscher Besatzung »nichts zu futtern« gäbe. Fischel deckte sich mit Unmengen von Waren ein – mit Öl, Seife, Tran, Kerzen, Heringen und sogar mit etlichen Säcken Bettfedern und Daunen, die er in der Genschastraße billig einkaufen konnte. Sein Hof in der Gnojnastraße war vollgestopft mit Fässern und Kisten. Er erkundigte sich bereits danach, ob man mit den Deutschen Geschäfte machen könnte, ob sie bestechlich seien und ob es stimmte, daß sie Jiddisch verstanden.

»Mir kann's doch egal sein«, sagte er achselzuckend. »Ob's nun dieser oder jener Goi ist.«

Nathan Moschkat war noch von früher her, als er und Saltsche auf ihren Reisen nach Marienbad in Berlin Station gemacht hatten, deutsch angehaucht. Er radebrechte ein bißchen Deutsch und konnte sogar Namen und Adressen in der spitzen deutschen Schrift schreiben. Und in seinem Bücherregal hatte er eine Ausgabe der Bibelübersetzung von Moses Mendelssohn stehen. Derzeit verbrachte er fast den ganzen Tag damit, in seinem geblümten Schlafrock, eine seidene Jarmulke auf dem Kopf und Plüschpantoffeln an den Füßen, auf dem Balkon zu sitzen und voller Schadenfreude den Abzug der Russen zu beobachten. Pinnje kam zu Besuch und politisierte. Wenn die Deutschen, so prophezeite er, Moskau besetzten, dann würden die Japaner über Rußland herfallen, Sibirien erobern und dem russischen Bären das Fell über die Ohren ziehen.

»Ich sage dir, Nathan, für die Russen können wir schon jetzt Kaddisch sagen.«

Njunje, der gerade erst Hochzeit mit Bronja Gritzhendler gefeiert hatte, verbrachte seine Zeit in ihrer Antiquitäten- und Buchhandlung in der Heiligkreuzstraße. Er konnte es kaum erwarten, die Deutschen einmarschieren zu sehen und westliche Kleidung anlegen zu können. Den passenden Anzug und Hut hatte er schon im Schrank hängen. Von seinem Vollbart war bloß noch ein Spitzbärtchen übriggeblieben. Studenten und Lehrer kamen in den Laden und fragten nach deutschsprachigen Werken, nach Wörterbüchern und Grammatiken. Es macht Njunje Spaß, eine junge Frau zu haben (eine, die ihr eigenes Haar und keine Perücke auf dem Kopf hatte), von Büchern, Landkarten, Globussen und dekorativen Skulpturen umgeben zu sein und sich mit Kunden über Klopstock, Goethe, Schiller und Heine zu unterhalten. Seit die deutschen Truppen im Vormarsch auf Warschau waren, herrschte in der Stadt fast so etwas wie eine westeuropäische Atmosphäre.

»Bronja, mein Schatz«, sagte Njunje, »bald werden wir im Ausland sein, ohne eine Grenze überschreiten zu müssen.«

Abram wurde von Tag zu Tag zuversichtlicher. Gewiß, die Mieter zahlten nach wie vor keinen Wohnzins. Hama war den ganzen Tag in der Küche beim Kartoffelschälen. Bella und ihre Familie wohnten jetzt bei ihnen. Abrams Enkel, der kleine Meschulam, hatte die Masern. Avigdor, Abrams Schwiegersohn, war arbeitslos und verbrachte seine Zeit damit, sich Zigaretten zu drehen und die jiddischen Zeitungen zu lesen. Aber Abram war selten zu Hause. Ninotschka hatte die Abtreibung gut überstanden. In ihrem Logis in der Ogrodowastraße traf sich allabendlich eine Clique von Schriftstellern, Schauspielern, Musikern und anderen Intellektuellen. Ninotschka zündete dann immer zwei große Kerzen an, setzte sich ganz unkonventionell auf den Teppich, deklamierte Gedichte und sang Lieder.

Am Abend vor dem Einmarsch der deutschen Truppen blieb Abram zu Hause. Stefa hatte ihren Bräutigam – den Medizinstudenten – mitgebracht, und noch zwei weitere Gäste waren da: Mascha, die seit Leas Abreise nach Amerika gewissermaßen verwaist war, und Doscha, Pinnjes jüngste Tochter. Die Mädchen tänzelten herum, lachten und flüsterten sich Geheimnisse zu. Hama tischte Tee, Kartoffelpudding und Wischniak auf. Avigdor brachte den kleinen Meschulam, der nicht schlafen wollte, herein. Um seinen Enkel zum Lachen zu bringen, kroch Abram auf allen vieren herum, bellte wie ein Hund, miaute wie eine Katze, heulte wie ein Wolf. Er bot einen so komischen Anblick, daß sogar seine grämliche Frau lachen mußte. Dann schüttelte sie den Kopf, drückte ihr Taschentuch an die gerötete Nase und schneuzte sich. »Wie könnt ihr bloß so vergnügt sein!«

»Du Schwarzseherin! Warum bläst du ständig Trübsal? Irgendwann müssen wir alle sterben, genau wie die reichsten Millionäre. Und vermodern, genau wie die Könige und Kaiser.«

Um zwei Uhr früh ging Abram zu Bett. Vor Tagesanbruch riß ihn ein ohrenbetäubender Knall aus dem Schlaf. Kurz darauf erfolgten zwei weitere Detonationen. Die Russen hatten die drei Weichselbrücken gesprengt. Fensterscheiben barsten und fielen in den Hof hinunter. Hunde kläfften. Kinder plärrten. Abram setzte sich im Bett auf und dachte: »Bald wird man wieder nach Lodz fahren können.« Vielleicht würde er Ida wiedersehen. Aber wer weiß – vielleicht hatte sie ihn schon vergessen. Vielleicht hatte sie schon Ersatz für ihn gefunden. Er schlummerte wieder ein, wurde aber von beunruhigenden Träumen heimgesucht. Er war zwar schon ein Graubart, doch noch immer pulsierte das Blut stürmisch in seinen Adern. Jugendliche Begierden peitschten seine Sinne auf. In seinen wirren Träumen glaubte er Hadassa zu küssen, doch plötzlich verwandelte sie sich in seine Tochter Stefa.

Am Morgen weckte ihn das Telefon auf. Njunje war am Apparat. »Abram«, stammelte er, *»m ... m ... masel tow* ! Die D ... D ... Deutschen sind da. Jetzt s ... sind wir p ... p ... preußisch.«

»Hurra! Vivat! Potztausend!« jubelte Abram. »Wo bist du denn, du alter Schafskopf? Auf zur Begrüßung der Hunnen!«

Dann rannte er barfuß in der Wohnung herum. Hama und die beiden Töchter wachten auf. Das Baby begann zu quengeln. Abram zog einen weißen Sommeranzug und ein Hemd mit offenem Kragen an, setzte einen Strohhut auf und nahm seinen Spazierstock mit der Hirschhornkrücke. Singend stürmte er die Treppe hinunter. Er winkte eine Droschke herbei und ließ sich zu Njunjes Wohnung fahren. Von dort aus fuhr er zusammen mit Njunje und Bronja zur Senatorska.

Die Sonne strahlte. Von der Weichsel her wehte ein lindes Lüftchen. Die Hausmeister spritzten die Gehsteige und Hauseingänge mit Gummischläuchen ab. Mit Blumen in den Händen eilten junge Frauen und Mädchen vorbei. Die Balkone waren überfüllt, auf der Straße wimmelte es von Menschen. In der Senatorska sah Abram die deutschen Truppen. Offiziere mit Pickelhauben, Säbeln und Reitstiefeln saßen stocksteif auf ihren Pferden. Man merkte ihnen nicht an, daß sie direkt von der Front kamen. Die meisten Soldaten in den breiten Marschkolonnen waren mittleren Alters – breitschultrige, bauchige, bebrillte Männer, viele von ihnen mit Porzellanpfeifen im Mund. Unter ihren Stiefeln schepperte das Kopfsteinpflaster. Sie sangen mit rauher Stimme – es klang sonderbar, fast wie Blöken, und brachte die Zuschauer zum Lachen. Die Eroberer wurden mit Zurufen begrüßt:

»Gut' Morgen! Gut' Morgen!«

»Gut' Mo'en! Gut' Mo'en!« riefen die Soldaten. »Wo geht's nach Petersburg?«

»Zigarre?« fragte Abram einen Soldaten und hielt ihm eine hin.

»Danke schön! Zigarette?« Er gab Abram eine, die kein Mundstück, sondern einen schmalen Goldrand hatte. Die Marschkolonnen waren schier endlos. Taubenschwärme warfen bleischwarze Schatten auf die golden überstrahlten Dächer. Fensterscheiben blitzten im Sonnenschein. Über dem Schloß flatterte bereits die schwarzweißrote Flagge. Ein ganzer Konvoi von Fahrzeugen mit Polizeisonderkommandos – Männer in blauen Umhängen, die meisten mit dunklen Brillen – bewegte sich aufs Rathaus zu. Von Praga herüber waren Schüsse zu hören. Offenbar hatten sich die Russen noch nicht völlig geschlagen gegeben, sondern sich jenseits der Weichsel verschanzt. Zerlumpte Deserteure mit fahlen Gesichtern krochen aus ihren Verstecken in jüdischen Häusern. Zuweilen erwischten deutsche Patrouillen versprengte russische Soldaten, die entweder ins Kriegsgefangenenlager gebracht oder auf der Stelle erschossen und in einer Blutlache liegengelassen wurden. Am frühen Nachmittag wurden an Mauern und Zäunen Bekanntmachungen in deutscher und polnischer Sprache angeschlagen. Den Leuten, die sich davor versammelten, sprangen die fettgedruckten Worte »Streng verboten« in die Augen.

Gegen Abend machte sich Abram auf den Weg zum Wiener Bahnhof, um sich zu erkundigen, ob schon wieder Züge nach Lodz fuhren. Auf der Marszalkowska herrschte Trubel. Kavallerieeinheiten ritten vorbei. Eine Militärkapelle spielte. In den Restaurants und Kneipen waren bereits deutsche Soldaten zu sehen, die zechten und mit Frauen anbändelten. Aus der Chmielna- und Zlotastraße kamen scharenweise Prostituierte, gepudert und geschminkt, mit schwarzumrandeten Augen und Schönheitspflästerchen. Betrunkene krakeelten, die Luft hallte von hemmungslosem Gejohle wider. Der Wiener Bahnhof war geschlossen und wurde von deutschen Soldaten bewacht. Abram wollte einen von ihnen ansprechen, aber der Teutone – er hatte ein Pferdegesicht und Froschaugen – stieß ihn so heftig zurück, daß er beinahe in den Rinnstein fiel. »Mach, daß du wegkommst, verdammter Jude!« Er machte eine drohende Geste mit dem Gewehr.

Siebter Teil

Erstes Kapitel

Der Schnellzug von Bialystok nach Warschau hatte ein paar Stunden Verspätung. Er hätte um vier Uhr nachmittags im Wiener Bahnhof eintreffen sollen, fuhr um diese Zeit aber erst in einer Anschlußstation ein. Dort hatte er lange Aufenthalt: Waggons wurden abgekoppelt, andere angekoppelt. Auf dem Bahnsteig wimmelte es von Leuten, die bereits Fahrkarten gekauft hatten, aber am Einsteigen gehindert wurden. Polnische Fahrgäste verriegelten die Zugtüren und ließen die Juden nicht herein, die, mit Koffern und Bündeln beladen, hilflos auf dem Bahnsteig herumliefen. Eine Frau mit einem Kind auf dem Arm flehte schluchzend um Erbarmen. Ihr war im Gedränge die Perücke vom Kopf gerutscht, so daß sie jetzt mit kurzgeschorenem Haar herumstehen mußte. Ein Soldat spießte die hinuntergefallene Perücke mit seinem Bajonett auf.

In einem Zweite-Klasse-Waggon saß ein junger Mann mit hoher Stirn, tiefliegenden Augen und blondem, schon etwas gelichtetem Haar. Sein grauer Anzug war von der Reise zerknittert, sein Hemdkragen hatte Eselsohren, seine Krawatte saß schief. Sein blasses Gesicht war rußig vom Qualm der Lokomotive. Er las eine Zeitschrift und blickte zuweilen durch die verschmutzten Fensterscheiben. Der Zug hatte schon über eine Stunde Aufenthalt. Schaffner liefen den Bahnsteig entlang und schwenkten Laternen, deren Lichtschein vom Tageslicht gedämpft wurde. Am Fenster eines Erste-Klasse-Abteils saß ein breitschultriger General mit einem eckig gestutzten Bart, wie ihn Großrussen zu tragen pflegten. Kühl und ungerührt blickte er auf den Bahnsteig hinaus. Ihm war anzusehen, daß er aller Sorgen, die andere Leute bedrückten, ledig war. Obwohl Polen gerade erst seine Souveränität erlangt hatte, war die breite Brust des Generals mit polnischen Orden bedeckt.

Die anderen Passagiere des Zweite-Klasse-Abteils, in dem der junge Mann reiste, waren ein Leutnant mit zwei Begleiterinnen, eine alte, schwarzgekleidete Frau, die einen Hut mit

Trauerschleier trug, und ein Gutsbesitzer in einem altmodischen polnischen Kaftan mit Knöpfen und Schlaufen. Reisetaschen und Koffer waren im Gepäcknetz verstaut. Der Leutnant – ein gedrungener, blonder Typ mit rötlichem Gesicht, wäßrigen Augen und kurzgeschorenem Haar – hatte seine Jacke, seine viereckige Uniformmütze und seinen Säbel an einen Haken gehängt. Er saß mit übergeschlagenen Beinen da, paffte eine Zigarette und betrachtete seine Stiefelspitze, die so blankgewichst war, daß er sich darin spiegeln konnte. »Warum halten sie hier so lange, diese Scheißkerle?«

»Weiß der Teufel, warum«, sagte eine seiner Begleiterinnen.

»Satansbrut!« fluchte der Leutnant. »Hab' die ganze Nacht kein Auge zugetan. Polnische Offiziere müssen tagelang in diesen verfluchten Zügen hocken, in denen es von Juden nur so wimmelt. Schöne Zustände!«

Der Gutsbesitzer beugte sich vor. »Gestatten, Herr Leutnant – dort, wo ich herkomme, hat man mit den Juden nicht viel Federlesens gemacht. Vertrieben hat man sie, und damit war die Sache erledigt.«

»Woher kommen Sie denn, mein Herr?«

»Aus der Nähe von Torun. Die Deutschen nennen's Thorn.« Er hatte einen deutschen Akzent.

»O ja, in Posen und Pommern herrschen andere Verhältnisse. Aber hier sind diese verfluchten Schweine überall.«

»Es heißt, an der litauischen Grenze sympathisieren sie mit den Litauern und in Ostgalazien mit diesen ukrainischen Banditen.«

»In Lemberg hat man ihnen einen Denkzettel verpaßt.« Der Leutnant spuckte durchs offene Fenster.

Der junge Mann mit der Zeitschrift ließ sich noch etwas tiefer in den Sitz sinken. Es war erst Anfang Mai, aber der Himmel über dem Bahnhof war so tiefblau wie im Sommer. In den Kohlen- und Schmierölgeruch mischte sich ein leichter Duft nach Wald und Fluß, den der Wind herübertrug. Jemand spielte Ziehharmonika. Der Gutsbesitzer zerrte eine altmodische Reisetasche aus dem Gepäcknetz. Er löste die Riemen, sperrte mehrere Schlösser auf, stöberte in der Tasche herum und zog eine Tüte Plätzchen heraus. »Darf ich mir gestatten, dem Herrn Leutnant ...«

»Danke.« Der Offizier nahm ein Plätzchen.
»Und die verehrten Damen?«
»Vielen, vielen Dank!«
Der Gutsbesitzer sah zu dem jungen blonden Mann auf dem Ecksitz hinüber. Er zögerte einen Moment, dann hielt er ihm die Tüte hin. »Möchte sich der Herr auch eins nehmen?«
Der junge Mann ließ sich noch tiefer in den Sitz sinken. »Nein, danke. Vielen Dank.«
Plötzlich gafften ihn alle an, auch die alte Frau in Schwarz. Der Gutsbesitzer zog die Hand zurück. »Wo kommen Sie her?« fragte er mißtrauisch.
»Ich? Ich bin polnischer Staatsbürger. Ich habe in der zaristischen Armee gedient, bis Kerenski an die Macht kam.«
»Und danach? Bei den Bolschewiken, was?«
»Nein, bei den Bolschewiken nicht.«
»Wie kommt man als polnischer Staatsbürger aus Rußland heraus?«
»Ich bin herausgekommen.«
»Sie haben sich wohl nach Polen durchgeschmuggelt?« wollte der Gutsbesitzer wissen.
Der junge Mann schwieg. Der Leutnant runzelte die Brauen. »Bist wohl ein Jude?« fragte er hämisch.
»Ja, ich bin Jude.«
»Warum hast du das nicht gleich gesagt?« brüllte ihn der Leutnant an.
Einen Moment herrschte Schweigen. Die Begleiterinnen des Leutnants lächelten einander verstohlen zu. Die alte Frau schüttelte den Kopf, die weißen Härchen auf ihrem Kinn bibberten. Der junge Mann wurde kreideweiß.
»Was hast du in Rußland gemacht?« fragte der Offizier.
»Gearbeitet.«
»Wo denn? In der Tscheka? Bist wohl Kommissar gewesen? Hast Kirchen ausgeraubt, was?«
»Ich habe niemanden ausgeraubt. Ich bin Student gewesen. Und Lehrer.«
»Ach was, Lehrer? Was hast du denn gelehrt? Karl Marx, Lenin, Trotzki?«
»Ich bin kein Marxist. Deshalb habe ich Rußland verlassen.

Ich habe Kindern Hebräischunterricht erteilt. Solange das erlaubt war.«

»Keine Mätzchen! Wer hat dich hergeschickt, Genosse Lunatscharskij?«

»Niemand. Ich bin hier geboren. Meine Mutter wohnt in Warschau.«

»In welcher Gegend Rußlands warst du denn?«

»In Kiew, Charkow und Minsk.«

»Was bist du? Ein Agitator? Ein Volksverhetzer?«

»Ich habe Ihnen bereits gesagt, mein Herr, daß ich kein Marxist bin.«

»Was du mir gesagt hast, du Scheißkerl, ist keinen Schuß Pulver wert! Ihr seid alle Lügner, Diebe und Verräter! Wie heißt du?«

Der junge Mann wurde aschfahl. »Sind Sie von der Polizei?« fragte er, entsetzt über seine eigenen Worte.

Der Leutnant machte eine Bewegung, als wollte er aufstehen. »Antworte, du verfluchter Jude! Du sprichst mit einem polnischen Offizier!« Er warf einen Blick auf seinen aufgehängten Säbel.

Der junge Mann klappte die Zeitschrift zu. »Euser Heschel Bannet.«

»Eu-ser-he-schel-ban-net«, wiederholte der Leutnant spöttisch, wobei er die jüdisch klingenden Silben in die Länge zog. Eine seiner Begleiterinnen begann zu kichern. Sie zog ein spitzenbesetztes Taschentuch heraus und hielt es sich an den Mund. Die andere machte ein ärgerliches Gesicht.

»Staschu, laß ihn doch in Ruhe!«

Worauf der Leutnant, halb zu ihr, halb zu sich selber, sagte: »Wofür halten die sich eigentlich, diese Trotzkis? Reisen Zweiter Klasse! Anständige polnische Bürger müssen sich auf den Trittbrettern und auf dem Dach festhalten, während diese verfluchten Verräter sich's bequem machen! He, wohin fährst du?«

Euser Heschel stand auf. »Das geht den Herrn Leutnant nichts an«, erwiderte er und wunderte sich über seine eigene Courage. Der Leutnant sprang auf. Sein Stiernacken lief rot an. Das Blut schoß ihm ins Gesicht, seine niedrige Stirn und seine enganliegenden Ohren wurden puterrot.

»Was? Das werden wir gleich sehen!« Er zog einen Revolver, so klein wie eine Spielzeugpistole, aus der Hosentasche. Das gelbliche Gesicht der alten Frau wurde leichenblaß. Die zwei jungen Damen wollten den Leutnant am Arm packen, doch er schob sie mit den Schultern weg.

»Heraus mit der Sprache, oder ich knalle dich nieder wie einen räudigen Hund!«

»Schießen Sie doch!«

»Schaffner! Polizei!« brüllte der Leutnant. Sein Revolver war gar nicht geladen. Der Gutsbesitzer stimmte in das Gebrüll ein. Euser Heschel zerrte seinen Koffer aus dem Gepäcknetz. Ob er sich damit davonmachen oder ihn als Waffe benützen wollte, war nicht ganz klar. Die Frauen schrien um Hilfe. Im Nu war die Plattform des Waggons von Neugierigen überfüllt. Ein behelmter Polizist erschien auf dem Bahnsteig. Sein Säbel steckte in einer schwarzen Scheide. Der Leutnant riß die Tür auf und sprang hinaus.

»Dieser Jude hat mich beleidigt! Er kommt aus Rußland. Ein Bolschewik. Ich habe Zeugen.«

»Kommen Sie mit ins Stationsgebäude!« sagte der Polizist zu Euser Heschel.

»Ich habe niemanden beleidigt. Ich fahre nach Warschau zu meiner Familie.«

»Das wird sich ja herausstellen.«

Euser Heschel nahm seinen Koffer und stieg aus. Der Polizist stellte dem Leutnant einige Fragen und schrieb etwas in sein Notizbuch. Plötzlich schrillte die Trillerpfeife des Stationsvorstehers. Der Leutnant flitzte auf Euser Heschel zu und versetzte ihm von hinten einen Faustschlag. Dann sprang er wieder in den Waggon. Eine seiner Begleiterinnen warf Euser Heschel seinen verknautschen Hut vor die Füße. Der Polizist faßte ihn am Handgelenk.

»Was ist denn passiert? Wissen Sie nicht, daß man sich mit Offizieren lieber nicht anlegen sollte?«

Er befeuchtete seine Lippen mit der Zungenspitze, rieb Daumen und Zeigefinger aneinander und flüsterte ihm etwas zu. Euser Heschel griff in seine Tasche. Alles spielte sich in Sekundenschnelle ab. Der Zug hatte sich bereits in Bewegung gesetzt. Euser Heschel drückte dem Polizisten einen Geldschein in die Hand. Der Polizist stellte den Koffer auf das Trittbrett eines Waggons. Euser Heschel grapschte nach dem Geländer und sprang auf den fahrenden Zug auf, wobei er sich das Knie am Trittbrett verletzte. Er hielt sich fest, während der Zug sein Tempo beschleunigte und Dampfwolken ausstieß. Drinnen schrie jemand entsetzt auf, dann wurde die Tür geöffnet. Euser Heschel schwang sich hinein. Es war ein überfüllter Dritter-Klasse-Waggon. Ein hochgewachsener Jude hievte Euser Heschels Koffer hinein.

»Wäre um ein Haar schiefgegangen, was? Sie können dem Herrgott danken.«

Zweites Kapitel

I

Aus Bialystok hatte Euser Heschel ein Telegramm an Hadassa geschickt, aber er wußte nicht, ob es überhaupt zugestellt worden war. Er hatte gehört, daß in Polen Briefe und Telegramme zensiert und zurückgehalten wurden. Und nun stand er auf dem Bahnhof und blickte um sich. Lastträger mit roten Mützen eilten durch die Waggons und kabbelten sich wegen der Gepäckstücke. Das grelle Licht der elektrischen Lampen ließ den Nachthimmel noch dunkler erscheinen. In der Bahnhofshalle standen die Leute vor den von polnischer Polizei bewachten Fahrkartenschaltern Schlange. Auf dem Boden lagen schnarchende Soldaten, die schwere Nagelschuhe anhatten. Andere standen an den Imbißständen und tranken Bier aus Maßkrügen. Erst nach längerem Suchen entdeckte Euser Heschel die Gepäckaufbewahrung, wo er seinen Koffer abgab. Als er den Bahnhof verließ, kam er nicht, wie er vorgehabt hatte, in der Marszalkowska heraus, sondern auf einem Platz hinter dem Bahnhofsgebäude. Er ging weiter und geriet in ein wahres Tohuwabohu von Droschken, Automobilen und Schubkarren. Als er nach rechts auswich, stieß er um ein Haar mit einem Pferd zusammen, dessen Schweißgeruch ihm in die Nase stieg und dessen Atem er auf seinem Gesicht spürte. Er wich nach links aus und wurde von den Scheinwerfern eines Automobils geblendet, das so dicht an ihm vorbeifuhr, daß er die heißen Auspuffgase spüren konnte und ihm von dem Benzingestank fast übel wurde. Als er endlich in der Marszalkowska angelangt war, blieb er einen Moment in dem Gewimmel stehen und holte tief Luft.

Ja, das war Warschau!

Er sah zum rötlich überhauchten Himmel empor. Er hatte alles durchgestanden: den Kasernenhofdrill, den Krieg, die Revolution, Hunger, Typhus, Pogrome, Inhaftierung. Er war wieder in Warschau, der Stadt, die das geheimnisvolle Netz der Liebe, der Hoffnung, des Glücks um ihn gewoben und ihn dann verstoßen hatte wie Asmodi – in der Fabel – den König Salomon. Schier unglaublich, daß er noch keine dreißig war! Kaum zu fassen, daß hier, in diesen Straßen, seine Mutter und Dina wohnten, Abram, Herz Janowar, Gina – und Hadassa! War sie wirklich hier – leibhaftig? Wo lag doch gleich die Siennastraße, in der Adele wohnte? Das Kind war dort, *sein* Sohn, den er noch nie gesehen hatte. O Gott – er hatte in dieser Metropole Wurzeln geschlagen, er war jemandes Vater, jemandes Sohn, Bruder, Gatte, Geliebter, Onkel! Kein mieser kleiner Offizier konnte an dieser Tatsache etwas ändern, die ein Bestandteil der Geschichte des Weltalls war.

Er eilte weiter, ohne zu wissen, ob er in Richtung Krolewska oder in Richtung Mokotow lief. Parfümierte Frauen in farbenfrohen Kleidern und blumengeschmückten Hüten tänzelten an ihm vorbei. Korpsstudenten mit litzenbesetzten Mützen spazierten zu dritt und viert nebeneinander her und nahmen den ganzen Gehsteig ein. Frischgebackene Offiziere mit langen Säbeln an der Seite salutierten einander. Aus den Cafés schallte Musik. In den Auslagen standen Schaufensterpuppen. Euser Heschel blieb unter einer Laterne stehen, zog ein Notizbuch heraus und sah die vergilbten Adressen durch. Er bekam Kopfweh und wurde immer nervöser.

An der Ecke Krolewska, nicht weit von der Börse, entdeckte er ein kleines Café. Durch die offene Tür waren erregte Stimmen zu hören. An Tischen mit Marmorplatten saßen Kaufleute, die disputierten und gestikulierten. Manche trugen einen Kaftan, manche ein Jackett. Einige hatten Melonen auf, andere trugen weiche Filzhüte. Glattrasierte waren darunter, Langbärtige und Kurzbärtige. Etliche hatten sich eine Lupe vors Auge geklemmt und prüften Diamanten. Die Steine gingen so rasch von Hand zu Hand, daß man sich nur wundern konnte, daß keiner verlorenging. Schweißbedeckte Stirnen, funkelnde Augen, blitzende Goldzähne. Verwirrt, wie er war, kam Euser Heschel auf einen absonderlichen Gedanken: »Da ist es, das vielzitierte internationale Judentum! Der ›Ewige Jude‹! Wie ähnlich sie den antisemitischen Karikaturen sind!« Er ging hinein und schlug im Telefonbuch nach. Sein Plan stand fest. Er wollte nicht sofort zu seiner Mutter gehen, weil Adele sonst prompt erfahren hätte, daß er zurückgekehrt war. Zuerst mußte er Hadassa wiedersehen. Er suchte und suchte, konnte aber die Nummer nicht finden.

War es denkbar, daß Fischel Kutner kein Telefon hatte? Dann stellte er überrascht fest, daß dieser Name dreimal im Telefonbuch verzeichnet war: die Kutnersche Wohnung, der Laden und das Kontor. »Wie konnte ich das bloß übersehen?« Er notierte die Telefonnummer der Wohnung. Dann hob er den Hörer ab, doch die Vermittlung meldete sich nicht. Von irgendwoher waren die undeutlichen Stimmen zweier Frauen zu vernehmen, die ein Telefongespräch führten. »So müssen Geisterstimmen klingen«, dachte er. Endlich meldete sich die Vermittlung. Er verlangte die Nummer. Das Herz klopfte ihm bis zum Hals. Er hörte eine hohe Männerstimme. »Hallo, wer dort?«

»Ist dort die Wohnung von Hadassa Kutner?«

»Was wünschen Sie?«

»Könnte ich mit ihr sprechen?«

»Sie ist auswärts ... Wer spricht dort?«

»Hier ist ... ein Bekannter von ihr.«

Nach kurzem Zögern sagte der Mann mit der hohen Stimme (es war Fischel) noch einmal: »Sie ist auswärts.« Dann hängte er ein.

»Ich hätte ihn sofort fragen sollen, wo sie ist«, dachte Euser Heschel. Beim Hinausgehen stieß er an einige Tische. Der Weg zu Hadassa war ihm also versperrt! Sie war irgendwo auf dem Land. In der Sommerfrische. Ihre letzte Postkarte an ihn war ein halbes Jahr unterwegs gewesen. Am Eingang des Cafés hielt ihn ein junger Mann an, der einen kurzen blonden Bart hatte und chassidisch gekleidet war. »Etwas einzutauschen?«

Euser Heschel begriff nicht, was damit gemeint war. »Was soll ich denn einzutauschen haben?«

»Dollars, englische Pfund, Kronen, Mark. Von mir bekommen Sie mehr dafür als von der Bank.«

»Tut mir leid. Ich habe nichts. Ich bin eben erst aus Rußland angekommen.«

Der junge Mann musterte ihn von Kopf bis Fuß. »Aus Bolschewikenland, was?«

»Ja.«

»Schlimme Zustände dort, was?«

»Es sieht nicht gut aus.«

»Die erlauben den Juden nicht, Juden zu bleiben, stimmt's?«

»Es ist schwierig.«

»Hier sieht's auch nicht gut aus. Die haben hier alle nur eines im Kopf: den Juden das Leben zu vergällen.«

Er stapfte in seinen schweren Stiefeln davon.

2

Abram war nicht zu Hause. Am Telefon meldete sich eine junge Frau, die polnisch sprach.

»Darf ich um Ihren Namen bitten?«

»Ich glaube nicht, daß gnädige Frau sich an mich erinnern werden. Ich bin etliche Jahre nicht in Warschau gewesen. Mein Name ist Euser Heschel Bannet.«

»O doch, ich erinnere mich an Sie. Ich bin Abram Schapiros Tochter. Stefa.«

»Ach ja, wir sind uns schon einmal begegnet.«

»Vater ist nicht zu Hause. Wenn Sie ihn dringend sprechen müssen, kann ich Ihnen die Nummer geben, unter der er zu erreichen ist. Wollen Sie die Nummer notieren? Er spricht oft von Ihnen.«

»Danke sehr. Und wie geht's Ihnen?«

»Ach, ganz gut. Ich bin verheiratet. Werden Sie in Warschau bleiben?«

»Vorläufig ja.«

Er bedankte sich und hängte ein. Dann verlangte er die andere Nummer. Wieder meldete sich eine Frau, die aber, der Stimme nach zu schließen, nicht mehr jung war. Euser Heschel wartete. Offenbar war dort eine Diskussion oder ein Fest im Gange. Er hörte laute Stimmen und Gelächter. Dann dröhnte ihm Abrams Stimme ins Ohr, so daß er den Hörer ein Stück weit weghalten mußte.

»Was? Du bist's? Du lieber Himmel! Sehe ich dich wirklich vor mir . . . ich meine, höre ich wirklich deine Stimme? Gelobt sei Gott, der die Toten auferweckt! Ich war felsenfest überzeugt, daß du nicht mehr auf Erden wandelst. Da rafft sich einer auf und verschwindet – und man hört jahrelang kein Wort mehr von ihm! Jemand muß an der Wunderlampe gerieben haben! Wo bist du? Von wo sprichst du? Wo zum Teufel hast du gesteckt? Ich dachte schon, du bist vielleicht Kommissar oder Tschekaspitzel geworden. Also, worauf wartest du noch? Warum kommst du nicht herüber? Warum sagst du denn kein Wort? Herrgott, das wird eine Sensation!«

»Ich bin erst heute abend angekommen. Jetzt bin ich in einem Café in der Krolewska.«

»Aha, auf dem Schwarzmarkt! Wo ist dein Gepäck?«

»Auf dem Bahnhof. In der Gepäckaufbewahrung.«

»Was stehst du dort herum wie ein Ölgötze? Nimm ein Taxi und komm her! Wenn du dir keins leisten kannst, fährst du mit der Straßenbahn. Ich bin in der Heiligkreuzstraße. Nummer sieben. Frag nach Frau Pragers Atelier. Nein, du brauchst gar nicht erst zu fragen, du findest es von selbst. Es hat ein großes Oberlicht. Wer hat dir denn die Telefonnummer gegeben?«

»Deine Tochter Stefa.«

»Was? Das ist doch nicht möglich! Also, komm herüber! Wo hast du Stefa denn aufgetrieben? Ich habe überall nach ihr Ausschau gehalten. Verheiratet sich und vergißt, daß sie einen Vater hat. Und du Halunke hast mir nicht ein einziges Mal geschrieben! Ich meine, vor der Revolution.«

»Die haben keine Post durchgelassen.«

»O doch! An Hadassa *hast* du geschrieben, verflixt noch mal! Also, was ist los mit dir? Bist du Bolschewist geworden?«

»Noch nicht.«

»Also, hopp, hopp! Mach dich auf den Weg!«

Euser Heschel verließ das Café. Seine Füße waren jetzt nicht mehr so bleiern. Er fragte jemanden, in welche Straßenbahn er einsteigen müßte, dann fuhr er die Krolewska entlang. Das Hoftor des Hauses Heiligkreuzstraße Nummer sieben war nicht abgeschlossen. Das große Oberlicht in dem schrägen Dach war hell beleuchtet. Euser Heschel ging hinauf. Abram erwartete ihn bereits an der Tür. Seine breitschultrige Gestalt war ein wenig gebeugt, sein Bart graumeliert, sein Gesicht wie von Sonnenbrand gerötet. Seine jugendlich gebliebenen schwarzen Augen unter den buschigen Brauen funkelten. »Da bist du!«

Er riß Euser Heschel in dic Arme. Sein Atem roch nach Zigarrenrauch. »Da ist er also wieder – direkt aus der Hölle! Na sowas, bist du größer geworden, oder bin ich zusammengegangen? Jaja, Bruderherz, ich bin ein alter Mann geworden. Was stehst du hier herum wie ein Bettler? Komm herein! Wir sind hier ganz unter uns. Wo zum Teufel bist du gewesen? Schau, schau, er läuft immer noch mit Hut und Überzieher herum! Ich dachte schon, du trägst jetzt eine Schirmmütze und eine Hemdbluse. Zar Nikolaus hat also dran glauben müssen! Wir haben seinen Sturz also doch erlebt! Und die Bourgeoisie muß jetzt die Straßen kehren, was? Der Messias ist gekommen – in Gestalt von Juda Leon Trotzki. Und hier in Polen bekommen *wir* eins aufs Dach.«

»Ich weiß.«

»Ach ja? Hast du's auch schon zu spüren bekommen? Wie bist du eigentlich nach Warschau gekommen? Mit welchem Zug? Du scherst dich sicher keinen Dreck mehr um uns, aber wir haben dich nicht vergessen. Immerhin hast du hier einen Sohn. Viel zu gut für dich, das kann ich dir sagen! Ich hab' ihn kürzlich gesehen, ich weiß nicht mehr, wo es war. Ein großer Junge! Seinem Vater wie aus dem Gesicht geschnitten. Ein Racker! Übrigens, Bruderherz« – er sprach plötzlich mit gedämpfter Stimme – »hast du Hadassa schon getroffen?«

»Nein.«

»Nu, du wirst sie schon noch treffen. Sie ist schöner denn je. Ist eine große Dame geworden. Wohnt seit einigen Jahren in Otwock. Sie war krank und mußte ins Sanatorium. Danach ist sie in Otwock geblieben – was hätte sie denn auch nach Warschau zurückziehen sollen? Sie hat da draußen nicht etwa ein Landhaus, sie hat einen Palast! Fischel hat eine Unmenge Geld gescheffelt. Er hat die Moschkats völlig in die Hand bekommen und ihnen das Fell über die Ohren gezogen. Der Zaster fließt ihm nur so zu. Aber was hat er davon? Sie kann ihn nicht ausstehen. Wo wohnst du . . . ich meine, willst du dich bei deiner Mutter einquartieren? Du hast doch noch eine Mutter, oder nicht?«

»Ja. In der Franziskanerstraße.«

»Warst du schon dort?«

»Noch nicht.«

»Hm. Immer noch der alte Euser Heschel! Aber was soll's?

Ich will dir keine Moralpredigten halten. Ich sage, zum Teufel mit allem, zum Teufel mit der ganzen Welt! Ich bin immer noch der alte Abram. Auch bei mir geht's auf und ab. Ich wäre beinahe Millionär geworden, und jetzt habe ich keinen roten Heller. Ich bin zu gutgläubig, das ist der Haken. Ich habe Grippe und Lungenentzündung gehabt. Die Begräbnisbruderschaft hat sich schon die Lippen geleckt, aber du weißt ja, wie das ist, wenn Gott ein Wunder vollbringen will. Da oben hat man, scheint's, genausowenig Verwendung für mich wie hier unten. Weißt du, was ich gern täte? Meine Sachen packen und nach Palästina gehen. Nicht, weil ich, wie die alten frommen Juden, dort sterben möchte, sondern um mir das Heimatland der Juden einmal anzusehen. Was hältst du von der Balfour-Deklaration? Hier haben sie vor Freude auf der Straße getanzt. Das Atelier hier gehört Ida Prager. Ich glaube, ich hab' dir schon einmal von ihr erzählt. Eine große Künstlerin. Nu komm schon! Die werden dich bestimmt nicht auffressen.«

»Könntest du einen Moment mit hinunterkommen?«

»Weshalb? Vor wem fürchtest du dich denn? Niemand wird dich anzeigen.«

»Ich habe nichts auf dem Kerbholz. Es geht um etwas anderes. Ich möchte zunächst ein paar Tage in Warschau verbringen, ohne daß Adele erfährt, daß ich hier bin.«

»Aha, daher weht der Wind! Ich verstehe. Komm herein – niemand aus der Mischpoke ist hier. Ich mache dich mit Ida bekannt. Keine Bange, deine Frau erfährt bestimmt nichts! Niemand hier kennt sie. Ich sage dir, eine Frau wie Ida gibt es auf der ganzen Welt kein zweites Mal! Du kannst mich ruhig auslachen, aber ich mußte erst so alt werden, um zu begreifen, was Liebe wirklich bedeutet.«

Er faßte Euser Heschel am Arm und führte ihn in ein großes Atelier. Die Wände waren mit Gemälden in Holzrahmen bedeckt. In Sackleinen gewickelte Skulpturen standen auf Postamenten. Offenbar hatte irgendwo eine Ausstellung stattgefunden. Die Bilder waren in ganz verschiedenen Stilen gemalt: realistisch, kubistisch, futuristisch. Einige Figuren standen auf dem Kopf, einige schwebten in der Luft. Im Atelier wimmelte es von jungen Männern und Frauen. Paare hatten sich in Winkel zurückgezogen und flüsterten miteinander. In ein und denselben dunklen Schal gehüllt, saßen zwei Frauen auf der Chaiselongue und rauchten gemeinsam eine Zigarette.

Ein kleiner Mann, der eine Samtjacke trug, auffallend buschiges Haar und so gut wie keinen Hals hatte, redete lautstark und unterstrich jede Äußerung mit seinen kurzen, dikken Fingern. »Formen sind wie Frauen. Sie werden alt, runzlig, welk. Was bedeutet uns heute ein Jan Matejko? Was können wir, in dieser stürmischen Revolutionsepoche, einem Poussin oder einem David abgewinnen? Die alte Kunst ist tot!«

»Rappaport, Sie können reden, was Sie wollen, aber beleidigen Sie alte Weiber nicht!« rief eine Frau. »Sie verstehen hoffentlich, was ich meine!«

Sie erntete Gelächter und Beifall. Abram stampfte ärgerlich mit dem Fuß auf.

»He, Sie Schreihals, wann halten Sie endlich die Klappe? Es hat einmal eine Zeit gegeben, da haben die Maler gemalt. Jetzt quasseln sie bloß noch. Matejko taugt nichts, aber *Sie* sind erstklassig! Und dabei können Sie Dussel nicht mal einen Rettich malen.«

»Jetzt fängt er schon wieder an! Und immer gleich so ausfällig.«

»Ida, mein Schatz, ich möchte dir diesen jungen Mann vorstellen. Wir haben oft von ihm gesprochen. Euser Heschel Bannet, Hadassas Freund.«

Ida Prager, grauhaarig, in einem schwarzen Kleid, zu dem sie ein Perlenhalsband und Brillantohrringe trug, hob ihr an einem Kettchen befestigtes Lorgnon an die Augen. »Also Sie sind Euser Heschel. Ich habe natürlich schon viel von Ihnen gehört. Wann sind Sie angekommen?«

»Heute.«

»Aus Rußland?«

»Aus Bialystok.«

»Wirklich sensationell! Wie sieht's jetzt da drüben aus? Wissen Sie, wenn jemand von dort kommt, ist es, als käme er aus einer anderen Welt zurück.«

»Das finde ich auch«, unterbrach sie Abram. »Ida, Liebste,

ich muß dir etwas sagen.« Er zog sie beiseite und flüsterte auf sie ein.

»Er könnte doch hier übernachten.«

»Keine schlechte Idee! Wie wär's mit etwas zu futtern, Euser Heschel? Du könntest gut und gern zehn Pfund zunehmen.«

»Ich bin nicht hungrig.«

»Dort, wo Sie herkommen, sind alle Leute hungrig«, sagte Ida. »Ich mache Ihnen was zu essen.«

»Moment, Ida! Ich gehe mit ihm hinunter. Wir haben einiges zu besprechen. Nach all den Jahren. Ich war derjenige, der ihn damals in die Familie eingeführt hat. Wer konnte denn ahnen, was für ein Schlamassel dabei herauskommen würde?« Dann rief er schallend: »He, Rappaport, reißen Sie die alten Meister herunter, machen Sie Hackfleisch aus ihnen! Eines Tages wird man die Leonardos, Rubens' und Tizians aus dem Louvre werfen und Ihre langnasigen Karikaturen aufhängen!«

Ida machte eine ärgerliche Geste. »Abram, schäm dich! Wie kannst du so etwas sagen? Du vergißt, daß er mein Gast ist. Rappaport, achten Sie nicht auf ihn! Er meint es nicht so.«

Rappaport kam herüber. »Ich habe nichts gegen ihn. Er vertritt die Ansichten seiner Klasse.«

»Komm, Euser Heschel! Wenn ich noch einen Moment hierbleibe, reiße ich ihm eine Handvoll Locken aus. Welcher Klasse gehören *Sie* denn an? Sie sind doch genau so ein Bourgeois wie ich.«

»Sie sind der Mentalität der Bourgeoisie verhaftet geblieben.«

»Sie Farbenkleckser! Sie glauben wohl, weil Zar Nikolaus erschossen wurde, sind Sie plötzlich ein großer Maler? David ist alt, und Sie sind neu. Sie sollten sich den Mund ausspülen, bevor Sie seinen Namen erwähnen!«

»Abram, das kann ich nicht dulden!« rief Ida empört.

»Schon gut, wir gehen. Jeder Zehntklassige schwenkt zur revolutionären Bewegung um und ernennt sich zum Genie. Angeber! Scharlatane! Mein Enkel kann besser malen als Sie!«

Er stürmte hinaus. Euser Heschel verabschiedete sich von Ida. Sie reichte ihm ihre schmale Hand und lächelte ihm zu.

Er sah, daß sie Krähenfüße und ein Doppelkinn hatte. Das Rouge auf ihren Wangen war rissig geworden wie die Tünche auf einer Wand. Tiefer Kummer sprach aus ihren Zügen – die Verzweiflung eines Menschen, der sich in einen Irrtum verstrickt hat und keine Möglichkeit sieht, sich daraus zu befreien.

»Sie kommen doch zurück? Lassen Sie ihn nicht zu lange draußen herumrennen. Eigentlich sollte er jetzt schon im Bett sein.«

Sie schüttelte den Kopf, als wollte sie andeuten, daß Abram gar nicht wußte, *wie* krank er war.

3

Drunten im Hof blieb Abram stehen und klopfte mit dem Spazierstock aufs Pflaster. »Also, mein Junge, heraus mit der Sprache! Es ist fünf Jahre her, seit du verschwunden bist, als hätte dich der Teufel verschluckt. Willst du nicht was essen? Oder hast du dir's abgewöhnt? Gegenüber ist ein Lokal.«

Es war ein nichtjüdisches Lokal, halb Kneipe, halb Lebensmittelgeschäft. Die Wände hatten rote Tapeten. Rechts neben dem Eingang hing ein großes Plakat, das einen spitzbärtigen Bolschewiken (eine Mischung aus Judas und Trotzki) zeigte, der einer stupsnäsigen Polin, die ein Kruzifix umgehängt und ein Kind auf dem Arm hatte, ein Bajonett in den Rücken stieß. Hinter dem mit Kuchen und gebratenen Enten beladenen Tresen stand ein stämmiger, glatzköpfiger Mann mit einem gezwirbelten, bierfarbenen Schnurrbart.

»Guten Abend, Panje Marianje!« rief Abram auf polnisch. »Wo ist Josef? Ich sterbe vor Hunger! Und dieser junge Mann möchte auch etwas essen.«

»Guten Abend, die Herren. Bitte Platz zu nehmen. Sie werden von mir persönlich bedient. Heute haben wir Wurst mit Sauerkraut – erstklassig! Oder möchten die Herren lieber eine Suppe?«

»Für mich bitte Suppe«, sagte Euser Heschel.

»Würden Sie mir bitte ein Glas Schnaps und eine Wurst bringen, Panje Marianje?«

»Gern, Panje Abram. Einen guten. Ich weiß schon.«

»Und jetzt erzähl!« sagte Abram zu Euser Heschel. »Mit

mir kannst du ganz offen reden. Hadassa hat mir alles erzählt – das heißt, schon vor einiger Zeit. Jetzt ist Herz Janowar ihr Beichtvater. Daß er Gina geheiratet hat, weißt du sicher schon. Zum Glück ist diese Hilde Kalischer nicht mehr hier. Gleich nachdem du fortgegangen warst, ist Hadassa sehr krank geworden. Damals ist ihre Mutter gestorben, und kurz darauf hat ihr Vater eine wahre Giftnudel geheiratet. Er war schon immer ein Trottel. Er läßt sich von dieser Frau kujonieren. Seine Tochter geht ihm aus dem Weg. Sie besucht ihn nie, und er sie auch nicht. Und was Fischel betrifft – über den könnte man ein ganzes Buch schreiben. Er ist mordsmäßig fromm und scheffelt Geld. Als die Deutschen kamen, hat er sich bei ihnen Liebkind gemacht. Und jetzt, wo die Polen ihre eigene Regierung haben, macht er mit ihnen Geschäfte. Sobald er kauft, steigen die Aktien, und sobald er verkauft, fallen sie. Hausse und Baisse, Bullen und Bären! Wir haben hier einen ganz neuen Jargon. Also, dieser Bursche hat gekauft und verkauft und jongliert, bis er allen das Fell über die Ohren ziehen konnte. Und dabei ist er gar kein übler Kerl. Er ist tatsächlich der einzige, der den Bialodrewner Rebbe unterstützt. Niemand versteht, warum er sich nicht von Hadassa trennen will – er hat absolut nichts von ihr zu erwarten. Eine verrückte Sache ist das zwischen dir und Hadassa! Wenn du wirklich so vernarrt in sie warst, hättest du dich nicht einziehen lassen sollen.«

»Ich würde es wieder tun, statt mir einen Finger abzuhakken oder mir sämtliche Zähne ziehen zu lassen.«

»Du hättest dich verstecken sollen. Beim Einmarsch der Deutschen sind die Deserteure wie Ratten aus ihren Löchern gekrochen.«

»Ich wollte keine Ratte sein.«

»Nu ja, du hast dafür bezahlen müssen. Wenn man Anfang Zwanzig ist, glaubt man, noch genug Zeit zu haben. Also, wo hast du all die Jahre gesteckt? Was ist passiert?«

»Ich war beim Militär, bis kurz vor der bolschewistischen Revolution. Ich habe den ganzen Rückzug von den Karpaten bis in die Ukraine mitgemacht.«

»Muß ein langer Marsch gewesen sein! Und wo warst du, als die Bolschewiken an die Macht kamen?«

»In einem Dorf bei Jekaterinoslaw.«

»Was hast du dort gemacht?«

»Ich war Hauslehrer bei einer wohlhabenden jüdischen Familie. Der Mann hatte dort nach dem Kerenski-Putsch ein Gut gekauft.«

»Und dann?«

»Alles ging drunter und drüber. Von der Revolution erfuhren wir erst Mitte November. Die Bolschewiken beschlagnahmten das Gut. Die Soldaten bildeten ein *ispolkom* und erschossen einige Offiziere. Ich hätte mich nach Warschau durchschlagen können, aber ich bekam Typhus. Das war, als Skoropadskij Hetman der Ukraine war.«

»Und du bist die ganze Zeit in diesem Dorf gewesen?«

»Nein, damals war ich schon in Jekaterinoslaw. Ich wollte fort, aber dann hatte ich einen Rückfall. Mittlerweile kamen General Denikins Truppen und danach Machnos Truppen – und dann brachen wieder die Bolschewiken durch, und dann kamen Denikins Truppen zurück . . .«

»Herrschen bei den Bolschewiken wirklich so schlimme Zustände, wie man sich erzählt?«

»Jeder gegen jeden. Hobbes' Philosophie in der Praxis.«

»Hast du Petljuras Pogrome miterlebt?«

»Ich habe alles miterlebt. Die ganze menschliche Tragödie.«

»Wir haben hier auch so manches erleben müssen. Ich bin alles andere als ein Bolschewist, aber die konnten doch diese zaristischen Schurken nicht wieder an die Macht kommen lassen.«

»Sie haben nicht nur die zaristischen Schurken umgebracht.«

»Ich dachte, du bist vielleicht auch Bolschewist geworden.«

»Nein, Abram, niemals. Wie geht's Hadassa? Wann hast du sie zuletzt gesehen?«

»Das ist schon eine ganze Weile her. Sie hat's gut. Liest Bücher und braucht keinen Finger zu rühren. Herz Janowar ist ein richtiger Schmarotzer geworden. Hat eine Art Verein gegründet, dem wir alle beigetreten sind. Er erzählt jedermann von seinen Träumen, schreibt sie auf und schickt sie nach

England. Wo man sie vermutlich in Essig einlegt. Er wird hauptsächlich von Hadassa unterstützt. Sie wollte auch etwas für die Zionisten tun. Ihr Zustand hat sich gebessert, aber ganz gesund wird sie nie werden. Übrigens – was für eine Weltanschauung hast du? Wie soll man sich denn verhalten?«

»Ich habe keine Weltanschauung.«

»Hältst du nichts mehr von Spinoza?«

»Doch. Aber was nützt das schon?«

»Ich will mich nicht in deine Angelegenheiten einmischen, aber Hadassa möchte sich scheiden lassen und dich heiraten und Kinder bekommen.«

»Ich will keine Kinder haben. An diesem Entschluß ist nicht zu rütteln.«

»Ein Jammer! Du hast einen sehr netten Sohn. Wenn ich ihn sehe, muß ich jedesmal lachen. Euser Heschel Nummer zwei. Ich kann verstehen, wie dir zumute ist. Aber das wird sich ändern. Was hältst du vom Zionismus? Du bist doch einmal Zionist gewesen.«

»Ich glaube nicht, daß man uns in Frieden leben lassen wird – es sei denn, wir wären stark.«

»Vielleicht werden wir's.«

»Wie denn? Das versuchen wir doch schon seit dreitausend Jahren.«

»An was für einen Gott glaubst du eigentlich? Er kann doch kein Dummkopf sein.«

»Man zweifelt an Seiner Weisheit, wenn man ein geschundenes, völlig verlaustes Kind sieht, oder wenn man in einen Viehwaggon gezwängt wird und seine Notdurft durchs Fenster verrichten muß.«

»Könnte all das Böse nicht etwas Gutes zur Folge haben?«

»Etwas Gutes? Was denn?«

»Bessere Lebensbedingungen.«

»Mir ist das einerlei, Abram. Wirklich! Ich bin zu der Ansicht gelangt, daß die menschliche Spezies nicht wichtiger ist als Fliegen und Wanzen. Ohne diese Überzeugung hätte ich all die Jahre nicht überstehen können.«

»Ein schwacher Trost! Aber sogar die Wanzen würden versuchen, ihre Lebensbedingungen zu verbessern, wenn sie dazu imstande wären.«

»Unter besseren Lebensbedingungen würden mehr Kinder geboren werden, und dann gäbe es wieder das gleiche Elend.«

»Was schlägst du vor? Geburtenkontrolle?«

»Wenn das auf internationaler Basis durchzuführen wäre, ja.«

»Bei den Chinesen käme man damit nicht durch.«

»Dann müssen sie weiterhin hungern.«

»Du verstehst es wirklich, einem das Wort im Mund herumzudrehen. Du bist immer noch nicht erwachsen geworden. Womit hast du dort deinen Lebensunterhalt verdient? Und womit willst du ihn hier verdienen?«

»Ich habe alles mögliche gemacht. Ich war sogar Lehrer an einer Volkshochschule in Kiew. Die sind dort alle Professor geworden.«

»Kannst du noch Polnisch?«

»Die Familie, bei der ich gewohnt habe, kam aus Polen. Die Mädchen haben nur polnisch gesprochen.«

»Wenn dir wirklich an Hadassa gelegen ist, wirst du früher oder später für ihren Lebensunterhalt sorgen müssen. Und für deinen Sohn mußt du auch etwas berappen. Und deine Mutter hat sicher auch Unterstützung nötig.«

»Ich bin mir über meine Lage im klaren, Abram.«

»Eine üble Lage! Du siehst mitgenommen aus.«

»Ich habe seit Tagen nicht geschlafen. Die Schwierigkeiten, die ich auf der Reise hatte, sind kaum zu beschreiben.«

»Man sieht's dir an. Deshalb will ich dir nicht zu viele Fragen stellen. Ich hoffe, du hast dort keine Bankerte hinterlassen.«

»Nein. So weit bin ich nicht gegangen.«

»Wie gesagt, Hadassa ist in Swider. Ihre Villa heißt ›Rozkosz‹. Genau gesagt, liegt das Haus zwischen Otwock und Swider. Wie willst du dich denn mit ihr verabreden?«

»Hat sie denn kein Telefon?«

»Nein. Du wirst heute bei mir übernachten müssen. Fahr zum Bahnhof und hol deinen Koffer ab. Du kannst jetzt noch eine Straßenbahn erwischen. Falls das Hoftor geschlossen ist, sagst du dem Pförtner, daß du im Atelier erwartet wirst. Er ist einer von uns. Wir schmieren ihn gelegentlich.«

Er erhob sich. Euser Heschel sah, wie sich sein Gesicht

verzerrte. Es dauerte eine Weile, bis Abram sich aufrichten und zur Tür gehen konnte.

4

Euser Heschel stand vor dem Lokal und starrte in die Nacht hinaus. Es war sonderbar, aber ihm war einfach nicht danach, seine Mutter aufzusuchen, sein Kind zu sehen oder wieder zu Abram zu gehen. Und der Gedanke, Hadassa wiederzusehen, machte ihm sogar Angst. Der Kopf tat ihm weh, seine Kehle und seine Nase waren wie ausgetrocknet. »Was ist mit mir? Werde ich krank?« Es war spät geworden – zu spät, sagte er sich, um nochmals zu Ida Prager zu gehen. Er konnte sich einfach nicht vom Fleck bewegen. »Was habe ich zu Abram gesagt? Bin ich wirklich so verzweifelt?« Ein ramponierter Betrunkener tauchte aus der Jasnastraße auf, blieb am Rinnstein stehen und urinierte. Aus der Marszalkowska kam ein schwarzbehelmter Polizist mit einem Säbel an der Seite. Euser Heschel ging ihm aus dem Weg. Er hatte keinen Paß, nur seine Geburtsurkunde, die halb zerfetzt, notdürftig zusammengeklebt und fast unleserlich war. Als er in der Marszalkowska angelangt war, sah er aus Richtung Krolewska eine Straßenbahn kommen. »Eigentlich ist es ganz einfach«, dachte er. »Ich brauche mich bloß auf die Schienen zu werfen und mich überrollen zu lassen.« Nein! Wenn er es überlebte, würde er vielleicht ein Krüppel sein. Fast so, als ahnte sie etwas von seinen Selbstmordgedanken, brauste die Straßenbahn ratternd an ihm vorbei. Er überquerte die Fahrbahn. Von irgendwoher tauchte eine Schar Straßendirnen auf – geschminkt, gepudert, herausgeputzt, mit roten Strümpfen, Zigaretten paffend. Offenbar hatte es Krawall gegeben. Vielleicht eine Razzia. Eine Trillerpfeife schrillte. Euser Heschel griff in seine Hosentasche. Wo war sein Gepäckschein? Hatte er ihn verloren? Nein, da war er ja – in der anderen Tasche! Er zog sein Taschentuch heraus und wischte sich den Schweiß von der Stirn. »Am besten, ich bilde mir ein, daß ich schon tot bin. Einer von denen, die im Chaos herumwandern. Nichts kann mir mehr geschehen, nichts Gutes und nichts Böses.«

Die große Bahnhofshalle war hell beleuchtet, aber jetzt herrschte nicht mehr soviel Betrieb. Der Lichtschein der

Lampen sah wie goldenes Netzwerk aus. Von den Bänken her war lautes Schnarchen zu hören. Vor den Fahrkartenschaltern standen die Leute auch jetzt noch Schlange. Polizisten mit umgehängten Gewehren patrouillierten. In einer anderen Halle standen Soldaten in voller Ausrüstung, die offenbar auf den Zug warteten, der sie zur Front bringen sollte. Euser Heschel beobachtete, wie ein Soldat einem Kameraden die Zigarette aus dem Mund nahm, einen tiefen Zug machte und den Rauch durch die Nase ausstieß. Ein großer, grobknochiger Soldat mit Sommersprossen, kleinen wäßrig-grünen Augen und weit auseinanderstehenden Zähnen lachte lauthals. Euser Heschel war es rätselhaft, wie jemand zum Lachen aufgelegt sein konnte, der fortgeschickt wurde, um wie ein Tier abgeschlachtet zu werden. Woher nahm dieser Soldat sein Gottvertrauen? War es das Gottvertrauen der polnischen Patrioten? Nein, dieser Mann hatte ganz einfach starke Nerven. Sein Vater und sein Großvater hatten ihre Zeit nicht damit zugebracht, in den Talmud vertieft im Lernhaus zu sitzen.

5

Er stand vor dem verzinkten Tresen der Gepäckaufbewahrung und hielt seinen Gepäckschein bereit. Aber niemand war da. Ein Sammelsurium von Koffern stand auf den Regalen – große und kleine, lederne und hölzerne, Koffer mit Schlössern, mit Haspen und Ösen, mit Außentaschen. »Mitten im Weltall«, dachte er, »führt dieses kleine System ein Eigenleben, ganz für sich, mit eigenen Gesetzen und Wertbegriffen. Es dreht sich mit um die Erdachse, es umkreist die Sonne, es wandert mit dem Milchstraßensystem immer weiter in den unendlichen Weltraum. Merkwürdig, wirklich merkwürdig!« Ein junger Pole mit langem, schmalem Gesicht kam durch eine Seitentür herein. Er nahm den Gepäckschein und zerrte den Koffer aus einem der oberen Regalfächer. Euser Heschel hievte ihn vom Tresen herunter. Wieso war der Koffer plötzlich so schwer? Als ob jemand Steine hineingepackt hätte. Wo sollte er jetzt noch eine Straßenbahn erwischen? Er würde vielleicht eine Droschke nehmen müssen. Er sah hinüber zu der großen Bahnhofsuhr. Fünf Minuten vor Mitternacht. Jetzt tat es ihm leid, daß er sich soviel

Zeit gelassen hatte. Es war ihm zu peinlich, zu so später Stunde mit seinem Koffer bei Ida Prager zu erscheinen. Ob er nicht doch zu seiner Mutter gehen sollte? Ja, das war wohl am besten. In diesem Moment hörte er eine Frau fragen: »Wann geht der Schnellzug nach Otwock?«

»Zwölf Uhr fünfzehn.«

Und sofort stand sein Entschluß fest: Er würde nach Otwock fahren, wie er ging und stand. Fischel hielt sich in Warschau auf, Hadassa war mit dem Dienstmädchen allein in ihrem Landhaus. Wie hieß es doch gleich? Ach ja, »Rozkosz«. Er wunderte sich, daß er nicht schon vorher auf diese glänzende Idee gekommen war. Warum bei Ida Prager Zuflucht suchen? Er hatte doch eine Liebste! Er stellte seinen Koffer ab und ging zum Fahrkartenschalter, wo die Frau, die sich nach dem Zug nach Otwock erkundigt hatte, bereits am Ende der Schlange wartete. Ob es in siebzehn Minuten zu schaffen war? Ob er den Weg zu Hadassas Landhaus überhaupt finden würde? Und was würde das Dienstmädchen sagen? Verrückt war das alles! Er versuchte, seinen Koffer und gleichzeitig den Fahrkartenschalter im Auge zu behalten. Der Schalterbeamte ließ sich Zeit. Ein breitschultriger Mann stand vornübergebeugt am Schalter und ließ sich eine Auskunft geben. Der große Zeiger der Bahnhofsuhr stand einen Moment still, dann rückte er weiter. Die Leute in der Schlange begannen zu murren. Warum ging es nicht vorwärts? »Ist der Kerl eingeschlafen?« fragte ein kleiner Pole mit langem Schnurrbart. »Unsere polnischen Beamten!« schimpfte ein untersetzter Mann, dessen Nase wie in zwei Teile gespalten aussah. »He, Panje, schneller, schneller!« rief jemand. »Hoffentlich ist der da vorne kein Jude!« schoß es Euser Heschel durch den Kopf. Der Mann vor dem Schalter beugte sich noch weiter vor, wie wenn er gespürt hätte, daß alle gegen ihn waren. Auch Euser Heschel war wütend auf diesen breitschultrigen Kerl, der andere Leute aufhielt und seine Pläne zunichte machte. Umbringen sollte man solche Kerle! In diesem Moment richtete sich der Mann auf. Er war lahm und ging an einer Krücke. In den Ärger der anderen mischte sich jetzt so etwas wie Scham. Nun ging die Abfertigung rasch vonstatten. Euser Heschel hielt das Geld für die Fahrkarte bereit. Und sein Koffer?

Sollte er ihn mitnehmen? Nein, wozu denn? Er mußte ihn wieder zur Gepäckaufbewahrung bringen. Der Bursche dort würde ihn bestimmt für meschugge halten. Wenn er bloß noch rasch ein Hemd und seine Zahnbürste herausnehmen könnte! Sein Gesicht war bereits mit Stoppeln bedeckt.

Er kaufte eine Fahrkarte und hastete zur Gepäckaufbewahrung. Wieder war niemand da. Jetzt war alles im Eimer! Nur noch fünf Minuten bis zur Abfahrt des Zuges. Herrgott noch mal, wo trieb sich dieser Trottel denn die ganze Zeit herum? Warum blieb er nicht an seinem Arbeitsplatz? Überall die gleiche Bummelei! Durchaus möglich, daß er eine halbe Stunde wegblieb, dieser Dreckskerl! Nein, da kam er ja! Als er den Koffer entgegennahm, warf er Euser Heschel einen erstaunten Blick zu, dann verlangte er einen Groschen. Und dann fummelte er mit der Schnur herum, mit der der Gepäckzettel am Koffer befestigt werden mußte. Nur noch knapp drei Minuten! Euser Heschel grapschte nach dem Gepäckschein und stürmte hinaus. Der Fahrkartenkontrolleur, der sich die Brille bis zur Nasenspitze hinuntergeschoben hatte, wollte gerade die Sperre zumachen. Er zog ein Gesicht, dann lochte er die Fahrkarte zweimal. Der Zug stand noch am Bahnsteig. Vor Euser Heschel rannte ein junger Mann. Eine mit Paketen beladene Frau verfiel ebenfalls in Laufschritt, ihr Hinterteil schaukelte hin und her. Sie erinnerte Euser Heschel an eine Kuh. Er überholte sie, sprang in den Zug und hielt ihr die Tür auf. Es war eine Gefälligkeit mit boshaften Hintergedanken: Einerseits wünschte er der Frau, daß sie noch rechtzeitig einsteigen konnte, andererseits hätte er eine kindische Schadenfreude empfunden, wenn ihr der Zug vor der Nase davongefahren wäre.

Der Zug stand noch zwei Minuten am Bahnsteig. Offenbar sollte er eine weite Strecke fahren. Die Gepäcknetze waren vollgestopft mit Koffern, Körben und Säcken. Die meisten Passagiere hatten sich zurückgelehnt und versuchten, ein bißchen zu schlafen. Die Bänke waren dicht besetzt. In der Luft hing bereits der süßsaure Geruch nach Unterwegssein und Schlaflosigkeit. Euser Heschel stellte sich an ein Fenster. Wie sonderbar, dachte er, sind doch die Windungen der Kausalkette! Eben erst war er in Warschau angekommen, und schon reiste er wieder ab. Wer konnte wissen, ob er nicht auch diesmal fünf Jahre fortbleiben würde? Möglich war alles. Angenommen, er würde in Otwock einen Blutsturz erleiden und müßte in ein Sanatorium eingeliefert werden... Was für blödsinnige Gedanken! Und wenn er auf dem Weg durch den Wald zufällig jenem miesen kleinen Leutnant begegnen würde, der auf ihn eingeschlagen hatte? Angenommen, der Leutnant wäre unbewaffnet und er selber hätte einen Revolver bei sich... Würde er ihn niederknallen? War das Gebot »Du sollst nicht töten« auch in einem solchen Fall maßgeblich? Die Zehn Gebote waren nicht präzis genug. Jener, der gesagt hatte: »Du sollst nicht töten«, hätte auch sagen müssen: »Du sollst keine Kinder zeugen.«

Der Zug setzte sich in Bewegung. Euser Heschel sah hinaus: eine mitternächtliche Stadt mit schlummernden Fabriken, Häusern, Plätzen. Was würde Abram dazu sagen, daß er nicht zurückgekommen war? Da war die Weichsel! Wie seltsam sich die Lichter im Wasser spiegelten – wie Gedenkkerzen! Den Fluß konnte nichts davon abbringen, seine Bestimmung zu erfüllen; er floß von Krakau zur Ostsee. Alles andere konnte ihm einerlei sein – der Kapitalismus, der Bolschewismus, die Russen, die Deutschen, Paderewski, Pilsudski, die Christen, die Juden... Was Hadassa wohl in diesem Augenblick tat? Ob sie ahnte, daß er unterwegs zu ihr war? Vielleicht hatte sie ausgerechnet heute den Entschluß gefaßt, ihn für immer aus ihrer Erinnerung zu streichen. Vielleicht hatte sie Gäste. Vielleicht hatte sie einen Liebhaber. Möglich war alles. Wenn das Phänomen Zeit wirklich nur eine Form der Anschauung ist, dann ist Geschichte nichts anderes als das Umblättern der Seiten eines längst schon vollendeten Buches. »Wenn ich wenigstens ein sauberes Taschentuch hätte! Wenn ich mich wenigstens rasiert hätte! Frauen haben eine Abneigung dagegen, ein stoppliges Kinn zu küssen.«

Die Lokomotive schnaubte wie ein Ochse und stieß Rauchfahnen aus. Dampfwolken glitten am Fenster vorbei. Sternschnuppen gleich flogen Funken durch die Luft. Irgendwo im Waggon schimpfte ein Pole lauthals auf die Juden. *»Zydy! Zydy!«* Die anderen griffen das Schimpfwort auf.

Worüber waren sie denn so erbost? Was hatten ihnen die Juden getan? An allem gaben sie den Juden die Schuld – wenn das Gepäck ins Rutschen kam, wenn die Lampe flackerte, wenn das Klosett besetzt war ... Eine Frau, die einen Säugling im Steckkissen auf dem Arm hielt, rief: »Komm, du kleiner Bankert, jetzt wird genuckelt!« »Verzeihung, Madame«, sagte jemand, »aber er hat vielleicht Bauchweh oder eine wunde Stelle am Popo, die gepudert werden muß.« Die Mutter entblößte ihre pralle Brust und legte den Säugling an. »Er beißt mich in die Brustwarze, der kleine Racker!«

Der Zug raste durch Miedzeszyn, Falenitz, Michalin, Usefow, Swider. Dann hielt er in Otwock. Euser Heschel wollte aussteigen, aber die Tür ging nicht auf. »Kräftiger drücken! O je, diese schwachen Judenhände!« Die Tür gab nach, er stieg aus. Im nächtlichen Dunkel schimmerte hie und da eine Laterne, deren Licht ein gelbliches Netzmuster auf den Sand zeichnete. In der Luft hing ein Geruch nach Kiefern, Holzfeuern und Tuberkulose. Wie viele Menschen starben hier täglich? Jedes Sanatorium hatte eine eigene kleine Leichenhalle. Euser Heschel fragte einen Passanten nach dem Weg nach Swider. Zuerst ein Stück die Warschauer Landstraße entlang, dann nach links abbiegen ... Wie war Fischel bloß auf die Idee gekommen, sein Landhaus »Rozkosz« – »Lust« – zu nennen? Glaubte etwas auch er an das Lustprinzip? Euser Heschel sprach nochmals einen Passanten an. »Wo liegt die Villa Rozkosz?« Keine Antwort. Taub! Oder stumm. Hadassa schlief bestimmt schon. Ein verrücktes Abenteuer! »Bloß nicht plötzlich impotent werden! Eine echte Tragikomödie wäre das! Der impotente Liebhaber! Ich darf nicht an sowas denken. Allein schon daran zu denken, ist riskant. Ich muß einen Teufel in mir haben. Warum scheint der Mond nicht? Es muß doch Monatsmitte sein.«

War er noch in Otwock oder schon in Swider? Wo verlief die Ortsgrenze? Dort – ein Haus! Am Eingang war keine Lampe.

Er stand vor der Haustür, über der ein Schild angebracht war. Stand »Rozkosz« darauf? Der erste Buchstabe war zweifellos ein R. Oder war es ein K? »Ich hätte Streichhölzer mitnehmen sollen!« Im oberen Stockwerk brannte Licht. Vielleicht Hadassas Schlafzimmer. Ob die Haustür offen war? Ja, sie war offen. »Man wird mich für einen Dieb halten. Wäre wirklich komisch, wenn man mich wegen eines Einbruchsversuchs in Fischels Haus verhaften würde!« Plötzlich mußte er an jene Nacht denken, in der er heimlich die österreichische Grenze überschritten hatte.

Er drückte die Haustür vorsichtig auf und rief: »Hadassa!«

Es kam ihm so vor, als hätte sich das Licht im oberen Zimmer bewegt. Sie war da! Das mußte sie sein! »Wir werden gleich sehen, ob ich Spürsinn habe oder nicht.« Er wartete eine Weile, dann rief er nochmals: »Hadassa!«

Dann war ein Dröhnen und Tosen zu hören, das immer näher kam: Ein Zug brauste den gewundenen Bahndamm entlang. Die Scheinwerfer warfen zwei Lichtkegel auf das Haus. Jetzt war alles deutlich zu erkennen – wie auf eine Leinwand projiziert: das Haus, die Veranda, die Wege zwischen den Blumenbeeten, die mit weißen Nummern gekennzeichneten Zwergkiefern. Er sah auf das Schild. Ja, »Rozkosz«! Der Zug brauste vorbei, wieder war alles in Dunkel gehüllt. Aus der Ferne war ein Kreischen zu hören – wie von einem Dämon, der jemandem einen Streich gespielt hatte und dann in der Finsternis verschwunden war.

Drittes Kapitel

I

In Finkels Wohnung in der Franziskanerstraße wurden Vorbereitungen für den Sabbat getroffen. Dina hatte den Tscholent bereits zum Bäcker gebracht und die Kinder, Tamar und Jerachmiel, gewaschen und gekämmt. Im mittleren Zimmer deckte Finkel den Tisch und steckte die Kerzen in die sieben Silber- und Messingleuchter. Dann sagte sie über zwei Kerzen den Segensspruch – einmal für sich selber, einmal für Euser Heschel. Dina sprach die Benediktion über die fünf anderen Kerzen – für sich selber, für Menasse David, Tamar, Jerachmiel und den neugeborenen Sohn, der Dan hieß – wie sein verstorbener Urgroßvater. Das Essen stand schon in der Küche bereit: Reissuppe mit Bohnen, Schmorfleisch mit pikanter Sauce, Mohrrübengemüse. Der gefüllte Fisch lag zum Abkühlen auf einer mit Zwiebeln und Petersilie garnierten Platte. Vor die Kerzen legte Finkel zwei frischgebackene, mit einem bestickten Tuch bedeckte Brote. Daneben lag ein Messer mit Perlmuttgriff. Auf der Klinge waren die Worte »Schabat-kodesch« – heiliger Sabbat – eingraviert. Mitten auf dem Tisch standen eine Karaffe mit Johannisbeerwein und der Becher für den Segensspruch. Die Gravur auf diesem Becher zeigte die Klagemauer in Jerusalem.

Finkel und Dina mußten sparsam wirtschaften. Den Lebensunterhalt der Familie bestritt Dina mit dem Geld, das sie für Näharbeiten bekam, und Menasse David mit dem Honorar für Unterrichtsstunden. Aber nie wurde der Sabbat durch die Armut beeinträchtigt. Finkel trug ihr seidenes Kopftuch, die Bluse mit den weiten Ärmeln und das geblümte Kleid, das noch aus ihrer Brautausstattung stammte. Dina schlang sich ein Samtband um die Perücke. Als sie die Kerzen angezündet hatten, legten die beiden Frauen die Hände über die Augen und sprachen die Gebete, die sich in der Familie seit Generationen von Mutter zu Tochter vererbt hatten. »Erhabener Gott, lasse Dein Antlitz leuchten über Deiner Magd, meinem Ehemann, meinen Kindern und bewahre sie vor dem Bösen. Angesichts der Sabbatkerzen, die ich hier zu Deiner Ehre entzünde, erleuchte uns mit Deinem heiligen Licht, gieße Deine Gnade aus auf unsere Ruhetage und unsere Werktage, verleihe uns die Kraft, Deine Gebote zu halten. Und sende uns bald, o bald, den Messias, den Sohn aus dem Hause David, auf daß er uns noch zu unseren Lebzeiten erlöse. Amen, sela ...«

Währenddessen zog Menasse David seine Sabbatkleidung an. Zur Feier des heiligen Tages wichste er seine klobigen Stiefel. Dann schlüpfte er in seinen abgetragenen Seidenkaftan und setzte seinen abgeschabten Pelzhut auf. Er war ein kleinwüchsiger, grobknochiger Mann mit rötlichem Bart und weißblonden Schläfenlocken. Seine Hände und Füße waren viel zu groß geraten. In jungen Jahren hatte er Rebbe werden wollen und sich dem Studium der jüdischen Gesetze gewidmet, das er aber wegen des Krieges nicht abschließen konnte. Dann wurde er ein Anhänger des schwärmerischen, sehr umstrittenen Rabbi Nachman Braclawer, dessen Nachfolger als »die toten Chassidim« bezeichnet wurden. Für einen »toten Chassiden« war es schwer, ein Rabbinat zu bekommen. Während er sich anzog, lächelte und murmelte Menasse David vor sich hin. Dann rief er: »Man darf nicht aufgeben! Es gibt keinen Grund zur Resignation!«

»Tate, was rufst du da?« fragte Jerachmiel. Der Dreijährige hatte ein gelbes Käppchen auf. Sein Gesichtchen war von baumelnden Schläfenlocken eingerahmt.

»Ich sage, daß man frohlocken muß. Tanz, mein Sohn! Klatsch in die Hände! Die Freude wird über alles Böse triumphieren.«

»Was schwatzt du denn dem Kleinen vor?« rief Dina aus dem Schlafzimmer. »Du willst wohl, daß er auch ein ›toter Chassid‹ wird?«

»Warum denn nicht? Die Seelen aller Kinder Gottes waren am Berg Sinai versammelt. Komm her, mein Sohn! Jetzt singen wir das Lied des Rebbe.«

> »Höre nicht auf Satans Hohn,
> Jubiliere, tanz, mein Sohn!«

Finkel kam in die Küche. »So wahr ich lebe, Menasse David – du führst dich wie ein Narr auf! Das unschuldige Täubchen! Er hat noch soviel Zeit, dergleichen zu lernen.«

»Ich sage dir, Schwiegermutter, die Zeit drängt. Der Messias ist schon ganz nahe. Komm, mein Sohn, sing mit!«

»Wenn du gesündigt, zage nicht – bereu!
Und dann, mein Sohn, beginnt das Leben neu ...«

Finkel musterte ihren Schwiegersohn halb belustigt, halb ärgerlich, dann verzog sich ihr zahnloser Mund zu einem breiten Lächeln. Mit dem Säugling auf dem Arm kam Dina aus dem Schlafzimmer. Sie brachte ein schwarzes Band mit, das sie der kleinen Tamar in die Zöpfe einflechten wollte.

Die Fünfjährige, die braunes Haar, ein breites Näschen und Sommersprossen hatte, hielt gerade ein Stück »Eierkichl« in der Hand. »Nicht das schwarze Band!« zeterte sie. »Ich will das rote!«

Die Tür, die vom Flur in die Küche führte, wurde plötzlich geöffnet, und jemand stellte einen Koffer ab. Dina wurde ganz blaß. »Mame! Schau!«

Finkel drehte sich verwundert um. An der Tür stand Euser Heschel.

»Mein Sohn!«

»Mame! Dina!«

»Euser Heschel!«

»Gesegnet sei, der da kommt! Ich bin Menasse David. Schau, schau, am Vorabend des Schabbes taucht er hier auf!«

»Tamar, das ist dein Onkel Euser Heschel. Das hier ist Jerachmiel, genannt nach dem Janower Großvater. Und das ist der kleine Dan ...«

Euser Heschel küßte seine Mutter, seine Schwester und die Kinder – auch den Säugling auf Dinas Arm. Dina wollte den Koffer nehmen, doch Finkel rief: »Was machst du denn da? Es ist doch Schabbes!«

Dina wurde rot. »Ich bin so durcheinander, daß ich gar nicht mehr weiß, was ich tue. So unerwartet!«

»Weißt du, was? Geh mit mir zum Beten«, sagte Menasse David zu Euser Heschel. »Das Bethaus ist direkt hier im Hof. Dein Großvater seligen Angedenkens hat dort gebetet.«

Er lächelte, wobei seine schiefen, weit auseinanderstehenden Zähne zum Vorschein kamen. Sein feistes Gesicht schien jene unweltliche Gesinnung auszustrahlen, die Euser Heschel längst vergessen hatte.

Dina war ungehalten. »Mußt du ihm denn gleich jetzt damit kommen? Er bleibt zu Hause und spricht seine Gebete hier.«

»Ich hab's doch gut gemeint. Ich möchte ihn doch nur zu Gottes heiliger Stätte mitnehmen. Es ist nie zu spät dafür, zu Gott zu finden. Eine einzige gute Tat wiegt zahlreiche Sünden auf.«

»Er ist einer von diesen ›toten Chassidim‹«, erklärte Dina betreten. »Du hast sicher schon von ihnen gehört.«

»Ja. Die Braclawer.«

»Siehst du«, sagte Menasse David, »mein Rabbi ist in aller Welt bekannt. Du solltest wirklich mit mir ins Bethaus gehen! Nein – weißt du, was? Wir wollen lieber tanzen!«

»Bist du übergeschnappt?« rief Dina. »Er muß dich ja für wahnsinnig halten!«

»Wer weiß denn schon, was Wahnsinn ist und was nicht? Man darf nicht Trübsal blasen. Wer sich der Melancholie ergibt, ist ein Götzendiener.«

Er hob die Hand und schnalzte mit den Fingern. Dann begann er, sich von einem Fuß auf den anderen zu wiegen. Dina blieb nichts anderes übrig, als ihn schleunigst ins Bethaus zu schicken.

Finkel schwankte zwischen Lachen und Weinen. »Daß ich diesen Tag noch erleben darf! Gelobt sei der Allmächtige!«

»Wein doch nicht, Mame«, sagte Dina. »Es ist Schabbes.«

»Ich weiß. Aber ich weine vor Freude.«

»Schaut, Kinder, ich hab' euch etwas mitgebracht«, sagte Euser Heschel. »Und hier ist etwas für dich, Dina. Und das ist für dich, Mame.«

»Nein, nicht jetzt! Erst nach dem Schabbes.«

Die kleine Tamar steckte vor lauter Verlegenheit den Finger in den Mund und klammerte sich an den Rock ihrer Mutter. Jerachmiel rannte zum Küchentisch und nahm einen Löffel aus der Schublade. Der Säugling, der mit aufgerissenen Augen um sich geguckt hatte, bewegte den zu groß geratenen Kopf hin und her und begann zu plärren. Dina beschwichtigte ihn.

»Sch . . . sch. Dein Onkel hat dir ein Plätzchen mitgebracht. Gutes, gutes Plätzchen.«

»Das Kind hat Hunger«, sagte Finkel. »Gib ihm die Brust.«

Dina setzte sich auf die Kante der eisernen Bettstatt, die neben der zugedeckten Nähmaschine stand, und begann ihre Bluse aufzuknöpfen. Finkel nahm Euser Heschel bei der Hand. »Komm, wir gehen ins andere Zimmer. Ich möchte dich anschauen.«

Sie führte ihn ins Wohnzimmer und schloß die Tür. Klein und verschrumpelt stand sie vor ihm, wie ein Zwerg neben einem Riesen. Um gegen den Bösen Blick gefeit zu sein, hätte sie am liebsten ausgespuckt, doch sie unterdrückte diesen Impuls. Tränen rannen über ihr runzliges Gesicht. »Warum bist du so spät gekommen? Gegenüber den Nachbarn ist das beschämend.«

»Der Zug ist eben erst eingetroffen«, log Euser Heschel.

»Setz dich, mein Junge. Hierher, aufs Sofa! Deine Mame ist eine alte Frau geworden.«

»Für mich bist du immer noch jung.«

»Kummer und Sorgen haben mich alt gemacht. Du weißt ja nicht, was hier alles passiert ist! Ein Wunder, daß wir noch am Leben sind. Aber das ist jetzt alles vorbei, und du bist wieder da! Gelobt sei Er, dessen Namen auszusprechen mir nicht ziemt!«

Sie zog ein Taschentuch aus ihrem Kleid und schnaubte sich die Nase. Euser Heschel sah sich im Zimmer um. Die Wände waren rissig und blätterten ab. Die Doppelfenster waren trotz der sommerlichen Wärme geschlossen. Es roch säuerlich – nach Seife, Soda und Windeln.

Finkel schlug das alte Gebetbuch auf, dann klappte sie es wieder zu. »Mein Sohn! Mein Sohn! Es ist Schabbes, und du bist gekommen. Meine Freude ist grenzenlos. Ich möchte dir jetzt keinen Kummer machen, Gott bewahre, aber schweigen kann ich trotzdem nicht.«

»Was hab' ich denn getan?«

»Du hast nicht recht gehandelt. Du hast eine Frau und ein Kind. Du hättest zuerst zu ihnen gehen sollen. Wai geschrien, du hast deinen Sohn noch nie gesehen! Ein wahrer Schatz, ein Weiser, unberufen . . .«

»Mame, du weißt doch, daß zwischen Adele und mir alles vorbei ist.«

»Sie ist immer noch deine Frau.« Finkel verfiel in Schweigen. Dann faltete sie die Hände vor der Brust und schüttelte mißbilligend den Kopf. »Was hast du gegen sie? Sie ist eine gute, treue Frau. Und sie hat, Gott steh mir bei, deinetwegen so viel leiden müssen! Wenn du wüßtest, was sie in all den schweren Jahren für mich getan hat, dann wäre dir klar, wie unrecht du ihr tust.«

»Mame, ich liebe sie nicht.«

»Und das Kind? Was kann das Kind dafür?«

Sie schlug wieder das Gebetbuch auf und bewegte lautlos die Lippen. Dann ging sie zur Ostwand hinüber, wiegte den Oberkörper hin und her und verneigte sich. Die Kerzen flakkerten und knisterten, blütenblattförmige Talgtropfen rannen an ihnen herunter.

Nach dem stillen Gebet ging Finkel drei Schritt weit von der Wand zurück. »Euser Heschel, da du heute zu uns gekommen bist, möchte ich, daß du das Gebet zur Begrüßung des Schabbes liest. Es wird dir bestimmt nicht schaden.«

Sie brachte ihm das Gebetbuch, das sie von ihrer Schwiegermutter, Euser Heschels Großmutter, der frommen Tamar, bekommen hatte.

2

Nach alter Gewohnheit machte Fischel freitag mittags seinen Laden zu, ging in die *mikwe* und dann ins Bialodrewner Bethaus, wo er bis zum Beginn des Sabbats blieb. Weil die Zeiten so ungewiß waren und die Wechselkurse ständig fluktuierten, kam Anschel, sein Gehilfe, oft zu ihm ins Bethaus, um sich zu erkundigen, ob er kaufen oder verkaufen sollte. Worauf Fischel etwas brummelte, vage Handbewegungen machte und ihm den Rücken kehrte. Trotzdem wußte Anschel jedesmal, was er zu tun hatte. Nach den Abendgebeten ging Fischel, meistens gemeinsam mit Anschel, nach Hause, wo die ältere Frau – eine entfernte Verwandte –, die ihm den Haushalt führte, das Sabbatmahl für die beiden Männer zubereitet hatte. Anschel, ein kleinwüchsiger, dunkler Typ, kurzsichtig, mit einem Bart, der fast sein ganzes Gesicht bedeckte, war schon jahrelang Witwer. Fischel war in der gleichen Situation wie ein geschiedener Mann, denn seine Frau hielt sich nur selten in Warschau auf. Die beiden Männer sagten die Segenssprüche, aßen das Sabbatmahl und disputierten über chassidische Angelegenheiten. Im Bialodrewner Bethaus witzelten die jungen Männer oft über Fischel, und die Frauen konnten einfach nicht verstehen, warum er nicht endlich einen Schlußstrich zog. Er hätte bestimmt eine gute Partie machen können – wenn er nur wollte! Selbst der Bialodrewner Rebbe hatte ihn schon einige Male wissen lassen, daß diese Situation seiner Ansicht nach untragbar sei.

Als Fischel an diesem Freitag gemeinsam mit Anschel nach Hause kam, begrüßte ihn die Haushälterin im Flur und teilte ihm mit, daß Hadassa gekommen sei. Anschel blieb unschlüssig an der Tür stehen. Fischel war zunächst etwas verwirrt, fand aber seine Fassung sehr rasch wieder. Er hielt Anschel am Ärmel fest. »Warum willst du Schafskopf denn weglaufen? Es ist genug zu essen da!«

Im Eßzimmer murmelten sie Hadassa »guten Schabbes!« zu. Dann begannen sie, in entgegengesetzter Richtung auf und ab zu laufen. Nach alter Tradition begrüßten sie die Schutzengel, die am Sabbat jeden Juden nach Hause begleiten. Und sie psalmodierten jene Verse aus den *Sprüchen Salomo,* in denen das Lob des tugendsamen Weibes gesungen wird. Dann setzte sich Fischel ans Kopfende des Tisches. Zu seiner Rechten nahm Anschel Platz, zu seiner Linken, aber etwas weiter entfernt, Hadassa. Fischel sagte den Segensspruch über den Wein, dann reichte er Hadassa den Kidduschbecher. Er schnitt das Sabbatbrot und gab seiner Frau eine Scheibe. Nach dem Fischgericht sangen die beiden Männer Sabbatlieder. Fischel goß Anschel und sich selber ein Gläschen Branntwein ein. »Zum Wohl!«

»Gesundheit, Wohlstand und Frieden!«

Fischel sah zu Hadassa hinüber. »Möchtest du auch einen Schluck?« Es waren die ersten Worte, die er direkt an sie richtete. Hadassa schüttelte den Kopf.

Nach dem Sabbatmahl und den Segenssprüchen verabschiedete sich Anschel. Hadassa zog sich sofort in ihr Zimmer zurück. Fischel ging auf und ab und biß sich immer wieder auf die Lippen. Dann blieb er eine Weile am Fenster stehen und sah auf die Straße hinunter. Sterne schimmerten am Firmament. Der dunkle Hof war vollgestopft mit Fässern und Kisten – alles seine, Fischel Kutners, Ware. Er öffnete den Bücherschrank, nahm eine Ausgabe des *Sohar* heraus, blätterte darin und begann zu lesen. Es gebe, so stand hier geschrieben, vier Kategorien von Seelen – entsprechend den vier aus dem göttlichen Schöpfungsakt emanierten Sphären.

Gewöhnlich saßen Fischel und Anschel freitags bis spät in die Nacht zusammen, zitierten die weisen Aussprüche des Rebbe, diskutierten über rabbinische Politik und kamen zwischendurch auch auf prosaischere Angelegenheiten geschäftlicher Natur zu sprechen. An diesem Freitagabend jedoch wußte Fischel nicht, was er tun sollte. Warum war Hadassa nach Hause gekommen? Sie ließ sich doch kaum je hier blicken! Vielleicht hatte sie eingesehen, daß sie einen falschen Weg eingeschlagen hatte. Er war bereit, ihr alles zu vergeben. »Ich rufe dir die Wohlgefälligkeit deiner jungen Jahre ins Gedächtnis«, zitierte er. Schließlich konnte ein Mensch nicht immer streng nach den Buchstaben des Gesetzes leben.

Er schlug einen Band des *Midrasch* auf und setzte sich an den Tisch. Da die Gaslampe am Sabbat nicht angezündet wurde, brannten nur zwei Kerzen und eine Öllampe. Die Buchseiten waren vergilbt, zerknittert und mit Talgtropfen übersät. Zuweilen entdeckte Fischel zwischen zwei Seiten ein Barthaar seines Großvaters. Er erschauerte. »Sicher ist er schon lange in der höheren Sphäre. Wer weiß, in welche Höhen er aufgestiegen ist?«

Über das Buch gebeugt und vor sich hinmurmelnd, saß er da, als die Tür aufging und Hadassa hereinkam. Vorhin, am Eßtisch, hatte sie ein Kopftuch aufgehabt. Jetzt war ihr zurückgekämmtes Haar unbedeckt. Fischel fand, daß sie erstaunlich jugendlich wirkte.

»Ich muß etwas mit dir besprechen.«

»Was denn? Nimm doch Platz!«

»Ich möchte dir sagen, daß . . . daß es so nicht weitergehen kann.« Sie schien über ihre eigenen Worte verblüfft.

Fischel klappte das Buch zu. »Und was willst du? Wie die Dinge jetzt liegen, tust du doch ohnehin, was du willst.«

»Ich . . . ich . . . Das ist kein Leben«, sagte sie mit schwankender Stimme.

»Darüber diskutiere ich jetzt nicht. Es ist Schabbes. Hat es nicht bis morgen abend Zeit?«

»Wozu bis morgen warten? Ich möchte, daß wir uns scheiden lassen. Das dürfte auch für dich das beste sein.«

Fischels Kehle war wie ausgetrocknet. »Warum? Was ist denn geschehen?«

»Er ist hier«, platzte Hadassa heraus. Offenbar konnte und wollte sie damit nicht länger hinter dem Berg halten.

Fischels Gesicht war so weiß wie das Tischtuch. »Wann ist er gekommen?«

»Vor ein paar Tagen.«

»Na und?«

»Du hast mir einmal versprochen, dich von mir scheiden zu lassen, falls er zurückkommt.«

Fischel betrachtete ihr Gesicht. Der sanfte Ausdruck, den ihre Augen früher gehabt hatten, war verschwunden. Eine unjüdische Härte ging von ihr aus. »Will er dich denn haben?« Plötzlich fühlte er sich wie ausgehöhlt.

»Wir sind schon jetzt Mann und Frau.«

»Was? Er hat doch Frau und Kind!«

»Das weiß ich. Wir leben bereits zusammen. Bei Klonjas Schwiegermutter.«

»Das ist etwas anderes. Etwas anderes«, murmelte Fischel. Das Blut stieg ihm ins Gesicht, dann wurde er kreideweiß. Er war nahe daran, ihr ins Gesicht zu schreien: »Hure! Unreines Weib! Verlaß dieses Haus! Tausendmal verflucht sollst du sein!« Aber er beherrschte sich. Es war Sabbat. Und außerdem: Was hätte es denn genützt, sie anzuschreien? Sie war schon durch und durch verderbt, schlimmer als wenn sie konvertiert hätte. »Warum bist du ausgerechnet heute gekommen? Wolltest du meinen Schabbes entheiligen?«

»Er ist auch in Warschau. Bei seiner Mutter.« Sie wußte eigentlich gar nicht, warum sie ihm das sagte.

Fischel grübelte vor sich hin und rieb sich die Stirn. Was Hadassa gesagt hatte, erinnerte ihn an die in jüdischen Gesetzbüchern zitierten Geständnisse sündiger Frauen.

»Soso. Du bekommst meine Antwort morgen abend.«

»Danke. Ich bleibe inzwischen hier.« Einen Moment stand sie regungslos da, dann drehte sie sich ruckartig um. Fischel sah ihr nach. Sie machte ein paar rasche Schritte, als ob sie hinausstürmen wollte, dann zögerte sie plötzlich und ging unsicher zur Tür. Sie griff mit der linken Hand nach dem Türdrücker, so daß sie sich selber den Weg versperrte. Fischel richtete sich auf, als wollte er sie zurückrufen, dann ließ er sich wieder auf den Stuhl sinken. »Laß es bleiben!« sagte er sich. »Wer in den Abgrund stürzt, kommt nie wieder heraus.«

Er ging ins Schlafzimmer. Die beiden rechtwinklig zueinander aufgestellten Betten waren frisch gemacht. Die Laken und Überzüge dufteten nach Lavendel. Obzwar er noch nicht müde war, sprach er die Nachtgebete. Dann zog er sich aus und legte sich auf das kühle Linnen.

Er hatte sich auf eine schlaflose Nacht gefaßt gemacht, doch sobald er den Kopf auf das Kissen gelegt hatte, schlummerte er ein. Er träumte, er säße, in einen Talmud-Traktat vertieft, im Bialodrewner Bethaus. Der Traum verflüchtigte sich, und nun träumte er, daß der Dollarkurs gefallen und an der Börse eine Panik ausgebrochen sei. Zehn Dollar wurden für eine einzige polnische Mark gezahlt! »Was soll das?« fragte er Anschel. »Amerika ist doch ein reiches Land. Alles bloß Spekulation!« Dann fiel ihm auf, daß Anschel unter seinem langen Kaftan einen spitzenbesetzten Damenschlüpfer trug. »Wieso denn?« fragte er sich. »Ob Anschel in Wirklichkeit eine Frau ist?« Dann wachte er auf. Ihm war, als striche ein leichter Wind über sein Gesicht. Er öffnete die Augen. Er konnte sich nicht erinnern, was passiert war, aber er spürte einen dumpfen Druck in der Brust. Oder war es der Magen? Plötzlich fiel ihm alles wieder ein. Merkwürdig, aber es war für ihn, obwohl er und Hadassa schon seit Jahren nicht mehr wie Mann und Frau zusammengelebt hatten, immer wieder ein Trost gewesen, daß sie nach dem Gesetz noch an ihn gebunden war. Sie wohnte in einem Haus, das ihm gehörte, und er sorgte für ihren Lebensunterhalt. Er war überzeugt gewesen, daß sie früher oder später bereuen und zu ihm zurückkehren würde. Und nun war alles anders gekommen. »Wir sind schon jetzt Mann und Frau« – immer wieder klangen ihm diese Worte im Ohr. Er setzte sich im Bett auf und starrte ins

Dunkel. Nach dem Gesetz Gottes hätte er sie hassen müssen, aber es lag nicht in seiner Natur, zu hassen. Ihm kam der Gedanke, daß seine Empfindungen für sie gleichbedeutend mit dem sein mußten, was in weltlichen Büchern »Liebe« genannt wurde. Es drängte ihn, in ihr Zimmer zu gehen, sie anzuflehen, Mitleid mit ihm zu haben und ihrer ins Paradies eingegangenen Mutter keine Schande zu machen. Er stand auf, ging aber nur bis zur Tür.

»Nein, es hat keinen Sinn. Gesetzt den Fall, sie wäre tot...« Und dann hörte er sich mit leiser Stimme das Totengebet sprechen: »Gepriesen seien die wahren Richter...«

3

Am Samstagabend ging Euser Heschel zu Adele. Er hatte bereits mit ihr telefoniert. Und er hatte auch ein paar Mitbringsel für den kleinen David besorgt: eine Trillerpfeife, einen hölzernen Säbel, einige Spielzeugsoldaten, eine Tafel Schokolade und eine Tüte Bonbons. Als er sich von der Familie verabschiedete, bereitete Dina gerade die Mahlzeit zum Abschluß des Sabbats zu. In der ganzen Wohnung roch es nach Rüben, Knoblauch und Zitronensalz. Finkel brachte ihre Enkelkinder zu Bett. In seinem Satinkaftan, einen Samthut über dem Scheitelkäppchen, stand Menasse David mitten im Zimmer und rezitierte in einer Art Singsang:

»Und der Herr sprach zu Jakob:
Fürchte dich nicht, mein Knecht Jakob,
Der Herr hat Jakob auserwählt,
Fürchte dich nicht, mein Knecht Jakob,
Der Herr hat Jakob errettet,
Fürchte dich nicht, mein Knecht Jakob.«

Finkel fragte Euser Heschel, ob sie sein Bett richten sollte, aber er wußte nicht genau, ob er diese Nacht nach Hause kommen würde. Er hatte sich um Mitternacht mit Hadassa verabredet. Möglicherweise würden sie mit dem Zug nach Miedzeszyn zu Klonja fahren. Alles hing von Fischels Antwort ab. Im Hinausgehen versprach Euser Heschel seiner Mutter, ihr für den Fall, daß er nicht heimkommen würde, eine Postkarte zu schicken.

In der Nalewkistraße stieg er in eine Straßenbahn. Hier in Warschau teilte sich einem die Atmosphäre des zu Ende gehenden Sabbats noch deutlich mit. Chassidim mit Samthüten liefen die Straße entlang. Hie und da sah man Kerzenschein durch die Fenster dringen. Die Siennastraße war spärlich beleuchtet, nur ein paar Gaslaternen brannten. In der Ferne bohrte sich ein Fabrikschornstein in den Himmel. Eine tatterige alte Frau mit einem Korb, in dem Männerstiefel lagen, schlurfte den Gehsteig entlang. Aus dem oberen Stockwerk eines Hauses war Klaviergeklimper zu hören. Euser Heschel blieb einen Moment stehen. Wie unermeßlich diese Welt war! Welche Vielfalt von Schicksalen! Da ging er jetzt also zu der Frau, mit der er verheiratet war und die er nie geliebt hatte, und zu dem Kind, dessen Vater er war und das er noch gar nicht kannte!

Er ging durchs Hoftor. Seiner Erinnerung nach war das Haus, in dem Adele wohnte, sehr ansehnlich gewesen, jetzt aber blätterte bereits der Verputz ab. Mitten im Hof stand ein frisch geteerter Müllkasten. Die Fenster spiegelten sich im Asphalt wie in einem Tümpel. Er läutete, hörte Schritte, dann stand Adele vor ihm. Er erkannte sie kaum wieder. Sie hatte sich einen Bubikopf schneiden lassen und trug ein kurzes Kleid. Ihr Gesicht war stark gepudert, ihre Augenbrauen waren ausgezupft. Er hatte gar nicht mehr gewußt, wie scharf dieses Gesicht mit der gewölbten Stirn, der knochigen Nase und dem spitzen Kinn wirkte. Adele machte eine Bewegung, als wollte sie ihn umarmen, dann wich sie jäh zurück. »Ja, du bist's!«

Sie führte ihn in dasselbe Zimmer wie damals, als seine Mutter nach Warschau gekommen war. Er konnte sich noch an den Teppich erinnern, an den Schreibtisch, das Sofa, ja sogar an die Bilder, die an den Wänden hingen.

»Nimm Platz! Ich habe David gerade zu Bett gebracht. Ich möchte, daß er einschläft.«

»Ja, ich verstehe schon.«

»Du siehst ziemlich mitgenommen aus. Ich bin dick geworden, weil wir dreimal am Tag Kartoffeln essen müssen. Das viele Wasser bläht einen auf.«

»Da drüben hatten wir gar keine Kartoffeln.«

»Wann bist du hier angekommen? Mitten am Schabbes?«
»Freitagabend.«
»Warum hast du nicht gleich bei mir angerufen?«
»Dina hat mir gesagt, daß am Schabbes hier niemand ans Telefon geht.«
»Das ist eine Lüge! Sie weiß genau, daß meine Mutter in Swider ist. Na ja, mit einem Anruf hättest du mir wohl zuviel Ehre angetan. Wer bin ich denn schon? Bloß die Mutter deines Sohnes.«
»Darf ich ihn sehen?«
»Nicht jetzt. Er liegt im Bett und redet mit sich selber. Und wie gescheit er ist! Er stellt Fragen, die nur ein Philosoph beantworten kann. Also, wie ist es dir ergangen? Du scheinst einfach nicht älter zu werden. Ich bin schon ganz grau. Ich war, offen gesagt, überzeugt, daß du nicht mehr zurückkommst.«
»Das hätte durchaus passieren können.«
»Mein Stiefvater wollte mich zur verlassenen Ehefrau erklären lassen. Er wollte mich zu den Rabbinern schicken. Als ob ich keine anderen Sorgen gehabt hätte! Er hat einen Sohn, der Arzt ist, und hätte mich gern mit ihm verheiratet. Ich will ganz offen mit dir reden. Warum bist du zurückgekommen? Und zu wem? Fünf Jahre müßten eigentlich reichen, um endlich zu einem Entschluß zu kommen.«
»Es hat sich nichts geändert.«
Ihre blassen Augen fixierten ihn. »Ich verstehe. Einzelheiten kannst du dir sparen. Ich möchte bloß eines feststellen: Er ist dein Sohn, und du hast ihm gegenüber Verpflichtungen.«
»Ich werde tun, was ich kann.«
»Ich bitte dich nicht um einen Gefallen. Er ist dein legitimer Sohn. Ich könnte verlangen, daß du mir für diese fünf Jahre Unterhalt zahlst, aber vorbei ist vorbei. Er kostet mich wöchentlich mindestens dreißig Mark. Wir haben hier eine schreckliche Teuerung. Ich könnte mir Arbeit suchen, aber David braucht mich. Er geht zur Schule, und ich muß ihn hinbringen und abholen. Auf der Straße werden so oft Kinder überfahren. Meine Mutter ist eine alte Frau. Und was hast *du* gemacht? Was ist aus dir geworden?«
»Ich bin ein Blindgänger geblieben.«

Sie sah ihn von der Seite her an, wie um ihn zu taxieren. Ja, er war immer noch derselbe. Er war ihr, als er hereingekommen war, reifer erschienen, aber dieser Eindruck hatte sich im Nu verflüchtigt. Aus seinen Zügen sprach noch immer jene merkwürdige Mischung aus Jugendlichkeit und Alter, die ihr schon bei der ersten Begegnung mit ihm aufgefallen war. Mein Gott, wie ähnlich David ihm sah! Er hatte sogar den gleichen Gesichtsausdruck. Am liebsten hätte sie den Jungen hereingeholt, doch dann beschloß sie, noch eine Weile zu warten.

»Da drüben hast du doch sicher Weibsbilder gehabt«, sagte sie und war verblüfft über ihre eigenen Worte.

»Hie und da.«

»Du bist also nicht einmal deiner heißgeliebten Hadassa treu geblieben.«

»Das hat nichts mit Treue zu tun.«

»Nein? Das ist mir neu. Nicht, daß ich mir ihretwegen Sorgen mache! Was hast du denn jetzt vor, wenn ich das fragen darf? Willst du dich hier häuslich niederlassen? Fischel läßt sich sicher von ihr scheiden. Er kann ihren Anblick nicht mehr ertragen.«

»Und wie ist das mit uns? Bist du mit einer Scheidung einverstanden?«

»Warum nicht? Aber du mußt mir eine Abfindung zahlen.«

»Du weißt doch, daß ich kein Geld habe.«

»Aber *sie* hat Geld. Fischel hat ihr eine Menge Zaster gegeben, dieser Schafskopf! Er hat sich das gesamte Moschkat-Vermögen unter den Nagel gerissen. Du wirst die Güte haben, mir zehntausend amerikanische Dollars zu beschaffen und dich schriftlich zu verpflichten, mir wöchentlich fünfzig Mark für das Kind zu geben. Das heißt, nach dem gegenwärtigen Umrechnungskurs.«

»Ist das alles?«

»Ja, mein Bester, ich habe dich einmal geliebt, du ahnst nicht, wie sehr. Aber das ist ein für allemal vorbei. Warum bist du weggelaufen und Soldat geworden? Um Hadassa zu beweisen, daß du ein Held bist?«

»Es hat keinen Sinn, noch einmal davon anzufangen.«

»Und was hast du davon gehabt? Was hast du erreicht? Was willst du denn in Warschau tun? Schuhmacher werden?«

»Entschuldige, Adele, aber ich bin hergekommen, um das Kind zu sehen.«

»Übrigens – wann bist du *wirklich* in Warschau eingetroffen? Du warst bestimmt schon die ganze Woche hier.«

»Wie kommst du denn darauf?«

»Ich kenne deine Kniffe. Du hast nichts Eiligeres zu tun gehabt, als zu ihr zu rennen. Noch ehe du zu deiner Mutter gegangen bist.«

»Das stimmt.«

»Was hast du eigentlich dort links – ein Herz oder einen Stein?«

»Einen Stein.«

»Du sagst es. Weshalb bist du eigentlich so? Bist du wirklich so wahnsinnig in sie verliebt? Oder bist du deshalb so, weil du alle anderen haßt?«

»Das kann dir doch egal sein.«

»Ist es auch. Aber es steht mir immer noch zu, etwas von dir zu erfahren, nachdem du fünf Jahre lang fort warst. Du meine Güte – es kommt mir wie eine Ewigkeit vor!«

»Ich habe nichts zu berichten.«

Aber nach einigem Zögern begann er dann doch zu erzählen. Adele stellte Fragen, er antwortete. Er erzählte von den Monaten in der Kaserne, von den nahezu drei Jahren an der Front. Ein Held war er bestimmt nicht gewesen, aber in Lebensgefahr war er oft genug geraten. Er hatte im Schützengraben gehockt. Typhus und Ruhr hatte er bekommen. Und er gestand Adele auch, daß er zu Dirnen gegangen war, daß er ein Techtelmechtel mit der Tochter eines Sägemühlenbesitzers aus der Umgebung von Jekaterinoslaw und eine Affäre mit einer Kiewer Kindergärtnerin gehabt hatte. Auf Adele wirkte sein Bericht wie ein Mischmasch aus Dingen, die nichts miteinander zu tun haben: Petljuras Pogrome und eine Volkshochschule, in der er unterrichtet hatte; Denikins Horden und eine hebräische Bibliothek, in der er mit Katalogarbeiten beschäftigt gewesen war; die bolschewistische Revolution und ein Werk von Hegel, das er übersetzen sollte. Sie hörte ihm zu und biß sich auf die Lippen. Es war auch diesmal wieder die alte Geschichte: ein Hungerdasein, schäbige Quartiere, törichte Träume, nutzlose Bücher. Nach wie vor hatte er keinen Beruf und keine festen Pläne. Und noch immer war er weder dazu fähig, jemanden wirklich zu lieben, noch dazu, Verantwortung zu empfinden. Er sah abgespannt und bedrückt aus. Seine Augen waren gerötet wie nach schlaflosen Nächten. Er gab zu, daß er die Nacht nach seiner Ankunft in Warschau bei Hadassa in Otwock verbracht hatte und dann mit ihr nach Miedzeszyn gefahren war, wo sie bei Klonjas Schwiegermutter ein Zimmer gemietet hatten. Und heute wollten sie beide bei Herz Janowar übernachten.

Adele wurde ganz bleich. »Du hättest nicht zurückkommen sollen. Du wirst auch sie unglücklich machen.«

»Das fürchte ich auch.«

»Du bist verrückt, Euser Heschel, hoffnungslos verrückt! Du läufst zwar nicht Amok, aber ein Irrer bist du trotzdem. Ich kann nur hoffen, daß dein Sohn dir nicht nachgerät.«

»Keine Bange, das wird er bestimmt nicht. Dafür wirst du schon sorgen.«

»Ich bemühe mich weiß Gott. Er stellt bereits die gleichen Fragen, von denen du besessen warst. Wenn du noch einen Funken Anstand hast, dann sorg dafür, daß er wenigstens keine Not leiden muß.«

»Ja, Adele, ich werde mich bemühen. Gute Nacht.«

»Warum willst du verrückter Kerl denn plötzlich davonlaufen? Du wolltest doch das Kind sehen!«

Sie ging hinaus. Euser Heschel stellte sich ans Fenster und sah in den Hof hinunter. Wie dunkel es war! Wie düster die Mauern unter dem rötlich überhauchten, sternlosen Himmel wirkten! Und wie ausgehöhlt er sich fühlte! Es verlangte ihn nicht einmal danach, sein Kind zu sehen. Adele hatte recht – er war irrsinnig. Plötzlich drückte er die Zungenspitze an die Fensterscheibe, wie um sich zu vergewissern, daß er wirklich da war. Ob er nicht lieber auf dieses nächtliche Rendezvous mit Hadassa verzichten sollte? Vielleicht könnte sie doch noch zu ihrem Mann zurückkehren. Welche Torheit, hierher zurückzukommen – ohne an einen Gott zu glauben, ohne ein Ziel, ohne Ausbildung! Schrecklich, was für eine Verantwortung er sich da auflud! So schändlich es sein mochte – schon nach diesen wenigen Tagen ging ihm das alles auf die Nerven. »Es ist alles das gleiche, nur die Bezeichnungen sind verschieden: Ungeduld, Langeweile, Grausamkeit, Befangenheit, Trägheit. Sie schleppen alle das gleiche Todesverlangen mit sich herum – die Roten, die Weißen, jener polnische Offizier im Zug, Abram, Hadassa . . .« Er hörte etwas und drehte sich um. Adele war, mit David auf dem Arm, hereingekommen. Der Kleine hatte einen Schlafanzug an und war barfuß. Er rieb sich die Augen und guckte, blaß und verwundert, seinen Vater an.

»David, das ist dein Tatusch«, sagte Adele auf polnisch. »Euser Heschel, das ist dein Sohn.«

Der erste Blick auf den Jungen verriet Euser Heschel mehr als alle Fotografien, die Dina ihm gezeigt hatte. David sah ihm ähnlich. Und seiner Großmutter und seiner Urgroßmutter. Der Kleine kratzte sich an der Nase. Seine Lippen zuckten – wie bei einem Baby, ehe es zu schreien beginnt.

»Gib deinem Papa die Hand!«

»Mama, ich bin schläfrig.« Und dann begann er zu weinen.

Euser Heschel packte die Spielsachen aus.

»Schau, das ist eine Trillerpfeife. Und da ist ein Säbel. Und hier ein Soldat.«

»Ein richtiger?«

»Nein, bloß ein Spielzeugsoldat.«

»Mama, ich will wieder ins Bett!«

»Was hast du denn? Herunter mit dir! Ich kann dich nicht so lange tragen.«

Sie stellte den Jungen auf den Teppich. In seinem Schlafanzug, dessen Hose ihm zu weit und dessen Jacke zu groß war, stand er da. Seine Haare waren kurzgeschnitten, nur über der Stirn ringelten sich ein paar blonde Löckchen. Euser Heschel betrachtete ihn erstaunt. Bei aller Frische und Kindlichkeit hatte der Junge etwas an sich, das merkwürdig reif wirkte. Die Kopfform, die Ohren, die Schläfen, die altklugen Augen, aus denen so etwas wie Weltmüdigkeit sprach – in all dem erkannte Euser Heschel sich wieder. Plötzlich überkam ihn eine tiefe Zuneigung zu diesem miesepetrigen Jungen. Mit einemmal ging ihm auf, was der Ausdruck »Vater sein« wirklich bedeutete. »Nein«, dachte er, »ich darf mich nicht an den

Jungen binden! Sonst würde sie mich zeitlebens erpressen.« Er beugte sich zu David hinunter und küßte ihn auf die Stirn.

»David, mein Schatz, ich bin dein Papa. Ich hab' dich lieb . . .«

Der Junge sah ihn verschmitzt an, fast wie ein Erwachsener. Um seine tränenfeuchten Augen spielte ein Lächeln. »Bleib da . . .«

Achter Teil

Erstes Kapitel

In den Jahren, in denen Euser Heschel beim Militär und in Rußland gewesen war, hatte es Hadassa vermieden, mit der Verwandtschaft zusammenzukommen. Ihr Vater hatte wieder geheiratet. Ihre Tanten Saltsche und »Königin« Esther standen auf Fischels Seite. In Otwock wurde sie nur von drei Familienmitgliedern besucht, mit denen sie sich gelegentlich auch in Warschau traf: von Mascha, Stefa und Doscha, Pinnje Moschkats jüngster Tochter.

Mascha war zum christlichen Glauben übergetreten. Ihr Taufpate war Pan Zazicki, ihr Schwiegervater. Sie ging täglich zur Kirche. Reb Mosche Gabriel hatte eine Woche lang für seine Tochter *schiwe* gesessen, als ob sie gestorben wäre. Lea teilte aus Amerika mit, sie habe Mascha enterbt. Die Onkel und Tanten spuckten aus, wenn Maschas Name erwähnt wurde. Hadassa dagegen konnte keinen Haß auf eine Frau empfinden, die um ihrer Liebe willen ein solches Opfer gebracht hatte. Und außerdem: Stand es um sie selber denn besser? Hatte sie denn nicht ihr Ehegelübde gebrochen? Sollten doch jene, die ohne Sünde waren, den ersten Stein werfen! Und machte es denn wirklich soviel aus, ob man dieser oder jener Religion angehörte? Beteten die Juden und die Christen denn nicht zu ein und demselben Gott? Als Euser Heschel in der Schweiz war, hatte Hadassa sich oft mit dem Gedanken getragen, Nonne zu werden und den Rest ihres Lebens in klösterlicher Abgeschiedenheit zu verbringen, wie es christliche Mädchen taten, die vom weltlichen Leben enttäuscht worden waren. Dafür, daß sie sich dann doch dagegen entschieden hatte, abtrünnig zu werden, gab es nur einen einzigen Grund: Verfolgt wurden die Juden, nicht die Christen. Wenn die Worte des Evangelisten, daß die Sanftmütigen die Erde besitzen werden, zutrafen, dann waren die Juden die wirklichen Christen.

Hadassa hatte, als Mascha abtrünnig geworden war, den Kontakt zu ihr abgebrochen, doch das hatte sich bald wieder geändert. Mascha schickte ihr Briefe nach Otwock. Sie war tief bekümmert und einsam. Als Hadassa sich schließlich in Warschau mit ihr traf, erfuhr sie, daß Janeks Familie sich nicht damit abfinden konnte, daß Mascha jüdischer Herkunft war. Ihr Schwiegervater murrte, hustete und schimpfte ganze Nächte lang und behauptete, an seinem schlechten Gesundheitszustand sei Janek schuld. Ihre Schwiegermutter hatte vom ersten Tag an kein Hehl aus ihrem Haß gemacht. Und ihre Schwägerin ging ihr aus dem Weg. Nach einiger Zeit waren Mascha und Janek ausgezogen und hatten ein Zimmer in Mokotow gemietet, doch an ihrer Misere hatte sich nichts geändert. Niemand wollte Janeks Bilder kaufen. Wer hatte im Krieg denn schon Zeit, sich für Kunst zu interessieren? Janek sandte seine Bilder auf alle möglichen Ausstellungen, aber jedesmal wurden sie ihm zurückgeschickt. Oft blieb er tagelang zu Hause, las Zeitungen und erklärte immer wieder, er sei ein Versager und hätte eigentlich gar nicht heiraten dürfen. Mascha nahm eine Stellung in einem Blumengeschäft an, fand die Arbeit dort aber so deprimierend, daß sie nahe daran war, in Schwermut zu verfallen. Die meisten Kunden kauften Kränze für Beerdigungen. Mascha begann an Unterleibskrämpfen und Alpträumen zu leiden. Es kam zu ehelichen Streitigkeiten, und wenn Janek in Wut geriet, bezeichnete er Mascha als »dreckiges Judenmädchen«.

Hadassa traf sich einmal in der Woche mit ihrer Cousine. Dann aßen die beiden in einem nichtjüdischen Lokal, das ziemlich weit vom jüdischen Wohnviertel entfernt war, zu Mittag. Jedesmal bezahlte Hadassa die Rechnung. Einmal war Mascha mitten in der Nacht bei Hadassa in Otwock erschienen. Es war zwischen ihr und Janek zu einer heftigen Auseinandersetzung gekommen, bei der er sie an der Gurgel gepackt und mit einem Messer bedroht hatte. Die beiden jungen Frauen blieben bis zum Morgengrauen auf, und Mascha schüttete Hadassa ihr Herz aus. Janek wollte nicht arbeiten. Er brachte nicht die Kraft dazu auf. Er hatte ein schwaches Herz und sprach oft von Selbstmord. Obwohl er keinen Alkohol vertrug, konnte er das Trinken nicht lassen. Das Malen war ihm plötzlich so zuwider, daß er seine Bilder verbrannte. Er war überzeugt, daß seine Kollegen Mlotek und Rubinlicht sich gegen ihn verschworen hatten, um sich dafür zu rächen, daß er eine Jüdin geheiratet hatte. Als Mascha ihm riet, einen Nervenarzt zu konsultieren, warf er ihr vor, sie wollte ja nur erreichen, daß er ins Irrenhaus käme.

Als die Deutschen den Polen die Eigenstaatlichkeit versprachen und Soldaten für die polnisch-deutsche Armee rekrutierten, meldete sich Janek (dessen Vater kurz vorher gestorben war) freiwillig. Er wurde im Lazarettdienst eingesetzt, dann aber aus gesundheitlichen Gründen aus der Armee entlassen. Daraufhin ergriff er sofort Partei gegen die Deutschen und bewarb sich um Aufnahme in Pilsudskis geheime Militärorganisation. Hier war ihm zum ersten Mal Erfolg beschieden. Er wurde mit geheimdienstlichen Aufgaben betraut. Und er porträtierte Pilsudskis Adjutanten, von denen einige die polnische Legion in Ungarn anführten. Endlich verdiente er Geld. Und er brachte Gäste mit nach Hause, die – obzwar sie, wie Janek, in Zivil waren – einander mit »Hauptmann«, »Major« und »Oberst« anredeten. Sie zechten, sangen patriotische Lieder, zwirbelten ihre Schnurrbärte, küßten Mascha die Hand und vergossen im Suff Tränen über das Schicksal des polnischen Vaterlandes, das ein Jahrhundert lang zwischen den hundsföttischen Russen, Preußen und Österreichern aufgeteilt war. Und weil sie wußten, daß Mascha aus einer jüdischen Familie stammte, redeten sie unentwegt von den berühmten polnischen Patrioten jüdischer Herkunft, Samuel Zbitkower und Oberst Josselewicz, und schworen, daß Polen in Zukunft ein Paradies für das geschundene jüdische Volk sein würde – wie es schon die Dichter Mickiewicz, Norwid und Wyspianski prophezeit hatten.

Als Pilsudski von den Deutschen gefangengesetzt wurde, fühlte sich Janek, der noch nie ein Gedicht geschrieben hatte, bewogen, ein Lied zu verfassen, das in der illegalen Zeitung der Militärorganisation abgedruckt wurde. Und auf einem heroischen Gemälde stellte er Pilsudski an der Spitze einer Legion dar. Mascha hielt sich keineswegs für eine Kunstkritikerin, aber auch sie merkte sofort, daß das Gemälde eine schlechte Matejko-Imitation war. Als seine jüdischen Kollegen ihn »Farbenkleckser« nannten, bekam Janek einen Wutanfall und beschimpfte Mascha und das jüdische Volk, das »aus lauter Anarchisten und Degenerierten« bestände. Er mietete ein Atelier und kam oft tage- und nächtelang nicht nach Hause. Er schrieb lange Briefe an Mascha, in denen er ihr seine unsterbliche Liebe beteuerte, sich aber gleichzeitig darüber ausließ, daß er von den Frauen und den Juden tief enttäuscht sei und nicht mehr an wahre Gerechtigkeit glauben könne. Er zitierte aus den antisemitischen Schriften von Lutoslawski, Nowaczynski und Niemojewski. Und er sang ein Loblied auf Pilsudski, den er als »Messias« bezeichnete. Manchmal kam er mitten in der Nacht stockbetrunken nach Hause, kniete an Maschas Bett nieder und schluchzte. »Mein Engel! Ich bin ein Sünder! Verstoß mich nicht! Du reine, anbetungswürdige Seele!«

Nachdem Pilsudski aus der Magdeburger Festung befreit und Polens Unabhängigkeit erklärt worden war, wurde Janek Major in der polnischen Armee und ein häufiger Gast im Schloß Belvedere. Sein Pilsudski-Porträt hing neben den Gemälden der alten polnischen Meister, und das Lied, das er verfaßt hatte, wurde in der polnischen Armee zum beliebten Marschlied. Er bezog eine elegante Wohnung in der Ujasdowski-Allee. Mit Mascha hatte er sich inzwischen ausgesöhnt. Er hatte einen Offiziersburschen und zwei Hausmädchen. Obersten, Generäle und Diplomaten waren oft bei ihm zu Gast. Mascha unternahm Ausritte im Lazienkipark. Sie brach den Briefwechsel mit Hadassa ab und fuhr nicht mehr nach Otwock. Ihre neue Wohnung hatte Hadassa nie zu Gesicht bekommen. Madame Mascha Zazicka wurde im neuen Polen eine prominente Persönlichkeit. Ihr Bild erschien in den Illustrierten. Sie wurde gebeten, Frauenkomitees beizutreten. Das Rote Kreuz verlieh ihr einen Ehrentitel. Hadassa hingegen war Frau Kutner geblieben und wartete auf die Rückkehr des obskuren Jeschiwastudenten, der irgendwo bei den Bolschewiken verschollen war. Mascha machte sich ihretwegen oft Vorwürfe. Manchmal schreckte sie nachts, von Gewissensbissen gepeinigt, aus dem Schlaf hoch und schwor sich, Hadassa gleich morgen zu besuchen, ihr die paar Mark, die sie ihr schuldete, zurückzuzahlen, ein Geschenk für sie zu besorgen und sie zu sich einzuladen. Aber am nächsten Tag mußte sie dann wieder so vielen gesellschaftlichen Verpflichtungen nachkommen, daß sie Hadassa völlig vergaß.

Manchmal dachte sie wochenlang nicht daran, daß sie eine Enkelin von Reb Meschulam Moschkat und die Tochter von Reb Mosche Gabriel Margolis war – und ihr frischverheirateter Bruder Aaron der Schwiegersohn von Kalman Chelmer. Ihr taten die Juden leid, aber sie fand es sinnlos, sich mit dieser sonderbaren Sippschaft einzulassen, die so angekränkelt, korrupt und kompliziert war. Dort schien ein einziges großes Durcheinander zu herrschen: Kommunismus und Schwarzhandel, Atheismus und religiöser Fanatismus. Ihre Verwandtschaft war verarmt. Ihre Mutter trieb sich mit diesem Dienstboten, der ihr Liebhaber war, in Amerika herum. Nein, Mascha Zazicka hatte nichts zu bereuen. Jetzt, da Janek Karriere gemacht hatte, ihre Schwiegereltern nicht mehr lebten und Polen ein unabhängiger Staat geworden war, hatte sie nur noch *einen* Wunsch: alle Brücken hinter sich abzubrechen.

Zweites Kapitel

I

Aus Hadassas Tagebuch

26. Juni. Heute war ein trauriger Tag in meinem Leben. Ich kann ihn nur mit meinem Hochzeitstag vergleichen. Fischel hat sich von mir scheiden lassen. Ich mußte den ganzen Tag beim Rabbi auf einer Bank sitzen. Der Schreiber hat mit einem Gänsekiel auf Pergament geschrieben. Die beiden Zeugen mußten erst unterwiesen werden, bevor sie auf die traditionelle Art und Weise unterzeichnen konnten. Wenn der Rabbi sprach, gebrauchte er das formelle »Ihr«. Er hat sonderbare Wörter verwandt – halb hebräisch, halb jiddisch. Er las in dicken Folianten nach und gab mir zum Andenken sein Taschentuch. Ich war bestimmt nicht traurig, als alles vorüber war, aber geweint habe ich trotzdem. F. saß die ganze Zeit mit dem Rücken zu mir und wiegte den Oberkörper wie beim Beten. Ich mußte immerzu ans Sterben und an Mutter denken. Dann mußte ich aufstehen und die Hände aufhalten. Als Fischel mir den Scheidebrief in die Hände legte, sah er mich ganz merkwürdig an. Dann wurden die Ränder des Scheidebriefs mit einem Federmesser beschnitten, und der Rabbi sagte zu mir: »Wünscht Ihr wieder zu heiraten, so sollt Ihr drei Monate und einen Tag warten.«

Ich fürchte, ich werde drei Jahre und länger warten müssen. Adele wird sich nie von ihm scheiden lassen.

3. Juli. Heute ist ein alter Traum von uns beiden in Erfüllung gegangen. Wir sind in Zakopane. Er hat schon höhere Berge gesehen, er kennt die Alpen, aber ich sehe die Berge zum ersten Mal. Sie sind noch schöner, als ich es mir vorgestellt habe. Plötzlich ragt ein Berg vor einem auf, und dann verschwindet er wieder, als hätte ihn die Erde verschluckt. Die Wälder auf den Abhängen kommen mir wie grüne Bärte vor. Das Hotel ist so laut. Alle Leute schlagen die Türen zu. Man bekommt schrecklich viel zu essen, aber die Frauen meckern trotzdem, es sei nicht genug. Die Mädchen lachen so laut, daß man nachts nicht schlafen kann. Euser Heschel ist sehr nervös. Er sagt, ein moderner Jude sei gar kein richtiger

Mensch. Er steckt voller Widersprüche. Ihm scheint es zu genügen, daß ich seine Geliebte und nicht seine Ehefrau bin. Wenn er wüßte, wie ich darunter leide! Der Empfangschef hat sich unsere Ausweise zeigen lassen und sofort gemerkt, daß wir nicht verheiratet sind. Hier sind viele Leute aus Warschau. Im Speisesaal wird es sofort ganz still, wenn wir beide hereinkommen.

Abends. Er macht einen Spaziergang – allein. Wir hatten wieder eine Auseinandersetzung. O Gott, warum zanken wir uns so oft? Statt sich zu erholen, ist er ständig ärgerlich und verbissen. Mit den Leuten an unserem Tisch redet er kein Wort. Er hat sich für diese Reise Geld pumpen müssen, weil er nichts von dem Geld, das ich von F. bekommen habe, für sich verwenden will. Gina hat ihm etwas geliehen.

8. Juli. Gestern gab es große Aufregung im Hotel. Ein Soldat aus Hallers Armee ging auf den Besitzer los und schnitt ihm den Bart ab. Jetzt muß der Arme mit verbundener Backe herumlaufen. Ich konnte die ganze Nacht nicht schlafen. Euser Heschel stöhnte und warf sich bis Tagesanbruch im Bett herum.

9. Juli. Die Frauen hier laufen halbnackt herum. Eigentlich sonderbar, daß die Jüdinnen so viel »emanzipierter« sind als die Polinnen. Ich bin schon gefragt worden, warum ich keine Shorts trage. Alle Nichtjüdinnen haben Kleider an. E. H. und ich, wir sind so befangen. Ich geniere mich sogar, schwimmen zu gehen, wenn Männer zugegen sind. Euser Heschel läuft den ganzen Tag in Anzug und Krawatte herum.

13. Juli. Wir sind, gottlob, aus dem Hotel ausgezogen. Jetzt wohnen wir in Zawoya, einem Dorf am Fuße der Babia Gora. Das ist ein gewaltiger Berg, der ganz für sich allein in den Himmel ragt. Bei Sonnenuntergang dampft er wie ein Vulkan. Es heißt, daß man hier Adler sehen kann. Etwas hier ist sehr unangenehm: Im Bett sind Flöhe. Die Bauern sind so schmutzig! In den Herd ist ein Kessel eingebaut, darin wird dreimal am Tag gekocht – immer nur Gerstengrütze oder Kartoffeln. In unserem Zimmer sind viele Heiligenbilder. Der Bauer hat drei Kühe und einige Schafe, die aber auf einer Bergweide sind, weil es hier unten nicht genug Grünfutter gibt. Vor dem Krieg sind die Bauern im Sommer zur Feldarbeit nach Ungarn gegangen. Jetzt ist die Grenze geschlossen. Drei Töchter des Bauern arbeiten als Dienstmädchen in Krakau, bei jüdischen Familien.

14. Juli. Immer, wenn ich davon spreche, daß ich gern ein Kind hätte, wird er wütend. Er will keine neue Generation in die Welt setzen. Wenn's nach ihm ginge, könnte die Menschheit aussterben. Ich verstehe einfach nicht, warum er so pessimistisch ist. Besonders der Gedanke, eine Tochter zu bekommen, macht ihm Angst. Das muß ihm noch aus der Zeit nachhängen, als er den Talmud studiert hat. Aber Großvater, der den Talmud doch auch genau kannte, hat seine Enkeltöchter geliebt. Wie kann Euser Heschel mich lieben, wenn er *so* über die Frauen denkt? Wenn er so etwas sagt, muß ich jedesmal weinen. Ich glaube, er ist von allem enttäuscht. Trotzdem kann er manchmal so lustig sein und wie ein Kind spielen.

15. Juli. Ich habe die ganze Nacht nicht schlafen können. Die Flöhe haben mich gepeinigt. Er ist mitten in der Nacht aufgewacht, hat eine Kerze angezündet und den Strohsack untersucht. Er hat alles und jeden verflucht und hat bedauert, daß er aus Rußland zurückgekehrt ist. Er sagte, ich wäre viel besser dran, wenn ich bei F. geblieben wäre. Ich habe geweint. Er hat mich lange geküßt und mir geschworen, daß er mich mehr als alles auf der Welt liebt. Er ist aufrichtig, aber seine Liebe ist so ungewiß. Jede Minute hat er einen anderen Plan. Einmal sagt er, daß er nach Palästina will, und kurz darauf, daß er in die Schweiz zurückkehren möchte. Manchmal sagt er, wir sollten in Otwock bleiben, und manchmal, daß er gern eine Wohnung in Warschau hätte. Er ist jetzt fest entschlossen, keinen Militärdienst zu leisten, falls er dieses Jahr einberufen wird. Das kann ich ihm zwar nachfühlen, aber ich finde, es ist unter unserer Würde, zu desertieren. Wir Juden leben schließlich schon seit vielen Jahrhunderten in Polen.

16. Juli. Er hat die Stelle im theologischen Seminar Tachkemoni bekommen. Herz Janowar hat es uns mitgeteilt. Gottlob, daß wir dann etwas für unseren Lebensunterhalt haben. Wieviel er dort verdienen wird, wissen wir allerdings noch nicht. Hier lebt man billig. Erdbeeren bekommt man fast umsonst, und die sind hier richtig süß. Auch Butter ist billig. Und Holz bringen die Mädchen haufenweise aus dem Wald. Zuerst wollte Euser Heschel diese Stellung gar nicht haben – er fand, es wäre Heuchelei, wenn er an einem theologischen Seminar unterrichten würde –, aber jetzt scheint er sich darüber zu freuen. Vielleicht bewahrt ihn diese Stellung vor der Einberufung: Seminaristen sind vom Militärdienst befreit, die Lehrer vielleicht auch. Heute hat er mir versprochen, alles zu tun, um seine Scheidung durchzusetzen. Er hat sogar gesagt, ich dürfte ein Kind bekommen, wenn ich ihm garantieren könnte, daß es ein Sohn sein wird. Als ob das von *mir* abhinge!

17. Juli. Ich habe einen Brief von Mascha bekommen. Plötzlich ist ihr wieder eingefallen, daß ich ihre Cousine bin. Nach dem Sprichwort: »Wer in der Klemme ist, geht zum Juden.« Janek macht sie unglücklich. Er ist jetzt Oberst und muß an die Front. Mascha schreibt nie offen und ehrlich, immer ist alles in Phrasen verpackt. Sie möchte, daß ich zu ihr nach Wilanow komme. Aber bei ihr treiben sich so viele Generäle samt Gattinnen herum, daß ich bestimmt nicht hinfahre, obgleich Janek Euser Heschel helfen könnte.

6. August. Heute ist mein Geburtstag. Siebenundzwanzig Jahre. In drei Jahren bin ich dreißig. Nicht zu fassen! Wo ist die Zeit geblieben? Alles ist vergangen wie im Traum. Früher dachte ich, in diesem Alter müßte man sehr lebensklug sein. Aber ich bin noch so unreif – in jeder Hinsicht. Manchmal glaube ich, daß ich nichts anderes kann als lieben und leiden.

Ich habe ihn mehrmals an meinen Geburtstag erinnert, aber ich wußte im voraus, daß er ihn vergessen würde. Als ich heute aufstand, habe ich kein Wort gesagt. Da er auch nicht davon gesprochen hat, wollte ich den Mund halten. Aber ich habe einen so schwachen Charakter. Beim Mittagessen habe ich's ihm gesagt, und er hat mir einen Kuß gegeben. Ich hoffte, daß er mir am Nachmittag etwas schenken würde – eine Blume oder eine Tafel Schokolade. Aber da hatte er's schon wieder vergessen.

7. August. Der Bauer hat sich eine Krakauer Zeitung besorgt. Große Schlachten sind im Gange. Die polnische Armee hat starke Verluste. Das Dorf wird von seltsamen Vögeln heimgesucht. Sie fressen das Getreide auf den Feldern, und die Bauern sagen, diese Vögel hätten menschliche Stimmen. Unentwegt kreischen sie: *»Daj jedz, daj jedz!«* – »Gebt uns Nahrung!« Nach der Ernte verschwinden sie wieder. Unser Bauer ist alt und sehr gutmütig. Er ist schmächtig, schleppt aber lange Baumstämme, die er im Wald fällt. In mich ist er fast verliebt, der Arme! Wenn er mir begegnet, zieht er jedesmal seinen komischen kleinen Hut. Er erzählt mir Geschichten aus Ungarn und von einem Geist, der – in Gestalt eines Kalbes – in Sommernächten aus dem Fluß auftaucht und so lange singt, bis er jemanden in den Fluß gelockt hat.

Der Bauer sagt, daß Dreiviertel der Dorfbewohner vor der Ernte Hunger leiden und ihr Brot beim Bäcker kaufen müssen. Das empfinden sie als Schande. Allem Anschein nach gibt es hier Kommunisten. Der Alte steht auf ihrer Seite. Er sagt, in Rußland müssen die Bauern keine Steuern zahlen. Ein Jude müßte sich hüten, so etwas zu sagen, aber die Bauern hier fürchten sich vor nichts. Seine Frau ist eine gehässige Person. Sie beschwert sich darüber, daß im Dorf nicht genug Leute sterben – bloß deshalb sei die Not so groß.

9. August. Heute waren wir auf dem Berg, wo die Kühe unseres Bauern sind. Seine Tochter lebt dort tatsächlich mit dem Vieh zusammen. Mitten im Stall sind Steine aufgeschüttet, die sie als Feuerstelle benützt. Alles sieht noch so aus wie vor Jahrtausenden. Sie schläft auf dem Heu. In den Regalen stehen irdene Töpfe mit Sauermilch. Um vier Uhr früh steht sie auf, um Gras zu sammeln. Es gibt nicht genug flaches Weideland. Euser Heschel hat das alles viel Freude gemacht. Er sagte, hier würde er gern mit mir bleiben. Das Mädchen war so schäbig angezogen! Es hat sich in ihn vergafft und ihn so angeglotzt, als wäre es selber eine Kuh . . . Ich mußte lachen. Sie hat ihm eine Tasse frischgemolkene Milch gebracht und sich geweigert, Geld dafür anzunehmen.

10. August. Wir sind bis Tagesanbruch wachgelegen. Er glaubt an gar nichts – weder an Gott noch an die Menschheit. Alles ist so düster. Bisher hatten wir schönes Wetter, aber heute ist der Himmel bedeckt, und die Babia Gora ist ganz in Wolken gehüllt. Er ist zum Postamt gegangen. Ich bin so niedergeschlagen – ich weiß nicht, warum. Ich muß mich zusammennehmen, um nicht zu weinen. Ich glaube, er weiß überhaupt nicht, was Liebe ist. Er kennt nur körperliches Verlangen.

2

Im August. Wir sind wieder in Otwock. Die Reise war schrecklich. Der Zug war überfüllt mit Soldaten. Die Bolschewiken greifen überall an. Übermorgen muß sich Euser Heschel bei der Musterungsbehörde melden. Er hat die Stellung im Seminar angetreten und unterrichtet außerdem am Mädchengymnasium Chavazelet. Jetzt muß er das alles aufgeben. Du lieber Himmel, seit ich ihn kenne, muß er immer wieder einrücken! Klonja hat eine Fehlgeburt gehabt. Janek ist an der Front verwundet worden. Ich habe nur noch einen einzigen Wunsch: einschlafen und nie mehr aufwachen.

Dienstag. Heute sind wir ganz früh aufgestanden und nach Warschau gefahren. Vor der Musterungsbehörde in der Zlotastraße standen die Rekruten Schlange. Ich war die einzige Frau. Die Gojim machten sich über die jüdischen Burschen lustig. Ich stand neben Euser Heschel und war sehr traurig. Er ist so anders als die anderen! Die jungen Männer machten sich miteinander bekannt, plauderten, lachten, boten sich gegenseitig Zigaretten an; er dagegen sagte zu keinem ein Wort. Er las die ganze Zeit in einem Buch. Zu mir war er so abweisend, als ob ich an allem schuld wäre. Ich war überzeugt, daß man ihn ausmustern würde, aber man hat ihn für tauglich erklärt. Nächste Woche muß er sich im Einberufungslager melden.

Donnerstag. Gestern abend ist er zu mir nach Otwock gekommen, heute früh fuhr er wieder nach Warschau. Da er dort nicht in Ginas Wohnung, sondern bei seiner Mutter übernachtet, kann ich ihn nicht telefonisch erreichen. Warum muß er aus allem ein Geheimnis machen? Die anderen stehen alle auf Adeles Seite. Sie gehören alle zu derselben Clique, und ich bin eine Außenseiterin. Wenn er beim Militär ist, werde ich nicht in Otwock bleiben. Ich möchte Krankenschwester werden.

Freitag. Heute nacht wollte er kommen, aber jetzt ist es schon ein Uhr, und er ist noch nicht da. Nicht einmal eine

Karte hat er mir geschrieben. Ich wußte, daß es zwischen uns allerlei Unstimmigkeiten geben würde, aber daß wir uns so oft zanken, hätte ich mir nicht träumen lassen. Er zieht sich ganz in sich zurück, und dann kann man einfach nicht mit ihm reden. Er ist in einer schlimmen Situation, aber bin ich denn besser dran?

Samstagnacht. Heute vormittag fuhr ich zu Klonja nach Miedzeszyn. Wie anders dort alles ist! Wladek ist an der Front, aber niemand macht daraus eine Tragödie. Klonjas Eltern waren auch da. Ich bin zum Essen geblieben. Ihre Schwiegermutter hatte Geburtstag. So einen riesigen Kuchen hatte ich noch nie gesehen – so groß wie ein Backtrog! Nach dem Essen wurde ein Gesellschaftsspiel gespielt. Alle stellten sich im Kreis auf, wie Kinder. Wer »ausgezählt« wurde, mußte ein Pfand geben. Klonjas Vater mußte seine Taschenuhr einlösen, und der »Schiedsrichter« befahl ihm, mir einen Kuß zu geben. Der alte Mann errötete wie ein Kind, und ich mußte mir das Lachen verbeißen. Wie ich diese einfachen Leute beneide!

Sonntagnacht. Gestern ist er spät in der Nacht gekommen. Ich weiß nicht, was sich ereignet hatte, aber er war vergnügt und gesprächig und brachte mir sogar etwas mit – die Gedichte von Leopold Staff. Heute haben uns Onkel Abram und Herz Janowar besucht. Sie sagen, der Krieg wird bald vorbei sein, noch ehe Euser Heschel die Rekrutenausbildung hinter sich hat. Er, Onkel Abram und Herz Janowar haben sich Stöcke und Besen geholt und sind wie Soldaten herummarschiert. Ich habe einen Brief an Mascha geschrieben.

Mittwoch. Er ist im Einberufungslager, irgendwo in Siedlce. Die Soldaten dort dürfen keine Besuche empfangen. Gestern habe ich bei Ida im Atelier übernachtet. Onkel Abram teilt das Schlafzimmer mit ihr. Ich lag auf dem Klappbett und konnte nicht einschlafen. Durch das Oberlicht konnte ich die Sterne sehen, und mir war, als ob ich im Himmel wäre. Ida ist völlig ergraut. Der Mond strahlte, und die Bilder an den Wänden schienen plötzlich lebendig zu werden.

Donnerstag. Heute war ich im Einberufungslager und habe mit ihm gesprochen. Mascha hatte einen Oberst angerufen und mir die Besuchserlaubnis verschafft. Euser Heschel war überglücklich, mich wiederzusehen. Es ist ein großes, eingezäuntes Gebäude. Die Rekruten laufen wie Gefangene im Hof herum. Alle haben mich angegafft. Ich war die einzige Frau unter Hunderten von Männern. Wäre ich nicht von einem Soldaten eskortiert worden, dann hätten sie mich bestimmt in Stücke gerissen. Der Soldat öffnete eine Tür, und da sah ich Euser Heschel. Es gibt dort keine richtigen Betten, sondern Pritschen, die – immer zwei übereinander – an den Wänden stehen. Er saß auf einem kleinen Kasten und las in seinem Lieblingsbuch, Spinozas *Ethik.* Er war baff, als er mich hereinkommen sah. Ich hätte ihm gern einen Kuß gegeben, aber die anderen glotzten uns an. Wir sind hinaus in den Hof gegangen, und alle pfiffen hinter uns her.

Rosch Haschana. Euser Heschel ist in Zychlin. Noch nie bin ich an einem Feiertag so einsam gewesen. Schifra ist weggegangen, um das Schofarblasen zu hören. Aber wie hätte ich mir anmaßen können, in eine Synagoge zu gehen – ich, eine Frau, die in Sünde lebt? Man hätte mich vielleicht hinausgejagt. Ich habe Papa eine Neujahrskarte geschickt, aber bisher hat er nicht geantwortet. Klonja hat mich nach Miedzeszyn eingeladen, aber es wäre mir peinlich, an unseren Feiertagen dort zu sein. Ich habe alles verloren – meine Eltern, meinen Glauben, jeden Halt. Die Blätter des Kirschbaums draußen im Garten werden schon welk.

In der Nacht nach Jom Kippur. Mascha war den ganzen Tag hier. Ihr Leben ist nicht viel besser als meines. Janek ist im Lazarett, er hat eine leichte Verwundung am Oberschenkel. Sie hat mir schreckliche Dinge über ihn erzählt. Er ist ein richtiger Antisemit geworden. Sie hat vor, nach Amerika zu gehen, zu ihrer Mutter. Wir sind bis nach Srodborow gelaufen. Ich habe gefastet, und auch Mascha hat nichts gegessen. Ich habe Gebete aus Mutters Gebetbuch gesprochen, und Mascha hat mit mir gebetet. Erstaunlicherweise kann sie noch Hebräisch lesen, sogar besser als ich. Ich träume jede Nacht von Mama. Sie ist tot und zugleich lebendig und sie weint. Ob sie weiß, wie es um mich steht? Tagsüber denke ich selten an sie. Ich habe mich um eine Lehrstelle als Krankenschwester beworben, aber noch keinen Bescheid bekommen. Es heißt, daß sie keine Jüdinnen nehmen.

Mittwoch. Pilsudski ist wirklich der Retter Polens. Es ist fast sicher, daß Euser Heschel nicht mehr in den Krieg ziehen muß. Ich bin froh darüber, wenngleich ich ihm gewünscht hätte, zu den Befreiern Polens zu gehören. Wir Frauen möchten immer, daß unsere Männer Helden sind. Das ist töricht. Ich habe eine Postkarte aus Zychlin bekommen. Er schreibt nur ganz kurz.

12. November. Heute bin ich aus Zychlin zurückgekommen. Ich war vier Tage dort. Wie komisch er in Uniform aussieht! Man hat ihm Sachen gegeben, die ihm zu groß sind. Die Soldaten dort tun so gut wie nichts. Sie wissen, daß man sie bald entlassen wird. Er bekam Urlaub, und wir schliefen im Hotel. Er hat mich als seine Frau vorgestellt, und alle haben mich mit »Frau Bannet« angeredet.

16. November. Ich habe einen Brief von Adele erhalten Ihre Mutter muß ihn ihr diktiert haben Er strotzt von Beschimpfungen und Drohungen. Liebes Tagebuch, ich lege ihn zwischen deine Seiten. Er soll bezeugen, was ich durchmache.

Nachts. Ein Gedanke peinigt mich – habe ich richtig gehandelt? Hatte ich das Recht, ihn seinem Kind wegzunehmen? Alle glauben, ich hätte eine schwere Sünde begangen. Sogar diejenigen, die sich für fortschrittlich halten. Sie reden und lesen so viel über Liebe, aber wenn es wirklich darum geht, erweisen sie sich alle als Fanatiker. Rosa Frumetl verleumdet mich, und zwar ganz systematisch: Sie geht von Haus zu Haus. Und ich bekomme dann alles zu hören. Ich habe Gott stets angefleht, mich vor Haß zu bewahren, aber es fällt mir immer schwerer, nicht zu hassen. Lieber Gott, ich vergebe allen. Manchmal habe ich das Gefühl, daß mein Hals in einer Schlinge steckt. Wenn ich Euser Heschel davon erzähle, wird er ärgerlich.

Ich dachte, einander lieben bedeutet, alles miteinander zu teilen. Aber er ist auch in dieser Hinsicht anders. Immerzu ist er mit seinen eigenen Gedanken beschäftigt und redet kein Wort. Es ist, als ob er ständig auf etwas wartet und kein bißchen Geduld hat. Und seine Briefe sind hastig geschrieben.

Montag. Heute hat Schifra gekündigt. Sie heiratet Itschele. Er ist also doch zu ihr zurückgekehrt. Ich hätte es mir ohnehin nicht leisten können, sie zu behalten. Aber es wird mir schwerfallen, sie nicht mehr um mich zu haben. Sie hat mich gewissermaßen aufgezogen, obwohl sie bloß fünf Jahre älter ist. So lange sie bei mir war, hatte ich das Gefühl, Mutter wäre noch da. Wenn sie mich »Gnädige« nannte, habe ich mir immer vorgestellt, sie spräche mit Mama. Ich werde ihr meine kleine Brosche schenken.

Dienstag. Heute hat es den ganzen Tag geregnet. Eigentlich soll er diese Woche kommen, aber alles ist so ungewiß. Ich halte es in Otwock einfach nicht mehr aus, aber in Warschau sind mir alle Türen verschlossen. Adele bezeichnet mich in ihrem Brief als »Dirne«. Das bin ich wohl auch – in den Augen der anderen.

Er könnte mir so sehr helfen. Seine Liebe könnte alles wettmachen. Andere Frauen sind ihrer selbst und ihrer Ehemänner so sicher. Ich dagegen, die ich so viel aufgegeben habe, bin immer im Ungewissen.

Drittes Kapitel

1

Am dritten Abend des Chanukka-Festes buk Baschele Kartoffelpuffer. Chaim Leib, der Kohlenhändler, den sie nach der Scheidung von Koppel geheiratet hatte, war nach dem Abendessen zum Kartenspielen zu einem Nachbarn gegangen. Baschele hatte zuviel Öl in die Chanukkalampe gegossen; ein Docht blakte und zischte immer noch. Sie rieb die rohen Kartoffeln und gab Fett in die Pfanne. Bald roch die ganze Küche nach brutzelndem Fett. Obwohl Baschele ihre Kinder gebeten hatte, im Wohnzimmer zu bleiben, fanden sie es in der Küche gemütlicher. Ihr verheirateter Sohn Manjek, Buchhalter in einer Essigfabrik, saß auf dem Kanapee, auf dem Jeppe und Teibele nachts schliefen. Neben ihm saß Rita, seine Frau. Manjek war ein Dandy. Sein Haar war gescheitelt und pomadisiert. Zum steifen Kragen trug er eine Krawatte, die zu einem ganz schmalen Knoten geschlungen war. Beim Hinsetzen zog er die Hosenbeine sorgsam bis zu den Waden hoch, damit die Bügelfalte nicht zerknittert wurde. Sein elegantes Auftreten hatte ihm ein gewisses Renommee eingebracht. Die Frauen in Praga rissen sich darum, von Manjek zum Tango oder Shimmy aufgefordert zu werden. Und darum ließ Rita ihn nicht aus den Augen. Sie war klein, ein dunkler, etwas molliger Typ mit vollen Lippen und schmalen, funkelnden Augen. Den Mädchen in Prag war es nach wie vor ein Rätsel, was Manjek eigentlich an ihr gereizt hatte.

»Was hat sie denn zu bieten?« fragten sie sich. »Kein ansprechendes Gesicht, keine Figur. Eine ausgestopfte Puppe!«

Schoscha, Bascheles älteste Tochter, war jetzt vierundzwanzig. Sie ging mit einem Chaluz, der bald nach Palästina auswandern wollte. Das war nun einmal Schoschas Los: Alle jungen Burschen, die bisher etwas für sie übriggehabt hatten, waren Idealisten gewesen. Sie selber war ein häuslicher Typ. Sie las keine Zeitungen und wußte kaum, was der Unterschied zwischen einem Sozialisten und einem Zionisten war. Bei Kriegsausbruch war sie von der Schule abgegangen und hatte ihrer Mutter im Haushalt geholfen. Jetzt arbeitete sie als Verkäuferin in einem Süßwarengeschäft in der Senatorska. Alles hatte darauf hingedeutet, daß sie sich zu einer Schönheit entwickeln würde, aber irgend etwas fehlte ihr dazu. Ihr Gesicht war zu kindlich geblieben, ihr Busen zu groß geraten. Wenn sie gerade nichts anderes zu tun hatte, las sie laut in ihren Schulbüchern – Geschichten von Königen, Waldgeistern und Jägern. Baschele jammerte dann jedesmal: »Guckt euch das an! Wie eine Siebenjährige!«

Es war wirklich ein Wunder, daß ein junger Mann angebissen hatte. Er hieß Simon Bendel, stammte aus Dynow in Galizien und war ein hünenhafter Bursche mit dichtem schwarzem Kraushaar, schmalem Gesicht, spitzem Kinn und langem, magerem Hals. Gewöhnlich trug er eine Hemdbluse, einen Uniformgürtel, Kniehosen, Wickelgamaschen und schwere Schuhe. Sein Vater besaß ein Stück Land. Simon konnte pflügen, säen, melken und reiten. Auf dem Chaluzim-Bauernhof in Grochow hatte man ihm erklärt, daß er hier nichts mehr lernen und daher jederzeit nach Palästina auswandern und dort in einer Siedlung arbeiten könnte. Er brauchte nur noch sein Zertifikat. Wenn er aus Grochow nach Warschau kam, war er die ganze Zeit mit Schoscha zusammen. Er brachte ihr Hebräisch bei – in der sefardischen Aussprache – und nahm sie zu Versammlungen der jungen Pioniere mit. Wenn Schoscha dann spätnachts nach Hause kam, fragte Baschele jedesmal: »War's schön heute abend?«

»Ganz nett.«

»Worüber haben sie denn geredet?«

»Über alles mögliche.«

»Und du willst wirklich nach Palästina?«

»Warum denn nicht? Es ist unser Heimatland.«

Zu Chanukka hatte Simon ihr ein Geschenk mitgebracht: ein Halskettchen mit einem silbernen Davidstern. Und jetzt saß er auf einem Küchenstuhl, und seine großen dunklen Augen waren unentwegt auf Schoscha gerichtet. Manjek musterte ihn und fragte sich, was in aller Welt dieser junge Mann an Schoscha finden konnte. Ihn selber wunderte es immer wieder, daß seine Schwester überhaupt fähig war, Süßigkeiten zu verkaufen.

Rita sah immer wieder zu Simon hinüber und stellte ihm Fragen wie zum Beispiel: »Stimmt es, daß der Sand in Palästina sehr heiß ist?« Oder: »Stimmt es, daß die arabischen Männer sehr ansehnlich sind?« Oder: »Stimmt es, daß man dort das Wasser literweise kaufen muß?«

Simon beantwortete alle Fragen wie ein Sachverständiger. Er zog eine Landkarte aus der Tasche, breitete sie aus, deutete hierhin und dorthin und erläuterte, wie man das Land künstlich bewässern und aus Wüstengebieten fruchtbaren Boden machen konnte. Er rasselte die hebräischen Namen zahlreicher Siedlungen herunter und redete, als wäre er in Palästina geboren.

Schoscha lächelte unentwegt. »Simon, erzähl ihnen von dem Araber mit den sechs Frauen.«

»Davon hab' ich doch schon erzählt.«

»Erzähl's noch einmal! Ach, Mame, das ist ja so komisch!«

Schoschas jüngere Schwester Jeppe, die schon seit ihrer Kindheit eine Schiene an ihrem verkrüppelten, spindeldürren Bein tragen mußte, war klein, dunkel, häßlich und griesgrämig. Sie arbeitete in einer Perlenfabrik. Jetzt saß sie auf einem Schemel und hantierte an einem Häufchen Korallen herum, die sie zum Sortieren mit nach Hause gebracht hatte.

Die Schönheit in der Familie war die vierzehnjährige Teibele, die in die vierte Klasse Gymnasium ging. Sie saß im Wohnzimmer am Tisch, hatte ein Mathematikbuch vor sich liegen und machte Hausaufgaben. Ihre mathematische Begabung hatte sie vom Vater geerbt. Wenn Baschele sich über Teibele ärgerte, zeterte sie jedesmal: »Der Abklatsch ihres Vaters!«

Baschele drehte gerade die Kartoffelpuffer in der Pfanne herum, als sie vor der Wohnungstür vertraute Schritte hörte. Chaim Leib konnte es nicht sein – der trat kräftiger auf. Dann klopfte jemand an die Tür.

»*Kto tam?* Wer ist da?«

Keine Antwort. Baschele schob den Riegel zurück und wurde kreideweiß. Vor der Tür stand Koppel. Es schien, als sei er im Lauf der Jahre nicht nur älter, sondern auch irgendwie jünger geworden. Er trug einen hellen Mantel, einen cremefarbenen Hut und gelbbraune Schuhe mit breiten Absätzen und spitzen Kappen. Im Mundwinkel hatte er eine Zigarette. Baschele schlug die Hände zusammen.

»Fall nicht um! Ich bin kein Geist«, sagte er auf seine rüde Art. »Guten Abend, Kinder!«

Schoscha hörte auf, zu lächeln; ihr Gesicht wurde immer länger. Jeppe saß mit offenem Mund da. Manjek stand auf. »Guten Abend, Papa.«

»Laßt mich mal sehen – ja, das ist Schoscha. Und das ist Jeppe. Wo ist Teibele?«

Teibele kam aus dem Wohnzimmer, in der einen Hand einen Bleistift, in der anderen einen Radiergummi.

»Teibele«, sagte Manjek, »das ist unser Tate.«

»Ich weiß. Ich kann mich noch an ihn erinnern«, sagte sie auf polnisch.

Jetzt fand Baschele die Sprache wieder. »Einfach herzukommen! Du hast uns nichts davon . . .«

»Ich habe selber nicht gewußt, daß ich kommen werde. Erst im letzten Moment habe ich mich drüben eingeschifft. Wo ist Chaim Leib?«

Baschele starrte ihn an. Vor lauter Verwirrung hatte sie momentan vergessen, wo ihr Mann war.

»Onkel ist ausgegangen«, sagte Manjek.

»Soso. Also, ich will keinen Ärger machen. Ich bin bloß hergekommen, um die Kinder wiederzusehen.«

»Papa, das ist meine Frau.«

Rita wurde rot. *»Bardzo mi przyjemnie«*, murmelte sie. »Sehr angenehm.«

»Du bist also meine Schwiegertochter. Ja, du siehst genau so aus wie auf der Fotografie.«

»Und das ist ein Freund von Schoscha.«

Koppel musterte den jungen Mann. »Soldat, was?«

»Nein, kein Soldat. Ich bin ein Chaluz.«

»Ein Zionist, was? Ihr wollt uns alle nach Palästina schikken.«

»Nicht alle.«

Baschele nahm die Pfanne vom Herd. Ihr war gerade eingefallen, daß es einer geschiedenen Frau nach jüdischem Gesetz nicht erlaubt war, sich unter einem Dach mit ihrem früheren

Mann aufzuhalten. Rote Flecken erschienen auf ihren Wangen. »So plötzlich ...«

»Sei nicht so entsetzt, Baschele! Ich übernachte nicht hier. Ich wohne im Hotel Bristol.«

»Zieh deinen Mantel aus, sonst holst du dir einen Schnupfen.«

Koppel knöpfte den Mantel auf, unter dem er ein kariertes Jackett trug, wie man es sonst nur im Kino zu sehen bekam. Sein Hemdkragen hatte auffallend lange Ecken, seine Krawatte war buntscheckig – ein Mischmasch aus Rot, Gelb und goldfarben.

»Ihr könnt ruhig zu Abend essen. Ich will euch nicht stören.«

»Mame hat gerade Kartoffelpuffer gebacken«, sagte Schoscha. »Zu Chanukka.«

»Kartoffelpuffer! Ich dachte, die bekommt man nur in Amerika. Also, Kinder, da bin ich! Ein geschiedener Vater ist immer noch ein Vater. Teibele, du hast mich sicher schon völlig vergessen.«

»Nein, ich kann mich noch erinnern. Du hast immer so lange Stiefel angehabt.«

»Was denn für Stiefel? Hier sieht alles noch genau wie früher aus. Teibele, erzähl doch mal, was du machst! Gehst du in die höhere Töchterschule?«

»Sie geht aufs Gymnasium«, sagte Manjek.

»Gymnasium, höhere Töchterschule – alles das gleiche. Ja, hier hat sich nichts verändert. Derselbe Hof, derselbe Pförtner. Er hat mich wiedererkannt. ›Panje Koppel!‹ hat er gesagt. Ein richtiger alter Tagedieb ist er geworden. Ich habe ihm einen halben Dollar gegeben. Er wollte mir die Hand küssen.«

»Ein Trunkenbold ist er!« sagte Schoscha.

»So? Na ja, was hat er denn sonst zu tun? Drüben haben wir jetzt Alkoholverbot. Aber man findet schon Mittel und Wege. In New York wimmelt es von Betrunkenen ...«

Er brach mitten im Satz ab. »Was schwatze ich denn da?« fragte er sich. »Was wissen die schon von alledem? Diese Jeppe – schauderhaft sieht sie aus! Schoscha ist nicht erwachsen geworden. Baschele ist eine alte Frau. Kaum zu glauben, daß sie sechs Jahre jünger ist als ich!« Plötzlich hatte er einen Kloß im Hals. Er zog sein Feuerzeug aus der Tasche und zündete, mit gesenktem Kopf, seine ausgegangene Zigarette an.

2

Koppel blieb nur eine Stunde dort. Bevor er ging, steckte er Manjek dreißig Dollar zu – Baschele hatte sich geweigert, das Geld anzunehmen – und sagte, er werde morgen wiederkommen.

Dann ging er durch die Malastraße. Er schlug den Mantelkragen hoch und zog sich den Hut in die Stirn. Ob Isidor Ochsenburg noch lebte? Und Reize? Ob sie noch die alte Wohnung hatten? Und was war aus Frau Goldsober, diesem forschen Weibsbild, geworden? Hin und wieder blieb Koppel stehen und blickte um sich. Im Vergleich zu New York, Paris und Berlin kam ihm Praga wie ein Kaff vor. Obwohl es erst zehn Uhr war, lag über den Straßen eine fast mitternächtliche Stille. Seltsam, was er in diesen sechs Jahren alles aus dem Gedächtnis verloren hatte! Die Gaslaternen entlang der Straße, die Rinnsteine, die verstreuten Telefonhäuschen, an deren Wänden Theater- und Opernprogramme angeschlagen waren ... Er kam an einem baufälligen Haus vorbei, dessen rote Backsteinmauern mit Bohlen abgestützt waren. Durch die beleuchteten Fenster konnte er an Seilen aufgehängte Wäsche sehen. In New York würde man eine solche Bruchbude für unbewohnbar erklären.

Vor dem Haus, in dem die Ochsenburgs gewohnt hatten, wollte der Pförtner gerade das Hoftor zusperren. Koppel drückte ihm eine Silbermünze in die Hand. »Wohnen die Ochsenburgs noch hier?«

»Ja, Panje.«

»Sind beide noch am Leben?«

»Darf ich fragen, woher der Herr kommt?«

»Aus Amerika.«

Der Pförtner nahm die Mütze ab, kratzte sich am Kopf und setzte die Mütze wieder auf. »Ja, sie leben beide noch. Pan Isidor ist krank.«

Der Pförtner trug einen Behälter mit qualmenden Petroleumlampen bei sich. In der Nähe des Hoftores stand eine Pritsche, über die ein Schaffell gebreitet war. Jetzt erinnerte sich Koppel wieder daran, daß manche Warschauer Pförtner im Freien schliefen, um sofort zur Stelle zu sein, wenn Hausbewohner spät nachts heimkamen. »Wie lebt sich's denn hier? Schlecht?«

»Schlecht? Schlimmer kann's gar nicht mehr werden. Was kann man als Pförtner denn schon erwarten, wenn die Mieter keinen Groschen übrig haben?«

Koppel gab ihm noch eine Münze, dann ging er in den Hof. Er kam an einem Abfallhaufen vorbei, an einem abgeschirrten Fuhrwerk, dessen Deichsel in die Luft ragte, und an einem Abort mit geteerter Tür. Es stank so entsetzlich, daß Koppel vor Ekel die Nase rümpfte. »In Amerika«, dachte er, »würde man so etwas gar nicht für möglich halten.« Er stieg die dunkle Treppe hinauf und klopfte an der vertrauten Wohnungstür. Nach einer Weile hörte er Schritte. Als die Tür aufging, sah er eine ungeheure Masse Fleisch vor sich. Reize Ochsenburg. Im Lauf der Jahre war sie doppelt so dick geworden. Ihr unförmiger Körper versperrte den Eingang.

»Reize!«

»Ich trau' meinen Augen nicht! Koppel!«

Sie zog ihn in ihre gewaltigen Arme, schmatzte ihn ab und gab glucksende Laute von sich. Dann zerrte sie ihn durch den langen Flur. Im Wohnzimmer bot sich ihm ein vertrauter Anblick: ein Tisch, Stühle, Spielkarten. Die ganze Clique war da: David Krupnick, Leon der Hausierer, Itschele Pelzewisner, Motje der Rote. Am Kopfende des Tisches saß Frau Goldsober. Und dann entdeckte Koppel auch Zilke, die älteste Tochter der Ochsenburgs.

Reize machte eine schwungvolle Handbewegung. »Herrschaften! Herrschaften! Guckt mal, wer da ist! Koppel!«

»So wahr ich lebe! Koppel!« krähte Motje der Rote.

David Krupnick starrte Koppel verdutzt an. »Du bist wohl vom Himmel gefallen?«

»Ein richtiger Amerikaner!« rief Itschele Pelzewisner.

»Warum stehst du denn an der Tür herum?« fragte Leon der Hausierer. »Bist wohl zu fein, um mit uns zu reden?«

Er ging auf ihn zu und küßte ihn. Itschele Pelzewisner, der ihn ebenfalls mit einem Kuß begrüßen wollte, versengte ihm mit seiner Zigarette, die er ganz vergessen hatte, beinahe die Nase. Zilke umarmte Koppel wortlos. Ihm fiel auf, daß sie schwarz gekleidet war.

»Wo ist dein Mann?«

Sie brach in Tränen aus. »Auf dem Friedhof.«

»Seit wann? Woran ist er gestorben?«

»An Typhus. Vor drei Monaten.«

»Jaja, der Zorn Gottes ist für immer über uns gekommen«, krächzte Reize. »Er ist wie ein Heiliger gestorben. Ich habe die anderen angefleht: ›Schafft ihn nicht ins Krankenhaus! Dort wird er ja doch bloß vergiftet!‹ Halb Warschau war auf der Beerdigung.«

»Mame, ich bitte dich, hör auf damit!«

»Was hab' ich denn gesagt? Koppel, du hast uns in all den Jahren keine Zeile geschrieben! Fährt nach Amerika und verschwindet.«

»Wo ist Isidor?«

»Ans Bett gefesselt. Möge dir so etwas erspart bleiben! Du wirst ihn nicht wiedererkennen. Komm, steh nicht herum – nimm Platz! Zilke, bring ihm etwas zu essen!«

»Ich bin nicht hungrig.«

»In diesem Haus *muß* man Hunger haben. Damit verdiene ich jetzt meinen Lebensunterhalt. Ich serviere jetzt Mahlzeiten. Übrigens – du hast dich noch gar nicht nach Regine erkundigt.«

»Wie geht's ihr? Was macht sie?«

»Na, was wohl? Mädchen heiraten und werden Frauen. Ach, Koppel! Koppel! Wie ist es denn in Amerika? Einfach fortzugehen und alle hier zu vergessen! Da drüben verliert man, scheint's, seine Erinnerungen.«

»Ach was!« mischte sich Frau Krupnick, verwitwete Goldsober, ein. »Wie geht's denn deiner Frau?«

Koppel warf ihr einen Seitenblick zu. »Lea ist noch in Paris.«

»In Paris! Gott der Gerechte! Wie die Leute in der Welt herumkommen!«

»Reize, wo ist Isidor?« fragte Koppel nochmals.

»Schau, schau, wie sehr er ihm auf einmal fehlt! Da drinnen! Geh ruhig hinein! Er wird dir eine Menge erzählen – aber lauter Lügen. Er liegt immer bloß da und phantasiert sich alles mögliche zusammen. Bin *ich* daran schuld, daß er gelähmt ist? All die Jahre habe ich ihn gewarnt. ›Isidor‹, habe ich gesagt, ›kein Mensch ist aus Eisen.‹ Um drei Uhr früh ist er aufgestanden und hat mit dem Saufen angefangen. Ich hatte Angst, daß es ihm die Gedärme ausbrennt. Aber es ist ihm in die Beine gefahren.«

»Mame, hör endlich damit auf!« sagte Zilke streng.

»Siehst du, sie will mir Manieren beibringen. Weshalb regst du dich denn auf? Koppel kennt mich lange genug. Auch wenn er jetzt in New York lebt. Ist es wahr, daß dort das Geld auf der Straße liegt?«

»Natürlich. Man braucht es bloß aufzuschaufeln.«

»Ach, wie wir dich beneiden! Was wir alles durchgemacht haben! Die Leute sind wie die Fliegen gestorben. Die Deutschen – Gott soll sie strafen – haben die feinen Pinkel gespielt. Bitte schön – legen Sie sich die Schlinge um den Hals! Bitte schön – fallen Sie tot um! Und alles war rationiert. Bezugsscheine! Und das Brot! Gemahlene Kastanien waren im Teig! Bleischwer! Einen ganzen Winter lang haben wir bloß gefrorene Kartoffeln gegessen. Nach ein paar Wochen hatte ich dreißig Pfund abgenommen. Meine Unterröcke sind mit vom Leib gefallen. Zilke hat Schmuggel getrieben.«

»Mame!«

»Schon gut, schon gut! Ich darf einfach nichts mehr sagen. Das Ei ist klüger als die Henne. Nu geh schon zu Isidor! Aber bleib nicht lange bei ihm, mein Bester!«

Koppel ging ins Schlafzimmer, in dem eine kleine Lampe brannte. Isidor lag flach im Bett. Sein Gesicht war wachsgelb, sein früher stets sorgfältig gezwirbelter Schnurrbart war struppig. Das eine Auge war halb geschlossen, das andere starrte ins Leere. Auf dem Nachttisch lag ein Pack Spielkarten, daneben stand ein Spucknapf.

Koppel blieb unschlüssig in der Tür stehen. »Guten Abend, Isidor.«

Mit kräftiger Stimme erwiderte Isidor den Gruß.

»Du erkennst mich wieder?«

»Wie einen falschen Fuffziger.«

Koppel lachte. »Ein Glück, daß du noch weißt, wer man ist!«

»Du glaubst wohl, ich hab' den Verstand verloren? Wann bist du angekommen?«

»Heute.«

»Direkt aus Amerika?«

»Ich habe in Paris Station gemacht.«

»Warst du schon bei deiner Familie?«

»Ja.«

»Du bist nicht auf den Kopf gefallen. Was mich betrifft – die haben mich schon abgeschrieben. Nicht mal was zu essen bringen sie mir.«

»Das ist doch nicht möglich!«

»Halt den Mund! Gib mir ein paar Dollars. Ich sage dir, ich bin ein Fremder im eigenen Haus. Die warten bloß darauf, daß ich abkratze.«

»Das bildest du dir bloß ein.«

»Ich bin völlig gesund, Koppel. Bloß mit den Beinen hapert's. Wenn ich Geld hätte, würde ich sie abhacken lassen und mir Krücken kaufen. Daß ich nicht schon im Grab verrotte, ist nur dem Verein zu verdanken. Die kommen jeden Samstag her. Wie's in den Statuten festgelegt ist. Kürzlich haben sie mir eine Ration Mehl gebracht, aber Reize hat's mir geklaut. Keinen Schluck Schnaps lassen sie mich trinken. Den ganzen Tag liege ich da und glotze die Decke an. Und alle möglichen Gedanken gehen mir durch den Kopf. Wie geht's dir denn? Bist du jetzt endlich mit deinem Leben zufrieden?«

»Nein.«

»Wieso nicht? Sie ist wohl zu anspruchsvoll?«

»Es hat vielerlei Gründe.«

»Hast du Dollars?«

»Wie Heu.«

»Dann kann's doch nicht so schlimm sein. Besorg mir eine Flasche Schnaps!«

»Ja. Gleich.«

»Beeil dich! Die Kneipe macht zu. Die Hälfte unserer Vereinsmitglieder ist tot. Aber jetzt haben wir eine Menge neue Mitglieder. Isidor hier, Isidor dort – aber ich kenne keinen von ihnen. Übrigens – treibst du dich immer noch mit Weibsbildern herum?«

»Daran herrscht in Amerika kein Mangel.«

»Dann bist du zu beneiden. Genieße das Leben, solange du kannst, Bruder! Wenn's dir einmal so geht wie mir, ist's damit vorbei.«

3

Als Koppel wieder im Wohnzimmer erschien, wurde nicht mehr gekartet. Der Pack Karten lag neben der in die Tischplatte eingelassenen Spielkasse. Allem Anschein nach hatten die Anwesenden über Koppel gesprochen; als er hereinkam, herrschte plötzlich Schweigen. Erst jetzt hatte er Gelegenheit, die Clique genauer zu betrachten. David Krupnick war derb und schwerfällig geworden und kam ihm kleiner als früher vor, fast so, als wäre er zusammengeschrumpft. Itschele Pelzewisners Haar war schütter, seine Kopfhaut sah schorfig aus. Auf der linken Backe hatte er einen Leberfleck. Motje der Rote hatte den Mund voller Goldzähne. Leon der Hausierer machte einen zermürbten, kranken Eindruck. Koppel kam sogar die Wohnung verändert vor. Die Vorhänge waren ausgefranst und zerrissen. Die Wände blätterten ab. Die Decke war fleckig.

Frau Krupnick nahm ihre Asthmazigarette aus dem Mund. »Willst du schon gehen, Koppel? Wo rennst du denn jetzt hin?«

»Ich besorge etwas zu trinken. Für Isidor.«

Reize hievte sich hoch. »Hab' ich mir doch gedacht! Dieser Trunkenbold! Es braucht bloß jemand zu ihm zu kommen, und schon wird er ausgenützt. Koppel, so wahr wir beide leben – es ist eine Sünde! Daher kommt doch das ganze Unglück!«

»Davon wird er auch nicht kränker.«

»Moment! Lauf nicht weg! Ich hab' noch etwas Schnaps im Haus. Dieser Mann ist wirklich eine Schmach!«

»Ich fürchte, Koppel ist es peinlich, mit uns zusammenzusein«, sagte Frau Krupnick.

»Warum bin ich denn hergekommen? Um euch wiederzusehen!«

»Mich?«

»Euch alle.«

»Erzähl uns von Amerika! Stimmt es, daß man dort mit dem Kopf nach unten herumläuft?«

»Wer das möchte, kann es tun. Amerika ist ein freies Land. Leon, wie geht's dir denn?«

Leon klatschte sich an die Stirn. »Ich war überzeugt, daß du meinen Namen bereits vergessen hast. Wie soll's mir schon gehen? Wenn Polen ein Staat ist, dann bin ich ein König. Ich versuche, Schmuck zu verkaufen, aber die Leute wollen Brot. Zur Zeit gibt's bloß eine einzige Ware, mit der man handeln kann: Dollars. Mit Dollars kann man das Blaue vom Himmel herunter kaufen. Und wie geht's dir, Koppel? So wahr ich lebe – wir haben Abend für Abend von dir gesprochen. Aber du hast nichts von dir hören lassen. Alle haben sich darüber geärgert. Aber ich habe ihnen gesagt: ›Nu hört mal‹, hab' ich gesagt, ›ein Mann wie Koppel vergißt nicht. Im Land des Kolumbus hat man halt keine Zeit zum Briefschreiben.‹«

»Das stimmt. Wenn man in Amerika lebt, ist einem nicht nach Schreiben zumute. Alles kommt einem so weit entfernt vor. Als ob man in einer anderen Welt wäre.«

»Weißt du, Koppel«, sagte Reize etwas zögernd, »du bist wirklich ein ganz anderer Mensch geworden.«

Koppel wurde unwirsch. »Warum soll ich mich verändert haben?«

»Ich weiß nicht. Du bist so ernst. Früher warst du ein richtiger Spaßvogel. Außerdem kommst du mir gealtert vor. Hast du zuviel arbeiten müssen?«

»Drüben muß alles hopp-hopp gehen. Wofür man hier eine Stunde braucht, das schaffen wir in einer Minute.«

»Wozu die Hast? Die müssen ja auch irgendwann sterben. Nu ja, Koppel, wir werden uns schon an dich gewöhnen. Wo wohnst du?«

»Im Hotel Bristol.«

»Gott der Gerechte! Du mußt ja ein Vermögen verdient haben!«

Koppel schwieg.

»Nicht mal in Amerika kann man von ehrlicher Arbeit reich werden«, bemerkte Itschele Pelzewisner.

Koppel warf ihm einen wütenden Blick zu. »Bringst *du* dich mit ehrlicher Arbeit durch?«

»Wen könnte *ich* denn bestehlen? Höchstens meine Pferde.«

»He, ihr beiden – keine Kabbeleien!« rief Reize. »Zilke, geh mit Koppel in die Küche und such eine gute Flasche Schnaps aus! Wenn dein Vater so stur ist, soll er von mir aus seinen Schnaps haben.«

Koppel ging mit Zilke hinaus. Im Flur war es dunkel. Es roch nach Gas und schmutziger Wäsche. Zilke hakte sich bei ihm ein.

»Vorsicht, damit du nicht stolperst. Diese alten Grobiane! Denen stinkt's, daß du im Bristol wohnst. Willst du längere Zeit in Warschau bleiben?«

»Einen Monat.«

»Ich möchte etwas mit dir besprechen. Aber nicht hier, wo man von allen belauscht wird.«

»Komm doch zu mir ins Hotel.«

»Wann?«

»Wenn du willst, heute nacht.« Er erschrak über seine eigenen Worte. Wie konnte er bloß so etwas sagen? Dafür hätte sie ihm eine Ohrfeige geben können!

Nach kurzem Schweigen ließ Zilke seinen Arm los. »Ich könnte morgen kommen. Wann es dir paßt – nachmittags oder abends.«

»Am Abend wär's mir lieber.«

»Und wann?«

»Gegen zehn.«

»Also gut. Falls ich mich etwas verspäte, warte bitte auf mich. Da ist der Schnaps. Sieh zu, daß Papa nicht zuviel trinkt.«

»Keine Sorge!«

Koppel nahm die Schnapsflasche, legte den anderen Arm um Zilkes Schultern, zog sie an sich und küßte sie auf den Mund. Sie erwiderte seinen Kuß. Ihre Knie berührten die seinen. »Ja«, dachte er, »ein Mann muß halt immer die Initiative ergreifen. Lea kann von mir aus in Paris bleiben, solange sie will.«

Sie gingen wieder ins Wohnzimmer. Frau Krupnick musterte sie mit einem merkwürdigen Lächeln. Als ob sie ahnte, was vorgefallen war.

Als Koppel ins Schlafzimmer kam, hob Isidor den Kopf und sah ihn scharf an. »Na endlich! Setz dich! Ich dachte schon, du hättest es dir von ihnen ausreden lassen. Die sind alle gegen mich. Schenk ein, Bruder! So-o-o. Und einen für dich! Ich trink' nicht gern allein. *L'chaim!*«

Mit zitternden Fingern hob er das Glas an die Lippen, zwischen denen seine langen, schwärzlichen Zähne zum Vorschein kamen. Seine Hand war so schwach, daß er das Glas nicht nach alter Gewohnheit kippen, sondern nur daran nippen konnte und dabei Schnaps auf die Bettdecke tropfen ließ.

»Noch einen?«

»Schenk ein!«

Nach dem fünften Glas lief sein Gesicht rot an. »Der Schnaps heutzutage . . .«, knurrte er. »Das reinste Wasser. Früher hat man geschmeckt, daß es Schnaps ist. Was trinkt man denn in Amerika?«

»Whisky.«

»Ah! Los, schenk ein! So-o-o. Jaja, Bruder, ich bin erledigt, das kannst du mir glauben. In einem Gefängnis bin ich! Mit dem alten Isidor Ochsenburg ist's aus. Ein Restaurant ist aus meinem Zuhause geworden. Und aus Reize eine Art Köchin. Von meinen Töchtern rede ich lieber gar nicht. Ich hatte einen anständigen Schwiegersohn. Ein feiner Kerl. Den haben sie ins Grab gebracht.«

»Er ist doch an Typhus gestorben, oder nicht?«

»Hm . . . Regine hat einen rauhbeinigen Kerl geheiratet, einen Freund meines Sohnes. Ich durfte nicht mal bei der Hochzeitsfeier dabeisein. Ich lag da und habe Höllenqualen gelitten, und sie haben sich bis zum Morgengrauen verlustiert. Jaja. Ich hab' bloß noch einen einzigen Wunsch: Ich möchte in Warschau begraben werden. Nicht hier in Praga bei diesen Heuchlern.«

»Ist das letztlich nicht egal?«

»Schwamm drüber! Wie geht's deiner Frau? Bist du immer noch ihr Dienstbote?«

»Was faselst du denn da?«

»Mach dir nichts draus. Es war einmal ein Mann namens Isidor Ochsenburg. Jetzt ist er bloß noch ein nutzloser Haufen Knochen. Ich, der ein zehn Pud schweres Faß heben konnte! Der Polizei-Inspektor Woikoff höchstpersönlich hat vor mir salutiert. Ich habe eine Frau bloß anzugucken brauchen, und schon . . .«

»Du erinnerst dich also noch, was?«

Isidor schlug sich mit der Faust an die Brust. »Als Blond Feivel starb – wie lange ist das her, zwanzig Jahre? Halb Praga war auf dem Friedhof. Ich bin mit Schmuel Smetana in der ersten Trauerkutsche gefahren. Da hat er mit mir gewettet, daß er ein Fäßchen Bier wegputzen kann. Beim dreiundzwanzigsten Krug ist er umgekippt. Seine Gedärme sind geplatzt. Ah-h-h! Wovon hab' ich gesprochen? Ich will nicht in Praga beerdigt werden. Und ich möchte, daß ein frommer Jude den Kaddisch für mich sagt.«

»Ich werde dafür sorgen.«

»Was? Bleib da, Koppel! Bis zu meiner Beerdigung.«

Er schloß die Augen. Seine Arme sanken zur Seite. Sein Gesicht wurde bläulich und starr. Nur sein Schnurrbart hob und senkte sich. Auf seinen blassen Lippen lag ein Lächeln, wie man es zuweilen auf dem Gesicht eines Toten sieht.

Viertes Kapitel

Eine Woche nach Chanukka trafen Lea, ihr Sohn und ihre Tochter in Warschau ein. Zlatele, die jetzt neunzehn war, studierte an einem College. Sie wurde »Lotti« genannt und war mit einem jungen New Yorker verlobt. Mejerl wurde von seinen Klassenkameraden in der High School »Mendy« genannt. Wegen der Europareise mitten im Winter hatten die beiden ihr Semester unterbrechen müssen. Lea hatte bis zu den Sommerferien warten wollen, doch Koppel hatte auf möglichst baldige Abreise gedrängt. Und sie selber konnte es auch kaum erwarten, Warschau wiederzusehen. Insgeheim hoffte sie, ihre Tochter Mascha bewegen zu können, ihren nichtsnutzigen Mann zu verlassen und mit nach Amerika zu kommen.

Die Überfahrt war für Lea und Koppel alles andere als friedlich verlaufen. Sie zankten sich unentwegt. Wie üblich beklagte sich Koppel darüber, daß sie die vornehme Dame spiele und ihn so behandle, als ob er immer noch bei ihrem Vater als Aufseher angestellt wäre. Lea drohte damit, über Bord zu springen, falls er mit dieser ständigen Nörgelei nicht aufhören würde. Ein paar Tage lang weigerte sie sich, ihre Kabine zu verlassen. Koppel verbrachte seine Zeit in der Bar oder beim Kartenspielen. In Paris wollte er nicht länger als drei Tage bleiben, Lotti und Mendy hingegen hatten es nicht eilig, nach Polen zu kommen. Also reiste er allein voraus.

Und nun waren die drei in Warschau eingetroffen und im Hotel Bristol abgestiegen. Lea hatte einen riesigen Schrankkoffer mitgebracht, der zahlreiche Schlösser hatte und mit Zoll-, Hotel- und Schiffsplaketten beklebt war. Die Lastträger mußten sich mit zwölf Gepäckstücken abschleppen. Passanten blieben stehen und begafften die amerikanischen Touristen. Lea war im Lauf der Jahre rund und dick geworden. Ihr blondes Haar begann grau zu werden. Mit schriller Stimme redete sie auf ihre Kinder ein – in einem Mischmasch aus Jiddisch und Englisch. Lotti und Mendy konnten das

Kauderwelsch und den komischen Akzent ihrer Mutter nicht ausstehen.

»Warum schreist du denn so, Ma?« fragte Lotti. »Die Leute müssen uns ja für verrückt halten.«

»Welche Leute? Wer ist verrückt? Halt die Klappe! Und nimm den Schuhsack an dich! Mendy, was stehst du da herum wie ein Golem?«

»Was soll ich denn tun, Ma?«

»Behalt die Gojim im Auge! Stell dich nicht so dusselig an!«

»Jetzt geht das schon wieder los! Immer das gleiche Geschwafel!« brummelte Koppel. »Kein Mensch will dir deine Fetzen klauen.«

»Was du nicht sagst! In Paris hat man mir ein Cape gestohlen.«

»Na, Lotti, wie gefällt dir Warschau?« fragte Koppel.

Lotti war ihrem Vater, Reb Mosche Gabriel, nachgeraten. Sie hatte ein schmales Gesicht, dunkles Haar und blaue Augen. In New York galt sie als hübsch. Lea allerdings konnte einfach nicht verstehen, was anderen an ihrer Tochter gefiel. Lotti aß wie ein Spatz. Sie hatte keinen Busen. Sie las zuviel und war bereits kurzsichtig. Sie kleidete sich schlicht – nach Ansicht ihrer Mutter allzu schlicht. Jetzt trug sie eine alte grüne Jacke, ein dunkles Kleid und einen völlig schmucklosen Hut. In der einen Hand hatte sie ein französisches Buch, in der andern eine englische Zeitschrift.

Auf Koppels Frage erwiderte sie: »So so, la la. Ziemlich trist.«

Mendy war hochgewachsen und so stämmig wie seine Mutter. Er trug einen grünen Hut mit einer Feder, den er sich in Paris zugelegt hatte, eine Jacke mit Pelzkragen und graue Wollsocken. Er hatte eine Tüte Erdnüsse in der Hand, mampfte und warf die Schalen auf den Gehsteig.

»Gefällt's dir hier, Mendy?« fragte Koppel.

»Ich hab' Hunger.«

»Gleich gibt's Lunch, du Vielfraß!«

Die Nachricht von Leas Ankunft verbreitete sich wie ein Lauffeuer in der Grzybowska, der Panska, der Gnojna- und der Twardastraße – überall dort, wo die Mitglieder der

Moschkat-Sippe wohnten. Bei Saltsche und Königin Esther war ständig das Telefon belegt. Koppel mit »Schwager« anreden zu müssen, war für die Moschkats natürlich eine unangenehme Sache. Nathan schwor hoch und heilig, diesen Emporkömmling nicht ins Haus zu lassen. Hama, Abrams Frau, weinte bitterlich, als sie die Neuigkeit erfuhr. Alle stellten sich die gleichen Fragen: Würde Lea sich mit Mascha treffen? Würde sie mit ihrem andersgläubigen Schwiegersohn zusammenkommen? Was würde Mosche Gabriel sagen, wenn er seine amerikanisierten Kinder sah? Wie würde Aaron sich seiner Mutter gegenüber verhalten? Pinnje rannte sofort in die Antiquitäten- und Buchhandlung in der Heiligkreuzstraße, um sich bei Njunje Rat zu holen. An den Regalen standen Studenten, die sich Bücher ansahen. Bronja stand an einem Tisch, polierte den nackten Bauch einer Buddhafigur und spähte immer wieder argwöhnisch zu den Kunden hinüber. Als Pinnje sie grüßte, tat sie so, als hätte sie ihn nicht gesehen. Sie konnte die Moschkats nicht leiden. Pinnje und Njunje zogen sich in ein Hinterzimmer zurück.

»Also, was meinst du?« fragte Pinnje. »Gott der Gerechte, es wird wie im Tollhaus zugehen! Ganz Warschau wird über uns lachen.«

»Was soll's? Er ist immerhin ihr Mann. Hab' ich recht oder nicht?«

Pinnje faßte seinen Bruder am Rockaufschlag. »Ist das *unsere* Schuld? *Sie* hat ihn geheiratet!«

»Was habt ihr denn da drinnen zu tuscheln?« rief Bronja durch die offene Tür. »Was ist denn los?«

Njunje begann zu bibbern. »Nichts. Gar nichts.«

»Wo ist der neue Katalog?« fragte Bronja barsch.

Njunje kratzte sich am Kopf. »Woher soll *ich* das wissen?«

»Wer denn sonst? Graf Potocki?«

»Bronjaleben, Lea ist aus Am-m-merika gekommen.«

»Das bringt mir keinen Pfennig ein.«

Sie schlug die Tür so heftig zu, daß Staubflocken durchs Zimmer wirbelten. Pinnje begann zu niesen.

»Warum ist sie denn so aufgebracht?«

»Frag mich was anderes.«

Die Brüder beschlossen, Lea und Koppel zu sich einzuladen, um keinen Skandal heraufzubeschwören. Ganz abgesehen davon, daß es sich nicht ziemte, die eigene Schwester zu demütigen, war zu bedenken, daß Lea Geld wie Heu hatte und ihnen unter Umständen diesen oder jenen Gefallen tun konnte.

Am Abend gingen die beiden ins Hotel. Pinnje trug einen zu langen Überzieher, einen Zylinder und verschmutzte Stiefel, Njunje einen Pelzmantel, der ihm im Lauf der Jahre zu eng geworden war, eine Pelzmütze mit Ohrenschützern, Glacéhandschuhe und Galoschen. Das Hotelpersonal musterte die beiden mißtrauisch. Der Fahrstuhlführer sagte, sie sollten die Treppe benützen. Sie stiegen die Stufen hinauf, wobei sie heftig gestikulierten und mehrmals zusammenstießen.

Pinnje bückte sich und betastete den Treppenläufer. »Wie weich der ist! Da läuft sich's wirklich gut.«

»Im Paradies wirst du auf Butter laufen.«

Als sie vor Leas Zimmertür standen, schnaubte sich Pinnje die Nase. Dann klopfte er an. Lea öffnete, stieß einen Schrei aus und warf sich ihnen in die Arme. »Pinnje! Njunje!«

Sie lachte und weinte. Lotti und Mendy, die hinter ihr standen, gafften die beiden kleinen, sonderbar ausstaffierten Männer an, die ihre Onkel waren. Koppel verfärbte sich und spuckte seinen Zigarettenstummel aus.

»Kinder!« rief Lea. »Das sind eure Onkel!«

»How do you do?« sagte Mendy nach einigem Zögern.

»Lotti, halt keine Maulaffen feil! Koppel, warum versteckst du dich denn? Großer Gott, daß ich diesen Tag noch erleben darf!«

Koppel ging auf die beiden zu, so flink und geschmeidig wie eh und je. Njunje wurde rot vor Verlegenheit.

Pinnje nahm seine beschlagene Brille ab. »Immer noch derselbe Koppel!«

»Was hast *du* denn gedacht?« rief Lea. »Daß ihm Hörner gewachsen sind? Zieht eure Mäntel aus! Njunje, du siehst aus wie ein Lord! Pinnje, du bist ja ganz grau geworden!«

»Ich bin kein junger Spund mehr. Ich bin sechzig.«

Lea rang die Hände. »Oi, Mame! Mir kommt's so vor, als ob du erst gestern geheiratet hättest. Wie die Zeit verfliegt!

Setzt euch doch! Steht nicht herum! Wie geht's euch? Und den anderen? Wie geht's Hanna?«

»Wie soll's ihr schon gehen? Jammern tut sie. Wie üblich.«

»Warum auch nicht? Sie hält wahrscheinlich deine Narreteien nicht mehr aus. Wie geht's Nathan? Und Abram? Ich habe bei allen angerufen, aber niemand war zu Hause. Oder sie verstecken sich vor mir. Koppel und ich – ob wir uns von morgens bis abends zanken oder nicht, für euch ist er jedenfalls mein Mann.«

»Etwas zu trinken gefällig?« fragte Koppel.

Keine Antwort. Er ging zur Kommode, nahm eine runde Flasche, schenkte ein rötliches Getränk ein und stellte die Gläser auf ein Tablett. Wie ein erfahrener Kellner trug er den Kognak, ohne ein Wort zu sagen, zu ihnen hinüber.

Lea warf ihm einen scharfen Blick zu. »Warum so eilig? Stell das Tablett hin!«

»Koppel«, sagte Pinnje, »Sie sind immer noch ein junger Mann.«

»In Amerika altert man nicht.«

»Ach, wirklich?«

»In Amerika sieht man Achtzigjährige Golf spielen.«

»Soso. Und was ist das – ›Golf‹? Haben Sie vielleicht eine amerikanische Zigarette für mich?«

Koppel zog ein silbernes Zigarettenetui aus der Tasche und strich ein Zündholz an seiner Schuhsohle an. Pinnje staunte. »Amerikanische Tricks.«

»In Amerika braucht man für Streichhölzer nichts zu bezahlen. Man kauft sich Zigaretten und bekommt die Zündhölzer geschenkt. Stimmt's, Mendy?«

Pinnje umklammerte seinen Bart. »*Das* ist Mejerl? Weißt du noch, wie ich dir die *Gemara Baba Kama* beigebracht habe?«

»Ja, das weiß ich noch.«

»Woran kannst du dich denn noch erinnern?«

»An die erste Mischna. ›Der Ochse, der Graben, der Zahn und das Feuer.‹«

»Du hast ein gutes Gedächtnis! Und du . . .«, sagte er zu Lotti, »du hast, wie ich höre, schon einen jungen Mann gefunden.«

Lotti wurde rot. »Ich weiß noch nicht genau.«

»Wer soll's denn sonst wissen? Nach allem, was ich höre, geht's in Amerika ständig um Liebe, Liebe.«

»Heute ist es Liebe und morgen *good-bye*«, sagte Lotti.

Pinnje setzte seine Brille wieder auf, runzelte die Stirn, blinzelte und biß sich auf die Lippen. Er wußte nicht so recht, was er von diesen Amerikanern halten sollte. Sie hatten etwas an sich ... Irgend etwas vermißte er an ihnen, aber er kam nicht dahinter, was. Hatte es etwas mit ihrem sonderbaren Akzent, ihrer Kleidung, ihren Gesten zu tun? Sie sahen irgendwie vertraut und dennoch fremd aus. Jüdisch und zugleich gojisch. Ihre Ausdrucksweise und die Redensarten, die sie gebrauchten, klangen, als wären sie einem Buch entnommen. Die Unkompliziertheit, der nüchterne Ernst und die Selbstsicherheit, die aus ihren Mienen sprachen, fand man nur bei Ausländern. Was fehlte, war die Gemütlichkeit, die Umgänglichkeit, die Ausstrahlung. »Ach«, dachte Pinnje, »was ein paar Jahre ausmachen!« Ganz verdattert sah er Njunje an. »Eine Welt ist das, was? Ach du lieber Gott!«

Fünftes Kapitel

I

Seit sie in Amerika lebten, hatten Zlatele und Mejerl oft an ihren Vater geschrieben, aber Mosche Gabriel hatte ihnen nur selten geantwortet. Für ihn bestand nicht viel Unterschied zwischen seiner vom Glauben abgefallenen Tochter Mascha und seinen »amerikanischen« Kindern: Solange sie in weltliche Schulen gingen, den Sabbat entheiligten und nichtkoschere Speisen aßen, waren sie abgetrennt von der Gemeinschaft Israels. Mehrmals hatte Lea Geld geschickt, doch Mosche Gabriel hatte es nicht angerührt, sondern es seinem Sohn Aaron übergeben.

»Was Jakob widerfahren war, widerfuhr auch Josef.« Was Mosche Gabriel widerfahren war, widerfuhr auch Aaron. Er hatte geheiratet, lebte aber nicht mit seiner Frau zusammen. Sein Schwiegervater, Kalman Chelmer, war an Typhus gestorben. Aarons Frau hatte einen Laden eröffnet, aber Aaron war kein guter Geschäftsmann. Die beiden stritten sich ständig, und schließlich warf sie ihn hinaus. Er verließ Warschau und ging zu seinem Vater nach Bialodrewna. Dort vertiefte er sich in das Schriftgut des Chassidismus. Die Bialodrewner Chassidim waren sich einig darüber, daß Mosche Gabriel nach dem Ableben des Rebbe sein Nachfolger werden sollte und Aaron der Nachfolger seines Vaters. Einmal im Monat schrieb der junge Mann eine Karte an seine Mutter in Amerika, und von Zeit zu Zeit erhielt er von ihr eine auf fünfundzwanzig Dollar lautende Zahlungsanweisung. Dies war einer der Gründe, warum Aarons Frau nicht auf Scheidung drängte.

Das Wiedersehen zwischen Aaron, seiner Mutter und seinen Geschwistern fand im Bialodrewner Lernhaus statt. Lea wunderte sich, daß sie ihren Sohn überhaupt wiedererkannte. Sie hatte ihn als jungen Burschen in Erinnerung, auf dessen Kinn ein leichter Flaum sproßte. Der Mann, den sie jetzt vor sich sah, hatte einen zerzausten Bart und Schläfenlocken, die ihm bis zu den Schultern reichten. Er trug einen offenen Kragen und einen knöchellangen Kaftan.

Lea wich einen Schritt zurück. »Aaron! Ja, du bist's!«

Sein blasses Gesicht wurde kreideweiß. Er machte eine Bewegung, als wollte er davonlaufen. Lotti flüsterte etwas auf englisch. Mendy konnte sich nur mit Mühe das Lachen verbeißen.

»Aaron, erkennst du mich nicht wieder? Ich bin deine Mame.«

Hastig knöpfte er seinen Kaftan zu. »Ja, Mame, ich erkenne dich wieder.«

»Komm her, mein Sohn! *Mir* darfst du doch einen Kuß geben.« Sie erschrak über ihre eigenen Worte. »Das ist deine Schwester Zlatele. Und das ist Mejerl.«

Aaron faßte sich ein Herz. »Mejerl! Du bist ein großer Junge geworden.«

»Du siehst ja wie ein Jude aus«, stammelte Mendy.

»Wie soll ich denn sonst aussehen? Wie ein Goi?«

»Er meint, du siehst wie ein Chassid aus«, erklärte Lea hastig. »Du lieber Himmel, wie ungepflegt du aussiehst! Du könntest dich wenigstens hie und da kämmen! Wo ist dein Vater?« Sie starrte ihn wehmütig an.

»Also, das ist Zlatele.« Es klang halb wie eine Feststellung, halb wie eine Frage. »Wie eine richtige Dame siehst du aus.«

»Ich hab' dich sofort wiedererkannt.« Lotti ging einen Schritt auf Aaron zu.

Ohne ein Wort zu sagen, ging er hinaus, um seinem Vater mitzuteilen, daß Besuch gekommen war. Es dauerte eine ganze Weile, bis er zurückkam. Mosche Gabriel folgte ihm etwas zögernd. Er war gerade in den *Sohar* vertieft gewesen, dessen Studium er sich täglich eine Stunde lang widmete. Es drängte ihn, seinen Sohn und seine Tochter wiederzusehen – aber warum hatte Lea es für nötig gehalten, die beiden nach Bialodrewna zu begleiten? Gewiß, nach dem Gesetz durfte er in Gegenwart der Kinder mit ihr sprechen, aber eine peinliche Situation war es trotzdem. Er fuhr sich durch den Bart und ringelte seine Schläfenlocken. Seiner Überzeugung nach war das Ganze eine Arglist des Bösen. Als er das Lernhaus betrat, beschlug sich seine Brille, so daß er alles wie durch einen Nebel sah. »Guten Morgen.«

»Papa!«

Lotti rannte auf ihn zu, schlang die Arme um ihn und bedeckte sein Gesicht mit Küssen. Lea schnürte es die Kehle zu. Im Gegensatz zu Aaron, der so ungepflegt aussah, wirkte Mosche Gabriel noch immer wie aus dem Ei gepellt. Sein Alpakakaftan war makellos sauber. Seine Halbschuhe glänzten. Sein graumelierter Bart war sorgfältig gekämmt. Nein, er hatte sich nicht verändert. Er schob Lotti zur Seite. Seine Tochter, ja; aber gleichwohl ein weibliches Wesen. Mendy streckte ihm die große, warme Hand hin.

»Hello, Pop!«

»Mejerl? Du?« Mosche Gabriel nahm die Brille ab und putzte sie mit seinem Taschentuch. Er betrachtete seinen Sohn und schreckte zurück. Er hatte Mejerl als kleinen, zarten Jungen in Erinnerung, und nun stand ein großer, stämmiger, grobknochiger Bursche vor ihm. »Groß und kräftig. Er ist kräftig geworden, unberufen.«

»*Bar-miz'wa* vor zwei Jahren«, sagte Lea. »Er hat eine Rede gehalten.«

»Legst du deine Gebetsriemen an?«

Mendy wurde rot.

»In Amerika ist es schwierig, alle frommen Bräuche beizubehalten«, erklärte Lea.

»Das ist überall schwierig. Wenn es leicht wäre, gäbe es keine Versuchung.«

»Mendy, erzähl deinem Vater, was du studiert hast.«

»Die Tora – das Gesetz.«

»Das Gesetz. Ein Jude muß danach leben – es zu lesen, genügt nicht.«

»Ich habe nicht genug Zeit dafür.«

»Was machst du denn?«

»Ich gehe in die High School.«

»Das hat der Prophet gemeint, als er sagte: ›Sie verlassen mich, die lebendige Quelle, und machen sich ausgehauene Brunnen, die löchrig sind.‹ Ohne die Tora kann es nichts geben, das Bestand hat.«

Lea kam dem Jungen zu Hilfe. »Mit der Tora kann er seinen Lebensunterhalt nicht verdienen.«

»Die Tora ist der Quell des Lebens.«

»Papa«, sagte Lotti, »findest du, daß ich mich sehr verändert habe?«

Mosche Gabriel begriff zunächst gar nicht, was sie meinte. Dann sah er sie forschend an. Sie gefiel ihm. Sie hatte ein feingeschnittenes Gesicht. Noch ist das Ebenbild Gottes darin zu erkennen, dachte er. »Du bist ein erwachsenes Mädchen geworden.«

»Papa, ich würde gern unter vier Augen mit dir sprechen.«

»Worüber?«

»Ach, über alles mögliche.«

»Nun, du gehst ja nicht gleich wieder fort.«

»Entschuldige, Mosche Gabriel«, sagte Lea, »aber *müssen* wir eigentlich hier im Lernhaus herumsitzen? Ich kann verstehen, daß du nicht mit mir zusammen sein willst. Aber die Kinder möchten das Wiedersehen mit ihrem Vater genießen. Warum fährst du nicht mit ihnen nach Warschau?«

»Was habe *ich* in Warschau zu suchen?«

»Sie besorgen dir ein Hotelzimmer.«

»Kommt nicht in Frage.«

»Dann nimm sie wenigstens hier in dein Zimmer mit.«

»Ich wohne im Haus des Rebbe. Da ist es nicht ordentlich genug.«

»Dann räume ich halt auf«, erbot sich Lotti.

»Gott soll schützen! Du bist doch ein Gast.«

»Wißt ihr, was?« sagte Lea. »Mendy, du gehst mit mir ins Gasthaus, dort essen wir etwas. Lotti kann inzwischen bei ihrem Vater bleiben. Später holen wir sie ab.«

Mosche Gabriel schwieg.

»Ist dir das recht?«

»Wenn es denn sein muß.«

»Und du, Aaron, begleitest uns.«

Aaron sah seinen Vater fragend an. Mosche Gabriel nickte. Er merkte Aaron an, daß er gern mit seiner Mutter zusammensein sein wollte. »Eine Mutter«, dachte er, »bleibt eben eine Mutter. Das ist der Lauf der Welt.«

Lea rief Lotti zu sich und wisperte ihr etwas zu. Aaron lächelte verlegen. Wie seltsam, daß dies seine Mutter war, eine Dame, die einen Hut aufhatte – und daß sie mit Koppel, dem Aufseher, verheiratet war. »Es ist wie etwas, worüber die Zeitungen berichten«, dachte er. Ihm war bange davor, daß er ihr gegenüber nicht die richtigen Worte finden und daß sie sich vielleicht über ihn lustig machen oder ihn auffordern würde, mit nach Amerika zu fahren. Er sah zu Lotti hinüber. Ihre Blicke kreuzten sich, Lotti legte zwei Finger an die Lippen und warf ihm eine Kußhand zu. Er spürte, wie seine Ohren glühten.

»Auf Wiedersehen«, sagte er zu seinem Vater.

»Wo rennst du denn hin?« rief Lea. »Wir drei gehen miteinander. Ich bin deine Mame, keine fremde Frau.«

Aber Aaron war nicht aufzuhalten. Als er hinausstürmte, verfing sich sein Kaftan an einem Nagel und bekam einen großen Riß. Obwohl es draußen schon recht kalt geworden war, stand Aaron der Schweiß auf der Stirn. »Ein unausgeglichener Mensch«, sagte sich Lea. »Noch schlimmer als sein Vater.« Die Tränen stiegen ihr in die Augen. »Alles ist *seine* Schuld.« Ob sie damit Mosche Gabriel oder Koppel meinte, war ihr selber nicht ganz klar. Dann rannte sie hinter Aaron her. Als sie ihn eingeholt hatte, hakte sie sich bei ihm ein. Er wollte sich von ihr losmachen, aber sie klammerte sich nur noch fester an seinen Arm. Ja, mit ihrer Jugendlichkeit war's endgültig vorbei! Jetzt war sie eine alte Frau, die Mutter eines bärtigen Juden. Aber hier in Bialodrewna brauchte sie sich deswegen nicht zu genieren.

Mendy ging voraus. Er hatte sich auf diese Europareise gefreut, aber jetzt reichte es ihm. Er hatte das alles satt – die Verwandtschaft, die Hotels, den Schmutz, das eintönige Essen, das ständige Jiddischsprechen und -hören. Er sehnte sich danach, wieder in New York zu sein oder in Saratoga Springs, wohin ihn seine Mutter im Sommer mitnahm. Baseball, Football, Pferderennen – all das spukte ihm im Kopf herum. Mitten in einer Fortsetzungsgeschichte über Buffalo Bill hatte er aufhören und abreisen müssen. Er und sein Freund Jack gingen manchmal heimlich in ein Tingeltangel. Es machte Spaß, auf der Galerie zu sitzen, Zigaretten zu paffen, Kaugummi zu mampfen und zuzuschauen, wie die Stripteasers ein Kleidungsstück nach dem anderen auszogen und schließlich nackt dastanden ... Er fand sie alle so langweilig, diese komischen Onkel und Tanten, die ihn, obwohl er einen ganzen Kopf größer war, in die Wange kniffen, als ob er noch ein kleines Kind wäre. Wenn er erst wieder in New York war, würde er diese Greenhorns bestimmt nie mehr besuchen. Nie wieder würde er nach Europa reisen – höchstens nach England.

2

Als die anderen gegangen waren, fragte Lotti:

»Gehen wir jetzt, Papa?«

»Wenn's denn sein muß.«

Er eilte in den Hof hinaus. Gewiß, sie war seine Tochter, aber er wollte lieber etwas Abstand halten. Sonst hätte jemand auf den Gedanken kommen können, er verstoße gegen das Gebot, nicht mit fremden Frauen herumzulaufen.

Lotti mußte beinahe rennen, um ihn einzuholen. Sie faßte ihn am Arm. »Papa, hast du's denn so eilig?«

Auf dem ungepflasterten Hof war der Schnee nicht weggeschaufelt worden. Da Lotti ihre Galoschen nicht mitgebracht hatte, waren ihre Strümpfe im Nu durchnäßt. Mosche Gabriel spähte um sich. Ein etwas abseits stehender Baum kam ihm – weil seine Brille beschlagen war – plötzlich wie eine menschliche Gestalt vor.

»Sie ist meine Tochter«, sagte er leise.

»Papa, mit wem redest du denn?«

»Ach, ich dachte einen Moment . . .«

Die Treppe, die zu Mosche Gabriels Zimmer führte, war völlig verschmutzt. Die Dienstmagd hatte sich schon seit Monaten nicht mehr die Mühe gemacht, sie zu fegen. Im Zimmer war es kalt; der Ofen wurde nur selten geheizt. Auf einem Tisch lag ein Stoß Manuskripte, der mit Backsteinen beschwert war, damit bei Zugluft die Seiten nicht durcheinandergeweht wurden. Auf einem Stehpult lag ein Stapel aufgeschlagener Bücher; das oberste war mit einem Tuch bedeckt, weil es sich nicht ziemt, ein heiliges Buch offen herumliegen zu lassen. Auf einer kleinen Truhe lag eine lange Tabakspfeife. An der Wand stand eine eiserne Bettstatt, über die eine Decke gebreitet war. Darauf lag ein unbezogenes Kopfkissen. Mosche Gabriel machte eine Handbewegung. »Ein schreckliches Durcheinander.«

»Nicht so schlimm.«

»Ich hab' mich daran gewöhnt. Ich bin fast den ganzen Tag

im Lernhaus. Also, wie geht es dir, Tochter? In Amerika sprichst du wohl ... wie nennt ihr das ... englisch?«

»Ich spreche aber auch jiddisch.«

»Wie ich höre, bist du da drüben ein gelehrtes Mädchen geworden. Gehst du auf die Universität?«

»Ja, Papa. Ich bin jetzt im zweiten Studienjahr.«

»Und was studierst du? Willst du Ärztin werden?«

»Nein, Papa. Ich studiere Naturwissenschaft.«

»Was meinst du damit? Elektrizität?«

»Ein bißchen von allem.«

»Erinnerst du dich wenigstens noch daran, daß du eine jüdische Tochter bist?«

»Keine Sorge, Papa. Die Antisemiten sorgen schon dafür, daß man das nicht vergißt.«

»Ja, das stimmt. Selbst wenn ein Jude ein Sünder ist, bleibt er ein Jude. Aus dem Geschlecht Jakobs.«

»Sie sagen, daß zu viele von uns auf den Hochschulen sind.«

»In diesem Punkt haben sie recht. ›Was hat ein Priester im Friedhof zu suchen?‹ Was hat ein Jude in deren Schulen zu suchen?«

»In einer Synagoge kann ich aber nicht studieren.«

»Die Pflicht einer jüdischen Tochter ist es, zu heiraten – nicht, sich in den Gymnasien herumzutreiben.«

»Was hat man denn vom Heiraten? Ich möchte etwas lernen. Kenntnisse erwerben.«

»Wozu?«

»Damit ich meinen Lebensunterhalt verdienen kann.«

»Es gehört sich, daß der Ehemann für den Lebensunterhalt sorgt und die Ehefrau ihren häuslichen Pflichten nachkommt. ›Des Königs Tochter drinnen ist ganz herrlich ...‹ Die Juden werden ›Kinder von Königen‹ genannt.«

»Heutzutage wollen die Männer in Amerika, daß die Frauen berufstätig sind.«

»Damit sie mit ihnen anbändeln können?«

Lotti wurde rot. »Ja, Papa, das stimmt.«

»Wie ich gehört habe, bist du verlobt.«

Lotti nickte, dann senkte sie den Kopf. »Darüber wollte ich mit dir sprechen.«

»Dann sprich!«

»Ach, Papa, ich weiß einfach nicht, wie ich's erklären soll. Er und ich, wir sind ganz verschiedene Naturen. Ich bin wie du. Ich lese gern. Ich möchte ein ruhiges Leben führen. Ihm liegt das nicht. Er möchte immer bloß herumrennen.«

»Wer ist er? Woher stammt er?«

»Sein Vater ist Arzt. Ein reicher Mann.«

»Und der Sohn? Was ist er? Ein Aufschneider?«

»Nein. Aber er . . . er amüsiert sich gern. Geht gern ins Kabarett. Er sagt, er liebt mich, aber trotzdem treibt er sich mit anderen Mädchen herum.«

Mosche Gabriel seufzte. »Lauf ihm davon, wie wenn du vor einem Feuer Reißaus nehmen müßtest!«

»Ach, Papa, wenn du doch auch nach Amerika kämst!«

»Was sollte ich in Amerika tun? Aber wer weiß? Was hat der Rebbe von Kock gesagt . . . ›Die Tora wandert weiter.‹ Eines Tages kommt sie vielleicht auch dorthin.«

»O ja, Papa. Es gibt viele Synagogen in Amerika. Du fehlst mir so, Papa! Laß dir einen Kuß geben!«

Mosche Gabriel stieg das Blut ins Gesicht. »Warum? Das muß doch nicht sein.«

»Weil ich dich liebhabe, Papa.«

»Wenn du mich liebhast, Tochter, dann schlag den Weg ein, den ich gehe. Wenn *du* mir schon so entfremdet bist, wie sehr werden es dann deine Kinder sein!«

»Nein, Papa, ich möchte keine Kinder haben.«

Mosche Gabriel sah sie entgeistert an. »Und warum nicht? Der Prophet sagt: ›Er hat sie nicht umsonst erschaffen, Er schuf sie, auf daß sie bewohnt werde.‹ Es ist Gottes Wille, daß der Mensch weiterexistiert.«

»Aber die Menschheit muß so viel erleiden.«

»Alles Gute in dieser Welt entspringt der Leidenserfahrung.«

»Die Juden haben's besonders schwer. Man belegt uns mit Schimpfnamen. Man läßt uns nicht in Hotels. Wir dürfen ihre Clubs nicht betreten. So viele Juden sind Zionisten.«

»Eine alte Geschichte. ›Und Esau war Jakob gram.‹ Je mehr ein Jude in die Fußstapfen der Andersgläubigen tritt, um so verhaßter wird er.«

»Aber was soll man denn tun?«

»Buße! ›Bereue und du sollst geheilt sein.‹ Gott hat uns ein Gesetz gegeben, das unsere Lebensweise bestimmt. Gäbe es die Tora nicht, dann hätten – Gott soll schützen! – die anderen Völker sich unser Volk schon längst einverleibt.«

»Hm.« Lotti schwieg eine Weile. »Papa, ich wollte dich noch etwas fragen. Aber nimm's mir bitte nicht übel. Hast du . . . hast du Mascha jemals wiedergesehen?«

Mosche Gabriel wich das Blut aus dem Gesicht. »Diese Abtrünnige! Ihr Name soll für immer ausgelöscht sein!«

»Papa!«

»Sprich ihren unreinen Namen nicht aus! Pfui!« Er stopfte sich die Finger in die Ohren und spuckte aus. Dann begann er, im Zimmer auf und ab zu laufen. Er schüttelte den Kopf. »Ich bin nicht mehr ihr Vater, und sie ist nicht mehr meine Tochter. Lieber soll sie sterben als neue Feinde des Volkes Israel in die Welt setzen.«

Lotti senkte den Kopf. Mosche Gabriel rannen die Tränen übers Gesicht und blieben in seinem Bart hängen.

»*Mich* trifft die Schuld!« stöhnte er und schlug sich mit der Faust an die Brust. »Ich hätte nicht schweigen dürfen. Als eure Mutter damit anfing, euch in die Schulen der Andersgläubigen zu schicken, hätte ich mit dir und deinen Geschwistern fliehen sollen – weit weg! Um euch zu retten, ehe es zu spät war.«

Er schlug die Hände vors Gesicht und blieb lange regungslos stehen. Als er die Hände sinken ließ, war sein Gesicht von Gram gezeichnet. Seine Tränensäcke waren wulstiger geworden. Lotti hatte das Gefühl, daß er mit einem Schlag ein alter Mann geworden war.

Sechstes Kapitel

I

Simon Bendel, Schoschas Freund, war von der Chaluzim-Organisation mitgeteilt worden, daß ihm das Zertifikat für die Auswanderung nach Palästina ausgestellt worden sei. Neun andere junge Burschen und zwei Mädchen hatten es ebenfalls erhalten. Auf dem Bauernhof in Grochow herrschte große Aufregung. Da die Palästina-Zertifikate jeweils für eine ganze Familie galten, wäre es ein Jammer gewesen, wenn nur Einzelpersonen davon Gebrauch gemacht hätten. Die jungen Männer mußten also schleunigst heiraten.

Simon Bendel zog sein Jackett an und fuhr mit der Lokalbahn nach Praga zu Schoscha. Er teilte ihr die große Neuigkeit mit und erklärte Baschele kurz und bündig, was er vorhatte.

Obzwar Schoscha ihrer Mutter des öfteren beteuert hatte, daß sie bereit sei, mit Simon nach Palästina zu gehen, hatte Baschele das eher für leeres Geschwätz gehalten. Es war doch lachhaft, zu glauben, daß Schoscha sich tatsächlich dazu durchringen würde, fast zweitausend Kilometer weit über Berge und Meere zu reisen! Das konnte sich Baschele einfach nicht vorstellen. Aber jetzt saß dieser junge Mann vor ihr und zeigte ihr ein Blatt Papier, eine Bescheinigung – schwarz auf weiß. Von seinen schweren Stiefeln rann das Wasser auf den Küchenboden. Sein Gesicht war von der Kälte gerötet. Sein feuchtes, buschiges Haar dampfte. Mit seiner enganliegenden Kniehose, den Wickelgamaschen und dem breiten Ledergürtel kam er Baschele wie ein Soldat vor. Wie ein Unhold, der plötzlich aufgetaucht war, um ihre Tochter ans Ende der Welt zu verschleppen. Er warf mit den Namen fremder Gegenden und Städte um sich – Lemberg, Wien, Konstanza, Tel Aviv, Haifa. Er sprach vom Meer, von Schiffen, von Baracken. Und er sagte, sie sollten beglaubigte Abschriften von Schoschas Geburtsurkunde und der Eintragung beim Einwohnermeldeamt besorgen, damit ihr Reisepaß rechtzeitig ausgestellt werden konnte. Jedes Wort, das er sagte, fiel Baschele wie ein Stein aufs Herz. Schoscha lächelte und brachte Simon

Tee, Brot und Butter. Dann rief sie Manjek in der Essigfabrik an. Woraufhin Manjek bei seinem Vater im Hotel anrief. Man konnte Schoscha doch nicht heiraten lassen, ohne ihrem Vater Bescheid zu sagen! Da Koppel ausgegangen war, ging Lea ans Telefon.

»Wer spricht dort? Koppel ist nicht da.«

»Wissen Sie, wann er zurückkommt?«

»Das weiß niemand!« schrie Lea ins Telefon.

Und das stimmte auch. Koppel blieb oft den ganzen Tag weg und kam manchmal auch nachts nicht zurück. Bei den Besuchern aus Amerika ging es drunter und drüber. Lotti hatte einen Brief von ihrem Bräutigam erhalten, in dem er ihr mitteilte, daß er hiermit die Verlobung löse. Daraufhin hatte sie ihren Verlobungsring aus dem Fenster geworfen. Mendy war hinausgerannt, um ihn zu suchen, hatte ihn aber, wie er berichtete, nicht finden können. Lea hatte den Verdacht, daß er den Ring irgendwo versteckt, vielleicht sogar verscherbelt hatte. Mendy hatte sich rasch mit einer Clique Warschauer Jungen und Mädchen angefreundet, die er oft ins Kino einlud.

Um ihre häusliche Misere vor ihren Verwandten zu verbergen, ging Lea ihnen aus dem Weg. Königin Esther und Saltsche hatten sich schließlich doch dazu durchgerungen, Lea zu sich einzuladen, doch bisher hatte sie sich um den Besuch bei ihnen herumgedrückt. Sie aß allein in Restaurants und machte lange Spaziergänge, vom Hotel zur Brücke und zurück zum Dreikreuzplatz. In Warschau war sie genau so einsam wie in New York. Manchmal blieb sie vor irgendeinem Schaufenster stehen, starrte geistesabwesend die ausgestellten Waren an und murmelte vor sich hin: »Koppel, der Dieb. Ja, es geschieht mir ganz recht.«

Koppel verbrachte die meiste Zeit bei den Ochsenburgs. Reize richtete ein Zimmer für ihn her und tischte ihm seine Leibspeisen auf: Kutteln und süßsauer marinierten Fisch. Die Kaufkraft der polnischen Mark wurde von Tag zu Tag geringer, während die des amerikanischen Dollars stieg. Auch wenn Koppel noch so großspurig mit dem Geld um sich warf, konnte er spottbillig leben. Für Zilke, die Witwe, kaufte er eine Pelzjacke und eine goldene Uhr. Er sorgte dafür, daß Isidor Ochsenburg ärztlich behandelt wurde, und bezahlte den Masseur, der Isidors kranke Beine massierte. Er verhalf Regine zu einer Wohnung und zahlte dem Vermieter eine Ablösung. Und auch gegenüber seinen einstigen Kumpanen Itschele Pelzewisner, Motje dem Roten und Leon dem Hausierer zeigte er sich spendabel. David Krupnick ließ sich nicht mehr bei den Ochsenburgs blicken, seit Koppel sich dort häuslich niedergelassen hatte. Frau Krupnick, verwitwete Goldsober, war nach wie vor ein regelmäßiger Gast und blieb bis spät in die Nacht. Sie rauchte ihre Asthmazigaretten und spielte mit Koppel Poker. Die anderen stellten fest, daß er allem Anschein nach in Amerika das Pokern verlernt hatte: Es verging kaum ein Abend, ohne daß er mindestens ein paar Mark verlor. Frau Krupnick ließ dann jedesmal die gleiche Bemerkung fallen: »Du mußt wirklich Glück in der Liebe haben.«

Koppel machte ein regelrechtes Programm daraus, seine sämtlichen Freunde und Bekannten von früher aufzuspüren. Er erfuhr, daß Naomi, Reb Meschulams Haushälterin, jetzt in der Niskastraße eine Bäckerei hatte. Eines Abends suchte er sie dort auf. Von ihr erfuhr er, daß Manja geheiratet hatte, aber nicht mehr mit ihrem Mann zusammenlebte. Sie arbeitete in einem Töpferwarengeschäft in der Mirowska und wohnte bei ihrem Dienstherrn – irgendwo in der Ptasiastraße. Die Wohnung hatte keinen Telefonanschluß. Koppel fuhr per Droschke hin. Es war schon ziemlich spät, und er hatte Bedenken, ob er Manja jetzt noch einen Besuch abstatten konnte. Er kam an einem düsteren Hof vorbei, aus dem es nach Knoblauch und verfaulten Äpfeln roch. In einem kleinen chassidischen Bethaus tanzten einige Gläubige. Koppel sah zu, wie die ekstatischen Chassidim einen Kreis bildeten und wie dann jeder wieder für sich allein tanzte, mit den schweren Stiefeln aufstampfte und das bärtige Gesicht im Rhythmus wiegte. Er war nahe daran, hineinzugehen und ihnen etwas zu spendieren, aber dann unterdrückte er diesen Impuls. Er stieg eine dunkle Treppe hinauf und klopfte im dritten Stock an eine Wohnungstür. Gleich darauf hörte er Schritte, dann Manjas Stimme: »*Kto tam?*«

»Ich bin's. Koppel.«

»Wer? Der alte Herr ist nicht da.«

»Machen Sie auf, Manja! Ich bin's – Koppel, der Aufseher.«

Es dauerte eine Weile, bis sie die Sicherheitskette ausgehakt hatte. Dann sah er sie in dem schwachbeleuchteten Flur vor sich stehen – älter geworden, aber noch immer irgendwie mädchenhaft. Sie trug ein modisches Kleid, Ohrringe und eine Halskette aus imitierten Korallen. Ihr plattnasiges Gesicht war gepudert, ihre Kalmückenaugen waren schwarz umrandet.

»Koppel! Er ist's wirklich!«

»Höchstpersönlich.«

»Beim Leben meiner Mutter – wenn das möglich ist, dann weiß ich nicht, was noch alles ...« Sie schlug die Hände zusammen und begann hellauf zu lachen. »Ich hab's gewußt! Ich hab' immer gewußt, daß Sie wieder hier auftauchen würden.«

»Wieso waren Sie dessen so sicher?«

»Ach, ich hab's halt gewußt. Ich weiß alles.«

Sie führte ihn in die Küche. Die Wohnungsinhaber waren nicht zu Hause. Der Fußboden der geräumigen Küche war gefliest, an den Wänden hingen verkupferte Schüsseln. Auf einem Schemel lag ein Pack Spielkarten. Die Liegestatt an der Wand hatte dort, wo Manja gesessen hatte, eine Delle.

Manja tänzelte um Koppel herum. Ihre breiten Nüstern zuckten und schnupperten. »Noch ganz derselbe! Kein bißchen verändert.«

Koppel wechselte zum vertrauten »Du« über. »Das kann man auch von dir sagen, Manja. Du bist dieselbe geblieben.«

Sie warf ihm einen mißtrauischen Blick zu, dann begann sie wieder zu lachen. »Ich bin ein Niemand. Aber Sie haben's weit gebracht. Reb Meschulams Schwiegersohn.«

»Das ist keinen Groschen wert.«

»Hört, hört! Wie haben Sie denn herausgefunden, wo ich wohne?«

»Naomi hat's mir gesagt.«

»Woher hat sie es denn gewußt?«

»Das mußt du sie schon selber fragen.«

»Noch ganz der alte Koppel! Kein bißchen verändert. Wann sind Sie gekommen? Ist Lea auch in Warschau?«

»Ja, diese taube Nuß ist auch hier.«

Manja schnitt eine Grimasse. »*So* ist das also ... Warum stehen Sie an der Tür herum? Sie sind doch kein Bettler! Setzen Sie sich aufs Bett.«

»Wie ich höre, hast du geheiratet.«

»Du lieber Himmel, dieser Mann weiß einfach alles! Ja, ich habe geheiratet. Ich bin hineingestolpert wie ein blinder Gaul in einen Graben.«

»Soso. Schiefgegangen, was?« Er zündete sich eine Zigarette an.

»Also ich muß schon sagen! Noch keine fünf Minuten ist er da, nach Gott weiß wieviel Jahren, und schon will er alles ganz genau wissen! Jetzt bekommen Sie erst mal ein Glas Tee. Die Nacht ist noch jung.«

Sie flitzte zum Herd und setzte Wasser auf.

2

Gegen halb zwölf klingelte es an der Wohnungstür. Manja drehte rasch das Gaslicht aus und rannte in den Flur, um den Hausherrn und seine Frau hereinzulassen. Koppel blieb allein in der dunklen Küche. Und während er hier, in diesem fremden Raum, auf Manjas Bett saß, kam es ihm plötzlich so vor, als wäre er wieder ein junger Bursche, ein kleiner Angestellter in der Bagnostraße, der hinter Dienstmädchen her war. Durch die offene Tür der Speisekammer drangen Gerüche, die er längst vergessen hatte: Zichorie, grüne Seife, Zitronensäure, Bleichsoda. Er mußte sich zusammennehmen, um nicht zu niesen. Vom Flur her hörte er, wie der Hausherr etwas nuschelte und sich die Füße abstreifte. Seine Frau lachte. Koppel steckte sich eine Zigarette zwischen die Lippen, damit er sie, wenn die Luft wieder rein war, gleich anzünden konnte. »Ein Rindvieh ist sie, diese Manja!« sagte er sich. »Warum habe ich mich bloß mit dieser einfältigen Person eingelassen, die an Träume glaubt und sich ständig die Karten legt? Kostbare Zeit verplempert. Ich hätte den Abend mit Zilke verbringen können.« Er nagte an seiner Unterlippe. »Wie kommt ein solches Weibsstück überhaupt dazu, sich einzubilden, sie könnte die feine Dame spielen? Heirat, Kinder, Ehrbarkeit – sie hat die Chuzpe, von so etwas zu sprechen! Mich von Lea scheiden lassen und dann *sie* heiraten!«

Er dehnte sich und preßte die Hand an den Mund, um das Gähnen zu unterdrücken. »Warum zum Teufel habe ich mit ihr verhandelt? Das muß ihr ja zu Kopf steigen!« Nach Hause gehen und schlafen, das war alles, was er jetzt wollte.

Manja kam wieder herein. »Koppel, bist du noch da?«

»Was hast *du* denn gedacht? Hätte ich vielleicht aus dem Fenster klettern sollen?«

»Sie sind zu Bett gegangen. Die alte Dame wäre um ein Haar hier hereingekommen.« Sie kicherte.

Koppel holte tief Luft. »Also, ich gehe jetzt.«

»Du brauchst doch nicht wegzurennen. Ich begleite dich hinunter.«

»Solche Gefälligkeiten kannst du dir sparen! Ich frage dich zum letzten Mal – ja oder nein?«

»Nein.«

»Hundert Dollar.«

»Auch nicht für tausend.«

Koppel zog seinen Mantel an, setzte den Hut auf und schlüpfte in seine Überschuhe, die neben der Küchentür standen. Er konnte das Funkeln in Manjas Kalmückenaugen sehen. Er legte ihr den Arm um die Schultern. »Einen Kuß werde ich dir wohl noch geben dürfen?«

»Aber natürlich. Küssen kostet nichts.«

Er preßte die Lippen auf ihren Mund. Leidenschaftlich erwiderte sie seinen Kuß. Ihre Zähne gruben sich in seine Lippen. Ein merkwürdiges Gefühl überkam ihn. Er wollte nicht bleiben, aber gehen wollte er auch nicht. Jetzt war er hartnäkkig wie ein Kartenspieler, der mitten in der Partie auf Biegen und Brechen versucht, zurückzugewinnen, was er verloren hat.

»Also gut. Was willst du? Kurz und bündig!«

»Das hab' ich dir bereits gesagt. Ich möchte ein ehrbares Leben führen.«

»Was hindert dich daran, wieder zu heiraten? Du bekommst eine Mitgift von mir.«

»Ich hab' selber eine.«

»Dann ade, mein vornehmer Schatz!«

»Ade! Und sei mir nicht bös!«

Sie hielt ihm die Wohnungstür auf. Er stieg die Treppe hinunter und schleppte sich erschöpft die Straße entlang. In der Tasche hatte er die Schiffskarten nach Amerika. Erste-Klasse-Kabinen für sich, Lea und die beiden Kinder. Aber nach Lage der Dinge war er keineswegs sicher, ob er die Rückreise nicht vielleicht verschieben würde. Mit Lea wurde es von Tag zu Tag schlimmer. Sie beschimpfte ihn, zeterte, beschwor alle möglichen Skandale herauf. Seit sie in die Wechseljahre gekommen war, hatte sie nicht mehr alle Tassen im Schrank. Mit einer solchen Frau zusammenzuleben – wie sollte er das denn aushalten? Was nützte ihm die Wohnung am New Yorker Riverside Drive? Und wenn er mit alledem Schluß machen würde – ein für allemal? Er stellte eine rasche Kalkulation an. Selbst wenn er ihr fünfundzwanzigtausend Dollar gäbe, bliebe ihm noch eine ganze Menge. Dann könnte er Zilke heiraten. Und vielleicht noch einmal Vater werden. Nein, er würde bestimmt keine Frau heiraten, die, obwohl ihr Mann noch keine drei Monate tot war, mit einem anderen ins Bett ging! Und Baschele? Die hatte einen Kohlenhändler geheiratet. Herrgott nochmal, wie konnte eine Frau einen solchen Schmutzfinken in ihrer sauberen Bettwäsche schlafen lassen?

Er wollte eine Droschke nehmen, wartete aber eine Viertelstunde lang vergeblich. Auch kein Taxi war zu entdecken. Eine Straßenbahn ratterte vorbei, aber er wußte nicht, welche Strecke sie fuhr. Er ging weiter und klopfte auf seine hintere Hosentasche, in der seine Reiseschecks steckten. Was nützte ihm denn sein Geld? Sogar Manja, das Dienstmädchen, warf es ihm vor die Füße.

In der Nähe des Hoteleingangs sah er ein Mädchen stehen – ohne Hut, in einer zerknitterten, viel zu weiten Jacke und einem zu langen, altmodischen Rock. Er blieb auf der anderen Straßenseite stehen und spähte zu ihr hinüber. Eine Straßendirne? Nein, die waren anders angezogen. Aber vielleicht war sie ein Neuling in diesem Gewerbe. Er überquerte die Fahrbahn. Sonderbare Gedanken schossen ihm durch den Kopf. Sollte er sie fragen, ob er ihr irgendwie behilflich sein konnte?

Sie machte einen anständigen Eindruck. Aber weshalb starrte sie ihn so an? Und dann blieb er wie angewurzelt stehen. Sie kam ihm irgendwie bekannt vor. Und nun winkte sie und rannte auf ihn zu. Schoscha! Seine Kehle war plötzlich wie ausgetrocknet. »Was machst *du* denn hier?«

»Papa, ich hab' auf dich gewartet ...«

»Weshalb denn? Warum bist du nicht hinaufgegangen?«

»Das wollte ich nicht. Deine Frau ...« Sie brach mitten im Satz ab.

»Also, was gibt's? Heraus mit der Sprache!«

»Papa, er hat sein Palästina-Zertifikat bekommen. Und jetzt will er sofort heiraten.«

Koppel strich sich über die Stirn. »Was ... was hat das damit zu tun, daß du dich hier auf der Straße herumtreibst?«

»Ich versuche schon seit drei Tagen, dich zu treffen, aber ...«

»Warum hast du mir nicht geschrieben?«

Sie zuckte die Achseln. Koppel stieg das Wasser in die Augen. Er hakte sich bei Schoscha ein, dann sah er zu den Hotelfenstern hinauf. Er wußte nicht, wohin in aller Welt er mit seiner eigenen Tochter gehen sollte. Und wie sie angezogen war – du liebe Güte! Beschämt dachte er daran, daß er seinen Kindern ganze fünfzig Dollar gegeben hatte, seit er wieder in Warschau war. »Wir können doch nicht auf der Straße herumstehen. Wo ist dein Freund, dieser ... wie heißt er?«

»Simon wohnt bei den Chaluzim.«

»Wo ist das? Er wird sicher schon schlafen.«

»Nein, er wartet auf mich. Wir müssen Formulare ausfüllen.«

»Moment! Ich bin müde. He, Kutscher!« Eine Droschke hielt. Sie stiegen ein. Koppel lehnte sich im Sitz zurück und bat Schoscha, dem Kutscher die Adresse zu sagen.

»Warum pressiert's euch denn mit dem Heiraten? Liebst du ihn wenigstens?«

»Das Zertifikat gilt nur bis ...«

»Und was werdet ihr in Palästina tun?«

»Arbeiten.«

»Das könnt ihr hier auch.«

»Aber Palästina ist unser Heimatland.«

»Nun ja, das ist eure Angelegenheit. Der Bursche kommt mir allerdings recht abenteuerlich vor.«

»Er tut bloß so.«

Koppel schlug den Mantelkragen hoch und verfiel in Schweigen. »Im Leben ist alles möglich«, dachte er, »aber daß ich heute nacht mit meiner Tochter in einer Droschke sitzen und zu irgendwelchen Chaluzim fahren würde, das hätte ich mir nicht träumen lassen.« Er war bloß noch halb wach.

Die Droschke hielt, Koppel zahlte. Schoscha zog an der Türglocke. Die Zimmer der Chaluzim befanden sich im Erdgeschoß. Trotz der vorgerückten Stunde brannte überall Licht. Junge Burschen packten Bündel zusammen und nagelten Kisten zu. Ein Mädchen war eifrig damit beschäftigt, einen Kleidersack aus Segeltuch zusammenzunähen – mit einer dicken Nadel und einer kräftigen Schnur. An der Wand hingen eine Landkarte von Palästina und ein Theodor-Herzl-Porträt. Auf der einen Seite des Zimmers stand ein mit hebräischen Büchern und Zeitungen beladener Tisch. Koppel sah sich alles an und staunte. Er hatte zwar hin und wieder etwas über den Zionismus, die Balfour-Deklaration und die Chaluzim gelesen, sich aber nicht näher damit befaßt. Und jetzt gehörte seine Tochter plötzlich dazu.

Ein untersetztes Mädchen mit stämmigen Beinen kam herüber und flüsterte Schoscha etwas zu. Daraufhin klopfte Schoscha an eine Tür. Simon Bendel erschien, in einem Hemd mit offenem Kragen, unter dem seine breite, behaarte Brust zu sehen war.

»Was ist denn hier los?« fragte Koppel. »Warum geht's hier so hektisch zu?«

»Wir reisen in zwei Wochen ab.«

»Nach Palästina, was?«

»Wohin denn sonst?«

Koppel kratzte sich am Kopf. »Also gut, sie bekommt eine Mitgift von mir.«

»Wir brauche keine Mitgift«, sagte Simon nach einigem Zögern.

»Warum denn nicht? Geld kann man überall brauchen.«

Der junge Mann senkte den Kopf und schwieg. Nach einer

Weile ging er wieder hinaus. Koppel sah Schoscha an. »Es ist spät. Gehst du heute überhaupt nicht schlafen?«

»Ich gehe gleich nach Hause. Einen Moment noch!«

Sie verschwand ebenfalls. Koppel setzte sich auf eine Bank, nahm ein hebräisches Buch vom Tisch und blätterte darin. Fotografien von landwirtschaftlichen Siedlungen. Mädchen beim Melken. Chaluzim beim Pflügen. »Es tut sich was«, dachte er. Ja, bei den Juden tat sich etwas, wovon er keine Ahnung hatte. Er konnte ja nicht einmal mitreden, wenn es um seine eigenen Kinder ging. Was sollte aus Teibele und Jeppe werden, deren Vater jetzt dieser Kohlenhändler war? Alles hatte er verloren – seine Frau, seine Kinder, die kommende Welt. Ein sonderbarer Gedanke ließ ihn nicht mehr los. Gesetzt den Fall, er schlösse sich diesen jungen Leuten an. Gesetzt den Fall, er ginge nach Palästina. Immerhin war das, was dort aufgebaut wurde, eine Heimstatt der Juden.

Siebtes Kapitel

Schoscha bekam von ihrem Vater eine Mitgift von fünfhundert Dollar, einen Brillantring und eine goldene Kette. Die Trauung fand in der Wohnung eines Warschauer Rabbiners statt. Koppel gab Baschele und den Mädchen Geld für neue Kleider und besorgte Geschenke für seinen Sohn und seine Schwiegertochter. Bascheles Mann wollte zunächst nicht an der Trauung teilnehmen: Wenn Schoscha, gottlob, in Anwesenheit ihres eigenen Vaters und ihrer Mutter heiratete, warum sollte dann der Stiefvater dabeisein? Aber Koppel bestand darauf. Er sprach im Laden des Kohlenhändlers vor, streckte ihm die Hand hin und sagte: »Chaim Leib, du hast mehr Recht, dabeizusein, als ich.«

Worauf die beiden ein langes, freundschaftliches Gespräch führten und schließlich ins nächste Wirtshaus gingen, um einen zu heben.

Obzwar der Traubaldachin erst um neun Uhr abends aufgestellt werden sollte, trafen die ersten Gäste schon um acht ein. Von seiten des Bräutigams nahm eine ganze Anzahl Chaluzim teil. Sie trugen Schaffelljacken, Schirmmützen und schwere Stiefel, die auf den gewachsten Fußböden des Rabbiners Schmutzspuren hinterließen. Und sie warfen Zigarettenstummel und -asche auf den Boden. Sie unterhielten sich in einer Mischung aus Jiddisch und Hebräisch. Der Schammes schalt sie und forderte sie auf, die Anstandsformen zu wahren. Die Frau des Rabbiners, eine elegante Dame mit gefärbter Perücke, spähte zur Tür herein und musterte die Chaluzim. Kaum zu glauben, daß Leuten, die nach nichts aussahen, die heilige Sprache so leicht von den Lippen floß! Bascheles Schwester, die in der Altstadt wohnte, hatte ihr Hochzeitsgeschenk in ein Tuch eingewickelt. Schoschas Cousinen und Schulfreundinnen tuschelten auf polnisch miteinander und warfen den Chaluzim neugierige Blicke zu. Der Schammes beanstandete, daß so viele Leute gekommen waren. »Was denken die sich eigentlich? Daß das hier ein Hochzeitssaal ist?«

Simon Bendel hatte vorgehabt, in der bei den Chaluzim üblichen Kniehose samt Wickelgamaschen zur Trauung zu erscheinen, doch Koppel hatte darauf bestanden, daß er Anzug, Hut und Krawatte trug. Die Chaluzim machten sich einen Spaß daraus, immer wieder an Simons Schlips zu ziehen. Schoscha trug ein Schwarzseidenes und Lackschuhe. Ihr Haar war mit einem Tüllschal bedeckt. Sie stand zwischen ihrer Mutter und ihrer Schwägerin. Koppel kam ziemlich spät. Er hatte sich sorgfältig rasiert und frisiert und trug zur Feier des Tages einen Smoking, Lackschuhe und ein gestärktes Hemd mit goldenen Manschettenknöpfen. In der einen Hand hatte er eine Flasche Champagner, in der anderen eine Schachtel mit Honigkuchen und Plätzchen. Er begrüßte die Gäste mit Handschlag und würzte seine Bemerkungen mit englischen Vokabeln. Als Baschele ihn sah, begann sie zu weinen und mußte von ihrer Schwester in ein anderes Zimmer geführt werden, um sich wieder zu beruhigen. Da sie mittlerweile von Koppel für die Kränkungen, die er ihr zugefügt hatte, entschädigt worden war, hatte sich ihr Zorn auf ihn gelegt. Chaim Leib hatte sich zur Feier des Tages mehrmals gründlich eingeseift und abgeschrubbt, aber sein Gesicht und sein Stiernacken waren immer noch von Kohlenstaub verkrustet. Seine Fingernägel hatten schwarze Ränder. Sein Kaftan war zu kurz. Das Oberleder seiner frischgeputzten Schuhe war fleckig. Er stand etwas abseits und sah andächtig zu, wie der weißbärtige Rabbiner die Heiratsurkunde ausstellte. »Ist die Braut noch Jungfrau?« fragte der Rabbiner.

»Ja, sie ist Jungfrau«, antwortete Koppel nach kurzem Zögern.

»In diesem Ehevertrag steht, daß der Gatte sich verpflichtet, für den Unterhalt seiner Frau aufzukommen, sie mit Nahrung und Kleidung zu versorgen und mit ihr als Ehemann zusammenzuleben. Falls er sich von ihr scheiden läßt, ist er verpflichtet, ihr zweihundert Gulden zu zahlen, und sollte er – was Gott verhüten möge – sterben, so müssen seine Erben die Schuld begleichen.«

Baschele brach in Tränen aus. Schoscha hielt sich das Taschentuch an die Augen.

Die Trauungszeremonie ging vonstatten, wie Brauch und

Gesetz es vorschreiben. Aus einem Schrank holte der Schammes einen über vier Pfosten gespannten Traubaldachin. Kerzen wurden angezündet. Ein Becher wurde mit Wein gefüllt. Der Bräutigam legte ein weißes Gewand an, das ihn an den Tod gemahnen sollte. Von zwei Frauen begleitet, schritt die Braut siebenmal um den Bräutigam herum. Der Rabbiner stimmte die Benediktion an. Simon zog den Ehering aus der Tasche und steckte ihn Schoscha an den Zeigefinger der rechten Hand: »Siehe, du bist mir durch diesen Ring angetraut gemäß dem Gesetz Mose und Israels.« Dann tranken beide aus dem Weinbecher. Chaim Leib hielt eine mit Bändern geschmückte Kerze in der Hand. Die Flamme flakkerte und warf groteske Schatten auf die Wände und die Decke des Raumes.

Nach der Zeremonie begann die Gratulationscour. Die Chaluzim wurden munter. Sie stellten sich im Kreis auf, faßten einander um die Schultern und begannen in hebräischer Sprache zu singen.

»Arbeit ist unser Leben,
bewahrt uns vor allen Übeln.«

»Wollt ihr wohl still sein!« schalt sie der Rabbiner. Er konnte doch seine Zeit nicht damit verplempern, all diesen Leuten beim Feiern zuzuschauen, und außerdem hatte er keine Lust, sich diese modernen Lieder anzuhören, die nach Ketzerei klangen.

Ein großer, hagerer Bursche, der einen spitzen Adamsapfel hatte, nahm Anstoß. »Was stört Sie denn daran, Rabbi? Wir bauen die Heimstatt der Juden auf.«

»›Wo der Herr nicht das Haus baut, da arbeiten umsonst, die daran bauen.‹«

»Komm, Benjamin! Es ist Zeitverschwendung, darüber zu streiten.«

Die Chaluzim zogen ihre Schaffelljacken an und brachen auf. Alle waren gegen sie – die orthodoxen Juden, die sozialistischen Bundisten und die Kommunisten. Aber einschüchtern ließen sie sich dadurch keineswegs. Wenn der Messias bis heute noch nicht auf seinem Esel angeritten gekommen war, dann war es höchste Zeit, daß man sein Schicksal in die eigene Hand nahm. Sie stapften hinaus und sangen:

»Dort im Lande der Väter
erfüllt sich, was wir erhoffen.«

Kurz darauf gingen auch die anderen. Die Tante und die Cousinen Schoschas nahmen die Straßenbahn. Das Brautpaar, Baschele und Chaim Leib stiegen in eine Droschke. Die Neuvermählten sollten das Zimmer bekommen, in das Koppel sich früher immer zurückgezogen hatte, um Pläne zu schmieden.

»Nu, wie fühlst du dich als frischgebackene Ehefrau?« fragte Koppel seine Tochter.

»Wie sich ein Mensch eben fühlt. Nicht anders als vorher.«

»Koppel, vielen Dank für . . . für alles, was du für uns getan hast«, stammelte Baschele.

»Was gibt's da zu danken? Sie ist doch meine Tochter.«

Die Droschke setzte sich in Bewegung. Koppel schlug den Mantelkragen hoch und sah ihr nach, bis sie um die Ecke verschwunden war. Nun hatte er also seine Tochter verheiratet – hier in Warschau! Das hätte er sich nicht träumen lassen. Wie lange war es her, daß Schoscha zur Welt gekommen war? Wie die Zeit verflog! Und sicher würde er bald Großvater werden. Was das betraf, so konnte man sich auf einen Burschen wie Simon verlassen. Er biß sich auf die Lippen, dann steckte er sich eine Zigarette an und inhalierte den Rauch. Das Leben war doch sonderbar! Viele Jahre lang hatte er Lea geliebt. Vor Sehnsucht verzehrt hatte er sich bei ihrem Anblick. Und jetzt, da sie seine Frau war, dankte er Gott, wenn er nicht mit ihr zusammen sein mußte. Er hätte sich jetzt gern schlafen gelegt, aber er wußte genau, daß Lea ihm keine Ruhe lassen würde. Es wurmte sie sicher, daß sie nicht zur Hochzeit seiner Tochter eingeladen worden war.

Er ging in ein Feinkostgeschäft, um zu telefonieren. Bei den Ochsenburgs meldete sich Zilke. »Ach du bist's, Schatz!« sagte sie auf polnisch. »Ist die Trauung vorbei?«

»Ja, der Schaden ist angerichtet.«

»Gratuliere. Was hast du heute abend vor? Eine Frau hat bei uns nach dir gefragt.«

»Eine Frau? Wer war's denn?«

»Ich weiß nicht. Ein dunkler Typ mit Schlitzaugen. Du sollst bei ihr anrufen.«

Manja, dieses verflixte Luder, dachte Koppel mit einem gewissen Triumphgefühl. »Ach«, sagte er, »das ist nicht so wichtig.«

Er nahm ein Taxi und fuhr zu den Ochsenburgs. Am Hoftor wartete Zilke auf ihn. Sie trug die Persianerjacke, die er ihr gekauft hatte, und war ohne Kopfbedeckung aus dem Haus gegangen. Ihr Gesicht war weiß gepudert. Der Blick, mit dem sie ihn ansah, verriet ihre Habgier. Koppel verlangte es nach Liebe, aber diese Frau hatte nur eins im Kopf: ihm möglichst viel Geld abzuknöpfen. Sogar wenn er sich zu leidenschaftlichen Zärtlichkeiten hinreißen ließ, brachte sie es fertig, ihm zuzuflüstern: »Koppel, gib mir einen Dollar!«

Er hatte jetzt keinen Appetit, aber Zilke drängte ihn, mit ihr in ein Lokal zu gehen. Ihr kleiner Mund, der am Rand überpudert war, damit er noch kleiner wirkte, war so etwas wie ein gähnender Abgrund. Sie stopfte alles mögliche in sich hinein – Gänsebraten, Kischkes, Kalbsfuß mit Knoblauch, Kutteln. Und sie kippte ein Glas nach dem andern – Wodka, Kognak, Bier –, Hauptsache, Koppel bezahlte die Rechnung. Der einzige Genuß, dem sie nicht frönte, war der, auf den es Koppel ankam. Bei diesem Spiel wurde sie kalt wie ein Fisch. Ihr war seine sinnliche Begierde unangenehm. Immer achtete sie ängstlich darauf, daß er ihre spitzenbesetzte Unterwäsche nur ja nicht zerriß oder schmutzig machte. Und außerdem jammerte sie ständig ihrem verstorbenen Mann nach. Koppel war nach jedem Zusammensein mit ihr unbefriedigt. Daß Manja sich bei ihr nach ihm erkundigt hatte, brachte ihn auf die Idee, Zilke eine Lektion zu erteilen. Er sagte ihr weder auf Wiedersehen noch küßte er ihr die Hand, wie er es sich neuerdings angewöhnt hatte. Er nahm nicht einmal die Zigarette aus dem Mund.

Diese Nacht schlief er nicht in seinem Hotel. Erst am Vormittag erschien er dort – gefaßt darauf, daß Lea ihn anschreien und beschimpfen würde. Er hatte die Antwort parat. Und wenn ihr diese Antwort nicht paßte, würde er sich von ihr scheiden lassen und ihr einen Unterhaltsbeitrag zahlen.

Als er die Hotelhalle betrat, kam jemand auf ihn zu, jemand, der ihm zutiefst vertraut und dennoch fremd war. Er selber war's – sein Spiegelbild. Das Gesicht war gelb, das Haar an den Schläfen ergraut.

Neunter Teil

Erstes Kapitel

Die Idee, daß Glückseligkeit und Tugend gleichbedeutend seien, war für Euser Heschel nicht nur ein Postulat der *Ethik* Spinozas (mit der er sich nach wie vor in seiner Freizeit beschäftigte), sondern auch das Ergebnis seiner eigenen Überlegungen. Sie führten ihn unweigerlich zu dem Schluß, daß es das einzige Ziel des Menschen sei, das Leben zu genießen. Die Tora selbst hatte ja als Belohnung dafür, daß man Gottes Gebote hielt, rechtzeitigen Regen versprochen! Und waren die kommende Welt und das Kommen des Messias denn etwas anderes als die Verheißung der Glückseligkeit? Und was erstrebte der Marxismus denn anderes, als die Menschen glücklich zu machen? Ja, genau das war es, wonach er selber sich Tag und Nacht gesehnt hatte. Aber irgendwelche Mächte hatten ihn daran gehindert, sein Ziel zu erreichen.

Seine eigene Natur war ihm rätselhaft geblieben. Spinoza zufolge konnte man nur in Gemeinschaft mit anderen zur Glückseligkeit gelangen – er jedoch ging den anderen aus dem Weg. Er trank nicht, tanzte nicht, gehörte keiner Gruppe oder Organisation an, in der er vielleicht Freunde gefunden hätte. Er saß allein in seinem Arbeitszimmer und brütete über Gefühle und Leidenschaften nach, die nur zu innerer Rastlosigkeit führen konnten. Die Hoffnung, eine Antwort auf die ewigen Fragen zu finden, hatte er längst aufgegeben. Trotzdem ließen ihm diese Fragen keine Ruhe. Er teilte die Meinung des Amsterdamer Philosophen, daß der Weise am wenigsten über den Tod und über jene Affekte nachdenkt, die der Glückseligkeit abträglich sind. Aber er war nicht imstande, sich von seinen eigenen Affekten zu befreien. Er lief zwischen seinen Bücherregalen auf und ab, runzelte die Stirn, biß sich auf die Lippen, summte ein chassidisches Lied, das er aus seiner Jugendzeit in Klein-Tereschpol im Gedächtnis behalten hatte. In Gedanken haderte er mit Gott, an dessen unaufhörlicher Wachsamkeit er zweifelte.

Es klopfte, und Hadassa sah herein. »Euser Heschel, Dache ist krank.«

»Was ist denn jetzt wieder los?«

»Ihr Hals. Bitte ruf Dr. Mintz an.«

Einen Moment lang sahen sie einander schweigend an. Im Lauf der Jahre war Euser Heschels Haar schütter geworden. Und obzwar Hadassa ihn wieder und wieder ermahnt hatte, sich geradezuhalten, war sein Rücken gekrümmt. Der Sohn und Nachfolger des alten Dr. Mintz hatte Hadassa versichert, Euser Heschel sei kerngesund, aber sie machte sich trotzdem Sorgen, weil er immer so blaß war. Warum aß er so wenig? Warum wachte er mitten in der Nacht auf und konnte dann einfach nicht mehr einschlafen? Sie befürchtete, daß er irgendeine verborgene Krankheit mit sich herumschleppte.

Hadassa war immer noch schön, auch wenn die Ereignisse der vergangenen Jahre ihre Spuren hinterlassen hatten. Sie und Euser Heschel hatten, weil Adele sich zunächst nicht scheiden lassen wollte, ohne den rabbinischen Segen zusammengelebt. Es war, als hätte man sie aus der Gemeinschaft der Gläubigen ausgestoßen. Und als Adele, nach vielem Feilschen, dann doch in die Scheidung eingewilligt hatte und Hadassa die Ehefrau Euser Heschels geworden war, hatte es neue Probleme und neuen Kummer gegeben. Sie hatte eine schwierige Schwangerschaft und eine noch schwierigere Entbindung gehabt. Die kleine Dache – genannt nach Hadassas Mutter – war ein sehr zartes Kind. Euser Heschel hatte sich einen Sohn gewünscht und konnte sich nicht mit der Tatsache aussöhnen, daß er Vater einer Tochter geworden war. Dazu kam, daß das Geld nie reichte. Von dem, was er als Lehrer verdiente, mußte er nicht nur Unterhaltsbeiträge für seinen Sohn, sondern auch für seine Mutter, seine Schwester und deren Kinder zahlen, weil Dinas Mann, der Talmud-Unterricht erteilte, nur einen Hungerlohn erhielt. Und noch so manches andere machte Hadassa Kummer. Ihr goldblondes Haar verlor allmählich seinen Glanz, und um ihre Augenwinkel zogen sich die ersten Fältchen. Ihre Figur allerdings war immer noch mädchenhaft.

Euser Heschel ging auf sie zu. »Hast du ihr in den Hals geschaut?«

»Sie läßt mich nicht.«

»Mach dir keine Sorgen. Das geht wieder vorbei, du

Dummerchen.« Er zog sie an sich und küßte sie. Hadassa schloß die Augen. Wenn er zärtlich wurde, war ihr immer gleich leichter ums Herz. Jahrelang lebte sie nun schon mit ihm zusammen, aber ihr Verlangen nach ihm war unersättlich geblieben. Tagsüber war er selten zu Hause. Und abends war er meistens damit beschäftigt, sich auf die Unterrichtsstunden am nächsten Tag vorzubereiten, Aufsätze zu korrigieren oder zu lesen. Oft ging er abends noch einmal weg, zu Herz Janowar oder woanders hin – wohin, das wußte Hadassa nicht. Manchmal hüllte er sich wegen irgendeiner Lappalie tagelang in Schweigen. Die Momente, in denen er guter Laune war, konnte man zählen.

Weil das Kind schon wieder kränkelte, hatte Hadassa entsetzliche Angst davor, daß Euser Heschel wieder einmal in dumpfen Zorn verfallen würde, zumal da Dr. Mintz' häufige Hausbesuche sein halbes Einkommen aufzehrten. Aber man konnte nie voraussehen, wie er reagieren würde. Er hielt sie immer noch in den Armen, küßte sie auf die Augen, die Nase, den Hals und nahm ihr Ohrläppchen zwischen die Lippen. Dann führte er sie zum Sofa und nahm sie auf den Schoß. Er wiegte und tröstete sie, als wäre sie ein kleines Kind. »Sch-sch, sch-sch, Hadassale. Ich hab' dich lieb.«

Ihr stieg das Wasser in die Augen. »Ach, Euser ...«

Die Tür ging auf, Jadwiga, das Dienstmädchen, kam herein. Daß es sich gehörte, anzuklopfen, ehe man ein Zimmer betrat, war ihr einfach nicht beizubringen. Als sie ihre Gnädige auf dem Schoß des Hausherrn sitzen sah, blieb sie stehen und gaffte. Ihr breites Gesicht mit den hohen slawischen Bakkenknochen wurde puterrot, so daß ihre hellblauen Augen jetzt noch heller wirkten.

»Ach – *przepraszam.* Entschuldigung.« Sie wollte wieder hinausgehen.

»Was ist denn, Jadwiga?« rief Euser Heschel.

»Ich habe Wasser aufgesetzt. Für die Kleine. Zum Gurgeln.«

Hadassa sah sie strahlend an. »Gieß es in ein Glas mit etwas Kochsalz und laß es abkühlen.«

»Der Junge vom Kohlenhändler war da.«

Hadassas Miene wurde ernst. »Ich schaue später dort vorbei.«

Jadwiga blieb unschlüssig an der Tür stehen. Es war Zeit zum Essenkochen, aber die Speisekammer war leer. Kein bißchen Fleisch war eingekauft worden, und nur noch ein kleiner Rest Milch war da. Sie wollte fragen, was sie denn zum Abendessen kochen sollte, aber als sie ihre Gnädige dort sitzen sah – der eine Pantoffel baumelte so nett an ihrer Fußspitze! –, wurde ihr warm ums Herz. Wie angewurzelt blieb sie stehen. »Machen Sie sich keine Sorgen, gnädige Frau. Ich kümmere mich um alles.« Dann ging sie hinaus.

Hadassa genierte sich ein bißchen, andrerseits freute es sie, daß das Dienstmädchen ihren Triumph miterlebt hatte. Euser Heschel sah nachdenklich zum Doppelfenster hinüber. Kaum zu glauben, daß er sie jetzt schon fünfzehn Jahre kannte! Wenn ihm damals, als er ihr in der Panska zum ersten Mal begegnet war, jemand gesagt hätte, daß sie eines Tages seine Ehefrau, die Mutter seines Kindes sein würde! Wie merkwürdig das Leben spielt!

»Du hast also beim Kohlenhändler noch nicht bezahlt?«

Hadassa fuhr zusammen. »Nein.«

»Aber du hast doch zehn Zloty verlangt, um die Rechnung zu bezahlen.«

Sie dachte einen Moment nach. »Ich muß das Geld für etwas anderes ausgegeben haben.«

»Und wofür?«

»Ich habe ein Geschenk für dich gekauft. Es sollte eine Überraschung sein.«

»Mit diesen Überraschungen machst du mich noch pleite!«

Er zog die Brauen zusammen. Eine Narretei, Geld für allen möglichen Unsinn auszugeben, wenn es kaum für das Lebensnotwendige reichte! Aber was sollte er denn tun? Schon tausendmal hatte er ihr das vorgehalten. Und jedesmal hatte sie ihm hoch und heilig versprochen, künftig nicht mehr so verschwenderisch zu sein. Doch es war bei ihr zweifellos zur Manie geworden, in den Läden herumzuspazieren und Gelegenheitskäufe zu machen.

Hadassa ging wieder zu dem Kind. Euser Heschel rief den Arzt an. Der Winterabend brach herein. Draußen nahm alles einen bläulichen Schimmer an. Euser Heschel hatte an diesem unterrichtsfreien Tag damit begonnen, seine alten Manuskripte durchzusehen – und jetzt war der Tag bereits verflossen. Im Halbdunkel grübelte er über sich, über sein Leben nach. Was hatte er in all den Jahren erreicht? Was war aus ihm geworden? Noch immer saß er hier in Polen in der Falle, überbürdet mit Arbeit, bis zu den Ohren verschuldet, mit familiären Verpflichtungen belastet. Wie lange konnte er sich noch unter dieses Joch beugen?

Er legte sich aufs Sofa und döste vor sich hin. Er war jetzt ein Mann in den Dreißigern, aber seine innere Rastlosigkeit war noch nicht gestillt. Immer noch quälten ihn die uralten Zweifel, Träume und Sehnsüchte der Jugend.

Zweites Kapitel

I

Am Abend, nach dem Nachtmahl, schrillte die Türklingel. Hadassa war gerade im Schlafzimmer, um das Kind zu versorgen, und das Dienstmädchen war ausgegangen. Euser Heschel öffnete. Vor der Tür stand Abram. Seine riesige Pelzmütze, sein langer Pelzmantel und seine Galoschen waren schneebedeckt. Er hatte eine Zigarre zwischen den Lippen. Euser Heschel, der ihn lange nicht mehr gesehen hatte, erkannte ihn kaum wieder. Abrams massige Gestalt war gebeugt. Sein Bart war weiß geworden, und auf seinen schweren Tränensäcken wucherte moosiger Flaum. Hustend und nach Atem ringend kam er herein, stampfte sich den Schnee von den Füßen und klopfte mit dem Spazierstock, dessen Hirschhornkrücke zerbrochen war, auf den Boden.

»Warum stehst du so entgeistert da?« rief er schallend. »Du weißt wohl gar nicht mehr, wer ich bin?«

»Du siehst mitgenommen aus. Bist du die Treppe hinaufgestiegen?«

»Der Pförtner wollte mir den Fahrstuhlschlüssel nicht geben.«

Euser Heschel wurde bleich. »Warum nicht?«

»Ein antisemitischer Mistkerl!«

Abram legte Mantel und Schal ab und zog die Galoschen aus. Er hatte eine gestreifte Hose und ein schwarzes Jackett an, zu dem er einen Künstlerschlips trug. Das Jackett konnte er nicht mehr zuknöpfen, weil sein Bauch unheimlich dick geworden war. Auf seiner Weste baumelte eine silberne Uhrkette. Er zog ein Taschentuch heraus, wischte sich ächzend den Schweiß von der Glatze, von den paar Haarsträhnen, die ihm noch geblieben waren, und von der geröteten Stirn. »Du siehst, was aus mir geworden ist. Ich tauge zu nichts mehr. Höchstens zum Fettauslassen.«

Hadassa kam in den Flur, warf sich Abram in die Arme und bedeckte sein Gesicht mit Küssen. Im Wohnzimmer ließ sich Abram aufs Sofa fallen, die Sprungfedern quietschten unter seinem Gewicht. Er atmete schwer. Es dauerte eine ganze

Weile, bis er sich wieder gefangen hatte. »Warum steht ihr so besorgt herum? Ich bin noch nicht tot. Hadassa, rat mal, was ich dir mitgebracht habe! Also – Augen zu, Mund auf!«

Mit zitternden Fingern griff er in seine Brusttasche und stöberte darin herum. Er zog alles mögliche heraus – einen Packen geplatzter Wechsel, einen längst abgelaufenen Auslandspaß, Lotterielose, Briefe. Seine Brusttasche mußte ein Loch haben: Einiges von dem, was er hineingesteckt hatte, war ins Jackenfutter gerutscht. Er fischte danach und zog eine Sonnenbrille heraus, die er seit Monaten vermißt hatte.

»Ich muß schon völlig senil sein«, brummte er.

Endlich erwischte er das, wonach er gesucht hatte: einen zusammengefalteten Ausschnitt aus einer jiddischen Zeitung. Er schüttelte ihn, und zwei Eintrittskarten fielen heraus. Er setzte seine Brille auf und begann mit dröhnender Stimme zu lesen: »Der Ball der Bälle! Tausend Attraktionen. Hundert Preise. Wahl der Schönheitskönigin und ihrer sieben Prinzessinnen. Jazzkapelle. Kaltes Büfett von bester Qualität. Orientalische Tänze. Gesellschaftssalon dekoriert von den berühmtesten Malern. Revue unter Mitwirkung bekannter Stars. Rezitation moderner und klassischer Gedichte. Auftritt eines jüdischen Zauberers, Mr. Trick aus Amerika, der die berühmtesten Wissenschaftler frappiert hat. Auftritt eines jüdischen Kraftmenschen (sein Name muß vorläufig geheimgehalten werden), der Ketten sprengt und Eisen – sowie die Herzen der Frauen – bricht. Jeder Gast nimmt an einer Verlosung teil, bei der er zum Beispiel eine Chanukkalampe gewinnen kann, einen Wecker, eine Lorgnette, einen japanischen Fächer, eine Bonbonniere und das schönste Geschenk, das ein Jude sich nur wünschen kann: die gesammelten Werke von Mendele Mocher Sforim – in Luxuseinband. Falls Sie jetzt neugierig darauf sind, von welchem festlichen Ereignis hier die Rede ist: Vom Maskenball der jüdischen Presse, der am dritten Chanukka-Abend stattfindet, und zwar im . . .«

Abram hielt inne und schneuzte sich, dann las er weiter, wobei er mit der Faust auf den Tisch hämmerte und in der Eile dieses und jene Wort verschluckte. Ansonsten las er den Text mit viel Pathos vor und mit allen phonetischen Nuancen des polnisch-jiddischen Dialekts. Hin und wieder keuchte er asthmatisch. Am Schluß des Artikels wurden die Mitglieder der für die Wahl der Schönheitskönigin zuständigen Jury genannt. Inmitten der fettgedruckten Namen von Malern, Schriftstellern und Schauspielern war zu lesen: »Abram Schapiro, prominentes Gemeindemitglied, Mäzen der Künste.« Er bekam ein puterrotes Gesicht, wie wenn ihn im nächsten Moment der Schlag treffen würde. »Und *du* wirst die Wahl gewinnen, ob's denen paßt oder nicht!«

»Ich weiß wirklich nicht, was du meinst«, sagte Hadassa.

»Sei nicht so naiv! Ich habe die anderen Kandidatinnen gesehen. Affige Frauenzimmer alle miteinander!«

Dann verfiel er in Schweigen. Erst gestern hatte er Dr. Mintz versprochen, Diät zu halten, keine schweren Zigarren mehr zu rauchen, auf Alkohol zu verzichten und sich nicht über jede Lappalie aufzuregen. Ein weiterer Anfall, hatte der Arzt erklärt, könnte das Ende bedeuten. Aber wie sollte er denn gegen seine vertrackte Veranlagung ankommen? Wegen der kleinsten Kleinigkeit geriet er außer sich.

Hadassas Blick wanderte zwischen Abram und Euser Heschel hin und her. »Ach, Onkel Abram, an Bälle kann ich jetzt wirklich nicht denken. Meine kleine Dache ist krank.«

Sofort wurden Abrams große schwarze Augen feucht. »Was fehlt ihr denn?«

»Ich weiß nicht. Jeden Tag hat sie etwas anderes. Es wird allmählich unerträglich.«

Abram stand auf. »Jetzt fließen die Tränen, was? Und ich Rindvieh wollte eine Schönheitskönigin aus ihr machen, wo sie doch bloß eine trübsinnige Jüdin ist! Bei Kindern muß man immer auf Krankheiten gefaßt sein. Meine Bella hat zu Hause das reinste Hospital. Kaum darf der eine Schreihals aufstehen, schon muß der andere ins Bett. Drunter und drüber geht's bei denen. Die Ärzte ziehen ihnen den letzten Pfennig aus der Tasche. Na ja, wenn wir abgekratzt sind, werden die Jungen die Welt auf den Kopf stellen. Und wie geht's dir, Euser Heschel? Du scheinst nicht gerade vor Glück zu zerspringen.«

»Ein Wunder, daß ich überhaupt noch am Leben bin.«

Abram schüttelte betrübt den Kopf. »Was ist mit dir los? So was kommt in den besten Familien vor.«

»Mir hängt dieser ganze Familienkram zum Hals heraus.« Er bedauerte sofort, daß er das gesagt hatte.

Hadassa sah ihn betroffen an. »Es ist doch nicht meine Schuld, daß das Kind krank ist.«

»Das ist nur eines von vielen Dingen, die bei uns nicht in Ordnung sind.«

Hadassa schoß das Blut ins Gesicht. Ihre Kehle zuckte, wie wenn sie etwas hinunterwürgen müßte. »Es steht dir jederzeit frei, fortzugehen.«

Abram guckte die beiden ganz verdattert an, dann versuchte er, das Ganze als Scherz abzutun. »Was sich liebt, das neckt sich.«

»O nein, Onkel Abram, er meint es ernst.«

Sie begann, auf dem Tisch herumzuhantieren, nahm ein Glas, stellte es wieder hin, drehte es nach rechts und links. Dann stand sie abrupt auf und ging hinaus.

Abram zuckte die Achseln. »Warum quälst du sie? Du liebst sie doch, nicht wahr? Ach, ihr jungen Leute ...«

Nun ging auch Euser Heschel hinaus. Abram steckte den Zeitungsausschnitt wieder ein, dann stellte er einen Salzstreuer auf die beiden Eintrittskarten, damit sie nicht vom Tisch geweht wurden. Er hatte in letzter Zeit viel mitansehen müssen. Überall Haß und Verbitterung. Zu Hause hielt er es nicht mehr aus. Die Wohnung war, seit Hama nicht mehr lebte, unbewohnbar geworden. Sogar die Mäuse hatten das Weite gesucht. Seine Tochter Stefa hatte sich mit ihrem Mann überworfen und stand kurz vor der Scheidung. Und Bella mußte die schwere Bürde, die Familie durchzubringen, alleine tragen. Avigdor, dieser Trottel, handelte jetzt auf dem Grzybowplatz mit Kurzwaren, und was er einnahm, reichte kaum für eine Wassersuppe. Und nun sah es so aus, als hätte auch Hadassa kein glückliches Familienleben. Was war eigentlich los mit ihnen allen? Warum waren sie alle darauf aus, einander zu zerfleischen?

Er ging ins Schlafzimmer. Hadassa war nicht da. Die kleine Dache lag in ihrem Bettchen und schlief. Abram betrachtete sie eine ganze Weile. Ihr längliches Gesichtchen war blaß und wirkte porzellanartig. Das braune Haar, die gewölbte Stirn, die auffallend roten Lippen, die geschlossenen Augen, das bleiche Näschen – das alles erinnerte ihn an eine Puppe. Er dachte daran, daß Dr. Mintz ihm vor einiger Zeit gesagt hatte, das Kind werde vermutlich nicht lange leben.

Er setzte sich auf einen Stuhl und nahm ein Kinderspielzeug in die Hand. Dann dachte er wieder an den Presseball. Er brauchte einen Smoking, ein neues Hemd und Lackschuhe. Und wenn Ida kein neues Kleid bekam, würde sie bestimmt nicht auf den Ball gehen. Und Bella hatte er hundert Zloty versprochen. Woher sollte er das Geld nehmen? Das Haus, dessen Nutznießung er zur Hälfte geerbt hatte, war baufällig. Schon in den nächsten Tagen sollten die Mieter unter baupolizeilicher Aufsicht die Wohnungen räumen. Man hätte schon ein Ganove sein müssen, um bei diesen bettelarmen Leuten Mietzins zu kassieren.

Nein, dies war nicht mehr das alte Warschau. Und er war nicht mehr der alte Abram. Aber weiterleben mußte man trotzdem. Und irgendwo *mußte* er einige hundert Zloty auftreiben. Spätestens nächste Woche mußte er das Geld haben, sonst war er erledigt.

Er begann an seinem Bart zu zupfen. Hadassa mußte doch noch die Perlenkette haben, die sie von ihrer Mutter geerbt hatte. Er könnte die Perlen für mindestens fünfhundert Zloty verpfänden und dann die Zinsen für drei Monate im voraus bezahlen. Vor Ablauf der Frist würde er es bestimmt irgendwie schaffen, die Kette auszulösen. Immerhin war er drauf und dran, einen geschäftlichen Coup zu landen! Worauf es ankam, war, den Schein zu wahren.

2

Später machte sich Abram auf den Weg in die Heiligkreuzstraße zu Ida. Die Zeiten, in denen er Droschken benützt hatte, um in der Stadt herumzufahren, waren vorbei. Er stieg in eine Straßenbahn. Der Fahrstuhl des Hauses, in dessen vierter Etage Idas Atelier und Wohnung lagen, war außer Betrieb. Abram stieg langsam die Treppe hinauf und mußte immer wieder stehenbleiben, um sich zu verschnaufen. Er paffte seine Zigarre und spitzte die Ohren. Er kannte alle Leute, die hier wohnten, jedes Kind, jeden Erwachsenen, jede Schickse. Im ersten Stock wohnte ein Beamter, der hebräische Bücher zensieren mußte. Zuweilen ging Abram auf einen Plausch zu ihm hinein. Im zweiten Stock wohnte eine bejahrte polnische Gräfin, deren Krücken Armstützen aus Plüsch hatten. Wenn Abram ihr begegnete, grüßte er sie höflich oder hielt ihr die Tür auf. Als ihr Dienstmädchen ihm eines Tages anvertraut hatte, daß es schwanger sei, hatte er an einen Arzt aus seinem Bekanntenkreis geschrieben. Daraufhin hatte das Mädchen nur dreißig Zloty für die Abtreibung berappen müssen.

Abram lauschte. Er hatte ein schwaches Herz, aber scharfe Ohren. Kein Laut entging ihm. Im Dachgeschoß spielte jemand Klavier: der Bucklige, zu dem die Mädchen scharenweise kamen. Ein Asthmatiker keuchte und spuckte: Pan Wladislaw Halpern, der Hausverwalter. Ein Grammophon quäkte ein populäres Lied.

Abram schloß die Augen. Er hatte viel für gute Musik übrig und ging oft in die Philharmonie. Wirklich zu Herzen gingen ihm aber jene anspruchslosen Lieder, die von Hausfrauen und Straßenmusikanten gesungen wurden. Wie schön ist die Welt! Und wie reizend sind die Mädchen! Und wie gut, daß es vier Jahreszeiten gibt – Sommer, Herbst, Winter und Frühling! Wie wundervoll, daß es Tag und Nacht, Männer und Frauen, Vögel und Vieh gibt! Nur eines in dieser Welt war keinen Pappenstiel wert: der Tod. Warum mußte ausgerechnet er, Abram Schapiro, an Angina pectoris leiden? Was würde er da drüben im Friedhof an der Genschastraße in den langen Winternächten tun? Und gesetzt den Fall, daß es wirklich so etwas wie das Paradies gab – was hätte *er* denn schon davon? Die Straßen von Warschau waren ihm lieber als die ganze Weisheit eines jüdischen Paradieses.

Er stieg die letzte Treppe hinauf, zog seinen Schlüssel aus der Tasche und sperrte die Wohnungstür auf. Allem Anschein nach war Ida schon zu Bett gegangen. Er schaltete eine Lampe ein. Das große Oberlicht im Atelier war eingeschneit. Der Fußboden war mit Leinwandrollen, Pinseln, Papier und Farbtöpfen übersät. Auf dem eisernen Ofen stand ein Topf mit ungeschälten Kartoffeln. Am Ofenrohr waren Strümpfe zum Trocknen aufgehängt. Ein altes Porträt von Abram hing an der Wand – ein Abram mit schwarzem Bart und funkelnden Augen. In letzter Zeit hatte ihm das Zusammenleben mit

Ida wenig Freude gemacht. Sie kränkelte ständig und zankte sich wegen jeder Lappalie mit ihm. Sie schickte keine Bilder mehr zu den Ausstellungen der jüdischen Kunstvereine. Und sie war nicht mehr jung. Eine Frau in den Fünfzigern – wenn nicht noch älter. Ihre Tochter in Berlin war bereits Mutter. Aber das Feuer der Leidenschaft war in Ida noch nicht erloschen. Noch immer spielte sie ihm Eifersuchtsszenen vor. Sie konnte einfach nicht vergessen, daß er sie damals mit Ninotschka betrogen hatte.

Er ließ sich auf einem Stuhl nieder und paffte seine Zigarre. Dann zog er Hadassas Perlenkette aus der Tasche und sah sich jede einzelne Perle genau an. Wie alt mochte diese Kette sein? Dache hatte sie von ihrer Mutter bekommen, die sie wiederum von ihrer Mutter zur Hochzeit geschenkt bekommen hatte. Ja, die Menschen starben, aber die Dinge existierten weiter. Der schäbigste Pflasterstein war Millionen von Jahren alt.

Während er vor sich hingrübelte und Rauchkringel ausstieß, kam Ida plötzlich aus dem Schlafzimmer. Über dem Nachthemd trug sie einen weinroten Morgenrock. Sie hatte Pantoffeln an, und um ihr graumeliertes Haar war ein Schal gewickelt. Ihr Gesicht war eingecremt.

Abram lachte schallend. »Du krauchst ja noch herum!«

Sie brauste auf. »Wär's dir lieber, wenn ich gelähmt wäre?«

»Ida, mein Schatz, ich habe Geld. Du bekommst für den Ball ein neues Kleid.«

»Woher hast du das Geld? Ich brauche kein neues Kleid.«

Abram musterte sie halb belustigt, halb erstaunt. »Was ist denn passiert? Ist der Messias gekommen?«

»Abram, ich muß operiert werden.«

Sein Gesichtsausdruck veränderte sich. »Aber wieso denn?«

»Ich habe einen Milztumor. Ich wollte es dir nicht sagen. Ich bin geröntgt worden. Am Montag muß ich ins Krankenhaus.«

»Und warum hast du mir nichts davon gesagt?«

»Das hätte auch nichts geändert. Heute haben die Ärzte darüber beraten. Zwei Stunden lang.«

Abram senkte den Kopf. Damit hatte er nicht gerechnet. Er

hatte, weil ihr Gesicht so gelb geworden war, ein Gallenleiden vermutet. Aus Ida war ja nie etwas herauszukriegen! Immer diese Geheimnistuerei! Und jetzt mußte er diesen Schlag verkraften. Er zog an seiner Zigarre, aber sie schmeckte ihm nicht mehr. »Hoffentlich ist es nichts Gefährliches.«

»Hoffen nützt da nicht viel. Ich fürchte, es ist Krebs.«

Abram fiel die Zigarre aus dem Mund. »Du spinnst wohl?«

»Schrei nicht so! Ich kann nichts dafür.«

»Nicht jeder Tumor ist bösartig.«

»Nein.« Ida lächelte. Und sofort kam ihm ihr Gesicht wieder jung und mädchenhaft vor, erfüllt von jenem Charme, um dessentwillen er ihr nun schon seit fünfundzwanzig Jahren verfallen war. Aus ihren von Fältchen umzogenen Augen sprach eine innige Freude am Leben – jene polnisch-jüdische Zuversicht, die von keinem Mißgeschick ausgelöscht werden konnte. Ja, das war wieder die Ida Prager, die ihren Mann und ihre Kinder, die Dienstboten und den Reichtum in Lodz zurückgelassen hatte und nach Warschau gekommen war, zu ihm, dem Schürzenjäger, der noch dazu verheiratet war. Ja, das war wieder die Ida Prager, die sich jahraus, jahrein mit ihm gezankt und wieder versöhnt hatte, die alle paar Monate in einem Wutanfall ihre Bilder zerfetzte, dann aber zum Glauben an die Notwendigkeit künstlerischen Schaffens zurückfand und wieder zu malen begann.

»Nimm's dir nicht so zu Herzen, Abram«, sagte sie halb bekümmert, halb ironisch. »Ich bin eine alte Frau.«

»Für mich nicht«, murmelte er verlegen. »Für mich nicht.«

»Komm, wir gehen schlafen.«

Wortlos folgte er ihr ins Schlafzimmer, in dem eine Lampe mit rotem Schirm brannte. Auf dem Nachttisch stand ein Arzneifläschchen, daneben lag ein polnisches Buch. Ida zog den Morgenrock aus und legte sich zu Bett. Abram begann sich zu entkleiden. Jetzt konnte er sich alles erklären – ihre Nervosität, ihre Empfindlichkeit und ihre vagen Anspielungen auf den Tod. Seufzend schnürte er seine Schuhe auf, dann zog er die Hose aus. Sein Bauch wölbte sich über dem Bund der langen Unterhose. Als er das Licht ausgemacht hatte, blieb er noch eine Weile auf dem Rand der Chaiselongue sitzen, auf der er nachts zu schlafen pflegte. Dann ging er zum Bett hinüber, legte sich neben Ida und schlang die Arme um sie. Beide schwiegen. Er griff nach ihrem Handgelenk und fühlte ihren Puls. Ihr Körper strömte duftende Wärme aus. Im Dunkeln konnte er ihre Augen strahlen sehen. Er kannte sie zu gut, um sich über ihre Empfindungen zu täuschen. Sie war, das spürte er, von einem geheimnisvollen Glücksgefühl durchdrungen. Plötzlich flüsterte sie: *»Masel tow!«*

Er wagte nicht zu fragen, warum sie ihm ausgerechnet jetzt viel Glück wünschte. Sie nahm seine Hand und küßte seine Fingerspitzen. Dann strich sie ihm zärtlich über Wangen und Bart. »Abram, ich möchte dich um etwas bitten.«

»Worum denn, Liebste?«

»Schwör mir zuerst, daß du mir diese Bitte erfüllen wirst.«

»Ja. Alles, was du willst.«

»Abram, ich möchte neben dir begraben sein.«

Er zuckte zusammen. »Nicht doch – du wirst bestimmt wieder gesund.«

»Nein, Liebster. Es geht zu Ende.«

Er mußte ihr versprechen, zwei nebeneinanderliegende Gräber zu kaufen.

»Ida, glaubst du an das Leben danach?«

»Glaubst *du* daran?«

»Ich glaube.«

»Du bist zu beneiden. Für mich ist der Mensch nur ein Blatt am Baum.«

Sie legte den Kopf auf seine Brust und schlummerte ein. Abram blieb wach. Er starrte in die Dunkelheit. Alles in ihm war wie ausgehöhlt, bar jeder Hoffnung. Er hatte das Bedürfnis zu beten, aber er wußte nicht, was er Gott sagen sollte. Er dachte daran, daß Hama die gleiche Bitte an ihn gerichtet hatte. Auch ihr hatte er versprechen müssen, daß sie beide nebeneinander in der Erde ruhen würden – in der Friedhofsparzelle der Familie Moschkat. Ach, sogar die Toten ... nicht einmal sie konnten sich auf seine Schwüre verlassen ... Plötzlich sah er Hamas Gesicht auf der Totenbahre vor sich, käseweiß, mit offenem Mund und bläulichen Lippen, um die ein Lächeln zu spielen schien. Es war, als sagten sie zu ihm: »Jetzt kannst du mir nichts mehr antun, nichts Gutes und nichts Böses.« Er wollte die Vision verscheuchen, aber sie tauchte immer wieder vor ihm auf, wie eine Traumerscheinung. Entsetzen packte ihn. »Du reine Seele«, flüsterte er, »kehr zurück zur ewigen Ruhe!«

Ida wachte auf. »Was ist denn?« fragte sie besorgt. »Warum schläfst du nicht?«

Abram wollte antworten, doch seine Zunge war wie gelähmt. Er vergrub sein Gesicht in Idas Haar und benetzte es mit seinen Tränen.

Drittes Kapitel

Die paar hundert Zloty, die Abram vom Pfandleiher für Hadassas Perlenkette bekam, gab er für Ida aus. Arzthonorare und die Miete für das Atelier und die Wohnung mußten bezahlt werden. Am Montag fuhr er mit ihr per Droschke zum Krankenhaus. In drei Tagen sollte sie operiert werden. Abram bestand darauf, daß sie ein Einzelzimmer bekam, damit er sie täglich besuchen konnte. Er drückte der Krankenschwester einen Fünfzlotyschein in die Hand und bat sie, die Patientin besonders fürsorglich zu betreuen. Um fünf Uhr wurde er gebeten, das Krankenzimmer zu verlassen.

Ida schlang die Arme um seinen Hals. »Falls es das letzte Mal ist – Gott segne dich!«

Adam bekam feuchte Augen. »Dummerchen! Red keinen Blödsinn!«

Er verließ das Krankenhaus und stieg in die Straßenbahn, Linie siebzehn. Außer ihm war nur ein einziger Fahrgast im Wagen. Die Straßen im Stadtbezirk Wola waren spärlich beleuchtet und fast menschenleer. Rote Backsteinhäuser, geschlossene Fabriken, leere Läden. In Hauseingängen lungerten Straßendirnen herum. Abram wischte das beschlagene Fenster ab. Es war nicht seine Art, sich von Trübsal übermannen zu lassen, aber angesichts Idas Krankheit war ihm sein Gleichmut vergangen. Ecke Marszalkowska/Zlotastraße stieg er aus. In der Nähe des Wiener Bahnhofs war eine griechische Bäckerei. Er kaufte ein Rosinenbrot, das auch ohne Butter genießbar war. Dann ging er nach Hause. An der Haustür blieb er einen Moment stehen. In der gegenüberliegenden Wohnung brannte eine Chanukkalampe. Zwei Öldochte waren angezündet. Abram war baß erstaunt. Es war also schon Chanukka! Daran hatte er gar nicht mehr gedacht.

Seine Wohnung war eiskalt. Dieses Jahr waren keine Doppelfenster eingehängt worden. Gas und Strom waren abgestellt. Im Schlafzimmer zündete er eine Kerze an, die in einem Messinghalter steckte. Dann setzte er sich auf die Bettkante und aß ein paar Bissen Rosinenbrot. Er hatte einen lockeren

Backenzahn, der beim Kauen entsetzlich wehtat. Er zog sich aus, legte sich hin und schlief ein. Ihm träumte, er müßte sich schwerbeladen eine Wendeltreppe hinaufschleppen. Seine Knie gaben nach, aber er mußte immer weiter hinaufsteigen. Er warf einen Blick über die Schulter und sah, daß er einen Mühlstein schleppte. Wozu? Mußte er Mehl mahlen? Oder war er bereits in der Gehenna? War seine Seele in den Körper eines Müllers gewandert?

Er brach in Gelächter aus und wachte auf. Plötzlich fiel ihm ein, daß morgen der Presseball stattfand und daß er der Jury für den Schönheitswettbewerb angehörte. Nun ja, die mußten eben ohne ihn auskommen. Wenn Ida schwerkrank war, konnte er doch nicht auf einen Ball gehen. Wo hatte er denn die Eintrittskarten hingesteckt?

Er stand auf und fummelte in seinen Taschen herum, bis er die Karten endlich gefunden hatte. Fast mechanisch ging er hinüber zum Kleiderschrank. Vor Gott weiß wieviel Jahren hatte er doch einen Smoking gehabt! Ja, das gute Stück war noch da. Er konnte die seidenen Rockaufschläge und den Längsstreifen an den Hosenbeinen spüren. Im Dunkeln zog er das Jackett an. Ja, es paßte noch einigermaßen. Und hatte er nicht irgendwo noch ein Paar Lackschuhe herumstehen? Sicher war das Leder inzwischen brüchig geworden, aber er konnte es ja mit Schuhwichse glätten. Und er hatte doch auch Schuhspanner, die ihm jemand einmal aus Deutschland mitgebracht hatte. Wo konnten die sein? Wahrscheinlich in der verschlossenen Kommode. Wo waren die Schlüssel? Ach ja, im Schreibtisch.

Er tappte im Zimmer herum. Im Dunkeln kramte er Hemden, Krawatten, Kragen und gestärkte Manschetten heraus, die Hama schon vor Jahren aussortiert hatte. Wieso eigentlich? Die Sachen waren doch noch nicht abgetragen! Ja, die arme Hama hatte schon recht gehabt – er hatte das Geld wirklich zum Fenster hinausgeworfen. Was er jetzt tat, war eigentlich eine Schande, aber es sah ihm ja niemand dabei zu. Er klatschte sich auf den Leib, um sich warm zu halten. »Herrgott, was für einen Wanst ich habe! Und die reinsten Weiberbrüste!« Er berührte seine Leistengegend. Sinnliche Begierde überkam ihn. »Nur noch einmal eine Liebschaft mit einer anderen Frau, bevor ich ins Gras beißen muß!« Er legte sich wieder zu Bett, deckte sich zu und aß einen Bissen Rosinenbrot. Seine lange Erfahrung als Schürzenjäger hatte ihn gelehrt, daß der Mann letztlich immer seinen Willen durchsetzt. Ein Mann brauchte nur darauf aus zu sein, und schon lief ihm ein Weibsbild über den Weg. Es war eine Art Magnetismus.

Er schlummerte ein und wachte am Morgen gut ausgeschlafen auf. Während er sich in der Küche mit kaltem Wasser wusch, sang er mit heiserer Stimme ein Lied. Dann packte er die Kleidungsstücke, die er mitten in der Nacht herausgesucht hatte, in einen Koffer und machte sich auf den Weg zu einem Schneider, den er noch von früher kannte. Straßenkehrer räumten mit Hacken und Schaufeln den Schneematsch weg. Vögel hüpften herum und pickten Krumen auf. Abram mußte plötzlich an einen Satz aus dem Gebetbuch denken: »Gott ernährt alles, was lebt, den riesigen Elefanten ebenso wie die Nissen der Laus.«

Der Schneider kränkelte. Seit Abram ihn vor ein paar Jahren das letzte Mal gesehen hatte, war sein Rücken so krumm wie der eines Greises geworden. Und er hatte keinen Zahn mehr im Mund. Um den ausgemergelten Hals hatte er ein Bandmaß hängen, und an seinem krummen Mittelfinger steckte ein Fingerhut. Er war gerade dabei, mit einer riesigen Schere ein Stück Leinwand zuzuschneiden. Seine gelblichen Augen musterten Abram mißtrauisch. »Nicht heute«, nuschelte er, als Abram seine Wünsche geäußert hatte.

»Zetermordio! Sie bringen mich ins Grab! Ich muß heute abend unbedingt auf den Ball gehen.«

Danach hielt er Ausschau nach einem Schuster. Seine Lackschuhe mußten besohlt werden. An der Haustür entdeckte er ein Schild, auf das ein Stiefel gemalt war. Die Schusterwerkstatt befand sich im Kellergeschoß. Er stieg die schmutzigen Stufen hinunter. Im Gang war es stockdunkel. Er stieß an Pappkartons und Lattenkisten. Dann drückte er die Tür auf, die in einen kleinen Raum führte, dessen Decke schief und dessen Fenster verschmutzt und mit einer Staubschicht bedeckt war. Auf einer Pritsche, vor der allerlei Kram aufgestapelt war, lag ein Säugling mit einer kotverschmierten Windel. Eine zerlumpte Frau kniete vor dem rostigen Ofen und heizte ein. An einem Tisch saß ein Mann mit fahlem, eingefallenem Gesicht und wäßrigen Augen, der gerade mit einer Zange die Sohle von einem Schuh zog. Die Nägel ragten wie Zahnstummel aus der Brandsohle.

Abram setzte sich auf einen Stuhl. Der Raum war entsetzlich muffig. Beißender Qualm drang aus dem Ofen. Der Säugling wimmerte. Die Mutter stand auf, ging zur Pritsche hinüber, entblößte ihren Hängebusen und stillte das Kind. In einer Ecke, die voller Spinnweben war, stand neben einem Abfallhaufen ein Regal mit heiligen Büchern. Abram zog eine Ausgabe des *Pentateuch* heraus. Der Einband war zerfleddert, die Seiten waren fleckig und wurmstichig. Er schlug den Band aufs Geratewohl auf und las:

»Und wenn du der Stimme des Herrn, deines Gottes, gehorchst und alle Gebote hältst, die ich dir heute gebiete, so wird dich der Herr, dein Gott, erheben über alle Völker der Erde, und Ruhm und Ehre werden über dich kommen, und du wirst das auserwählte Volk Gottes, deines Herrn, sein, wie Er es verheißen hat.«

Viertes Kapitel

I

Die beiden Eintrittskarten, die Euser Heschel und Hadassa von Abram bekommen hatten, verursachten beträchtliche häusliche Aufregung. Hadassa hatte große Lust, auf den Ball zu gehen. Seit Jahren hatte sie nicht mehr an gesellschaftlichen Ereignissen teilgenommen. Solange sie und Euser Heschel in wilder Ehe gelebt hatten, waren sie nirgends eingeladen worden. Und dann war sie durch Schwangerschaft, Kindbett und Daches Säuglingskrankheiten lange ans Haus gefesselt gewesen. Dazu kam, daß Euser Heschel nur ganz selten jemanden zu sich einlud und so gut wie keine Einladungen annahm. Wie lange sollte sie sich denn noch von der Außenwelt abschließen? Sie sah immer noch gut aus, und es wäre doch ein Jammer, schon jetzt wie ein altes Weib zu Hause am Ofen zu hocken! Euser Heschel gab ihr zwar recht, aber er hatte nun einmal eine Abneigung gegen Bälle und andere Festlichkeiten.

Aber schließlich ließ er Hadassa ihren Willen. Er lieh sich einen Smoking und kaufte sich Lackschuhe, ein Smokinghemd und einen Querbinder. Hadassa kaufte sich ein Abendkleid. Die Vorbereitungen auf das festliche Ereignis lösten einen erneuten Streit zwischen den beiden aus. Alles war so teuer. Friseuse, Maniküre ... Da Mascha ebenfalls auf den Ball gehen wollte, trafen die beiden Cousinen ihre Vorbereitungen gemeinsam. Eifrig wurde gewaschen, gebügelt und ausgebessert. Ständig klingelte das Telefon. Mascha brachte allen möglichen Krimskrams mit – Korallen, Armbänder, Ohrringe, Ketten aus Kunstperlen. Voller Unbehagen stellte Euser Heschel fest, daß Hadassa von der in jeder Frau schlummernden Eitelkeit gepackt worden war. Und obendrein schadete diese ganze Aufregung ihren Nerven. Immer wieder fiel ihr irgend etwas aus der Hand. Sie zankte das Kind aus und fluchte sogar. Wenn Euser Heschel sie zurechtwies, brach sie in Tränen aus.

»Was willst du eigentlich? Ich bin doch schon unglücklich genug!«

Bei Euser Heschel führten diese Spannungen dazu, daß er seine Unterrichtsvorbereitungen vernachlässigte und nachts kaum schlafen konnte. Am Morgen vor dem Ball wachte Hadassa mit Fieber auf. Als Euser Heschel erklärte, sie setze ihre Gesundheit aufs Spiel, wenn sie in diesem Zustand ausginge, schwor sie, daß sie auf keinen Fall zu Hause bleiben würde, und wenn es ihr Tod wäre. Sie schluckte Tabletten, woraufhin das Fieber nachließ. Als sie und Mascha am Abend um neun Uhr in Balltoilette aus dem Schlafzimmer kamen, traute Euser Heschel seinen Augen nicht. Zwei Schönheiten standen vor ihm, eine blonde und eine dunkelhaarige – ähnlich jenen Schönheiten, deren Fotos zuweilen in Illustrierten erschienen. Und auch sich selber erkannte er im Spiegel kaum wieder. Sein Haar war frischgeschnitten, sein Gesicht sorgfältig rasiert. Der Abendanzug paßte ihm vorzüglich. Einige nichtjüdische Mieter, die mit ihnen zusammen im Lift hinunterfuhren, begafften diese eleganten Juden, die es sich (obzwar sie ständig jammerten, sie hätten wegen der hohen Steuern nichts mehr zu beißen) immer noch leisten konnten, auf Bälle zu gehen.

Unten mußten die drei ziemlich lange auf eine Droschke warten. Hadassa hatte nur einen leichten Mantel an. Euser Heschel hetzte eine volle Viertelstunde herum, bis er endlich eine Droschke auftrieb. Mittlerweile war Hadassa völlig durchgefroren und begann zu husten. Jetzt war sie nicht mehr erpicht darauf, sich auf dem Ball als attraktive Frau zu präsentieren. Sie fühlte sich matt und schlaff und wünschte sich nur noch, diese Kraftprobe möglichst rasch hinter sich zu bringen und sich zu Bett zu legen.

Schweigend saßen die drei in der Droschke. Schließlich wurde Mascha, die sich vorher mit einem Schnaps gestärkt hatte, unwirsch. »Warum redet ihr denn keinen Ton? Wir fahren doch nicht zu einer Beerdigung!«

Vor dem Gebäude, in dem der Ball stattfand, wimmelte es von Menschen. Noch nie hatte Euser Heschel ein derartiges Gedrängel erlebt. Im Saal war nicht genug Platz für alle Leute, denen man Eintrittskarten verkauft hatte. Frauen kreischten, Männer schimpften. Jemand versuchte, die Eingangstür mit Gewalt zu öffnen. Ein Polizeitrupp rückte an. Ein Mädchen rief: »Jüdisches Organisationstalent!«

Plötzlich drängte die Menge vorwärts. Hadassa wurde mitgezerrt. Ihr Kleid bekam einen Riß. Sie hatte entsetzliche Angst, es könnte ihr vom Leib gerissen werden, so daß sie plötzlich nackt dastände. Die Garderobenfrauen schafften es einfach nicht, die unzähligen Mäntel, Capes, Hüte, Regenschirme, Stiefel und Galoschen, die man ihnen hinwarf, wegzuräumen. Sie hatten nicht genügend Aufbewahrungsscheine und Kleiderbügel. Hadassa wollte sich an Euser Heschel festhalten, doch in dem Gewimmel wurde sie von ihm und Mascha getrennt und in den Ballsaal bugsiert. Eine Kapelle spielte. Die Tanzfläche war so überfüllt, daß die Paare sich immer nur auf derselben Stelle im Rhythmus wiegen konnten. Trompeten schmetterten, Trommeln dröhnten. In dem überheizten Saal, der von Geschrei und Gelächter widerhallte, herrschte ein Durcheinander von Gerüchen und Farben. Ein Mann, der einen rabbinischen Pelzhut aufhatte, hopste mit einer Frau herum, der die Larve auf die Nase heruntergerutscht war. Auf der Bühne, vor der Musikkapelle, stand eine hünenhafte Gestalt mit einem Helm und einem Brustharnisch: der im Programm angekündigte Kraftmensch. Hadassa wollte aus dem Saal flüchten, aber sie war hoffnungslos eingekeilt. Jemand schlang die Arme um sie. Ein hagerer junger Bursche mit scharfgeschnittenem Gesicht und krummer Nase.

»Einen Kuß, schöne Frau!«

Sie wollte sich losreißen, aber er hielt sie fest. Er roch nach Pomade und Schweiß. In diesem Moment tauchte Abram aus dem Gewühl auf. »Hadassa, mein Schatz!«

Der Fremde war im Nu verschwunden. Abram faßte Hadassa bei den Schultern. »Was ist denn los? Wo ist Euser Heschel? Meiner Seel – du bist schön wie die sieben Sonnen!«

Sie brach in Tränen aus. »Onkel Abram, bring mich hier weg!«

»Du Schäfchen, warum weinst du denn? Herrgott noch mal, das ist ja ein Tollhaus!« Er zog sie hinter sich her und bahnte sich mit seinem Wanst einen Weg durch die Menge. Immer wieder blieb er mitten in diesem Trubel stehen, um Leute zu begrüßen, Damen die Hand zu küssen, anderen zu-

zuwinken und ihnen – in einer abenteuerlichen Mischung aus Jiddisch, Polnisch und Russisch – Komplimente zuzurufen. Einmal griff er sich einen korpulenten Mann, der eine offizielle Armbinde trug. »Also wirklich, du solltest dich schämen! Das ist ja schlimmer als in Berditschew!«

Es gelang ihm, in den Gesellschaftssalon vorzudringen. Hier belagerten die Gäste das kalte Büfett, mampften Buttersemmeln und tranken Bier und Limonade. Eine Frau kniete auf dem Boden und reparierte das arg zerrissene Kleid einer anderen. Ein Mädchen hüpfte auf einem Bein herum und hielt einen Schuh in der Hand, dessen Absatz herunterhing. Gestalten in den verschiedenartigsten Kostümen zogen vorüber: russische Generäle mit Epauletten, polnische Edelleute in vornehmen Kaftanen, Deutsche mit Pickelhauben, Rabbis mit Pelzhüten, Jeschiwaschüler mit Scheitelkäppchen und langen Schläfenlocken. Daß es nur Maskenkostüme waren, merkte Hadassa erst nach einer Weile. Auch Abram wirkte völlig verändert. Sein Jackett und sein Bart waren mit Luftschlangen und Konfetti übersät. Und auf seiner Glatze thronte einen Moment lang ein Luftballon.

»Siehst du, Hadassa, ich hab' dich heil herausgebracht! Eine Frau hat doch tatsächlich bloß noch ihren Schlüpfer angehabt!« Er wieherte vor Lachen und gab Hadassa einen Kuß.

Sie merkte, daß er eine Fahne hatte. »Onkel Abram, ich möchte nach Hause.«

»Du setzt dich jetzt erst einmal hin. Und ich halte Ausschau nach deinem Kavalier.«

Er führte sie zu einem freien Stuhl, der abseits an der Wand stand, dann machte er sich auf die Suche nach Euser Heschel. Auf der anderen Seite des Gesellschaftssalons tauchte Mascha auf, am Arm eines rotbackigen, dickbäuchigen Mannes mit welligem Haar. Sein eines Auge lächelte vergnügt, das andere schien sich mit todernstem Ausdruck hin und her zu bewegen. »Wenn sie mich bloß nicht entdeckt!« dachte Hadassa.

Aber im selben Moment steuerte Mascha auf sie zu. »Mamele! Na so was!«

Sie zerrte ihren Begleiter herbei und stellte ihn vor. Ein Doktor Soundso – den Namen konnte Hadassa nicht verstehen. Mascha schnatterte unentwegt, während der Doktor sich verbeugte, Hadassas behandschuhte Hand küßte, eine Kehrtwendung machte und wegging.

»Vergessen Sie die Bonbons nicht!« rief ihm Mascha nach. »Ein sehr sympathischer Typ. Hauptmann der Reserve. Und Jude. Aber ein konvertierter, glaube ich. Warum hockst du hier herum? Du liebe Güte, was für ein Pöbelhaufen! Pfui! Was ist denn mit dir los? Du hast geweint. Nimm's dir nicht so zu Herzen! Pfeif drauf! Wo ist Euser Heschel? Ich hab' überall nach euch gesucht.«

»Onkel Abram ist da.«

»Soso. Wo denn? Seine Geliebte liegt im Krankenhaus und er jagt seinem Vergnügen nach. Guck dir bloß mein Kleid an! Ein Tollhaus ist das hier, so wahr ich meine Großmutter liebe! Pfui Teufel, so ein ordinäres Gesindel!« Sie schwieg einen Moment, dann sagte sie: »Ja, wir werden alt. Hast du eine Stecknadel?«

2

Abram hatte im Nu vergessen, daß er Ausschau nach Euser Heschel halten wollte und daß Hadassa auf ihn wartete. Kurz vorher hatte er sich, um seine Stimmung aufzuheizen, einen Kognak hinter die Binde gegossen. Er wußte zwar noch, daß er in die Jury für den Schönheitswettbewerb gewählt worden war, hatte aber keine Ahnung mehr, wo sich die Mitglieder der Jury versammeln und wo die Kandidatinnen in Augenschein genommen werden sollten. Immer wieder entdeckte er bekannte Gesichter. Frauen, die – seiner benebelten Erinnerung nach – bereits tatterige alte Weiber sein mußten, kamen ihm plötzlich jung, schick frisiert und so gertenschlank wie Bräute vor. Männer, die seiner Meinung nach an Typhus gestorben oder in Rußland verschollen waren, begrüßten ihn lauthals. Eine Frau, die eine rote Larve trug, faßte ihn am Rockaufschlag. »Abramleben! Wie alt du geworden bist! Ein Großvater!«

»Wer bist du? Gib mir einen Kuß!«

Er wollte sie festhalten, doch sie entschlüpfte ihm. Er lief ihr nach, aber seine Knie waren ganz wacklig. Ihm war nicht klar, ob er vorwärtsstolperte oder zurückgedrängt wurde. Wohin war denn dieser Sommervogel entflogen? Er versuchte, diese und jene Maskierte aufzuhalten, doch alle entwischten ihm. Eine streckte ihm die Zunge heraus; eine andere machte ihm eine lange Nase; und eine rief ihm »Freimaurer!« nach.

Verdutzt blieb er stehen. Seit Jahren hatte er diese im Gaunerjargon als Schimpfwort benützte Bezeichnung nicht mehr gehört. Die Musik brach ab, dann setzte sie wieder ein – mißtönendes Trompetengeschmetter und Getrommel, die reinste Katzenmusik. Die Paare wiegten sich, hopsten, rechts herum, links herum, rückwärts, vorwärts. Was tanzten die eigentlich? Shimmy? Charleston? Rumba? Diese Schweine! Das war ja zum Kotzen! Ein Meer von hemmungslos zur Schau gestelltem Weiberfleisch! Er tastete nach seinem Taschentuch und wischte sich den Schweiß vom Gesicht. Sein Hemd und seine Unterwäsche waren feucht und fühlten sich ganz klebrig an. Seine Schuhe drückten, seine Fußsohlen brannten. Ein Mädchen stieß mit ihm zusammen und schrie ihm – als wäre er taub – ins Ohr: »He, du alter Knacker! Geh lieber heim und leg dich schlafen!«

Er wankte ein paar Schritte weiter. Dann hörte er hinter sich eine schwache Stimme: »Herr Abram, wie geht's?« Er drehte sich um. Es war Finlender, der Bucklige, mit dem er früher so oft bei Herz Janowar zusammengewesen war. Ja, er konnte sich noch gut daran erinnern. Damals war er begeistert gewesen von der Idee, eine Zeitschrift herauszugeben. Und Finlender sollte zum Redaktionsstab gehören. Der Plan hatte sich in Luft aufgelöst, und Finlender hatte sich allmählich von der Clique zurückgezogen. Aber jetzt stand er leibhaftig vor ihm. Sein Haar sah wie eine Legierung aus Gold und Silber aus. Abram wankte mit ausgestreckten Armen auf ihn zu. »Was sehen meine Augen!«

»Und ich dachte schon, Sie hätten mich nicht wiedererkannt.«

»Was faseln Sie denn da? Finlender! Ganz der alte! Wie geht's denn? Was machen Sie? Haben Sie geheiratet?«

»Geheiratet? Nein.«

»Wo wohnen Sie denn jetzt! Treffen Sie sich noch mit Dembitzer?«

»Dembitzer ist gestorben.«

Abram zuckte zusammen. »Wann? Woran denn?«

»Herzanfall. Es stand in der Zeitung.«

»Soso. Und der andere – wie hieß er doch gleich? Der mit dem Hokuspokus. Der Telepath.«

»Messinger. Er ist auch auf den Ball gekommen.«

»Er ist hier? Und was ist aus dieser . . . dieser Frau geworden, die immer die Geister beschworen hat?«

»Hilde Kalischer. Die hat einen Fabrikanten in Lodz geheiratet.«

»Keine Geister mehr?«

»Nein.«

»Und Herz Janowar? Ist er auch hier?«

»Ja. Mit Gina.«

»Wo sind sie? Ich habe alle aus den Augen verloren.« Abram fummelte in seiner Brusttasche herum. Er wollte Finlender eine Visitenkarte geben, konnte aber keine finden. Er schlurfte weiter. Was sollte das alles? Leere Worte, nichts als Worte. Plötzlich hörte er jemanden rufen: »Panje Abram! Panje Abram!« Er sah sich um. Eine Frau, die eine schwarze Halbmaske, ein Ballkleid und darüber eine Pelzjacke trug. Sie war mittelgroß. Ihr schwarzes Haar war zu Zöpfen geflochten, in der Mitte gescheitelt und mit Kämmen, Schmucknadeln und Blumen geziert. Sie trug altmodische goldene Ohrgehänge und lange Abendhandschuhe.

Abram musterte sie. »Komm, schöne Maske, wir wollen tanzen!«

»Die Nacht ist noch jung«, erwiderte sie auf jiddisch. »Sie sind gealtert. So grau wie eine Taube sind Sie geworden.«

»Ja ja, man wird nicht jünger. Wer bist du denn, Kleine?«

»Das ist ein Geheimnis.«

»Du kommst mir irgendwie bekannt vor. Kennst du mich schon lange?«

»Oh, sechzig Jahre.«

»Bist du etwa Reb Berisch Kameikas Schwiegertochter?«

»Wohl kaum.«

»Oder eine aus der Mischpoke Przepiorko?«

»Wieder falsch.«

»Also, wer bist du?«

»Bloß ein jüdisches Mädchen.«

»Nu ja, was denn sonst?«
»Ich habe gehört, daß Nathan krank ist.«
»Nathan kennst du also auch?« rief Abram freudig erregt. »Dann bist du eine aus unserem Verein! Laß die Mätzchen! Nimm die Maske ab! Laß mich dein zauberhaftes Gesicht sehen!«
»Ich dachte, Sie würden's erraten.«
»Ach, schöne Maske, du faszinierst mich!«
Er legte ihr den Arm um die Hüfte und drängte sich mit ihr durch das Gewimmel auf der Tanzfläche. Er wollte zum Büfett, um etwas mit ihr zu trinken. Das Atmen fiel ihm immer schwerer. Ein Glück, daß er hier nicht mutterseelenallein war. Es gelang ihm also immer noch, eine Frau zu beeindrukken! Sie ging bereitwillig mit ihm. Er atmete ihren Parfümduft ein. Ringsum sah er bekannte Gesichter. Broide, der Bolschewist, flanierte mit Lila, der hinkenden Näherin, herum. Und dort war Gina, in Begleitung eines untersetzten Mädchens, das früher bei ihr logiert hatte. Abram winkte ihnen zu und verbeugte sich. Halb neugierig, halb erbost, sahen ihm die beiden nach. Er runzelte die Brauen. Aber er kam einfach nicht dahinter, wer seine Begleiterin war.
»Wen aus der Verwandtschaft kennst du denn sonst noch?«
»Wen denn *nicht*? Ich kenne sie alle. Pinnje, Njunje, Koppel...«
»Koppel? Dann mußt du eine aus der Vorkriegszeit sein.«
»Ich bin nicht erst gestern aus dem Ei geschlüpft.«
»Koppel ist in Amerika. Dem Vernehmen nach soll er Schwierigkeiten gehabt haben.«
»Ja, wegen Schwarzhandels mit Alkohol.«
Abram blieb stehen. »So wahr ich lebe, du weißt einfach alles! Kannst du auch die Zukunft voraussagen?«
Durch die Sehschlitze der Maske funkelten ihn schwarze Augen an. Ihn beschlich ein unheimliches Gefühl. War das vielleicht der Todesengel? Plötzlich war er wieder ganz nüchtern. Er dachte an sein schwaches Herz, an Idas Operation und daran, daß Hadassa auf ihn wartete, seit er sich auf die Suche nach Euser Heschel gemacht hatte. »Gott der Gerechte, was ist bloß mit mir passiert? Ich bin tief gesunken.« Am liebsten hätte er die Fremde einfach stehengelassen, sich

schleunigst nach Hause begeben und zu Bett gelegt. Statt dessen klammerte er sich nur noch fester an sie. »Geschehe, was mag – irgendwann *muß* ich ja sterben.« Und plötzlich wußte er, wer diese Frau war. Manja, Reb Meschulams Dienstmädchen, Naomis Gehilfin. Die »schwarze Manja«, wie sie damals von allen genannt wurde.

3

Obwohl Euser Heschel nach Hadassa Ausschau hielt, hatte er sie bisher nicht entdecken können. Und er war auch nicht gerade erpicht darauf, sie zu finden. Wozu denn die eigene Frau mit herumschleppen? Die Jazzmusik war ohrenbetäubend. Das grelle Licht blendete ihn. Er ging zum Büfett, holte sich ein Glas Bier und setzte sich an einen Tisch. Warum zum Teufel führten sie sich derart auf, diese exilierten Vagabunden? Sie hatten Gott verloren und die Welt nicht gewonnen. »So kann ich nicht weitermachen. Sonst ersticke ich.« Plötzlich hörte er eine vertraute Stimme.

»Nun, gezweifelt ist genug...«

Er öffnete die Augen und sah Herz Janowar vor sich, im zerknitterten Smoking, zu dem er einen wallenden Künstlerschlips trug. Seit Euser Heschel ihn das letzte Mal gesehen hatte, war sein Backenbart völlig ergraut. Neben Janowar stand ein hochgewachsenes Mädchen, schlank, dunkelhaarig, mit einem länglichen, ebenmäßigen Gesicht und großen schwarzen Augen. Euser Heschel fiel auf, daß ihr Haar nicht modisch kurz geschnitten war. Sie trug ein schlichtes Seidenkleid. Irgendwie wirkte sie nichtjüdisch, wenngleich sie ein brünetter Typ war – so ähnlich wie die Französinnen und Italienerinnen, die Euser Heschel in der Schweiz gesehen hatte. Er wußte nicht warum, aber dieses Mädchen erinnerte ihn an eine Nonne.

»Ich möchte dich mit einer wunderschönen Dame bekannt machen«, sagte Herz Janowar ganz aufgeregt auf polnisch. »Euser Heschel Bannet – Panna Barbara Fischelsohn.«

Euser Heschel stand auf und murmelte: »Sehr angenehm. Bitte nehmen Sie Platz.«

»Mein ehrenwerter Freund ist ein Philosoph«, sagte Herz Janowar, etwas ironisch, in seinem blumigen Polnisch. »Und diese schöne Dame ist auch so etwas Ähnliches. Eben erst aus Frankreich zurückgekehrt. Eine Schülerin des berühmten Bergson.«

»Wieder eine von Herrn Janowars Übertreibungen. Ich bin eine Studentin wie jede andere auch.«

»Bescheidenheit ist eine Zier«, bemerkte Herz Janowar. »Ich hatte die Ehre, Panna Barbara schon als kleines Mädchen zu kennen. Jetzt ist sie mir über den Kopf gewachsen, körperlich und geistig.«

»Bitte nehmen Sie ihn nicht ernst. Er hat ein Glas zuviel getrunken.«

»Wollen Sie sich nicht setzen? Du auch, Herz.«

»Ich muß mich wieder um meine bessere Hälfte kümmern. Wo ist denn die deinige?«

»Hadassa? Wir sind getrennt worden.«

»Getrennt? Ein Freudscher Zungenschlag. Der unbewußte Wunsch, Junggeselle zu bleiben. An deiner Stelle würde ich nicht so ruhig hier herumsitzen. Hadassa ist immer noch eine schöne Frau.«

Euser Heschel wurde rot. »Du redest Stuß.«

»Vielleicht. Vielleicht auch nicht. Hoffen wir, daß sie sich in diesem Bacchanal nicht langweilt.« Er machte eine ausladende Handbewegung. »Dann also *au revoir*! Ich lasse dich in charmanter Gesellschaft zurück.«

Er verbeugte sich, schlug die Hacken zusammen und warf der jungen Dame eine Kußhand zu. Dann machte er kehrt und hoppelte auf seinen kurzen Beinen davon. Panna Barbara sah ihm nach. »Der Arme verträgt keinen Alkohol.«

»Möchten Sie etwas trinken?«

»Nein, danke.«

»Haben Sie wirklich Bergsons Vorlesungen besucht?«

»Bloß ein paar.«

»Und wie lange waren Sie in Frankreich?«

»Fünf Jahre.«

»Philosophiestudium?«

»Mein Hauptfach war französische Literatur. Und Sie sind Professor an einem theologischen Seminar?«

»Bloß Lehrer.«

»Ich bin noch nie einem jüdischen Seminaristen begegnet. Kleiden die sich wie Rabbis? Tragen sie Schläfenlocken?«

»Nein. Sie sind europäisch gekleidet, wie die anderen auch.«

»Wieso? Sind sie denn nicht strenggläubig?«

»Die wirklich Strenggläubigen studieren in der Synagoge.«

»Ach ja, ich erinnere mich. Mein Papa war Jeschiwaschüler.«

»Ihr Vater ist Rabbiner?«

Panna Barbara lächelte. Zwischen den leicht geöffneten Lippen waren ihre länglichen Zähne zu sehen. »Nein. Pastor.«

Euser Heschel traute seinen Ohren nicht. »Tatsächlich? Wo denn?«

»Hier in Warschau.«

»In welcher Kirche?«

»In der evangelischen Mission. Sie haben in der Krulewska ein Gotteshaus.«

»Und Sie sind wohl schon von Geburt an Christin?«

»Nein, erst seit meinem vierten Lebensjahr.«

Eine ganze Weile saßen sie schweigend da. Euser Heschel fiel plötzlich ein, daß Herz Janowar ihm einmal von einem Konvertiten namens Fischelsohn erzählt hatte, der Rabbi in einer talmudischen Bruderschaft gewesen war und irgendein Buch geschrieben hatte.

Die junge Dame neben ihm hatte den Kopf gesenkt und betrachtete ihre sorgfältig manikürten Hände. »Herr Janowar hat uns damals oft besucht. Auf Wunsch meines Vaters hat er mir Hebräischunterricht erteilt.«

»Hoffentlich haben Sie bei ihm etwas lernen können.«

»Ziemlich wenig, fürchte ich. Statt zu arbeiten, haben wir die ganze Zeit geplaudert. Über Sie habe ich allerlei erzählt bekommen, seit ich ein kleines Mädchen war. Daß Sie aus der Provinz weggelaufen und nach Warschau gekommen sind. Die ganze Geschichte.«

»Oh!«

»Er hat mir auch erzählt, daß Sie ein Buch geschrieben haben.«

Euser Heschel biß sich auf die Unterlippe. »Es war kein Buch. Es sollte meine Dissertation werden. Sie ist nie fertig geworden.«

»Wenn ich mich recht erinnere, haben Sie darin den Vorschlag gemacht, ein Laboratorium zur Erforschung der reinen Glückseligkeit zu gründen. Ich weiß noch, wie interessant ich dieses Thema damals gefunden habe.«

»Ich selber habe es schon fast vergessen.«

»Der Haken dabei ist, wo man überhaupt ein solches Laboratorium errichten könnte. Höchstens im luftleeren Raum.«

»Wieso?«

»Weil jeder konkrete Ort an das jeweilige Gesellschaftssystem gebunden ist und natürlich auch an den ideologischen Überbau, der ...«

»Sie sind wohl Marxistin? Von reiner Glückseligkeit habe ich übrigens nie gesprochen.«

»Reinheit scheint etwas zu sein, was den Philosophen sehr am Herzen liegt. Reine Vernunft, reines Ethos, reine Glückseligkeit. Übrigens – tanzen Sie?«

»Leider nein.«

»Haben Sie eine Zigarette für mich?«

»Bedaure. Ich rauche nicht.«

»Soso. Was tun Sie denn?«

»Ich mache mir Gedanken.«

»Eine schöne Beschäftigung! Während Sie sich Gedanken machen, fällt die Welt in die Hände der Mussolinis, Pilsudskis, MacDonalds ...«

»Von mir aus kann die Welt zum Teufel gehen.«

Panna Barbara lachte. »Ein Dekadenter, was? Alle Symptome deuten darauf. Kommen Sie mit? Ich möchte beim Tanzen zuschauen.«

Sie standen auf. Die Kellnerin, die am Büfett bediente, rannte ihnen nach. Euser Heschel hatte vergessen, sein Bier zu bezahlen.

4

Die Musik hatte aufgehört, als Euser Heschel und Barbara den Ballsaal betraten. Die Tanzfläche war noch überfüllt. Die Paare waren stehengeblieben und spähten zur Bühne hinüber, wo das Unterhaltungsprogramm fortgesetzt wurde. Der Kraftmensch führte seine Bravourstücke vor: Er sprengte Ketten, verbog Eisenstäbe und ließ sich von einem jungen Burschen mit einem Hammer auf die nackte Brust schlagen. Danach trat ein Zauberer auf, ein schmächtiger Mann, der zum Frack einen weißen Schlips trug. Er schwenkte ein Taschentuch über einem Glas, einer Kerze und einigen Münzen, wobei er mit piepsiger Stimme etwas sagte, das im hinteren Teil des Saales kaum zu verstehen war. Nach seinem Auftritt wurden Stühle auf die Bühne gestellt, auf denen die Jury für die Wahl der Schönheitskönigin Platz nahm. Euser Heschel suchte unter den Preisrichtern vergeblich nach Abram. Dann hielt er Ausschau nach Hadassa, Mascha und Gina, konnte aber in dem Gewimmel kein einziges bekanntes Gesicht entdecken.

Panna Barbara schnitt eine Grimasse. »Die ganze Nalewkistraße ist da.«

»Auch die Nalewkistraße hat ein Recht zu leben.«

»Das leugne ich ja gar nicht.« Sie zog einen kleinen Spiegel und eine Puderquaste aus ihrer Handtasche. »Sie scheinen schlecht gelaunt zu sein. Merkwürdigerweise gerate auch ich in schlechte Laune, wenn ich auf Bälle gehe, zumal auf jüdische.«

»Warum gehen Sie dann nicht lieber auf polnische Bälle?«

Ein Schatten huschte über ihr Gesicht. »Ich befinde mich sozusagen in der Schwebe zwischen zwei Völkern – den Polen und den Juden. Papa hat bei seiner Missionsarbeit stets auch mit jungen Juden zu tun gehabt. Eine Zeitlang habe ich an einem evangelischen Institut studiert, aber als ich dann nach Frankreich ging, habe ich jeden Kontakt verloren. Allem Anschein nach sind auch Sie so etwas wie ein Außenseiter.«

»Ich bin von jeher einer gewesen.«

»Warum?«

»Ich weiß nicht. Mir hat eben immer jener Glaube gefehlt, der Menschen zusammenhält.«

»Wann sind Sie aus Rußland zurückgekommen?«

»Neunzehnhundertneunzehn.«

»Hat die Revolution keinerlei Einfluß auf Sie gehabt?«

»Ich bin nie Marxist gewesen.«

»Was denn? Anarchist?«

»Lachen Sie mich nicht aus, aber ich halte das kapitalistische System immer noch für das beste. Ich will damit nicht sagen, daß es gut ist. Es ist sehr grausam, aber es entspricht der menschlichen Natur und den ökonomischen Gesetzen.«

»So ein Blödsinn! Aber Sie sind wenigstens ehrlich. Die anderen verstecken sich hinter falschen Theorien. Was halten Sie denn vom Zionismus? Sind Sie kein Zionist?«

»Ich kann einfach nicht glauben, daß man den Juden jemals ein Land geben wird. Die anderen geben niemandem etwas.«

»Das stimmt. Und deshalb muß man kämpfen.«

»Wofür? Was ist denn bei all den Kriegen herausgekommen? Was haben uns die Revolutionen eingebracht? Hunger und eine Flut alberner Reden.«

»Wenn das alles ist, was Sie in Sowjetrußland bemerkt haben, dann sind Sie zu bedauern. Wenn ich der gleichen Ansicht wäre, hätte ich mich schon längst aufgeknüpft.«

»Skeptiker hängen am Leben, vielleicht mehr als jene, die fest an etwas glauben.«

»Weshalb? Soviel ich weiß, haben Sie ein Kind. Wie kann jemand mit dieser Einstellung Kinder aufziehen?«

»Ich wollte niemals Kinder haben.«

»Dann sind Sie also vergewaltigt worden! Sie sollten sich schämen. Sie verstecken sich hinter einem Schutzschirm aus Feigheit. Darf ich Ihnen eine ganz persönliche Frage stellen?«

»Fragen Sie, was Sie wollen.«

»Ich habe schon so viel über Sie gehört, daß Sie mir wie ein alter Bekannter vorkommen. Ist Ihre Frau auch so eingestellt wie Sie? Ich meine, so antisozial.«

»Ja, aber in anderer Hinsicht. Sie ist von Natur aus ein gläubiger Mensch. Einer von denen, für die Liebe und Gott ein und dasselbe sind.«

»Dann hat sie also zu ihrem Gott gefunden.«

»Ein schlechter Gott. Einer, der sie immer wieder verläßt.«

»Die Arme! Ich würde sie gern kennenlernen. Herz Janowar spricht in den höchsten Tönen von ihr. Sagten Sie vorhin nicht, daß sie auch hier ist?«

»Ja. Wir haben uns aus den Augen verloren.«

»Oh! Ich bin vielleicht zu neugierig, aber das ist halt meine Art. Wenn Sie nicht antworten wollen, brauchen Sie's bloß zu sagen.«

»Fragen Sie nur! Ich bin froh, mit jemandem reden zu können.«

»Warum haben Sie Ihr Studium abgebrochen? Warum haben Sie Ihr Buch nicht fertiggeschrieben? Haben Sie keine Ambitionen mehr?«

»Ach, das ist eine lange Geschichte. Als ich aus Rußland zurückkam, mußte ich Verpflichtungen übernehmen. Ich muß für den Lebensunterhalt meiner Mutter sorgen. Meine Schwester ist bettelarm. Ich habe einen Sohn aus erster Ehe und eine Tochter von meiner jetzigen Frau. Sie können sich nicht vorstellen, wie ich mich für das Allernotwendigste abrackern muß.«

»Das kann ich mir gut vorstellen. Mir ist es in Frankreich ähnlich ergangen. Und Ihr Buch? Haben Sie das völlig aufgegeben?«

»Erstens ist es auf deutsch geschrieben. Zweitens ist mein Deutsch schlecht. Und drittens ist das Buch nicht fertiggeworden.«

»Ich würde es gern lesen.«

»Wozu? Das wäre Zeitverschwendung.«

»Ob es das ist, entscheide ich selber.«

»Es strotzt von Fehlern und ausradierten Stellen. Außerdem habe ich eine schlechte Handschrift.«

»Ich habe zu Hause eine Schreibmaschine. Ich könnte das Manuskript abschreiben.«

»Warum sollten Sie das tun?«

»Ach – darum. Die Revolution wird nicht darunter leiden. Wann haben Sie Zeit?«

»Abends.«

»Dann kommen Sie doch mal bei mir vorbei. Rufen Sie vorher an. Wir stehen im Telefonbuch. Pastor Fischelsohn. Und keine Sorge wegen Papa! Er ist ein sehr toleranter Mensch. Außerdem kränkelt er seit einiger Zeit. Worauf basiert Ihr System?«

»Auf Spinoza und Malthus.«

»Eine sonderbare Kombination. Was postulieren Sie?«

»Sexualitätskontrolle im weitesten Sinn des Wortes.«

»Und was meinen Sie damit?«

»Mehr Sexualität und weniger Kinder. Das Schlafzimmer

ist der Schlüssel zu allen sozialen und persönlichen Problemen.«

»Sie scheinen sich über Ihre eigene Theorie lustig zu machen. Bei meinem Vater ist das auch so. Er redet ganz ernsthaft, schreit einen sogar an, aber ich glaube, er tut nur so, als ob. Warum machen Sie sich nicht auf die Suche nach Ihrer Frau?«

»Da könnte ich ebensogut eine Nadel in einem Heuhaufen suchen.«

»Sie haben für alles eine Antwort. Übrigens – Herz Janowar hat auch einmal eine Philosophie gehabt. Die Dunkelheit oder so was Ähnliches. Hat mich damals ziemlich beeindruckt. Wann besuchen Sie mich?«

»Bald.«

»Ich gehe jetzt. Ich bin bloß aus Neugier hergekommen. Ich habe Kopfweh. Begleiten Sie mich zur Garderobe?«

Die Garderobenfrau händigte ihr einen Pelzmantel, pelzgefütterte Stiefel und einen Schirm mit Bernsteinkrücke und Seidenquaste aus. An einem Verkaufsstand neben der Garderobe erstand Barbara eine Packung ägyptische Zigaretten mit Goldmundstück, steckte sich eine an und stieß den Rauch durch die Nase aus. Sie betrachtete sich im Wandspiegel, dann gab sie der Garderobenfrau zwanzig Groschen.

»Helfen Sie mir, eine Droschke zu finden?«

»Selbstverständlich.«

Es schneite leicht, die Flocken wirbelten im Wind. An der Ecke des Gebäudes stand eine Droschke mit Klappverdeck. Das Pferd hatte die Ohren zurückgelegt und bewegte den nassen Kopf hin und her. Der Kutscher, der sich eine Kapuze über die Mütze gezogen hatte, saß vornübergebeugt auf dem Bock. Die Kerze in der Kutschenlaterne flackerte. Ihr Lichtschein fiel auf die Hausmauer, die zu vibrieren schien – wie eine Theaterkulisse.

»Eine scheußliche Nacht«, sagte Barbara. »Wann lassen Sie von sich hören?«

»Bald.«

»Überlegen Sie sich's nicht allzu lang!« rief sie ihm aus der Droschke zu. »Gute Nacht!« Der Kutscher zog an den Zügeln. Euser Heschel sah der davonrollenden Droschke nach. Schnee schmolz auf seinem Haar, Flocken blieben an seinen

Brauen hängen. Sein Jackett wurde vom Wind gepeitscht. In der Ferne ragten Schornsteine und Kirchtürme in den purpurn überhauchten Himmel.

Erst als die Droschke um die Ecke verschwunden war, kehrte er in den Ballsaal zurück. Die Menge klatschte gerade Beifall. Eine heisere Stimme rief irgend etwas. Ein breitschultriger, dunkler Typ, der wie ein Türke aussah, sagte mit gutturaler Stimme: »Bei dieser Bande ist alles Politik. Wahrheit und Gerechtigkeit – darauf pfeifen sie!«

»Was ist denn passiert?«

»Sie haben eine Schönheitskönigin gewählt, aber die ist abgrundhäßlich. Hat wahrscheinlich gute Beziehungen.«

»Was kümmert's dich?«

»Gesetz bleibt Gesetz, sagt der Talmud, ob für einen Pfennig oder hundert Gulden.«

In diesem Moment entdeckte Euser Heschel seine Frau. Ihr Blick war auf die Bühne gerichtet. Noch nie war ihm Hadassa so schön wie jetzt erschienen. Ihm fiel ein, daß Abram ihr versprochen hatte, man werde sie zur Ballkönigin wählen. Plötzlich empfand er tiefes Mitleid mit ihr. Da stand sie, seine geliebte Frau, die Mutter seines Kindes, die um seinetwillen auf ein Vermögen verzichtet hatte. Wie enttäuscht sie von ihm sein mußte! Wie oft hatte sie zornige Worte von ihm zu hören bekommen! Sein Leben, seine Laufbahn, seine Liebe – eine einzige große Pleite! Er ging zu ihr hinüber und legte ihr die Hand auf die Schulter. Hadassa zitterte. Verstört drehte sie sich zu ihm um, dann hellte sich ihre Miene auf. »Ach, du bist's. Wo warst du denn? Ich habe den ganzen Abend nach dir gesucht. Ich dachte, du ...« Sie bekam feuchte Augen.

»Was hast du gedacht?«

»Ach nichts. So ein Lärm! Was für ordinäre Leute! Wir hätten nicht herkommen sollen. Du hast recht gehabt. Hast du Mascha gesehen?«

»Nein, mein Liebes. Komm, wir setzen uns irgendwohin. Du siehst bildschön aus.«

Hadassas Miene wurde wieder ernst. Sie begriff nicht, warum er plötzlich so lieb zu ihr war. Eigentlich hatte sie heftige Vorwürfe erwartet. Sie hakte sich bei ihm ein. »Komm, wir gehen nach Hause.«

Fünftes Kapitel

I

Abram schreckte mitten in der Nacht aus dem Schlaf hoch. Er hatte heftige Schmerzen im linken Arm und spürte einen Druck in der Herzgegend. Es war dunkel. Neben ihm schlief eine Frau. Wer in aller Welt konnte das sein? Ida? Nein, die war im Krankenhaus. Und Hama war tot. Er versuchte, sich an den vergangenen Abend zu erinnern, aber es gelang ihm nicht. Sein Kopf lag schwer wie Blei auf dem Kissen. Sein Gehirn war wie Sand. Er dachte an seine Digitalis-Tabletten, wollte aufstehen, konnte sich aber nicht aufrichten. In der Finsternis war weder eine Tür noch ein Fenster zu entdecken. »Gott im Himmel, mit mir ist's aus.« Er wollte der Frau einen Stups geben, um sie aufzuwecken, aber er konnte den Arm nicht heben. Dann döste er wieder ein. Er träumte, er sei in einem Schlachthaus. Ein Schlächter band einem Ochsen die Beine zusammen, um ihm die Kehle durchzuschneiden. Wie seltsam! Er, Abram, war dieser Ochse! Er wollte schreien, aber jemand preßte ihm die Kinnladen zusammen. Die Schinder kamen in ihren blutbespritzten Stiefeln auf ihn zu. »Mörder! Schurken! Ich bin ein Mensch!« Er schlotterte am ganzen Körper und wachte schweißüberströmt auf. Das Bett schlingerte unter ihm. Er hatte Blutgeschmack im Mund. Seine Nerven waren zum Zerreißen gespannt. Großer Gott, das war das Ende!

Die Frau neben ihm wachte auf. »Abram! Was ist denn?«

»Wer bist du?« würgte er heraus.

»Ich bin's. Manja.«

»Wo bin ich?«

»Was ist denn mit dir? Bist du krank? Wir sind nach dem Ball hierher gefahren.«

»Ach.«

»Tut dir was weh?«

Er wußte nicht, was er darauf sagen sollte. Plötzlich wurde das Licht eingeschaltet. Manja stand neben dem Bett, barfuß, in einem langen Nachthemd. Ihr Gesicht war jetzt welk, schlaff und runzlig. Unter ihrem Kinn bibberte ein zweites

Kinn. Aus ihren schmalen Kalmückenaugen sprach so etwas wie dumpfes Entsetzen. »Was hast du denn? Ist es das Herz?«

»Ein ... ein Druck ...«

»Was soll ich denn tun? Meine Herrschaft kommt bald zurück.«

Abram blickte um sich. Das war eine Küche. Der Fußboden war gefliest. An den Wänden hingen Töpfe und Pfannen. Auf dem Herd stand ein Teekessel. An der Deckenlampe baumelte ein vertrockneter Fliegenfänger. Abram war nahe daran, in Gelächter auszubrechen. Ausgerechnet diese fremde Küche hatte er sich zum Sterben ausgesucht! »Tabletten ... ich habe Tabletten ... in der Hosentasche ...«

Manja griff nach der Hose, die auf einem Stuhl lag, aber die Tabletten waren nicht da. Dann verhedderte sie sich in den Hosenträgern. Aus der Westentasche fiel eine große Taschenuhr. Manja hob sie vom Fußboden auf und hielt sie ans Ohr.

»Ist sie stehengeblieben?«

»Ja.«

»Ach!« Das war ein böses Omen. Ja, er lag im Sterben. Seit fünfunddreißig Jahren war seine Taschenuhr niemals stehengeblieben. Er schloß die Augen. Warschau würde viel zu tratschen haben!

Manja lief verstört hin und her und rang die Hände. »Abram, du mußt nach Hause gehen!« wisperte sie erregt.

»Ja. Ich ziehe mich an.«

Sie rannte zu ihm und zog die Bettdecke zurück. Abram lag im Unterhemd da. Schlotternd versuchte er, die Beine hochzuziehen. Manja half ihm in die Hose und zog ihm die Socken und die Schuhe an. Dann zerrte sie ihn aus dem Bett und half ihm in die Weste und ins Jackett. Erst als er in Mantel und Pelzmütze vor ihr stand, entdeckte sie seine Unterwäsche, die sie schleunigst in den Kohlenkübel steckte. Abram hatte nur einen einzigen Gedanken: »Geschieht mir ganz recht ... geschieht mir ganz recht ...« Manja zog hastig ihr Nachthemd aus und stand nackt da. Hängebusen, breite Hüften, flacher Bauch, behaarte Beine. Abrams eines Auge war geschlossen, das andere starrte auf Manjas Füße mit den krummen, einander überlappenden Zehen. Das also war das Weibsstück, das er sich um den Preis seines Lebens eingehandelt hatte! Ihm kam der Gedanke, daß er jetzt um Vergebung beten sollte, doch der Text des Gebetes fiel ihm nicht ein. Während er auf der Bettkante saß, mußte er wieder eingenickt sein, denn als er hochschreckte, war Manja bereits angezogen. Der stechende Schmerz in seiner Brust hatte aufgehört. Manja half ihm auf die Beine. Schwankenden Schrittes ging er mit ihr in den Flur. Dort brach er zusammen. Sie fummelte an ihm herum, rüttelte ihn, versuchte, ihn hochzuzerren, aber er blieb regungslos liegen. »O mein Gott! Mame, Mame, um Gottes willen, erbarm dich mein!« Im trüben Licht sah Abrams Gesicht wie das eines Toten aus. Manja rannte aus der Wohnung. Das Schnappschloß schnappte zu, als sie die Tür hinter sich zuschlug. Sie hatte keinen Schlüssel bei sich! Sie rannte zurück, aber es war zu spät. Die Tür ging nicht mehr auf. Sie wankte die dunkle Treppe hinunter. »Gott im Himmel!« flüsterte sie immer wieder. »Mame! Mame!« Am liebsten hätte sie bei einem Nachbarn geklopft und um Hilfe gebeten. Warum dauerte die Nacht so lang? Im Hof sah sie eine weiße, schattenhafte Gestalt. »O Gott, das ist er! Er verfolgt mich!« Starr vor Entsetzen blieb sie stehen. Dann hörte sie eine Männerstimme.

»Ist da jemand?«

»Ich bin's – Manja.«

»Manja? Die aus dem Töpferwarengeschäft? Was machen Sie denn hier unten?«

Es mußte der Lehrling aus der Bäckerei nebenan sein.

»Droben ist jemand krank geworden. In Ohnmacht gefallen. Ein Onkel. Aus der Provinz.«

»Wo sind denn die anderen?«

»Auswärts. Kommen erst am Morgen zurück.«

»Lassen Sie doch einen Krankenwagen kommen!«

»Helfen Sie mir! Bei Ihrer Liebe zu Gott – helfen Sie mir!«

»Ich habe die Brote im Backofen. Holen Sie doch die Polizei!«

Manja schleppte sich weiter. Der Bäckerlehrling lief ihr nach und packte sie an der Schulter.

»Du lügst! Er ist gar nicht dein Onkel!«

»Was wollen Sie von mir? Lassen Sie mich in Ruhe!«

»Eine Hure bist du! Verflucht sei der Schoß deiner Mutter!«

Er grapschte nach ihrer Brust und rieb sein Gesicht an ihrem. Sie wehrte sich verzweifelt. »Ich schreie um Hilfe!«

»Hure! Der Vater deines Vaters soll verflucht sein! Scher dich weg!« Er spuckte aus und stieß sie so heftig zurück, daß sie beinahe hingefallen wäre. Sie war einer Ohnmacht nahe. In der Dunkelheit hörte sie den Bäcker urinieren. Angeekelt lehnte sie sich an eine Mauer, dann krümmte sie sich zusammen und übergab sich. »O Gott!« ächzte sie. »O mein Gott!«

Als sie den Kopf hob, sah sie, daß der Himmel sich grau zu färben begann. Die Sterne wurden fahl. Sie wischte ihr Gesicht ab und ging zum Hoftor. Es war bereits aufgesperrt. Mit zitternden Knien schleppte sie sich die menschenleere Straße entlang. Jetzt, da die Nacht des Schreckens vorüber war, tat sich der Weg zu Reinheit und Frömmigkeit vor ihr auf. Sie blickte empor zu den purpurn geränderten Wolken. Flüsternd versprach sie dem unsichtbar Waltenden, eine gute Tochter Israels zu werden, wenn Er ihr aus dieser Falle heraushülfe.

Abram war nicht vom Tod ereilt worden. Als er wieder zu sich kam, setzte er sich auf und lauschte. Es dröhnte ihm in den Ohren. Das Blut pulsierte wie wild in seinen Adern. Jetzt konnte er sich an alles erinnern. Wo war sie? Hatte sie ihn im Stich gelassen? Sein einziger Wunsch war, nicht in dieser fremden Wohnung sterben zu müssen. Er nahm seine ganze Kraft zusammen, um wieder auf die Beine zu kommen. Dann öffnete er die Wohnungstür und tastete sich die Treppe hinunter. Er hielt sich am Geländer fest und blieb nach jedem Schritt schwer atmend stehen. (Nie hätte er geglaubt, daß es so ungeheuer anstrengend sein konnte, einen Fuß vor den anderen zu setzen.) Seine Zähne klapperten. Drunten im Hof wankte er an der Mauer entlang. Er öffnete das eine Auge und sah einen roten Himmel. Ein Sprichwort lag ihm auf der Zunge, aber es fiel ihm nicht ein. Eine weiße Gestalt tauchte vor ihm auf. Der Bäckerlehrling. »Moment, Panje, ich helfe Ihnen. Ich hole eine Droschke.«

Abram kauerte sich auf den Erdboden. Dünner Rauch stieg aus den Schornsteinen. Fenster wurden geöffnet. Er hörte schrille Frauenstimmen. Jemand hielt ihm einen Becher Wasser an die Lippen. »Ist es das Ende?« fragte er sich. »Eigentlich gar nicht so schlimm.« Er lächelte in seinen Bart. Der Himmel über den Dächern erglühte im Licht der aufgehenden Sonne.

2

Es dauerte eine Weile, bis der Bäckerlehrling eine Droschke entdeckt hatte. Der Kutscher weigerte sich, den Kranken ohne eine Begleitperson nach Hause zu fahren. Der Bäckerlehrling ging hinauf in die Wohnung, um nachzusehen, ob Manja zurückgekehrt war. Nach einigen Minuten kam er wieder in den Hof, half dem Kutscher, Abram in die Droschke zu hieven, und setzte sich zu ihm. Abram war noch imstande, Idas Adresse anzugeben. Unterwegs wurden die beiden merkwürdigen Fahrgäste von den Passanten begafft. Abrams Kopf war zur Seite gesunken. Der Bäckerlehrling hielt den Kranken am Ärmel fest. Trotz seines schlimmen Zustandes nahm Abram alles wahr: den Rauch, den Geruch nach frischgebackenem Brot, die saubergefegten Rinnsteine. Ein Zeitungsjunge rief die Morgenzeitungen aus. Als die Droschke vor dem Haus in der Heiligkreuzstraße hielt, kam der Pförtner heraus. Er und seine Frau halfen Abram die vier Treppen hinauf, legten ihn auf Idas Bett und ließen ihn allein. Da sie ihn für betrunken hielten, kamen sie gar nicht auf die Idee, einen Arzt zu verständigen. »Schöne Zeiten sind das!« sagte der Pförtner kopfschüttelnd. »Jetzt besaufen sich sogar die Juden.«

Manja irrte lange in der Stadt herum. Die meisten Läden waren noch geschlossen. Hie und da kam sie an einem offenen Milchladen und an Marktständen vorbei. Ein Austräger hatte sich Brotlaibe kunstvoll über den mit Mehlstaub bedeckten Mantel gehängt. Aus Lastwagen wurden mit Milch gefüllte Blechkannen und Vorderviertel von Rindern geladen. Aus einem Hof kam ein mit Abfall beladenes Fuhrwerk gerattert. Manja blickte um sich. Sie war jetzt in der Niskastraße, wo Naomi und ihr Mann eine Bäckerei hatten. Sie rannte hin. Reb Meschulam Moschkats ehemalige Haushälterin saß bereits an der Ladentür, vor sich einen großen Korb mit frischgebackenen Brotlaiben und Semmeln. Am Gürtel ihres dikken grauen Mantels hatte sie eine Geldtasche hängen. Als sie Manja sah, rang sie die Hände. »Gott der Gerechte! Wie kommst du denn hierher?«

Manja begann zu stammeln und krampfhaft zu schlucken. Die Tränen liefen ihr übers Gesicht. Naomi starrte sie verwundert an. Anfangs konnte sie nicht verstehen, was Manja sagte. Als sie es endlich verstanden hatte, juckte es sie in den Fingern, diesem liederlichen Frauenzimmer eine Ohrfeige zu verpassen. Dann rief sie ihre Stieftochter herbei, um die Kundschaft zu bedienen, besorgte eine Droschke und ließ sich mit Manja in die Ptasiastraße fahren. Unterwegs hielt sie ihre Schürze an die Nase, schneuzte sich und wiegte den Oberkörper, als säße sie in einer Trauerkutsche.

»O Gott, o Gott! Wie kann man so etwas tun! Dein Vater war doch ein anständiger Jude.«

»Zerstückeln sollte man mich!« achzte Manja.

»Nu, nu, hör auf, zu jammern! Ich möchte, weiß Gott, nicht in deiner Haut stecken.«

Naomi begann die Situation zu genießen. Sie hatte eine Schwäche dafür, in aufregende Ereignisse verwickelt zu werden und etwas mit der Polizei, mit Leichen und Beerdigungen zu tun zu haben. Oi, oi, diese Manja! So eine Schlampe! Und die Moschkats konnten sich ebenfalls auf einen Skandal gefaßt machen! Denen würde sie schon zeigen, daß sie eine anständige Frau war! Sie konnte es kaum erwarten, in der Ptasiastraße anzukommen. Sie packte Manja am Arm, als müßte sie sie daran hindern, aus der Droschke zu springen. Dann wischte sie sich mit dem Mantelärmel über die Stirn. »Auf solche Weise zu sterben! Gewalt geschrien! Und du – die Gedärme sollen dir verbrennen!«

»Wenn ich doch im Schlaf gestorben wäre!«

»Dann wärst du jetzt besser dran.«

Naomi verlor den Kopf nicht. Zunächst ging sie zum Pförtner und berichtete ihm in ihrem holprigen Polnisch, was sie von Manja erfahren hatte. Er hörte ihr zu, seine kleinen, halbgeschlossenen Augen fixierten sie. Auf ihren Wunsch holte er den Hauptschlüssel. Dann gingen sie über den großen Hof – Naomi voraus, hinter ihr der Pförtner, gefolgt von

Manja. Sie stiegen die Treppe hinauf. Als der Pförtner die Wohnungstür aufschließen wollte, ging sie von selber auf. Kein Leichnam lag im Flur. Sie sahen in jedem Raum nach. Die Wohnung war leer. Naomi brach in heiseres Lachen aus. »Ein Teufel!«

Sie stöberte in ihrer Geldtasche herum, zog einen Fünfzlotyschein heraus, hielt ihn dem Pförtner hin und legte vielsagend den Finger an die Lippen. Der Pförtner nahm das Geld, kratzte sich am Nacken, brummelte etwas und schlurfte hinaus. Naomis Blick fiel auf den Kohlenkübel. Etwas aus weißem Stoff lag darin. Abrams Unterhose. Naomi wisperte Manja zu: »Versteck sie!«

Manja ging hinaus, um die Unterhose in den Korb mit schmutziger Wäsche zu legen. Sie kam am Zimmer des Hausherrn vorbei. Die Schreibtischschubladen waren herausgezogen. Der Fußboden war mit Papierkram übersät. Ein Wildledergeldbeutel lag auf dem Boden – geöffnet und leer. »Hilfe! Einbrecher!«

Naomi reagierte blitzschnell. Sie riß die Küchentür auf und begann aus voller Kehle zu schreien. Jetzt hatte auch sie Angst, nicht mit heiler Haut davonzukommen. Gesetzt den Fall, man würde sie verdächtigen, das Ding gemeinsam mit Manja gedreht zu haben . . . Und konnte man denn wissen, ob diese dreckige Hure sie nicht vielleicht hierher gelockt hatte, um den eigenen Diebstahl zu vertuschen? Sie rannte auf sie zu und versetzte ihr einen Faustschlag. Manja torkelte, plumpste gegen die Wand und ließ die Unterhose fallen. Nachbarn erschienen, nur spärlich bekleidet, in der Wohnungstür. Der Pförtner, der beim Hinuntergehen den Krawall gehört hatte, kam zurück.

»Holen Sie die Polizei!« schrie Naomi. »Schnell!« Sie deutete empört auf Manja.

Der Pförtner nahm seine Mütze ab, in die er den Geldschein gesteckt hatte, zog ihn heraus und warf ihn Naomi vor die Füße. Ein Nachbar rannte in seine Wohnung, um die Polizei anzurufen. Manja rührte sich nicht vom Fleck. In ihren schmalen Augen glomm eine panische Angst auf. Ihr war in diesem Tohuwabohu nur eines klar: Jetzt wurde ihr das Buch, in dem alle bösen Taten aufgezeichnet sind, um die

Ohren geschlagen. Jetzt wurde sie für ihre Sünden bestraft.

Naomi packte sie an den Schultern und rüttelte sie. »Was hast du getan? Heraus mit der Sprache, oder ich mach dich kalt!«

»Tu's doch! Bring mich um!«

»Hure! Diebin! Warum hast du mich hergeschleppt?«

Dann schoß ihr offenbar ein anderer Gedanke durch den Kopf. Sie ging auf die Tür zu. »Was hat dieses Gesindel hier zu schaffen? Laßt mich hinaus!«

Mit ihrem Wanst bahnte sie sich einen Weg durch die Zuschauerschar. Daß sie von dieser Diebin hierher geholt worden war, das konnte ihre Stieftochter bezeugen! Mit wild entschlossener Miene und zornsprühenden Augen stapfte sie die Treppe hinunter. Kurz vor dem Hoftor kläffte sie ein Hund an. Sie stieß mit dem Fuß nach ihm und traf ihn am Bein. Hinkend trollte er sich. »So ein Schlamassel! In eine Falle hat sie mich locken wollen! Die Pest an ihren Hals!« Die Droschke, in der sie hergekommen war, stand noch vor dem Tor. Der Gaul hatte die Schnauze in den Futtersack gesteckt und mampfte Hafer. Ganz abgesehen davon, daß Naomi den weiten Weg nicht zu Fuß gehen wollte, konnte es ihr nur recht sein, den Kutscher als weiteren Zeugen zu haben.

3

Mascha verließ den Ball um drei Uhr morgens – mit zerrissenem Kleid, zertrampelten Schuhen, einer Bonbonniere und Kopfschmerzen. Weil um diese Zeit keine Droschke mehr aufzutreiben war, fuhr sie mit der letzten Straßenbahn nach Hause. Marianna, das Dienstmädchen, machte ihr auf. Mascha ging sofort in ihr Boudoir. Schon seit geraumer Zeit schlief sie nicht mehr neben Janek im Ehebett, sondern auf ihrem Sofa, das für die Nacht als Bett hergerichtet wurde. Zu müde, um sich auszuziehen, legte sie sich hin, knipste die Lampe aus und schlief ein.

Am Morgen wurde sie vom Klingeln des Telefons geweckt. Der Apparat stand auf der Frisierkommode neben dem Sofa. Schlaftrunken hob sie den Hörer ab. Eine rauhe Frauenstimme sagte:

»Frau Zazicka? Entschuldigen Sie bitte. Hier ist Gina Janowar. Sie erinnern sich vielleicht an mich.«

»O ja.«

»Verzeihen Sie, meine Liebe, aber mir ist gerade etwas Schreckliches passiert. Wir waren auf dem Ball. Ich habe Sie dort gesehen. Sie sahen fabelhaft aus. Als wir nach Hause kamen, hat es in unserer Wohnung nur so gewimmelt von Polizisten und Kriminalbeamten. Wissen Sie, ich bin gezwungen, Zimmer zu vermieten. Mein Mann kann leider Gottes keine Stellung finden. Wir haben einen Untermieter namens Broide, der mit seiner Frau Lila . . .«

»Dieser Broide ist Kommunist, nicht wahr?«

»Das ist ja das Unglück! Er hat mir versprochen, sich in meiner Wohnung nicht politisch zu betätigen, aber man kann solchen Leuten eben nicht trauen. Die Polizei hat ganze Stapel von Propagandamaterial in seinem Zimmer entdeckt. Und mein Mann ist verhaftet worden. Bei Gott, er ist unschuldig, er hat absolut nichts damit zu tun.« Sie begann zu schluchzen.

Mascha schloß erschöpft die Augen. »Und was wollen Sie von mir? Was kann ich für Sie tun?«

Gina stieß einen Seufzer aus. »Frau Zazicka, das wird er nicht überleben. Das hält er nicht durch. Ich bitte Sie, ich flehe Sie an, bei allem, was Ihnen lieb und teuer ist, reden Sie mit Ihrem Mann, dem Herrn Oberst. Bitte tun Sie's, auch wenn Sie Bedenken haben sollten. Ein einziges Wort vom Herrn Oberst kann meinen Mann retten.« Wieder brach sie in Tränen aus. In ihrer Verzweiflung redete sie polnisch und jiddisch durcheinander. Sie sprach von Schriftstücken ihres Mannes – Aufzeichnungen über seine parapsychologischen Forschungen –, die die Polizei zusammen mit Broides kommunistischen Broschüren konfisziert hatte.

Mascha unterbrach Ginas Redeschwall. »Mein Mann schläft noch. Ich spreche später mit ihm.«

»Ach, ich kann Ihnen gar nicht genug danken! Gott segne Sie – Ihr Herz ist jüdisch geblieben.«

Mascha legte auf und versuchte, noch ein bißchen zu schlafen, aber schon wieder klingelte das Telefon. Hadassa. Sie sprach so leise, daß Mascha Mühe hatte, sie zu verstehen.

Onkel Abram, so berichtete sie, habe einen Herzanfall erlitten. Er sei in einem Hof in der Ptasiastraße aufgefunden und von einem Bäckerlehrling per Droschke in Idas Wohnung gebracht worden. Dann erzählte sie noch eine reichlich verworrene Geschichte von einem Einbruchsdiebstahl. Eine gewisse Manja, die früher in Großvaters Haushalt gearbeitet habe, sei verhaftet worden. Während sie Hadassa zuhörte, preßte Mascha die Hand an ihre Schläfe. Ihr war, als würde ihr Schädel zerspringen, so rasende Kopfschmerzen hatte sie.

»Also wirklich, meine Liebe, ich verstehe kaum ein Wort. Ich bin mehr tot als lebendig.«

»Ich habe die ganze Nacht kein Auge zugetan«, sagte Hadassa.

Mascha versprach, später bei ihr anzurufen, und ließ sich wieder in die Kissen sinken. Wie in aller Welt war Onkel Abram in die Ptasiastraße geraten? Was hatte er mit dieser Manja zu schaffen? Und weshalb war sie verhaftet worden? Ein einziges Durcheinander war das alles! Sie zog eine Kommodenschublade auf und nahm ein Fläschchen Baldriantropfen heraus. Dann betrachtete sie sich im Spiegel. Ihr Gesicht war leichenblaß. Ihr Haar, das sie gestern so sorgfältig frisiert hatte, war zerzaust. Und sie hatte dunkle Ringe unter den Augen. Ihr fiel ein Satz ein, den sie oft von ihrer Mutter gehört hatte: »Gott der Gerechte, man verscharrt Kadaver, die besser aussehen als ich!« Dann hörte sie jemanden ächzen und husten. Janek kam herein, barfuß und nur mit einer kurzen Unterhose bekleidet. Seine hervorstehenden Rippen erinnerten an Faßreifen. Um den Hals trug er ein dünnes Kettchen mit einem Anhänger in Form eines Skapuliers. Seine mageren Beine waren behaart. Seine dunklen Augen loderten vor Zorn.

»Was zum Teufel soll dieser Radau in aller Herrgottsfrühe? Können deine Liebhaber nicht später anrufen?«

»Janek, hör um Gottes willen auf, mich zu quälen! Ich habe keine Liebhaber.«

»Wann bist du nach Hause gekommen? Und wer zum Teufel wagt mich im Schlaf zu stören? Ich bin ein polnischer Oberst!«

»Beruhige dich, Schatz. Es war Hadassa. Onkel Abram hat einen Herzanfall erlitten.«

»Dieser verdammte Schmarotzer hätte schon längst verrecken sollen.«

»Wie kannst du so etwas sagen? Er ist doch mein Onkel! Und Herz Janowar ist verhaftet worden. Seine Frau ist außer sich.«

»Wegen kommunistischer Umtriebe, was?«

»Du weißt genau, daß Herz Janowar kein Kommunist ist. Es handelt sich um Untermieter. Um einen gewissen Broide und seine Frau.«

»Was zum Teufel hast *du* damit zu tun? Was denken die sich eigentlich? Daß ich mir wegen dieser jüdischen Bolschewisten den Mund verbrenne? Wenn's nach mir ginge, müßten die alle aufgeknüpft werden.«

»Weshalb regst du dich denn so auf? Herz Janowar ist unschuldig.«

»Eine üble Bande sind sie alle miteinander! Deine verdammten Juden fressen dieses Land auf, wie ein Termitenschwarm. Und sie werden keine Ruhe geben, diese Schweinehunde, bis die rote Fahne über dem Schloß Belvedere weht.«

»Du spinnst ja.«

»Du bist eine von ihnen. Du gehst auf ihre schmierigen Bälle. Du verseuchst mein Haus!«

»Dann werde ich es verlassen. Noch heute.«

»Das kümmert mich einen Dreck! Marsch, marsch – geh doch!«

»Du Flegel!«

Er stürmte hinaus und knallte die Tür zu. Mascha brütete vor sich hin. Sie wußte, daß Janek zurückkommen und sie um Verzeihung bitten würde. Mit Kosenamen würde er sie überschütten. »Seelchen, Herzchen, Täubchen, Mütterchen ...« Dann würde er weggehen und spät in der Nacht betrunken nach Hause kommen und sich damit brüsten, daß die Offiziersfrauen sich ihm an den Hals würfen. Sie schlug die Hände vors Gesicht. »Gott im Himmel, wie müde ich bin! Wenn man mich doch schlafen ließe!« Sie legte sich wieder hin und vergrub das Gesicht im Kissen. »Ich habe keine Kraft mehr. Geschehe, was mag. Ich kann's nicht ändern.« Sie versuchte, wieder einzuschlafen, aber zu viele Gedanken gingen ihr im Kopf herum. Sie gähnte, dehnte sich, wischte sich die Tränen aus den Augenwinkeln. »Ich gehe ins Kloster. Ja, ins Kloster. Dann finde ich wenigstens ein bißchen Ruhe.« Sie schlummerte ein. Als sie aufwachte, war das Zimmer von Sonnenschein durchflutet. Draußen lag Neuschnee. Aus der Küche roch es nach Suppengrün und Bratfett. Marianna kochte bereits das Mittagessen. Mascha ging ins Badezimmer und zündete den Gasofen an. Dann setzte sie sich auf einen Hocker. Das Dienstmädchen klopfte und sah zur Tür herein.

»Sie haben Post bekommen.«

Sie gab Mascha drei Briefe. Einer war aus Amerika – von ihrer Schwester Lotti. Koppel, ihr Stiefvater, war wegen Schwarzhandels mit Alkohol mit dem Gesetz in Konflikt geraten. Für den Lebensunterhalt der Familie war aber gesorgt. Mendy war Rechtsanwalt, verheiratet und Vater von Zwillingen. Lotti, die noch ledig war, arbeitete als Dozentin an einem College. Sie beklagte sich darüber, daß sie niemals Post aus Bialodrewna erhalte, obwohl sie immer wieder Geld geschickt habe. »Wie geht's Papa und Aaron? Warum schreibt mir denn niemand?«

Der zweite Brief war von einem katholischen Hilfsverein für Kriegswaisen. Man lud Mascha zu einer Veranstaltung im Waisenhaus ein.

Der dritte Brief war sehr lang. Er kam von Edek Halpern, einem jungen Mann, mit dem sie vor ihrer Heirat befreundet gewesen war. Er hatte sie verlassen und ein Mädchen aus Wloclawek geheiratet. Und nun bat er sie, bei den Behörden etwas wegen einer Sägemühle zu unternehmen, die ihm gehörte, aber von der Regierung entschädigungslos beschlagnahmt worden war. Mascha seufzte. So ein Pack! Eine verrottete Gesellschaft! Denen ging es immer bloß um Geld, Gefälligkeiten, Protektion. Sie zerriß den Brief in vier Teile. Das Badewasser war warm. Sie zog sich aus und betrachtete sich im Spiegel. Wie klein sie ohne ihre Stöckelschuhe wirkte! Wie mager sie war! Haut und Knochen. Sie hatte so gut wie keinen Busen. Und sie konnte keine Kinder bekommen. Sie sei zu schmal gebaut, hatten die Ärzte gesagt. Kein Mensch liebte sie, das war die bittere Wahrheit. Weder ihr Vater noch ihre Mutter. Und ihr Mann auch nicht.

Sie senkte den Kopf. Über dem Waschtisch stand ein Fläschchen Jod. Sie zog den Korken heraus und roch an dem Fläschchen. Plötzlich setzte sie es an die Lippen, beugte den Kopf zurück und trank einen großen Schluck. Es war, als ob sich ihre Hand ganz von selbst bewegt hätte. Im nächsten Moment bereute sie, was sie getan hatte. Ihre Zunge, ihr Gaumen, ihr Schlund brannten wie Feuer. Sie wollte schreien, aber kein Laut kam von ihren verätzten Lippen. Völlig nackt rannte sie in die Küche. »Hilfe!« keuchte sie. »Hilfe!«

Das Dienstmädchen starrte sie an und begann zu schreien. »Jesusmaria!«

Nachbarn kamen angerannt. Jemand bestellte einen Krankenwagen. Eine Frau nahm einen Topf und flößte Mascha Milch ein. Mascha selber war eher erstaunt als entsetzt. Sie hatte das nicht gewollt. Warum hatte sie es trotzdem getan? Sie schloß die Augen und fand sich mit dem Gedanken ab, sie nie mehr zu öffnen. Man trug sie aus der Küche, drückte auf ihren Magen, versuchte, sie dazu zu bringen, sich zu übergeben. Etwas später spürte sie, daß man ihr einen Schlauch in den Hals stieß. Janek stürzte herein und kniete sich an ihr Bett. »Was hast du getan? Warum? Warum?«

Sie wollte die Augen nicht mehr aufmachen. Ganz gleich, was jetzt mit ihr geschah – es sollte im Dunkeln geschehen.

Die aufregenden Nachrichten verbreiteten sich wie ein Lauffeuer in der Familie Moschkat. Man wußte nicht, worüber man zuerst reden sollte – über Abram Schapiros Herzanfall oder über Maschas Selbstmordversuch. Hadassa war wie vom Schlag gerührt. Nur Gina hatte nichts von allem erfahren. Sie rief an, um Mascha nochmals zu bitten, sich für Herz Janowar zu verwenden. Janek war am Telefon. Als er Ginas jüdischen Akzent hörte, brüllte er: »Zum Teufel mit euch! Bestien! Schweinehunde! Verräter!«

Die Beamten der politischen Polizei in der Danilowiczowska glaubten offenbar, sie hätten mit Herz Janowar einen guten Fang gemacht. Sie nahmen ihm die Hosenträger und die Schnürsenkel weg und sperrten ihn in eine Einzelzelle im fünften Stock. Das alles spielte sich kurz nach Tagesanbruch ab. Herz setzte sich auf die breite Pritsche, die mitten in der Zelle stand, und blickte um sich. Die Wände waren mit allen möglichen Namen und Daten sowie mit kommunistischen Parolen bekritzelt. Er versuchte, aus dem Fenster zu spähen, doch es war zu weit vom Boden entfernt. Er stützte den Kopf in die Hände. Wie oft hatte er Gina klarzumachen versucht, daß ihre kommunistischen Untermieter ihn eines Tages ruinieren würden! Aber wer hörte denn schon auf ihn?

Er legte sich auf die Pritsche, schloß die Augen und versuchte zu schlafen, aber ihm taten alle Knochen weh. Und es juckte ihn am ganzen Körper. Gab es hier Wanzen? Oder waren es die Nerven? Er zappelte und kratzte sich. Seiner Lebensphilosophie zufolge hätte er sich eigentlich mit allem abfinden müssen – mit Krankheit, Einsamkeit, Schmutz und Elend, ja sogar mit dem Tod. Wenn die menschliche Existenz überhaupt einen Sinn hatte, dann war er nur jenseits ihrer Grenzen zu begreifen, in der Dunkelheit, die ohne jedes Wissen weiß, ohne jeden Plan erschafft und ohne jeden Gott göttlich ist.

Jetzt aber, da es zu diesem Schicksalsschlag gekommen war, konnte er ihn nicht stoisch hinnehmen. Gott in die Hände zu fallen, das war etwas anderes. Den Menschen in die Hände zu fallen, das war fürchterlich. Seit seiner Kindheit hatte er Angst vor der Polizei und den Behörden gehabt. Er besaß keinen Paß, keine Geburtsurkunde, keinen Wehrpaß. Er war sich nicht einmal sicher, ob er standesamtlich registriert war. Er wußte im voraus, daß er beim Verhör stottern, widersprüchliche Aussagen machen und seine Lage nur verschlimmern würde. Und schon jetzt quälte ihn der Gedanke, daß er sich aus Angst dazu verleiten lassen könnte, andere zu denunzieren. Er dachte daran, daß Broide drei Jahre im Pawiak-Gefängnis gesessen hatte. Er kannte Revolutionäre, die zu Zuchthausstrafen und Zwangsarbeit verurteilt worden waren. Wie hatten sie das durchstehen können? Er selber fühlte sich schon jetzt völlig zermürbt.

Er schlug den Mantelkragen hoch und legte sich ein Taschentuch unter den Kopf. Er hörte Geräusche, Schritte und Rufe vor der Zellentür. Der Schlüssel wurde herumgedreht. Ein Wärter warf ihm einen teilnahmslosen Blick zu.

»Zeit zum Waschen!«

Herz stand auf und ging hinaus. Der Gang vor den Zellen war überfüllt mit Häftlingen, die miteinander tuschelten und einander Zeichen machten. Sie wurden von den Wärtern zusammengetrieben und in einen großen Raum mit gefliesten Wänden geführt. Auf der einen Seite waren Wasserhähne installiert. Männer wuschen sich, gurgelten, kämmten sich mit den Fingern und trockneten sich mit Papierfetzen ab. Auf der anderen Seite befanden sich mehrere Aborte ohne Trennwände, auf denen Häftlinge ihre Notdurft verrichteten. Herz stellte sich vor ein Pissoir, konnte aber vor lauter Beklemmung kein Wasser lassen. Ein junger Bursche klopfte ihm auf die Schulter.

»He, Professor! Ja oder nein? Wie lang überlegst du's dir denn noch?«

Dann wurden sie in eine Küche geführt. Jeder Häftling nahm sich ein blechernes Tablett und einen Löffel. Im Gänsemarsch gingen sie an einem Tisch vorbei, wo jeder einen Napf mit bräunlicher Grütze und ein Stück Brot bekam. Janowar stieg das Blut ins Gesicht. »Das ist der Mensch«, dachte er. »Die Krone der Schöpfung.«

Die Häftlinge wurden wieder in ihre Zellen geführt. Herz roch an seinem Blechnapf, dann stellte er ihn auf den Boden. Er begann, auf und ab zu gehen, mit auf dem Rücken verschränkten Händen, genauso, wie er früher im Bialodrewner Bethaus auf und ab gegangen war. Und wie beim Nachdenken über eine Talmud-Auslegung zog er die Brauen zusammen. »Wenn ich schuldig wäre, könnten sie mit mir machen, was sie wollen. Aber warum demütigen sie mich, wenn sie mich noch gar nicht für schuldig befunden haben? Ist das Gerechtigkeit? Es ist wahr, was im *Prediger Salomo* geschrieben steht: ›Und ich sah unter der Sonne Stätten des Gerichts, da war Gottlosigkeit.‹«

Die Tür wurde geöffnet. Herein kam ein hochgewachsener Polizist mit pockennarbigem Gesicht, langem Hals und finster blickenden, talggrauen Augen. »Mitkommen!«

Sie stiegen eine Treppe hinunter, deren Stufen Eisenkanten hatten. Entlang der Gänge waren schwarze Türen zu sehen. Dann gingen sie über einen langgestreckten Hof, in dem ein Gefangenenwagen mit vergitterten Fenstern stand. Sie betraten einen Büroraum. Der Fußboden war mit Sägemehl bestreut. An der Wand hing ein Pilsudski-Porträt. An einem Schreibtisch saß eine flachshaarige Frau, die an ihren Fingernägeln herumfeilte. Ein korpulenter Mann, dessen aufgedunsenes Gesicht weinrote Flecken hatte und dessen fleischige Nase mit Pickeln übersät war, lehnte an einem Stuhl. Seine kurzen, dicken Finger blätterten in einem Bündel von Schriftstücken herum.

»Name?«

»Herz Janowar.«

»Cherz Janowar«, äffte ihn der Beamte nach. »Was sind Sie? Technischer Fachmann? Sekretär? Funktionär? Beauftragter der Komintern?«

»Ich bin kein Kommunist«, stammelte Herz.

»Das sagen sie alle, diese Schweinehunde!«

»Euer Gnaden, ich bin unschuldig. Ich bin auch kein Marxist. Meine Frau hat Untermieter. Sonst könnten wir die Wohnungsmiete nicht bezahlen.«

Der Beamte sah von den Schriftstücken auf. »Welchen Beruf üben Sie aus?«

Herz wußte nicht, was er antworten sollte. »Keinen bestimmten Beruf. Ich befasse mich mit Forschungen für ein Buch, an dem ich gerade arbeite.«

»Schriftsteller, hm? Und was schreiben Sie? Proklamationen?«

»Gott bewahre! Ich bin der Gründer eines Vereins zur Erforschung übersinnlicher Phänomene.«

»Wo befindet sich das Vereinsbüro?«

»In meiner Wohnung.«

»Haben Sie eine Lizenz?«
»Ich wußte nicht, daß man eine haben muß.«
»Illegal, hm?«
»Ein paar von uns treffen sich und . . .«
»Wer sind die Mitglieder? Namen und Adressen!«
Herz gab die Namen von etwa einem Halbdutzend seiner Freunde an. Der Beamte notierte sie mit einem Rotstift. »Seit wann kennen Sie Broide?«
»Schon seit Jahren. Seit lange vor dem Krieg.«
»Wußten Sie, daß er Mitglied des Zentralkomitees der Kommunistischen Partei Polens ist?«
»Ich wußte nur, daß er ein Linker ist.«
»Ein Bolschewist?«
Herz schwieg.
»Antworten Sie, wenn Sie gefragt werden!« Der Beamte schlug mit der Faust auf den Tisch.
»Es heißt, daß er einer sein soll.«
»Und wie kommen Sie dazu, Zimmer an solche Leute zu vermieten?«
»Nicht ich vermiete die Zimmer. Das tut meine Frau. Ich mische mich da nicht ein.«
»Wie heißt Ihre Frau?«
»Gina Genendel Janowar.«
»Seit wann ist sie Mitglied der Kommunistischen Partei?«
»Wer? Meine Frau? Gott bewahre! Sie gehört überhaupt keiner Partei an.«
»Wissen Sie, daß dieses Bolschewistenpack sich in Ihrer Wohnung eingenistet hat? Ist Ihnen klar, daß sie ein Treffpunkt für Agitatoren aus Moskau ist?«
»Ich schwöre bei allem, was mir heilig ist, daß ich davon nichts weiß.«
»Wo leben Sie denn? Auf dem Mond? Kennen Sie eine gewisse Barbara Fischelsohn?«
»O ja. Schon seit ihrer Kindheit.«
»Wann waren Sie das letzte Mal mit ihr zusammen?«
»Gestern abend. Auf einem Ball.«
»Aha. Mit wem war sie dort?«
»Ich glaube, sie ist allein hingegangen. Ich habe sie mit einem meiner Freunde bekannt gemacht.«

»Name und Adresse!«

»Es ist jemand, der nicht das geringste mit diesen Dingen zu tun hat.«

»Darüber haben *wir* zu entscheiden. Name und Adresse!«

»Euser Heschel Bannet. Er ist Dozent an einem theologischen Seminar. Er wohnt in der Bagatelastraße Nummer . . .«

»War er allein auf dem Ball?«

»Nein, mit seiner Frau.«

»Ihr Name?«

»Hadassa Bannet.«

»Hadassa Bannet, hm? Hat er noch jemanden mitgebracht?«

»Eine Cousine seiner Frau. Mascha Zazicka, die Gattin von Oberst Zazicki.«

»Wo wohnt der Oberst?«

»In der Ujasdowski-Allee.«

»Was hat der Oberst mit dieser Gruppe zu tun?«

»Mit welcher Gruppe? Du meine Güte, der Oberst steht diesen Ideen doch völlig fern!«

»Sind Sie persönlich mit ihm bekannt?«

»Er ist mir vor Jahren vorgestellt worden. Als er noch ein unbekannter Maler war.«

Der Beamte warf der Frau am Schreibtisch einen Blick zu. »Haben Sie das gehört? Die Sache fängt in einer dieser Brutstätten in der Swiętojerska an und breitet sich bis ins Haus eines polnischen Obersten aus. Seine Frau ist Jüdin, stimmt's?« Er wandte sich wieder Herz Janowar zu. »Wie hat sie vor ihrer Heirat geheißen?«

»Mascha Margolis.«

»Mascha Margolis. Hadassa Bannet. Euser Heschel. Gina Genendel. Da hilft nur eins: Sie alle miteinander loszuwerden! Wie Ratten. In die Weichsel mit diesem Pack!«

Siebtes Kapitel

Ein langer Tag nach dem andern verging, und noch immer saß Herz Janowar im Gefängnis. Aus angefeuchteten Brotkrumen hatte er Schachfiguren geknetet, mit dem Löffelstiel ein Schachbrettmuster auf seine Bank geritzt und mit Schmutz und Staub die Hälfte der Schachfiguren schwarz gefärbt. Stundenlang beschäftigte er sich damit, einen Zug um den anderen zu machen. Er nagte an seiner Unterlippe, zupfte sich am Bart (den er sich im Gefängnis hatte wachsen lassen) und murmelte in einer Art Singsang vor sich hin: »Wenn der König dorthin zieht, dann ist es gleich aus. Und wenn die Dame dazwischenzieht, dann greife ich beide mit dem Springer an...«

Wenn er das Schachspielen satt hatte, beschäftigte er sich mit mathematischen Problemen. Er kritzelte alle möglichen algebraischen Gleichungen an die Wand und versuchte, die große Fermatsche Gleichung zu lösen. Er wußte natürlich, daß er sich vergeblich bemühte, da es selbst den brillantesten Mathematikern nicht gelungen war, die Lösung zu finden. Aber jede Beschäftigung war besser, als sich in die eigenen, düsteren Gedanken zu vergraben.

Er stieg auf die Bank und spähte durch das vergitterte Fenster. Die Straße war von hier aus nicht zu sehen. Von der Stadt her war ein dumpfes Dröhnen zu hören. Über Dächern, Schornsteinen und Rauchfahnen wölbte sich der Winterhimmel. Wetterhähne drehten sich im Wind. Eine Katze schlich eine Dachrinne entlang. Es schneite eine Weile, dann schien die fahle Wintersonne. »Ja«, dachte Herz, »ich bin hier eingesperrt wie ein Tier im Käfig, während die Welt da draußen ihren Geschäften nachgeht. Und wer weiß – vielleicht hat Gina sich bereits damit abgefunden und kommt sich jetzt wie eine Witwe vor.«

Dann hörte er, daß die Tür aufgesperrt wurde. Er stieg von der Bank und setzte sich. Der pockennarbige Polizist kam herein. »Janowar? Mitkommen! Nehmen Sie Ihre Sachen mit!«

»Wohin bringen Sie mich?«

»Zum Henker.«

Herz hatte nichts mitzunehmen. Er ging mit dem Polizisten die Treppe hinunter und dann durch den langen Hof. Der Gefangenenwagen war diesmal nirgends zu entdecken. Sicher wurden gerade verdächtige Personen abgeholt. Es tat gut, die frostige Luft zu atmen und auf Pflastersteinen und Pulverschnee zu laufen. Seine Schritte waren fast jugendlich beschwingt. Ihm war, als könnte er den köstlichen Duft der Wälder, Felder und des nahen Frühlings wahrnehmen. Im Gefängnishof stand ein Baum, der mit einem Gitter eingezäunt war. Die Schneeflocken auf den Zweigen erinnerten Herz Janowar an Blüten. Er wurde in den Büroraum geführt, wo er sich wieder dem korpulenten Beamten mit den weinroten Flecken im Gesicht gegenübersah. Die Büroangestellte machte sich gerade an einem gläsernen Kerzenhalter zu schaffen.

Der Beamte warf Janowar einen ärgerlichen Blick zu. »Was soll *der* denn hier?«

»Zu Pan Kaczinski.«

Der Polizist faßte Janowar sorgsam am Ellenbogen und führte ihn in einen neu eingerichteten Raum, in dem ein Bücherschrank, ein Sofa, Rohrstühle und ein mit grünem Filz bezogener Schreibtisch standen. Darauf lag ein einziges Blatt Papier. Hinter dem Schreibtisch saß ein Mann um die Dreißig – schlank, glattrasiert, mit dichtem blondem, zurückgekämmtem Haar und hoher Stirn –, offenbar ein Intellektueller. Er trug eine schlichte grüne Hemdbluse mit zugeknöpftem Kragen. Es war schwer zu sagen, ob er uniformiert oder in Zivil war. Er wirkte so gelassen und entspannt wie jemand, der sich den Sorgen des Alltags völlig entzogen hat. »Pan Janowar? Bitte nehmen Sie Platz.«

»Vielen Dank.«

»Rauchen Sie?«

»Ja, danke vielmals.«

»Bitte sehr. Möchten Sie ein Glas Tee?«

Herz Janowar rannen die Tränen übers Gesicht. »Nein ... ja, danke. Vielen herzlichen Dank.«

»Stach, lassen Sie Tee bringen!«

Der Polizist schlug die Hacken zusammen, machte kehrt und ging hinaus. Kaczinski strich ein Zündholz an, hielt es an Janowars Zigarette, aber sie brannte nicht, so heftig Herz auch daran zog. Die Flamme hatte schon beinahe Kaczinskis Fingerspitzen erreicht. Janowar stand der Schweiß auf der Stirn. Noch einmal zog er verzweifelt an der Zigarette. Endlich! Sie brannte. »Entschuldigen Sie bitte! Ich bin etwas nervös.«

»Das macht doch nichts.«

Seine hellen Augen musterten Janowar freundlich und zugleich forschend. Er schien jedes Wort, das er sagte, genau abzuwägen.

»Pan Janowar, wir bedauern diesen Vorfall. Sie sind Opfer eines Mißverständnisses geworden.«

Nur mit Mühe konnte Herz die Tränen zurückhalten.

»Ich bin froh, daß die Wahrheit endlich ans Licht gekommen ist. Ich hatte schon befürchtet...«

»Jemand hat sich für Sie eingesetzt. Eine hervorragende Persönlichkeit des neuen polnischen Staates. Oberst Jan Zazicki.«

»Tatsächlich? Das ist sehr nobel von ihm. Ich habe den Herrn Oberst kennengelernt, als er noch ein Anfänger war – in einem Atelier in der Heiligkreuzstraße.«

»Ich weiß. Es ist bedauerlich, daß Sie Untermieter wie Broide und Konsorten haben.«

»Ich habe meine Frau schon oft gewarnt. An der ganzen Sache sind die schlechten Verhältnisse schuld.«

»Gewiß. Trotzdem ist Vorsicht geboten. Die meisten Kriminalbeamten gehen den Dingen nicht auf den Grund. Wenn sie in einer Wohnung subversive Literatur finden, müssen alle Bewohner darunter leiden.«

»Ja, das leuchtet mir ein. Ich werde dafür sorgen, daß solche Leute bei uns kein Logis mehr bekommen.«

»Gut. Der Oberst war gestern abend eine ganze Stunde hier. Alles Ihretwegen. Er hat mir viele bemerkenswerte Dinge erzählt. Er ist eng vertraut mit der jüdischen Lebensweise.«

Die Tür wurde vorsichtig geöffnet. Die Büroangestellte brachte ein Glas Tee und einen Blechlöffel. Auf der Untertasse lag ein Stück Zucker. Kaczinski lächelte.

»Panna Jadza, Sie scheinen einfach nicht imstande zu sein, ein volles Glas hereinzubringen.«

Die Frau warf Janowar einen mürrischen Blick zu. »Es ist übergeschwappt.«

»Ein Glas nie ganz zu füllen, ist eine schlechte Angewohnheit alter Weiber.«

Die Angestellte stapfte hinaus. Kaczinskis Miene wurde wieder ernst.

»Bitte trinken Sie Ihren Tee, Herr Janowar. Sagen Sie, was für ein Mensch ist dieser Euser Heschel Bannet? Sie kennen ihn doch.«

»O ja, sehr gut. Ich bin eng mit ihm befreundet. Er unterrichtet in einer jüdischen Mädchenschule namens Chavazelet. Und an einem theologischen Seminar.«

»Und er ist kein Roter?«

»Bestimmt nicht. Er hat seine eigene Weltanschauung. Seiner Ansicht nach könnten alle sozialen Probleme mittels Geburtenregelung gelöst werden. Meines Erachtens mißt er diesen Dingen zuviel Bedeutung bei.«

»Wieso? Das ist sehr interessant. Wie mir berichtet wurde, hat er Kontakt zu einer Kommunistin, einer konvertierten Jüdin namens Barbara Fischelsohn.«

»Die kenne ich auch. Ich würde sie allerdings nicht als Kommunistin bezeichnen.«

»Als was denn?«

»Als Salonradikale. Als Mitläuferin. Was die nötig hat – entschuldigen Sie –, ist ein Mann.«

»Schon möglich. Herr Janowar, ich möchte ein ganz persönliches Gespräch mit Ihnen führen, von Mensch zu Mensch. Ein Gespräch, das nichts mit meinen dienstlichen Obliegenheiten zu tun hat.«

»Natürlich.«

»Herr Janowar, die Zahl der jüdischen Kommunisten ist erstaunlich groß. Im Verhältnis zu der Zahl der nichtjüdischen Kommunisten geradezu verblüffend. Ist das den jüdischen Intellektuellen bekannt? Was halten Sie davon?«

»Das, mein Herr, erklärt sich aus der unglücklichen Lage, in der wir Juden uns befinden. Wir dürfen nicht im öffentlichen Dienst arbeiten und auch keine Stellungen in Fabriken annehmen. Antisemitismus erzeugt Kommunismus.«

»Angenommen, das stimmt – sind sich die führenden jüdischen Persönlichkeiten eigentlich klar darüber, daß die Hinwendung der jüdischen Massen zum Kommunismus einen zehnmal, ja hundertmal heftigeren Antisemitismus heraufbeschwört?«

»Auch *das* wissen wir. Es ist ein Teufelskreis.«

»Herr Janowar, ich will Ihnen keine Angst machen, aber die Situation ist unerträglich. Heute sind die Juden diejenigen, die den Bolschewismus in der ganzen Welt verbreiten. Ich übertreibe nicht. Die Existenz der jüdischen Rasse wird dadurch gefährdet.«

»Was sollen wir denn tun? Hier in Polen sind wir völlig machtlos. Die jüdische Gemeinde hat keinen Einfluß auf die junge Generation. Die einzige Rettung wäre, wenn die Weltmächte uns Palästina zusprächen. In einem eigenen Staat könnten wir die notwendigen Maßnahmen ergreifen.«

»Sie sind also Zionist.«

»Ich sehe keinen anderen Ausweg.«

»Ich möchte Sie nicht kränken, aber der Zionismus ist zum Scheitern verurteilt. Palästina kann den überproportional hohen jüdischen Bevölkerungsanteil Polens nicht aufnehmen. Ganz zu schweigen von den Juden in anderen Ländern.«

»Und was würden Sie uns raten?«

»Ich weiß es nicht, lieber Janowar. Haben Sie das Buch *Die Dämmerung Israels* gelesen?«

»Nein. Ich habe es im Schaufenster einer Buchhandlung gesehen.«

»Ein sehr fundiertes Werk – aber durch und durch pessimistisch. Ich habe mich mit dem Herrn Oberst darüber unterhalten. Nun denn, Herr Janowar, leben Sie wohl! Ich hoffe, Sie tragen es uns nicht nach, daß wir Ihnen Unannehmlichkeiten gemacht haben. Sie sind frei und können nach Hause gehen.«

»Ich bin Ihnen sehr dankbar. Ja, die Situation ist äußerst ernst.«

»Die Zeit löst alle Probleme. So oder so. Leben Sie wohl!«

Herz Janowar ging hinaus. Vor der Tür wartete der Polizist auf ihn. Es waren noch einige Formalitäten zu erledigen. Eine Bescheinigung war zu unterschreiben. Und das Geld, das man ihm abgenommen hatte, mußte zurückerstattet werden, desgleichen seine Hosenträger und Schnürsenkel.

Achtes Kapitel

I

In den Winterferien konnte Euser Heschel wieder bis spät in die Nacht aufbleiben und bis mittags schlafen. Er verfiel wieder in die Angewohnheiten seiner Junggesellenzeit. Wenn Hadassa zu Bett gegangen war, saß er in seinem Arbeitszimmer und blätterte in seinem Manuskript. Die beschriebenen Seiten glichen seinen Gedanken: ein Konglomerat aus Phantastereien und metaphysischen Ideen. Seine Notizbücher enthielten alle möglichen Aufzeichnungen über Verhaltensmethoden. Von frühester Jugend an hatte er vergeblich gegen Trägheit und gedankliche Unklarheit angekämpft. Er hatte nie gelernt, seine Gefühle – ob Stolz, ob Scham, ob Bedauern – zu zügeln. Seine Auseinandersetzungen mit Hadassa hatten jetzt etwas von Tobsuchtsanfällen an sich: Sie schrien einander an, fluchten und schlugen sogar aufeinander ein. Das Essen, das Jadwiga für sie zubereitete, wurde kalt, während sie sich zankten. Die kleine Dache weinte, aber ihre Mutter kümmerte sich nicht darum. Hadassa nahm Beruhigungsmittel ein, aber schlafen konnte sie trotzdem nicht. Immer wieder nahm Euser Heschel sich vor, mit dieser ständigen Streiterei aufzuhören – doch vergebens. Hadassa beklagte sich unentwegt. Sie warf ihm vor, er besuche seinen Sohn zu oft und verbringe zuviel Zeit bei Adele. Sie redete von den Liebschaften, die er in Rußland gehabt hatte. Sie verdächtigte ihn, es mit Schülerinnen der Chavazelet zu treiben, und war sogar auf Mascha, Stefa und Klonja eifersüchtig. Sie faßte eine Abneigung gegen Herz Janowar und behauptete, er sei daran schuld, daß Euser Heschel so oft ausginge. Sie redete gehässig über die Mutter und die Schwester ihres Mannes. Sie ging mit der kleinen Dache unentwegt zum Arzt und gab ihre letzten paar Zloty für Gelegenheitskäufe aus. Tag für Tag gab es neuen Ärger. Euser Heschel fürchtete bereits um ihren Verstand.

Jetzt hatte sie sich zu Bett gelegt, und er lief in seinem Arbeitszimmer auf und ab. Er ging zum Fenster und blickte hinüber zu den verschneiten Feldern und Grundstücken von

Mokotow. Der Schnee glitzerte im Schein der Straßenlaternen. Euser Heschel setzte sich wieder an den Schreibtisch. Er hatte gehofft, in den Ferien in Ruhe arbeiten zu können, aber nun waren sie schon fast vorbei, und er hatte nichts geschafft.

Er wurde schläfrig und begann sich auszuziehen. Er dachte an die Frauen, die er im Lauf der Jahre gehabt hatte. Wenn die Zeit – wie Kant glaubte – wirklich nur eine Illusion war, dann hatte er diese Frauen immer noch. Irgendwo, in einer anderen Sphäre, lebte er noch mit Adele zusammen und mit der Tochter eines Berner Schächters und mit der Kindergärtnerin aus Kiew und mit Sonja auf dem Landgut bei Jekaterinoslaw. Ach was, so ein Blödsinn! Er dachte an Barbara. Wirklich sonderbar! Er hatte gar nicht auf diesen Ball gehen wollen – Hadassa hatte ihn dazu gezwungen. Sie selber hatte ihn zu ihrer Rivalin geführt. Ein weiterer Beweis dafür, daß Zufall und Bestimmung oft Hand in Hand gehen! Hadassa war frigide geworden. Eine Finte des Unbewußten: Man bestraft sich selber und andere dafür, daß Träume nicht in Erfüllung gegangen sind.

Er ging ins Schlafzimmer, legte sich auf sein Bett und spitzte die Ohren. Schlief sie? Er deckte sich zu und strich sein Kopfkissen glatt. Ein Glück, daß er ein Kissen unter dem Kopf hatte! Er erinnerte sich an eine Nacht, die er auf dem Dach eines Eisenbahnwaggons verbracht hatte. Um nicht abzustürzen, hatte er sich mit seinem Gürtel an einer Querstange festgebunden. Ein Funken aus der Lokomotive war ihm ins Auge geflogen. Verlaust und halb verhungert war er gewesen. Wenn ihm damals jemand gesagt hätte, daß er einmal eine Wohnung in der Bagatelastraße haben würde, gemeinsam mit Hadassa ... Er rollte sich zusammen und versuchte es – gemäß Émile Coués Heilverfahren – mit Autosuggestion: »Ich schlafe ein. Ich mache mir keine Sorgen mehr. Von Tag zu Tag werde ich mutiger, gesünder und ruhiger.« Wirklich sonderbar, daß er, obwohl er schon seit Jahren unterrichtete, immer noch Angst hatte, wenn er das Klassenzimmer betrat! Jedesmal wurde er rot, schwitzte und zitterte. Und noch immer verplemperte er den größten Teil seiner Freizeit damit, Tagträumen nachzuhängen.

Er schlummerte ein. Er war in Rußland und gleichzeitig in Warschau. Er hatte eine Liebschaft mit einer seiner Schülerinnen. Die Polizei war hinter ihm her. Und irgendwie stand das alles in Zusammenhang mit Algebra und einer Beerdigung. »Was ist mit mir los?« fragte er sich im Schlaf. »Warum habe ich mich in diesem Netz verfangen?«

Plötzlich schrillte das Telefon. Euser Heschel dachte, es sei der Wecker. Er hörte, wie Hadassa aufstand und hinausging. Dann kam sie zurück.

»Es ist für dich.«

»Wer ist es denn?«

»Eine Frau.«

»Wer denn?«

»Weiß der Teufel!«

Seufzend stieg er aus dem Bett. Hatte Adele etwa die Chuzpe, ihn mitten in der Nacht anzurufen? Vielleicht war David etwas zugestoßen. Beim Hinausgehen prallte er gegen das Kinderbett. Im Flur brannte Licht. Er sah sich im Wandspiegel – eine ramponierte Gestalt mit eingefallener Brust, bleichem Gesicht, ruhelosen Augen. Er nahm den Hörer. »Hallo?«

»Hab' ich Sie aufgeweckt? Ich bin's – Barbara.«

»Was ist denn, Barbara?«

»Die Polizei hat meine Wohnung durchsucht«, sagte sie mit gedämpfter Stimme. »Sie wollten mich verhaften. Aber ich bin ihnen entkommen. Sie haben nach Ihnen gefragt.«

»Nach mir? Wo sind Sie jetzt?«

»Im Zentralbahnhof. Ich weiß nicht, was ich tun soll. Ich habe meinen Paß nicht bei mir. Und Geld habe ich auch nicht.«

Euser Heschel schwieg. Er konnte sich schnaufen hören. »Was soll ich denn tun?«

»Könnten Sie sich hier mit mir treffen? Dann kann ich Ihnen alles erzählen. Und bringen Sie einen Koffer mit!«

»Einen Koffer? Wozu denn?«

»Damit Sie wie ein Reisender aussehen. Adieu.«

Er hörte das Klicken der Telefongabel. Eine Weile blieb er reglos stehen. Die Schreibtischlampe verbreitete trübes Licht. Hadassa kam im Nachthemd herein. Ihr Gesicht war blutleer. »Was ist eigentlich los? Nicht einmal meine Nachtruhe läßt du mir!«

»Hadassa, nach mir wird gefahndet. Ich soll verhaftet werden.«

»Verhaftet? Weshalb?«

»Das weiß ich nicht. Ich muß sofort weg. Ich glaube, es hat etwas mit Herz Janowar zu tun. Er hat der Polizei alle Namen und Adressen gesagt.«

Hadassa schwieg. Seit ihre Cousine Mascha einen Selbstmordversuch unternommen und ihr Onkel Abram im Zimmer eines diebischen Dienstmädchens einen Herzanfall erlitten hatte, hielt sie so ziemlich alles für möglich. Sie schüttelte den Kopf. »Wer war diese Frau? Du belügst mich!«

»Nein, es ist wahr. Ich schwöre es bei allem, was mir heilig ist.«

»Deinen Schwüren glaube ich nicht mehr. Du bist ein Lügner und ein Verräter. Los, geh doch zu deinen nichtswürdigen Weibsbildern! Und komm nie mehr zurück! Nie mehr!«

Sie rang die Hände. Tränen liefen ihr übers Gesicht. Euser Heschel ging ins Schlafzimmer und zog sich hastig an. Im Dunkeln fummelte er an den Kragenknöpfen, der Krawatte und den Schnürsenkeln herum. Seine Müdigkeit war wie weggewischt. Er fühlte sich von einer ungeahnten Energie durchdrungen, die irgendwo in seinem Nervensystem verborgen gewesen sein mußte.

Dache wachte auf. »Papa, was machst du denn da?«

»Schlaf weiter. Ich zieh' mich bloß an.«

»Wo gehst du denn hin?«

»Ich bin bald wieder da.«

»Hast du Mama geschlagen?«

»Gott behüte! Wie kommst du denn auf so was?«

»Weil sie weint.«

Aus dem Zimmer nebenan war Hadassas Schluchzen zu hören. Er hätte ihr diese vertrackte Situation gern erklärt und ihr nochmals versichert, daß er die Wohnung gezwungenermaßen verlassen mußte, doch für weitschweifige Erklärungen war jetzt keine Zeit mehr. Aber er wollte wenigstens versuchen, sie zu beschwichtigen. Er stöberte in einem Kleiderschrank herum, bis er einen Koffer fand. Ohne das Licht einzuschalten, zog er etliche Hemden, Socken und Taschentücher aus der Kommodenschublade und warf sie in den Koffer. Hadassa kam herein. Ihr weißes Nachthemd wirkte in dem dunklen Zimmer wie ein fahler Fleck.

Sie ging auf Euser Heschel zu, der in Mantel und Hut dastand. »Ich lasse dich nicht gehen!«

»Du bist noch nicht der Herr im Haus!«

»Euser Heschel, ich flehe dich an, hör auf mich! Geh nicht fort! Laß mich um Gottes willen nicht allein! Liebst du mich denn nicht mehr?«

Es krampfte ihm das Herz zusammen. Er hätte sie gern beruhigt, aber die Zeit drängte. »Steh nicht so dusselig herum! Ich geh' nicht zu meinem Vergnügen fort. Sie hat angerufen, um mich noch rechtzeitig zu warnen. Diese polnischen Beamten sind ja meschugge!«

»Wo gehst du hin? Mitten in der Nacht! Ich sage dir, diese Frau will dich ruinieren!«

Sie faßte ihn am Mantelkragen und klammerte sich an ihn. Er machte sich los und stieß sie weg. Das Kind begann zu flennen. »Tatusch, du tust ihr weh!«

Er rannte hinaus und stürmte die Treppe hinunter. Im Hof blieb er plötzlich stehen. Alle Fenster des Hauses waren dunkel. Offenbar hatte sich der Pförtner schon schlafen gelegt: Das Fenster neben der Haustür war mit einer Wolldecke verhängt. In diesem Moment läutete jemand am Hoftor. Der Pförtner kam heraus – in Unterhemd und Hose, die er mit der Hand festhielt. Erstaunt musterte er Euser Heschel und den Koffer. »Sie verreisen wohl?«

»Ja. Nach Lodz.«

»Geht denn um diese Zeit ein Zug?«

»Ja, der Spätzug.«

Er bedauerte sofort, daß er das gesagt hatte. Falls der Pförtner verhört wurde, konnte diese Lüge schlimme Folgen haben.

Über den Dächern auf der anderen Straßenseite stand der perlmuttfarbene Mitternachtsmond. Eine späte Straßenbahn ratterte vorbei. Euser Heschel rannte los und sprang auf. Daß er sich damit in Gefahr brachte, war ihm klar, aber ihm ging es jetzt nur noch darum, möglichst schnell am Bahnhof zu sein. Er war außer Atem und erstaunt über sich selber. »Was ist denn mit mir los? Bin ich in sie verliebt?« Er gab dem Schaffner das Fahrgeld, setzte sich, wischte über das beschlagene Fenster und sah hinaus. Die Ladeninhaber hatten sich, wie er feststellte, eine neue Mode angewöhnt: Die Schaufenster waren jetzt auch nachts beleuchtet, genau wie im Ausland. Auf der Marszalkowska streunten Frauen herum. In ihren dunkel umrandeten Augen glomm die dumpfe Gier derer, die sich nicht mehr davor fürchten, in den Abgrund zu blikken. Euser Heschel stieg schon kurz vor dem Bahnhof aus. Der grell beleuchtete Wartesaal war halb leer. Sämtliche Fahrkartenschalter waren geschlossen. Er sah auf die große Bahnhofsuhr: halb drei. Dann schaute er zu den Bänken hinüber. Dort wartete Barbara, ohne Hut, in ihrer Persianerjacke und mit einer blauen Reisetasche. Sie unterhielt sich mit einer Frau, die ein Hündchen auf dem Schoß hatte. Als sie ihn sah, stand sie auf und ging auf ihn zu. Sie reichte ihm die Hand und betrachtete ihn halb besorgt, halb belustigt. »Ich wußte, daß Sie kommen würden.«

»Hier können wir nicht bleiben.«

»Wohin sollen wir denn gehen? Es ist bitterkalt.«

Er nahm ihre Reisetasche und ging voraus. Ein Polizist musterte die beiden. Er machte eine Handbewegung, als wollte er sie aufhalten, ging dann aber weiter. Ein Zaun schirmte die Bahnsteige von der Straße ab. Eine einsame Lokomotive stieß Dampfwolken aus. Man hörte das Klappern von Milchkannen und die Rufe der Lastträger. Barbara setzte die Baskenmütze auf, die sie, zusammen mit ihrer Handtasche, in der Hand gehalten hatte. »Wohin gehen wir denn?«

»Ich habe eine Idee. Eine verrückte Idee, aber diese ganze Angelegenheit ist ja verrückt.«

»Darf ich mich bei Ihnen einhaken? Sie Armer! Ich habe Sie aus dem warmen Bett geholt.«

»Was ist passiert?«

»Ach, es ist ein schreckliches Durcheinander. Wissen Sie, ich habe eine Freundin – wir sind zusammen in die evangelische Schule gegangen. Ich war bei ihr zu Besuch. Sie wohnt am Napoleonplatz. Plötzlich wurde ich ans Telefon gerufen. Als Sie bei mir waren, ist Ihnen sicher der Name eines unserer Nachbarn aufgefallen – Pastor Gurney. Er hat einen siebzehnjährigen Sohn, der schon als kleiner Junge für mich geschwärmt hat. Ich ging ans Telefon und fragte: ›Wer spricht dort?‹, und er sagte: ›Peter.‹ Ich fragte: ›Woher weißt du, daß ich hier zu erreichen bin?‹ Ich machte mir wirklich Sorgen, weil ich dachte, Vater sei plötzlich krank geworden. ›Sag kein Wort, hör bloß zu!‹ sagte Peter. ›Die Polizei war in deiner Wohnung, ungefähr zwei Stunden, und hat deine Bücher durchgesehen. Ich habe gehorcht. Sie wollten dich verhaften. Ein Polizist steht noch draußen. Sie haben mich gefragt, wer dich alles besucht hat. Dein Vater hat ihnen einen Namen gesagt – Bannet...‹ Stellen Sie sich das vor! Wenn Peter nicht angerufen hätte, säße ich jetzt im Gefängnis.«

»Wo haben Sie die Reisetasche her?«

»Von meiner Freundin. Ich hätte bei ihr übernachten können, aber wahrscheinlich hätte mich die Polizei dort aufgespürt. Die Eltern meiner Freundin sind so konservativ. Außerdem wollte ich Sie warnen.«

»Können die Ihnen irgend etwas nachweisen?«

»Ich habe nichts verbrochen. Die haben keinerlei Beweise gegen mich. Aber Sie wissen ja, wie das ist – unterdessen lassen sie einen im Gefängnis schmoren. Vielleicht haben sie ein paar Broschüren gefunden. Bei uns haben sich so viele Provokateure eingeschlichen. Die Trotzkisten sind die übelsten Informanten. Jetzt tut's mir leid, daß ich aus dem Ausland zurückgekommen bin. Sie können sich gar nicht vorstellen, wie frei das Leben in Frankreich ist. Hier bei uns ist es gräßlich. Ich mache mir meinetwegen keine Sorgen, aber mein Vater regt sich furchtbar auf. Er hat ein schwaches Herz. Ich habe kein Geld bei mir. Was soll ich tun? Sie kennen sich doch in Warschau aus, nicht wahr?«

»In ein Hotel zu gehen, wäre zu gefährlich.«

»Ja, natürlich. Aber es muß doch Nachtquartiere geben, wo man keinen Paß vorweisen muß. Morgen gehe ich zu einem Anwalt und bringe die Sache in Ordnung. Ich bin überzeugt, daß Sie keine Unannehmlichkeiten haben werden. Ein hundertprozentiger Reaktionär wie Sie!«

»Das muß ich denen aber erst beweisen.«

»Wenn Sie Angst haben, können Sie sofort nach Hause gehen.«

»Ich habe keine Angst.«

»Wirklich nicht? Ich dachte, Sie würden sich am Telefon melden, aber es war Ihre Frau. Als ich sagte, ich wollte Sie sprechen, hat sie keinen Ton von sich gegeben. Ich dachte schon, sie hätte aufgelegt. Sie muß sehr eifersüchtig sein.«

»Wer wäre das nicht?«

»Die Arme! Es tut mir wirklich leid. Obzwar kein Mensch das Recht hat, auf einen anderen eifersüchtig zu sein. Um Madame Kollontaj zu zitieren: ›Unser Körper gehört uns.‹ Wo gehen wir hin?«

»Haben Sie schon einmal von Abram Schapiro gehört?«

»Ich glaube, Herz Janowar hat ihn einmal erwähnt. Wer ist das?«

»Ach, das ist eine lange Geschichte. Er ist der Onkel meiner Frau. Zur Zeit ist er krank. Er hatte einen schweren Herzanfall. Er hält sich in der Wohnung einer Freundin auf – genauer gesagt, seiner Geliebten Ida Prager, einer Malerin. Sie liegt zur Zeit im Krankenhaus. Es ist eine Art Atelierwohnung. Vielleicht können wir dort ein paar Stunden bleiben.«

»Wo liegt die Wohnung?«

»Es ist nicht weit. Heiligkreuzstraße.«

»Fragt sich nur, ob uns der Pförtner hineinläßt. Jedes Haus hier ist wie ein Gefängnis.«

»Er wird uns schon hineinlassen. Eine Menge Leute kommen in Idas Atelier. Ich gebe ihm einen Zloty.«

»Sehen Sie, ich habe die richtige Idee gehabt. Mein Herz hat mir gesagt, daß Sie der einzige sind, der mir helfen kann. Die ganze Sache ist so verworren. Übrigens – ist Herr Schapiro verheiratet?«

»Er ist Witwer.«

»Wer sorgt denn für ihn? Jedenfalls bleibt uns gar nichts anderes übrig. Als wir uns das letzte Mal sahen, habe ich Sie gekränkt. Ich finde Sie wirklich sehr nett. Das sage ich nicht, um Ihnen zu schmeicheln. Sie sind ein *enfant terrible.* Und Ihre Frau scheint ebenfalls ein großes Kind zu sein.«

»Woher wollen Sie wissen, wie meine Frau ist?«

»Ach, ich hab's ihrer Stimme angehört. Warum sind Sie nicht glücklich mit ihr?«

»Ich bezweifle, daß ich überhaupt mit jemandem glücklich sein könnte.«

»Warum nicht?«

»Ich bin für die Ehe und das ganze Drum und Dran nicht geschaffen.«

»Gut, daß Sie das einsehen. Es stimmt – Sie könnten niemals jemanden lieben. Sie sind das Opfer Ihrer eigenen Philosophie. Wenn allein der Genuß zählt, besteht kein Grund, anderen etwas zu geben. Dann nimmt man nur.«

»Das ist die Quintessenz jeder Zivilisation.«

»Wir Kommunisten sind anderer Meinung. Wir wollen sowohl geben wie auch nehmen.«

»Bisher habe ich nur erlebt, daß ihr nehmt.«

»Sie sind ein unartiger Junge, dem man die Ohren langziehen sollte. Jemand muß Sie als Kind schlecht behandelt haben, und das können Sie einfach nicht vergessen. Was sollen die Leute denn tun? Sie müssen doch essen.«

»Es gibt zu viele hungrige Mäuler. Jeder Pförtner hat ein Dutzend Kinder.«

»Was haben Sie gegen Pförtner? Ich glaube, so spät in der Nacht sollte man solche Gespräche gar nicht führen. Da scheint einem alles drunter und drüber zu gehen.«

»Was mich betrifft, so ist immer alles drunter und drüber gegangen.«

»Ja, Sie wälzen sich in der Welt hin und her wie ein Schlafloser im Bett. Papa hat recht. Ein Jude wie Sie *muß* einen Gott haben. Papa ist gescheit und irrational. Ich persönlich habe alles aufgegeben. Als Kind war ich schrecklich fromm. Oft bin ich nachts aufgestanden und vor dem Christusbild niedergekniet. Mein einziger Wunsch war, Nonne zu werden. Die evangelische Kirche hat mir nicht genügt. Ich habe die Katholiken beneidet. Ich hatte einen Reinheitskomplex. Später habe ich mich in einen jungen Mann verliebt, einen Christen – aber er war klug genug, eine andere zu heiraten. Es war ein Schlag für mich, das kann ich Ihnen sagen. Dann wurde ich ehrgeizig und wollte unabhängig sein. In Frankreich habe ich wie in einem Traum gelebt. Ich dachte, ich könnte gut Französisch, aber als ich dort ankam, hat niemand verstanden, was ich sagte. Ich wohnte bei einer Familie, die mich wie eine Tochter behandelt hat. Ach ja, das habe ich Ihnen noch gar nicht erzählt – Papa hat hier in Warschau zum zweiten Mal geheiratet, und deshalb bin ich ins Ausland geschickt worden. Meine Stiefmutter ist Engländerin. Witwe eines Missionars. Sie und Papa – du liebe Güte! Sie ist irgendwo in Indien aufgewachsen. Die beiden haben in verschiedenen Welten gelebt. Zum Glück ist sie nach London zurückgekehrt. Ja, mein Freund, und ich hatte mittlerweile entdeckt, daß die Menschen essen müssen, also bin ich der Kommunistischen Partei beigetreten. Sind wir schon da?«

Euser Heschel läutete. Barbara tippte nervös mit der Schuhspitze aufs Pflaster. Nach einer Weile waren Schritte zu hören. Euser Heschel zog einen Silberzloty aus der Tasche. Der Pförtner machte das Tor einen Spaltbreit auf.

»Zu wem wollen Sie?«

»Zu Pan Abram Schapiro. Im Atelier.«

»Wer sind Sie?«

»Verwandte von ihm.«

»Nu...«

Euser Heschel ließ Barbara vorausgehen. Der Pförtner kehrte in seine Behausung zurück.

»Sie sind ein routinierter Lügner.«

»Und außerdem verrückt.«

Als sie im dritten Stock angekommen waren, schwang sich Barbara aufs Fensterbrett und ließ die Beine baumeln. Euser Heschel stellte das Gepäck ab. In der Dunkelheit sah ihn Barbara durchdringend an. »Woran denken Sie denn, Sie großes Kind?«

»Ich habe das Gefühl, daß die ganze Menschheit in der Falle sitzt. Es gibt kein Vorwärts und kein Zurück. Und wir Juden werden die ersten Opfer sein.«

»Das Ende der Welt, was? Haargenau wie Papa! Worin besteht eigentlich eure Jüdischkeit? Was sind denn die Juden?«

»Ein Volk, das nicht schlafen kann und das die anderen nicht schlafen läßt.«

»Das kommt vielleicht daher, daß sie ein schlechtes Gewissen haben.«

»Die anderen haben überhaupt kein Gewissen.«

»Eins muß ich Ihnen zugute halten: Sie sind ein konsequenter Reaktionär. Wahrscheinlich ist das der Grund, warum ich Sie mag. Der Sozialismus wird alles hinwegfegen – den Chauvinismus, die Armut, das mittelständische Denken. Leute wie Sie sind in gewisser Hinsicht nützlich. Ihr helft uns dabei, dem Kapitalismus das Grab zu schaufeln.«

Sie schwang sich vom Fensterbrett. Dann stiegen sie die letzte Treppe hinauf.

2

Als Euser Heschel mit Barbara vor der Tür zum Atelier stand, bekam er plötzlich Angst. Wie hatte er bloß so etwas Blödsinniges tun können! Man klingelte doch nicht mitten in der Nacht an einer Wohnung! Schon gar nicht bei einem Kranken! Und noch dazu in Begleitung einer Fremden! Seit Abram krank darniederlag, war Euser Heschel kein einziges Mal bei ihm gewesen. Von Tag zu Tag hatte er den Krankenbesuch aufgeschoben. Es graute ihm davor, sehen zu müssen, wie sich der schwere Herzanfall auf Abram ausgewirkt hatte, und auch davor, sich die resignierten Bemerkungen des Kranken anhören zu müssen. Von jeher hatte er eine Abneigung gegen Ärzte und Medikamente gehabt, gegen Beerdigungen und gegen all die Leute, denen man in Krankenhäusern und auf Friedhöfen begegnet und die eine heimliche Schadenfreude über das Unglück anderer zu empfinden scheinen.

In letzter Zeit war er fast wie benebelt herumgelaufen. Er hatte keine Post beantwortet, fällige Rechnungen zu bezahlen vergessen und seine Taschen mit allerlei Papierkram vollgestopft. Bei der Kreditanstalt des Lehrerverbandes hatte er sich Geld geliehen; jetzt sollte er die erste Rate zurückzahlen, aber er hatte die erforderlichen fünfzig Zloty nicht. Die Winterferien waren schon fast zu Ende, und es war höchste Zeit für ihn, sich auf den Unterricht vorzubereiten. Da er mit den Unterhaltszahlungen seit Wochen im Rückstand war, hatte er nicht mehr bei Adele angerufen und David nicht mehr besucht. Und auch seiner Mutter und Dina war er aus dem Weg gegangen.

Jetzt war er sich klar darüber, daß der verrückte Einfall, Abram mitten in der Nacht herauszuklingeln, ihn nur in weitere Schwierigkeiten verwickeln würde. Hadassa würde erfahren, mit wem er sich herumtrieb. In der Verwandtschaft würde noch mehr getratscht werden. Und auch in der Schule würde es sich herumsprechen. Am liebsten hätte er Barbara erklärt, daß sie nicht hierbleiben könnten, aber er war viel zu erschöpft. Es war ja doch nichts mehr zu ändern. Geschehe, was mag. Er drückte auf die Klingel. Eine ganze Weile (so schien es ihm jedenfalls) war aus der Wohnung kein Laut zu vernehmen. Dann hörten sie Schritte. Die Tür wurde geöffnet. Abrams Schwiegersohn Avigdor, Bellas Ehemann, stand vor ihnen. Offenbar hatte er noch nicht geschlafen. Er trug einen dreiviertellangen Kaftan und ein Scheitelkäppchen. Sein breitflächiges Gesicht war milchweiß. Seine hellen Augen hinter den dicken Brillengläsern blickten verwundert.

»Guten Abend«, sagte Euser Heschel. »Du weißt sicher gar nicht mehr, wer ich bin.«

»O doch. Euser Heschel. Komm herein! *Scholem alejchem!*«

»Danke. Ein später Besuch, was? Eine vertrackte Situation. Diese junge Dame ist Fräulein Fischelsohn.«

»Guten Abend. Mein Schwiegervater hat die ganze Zeit nach dir gefragt und sich gewundert, weil du ihn nicht besucht hast. Deine Frau kommt jeden Tag zu ihm. Er duldet nicht, daß etwas gegen dich gesagt wird. Wenn er jemanden in sein Herz geschlossen hat, läßt er sich nicht mehr davon abbringen.«

»Wie geht's ihm?«

»Nicht besonders gut. Aber du kennst ihn ja. So schnell gibt er nicht auf. Jetzt schläft er. Er hat sich zwar etwas erholt, aber die Gefahr ist noch nicht vorüber. Es muß immer jemand bei ihm bleiben. Heute habe ich die Nachtwache übernommen. Letzte Nacht war Stefas Mann bei ihm. Was ist denn los? Warum hast du Reisegepäck dabei?«

»Du hast sicher gehört, daß Herz Janowar verhaftet wurde.«

»Man hat ihn wieder freigelassen.«

»Das schon, aber er hat alle möglichen Namen und Adressen angegeben. Ich habe erfahren, daß ich verhaftet werden soll.«

»Du? Weshalb denn? So ein Blödsinn! Der Haken ist nur, daß wir hier nicht genug Betten haben. Mein Schwiegervater benützt das große Bett, und ich übernachte auf dem Sofa daneben. Schlafen kann ich, offengestanden, sowieso nicht. Ständig geht mir alles mögliche durch den Kopf. Nu, wir zwei Männer werden uns schon irgendwie behelfen können. Die Dame muß leider mit einem Sessel vorliebnehmen.«

»Vielen Dank, aber ich bin nicht müde«, sagte Barbara auf polnisch. »Die ganze Angelegenheit beruht auf einem Mißverständnis. Die Polizei hat keinerlei Beweise gegen mich.«

»Mag sein, mein Fräulein, aber sobald die jemanden in den Klauen haben, sieht's übel für ihn aus. Das beste ist, überhaupt nichts mit der Polizei zu schaffen zu haben. Ich brühe euch jetzt Tee auf.«

»Bitte machen Sie sich keine Umstände.«

»Kein Problem. Ich brauche bloß den Teekessel aufs Gas zu stellen. Kommt herein! Ich habe keine Angst. Sollen sie mich doch verhaften! Sollen *die* doch für meine Familie sorgen, wenn sie mich ins Gefängnis stecken!«

Im Atelier sah es wüst aus. Gemälde, Bücher, Zeitungen und Zeitschriften lagen herum. Durch die verstaubten, zersprungenen Scheiben des Oberlichts war verharschter Schnee und hier und dort ein Stück Nachthimmel zu sehen. Mitten im Raum stand ein eiserner Ofen, an dessen gekrümmtem Rohr Handtücher zum Trocknen aufgehängt waren. Avigdor ging in die Küche und kam kurz darauf zurück.

»Ich habe das Teewasser aufgesetzt. Falls ihr etwas essen wollt – es ist Brot und Butter da. Gibt's irgendwelche Neuigkeiten? Im Geschäftsleben stehen die Dinge nicht gut. Ich kenne drüben in der Nalewkistraße einen Juden, der sagt, daß es bei uns jetzt so ähnlich ist wie beim Achtzehngebet. Einer ist zuerst fertig und verschwindet, beim nächsten dauert's ein bißchen länger, aber früher oder später sind wir alle draußen.«

»Du hast einen Laden, nicht wahr?«

»Was heißt das schon? Man lebt von der Hand in den Mund. Ich wollte nach Palästina, aber man hat mir kein Zertifikat gegeben. Man muß einer Partei angehören, sonst wird man nicht als Mensch behandelt. Es heißt, daß der Rebbe von

Ger sich in Palästina niederlassen will. Der Bialodrewner Rebbe lehnt das alles ab. Er steht allerdings unter Reb Mosche Gabriels Einfluß. Für die alte Generation zählt nur eines: Der Messias wird kommen. Aber er läßt sich, weiß Gott, viel Zeit.«

»Gehst du ins Bialodrewner Bethaus?« fragte Euser Heschel, bloß um etwas zu sagen.

»Tag für Tag. Manchmal am Morgen, manchmal am Nachmittag. Moment, das Teewasser kocht sicher schon.« Er eilte hinaus.

Barbara lächelte Euser Heschel zu. »Ein komischer kleiner Mann.«

»Er ist absolut nicht komisch. Leute wie er sind das Rückgrat der Judenheit.«

»Wieder eine Ihrer Übertreibungen. Was ist er denn schon? Ein kleiner Ladeninhaber. Ein Niemand.«

»In Ihren Augen vielleicht. Ich sehe das anders. Diese kleinen Niemande haben seit zweitausend Jahren die gesamte Judenheit auf den Schultern getragen – und auch die gesamte Christenheit. Sie sind diejenigen, die stets die andere Wange hingehalten haben.«

»Wem soll man denn die andere Wange hinhalten? Einem Mussolini vielleicht?«

»Ich sage nicht, daß man es tun soll. Ich bin kein Christ.«

»Aber auch kein Jude.«

In diesem Moment hörten sie aus dem Zimmer nebenan heftiges Schnaufen, Gekeuch und schwere Schritte. Der Fußboden knarrte. Die Tür wurde aufgestoßen, und Abram stand vor ihnen.

3

Er war nicht, wie Euser Heschel befürchtet hatte, ausgemergelt, sondern noch korpulenter als vor dem Herzanfall. Unter dem offenen Bademantel konnte man seinen Schmerbauch und seine behaarte Brust sehen. Sein Gesicht war rot. Der Haarkranz unterhalb seiner Glatze war zerzaust. Seine großen schwarzen Augen hatten ihren Glanz noch nicht verloren. Die fleischige Stirn über den buschigen Brauen war von einer schiefen Furche durchzogen. Barbara musterte ihn erstaunt. Er erinnerte sie an die Satyrfiguren in den Schaufenstern von Antiquitätengeschäften.

Euser Heschel rang nach Worten. »Du bist aufgestanden? Hast du geschlafen?«

»Ja, ich bin's – Abram, der Totgesagte.« Seine Stimme klang verändert. »Bekennt eure Sünden, ich bin zurückgekommen, um euch zu erwürgen.«

Avigdor kam mit zwei Gläsern Tee aus der Küche. Als er Abram sah, wich er einen Schritt zurück. Die Gläser klirrten. »Schwiegervater, was soll das? Du weißt doch, daß du nicht aufstehen darfst!«

»Ich hab' schon viel Unerlaubtes getan«, sagte Abram barsch. »Eine Sünde mehr...«

»Schwiegervater, du bringst dich um. Wenn Mintz das wüßte, wäre er außer sich.«

»Von mir aus! Diese Quacksalber können einem ja doch nicht helfen.«

Euser Heschel stellte einen Stuhl für ihn an den Tisch. In seinen abgewetzten Pantoffeln schlurfte Abram auf den Stuhl zu, versuchte, sich langsam darauf niederzulassen, plumpste dann aber auf den Sitz. Er griff sich an die Brust. »Ich könnte das alles durchstehen. Das einzige Problem ist, daß meine Beine mich nicht mehr tragen wollen. Die Last ist zu schwer.«

»Tut mir leid, daß wir dich aufgeweckt haben. Aber es ist etwas Unerwartetes passiert, und...«

»Ihr habt mich nicht aufgeweckt. Ich schlafe ohnehin mehr als genug. Ich halte Winterschlaf wie ein Bär in seiner Höhle. Ich bin herausgekrochen, weil ich deine melodische Stimme gehört habe. Du bist also endlich zu mir gekommen! Gesegnet sei der Gast!«

»Das ist Pan Abram Schapiro. Und das ist Panna Barbara Fischelsohn. Ein seltsamer Besuch, was?«

»Freut mich, Sie kennenzulerenen. Nichts auf der Welt ist seltsam. Was hat dich bewogen, mich aufzusuchen? Du solltest dich schämen, daß du so lange nicht bei mir gewesen bist.«

»Ich schäme mich. Du weißt von der Sache mit Herz Janowar. Er hat alle möglichen Namen zu Protokoll gegeben. Die Polizei fahndet nach mir.«

»Nach mir auch. Du brauchst bloß meinen Schwiegersohn zu fragen. Ein Fahndungsbeamter war hier. Man verdächtigt mich wohl, einen Raubüberfall oder sonst was begangen zu haben. Ein Glück, daß ich ein kranker Mann bin. Was hast *du* denn zu befürchten? Du bist genausowenig ein Kommunist, wie ich ein Dieb bin.«

»Trotzdem lassen sie einen zwei Wochen im Gefängnis schmoren.«

»Wenn du wegläufst, sperren sie dich zwei Jahre ein. Geh zu Breitman, dem Anwalt. Er ist ein Kumpel von mir. Was mich betrifft, Bruderherz, so stehe ich sowieso schon mit einem Bein im Grab. Früher einmal hatte ich vor, dir ein Vermögen zu hinterlassen. Jetzt wirst du leider das Geld für mein Grab berappen müssen. Mir soll's recht sein, daß ihr hier seid.« Dann fragte er Barbara auf polnisch: »Sind Sie Warschauerin, mein Fräulein?«

»Ja, aber ich bin erst kürzlich aus dem Ausland zurückgekommen.«

»Ich kenne zwei Familien namens Fischelsohn. Die eine handelt mit Schnittwaren, die andere mit Leder. Zu welcher gehören Sie?«

Barbara nagte verlegen an ihrer Unterlippe. »Zu keiner von beiden.«

»Doch nicht etwa – Gott behüte! – ein Litwak?«

»Gott behüte!«

»Früher habe ich die Stammbäume von ganz Warschau gekannt. Jetzt bin ich nicht mehr auf dem laufenden. Wie das Sprichwort sagt: ›Das Familienanschen liegt im Friedhof.‹«

»Schwiegervater«, mahnte Avigdor, »wenn du schon aufgestanden bist, solltest du jetzt deine Arznei nehmen.«

»Wozu denn? Die hilft mir genausowenig wie einem Leichnam das Schröpfen.« Er musterte Euser Heschel und Barbara. »Ihr seid doch sicher müde? Wo können wir euch denn unterbringen? Wir haben nicht einmal Bettwäsche.«

»Vielen Dank«, sagte Barbara. »Wenn Sie nichts dagegen haben, bleibe ich die Nacht über hier sitzen.«

»Was soll ich denn dagegen haben? Früher war ich Kavalier – da habe ich auf dem Fußboden geschlafen und mein Bett der

Dame überlassen. Aber auch dafür ist es jetzt zu spät. Ich habe keine Kraft mehr. Woher haben Sie diese feurigen Augen? Die könnten ja Funken sprühen!«

»Schon möglich, aber ich kann feurige Augen nicht leiden.«

»Was? Warum denn nicht? Da möchte ich ihr ein Kompliment machen, und was kommt dabei heraus? Genau das Gegenteil! Die Augen, so heißt es, sind der Spiegel der Seele. Jüdische Augen sind berühmt für ihr Feuer. Die Andersgläubigen fürchten, wir könnten sie damit versengen. Entschuldige, Euser Heschel, aber die blauen Augen der Gojim sind so kalt und wässerig wie ihre Köpfe. Vielleicht ist das der Grund, warum du so herzlos bist.«

»Schwiegervater, hier ist deine Arznei. Möge sie dich gesund machen.«

Abram nippte am Löffel und verzog das Gesicht. Ein paar Tropfen rannen in seinen Bart. »Pfui Teufel! Danke. Sie waren also im Ausland. Wo denn?«

»In Frankreich.«

»In Paris, hm? Ich war auch einmal dort. Vor vielen Jahren. Eine lebenslustige Stadt, haha! Die Frauen dort sind keine blendenden Schönheiten, aber sie haben das gewisse Etwas. Schick. *Comme ci, comme ça, oh là-là.* Und die Pariser Taschendiebe beherrschen ihr Metier. Die haben mir ganz einfach die Taschen aus dem Mantel geschnitten. Ich war auf dem Eiffelturm, und ganz Paris lag mir zu Füßen. Und die ... wie heißt sie doch gleich ... die Notre-Dame-Kirche und die Place de la Concorde! Dort kann man sich heiße Würstchen mit Senf kaufen. Jaja ... Sagen Sie, läßt man die Juden dort in Frieden leben?«

»Die Reaktionäre betreiben Hetze gegen alle Minderheiten.«

»Dort auch? Hier in Polen kommt einem die Galle hoch. Die ganze Welt hilft zusammen, um uns zu ersticken. Ich habe jetzt Muße genug, die Zeitungen zu lesen. Alle hacken auf demselben Thema herum: die Juden, die Juden. Alle Juden sind Bolschewisten, Bankiers, Freimaurer, Wall-Street-Spekulanten. Aller erdenklichen Sünden zeiht man uns. Und die anderen sind samt und sonders weiße Unschuldslämmer.

Trotzki, Rothschild und der Rabbi von Ger sitzen gemeinsam am Tisch und essen den Sabbat-Pudding. Die Weisen von Zion hocken die ganze Zeit in einer Höhle und schmieden Pläne, wie sie die Welt vernichten könnten... Dieser Hitler ist eine Bestie. Falls er, was Gott verhüten möge, an die Macht kommt, müssen wir uns aufs Schlimmste gefaßt machen.«

»Entschuldigen Sie, aber die Kapitalisten tun alles, um zu erreichen, daß er in Deutschland an die Macht kommt. Auch die jüdischen Kapitalisten.«

»Oha! Genauso, wie die Antisemiten den Juden die Schuld an allem geben, schiebt ihr Linken die Schuld an allem den Kapitalisten in die Schuhe. Es muß immer einen Sündenbock geben. Ich bin alles andere als ein Bourgeois: Wenn ich noch etwas länger krank daniederliege, wird nicht genug Geld für mein Totenhemd übrigbleiben. Trotzdem – für blödsinnige Ideen habe ich nichts übrig. Welche Schlechtigkeiten begeht denn ein Kapitalist? Er kauft und verkauft.«

»Und wer ist Ihrer Meinung nach an der gegenwärtigen Krise schuld?«

»Die menschliche Natur. Man kann einen Menschen als Kapitalisten, Bolschewisten, Juden, Goi, Tataren, Türken oder sonstwas bezeichnen – in Wirklichkeit ist er ein armes Schwein wie alle anderen auch. Wenn man ihn schlägt, schreit er. Und wenn er sieht, daß ein anderer geschlagen wird, entwickelt er eine Theorie. Vielleicht wird's in der nächsten Welt besser sein. Euser Heschel, komm einen Moment mit ins Schlafzimmer! Sie entschuldigen, Fräulein Barbara.«

Er umklammerte die seitlichen Stuhlkanten und verzog das Gesicht, als verspürte er heftige Schmerzen in den Gedärmen. Euser Heschel half ihm, auf die Beine zu kommen. Nach ein paar Schritten blieb Abram stehen, zog ein Taschentuch heraus und wischte sich den Schweiß von der Stirn. Im Schlafzimmer war ein Stuhl mit Arzneifläschchen und Tablettenschachteln beladen. Schmutzige Teller und Gläser standen herum. Überall lagen Bücher und Zeitungen. Abram ließ seinen massigen Körper vorsichtig aufs Bett sinken und stützte den Kopf auf drei Kissen.

»Ach, ich bin ganz kaputt. Wenn ich im Bett liege, ist's zu

ertragen, aber sobald ich aufstehe, ist dieser elende Körper keinen Pappenstiel wert. Ich sage dir, Bruder, das menschliche Herz ist ein nutzloses Gefäß. Na ja, daß meines so lange durchhalten würde, habe ich gar nicht erwartet. Um die Wahrheit zu sagen – ich pfeife auf den ganzen Schlamassel. Ich dachte daran, mich einäschern zu lassen, aber was soll's? Die Würmer müssen ja auch was zu fressen haben. Die haben doch auch Weib und Kind. Sprechen wir über erfreulichere Dinge! Wie geht's dir? Auf was für Abenteuer läßt du dich ein? Wer ist dieses Mädchen? Ich möchte nicht über dein Verhalten urteilen, aber ich muß schon sagen, so benimmt man sich einfach nicht!«

»Ich habe dir doch gesagt, daß man mich festnehmen will.«

»Wenn du dich mit solchen Leuten herumtreibst, wird man dich bestimmt ein dutzendmal verhaften. Die werden dich in aller Höflichkeit im Gefängnis verstauen. Und ich stelle bestimmt keine Kaution für dich. Hadassa weint sich die Augen aus. Sie ist keines von diesen Klageweibern, aber ich sehe ihr an, daß sie mehr einstecken muß, als sie ertragen kann. Hast du denn einen besseren Freund als sie? Jahrelang hat sie auf dich gewartet. Um deinetwillen hat sie alles aufgegeben. Und wie dankst du's ihr? Was ist eigentlich mit dir los? Liebst du sie nicht mehr?«

»Doch, ich liebe sie.«

»Warum quälst du sie dann? Heraus mit der Sprache!«

»Abram, ich eigne mich nicht zum Familienvater.«

»Ist dir das erst jetzt aufgegangen? Du willst dich scheiden lassen, stimmt's?«

»Ich möchte in Ruhe gelassen werden. Ich kann die Bürde nicht mehr tragen.«

»Was willst du denn tun? Herumvagabundieren?«

»Ich halte das einfach nicht mehr aus. Ich bin todmüde.«

»Du siehst wirklich müde aus. Willst du einen Kognak? Den hat mir der Arzt verschrieben.«

»Nein, danke. Das nützt auch nichts.«

»Setz dich! Leute wie du werden von ihren eigenen Ideen müde. Wer ist diese Frau?«

»Die Tochter eines Missionars.«

»Und obendrein Kommunistin?«

»Sie bezeichnet sich so.«

»Aha! Wie ihr säet, so werdet ihr ernten. Ich habe mich mit meinem Los abgefunden. Bald werde ich nicht mehr dasein. Euch jungen Leuten stehen schlimme Zeiten bevor.«

»Man wird uns alle vernichten.«

Abram zog die eine Braue hoch. »Wer? Was meinst du damit?«

»Man hat uns in die Falle getrieben – wirtschaftlich, geistig, in jeder Hinsicht.«

»Dann sollten wir endlich zusammenhalten.«

»Weshalb? So sehr lieben wir einander doch gar nicht.«

»Eine schöne Bescherung! Ich liege auf dem Sterbebett und muß *ihm* Trost zusprechen. Das Ende der Welt ist noch nicht gekommen.«

»Das Ende der Welt *ist* gekommen.«

»Du bist ja meschugge. Du bist in Schwermut verfallen. Was willst du denn tun? Dich hinsetzen und flennen?«

»Ich kann es einfach nicht mehr ertragen. Dache ist krank. Hadassa hat nichts anderes im Kopf, als einen Arzt nach dem andern zu konsultieren. Sie bringt mich noch um mit ihrer Nörgelei.«

»Halt's Maul! Laß mich wenigstens in Frieden sterben. Ich will genau wissen, was du vorhast. Willst du konvertieren?«

»Ich möchte alles hinter mir lassen und fortgehen.«

»Wohin denn? Ach, Bruderherz, ich hatte so viele Hoffnungen in dich gesetzt. Du hast mich bitter enttäuscht.«

»Nicht bitterer, als ich von mir selber enttäuscht bin.«

»Bruderherz, du bist ein Feigling. Das ist die bittere Wahrheit. Du möchtest vor allem und jedem davonlaufen. Jetzt treibst du dich mit deiner neuen Entdeckung herum, aber es wird nicht lange dauern, bis du wieder Schiffbruch erleidest. Es sei denn, du bringst dich vorher um.«

Euser Heschel schwieg. Abrams große dunkle Augen waren unentwegt auf ihn gerichtet. Die Furche auf seiner Stirn wurde tiefer und sah jetzt wie eine Wunde aus. Nach einer Weile ließ er den Kopf auf die Kissen sinken und schloß die Augen. Regungslos lag er da. Dann öffnete er das eine Auge. »Komm her! Gib mir einen Kuß!«

Euser Heschel beugte sich über das Bett und küßte ihn auf die Stirn. Abram legte ihm die Arme um die Schultern. »Ich glaube an Gott«, flüsterte er. »Ich sterbe als Jude.«

Neuntes Kapitel

I

Barbara verbrachte die wenigen Stunden bis Tagesanbruch auf einem gepolsterten Stuhl. Sie hatte die Füße auf ein Sofakissen gelegt, sich mit ihrer Persianerjacke zugedeckt und war eingeschlummert. Fuser Heschel konnte nicht schlafen. Er hörte Abram schnarchen und alle paar Minuten ächzend aufwachen. Er hörte, wie Avigdor aufstand, im Schlafzimmer herumschlurfte und sich dann wieder hinlegte. Auf Zehenspitzen lief er im Atelier herum. Eine längstvergessene Abenteuerlust überkam ihn. Es tat gut, mit einer fremden Frau in einer fremden Wohnung zu sein, ohne Geld, in einer verwickelten Situation. Er stellte sich ans Fenster und sah hinaus. »Ich bin tatsächlich auf dem besten Weg, mich umzubringen. Und warum? Weil ich keinen Glauben habe. Jenes Quentchen Glauben, ohne das der Mensch nicht existieren kann. Jene Demut, die Freundschaft ist und der Wunsch, Kinder aufzuziehen, und die Bereitschaft, sich für andere aufzuopfern. Ohne diese Demut kann man auch nicht Karriere machen. Wie soll ich mich denn retten? Woran kann ich glauben? Ich hasse Gott – ihn und seine Schöpfung. Wie kann man einen toten Gott lieben, einen Gott, der bloß auf dem Papier steht? Ich bin kaputt. Kaputt.«

Er setzte sich auf einen Stuhl, döste ein, schreckte hoch und nickte wieder ein. Er wickelte sich in seinen Mantel und steckte die Hände in die Ärmel. »Abram – warum ächzt er denn so? Woran denkt er? Er spielt den Tapferen, aber in Wirklichkeit hat er Angst vor dem Tod. Jeder hat Angst davor, und jeder muß sterben. Eine verflucht schlechte Weltordnung!«

Beim Morgengrauen schlief er ein. Als er aufwachte, war es Tag. Die aufgehende Sonne warf Purpurglanz auf die Gemälde. Barbara stand mitten im Atelier, kerzengerade und mit blassem Gesicht. Ihre großen schwarzen Augen starrten ins Nichts – wie die Augen eines riesigen Vogels.

»Endlich sind Sie aufgewacht«, sagte sie. »Es ist bitterkalt.

Wir sollten hinuntergehen und uns bei einem Glas Tee aufwärmen.«

Das Hoftor war schon aufgesperrt. In dem Café gegenüber brannte eine Gaslampe. Ein einziger Gast saß im Lokal. Die Bedienung war noch nicht da. Der Inhaber brachte den beiden Tee und Semmeln. Barbara wärmte sich die Hände an dem heißen Glas. »Was werden Sie denn jetzt tun?«

»Ich gehe zu meiner Mutter. Obzwar die Polizei, falls sie meine Wohnung durchsucht, ihre Adresse finden und dort nach mir fahnden wird.«

»Wo wohnt Ihre Mutter? Ich werde meinen Anwalt über alles informieren. Wo und wann können wir uns treffen? Um sechs am Opernhaus?«

»Wenn ich nicht dort bin, heißt das, daß man mich festgenommen hat.«

»Für mich gilt das gleiche.«

Schweigend aßen sie ihr Frühstück. Das Café füllte sich allmählich. Die Straße war von Sonnenschein durchflutet. Ein Zeitungsjunge kam herein, und Barbara kaufte den *Morgenkurier*. Sie überflog die Schlagzeilen und schnitt eine Grimasse. Dann las sie den Leitartikel – teils mit zorniger, teils mit bekümmerter Miene. Euser Heschel beobachtete sie. Wie ähnlich die Menschen, die fest an etwas glaubten, einander waren! Wie heftig sie das, woran andere glaubten, ablehnten! Wie sicher sie sich ihrer eigenen Sache waren! Er schloß die Augen. Im Lokal war es warm, fast heiß. Es roch nach Kaffee, Milch und frischgebackenem Kuchen. Er zog einen Bleistift und ein Stück Papier aus der Tasche und begann, Linien, Kreise und Zahlen zu malen. Wenn die Polizei tatsächlich nach ihm fahndete, war alles zu Ende. Dann würde er nie mehr als Lehrer arbeiten dürfen. Aber auch wenn er nicht verhaftet wurde, war seine Lage alles andere als rosig: Er schuldete allen möglichen Leuten Geld. Er zeichnete den Umriß eines Vogels mit einem ungemein langen Schnabel, einem Hahnenkamm und Schwanzfedern wie ein Pfau. Und in diese Figur schrieb er immer wieder die Zahl 500. Es war der Betrag, den er brauchte.

Als Barbara gegangen war, rief Euser Heschel zu Hause an, um zu erfahren, ob die Polizei nach ihm gefragt hatte. Aber als Hadassa seine Stimme hörte, legte sie sofort auf. Bei seiner Mutter hatte sich Euser Heschel schon lange nicht mehr blikken lassen. Er stieg in eine Straßenbahn, die durch die Franziskanerstraße fuhr. Weder seine Mutter noch Dina kam jemals zu ihm in die Bagatelastraße. Sie standen nach wie vor auf seiten Adeles, die alle zwei Wochen mit David zum Sabbatmahl zu ihnen kam. Sie redete die alte Frau immer noch mit »Schwiegermutter« an. Und Finkel bezeichnete Hadassa immer noch als »die«. Sie hatte ihre Enkelin erst zweimal gesehen, das erste Mal, als Dache noch ein Säugling war, das zweite Mal vor einigen Monaten. David konnte etwas Jiddisch, Dache hingegen verstand nur Polnisch. Die Großmutter konnte sich nicht mit ihr unterhalten. Sie hatte das Kind auf jiddisch gefragt: »Hast du deinen Tate lieb?«, und als sie keine Antwort bekam, hatte sie gesagt: »Eine kleine Schickse!«

Die Nacht, die er in einer fremden Wohnung verbracht hatte, und der Besuch bei seiner Mutter so früh am Morgen – das alles kam Euser Heschel unwirklich vor. Es war, als wäre er plötzlich wieder Junggeselle. Die Ärmlichkeit des Milieus, in dem seine Mutter lebte, kam ihm an diesem Morgen stärker denn je zu Bewußtsein. Die Treppe, die zu ihrer Wohnung führte, war völlig verschmutzt. Auf den Stufen saßen zerlumpte Kinder, die mit Kieselsteinen und zerbrochenen Muschelschalen spielten. Ein kleines Mädchen hatte einen Ausschlag auf der Stirn. Ein kleiner Junge mit einem winzigen Scheitelkäppchen und zerzausten Schläfenlocken, die fast schon so lang wie die eines Erwachsenen waren, kam mit einem Gebetbuch in der Hand aus einer Tür gerannt. Er rief einen Spitznamen, dann verschwand er wieder. Dinas Tochter Tamar kam an die Wohnungstür. Sie sah ihrem Vater, Menasse David, ähnlich. Sie war kleinwüchsig, hatte volles braunes Haar, einen prallen Busen, braune Augen und ein breites sommersprossiges Gesicht. Sie hatte die neugegründete orthodoxe Beth-Jakob-Schule besucht und konnte Hebräisch ebenso gut wie Polnisch. Seit ihrem zehnten Lebensjahr hatte sie im Haushalt mitgeholfen. Jetzt arbeitete sie nachmittags als Buchhaltungsgehilfin in einer Schnittwarenhandlung in der Genschastraße. Als Euser Heschel an der Tür klopfte, hatte Tamar gerade am Spülstein gestanden und eine

Zwiebel geschnitten. Sie wischte sich die Hände an der Schürze ab.

»Onkel Euser Heschel! Du bist lange nicht mehr hiergewesen! Da wird sich Großmutter aber freuen!«

»Wo ist sie? Und wo ist deine Mutter?«

»Mame ist auf den Markt gegangen. Und Großmutter betet gerade. Dan ist im Cheder.«

»Wie geht's euch? Mir kommt's so vor, als wäre ich jahrelang nicht mehr hiergewesen.«

»Du solltest dich wirklich schämen. Erst vor ein paar Tagen hat Großmutter gesagt: ›Er kommt so selten wie der Doktor.‹ Wie geht's David? Und Dache?«

»David fährt, glaube ich, zu irgendeiner Tagung. Dache hat Ohrenschmerzen. Und was machst du, Tamar?«

Das junge Mädchen lächelte. »Was ich mache? Vormittags helfe ich im Haushalt, und nachmittags gehe ich auf Arbeit. So vergeht für mich der Tag. Wir haben eine Mädchengruppe der Religiösen Arbeitervereinigung gegründet. Wir versuchen, Palästina-Zertifikate zu bekommen. Auf dem Bauernhof bei Mlawa werden jetzt auch Frauen ausgebildet.«

»Möchtest du nach Palästina auswandern?«

»Warum nicht? Was habe ich hier denn noch zu erwarten? Im Geschäft wird's immer schwieriger. Niemand bezahlt bar, alle kaufen auf Kredit. Die geplatzten Wechsel häufen sich. Mein Chef ist ein Witzbold. Wenn ein Händler kommt, um eine Rechnung zu bezahlen, sagt er zu ihm: ›Wie ich sehe, sind Sie einer von der altmodischen Sorte. Heutzutage zahlt doch niemand mehr bar.‹ Es ist wirklich zum Totlachen! Übrigens können Mädchen nicht auf eigene Faust nach Palästina gehen. Die Zertifikate gelten nur für Familien.«

»Dann mußt du eben heiraten. Soviel ich gehört habe, werden ja auch Scheinehen arrangiert.«

»Nicht bei uns. Warum stehst du denn im Mantel herum? Du wirst dich erkälten.«

Aus dem Zimmer nebenan kam Euser Heschels Mutter in die Küche. Ihr Anblick jagte ihm jedesmal Schrecken ein. Sie wirkte altersschwach und ging immer mehr zusammen. Obwohl sie noch keine sechzig war, sah sie wie achtzig aus. Ihr kurzgeschorenes Haar war mit einem Schal bedeckt. Auf ihrer Hakennase thronte eine Brille. Weil sie keinen Zahn mehr im Mund hatte, wölbte sich ihre untere Kinnlade nach oben. In der einen Hand hielt Finkel ein Taschentuch, in der anderen ein Gebetbuch. Euser Heschel ging auf sie zu und gab ihr einen Kuß. Freudig überrascht sah sie ihn an. »Du läßt dich nie mehr bei uns sehen. Ich habe Dina schon gebeten, bei dir anzurufen und zu fragen, was eigentlich mit dir los ist. Du siehst schlecht aus.«

»Ich habe letzte Nacht nicht gut geschlafen.«

»Warum denn nicht? Ein Mann in deinem Alter sollte einen gesunden Schlaf haben. Wie geht's deiner Familie?«

»Danke, ganz gut.«

»Für uns wirst du allmählich ein Fremder. Aber du hast halt keine Zeit. Kein Wunder bei diesen Belastungen! Willst du ein Glas Tee? Es ist noch Kuchen vom Schabbes da. Dina kommt bald zurück. Sie beklagt sich über dich. Tamar, mach Tee für deinen Onkel! Warum stehen wir in der Küche herum? Komm mit ins Zimmer! Obschon es, offen gesagt, in der Küche wärmer ist.«

»Schon gut, Mame. Ich bleibe lieber hier.«

»Tamar, wisch den Stuhl dort ab! Und räum den Tisch ab! Unterdessen bete ich zu Ende.«

Sie ging wieder in das Zimmer nebenan. Tamar setzte das Teewasser auf und schnitt eine Zitrone in Scheiben. Dann ging sie hinaus und holte den Sabbatkuchen.

»Wie geht's deinem Vater?« fragte Euser Heschel »Verdient er etwas?«

Tamar zuckte die Achseln. »Nein. Er hat zwei Schüler, aber die bleiben ihm ständig das Honorar schuldig. Jerachmiel bekommt sein Essen in der Jeschiwa. Die erhalten Spenden aus Amerika. Dan hilft dem Schammes und bekommt dafür einen Zloty.«

»Und du? Du solltest doch eine Lohnerhöhung bekommen?«

»Ich kann froh sein, wenn mein Lohn nicht gekürzt wird.«

Euser Heschel trank seinen Tee, aß einen Bissen von dem trockenen Kuchen und ließ den Rest auf dem Teller liegen. Er wußte ja, daß die beiden Jungen nach einem solchen Leckerbissen lechzten. Mit der Unterhaltszahlung für seine Mutter war er bereits hundert Zloty im Rückstand, aber derzeit besaß er ganze vier Zloty. Und es dauerte fast noch zwei Wochen, bis ihm die Schule sein Gehalt auszahlen würde. Und er hatte Hadassa kein Haushaltsgeld gegeben. An den Betrag, den er Adele schuldete, wollte er lieber gar nicht denken. Falls es ihm nicht gelang, sich umgehend hundert Zloty zu pumpen, würde er am Hungertuch nagen. Er trank einen Schluck Tee und schüttelte den Kopf. Wie war er bloß in diese Situation geraten? »Abram hat recht. Was ich tue, ist gleichbedeutend mit Selbstmord.« Er klaubte die Kuchenkrümel vom Teller und steckte sie in den Mund.

Dann kam ihm der Gedanke, daß es noch nicht zu spät war, dem Abenteuer mit Barbara ein Ende zu machen. Aber sein Leben war doch schon trist genug! Er brauchte einfach etwas, woran er sich klammern konnte. Inmitten all dieser ausgebrannten Seelen konnte er nicht atmen.

Nachdem er ein paar Worte mit seiner Mutter und seiner vom Markt zurückgekehrten Schwester gewechselt hatte, ging er ins Schlafzimmer und legte sich aufs Bett. Die schäbige Tapete blätterte bereits ab. An einer von Wand zu Wand gespannten Leine war Wäsche aufgehängt. Dina hatte ihm gesagt, auf dem Dach könnte man keine Wäsche mehr aufhängen, denn da würde sie sofort jemand klauen.

Die Tür wurde geöffnet, Menasse David kam herein. Sein schäbiger Mantel hatte Risse, aus denen die Wattierung herausschaute. Seine Stiefel waren geflickt, die Absätze schon ganz abgelaufen. Der fleckige Hut, den er über dem Scheitelkäppchen trug, saß schief. Der struppige Bart bedeckte seine Wangen fast bis zu den Augen. Unter dem Arm trug er einen Gebetsmantel.

»Du schläfst, he? ›Was dünkt dich, o Schläfer! Steh auf und rufe deinen Gott an!‹ Es gibt keine Verzweiflung, hörst du? Alle Schwermut kommt von der Unreinheit. Aus einem einzigen Funken kann eine ganze Flamme werden.«

»Bist du's, Menasse David? Wie spät ist es denn?«

»Es ist nie zu spät. Der Mensch braucht nur zu bereuen. Die Erlösung *wird* kommen – weshalb also sich dagegen sperren? Ein einziger frommer Gedanke kann den Ausschlag geben.«

»Menasse David«, rief Dina durch die Tür, »hör gefälligst mit diesem Gewäsch auf! Dan hat kein einziges Paar Schuhe, und du hast nichts Besseres zu tun, als Predigten zu halten.«

»Es wird alles gut. ›Er, der Leben gibt, wird auch Nahrung geben.‹ Glauben – nur darauf kommt es an.«

»Du Narr! Laß ihn schlafen! Belästige ihn nicht!«

»Wozu ist Schlafen nütze? Wer schläft, hat keinen freien Willen. Steh auf, Euser Heschel, laß uns tanzen!«

Er wiegte sich auf der Türschwelle hin und her und klatschte in die Hände. In Zeiten des Überflusses in Ekstase zu geraten, war doch keine Kunst! Die wahre Größe bestand darin, sich der Freude hinzugeben, wenn einem das Wasser bis zum Hals stand.

2

Euser Heschel schlief ein. Als er aufwachte, war es schon fast drei Uhr. Seine Mutter und Gina wollten ihn überreden, bei ihnen zu bleiben, doch er ließ sich nicht dazu bewegen. Er versprach, morgen wiederzukommen. Er hatte das Gefühl, nicht mehr viel Zeit zu haben. Wo konnte er Geld auftreiben? Es schneite heftig, als er die Franziskanerstraße entlangging. Vor einer Buchhandlung blieb er stehen. Die Auslage war vollgestopft mit hebräischer und jiddischer Literatur – Romanen, Gedichtbänden, Bühnenwerken, politischen Broschüren. Und daneben eine Revisionistenzeitschrift, in der zum Kampf gegen »die Machenschaften der Zionisten und ihre nachgiebige Haltung gegenüber England« aufgerufen wurde.

Während er durch das staubige Schaufenster spähte, wurde ihm klar, daß er nirgendwo Geld borgen konnte. Er spielte mit dem Gedanken, sich an Herz Janowar zu wenden – aber dem schuldete er bereits zwanzig Zloty. Außerdem las Herz ihm jedesmal, wenn sie sich trafen, die Protokolle seines metaphysischen Vereins vor und irgendwelche Geschichten über Dibbuks und Poltergeister, über einen Fisch, der »Höre, Israel« rief, und über einen Säugling, unter dessen Wiege ein Feuer brannte. Und vermutlich war er jetzt ohnehin nicht zu Hause. Tagsüber hielt er sich immer in der Bibliothek in der Koszykowastraße auf. Euser Heschel schüttelte den Schnee von seinem Hut. Dann machte er sich auf den Weg zu Adeles Wohnung. Sie würde ihm eine Standpauke halten. Aber was machte das schon aus?

Er läutete, obwohl er einen Wohnungsschlüssel hatte. Adele machte auf. Sie sah ihn so unschlüssig an, als müßte sie sich erst überlegen, ob sie ihn hereinlassen sollte.

»Du erkennst mich wohl gar nicht mehr?«

»O doch. Streif dir die Schuhe ab.«

»Ist David zu Hause?«

»Er ist auf der Tagung der Schomrim.«

Euser Heschel streifte sich die Schuhe auf der Strohmatte ab. Aus der Küche roch es nach Siedefleisch, Kartoffeln und geschmorten Zwiebeln. Jetzt merkte er, daß er hungrig war. Plötzlich fiel ihm ein, daß er in der Schweiz einigen Kindern Nachhilfeunterricht gegeben hatte, deren Mutter unentwegt mit Kochen und Braten beschäftigt war. »Wie tief ich gesunken bin!« dachte er. Dann fragte er Adele: »Was schreibt David?«

»Er ist ganz begeistert. Stell dir vor, er ist ins Komitee gewählt worden! Als einer von hundert Delegierten! Er hat ein Foto geschickt. Er hat ein Ideal. Zieh deinen Mantel aus! Komm herein! Möchtest du etwas essen?«

»Ich habe gerade gegessen.«

»Schade. Du kommst nie hierher, ohne vorher etwas gegessen zu haben. Ich dachte schon, du hättest vergessen, wo ich wohne.«

Auf dem Wohnzimmertisch stand ein Teller mit einem Rest Suppe. Euser Heschel setzte sich aufs Sofa. Adele aß die Suppe auf und schob den Teller beiseite.

»Also, weshalb bist du gekommen? Du wolltest wohl nachsehen, ob wir beide inzwischen verhungert sind?«

»Denk, was du willst.«

»Solange David eine Mutter hat, wird er bestimmt nicht hungern müssen. Ich habe ihm das Geld für die Reise und ein paar Zloty Taschengeld gegeben. Die meisten Delegierten kommen aus wohlhabenden Familien, und ich möchte nicht, daß mein Sohn sich schämen muß. Du siehst abgespannt aus. Fühlst du dich nicht wohl?«

»Ich habe zwei Nächte nicht geschlafen.«

»Wieso denn? Liegt deine Frau in den Wehen?«

Euser Heschel erzählte ihr, daß die Polizei nach ihm fahndete. Er erwähnte Barbara und gab zu, daß sie beide bei Abram übernachtet hatten. Warum er ihr das alles anvertraute, wußte er selber nicht. Um sein männliches Prestige aufzupolieren? Oder um sie eifersüchtig zu machen? Oder um ihr ein für allemal klarzumachen, daß sie sich nicht auf seine Unterstützung verlassen konnte? Adele hörte ihm schweigend zu und sah ihn – mit geblähten Nasenflügeln – von der Seite her an. Sie argwöhnte sofort, daß er eine Liebschaft mit dieser Barbara hatte. Es tat ihr ein bißchen leid, daß er in diesen Sumpf geraten war, aber jetzt bekam Hadassa endlich heimgezahlt, was sie ihr angetan hatte. Daß es eines Tages so kommen würde, hatte sie immer gewußt: Wer *einer* Frau untreu geworden ist, wird auch jede andere betrügen. Sie selber hatte ihn längst abgeschrieben. Der Haken dabei war nur, daß sie ihn nicht so hassen konnte, wie er es verdient hätte. Ihr Zorn auf ihn wurde immer wieder durch Mitleid gemildert. Und als sie ihn jetzt mit leichenblassem Gesicht, zerknittertem Anzug und schiefsitzender Krawatte vor sich sitzen sah, drängte es sie, ihn zu warnen und ihm zu helfen. Was trieb einen Menschen dazu, seinen eigenen Untergang heraufzubeschwören? Rätselhaft. Sie dachte an eine Reise, die sie mit ihm gemacht hatte, von Genf nach Lausanne und weiter nach Brig. Sie hatten im Bahnhofsrestaurant gegessen und zu den Bergen hinaufgeblickt, die sich wie Mauern um das Dorf zogen und deren Abhänge mit Weinstöcken bedeckt waren.

»Möchtest du nicht doch etwas essen? Es ist genug da.«

»Nein, danke. Wirklich nicht.«

»Dann trink wenigstens ein Glas Tee.« Sie ging hinaus und brachte einen Teller mit Siedefleisch für sich selber und ein Glas Tee für Euser Heschel. Während sie aß, musterte sie ihn. Wie konnte ein Mann in seinem Alter sich wie ein verantwortungsloser Halbwüchsiger aufführen? Was ging in seinem Gehirn vor sich? Wie konnte ein Vater so wenig Anteil am Schicksal seines Sohnes nehmen? Merkwürdig, daß sein sonderbares Benehmen sie irgendwie davon abgehalten hatte, wieder zu heiraten. Sie hatte das Gefühl gehabt, daß sie sich, solange er ihr ein Rätsel blieb, nie ganz von ihm freimachen könnte. Und insgeheim glaubte sie auch jetzt noch, daß er sich letzten Endes von den anderen Frauen enttäuscht fühlen und zu ihr zurückkehren würde.

»Was sagst du dazu, daß David nach Palästina auswandern will? Was soll dort aus ihm werden? Wenn er doch hierbliebe, um weiterzulernen! Er würde bestimmt ein Genie werden.«

»Die Welt pfeift auf unsere Genies.«

»Er sagt, er wird dir eine Einwanderungsgenehmigung schicken. Er schlägt dir nach, aber deine Charakterschwächen hat er nicht. Erstaunlich, was? Er weiß über dein Tun und Treiben Bescheid, trotzdem verteidigt er dich. Du solltest die jungen Burschen sehen, die ihn hier besuchen. Persönlichkeiten, das kann ich dir sagen! Bereit, sich für ihre Sache aufzuopfern. Ich weiß nicht, was sie dazu anspornt. Eine neue Generation!«

»Schlechter als ich kann er gar nicht sein – also ist er besser.«

»Gut, daß du dir wenigstens über dich selber im klaren bist. Trotzdem besteht kein Grund dazu, derart niedergeschlagen zu sein. Du hast auch gute Seiten. Ach, warum hat alles so kommen müssen? Ich habe dich so sehr geliebt.«

Sie war über ihre eigenen Worte schockiert.

Euser Heschel senkte den Kopf. »Auf mich kann niemand bauen.«

»Warum nicht?«

»Ich bin krank. Körperlich und seelisch.«

»Ja, du bist krank.« Sie klammerte sich an sein Eingeständnis. »Deshalb kann ich dir nicht böse sein. An deiner Stelle würde ich einen Psychiater konsultieren.«

»Dann müßten alle Juden zum Psychiater gehen. Ich meine, alle modernen Juden.«

»Brauchst du Geld? Ich kann dir etwas leihen. Wieviel brauchst du?«

»Nein, Adele. Ich könnte es nie zurückzahlen.«

»Was wirst du denn jetzt tun?«

»Noch ein bißchen herumspielen.«

»Womit denn? Mit Menschenleben?«

»Womit sonst?«

Sie standen beide auf.

»Du hast dich gegen mich versündigt. Tu Hadassa nicht das gleiche an. *Ich* habe die Kraft, es zu ertragen, aber *sie* ist krank. Sie würde es nicht überleben.«

Adele hatte das merkwürdige Gefühl, daß jemand anders aus ihr sprach. Es waren die Worte, die Stimme und der Tonfall ihrer verstorbenen Mutter.

3

Euser Heschel verbrachte die Nacht mit Barbara in der Wohnung einer nichtjüdischen Kommunistin in der Lesznostraße. Damit der Pförtner nicht merkte, daß Fremde in der Wohnung übernachteten, gingen die beiden in das Haus, bevor das Tor abgesperrt wurde. Sie bekamen ein kleines dunkles Zimmer, in dem ein Bett und ein wackliger Nachttisch standen. Tags darauf gingen sie erst um elf Uhr aus dem Haus und nahmen die Straßenbahn, Linie neun. Von dem Anwalt, den Barbara konsultiert hatte, war ihr geraten worden, möglichst bald nach Hause zurückzukehren. Je länger sie sich versteckt hielte, desto schlimmer würde die ganze Angelegenheit werden. Das gleiche galt für Euser Heschel. Barbara rechnete damit, verhaftet zu werden, sobald sie die väterliche Wohnung betrat: An der Haustür oder am Sächsischen Garten wartete sicher schon ein Kriminalbeamter auf sie. Für den Fall, daß sie tatsächlich inhaftiert wurde, hatte der Anwalt versprochen, eine Kaution für sie zu stellen. Aber man wußte ja nicht, wie die Anklage lauten und ob der Untersuchungsrichter einer Freilassung gegen Kaution zustimmen würde.

Zusammengekauert saß Barbara in der Straßenbahn und sah schweigend aus dem beschlagenen Fenster, das sie immer wieder mit ihrem Handschuh abwischte. Wie seltsam das Schicksal mit ihr spielte! Solange sie allein gewesen war, hatte sich niemand um sie gekümmert. Aber nun, da sie einen Liebhaber hatte, war sie gezwungen, sich der Polizei zu stellen. In Gedanken versuchte sie, das Opfer, das sie dem Proletariat brachte, zu rechtfertigen, aber merkwürdigerweise war ihr sozialer Eifer an diesem Morgen völlig verflogen. Die Arbeiter da draußen, die Rollkutscher, die Pförtner, die nichtjüdischen Händler auf den Marktplätzen hatten keine Ahnung davon, daß sie um ihretwillen litt. Und wenn sie es wüßten – würden sie sich darum scheren? Diese dicke, rotbackige Frau zum Beispiel, die an ihrem Stand Konfektionsschuhe verkaufte und Suppe aus einem Topf trank... Ihr Mann war sicher Schuhmacher, aber was kümmerte *sie* die Arbeiterklasse? Sie hatte genug damit zu tun, in die Kirche zu rennen, dem Priester die Hand zu küssen und die Juden und Bolschewisten zu verfluchen. Nach der Revolution würde diese Frau zu den Auserwählten zählen, während man ihr, Barbara, aller Voraussicht nach vorwerfen würde, daß sie die Tochter eines Geistlichen war. Warum in Dreiteufelsnamen sollte ausgerechnet sie sich für solche Leute aufopfern? Sie versuchte, diese bourgeoisen Gedanken zu verdrängen. Was sie jetzt dringend nötig hatte, war Zuspruch. Aber woher sollte sie den bekommen? Jetzt tat es ihr leid, daß sie nach Polen zurückgekehrt war. Und auch, daß sie sich mit diesem Pessimisten eingelassen hatte, der verheiratet war, Kinder hatte und kein Quentchen Glauben an die Menschheit besaß. Du lieber Himmel, wenn Papa wüßte, wie sich seine Barbara benahm! Er war überzeugt, daß sie noch unberührt war. Sie schloß die Augen. Auf die Nacht der Hemmungslosigkeit folgt das Strafgericht. Wie es in den heiligen Büchern geschrieben steht.

An der Ecke Krolewska stieg Barbara aus. Sie wollte Euser Heschel einen Kuß geben, aber die Hutkrempen waren im Weg. Sie wollte noch etwas sagen, aber dazu war keine Zeit mehr. Sie drückte ihm rasch die Hand, dann sprang sie aus der Straßenbahn, die sich schon wieder in Bewegung gesetzt hatte. Euser Heschel drängte sich bis zur Plattform durch. Im Nebel da draußen konnte er gerade noch ihre Persianerjacke und das blasse Oval ihres Gesichts sehen. Sie winkte ihm zu und machte kehrt, als wollte sie der Straßenbahn nachlaufen – als täte es ihr plötzlich leid, daß sie sich von ihm getrennt hatte.

Die Straßenbahn fuhr durch die Neue-Welt-Straße, über den Dreikreuzplatz, durch die Ujasdowski-Allee. Euser Heschel dachte an den Sinnenrausch der vergangenen Nacht, die Küsse, die Umarmungen, die leidenschaftlichen Worte – aber das alles hatte einen bitteren Nachgeschmack. Als sie aus dem Haus gegangen waren, hatte Barbara zu ihm gesagt: »Da hast du es ja, dein Laboratorium der Glückseligkeit.«

An der Ecke Bagatelastraße stieg er aus, ging aber nicht, wie er vorgehabt hatte, direkt nach Hause, sondern zunächst einmal auf die andere Straßenseite, um sich zu vergewissern, daß am Hauseingang niemand auf ihn wartete. Nein, dort war niemand zu sehen. Er ging in ein Lokal und rief bei Barbara an. Er hoffte, daß sie ans Telefon gehen würde, doch dann hörte er die heisere Stimme ihres Vaters. Er legte auf. Dann rief er zu Hause an. Das Dienstmädchen meldete sich.

»Jadwiga, ich bin's.«

»Panje! Jesusmaria!«

»Hat jemand nach mir gefragt? War die Polizei da?«

»Die Polizei? Aber wieso denn?«

»Ist die gnädige Frau zu Hause?«

»Ja, ich hole sie.«

Während er wartete, ging ihm auf, daß er alles falsch machte. Er hätte die Polizei gar nicht erwähnen dürfen. Vielleicht wurde sein Telefon abgehört. Vielleicht war das Lokal, aus dem er telefonierte, bereits umstellt.

Jadwiga kam wieder an den Apparat. »Ihre Frau will nicht mit Ihnen sprechen. Kommen Sie lieber nach Hause!«

Er verließ das Lokal, ging aber nicht nach Hause, sondern in Richtung Marszalkowska. Daß die Polizei nicht dagewesen war, bedeutete nicht unbedingt, daß nicht nach ihm gefahndet wurde. Vermutlich lag irgendwo ein Kriminalbeamter auf der Lauer. Er hastete weiter und warf ab und zu einen Blick über die Schulter, um festzustellen, ob ihm jemand folgte. »Die Stimme des alten Herrn hat schrill geklungen«, dachte er. »Wahrscheinlich ist Barbara verhaftet worden.« Plötzlich blieb er stehen. Dann machte er kehrt und ging denselben Weg zurück. »Ich stelle mir einfach vor, ich sei ein französischer Aristokrat, der zur Guillotine geführt wird. Ich habe bloß noch eine Viertelstunde zu leben. Aber ich habe wenigstens eine schöne Nacht gehabt.«

Alle paar Schritte blieb er stehen und atmete tief. Er sah zum Himmel. Bewölkt, aber in den oberen Fenstern der Häuser spiegelte sich die Sonne. Ein würziger Geruch lag in der Luft. Vögel zwitscherten. Wahrscheinlich braute sich ein Gewitter zusammen. Im Straßenschmutz sah er etwas glitzern. Ein Diamant? Nein, bloß eine Glasscherbe.

Obwohl er einen Fahrstuhlschlüssel hatte, stieg er die Treppe zu seiner Wohnung hinauf. Wie tapfer Abram war! Er verstand zu leben, und er verstand zu sterben. Er hatte noch etwas von jenen Säften in sich, die sein Volk in all den dunklen Stunden, die es erleiden mußte, am Leben gehalten hatten. Er war ein biologisch unverfälschter Jude.

Euser Heschel läutete. Jadwiga machte auf. Sie zögerte einen Moment (genau wie tags zuvor Adele), ehe sie ihn eintreten ließ. Er schaute ins Wohnzimmer. Niemand da. Dann ging er in sein Arbeitszimmer. Es war tadellos aufgeräumt, die Fenster waren frisch geputzt, der Fußboden war gebohnert. Der Papierkram und die Bücher, die auf dem Schreibtisch gelegen hatten, waren weggeräumt worden, als hätte er die Wohnung für immer verlassen. »Wie wenn jemand gestorben ist«, dachte er. Auf dem Schreibtisch lag eine Mahnung vom Steueramt. Die Tür ging auf, Hadassa schaute herein. Ihr Gesicht schien noch schmaler geworden. Sie war sorgfältig geschminkt. Offenbar benützte sie jetzt Puder.

»Los, komm doch herein! Besorg dir einen Revolver und knall mich nieder!«

»Ich wollte dir nur sagen, daß ich die Wohnung verkauft habe.«

Er starrte sie ungläubig an. »Was soll das heißen?«

»Man hat mir fünfzehnhundert amerikanische Dollars dafür geboten. Ich miete mir eine Wohnung in Otwock. Dache verträgt das Warschauer Klima nicht. Und außerdem habe ich hier nichts mehr verloren.«

»Warst du schon wieder mit ihr beim Doktor?«

»Ich habe einen Arzt konsultiert.«

»Wer hat dir fünfzehnhundert Dollar geboten?«

»Papa und meine Stiefmutter. Ich habe alles mit ihnen besprochen. Ich hoffe, du machst keine Schwierigkeiten. Ich kann nicht in Warschau bleiben. Ich werde mich in Otwock vergraben und darauf warten, daß Gott mich endlich abberuft.«

»Du willst, daß wir uns trennen?«

»Wozu? Falls du gelegentlich einmal nach Otwock kommst, kannst du bei uns wohnen.«

Euser Heschel konnte sich nicht erklären, wie das alles vor

sich gegangen war. Wann hatte Hadassa diesen Entschluß gefaßt? Wann hatte sie Zeit gehabt, das alles mit ihrer Stiefmutter zu besprechen? Aber er begriff, daß es gar nicht anders hatte kommen können. Der logische Ablauf der äußeren Geschehnisse, wie es die Philosophen nannten.

Noch einiges andere ereignete sich an diesem Tag. Ida starb im jüdischen Krankenhaus. Der Bialodrewner Rabbi verschied während der Abendgebete. Die Chassidim wollten Reb Mosche Gabriel zum neuen Rebbe krönen, aber er lehnte ab. Nach langem Hin und Her ließ sich Aaron dazu bewegen, die heilige Bürde auf seine Schultern zu nehmen. Wenn auch nur für kurze Zeit. Er wollte mit einigen anderen jungen Chassidim nach Palästina auswandern. Das Ende des chassidischen Hofes von Bialodrewna war abzusehen.

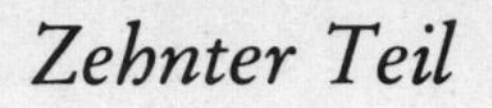

Zehnter Teil

Erstes Kapitel

Seit Reb Meschulam vor Jahren bei der Gemeindeverwaltung ein Doppelgrab gekauft hatte, war eine ganze Reihe Grabstätten hinzugekommen. Nun lagen sie alle unter der Erde, einer neben dem andern: Meschulam Moschkat und seine zweite Frau, Joel und Königin Esther, Nathan und Saltsche, Abram, Hama, Dache, Perl. Und auch die Gräber von Mosche Gabriel und zwei Enkelkindern gehörten dazu. Der marmorne Grabstein auf Meschulams letzter Ruhestätte überragte alle anderen. Die Inschrift zählte seine Tugenden auf und pries seine umfassende Kenntnis der Tora, seine Wohltätigkeit und seine kaufmännische Ehrlichkeit. Auf Abrams Grabstein hatte Stefa den Namen ihres Vaters nicht nur in hebräischen, sondern – der neuen Mode entsprechend – auch in lateinischen Buchstaben eingravieren lassen. Auf Mosche Gabriels Grab hatten die Chassidim, wie es einem heiligmäßigen Mann zukam, einen Ständer mit einem ewigen Licht aufstellen wollen; da es aber, seit Aaron ins Heilige Land ausgewandert war, mit dem chassidischen Hof von Bialodrewna unaufhaltsam bergab ging, war für eine solche Gedenkstätte kein Geld mehr da und auch niemand, der von sich aus dafür gesorgt hätte, den Plan zu verwirklichen.

Von Meschulams Kindern lebten nur noch drei: Pinnje, Njunje und Lea, die in Amerika lebte. Pinnje besaß noch eines der Häuser, die er von seinem Vater geerbt hatte, und bestritt seinen Lebensunterhalt aus den Mieteinnahmen. Das Bialodrewner Bethaus in der Grzybowstraße existierte noch, und dort hielt er sich fast den ganzen Tag über auf, studierte den Talmud oder diskutierte über Politik. Trotz der drohenden Gefahr eines Krieges zwischen Polen und Deutschland war Pinnje optimistisch. Ein eifriger Zeitungsleser war auch Fischel Kutner, Hadassas erster Mann. Er warnte davor, daß, falls nicht ein Wunder geschähe, dieser Hitler eines Tages – Gott soll schützen! – die ganze Welt beherrschen werde. Fischel hatte wieder geheiratet und war Vater geworden. Er, Pinnje, und einige andere waren loyale Bialodrewner Chassidim geblieben. Gewiß, ihr Rebbe war nach Palästina ausgewandert, und an Neujahr wurde nicht mehr zum Hof von Bialodrewna gepilgert – aber was hatte das schon zu sagen? Ein heiliger Mann bleibt ein heiliger Mann. Im Bialodrewner Bethaus trafen Briefe ein, in denen berichtet wurde, daß man sich in der von Aaron und rund zwanzig anderen Chassidim gegründeten Siedlung Nachlat Jechiel (benannt nach dem vormaligen Bialodrewner Rebbe) nach wie vor dem Torastudium und dem Gebet widmete. Jene Chassidim, die zu anderen rabbinischen Höfen übergelaufen waren, galten nicht als wahrhaft fromm.

Am Sabbat versammelte sich die Schar der Gläubigen im Bialodrewner Bethaus, delektierte sich an Weißbrot und Hering und sang die altvertrauten Bialodrewner Lieder, in die auch die Halbwüchsigen einstimmten. Danach zitierten die Alten diesen und jenen Bialodrewner Weisheitsspruch. Gewiß, man machte hier in Polen bittere Erfahrungen. Die Antisemiten waren ständig am Werk. Und die junge Generation war schwach und hilflos. Aber hatten nicht von altersher die Propheten, die Weisen und Schriftgelehrten vorausgesagt, daß solche Zeiten – die Geburtswehen vor der Ankunft des Messias – kommen würden? Es war der ewige Kampf: Wenn die heiligen Mächte an Kraft gewinnen, werden sie von den unheiligen Mächten herausgefordert. Die Chassidim sangen und seufzten, bis die Sterne hoch am Himmel standen. Und um den Sabbat zu verlängern, zündeten sie die Kerzen erst sehr spät an.

Im Winter versammelten sich die Chassidim jeden Sabbatabend in Fischels Wohnung, um das traditionelle Mahl einzunehmen, mit dem der Abschied von der Sabbatbraut begangen wird. Fischels Frau, die Tochter einer wohlhabenden Familie, half beim Auftragen der Speisen. Obwohl er Hadassas Onkel war, nahm auch Pinnje an diesen festlichen Mahlzeiten teil. Auf seine alten Tage zog er sich immer mehr von den anderen Mitgliedern der Familie Moschkat zurück. Er ließ sich nicht einmal mehr bei Njunje, seinem einzigen noch lebenden Bruder, blicken, der nichts mehr von den chassidischen Traditionen wissen wollte. Seine Ketzerei hatte ihm freilich nichts eingebracht. Wie Pinnje erfahren hatte, postierten sich polnische Studenten tagtäglich vor Njunjes Buchhandlung in der Heiligkreuzstraße, um die Kunden darauf hinzuweisen, daß der Laden einem Juden gehörte. Und von den faschistischen Raufbolden hatte Njunje sogar schon Prügel bezogen.

Was nützte es also, auf dem Bauch zu kriechen und die Lebensweise der Andersgläubigen nachzuäffen? Gab es nicht schon genug Beweise dafür, daß die Lage der Juden um so schlimmer wurde, je weiter sie von ihrem Glauben abwichen?

Der alte Meschulam Moschkat war unter den Juden ein König gewesen. Und seine Söhne hatten es trotz all ihrer Schwächen geschafft, Juden zu bleiben. Seine Enkelkinder jedoch hatten sich der althergebrachten Lebensweise völlig entfremdet. Joels Schwiegersöhne nagten am Hungertuch. Ihre Kinder waren Handwerker geworden. Stefa, Abrams jüngste Tochter, hatte sich von ihrem Mann, dem Arzt, getrennt und arbeitete jetzt als Krankenpflegerin im jüdischen Hospital. Zwei von Leas Kindern waren in Amerika aufgewachsen und kaum mehr von den Gojim zu unterscheiden. Auch Pinnje hatte Kummer mit seinen Kindern gehabt. Eine seiner vier Töchter war im Kindbett gestorben. Eine hatte sich mit ihrem Mann in Frankreich niedergelassen. Die beiden anderen waren in Warschau geblieben: Die eine hatte einen Anwalt geheiratet, und Doscha, Pinnjes jüngste Tochter, arbeitete als Buchhalterin in einer Bank. Über Leas Tochter Mascha, die Abtrünnige, wurde gemunkelt, sie sei von ihrem Mann sitzengelassen worden. Und Hadassa hatte sich irgendwo in einem Vorort von Otwock versteckt. Die einzigen Enkelkinder Meschulam Moschkats, die noch ganz in der jüdischen Tradition lebten, waren (abgesehen von Rabbi Aaron) die Kinder von Meschulams ältester Tochter Perl. Da sie im Norden Warschaus wohnten und Anhänger des Rabbis von Ger waren, bestand zwischen ihnen und den anderen Verwandten so gut wie kein Kontakt. Seit dem Tod des alten Moschkat waren schon über zwanzig Jahre vergangen, und das jüdische Königreich, das er vom Grzybowplatz aus regiert hatte, war längst zerfallen.

Die Chassidim redeten, drehten sich Zigaretten, tranken

Schnaps. Während die anderen noch feierten und disputierten, zog sich Fischel mit seinem Gehilfen in ein anderes Zimmer zurück. Sobald der Sabbat vorüber und die neue Woche angebrochen war, begann das Telefon zu klingeln. Fischel betrieb weitverzweigte Geschäfte. Wäre er ein Familienmitglied der Moschkats geblieben, so hätte er die Nachfolge Meschulams als Oberhaupt der Sippe angetreten. Aber Hadassa hatte ihn um eines Ungläubigen willen verlassen. Klatschbasen behaupteten, sie habe geschworen, sich nie mehr in Warschau blicken zu lassen. Sie wohne jetzt außerhalb von Otwock, in der mitten im Wald gelegenen Ortschaft Srodborow. Ihr Ehemann lebe mit einer anderen zusammen. Und Fischel, so tuschelten sie, habe Hadassa bis heute nicht vergessen können. Aber wer konnte schon wissen, wie es sich tatsächlich verhielt?

Nach dem Sabbatmahl machte sich Pinnje auf den Heimweg in die Sliska. Seinem Bruder einen Besuch abzustatten, kam für ihn nicht in Frage. Zum einen konnte er dessen weltliches Gebaren nicht ausstehen, zum andern wohnte Njunje jetzt am anderen Ende Warschaus, in der Bagatelastraße. Wer mochte denn schon in solchen Wohnvierteln herumlaufen? Wußte man denn, ob der Pförtner einen Juden im Kaftan einlassen würde? Und außerdem war Bronja, Njunjes Frau, ein Hausdrachen. Was blieb ihm also anderes übrig, als zu Hause herumzuhocken? Unterwegs spähte er in jeden Hauseingang. Wo einst Meschulam Moschkat gewohnt hatte, wohnten jetzt fremde Leute. Im Lauf der Jahre hatten die Häuser den Besitzer gewechselt.

Pinnje mußte sich beeilen, nach Hause zu kommen. In der Nähe der Sliska begann der Wohnbezirk der Christen, und als Jude konnte man dort in Schwierigkeiten geraten. Die Nara-Leute, die polnischen Nazis, liefen mit Gummiknüppeln herum und schlugen damit auf Juden ein. Da war man seines Lebens genau so wenig sicher, wie wenn man mitten durch den Sächsischen Garten spaziert wäre. Einer seiner Enkel, der Sohn seiner ältesten Tochter, mußte sich die Vorlesungen in der Universität stehend anhören, weil die nichtjüdischen Studenten nicht neben den Juden sitzen wollten und von ihnen verlangten, sich auf »Ghetto-Bänke« zu setzen. Und die jüdischen Studenten, diese Narren, bestanden auf ihrem Recht, bei den Feinden Israels zu sitzen!

Er kratzte sich an seinem Graubart. Ach, was war aus Polen geworden! Was war aus der Welt geworden! Eine Räuberhöhle!

Er war erleichtert, als der Pförtner das Tor aufschloß. Hier war er, Pinnje Moschkat, der Herr im Haus. Hier würde niemand wagen, ihn anzurühren. Die wenigen nichtjüdischen Mieter, alles ältere Leute, sagten nach wie vor freundlich »Guten Tag« zu ihm.

Hanna, seine Frau, machte ihm die Tür auf. Früher hatte er sich ständig mit ihr gezankt, aber seit sie beide in die Jahre gekommen waren, blieb sie abends auf, bis er nach Hause kam. Wenn er ausging, hoffte sie zu Gott, daß er nicht irgendwelchen Rowdies in die Hände fiel. Sie wußte nur zu gut, daß ein einziger heftiger Schlag genügen würde, Pinnje umzubringen. Außerdem hatte sie ständig das Bedürfnis, ihn um sich zu haben und über die Töchter und Enkelkinder zu reden.

Pinnje setzte sich an den Tisch, während Hanna Tee aufbrühte.

»Wie geht's Fischel?«

»Allen anständigen Juden soll's nicht schlechter gehen!«

»Die Bank wird geschlossen. Die Regierung will alles übernehmen.«

»*Masel tow!* Das heißt, daß Doscha arbeitslos wird. Und obendrein eine alte Jungfer! Eine schöne Bescherung! Eine Schande ist das!«

»Alles deine Schuld.«

Pinnje brauste auf. »Jetzt hackst du also auf mir herum! Hör zu, ich bin ein alter Mann. Ich habe nicht mehr die Kraft, herumzurennen. Aber das sage ich dir – wenn du deine scharfe Zunge nicht im Zaum hältst, raffe ich mich auf und gehe! Dann verkaufe ich das Haus, wenn's sein muß für ein Butterbrot. Jedenfalls lasse ich mir dein närrisches Geschwätz nicht gefallen!«

»Schau, schau, der empfindliche Herr ist beleidigt. Was hab' ich denn gesagt? Andere Väter sorgen jedenfalls dafür, daß ihre Töchter nicht herumhocken, bis sie grau werden.«

»Und anständige Mütter ziehen anständige jüdische Töchter und keine Schicksen auf! Wer hat Doscha denn auf diese modernen Schulen geschickt? Du! Du mit deinen neumodischen Ideen! Litwak-Luder!«

Hanna schüttelte den perückenbedeckten Kopf. »Leg dich schlafen. Du bist übergeschnappt.«

Bevor er zu Bett ging, sprach Pinnje das vorgeschriebene Gebet. Er lief im Zimmer auf und ab, murmelte die Sätze und gab sich düsteren Gedanken hin. Was wollten sie eigentlich, diese Weiber? Sie waren an dem ganzen Ärger schuld, ließen aber die Mannsleute dafür büßen. Die Männer mußten herumrennen und sich abplacken, während die Frauen wie Prinzessinnen zu Hause herumsaßen und sich über alles mögliche beklagten. Und was kam dabei heraus? Die Männer starben vorzeitig, und *sie* wurden steinalt. In Warschau wimmelte es von Witwen! Pinnje zupfte sich am Bart und an den paar Haaren, die von seinen Schläfenlocken übriggeblieben waren. Dieses Weibsbild hatte ihm in seinen jungen Jahren keine Ruhe gelassen und schikanierte ihn auch noch auf seine alten Tage.

Hätte er keine anständige Erziehung genossen, dann hätte er jetzt einen Stock genommen und ihr den Schädel eingeschlagen. Nein, das war nicht seine Natur. Er mußte es schweigend ertragen. Vielleicht war es eine Art Heimsuchung – zur Strafe für die Sünden, die er begangen hatte. Er begann laut zu rezitieren, wobei er jedes einzelne Wort betonte:

»Zu meiner Rechten steht Michael. Zu meiner Linken steht Gabriel. Vor mir steht Uriel. Hinter mir steht Raffael. Und über mir ist die Allgegenwart Gottes. In Deine Hände befehle ich meinen Geist. Du hast mich erlöst, o Herr, wahrhaftiger Gott...«

Zweites Kapitel

Als Hadassa ihre Warschauer Wohnung aufgab und nach Srodborow zog, hatten ihre Verwandten erklärt, sie ginge freiwillig ins sibirische Exil. Sie prophezeiten, daß sie vor Einsamkeit eingehen und daß Dache da draußen wie eine Wilde aufwachsen würde. Im Winter, so erzählten sie einander, läge dort so viel Schnee, daß man nicht einmal bis zum nächsten Laden laufen könne. Und noch dazu sei in dieser Gegend kein einziger Jude ansässig... Doch Jahr um Jahr verging, und Hadassa lebte immer noch. Und Dache war wieder ganz gesund.

Die Miete, die Hadassa für die Wohnung bezahlte, war sehr niedrig. Im Sommer konnten sie und Dache im Wald genug Brennholz, Pilze und Beeren sammeln. Die Bäuerinnen der umliegenden Höfe verkauften Eier und Milch zu einem Spottpreis. In dem Garten, der zum Haus gehörte, legte Hadassa Gemüsebeete an. Und sie hielt sich ein paar Hühner. Die Schule war zwei Kilometer entfernt, aber da der Hausbesitzer, ein Russe, drei kleine Töchter hatte, war Dache auf dem Schulweg nicht allein. Hadassa hatte aus Warschau alle ihre Möbel und Bücher mitgebracht und sich ein Radio und ein Grammophon zugelegt. Von Euser Heschel erhielt sie eine Unterhaltszahlung von fünfzehn Zloty pro Woche, dazu kamen weitere zehn von ihrem Vater. Und sie selber verdiente sich mit Strickarbeiten ein paar Zloty.

An sonnigen Tagen saß sie, eine Sonnenbrille auf der Nase, auf der Veranda in einem bequemen Liegestuhl und las oder strickte. Bei kaltem Wetter blieb sie den ganzen Tag im Bett. Wenn Dache aus der Schule kam, half sie im Haushalt. Die russische Familie hatte Hadassa unter ihre Fittiche genommen. Die älteste Tochter trug Wasser herein, heizte den Ofen und schrubbte den Fußboden. Dafür verzierte Hadassa Kleider und Halstücher des Mädchens mit Stickereien. Die Frau des Hausbesitzers ging bei ihr aus und ein und half ihr, wo sie konnte. Sie befand sich in der gleichen Lage wie Hadassa. Wanja, ihr Mann, hielt sich oft wochenlang in Warschau auf.

Man munkelte, er habe dort eine Geliebte – die Frau eines ehemaligen Majors der russischen Armee. Das Areal des Landsitzes, der vor dem Krieg zu einem großen Gut gehört hatte, belief sich jetzt noch auf rund achtzig Morgen Land, aber der Boden war sandig, die Nebengebäude waren verwahrlost, und zum Brunnen mußte man schrecklich weit laufen. Den Russen, die hierher in die Sommerfrische kamen, wurde für das Logis nur ein Drittel des Preises berechnet, der in Otwock verlangt wurde. Die Hauswirtin erzählte unentwegt von ihrem Onkel, einem Steuereinnehmer, der von den Bolschewiken erschossen wurde; von den Offizieren, mit denen sie als junges Mädchen getanzt hatte; und von ihrem Mann, diesem Aufschneider, der nichts anderes tat als essen, trinken, schlafen und sich mit Weibsbildern herumtreiben. Wenn er nach Hause kam, schlug er seine Frau, die dann jedesmal mit einem blauen Auge herumlief. Er lag entweder den lieben langen Tag im Bett oder ging mit seinen Hunden auf die Jagd. Ab und zu schoß er einen Hasen – dann hatte seine Familie wieder einmal Fleisch zu essen.

Die Hauswirtin beneidete Hadassa. Deren Mann war gewiß kein hingebungsvoller Gatte, aber im Vergleich zu Wanja benahm er sich wie ein Gentleman. Wenn er samstagvormittags zu Besuch kam, hatte er immer ein Mitbringsel für Dache. Und er schlug seine Frau nicht, warf ihr keine Schimpfwörter an den Kopf und demütigte sie nicht in Gegenwart anderer. Er saß still unter einem Baum und las. Oder er spielte mit den Kindern. Immer war er adrett gekleidet und sorgfältig rasiert. Er versäumte nie, sie zu begrüßen und ein paar höfliche Worte mit ihr zu wechseln. Und ihrer ältesten Tochter brachte er illustrierte Zeitschriften mit. Er tollte mit den Kindern herum, kletterte auf Bäume, rannte hinter der Ziege her, stieß die Schaukel an. Manchmal holte er die Axt und hackte – so ungeschickt, wie sich Städter eben bei so etwas anstellen – Holz für die beiden Familien. Danach legte er sich in die zwischen zwei Kiefern ausgespannte Hängematte, las und machte sich mit einem kleinen Bleistift Notizen.

Manchmal kamen samstags auch einige Damen zu Besuch, Bekannte und Verwandte von Hadassa: Klonja, Mascha, Stefa und Doscha. Dann war hier allerhand los. Die Damen brachten Geschenke für die Kinder mit – Konfekt, Kuchen, Hütchen und Schürzchen, Spielzeug und alle möglichen Lekkerbissen, alles in hübsch eingewickelte Schachteln verpackt. Für die Gäste mußten Zimmer gerichtet werden, und niemand versuchte, den Preis herunterzuhandeln. Die Damen waren alle über vierzig, sahen aber jugendlich und schick aus. Klonja und Stefa waren ziemlich mollig, Hadassa, Mascha und Doscha hingegen waren rank und schlank geblieben. Wenn sie im Garten Ball spielten, hätte man glauben können, daß da draußen ein paar junge Dinger herumtollten. Erst wenn man sie etwas näher betrachtete, fielen einem die grauen Strähnen in ihrem kurzgeschnittenem Haar und die Fältchen um ihre Augenwinkel auf. Hadassas Mann hatte schon eine kleine Glatze, und seine hochaufgeschossene Figur war leicht gebeugt. Trotzdem behauptete Hadassa, er habe noch genau die gleiche Figur wie mit neunzehn Jahren, als sie ihn kennengelernt hatte..

Jede dieser Warschauer Damen hatte bestimmte Gewohnheiten. Doscha Moschkat setzte gleich nach dem Essen ihre Brille auf, machte sich's bequem und las ein Buch oder eine Zeitschrift, wobei sie die Zeilen zu verschlingen schien und die Seiten unglaublich schnell umblätterte. Sie las und las, bis es Zeit war, zum Bahnhof zu gehen und nach Warschau zurückzufahren. Mascha gab sich mit den Kindern ab. Sie erzählte ihnen Geschichten, gab ihnen Rätsel auf und brachte ihnen das Nähen bei. Ihr Polnisch hörte sich so klar und deutlich wie bei einer Schauspielerin an. Stefa langte beim Essen tüchtig zu, legte sich dann sofort aufs Sofa und nickte ein. Hadassa und Klonja machten, Hand in Hand, lange Spaziergänge. Wanjas Frau kannte die Lebensgeschichte jeder dieser Damen. Alle (außer Klonja) hatten denselben Großvater gehabt, einen Millionär namens Meschulam Moschkat. Sie wußte ziemlich genau, was sie alles erlebt hatten, aber es fiel ihr schwer, diese Jüdinnen und ihre Lebensart zu verstehen. Sie rauchten Zigaretten, führten ernste Gespräche, lachten aus unerfindlichen Gründen und stritten über Dinge, mit denen eine Frau sich normalerweise gar nicht befaßte. Sie diskutierten über das jüdische Problem, über Palästina und über religiöse Fragen, äußerten sich über Bücher, die sie gelesen hatten, und spickten ihr Polnisch mit jiddischen Ausdrükken und Redensarten. Ihre dunklen Augen funkelten. Sie schminkten und puderten sich, und sie lackierten ihre sorgfältig manikürten Fingernägel. Die Leute in der Nachbarschaft hatten immer ein unbehagliches Gefühl, wenn diese Gäste aus Warschau hier auftauchten: Es hatte ihnen nichts genützt, aus Otwock wegzuziehen – jetzt kamen die Juden mit ihrer Großstadt-Geschwätzigkeit, ihrem aufwendigen Lebensstil und ihrem Parfümgeruch auch nach Srodborow. Obwohl sie bei jedem Besuch einen erklecklichen Betrag berappten, murrte Wanja jedesmal, wenn er sie kommen sah. Er ließ sich nicht blicken, bis sie wieder fort waren. In seinen Schaftstiefeln legte er sich aufs Bett, rauchte, gähnte und spuckte aus. »Warum ist Hitler noch nicht da? Der wird sie ausräuchern, so wahr Gott mich liebt!«

»Ach was, du fauler Vielfraß! Was hast *du* denn von Hitler zu erwarten? Der nimmt dir die einzige Ziege weg, die du noch hast. Die Deutschen werden wieder das gleiche tun wie letztes Mal – alles und jeden ausplündern.«

»Dann gibt's eben eine Ziege weniger. Sie werden die jüdischen Hotels beschlagnahmen, und die werden dann von Christen übernommen. So wie's jetzt ist, kann's doch nicht weitergehen.«

»Kümmre dich lieber darum, daß deine Familie nicht verhungert! Die jüdischen Familienväter geben das Geld, das sie verdienen, ihren Frauen, aber du gibst jeden Groschen für deine Huren aus.«

»Halt's Maul, oder ich schlag' dir die Zähne ein! Mit dir wird's das gleiche Ende nehmen wie mit ihnen.«

Drittes Kapitel

Euser Heschel fürchtete, wie alle anderen auch, daß es zum Hitlerkrieg und zu Nazipogromen kommen würde. Man brauchte kein Stratege zu sein, um zu wissen, woher der Wind wehte. Der Naziwolf heulte vor der Tür Polens. Die polnischen Juden waren ihm hilflos ausgeliefert. Tag für Tag überlegte sich Euser Heschel, ob er das Land verlassen sollte. Er hätte nach Palästina auswandern können. Und es bestand auch die Möglichkeit, in Südamerika oder Australien Zuflucht zu suchen. Aber Tag um Tag verging, ohne daß er etwas unternahm. In dieser verworrenen Situation hatte sein Privatleben eine Wendung genommen, die er sich schon lange gewünscht hatte. Wie in seinen jungen Mannesjahren lebte er jetzt wieder allein. Er war Hadassas Gejammer und die Sorge um Daches Gesundheitszustand los, die Dienstboten und Besuche, die Schulden und Steuern. Für David, der bereits in Palästina war, brauchte er keinen Unterhalt mehr zu zahlen. Und seine Mutter war gestorben und auf dem Friedhof an der Genschastraße beerdigt worden. (Er hatte ihr noch keinen Grabstein setzen lassen.) Jetzt konnte er also die Stille vor dem Sturm wenigstens noch ein bißchen genießen. Für das kleine Zimmer, das er in der Nowolipkistraße bei einer Familie gemietet hatte, zahlte er monatlich fünfzig Zloty. Er aß in Restaurants. Die Schule hatte sein Gehalt etwas aufgebessert. Er konnte sich eine anständige Garderobe leisten und sogar Bücher kaufen. Nun ja, zum Philosophieprofessor hatte er's nicht gebracht. Er hatte die alten Werte nicht umgewertet und kein neues System geschaffen. Aber das Bedürfnis, über die ewigen Fragen nachzugrübeln, hatte er immer noch. Oft blieb er bis zwei Uhr morgens auf und stellte alle möglichen Spekulationen an. Wenn Spinozas These stimmte, daß inadäquate Erkenntnis einer ebenso realen Notwendigkeit entspringt wie adäquate Erkenntnis, daß also keine jemals gewonnene Erkenntnis als falsch bezeichnet werden kann, dann lohnte es sich, auch weiterhin nachzugrübeln. Als Daseinsform der göttlichen Substanz ist jede Erkenntnis richtig.

Durch sein Fenster konnte er den Himmel, die Sterne, die Planeten, die Milchstraße sehen. Diesen hellen Nebelstreif am Firmament hatten die Himmelskörper vor Jahrtausenden ausgeströmt, zu Lebzeiten des Stammvaters Jakob oder als die Pyramiden errichtet wurden. Wie seltsam, daß man sich hier, im vierten Stock eines Hauses in der Nowolipkistraße, der Ewigkeit des Weltalls gegenübersah! Und wie seltsam der Gedanke war, daß dieselben Gesetze, denen Sonne und Mond, Kometen und Nebelflecken unterworfen sind, auch über Leben und Tod entscheiden, über Mussolini, Hitler und jeden Nazilümmel, der das Horst-Wessel-Lied schmetterte und »Juda verrecke!« grölte.

Nach solchen Grübeleien über das Universum dachte er wieder über seine persönlichen Angelegenheiten nach. Hadassa hatte sich in eine Wildnis zurückgezogen. Wenn er sie besuchte, sprach sie nur noch vom Sterben. Dache wuchs völlig undiszipliniert auf, im Kreis der nichtjüdischen Mädchen, die da draußen wohnten. Wahrscheinlich gab es überhaupt nichts mehr, worüber sie noch nicht aufgeklärt war. Und sie trieb sich mit nichtjüdischen Burschen herum. Woher sollte man wissen, auf was ein junges Ding, das so aufwuchs, sich einlassen würde? Er hatte sich einzureden versucht, es sei doch egal, ob ein Mädchen heiratete oder ohne Trauschein mit einem Mann zusammenlebte, ob es sich mit einem Juden oder mit einem Andersgläubigen einließ. Aber er machte sich trotzdem Sorgen. David lebte in einem Kibbuz im Norden Galiläas, mitten im arabischen Gebiet. Ohne Gewehr konnte man den Kibbuz nicht verlassen. Adele wurde ganz krank, wenn längere Zeit kein Brief von David eintraf. Menasse David, Dinas Mann, hatte den letzten Rest Verantwortungsgefühl verloren. Hätte Euser Heschel seiner Schwester nicht ausgeholfen, so hätte sie keinen roten Heller gehabt. Ein Glück, daß wenigstens Barbara keine finanzielle Unterstützung nötig hatte!

Nach jener Nacht, die er vor Jahren mit Barbara in der Wohnung einer polnischen Kommunistin verbrachte, hatte er geglaubt, es sei das erste und letzte Mal gewesen. Damals lag ein Haftbefehl gegen Barbara vor. Sie hatte davon gesprochen, wieder nach Frankreich zu gehen, vielleicht aber auch nach Rußland. Doch sie war in Warschau geblieben, und er war immer noch ihr Liebhaber. Ihr Vater war gestorben. Die Komintern hatte die Kommunistische Partei Polens liquidiert. Manche Parteimitglieder waren im Gefängnis, manche im Konzentrationslager Kartuz Berez. Einige waren zu den Rechtssozialisten übergelaufen, andere hatten die politische Tätigkeit völlig aufgegeben. Barbara war allem Anschein nach Funktionärin geblieben. Sie hielt sich oft außerhalb Warschaus auf. Sie führte ein konspiratives Leben. Offiziell war sie als Buchhalterin in einer Knopffabrik in der Orlastraße beschäftigt. Sie zog sich elegant an, nahm nie an Versammlungen der Radikalen teil und hatte den reaktionären *Warschauer Kurier* abonniert. Und obendrein ging sie jeden Sonntag in die evangelische Kirche. In ihrem Bücherschrank war keinerlei politische oder soziologische Literatur zu finden. Auf dem Tischchen, das zwischen den beiden Fenstern ihres Zimmers stand, lag die Bibel ihres verstorbenen Vaters, auf deren Einband ein goldenes Kreuz eingeprägt war.

Bei ihr mußte alles streng nach Plan gehen. Wenn sie in Warschau war, rief sie morgens pünktlich um Viertel nach acht bei Euser Heschel an, und abends traf sie sich mit ihm Punkt sieben in einem bestimmten Lokal. Daß jeder für sich zahlte, hatten sie von Anfang an ausgemacht. Wenn sie ins Kino oder ins Theater gingen, erlaubte sie ihm nicht, ihre Eintrittskarte zu bezahlen. Meistens gingen sie nach dem Abendessen in Barbaras Zimmer, das einen separaten Eingang hatte. Dann drehte Barbara das Radio an und paffte eine Zigarette. Nach einer Weile machte sie das Radio aus, und dann saßen sie sich gegenüber und sahen einander an, wie sich Menschen ansehen, die sich bei aller Intimität irgendwie fremd geblieben sind. Meistens eröffnete Barbara das Gespräch mit der Frage: »Also, was hat der Angeklagte vorzubringen?« Oder sie fragte: »Also, was hast du heute für die Konterrevolution getan?«

Worauf er sagte: »Ich habe mein Teil geleistet.«

Das quittierte Barbara mit einem Lächeln. Obzwar die beiden sich darauf geeinigt hatten, nicht über Politik zu sprechen, kam es oft zu heftigen Debatten. Es ging dabei stets um die Frage: Wußte man genug über die Geschichte der

Menschheit, um ihren weiteren Verlauf voraussagen zu können? Euser Heschel behauptete, das sei unmöglich, weil es noch zu viele unbekannte Faktoren gebe. Die Vorstellung von einem Reich der Freiheit stehe im Widerspruch zum Kausalitätsprinzip. In einem System, in dem jeder Körper nur durch einen anderen bewegt werden kann, sei es zwecklos, nach Gerechtigkeit zu streben. Die Gleichheitsidee stehe im Widerspruch zu den menschlichen Erbfaktoren. Barbara hörte ihm zu und stand zuweilen auf, um Petroleum in den Primuskocher zu pumpen. Euser Heschels Ansichten stellten das Fundament all dessen, woran sie glaubte, in Frage. Trotzdem fand sie seine Argumente interessanter als die immer in die gleiche Richtung zielenden Debatten der Genossen, mit denen sie an geheimen Treffpunkten zusammenkam.

»Was bleibt einem dann noch übrig?« fragte sie. »Soll man sich hinlegen und sterben?«

»Es gibt Schlimmeres als den Tod.«

»Was für eine positive Einstellung!«

Dann lief sie im Zimmer auf und ab und warf ihm Seitenblicke zu, als könnte sie immer noch nicht glauben, daß ausgerechnet ein Antimarxist, ein ehemaliger Jeschiwaschüler, ihr Liebhaber war. Er redete wie ein Faschist, aber beim Teetrinken benahm er sich so sonderbar wie ein junger Chassid. Er krümmte den Rücken, biß sich auf die Lippen, schnitt Grimassen. Manchmal kam er ihr wie ein Achtzehnjähriger vor, und gleich darauf wirkte er wie ein alter kranker Jude. Er machte ihr gegenüber kein Geheimnis daraus, daß er Hadassa regelmäßig besuchte und auch mit seiner ersten Frau noch in Verbindung stand. Wenn sie sich außerhalb Warschaus aufhielt, erschien er ihr bedeutender und interessanter als in den Stunden, die sie miteinander verbrachten. Als sie sich ihm vor Jahren in jener merkwürdigen Nacht hingegeben hatte, war ihr das Ganze wie eine Gedankenlosigkeit vorgekommen, die man aus Unschlüssigkeit begeht – gewissermaßen zwischen einer Liebesbeziehung und der nächsten. Und dennoch war *er* einer der Gründe dafür, warum sie in Polen geblieben war, nicht geheiratet hatte, parteipolitisch arbeitete und jede gefährliche Aufgabe übernahm, die von ihr verlangt wurde. Jetzt aber hatte sich die Lage so zugespitzt, daß ein zweiter

Weltkrieg unvermeidlich schien. Was würde dann mit ihr geschehen?

Jedesmal, wenn Euser Heschel mit Barbara zusammen war, zog er sich zu später Stunde an und ging nach Hause. Er wollte nicht die ganze Nacht bei ihr verbringen, weil die Gefahr einer polizeilichen Haussuchung bestand. Und Barbara wollte nicht, daß die Nachbarn am Morgen einen Mann aus ihrer Wohnung kommen sahen. Er kleidete sich im Dunkeln an, und sie sagte mit schlaftrunkener Stimme, er sollte nicht vergessen, beim Hinausgehen die Tür abzuschließen. Wenn er den einen Schuh angezogen hatte, blieb er eine Weile ganz erschöpft sitzen. Sonderbar – weder er noch Barbara fürchteten Gott, aber vor den Leuten schämten sie sich. Während er mit tauben Fingern seine Schnürsenkel knotete, zog er die Bilanz seines Lebens. Die Jahre waren vergangen, Jahre voller Grübeleien, Phantastereien und ungestillter Leidenschaften. Seine Mutter war in bitterer Armut gestorben, und sein Sohn war, dem Vater entfremdet, aufgewachsen. Er hatte Adeles Leben verpfuscht. Und Hadassas Leben auch. Selbst Barbara beklagte sich ständig über ihn. Auf der Jagd nach Lebensgenuß hatte er alles andere vernachlässigt – seine Gesundheit, seine Verwandten, seine Arbeit, seine Laufbahn.

Er sagte »Gute Nacht!«, aber Barbara antwortete nicht. Er ging die dunkle Treppe hinunter. Eine Katze miaute, ein Säugling begann zu plärren. Auf den Pförtner mußte man um diese Zeit lange warten. Die Zelaznastraße war von den Gaslaternen nur schwach beleuchtet. Hier und dort sah er Prostituierte stehen. Er ging langsam, mit gesenktem Kopf. Noch einmal ganz von vorn anfangen? Wie denn? Womit denn? Er lehnte sich an eine Mauer, um zu verschnaufen. Er litt an Bleichsucht. Sein Herz schlug manchmal zu langsam, manchmal zu schnell. Ständig plagte ihn ein nervöser Juckreiz. Und er erkältete sich leicht. »Wie lange kann ich noch so weitermachen?« In solchen Momenten spürte er ganz deutlich, wie seine Lebenskraft dahinschwand.

Am Haustor in der Nowolipkistraße mußte er wieder nach dem Pförtner läuten. Dann stieg er die vier Treppen hinauf und ging in sein Zimmer. Das Bett war gemacht. Er zog sich aus und schlief sofort ein. Plötzlich schreckte er hoch. Er hatte von entsetzlichen Dingen geträumt, von Leichen, Beerdigungen, Reptilien, wilden Tieren. Von Schändung, Gemetzel, Brandschatzung, Folterung. Im Traum hatte er es mit Dina, seiner Schwester, und Dache, seiner Tochter, getrieben, ja sogar mit seiner toten Mutter eine unreine Beziehung gehabt. Er war schweißüberströmt und zitterte am ganzen Körper. »Was ist mit mir los – was wollen sie von mir – was für schmutzige Gedanken schlummern in meinem Unterbewußtsein?« Er schleuderte die Bettdecke von sich und rang nach Atem. Ein angefaulter Backenzahn tat ihm weh. Seine Knie schlotterten. Er hatte Angst und glühte zugleich vor Begierde. Als der Morgen graute, dachte er über Wanjas älteste Tochter nach. Immer, wenn er nach Srodborow kam, rannte sie ihm nach. Sie sah ihm tief in die Augen und fand immer Mittel und Wege, mit ihm zu plaudern und im Wald mit ihm allein zu sein. Sie war zwar noch keine siebzehn, aber aller Wahrscheinlichkeit nach nicht mehr unberührt. Wenn er bloß nicht so schüchtern und so ein Feigling wäre!

Viertes Kapitel

Euser Heschel versuchte sich einzureden, er habe sich damit abgefunden, daß es zum Krieg und zu Gewalttaten gegen die Juden kommen werde, und sich schon längst mit dem Gedanken ans Sterben ausgesöhnt. In Wirklichkeit aber hatte er Angst. Wenn er spät nachts noch auf der Straße war, ging er dicht an den dunklen Mauern entlang. Schon des öfteren waren in seiner Wohngegend Juden von Nara-Faschisten und Mitgliedern des chauvinistischen Studentenbundes überfallen worden. In noch größere Gefahr begab er sich, wenn er, wie an diesem Abend, vom Otwocker Bahnhof zu Fuß nach Srodborow ging. Auf diesen einsamen Landstraßen konnte es leicht passieren, daß einem ein Messer in den Rücken gestoßen wurde.

Wie immer, wenn er auf das Landhaus zuging, begannen die Hofhunde zu bellen. Wanjas Frau kam mit einer Öllampe auf die Veranda geeilt. Dache, die schon geschlafen hatte, war aufgestanden, um ihren Vater zu begrüßen. In Bademantel und Pantoffeln kam sie aus ihrem Zimmer. Euser Heschel staunte jedesmal, wenn er sie wiedersah. Sie schien von Tag zu Tag größer zu werden. Halb Kind, halb Frau, stand sie vor ihm, weder ihrem Vater noch ihrer Mutter ähnlich, sondern eher eine Katzenellenbogen-Moschkat-Mischung. Ihre Haare waren kastanienbraun, ihre Augen grün. Sie hatte, im Gegensatz zu ihren Eltern, volle Lippen, deren geschwungene Form Euser Heschel kühn und leidenschaftlich erschien. Sie guckte ihren Vater erfreut, aber auch ein bißchen schmollend an – wie ein Kind, das aus dem Schlaf gerissen worden ist. Das Zusammensein mit seiner Tochter hatte für Euser Heschel immer etwas Peinliches an sich. Sie wußte, was für ein Leben er führte. Da er sie so selten sah, mußte er sich erst wieder an den Gedanken gewöhnen, daß sie sein eigen Fleisch und Blut war. Nach kurzem Zögern lief sie auf ihn zu und umarmte ihn.

»Komm, Dache«, sagte Hadassa, »leg dich wieder schlafen. Morgen kannst du den ganzen Tag mit deinem Vater zusammen sein.«

»Ach bitte, Mutter, schick mich noch nicht zu Bett! Sonst kann ich die ganze Nacht nicht schlafen.«

Sie nützte die unerwartete Ankunft ihres Vaters dazu aus, noch einmal zu Abend zu essen, mampfte ein Stück Brot und trank ein Glas Milch. Sie küßte abwechselnd ihren Vater und ihre Mutter und frönte den für Einzelkinder typischen kleinen Kapricen. Sie schwatzte über die Schule, ihre Klassenkameradinnen, die Lehrer, die jungen Burschen, die Filme, die sie im Kino gesehen hatte. Sie kannte sämtliche Hollywood-Schauspielerinnen. Und sie redete begeistert über Sport, Autos und Flugzeuge. Wie sehr sie sich von den Mädchen unterschied, die er in seiner Jugend gekannt hatte! Und wie anders Hadassa in diesem Alter gewesen sein mußte!

Es war schon fast eine Stunde nach Mitternacht, als Dache endlich zu Bett ging. Auch ihre Eltern waren müde. Euser Heschel zog sich aus, während Hadassa sich nebenan die Haare bürstete und die Zähne putzte. Dann kam sie im langen Nachthemd ins dunkle Schlafzimmer und legte sich nieder, dicht am Rand des Doppelbettes. Lange sagten sie beide kein Wort. In diesen Minuten des Schweigens offenbarte sich der ganze Jammer ihres Ehelebens. Das war die Frau, der er untreu geworden war. Das war die Liebe, die er besudelt hatte. Das war dieselbe Hadassa, die einst – ihr Samtbarett auf dem Kopf und ein Buch unterm Arm – zu ihm in die Swiętojerska gekommen war, dieselbe Hadassa, von der er den ersten Kuß bekommen hatte. Und jetzt kam er aus den Armen einer anderen zu ihr.

Wortlos und wartend lagen sie da, jeder auf seiner Seite des Bettes. Sie mußten sich jedesmal erst wieder aneinander gewöhnen. In all den Jahren, die sie nun schon hier draußen im Wald lebte, war Hadassa so schweigsam geworden wie die Bäume vor dem Fenster. Sie hatte sich nie mit Philosophie befaßt, aber sie hatte gelernt, die Dinge auf ihre Weise zu beurteilen. Sie hatte Abschied nehmen müssen von denen, die ihr am nächsten standen. Sie hatte den Niedergang der Familie miterlebt. Obzwar sie nur selten eine Zeitung las, war ihr klar, daß die polnischen Juden am Rand der Katastrophe standen. In Karczew, einem Dorf bei Otwock, waren bereits einige Juden von den polnischen Nazis verprügelt worden. Und dem Vernehmen nach auch in Przytyk, Brisk und Nowo Minsk. In Otwock war sie jüdischen Flüchtlingen aus Deutschland begegnet, die von Haus zu Haus gingen und Wirkwaren, Krawatten und Taschentücher feilboten. Wie unwichtig war doch ihre Eifersucht angesichts des tragischen Schicksals dieser Menschen! Sie hatte schon längst eine Rechtfertigung für Euser Heschels Verhalten gefunden. Was konnte *er* denn dafür, daß er sich nicht zum Familienvater eignete? Wie hätte sie denn von ihm verlangen sollen, daß er mutterseelenallein in Warschau herumlief? Sicher, er war bloß einer von vielen Lehrern geworden, aber sie hatte auch jetzt noch das Gefühl, daß er von jeher ein Mensch gewesen war, den man nicht mit gewöhnlichen Maßstäben messen konnte. Als ihre Stiefmutter einmal über ihn hergezogen war, hatte Hadassa empört gesagt: »Er ist mein Mann, und ich liebe ihn.« Seitdem hatte sich Bronja nie mehr in Srodborow blicken lassen.

Hadassa lag regungslos da und lauschte. Der Frühling war dieses Jahr ungewöhnlich bald gekommen. Schon Mitte Februar hatte die Schneeschmelze eingesetzt. Im Wald tropfte das Wasser von den Bäumen, der Erdboden war matschig, zwischen den Stämmen plätscherten kleine Bäche, die sich in den Swider ergossen und sich dann mit der Weichsel vereinigten. Das Tschirpen der Wintervögel hörte sich wie menschliche Laute an. Die aufgeweichte Erde dampfte. Wie stets, bevor ihre Zweige in Knospen ausbrachen, wirkten die Obstbäume jetzt besonders schwarz und kahl. Die Bauern unkten, ein vorzeitiger Frühling sei ein Omen für Krieg und Blutvergießen. Der Wetterumschwung machte die Tiere auf dem Hof unruhig. Wanjas Ziege meckerte in einem fort, die Hähne krähten ohne Unterlaß. Insekten schwirrten herum und flogen gegen die Fensterscheiben. Hadassa rückte ein bißchen näher zu Euser Heschel hinüber. Es tat immer noch gut, in seinen Armen zu liegen.

Euser Heschel schlief lange. Dache brauchte nicht zur Schule zu gehen. Sie setzte sich zu ihm aufs Bett und plauderte unaufhörlich. Hadassa ging in die Küche, um Frühstück zu machen. Es duftete nach frischer Milch und Kaffee. Wanjas Töchter kamen alle paar Minuten angelaufen. Und sogar aus weiter entfernten Häusern fanden sich Frauen und Mädchen ein, um den Gast zu begrüßen. Hadassa war es immer ein Rätsel geblieben, warum Euser Heschel auf die verschiedenartigsten Menschen anziehend wirkte, obwohl er sich nichts aus anderen Leuten machte.

Nach dem Frühstück spazierten sie die Landstraße entlang, die nach Garwolin führte. Die Eisenbahnstrecke war in dieser Gegend eingleisig. Am Waldrand tauchte ein Hase auf. Dache hopste mit einer Freundin vor ihren Eltern her. Die Sonne verbarg sich hinter Wolken, die überhaucht waren vom rötlichen Gold des Vorfrühlings. Durch den Dunst brachen Strahlen, so scharf wie die Schneide einer Axt. Es war schwer zu sagen, ob das gedämpfte Geräusch, das in der Stille zu vernehmen war, von den raschelnden Kieferzweigen oder von einem Zug oder von einem Karren irgendwo auf der Landstraße kam. Hadassas Haar flatterte im Wind. Ihr blasses Gesicht rötete sich ein wenig. Das war es, wovon sie ihr Leben lang geträumt hatte: ein Haus im Wald, ein Kind und der Mann an ihrer Seite.

Am Abend fuhr Euser Heschel nach Warschau zurück. Immer wenn Hadassa ihn zum Otwocker Bahnhof begleitete, hatte sie das dumpfe Gefühl, daß sie ihn jetzt zum letzten Mal sah. Sie gab ihm ein Päckchen mit selbstgebackenen Plätzchen. Dann ging sie mit ihm auf dem Bahnsteig auf und ab. Noch immer zog sie die Blicke der Männer auf sich, aber es war ihr zuwider. Sie hatte zu grausame Erfahrungen mit der Liebe gemacht.

Der Zug war abfahrbereit. EuserHeschel umarmte sie zum Abschied. Einen Moment lang klammerte sie sich an ihn. Er würde nie begreifen, wieviel sie um seinetwillen gelitten hatte – von jenem Tag an, als Onkel Abram ihn zum Mittagessen ins Haus ihres Vaters mitgebracht hatte. Euser Heschel stieg in den Zug und sah durchs Fenster zu ihr hinaus. Sie nickte ihm zu. Plötzlich bedauerte sie, daß sie die Vierzig überschritten hatte. Ob es ihr Los war, alt zu werden? Sie schüttelte den Kopf, als wollte sie diese Frage verneinen.

Der Zug setzte sich in Bewegung. Hadassa machte sich auf

den Heimweg. Euser Heschel hatte versprochen, nächste Woche wiederzukommen, aber sie wußte ja, wie wenig man sich auf seine Versprechen verlassen konnte. Sie war überzeugt, daß er schon heute nacht wieder in den Armen dieser anderen schlafen würde.

Fünftes Kapitel

I

Vor Pessach traf Besuch aus Amerika und Palästina in Warschau ein. Koppel, der jetzt schon Mitte Siebzig, und Lea, die Ende Sechzig war, kamen nach Polen, um ihre Kinder wiederzusehen. Seiner Tochter Schoscha, die in Palästina lebte, hatte Koppel Geld für die Reise nach Warschau geschickt. Leas Sohn Aaron kam nicht nur wegen des Wiedersehens mit seiner Mutter aus dem Heiligen Land angereist, sondern auch, um in Warschau Spenden für die orthodoxe Siedlung zu sammeln, die er in Palästina gegründet hatte. Lea wollte ihre Tochter Mascha mit nach Amerika nehmen. Sie hoffte, daß Mascha, die nicht mehr mit ihrem Mann zusammenlebte, in Amerika zum jüdischen Glauben zurückfinden würde. Lotti, die an einem College unterrichtete, begleitete ihre Mutter nach Europa.

Die Nachricht, daß Lea bald eintreffen würde, hatte den Mitgliedern der Familie Moschkat Auftrieb gegeben. Pinnje und Njunje begruben den alten Streit, der sie auseinandergebracht hatte. Die Schwägerinnen Hanna und Bronja, die einander spinnefeind waren, begannen wieder miteinander zu reden. Die Moschkatschen Enkelkinder telefonierten mit ihren Onkeln und Tanten. Alle waren von dem gleichen Gedanken besessen: irgendwie aus Polen herauszukommen, bevor es zu spät war.

An dem Tag, an dem Lea und Koppel mit dem Paris-Expreß eintreffen sollten, versammelte sich die ganze Verwandtschaft bei Pinnje. Ausgenommen Hadassa, Euser Heschel und Mascha. In der Wohnung wimmelte es nur so von Enkeln und Urenkeln. Pinnje beguckte sie und zuckte die Achseln. Ein Wunder Gottes! Ihm war gar nicht klar gewesen, daß der alte Meschulam eine so zahlreiche Nachkommenschaft hinterlassen hatte. Aber so wie in den alten Zeiten war's halt doch nicht mehr. Früher, als die ganze Familie sich zu Chanukka und Purim bei dem alten Herrn versammelt hatte, waren alle aus dem gleichen Holz geschnitzt. Die Verwandten, die sich heute eingefunden hatten, kamen Pinnje wie das Getier in der Arche Noah vor. So viele verschiedene Arten! Bärtige und Glattrasierte; Jeschiwaschüler und moderne junge Leute; Frauen mit Perücken und Frauen mit unbedecktem Haar. Die meisten jungen Mädchen sprachen polnisch. Joels Töchter erkannte Pinnje kaum wieder. Aber die hatte er ja noch nie richtig auseinanderhalten können. Alle drei waren dick und rotgesichtig, eine perfekte Mischung aus Joel und Königin Esther – mögen ihre Seelen die ewige Ruhe im Paradies finden! Und die Kinder dieser drei waren Pinnje völlig fremd. Der Bart von Perls Sohn Simcha war schon angegraut. Pinnjes Schwiegersohn, der Anwalt, unterhielt sich mit Abrams Tochter Stefa. Avigdor, Abrams Schwiegersohn, und Bella, seine Frau, hatten ein ganzes Hausvoll Sprößlinge mitgebracht. Ihr Ältester, der Meschulam hieß, aber Max genannt wurde, hatte das Technikum absolviert. Er unterhielt sich mit Doscha, Pinnjes unverheirateter Tochter. Pinnje ging mit seinem Bruder Njunje (dem »Modernen«) von Zimmer zu Zimmer. Obwohl er bloß ein paar Jahre älter war, sah er wie Njunjes Vater aus. Er war schon völlig weiß, sein schmächtiger Körper war gebeugt, und er hatte keinen Zahn mehr im Mund. Er redete stockend. Njunjes Spitzbart war ergraut, aber er hatte immer noch ein volles Gesicht und einen kräftigen, faltenlosen Hals. Er hatte eine Zigarre zwischen den Lippen, und auf seiner Weste baumelte eine goldene Uhrkette.

Immer wieder stupste Pinnje seinen Bruder und deutete auf jemanden. »Wer ist denn der da drüben? Der mit der Brille.«

»Das ist Joels Enkel.«

»Was ist er von Beruf?«

»Was soll er denn sein? Er war doch bis vor kurzem Soldat.«

»Er hat also dienen müssen. Gewalt geschrien! Und wer ist die Jungfer da drüben?«

»Avigdors Tochter. Woher willst du wissen, daß sie eine Jungfer ist?« Er lächelte verschmitzt.

»Pfui, Njunje!«

Nach dem Fahrplan sollte der Zug um halb neun ankommen. Um acht Uhr wartete die Verwandtschaft bereits auf dem Bahnhof. Njunje hatte jedem eine Bahnsteigkarte präsentiert. Bronja hatte mit saurer Miene zugeguckt, wie er die paar Zloty Taschengeld, die er von ihr bekam, verplemperte. Der Paris-Expreß hatte eine Stunde Verspätung. Der Zug aus Gdynia sollte um zehn Uhr eintreffen. Aaron war auf demselben polnischen Schiff aus Palästina gekommen wie Schoscha und ihr Mann. Es sah ganz so aus, als würden die beiden Züge gleichzeitig einfahren. Die Bialodrewner Chassidim, die ihren Rebbe begrüßen wollten, rannten aufgeregt auf dem Bahnsteig herum. Normalerweise hätte sich zu Aarons Begrüßung eine große Menschenmenge eingefunden, denn er war im Lauf der Jahre bei den Warschauer Juden zu hohem Ansehen gelangt. Sein Name erschien häufig in den Zeitungen, und alle sangen ein Loblied darauf, daß er für die Wiedererstehung des Heiligen Landes so viele Opfer brachte. Doch Fischel Kutner, Pinnje Moschkat und einige andere ältere Chassidim hatten erklärt, in derart unsicheren Zeiten sollten die Juden lieber kein Aufsehen erregen. Den jüngeren Chassidim war eingeschärft worden, sich vom Bahnhof fernzuhalten. Fischel war nicht zur Begrüßung erschienen: Er wollte lieber nicht mit den Moschkats zusammentreffen – man konnte ja nicht wissen, ob Hadassa zugegen war. Aaron sollte bei Fischels Mitarbeiter logieren, der vor einigen Jahren eine Witwe geheiratet hatte und in der Bagnostraße wohnte.

Aber nicht nur die Moschkat-Sippe und die Bialodrewner Chassidim waren zum Bahnhof gekommen, sondern auch ein Haufen Leute, die Koppel und seine Tochter Schoscha begrüßen wollten: Manjek und Jeppe (die Geschwister Schoschas) samt ihren Familien. Die Polen auf dem Bahnhof betrachteten diese bunt zusammengewürfelte Judenversammlung mit scheelen Blicken. Hitler stand doch sozusagen schon mit einem Fuß in Polen, aber diese Juden führten sich noch genau wie früher auf! Wußten sie denn nicht, was ihnen bevorstand? Oder hatten sie sich vielleicht schon verschworen, Hitler den Garaus zu machen?

Zehn Minuten vor zehn fuhr der Zug aus Paris ein. Koppel und Lea stiegen aus einem Erste-Klasse-Waggon. Trotz seines hohen Alters trug Koppel einen hellen Mantel, einen hellen Hut und rotbraune Schuhe. In der einen Hand hatte er einen Spazierstock, in der anderen eine kleine Tasche. Lea war immer noch ein Weibsbild, das sich sehen lassen konnte. Ihr Haar war weiß geworden, aber ihr sorgfältig geschminktes und gepudertes Gesicht, das der Hutschleier halb verdeckte, hatte noch keine Runzeln. Die Wartenden vernahmen sofort ihre schallende Stimme, die irgendwie an die des alten Meschulam erinnerte. Lotti trug einen Hut und einen Mantel, die eher wie Männerkleidung wirkten. Sie hatte ein Halstuch um und eine Brille mit dicken Gläsern auf der Nase.

Man hörte Lea fragen: »Wo ist Aaron?«

»Der Zug aus Gdynia muß jeden Moment einfahren.«

»Njunje! Pinnje!«

Sie schloß Njunje in die Arme und küßte ihn. Pinnje gab sie keinen Kuß. Das war nicht der Pinnje, den sie in Erinnerung hatte, sondern ein jüdischer Tattergreis, gebeugt und ausgemergelt, mit einem grotesk eingefallenen Mund. Die Tränen stiegen ihr in die Augen. Dann küßte sie einen nach dem anderen, ohne so recht zu wissen, wen sie da eigentlich begrüßte. Alle möglichen Leute redeten mit ihr, aber sie kam nicht dahinter, wer sie waren. Frauen, die ihr alt vorkamen, sagten »Tante« zu ihr. Und ihr Atem stank nach Zwiebeln. Junge Mädchen redeten sie auf polnisch an, doch ihr fiel die richtige Antwort nicht ein. Als Pinnje sich nach Mejerl erkundigte, dauerte es eine Weile, bis sie begriff, daß er Mendy meinte. »Mejerl? Dem geht's gut. Er hat zwei prächtige Kinder.«

Pinnje faßte sich ein Herz und fragte: »Zlatele, was stehst du herum wie ein Ölgötze?«

»Onkel Pinnje!« Lotti fiel ihm um den Hals und küßte ihn auf beide Wangen. Pinnje war fassungslos.

»Hanna!« rief er. »Wo steckst du denn?«

Plötzlich tauchte Mascha auf. Sie war nicht in Pinnjes Wohnung gekommen – er hätte sie, die Abtrünnige, ohnehin nicht eingelassen. Und man hatte gemunkelt, daß sie auch nicht zum Bahnhof kommen würde. Aber jetzt war sie da – in einer Jacke mit Silberfuchskragen, einem pelzbesetzten Kleid und einem mit Blumen dekorierten Hut. Die anderen wichen vor ihr zurück. Mutter und Tochter umarmten sich wortlos. Als Lea das erste Mal aus Amerika nach Warschau gekommen war, hatten sie einander nicht wiedergesehen.

Koppel begrüßte unterdessen seine eigene Verwandtschaft.

Sein Sohn Manjek, inzwischen ein Mann in den Vierzigern, sah ihm auffallend ähnlich. Njunje Moschkat gaffte die beiden ganz verdutzt an. Ihm war, als sähe er zwei Koppels vor sich, einen alten und einen jungen. Manjeks Frau war korpulent geworden. Jeppe, Koppels jüngste Tochter, stützte sich auf den Arm ihres Gatten, eines schmächtigen Mannes mit spärlichem Oberlippenbart. Sie trug jetzt keine Beinschiene mehr, sondern benützte Krücken. Baschele war gestorben, und ihr zweiter Mann, Chaim Leib, der Kohlenhändler, hatte auch schon das Zeitliche gesegnet. Von Manjeks und Jeppes Sprößlingen hatte Koppel Fotos in der Brusttasche, aber als er seine Enkelkinder jetzt leibhaftig vor sich sah, erkannte er kein einziges. Jeppe war für ihn eigentlich bloß noch eine lahme Frau in mittleren Jahren. Sie stotterte ein bißchen, und er konnte kaum verstehen, was sie sagte.

Manjek hatte einen Schmerbauch bekommen. »Wir können gleich auf den Zug aus Gdynia warten«, sagte er zu seinem Vater. »Er muß jeden Moment kommen.«

»He, Chef, wohin mit dem Gepäck?« rief ein Lastträger, der Koppels, Leas und Lottis Koffer auf einen Handwagen gestapelt hatte.

»Soll er's vorläufig zur Gepäckaufbewahrung bringen?« fragte Manjek auf polnisch.

»Ja. Und bring mir den Gepäckschein!« antwortete Koppel in amerikanisiertem Jiddisch.

»Kinder, das ist euer Großvater«, sagte Manjeks Frau – auf polnisch – immer wieder zu ihren und Jeppes Sprößlingen.

»Ich kann schon fast kein Polnisch mehr«, erklärte Koppel. »Ja, ich bin euer *dziadek.* Und wer bist du? Wie heißt du?«

»Ich bin Manjeks Tochter Andrza.«

»Aha – Andrza. Gehst du in die höhere Schule?«

»Ja, ich bin in der sechsten Klasse.«

»In Amerika heißt das *high school.* Sag mal, werden die Juden hier verprügelt?«

»Mich verprügelt niemand.«

»Es wird noch soweit kommen. In Paris reden alle bloß noch davon, daß es bald Krieg gibt. Kannst du etwas Englisch?«

»In der Schule lernen wir Französisch.«

»Ich kann kein Französisch. Es klingt gar nicht wie eine Sprache, sondern so ähnlich, wie wenn man gurgelt. Als ich in deinem Alter war, habe ich schon mein Brot verdienen müssen. Damals habe ich in einem Geschäft in der Genschastraße gearbeitet. Ich mußte den Laden fegen. Als Wochenlohn habe ich einen halben Rubel bekommen. Ich hätte nichts zu beißen gehabt, wenn ich nichts stibitzt hätte.«

Lea kam zu ihnen herüber. »Stibitzt? Was faselst du denn da? Stell mich deiner Verwandtschaft vor!«

»Das ist meine Frau«, sagte Koppel etwas zögernd. »Ihr Vater war mein Chef. Ich habe das Geld aus seinem Tresor stibitzt, und dann habe ich seine Tochter gestohlen.«

Lea wich einen Schritt zurück. »Bist du meschugge?«

»Es ist wahr. Dein Vater, er ruhe in Frieden, hat mich einmal gefragt: ›Koppel, glaubst du eigentlich an die nächste Welt?‹ Worauf ich gesagt habe: ›Wenn ich dort bin, lasse ich Sie alles darüber wissen.‹ Er war gewieft, der alte Herr. Er hat gewußt, daß ich ihn bestohlen habe – aber von wem ist er damals denn nicht beklaut worden?«

»Koppel, so wahr mir Gott helfe, du solltest dich schämen!« herrschte ihn Lea auf englisch an. »Kaum bist du hier, da fängst du schon wieder mit diesem Blödsinn an.«

»Schon gut, schon gut«, brummte Koppel. »Aber es ist die reine Wahrheit.«

2

Auch der Zug aus Gdynia hatte Verspätung. Die Bialodrewner Chassidim, angeführt von Anschel, gesellten sich zu den Moschkats und zu Koppels Verwandtschaft. Dann gingen alle zusammen hinüber zu dem Bahnsteig, auf dem der Zug einfahren sollte. Aus dem Bahnhofsgebäude kamen mehrere polnische Matrosen mit runden Mützen, kurzen Jacken und weiten Hosen. Die Chassidim wichen ein paar Schritte zurück. Durchaus möglich, daß diese Horde sie zusammenschlagen würde. Pinnje und Njunje guckten hilflos um sich. Lea gaffte die Matrosen erstaunt an: Sie hatte keine Ahnung gehabt, daß Polen eine Marine hatte. Sie fand, daß die Uniform so ähnlich aussah wie die der amerikanischen Matrosen, aber im Vergleich zu den fast durchweg hochgewachsenen amerikanischen Seeleuten kamen ihr diese hier fast zwergenhaft vor. Koppel schüttelte den Kopf. »Und so was nennt sich Staat!« dachte er. »Ein einziges amerikanisches Schiff, und ihre gesamte Flotte liegt auf dem Grund des Meeres!« Obwohl er in Amerika wegen Schwarzhandels mit Alkohol viel Ärger gehabt hatte, fühlte er sich als amerikanischer Patriot. In Frankreich waren er und Lea heftig aneinandergeraten, weil er behauptet hatte, jede Straße in Brooklyn könnte es mit sämtlichen Pariser Boulevards aufnehmen. Und die Franzosen hätten keine Ahnung vom Kochen, die Hotels seien schmutzig, und die Frauen sähen einfach schauderhaft aus.

Er musterte die polnischen Matrosen. »Guckt euch das an! Die reinste Purim-Maskerade!«

»Halt den Mund, Koppel!« warnte Lea.

»Zum Teufel mit ihnen allen!«

Jedermann hatte erwartet, daß Aaron Zweiter Klasse reisen würde, doch er stieg aus einem Dritte-Klasse-Waggon. Lea sah einen hageren Mann mit zerzaustem Bart vor sich, der einen zerknautschten Mantel und einen großen Samthut trug. Sie wußte, daß er in der Landwirtschaft arbeitete, aber anzusehen war ihm das nicht. Er war auch nicht sonnengebräunt wie die anderen Besucher aus Palästina. Im Nu war er von den Chassidim umringt.

Lea wußte nicht so recht, ob sie Aaron umarmen sollte. Sie drängte sich durch das Gewühl, dann hörte sie ihn sagen: »Mame, du bist's!«

»Ja, ich bin's.« Mehr konnte sie nicht sagen.

»Aaron! Aaron! Ich bin's – Zlatele.«

»Zlatele! Der Name des Herrn sei gelobt!«

»Er ist zwar Ihr Sohn, aber unser Rebbe«, sagte Anschel zu Lea. »Der Rebbe wohnt bei mir in der Bagnostraße. Es ist spät geworden, wir müssen jetzt gehen.«

»Jetzt schon? Also gut – ich werde ihn dort besuchen.«

Die Chassidim geleiteten Aaron auf die Straße hinaus. Sie schlurften neben ihm her und schubsten einander. Lea sah ihnen nach. Sie hatte zwei Drittel ihres Lebens in Warschau verbracht; sie war schon einmal aus Amerika zu Besuch hiergewesen; sie hatte viele Erinnerungen an Polen. Doch als sie zusah, wie diese Chassidim ihren Sohn aus dem Bahnhof hinausbegleiteten, wie heftig sie gestikulierten und das Gesicht verzerrten, da wurde ihr klar, wie viel sie inzwischen vergessen hatte. Sie hielt Ausschau nach Mascha. Ach, was für einen merkwürdigen Nachwuchs sie zur Welt gebracht hatte! Einen Rebbe, eine Abtrünnige, eine College-Lehrerin und einen Wall-Street-Advokaten. Plötzlich fiel ihr ein, daß auf Mosche Gabriels Grab immer noch kein Grabstein stand. Hier, in diesem Labyrinth aus Eisenbahnwaggons, Lokomotiven und Gleisen, im grellen Licht der Bahnhofslampen und inmitten von hin und her hastenden Passagieren, wurde ihr etwas, das sie schon lange vermutet hatte, völlig klar: Sie hatte nicht mehr lange zu leben. Höchstens noch ein paar Jahre. Im Friedhof von Brooklyn wartete schon das Grab auf sie, das Koppel vom Warschauer Verein erworben hatte. Wozu also sich alles so sehr zu Herzen nehmen? Wozu diese endlosen Auseinandersetzungen mit Koppel? Warum auf Lotti herumhacken? Was für einen Sinn hatte es denn, in der Welt herumzureisen? Sie war so in Gedanken verloren, daß sie gar nicht merkte, wie Koppel seine Tochter Schoscha und ihren Mann begrüßte und umarmte.

Pinnje kam zu ihr herüber. »Warum stehst du denn hier herum? Es ist spät geworden. Wir bekommen bestimmt keine Droschke mehr.«

»Einen Moment noch. Ich muß sie doch begrüßen.«

Seit Schoscha vor Jahren nach Palästina ausgewandert war, hatte sie sich zu einer wahren Schönheit entwickelt. Lea konnte den Blick nicht von ihr wenden. Schoscha war, obwohl sie ein bißchen zugenommen hatte, immer noch schlank. Sie war von der Sonne gebräunt. Ihre Augen wirkten heller als früher. Immer wieder küßte sie ihren Vater, Manjek, Jeppe und ihre Schwägerin. Sie zog ein Taschentuch heraus und wischte sich die Augen. Und auch den anderen kamen die Tränen bei dem Gedanken an Teibele, die allzu früh gestorben war. Simon, Schoschas Mann, stand ein wenig abseits. Er war braun wie ein Zigeuner und hatte buschiges, pechschwarzes Haar. Man hatte den Eindruck, daß sein kräftiger Körper in dem Anzug eingezwängt war. Seine klobigen Hände ragten aus den Mantelärmeln. In Palästina arbeitete er auf seiner eigenen Orangenplantage. Pinnje, der Simon noch nicht kannte, ging auf ihn zu und hieß ihn willkommen. Der Hüne nahm Pinnjes Hand in seine Pratze und beugte sich zu ihm hinunter wie zu einem Kind.

Dann gingen sie alle zur Sperre. Der Kontrolleur sammelte die Bahnsteigkarten ein, wobei er jeden einzelnen so forschend ansah, als wollte er sich sein Gesicht einprägen. Manjek holte die Koffer in der Gepäckaufbewahrung ab. Koppel hatte telegrafisch drei Zimmer im Hotel Bristol bestellt, eines für sich und Lea, eines für Lotti, eines für Schoscha und ihren Mann. Vor dem Bahnhof stiegen die fünf in ein Taxi. Manjek nahm eine Droschke, Jeppe ebenfalls. Einige Mitglieder der Familie Moschkat gingen zu Fuß nach Hause, die anderen fuhren mit der Straßenbahn. Mit diesen Amerikanern, sagten sie sich, war es doch immer das gleiche. Immer drängten sich so viele Leute um sie, daß man kein Wort mit ihnen reden konnte. Aber es hatte ja ohnehin keinen Zweck, viel Hoffnung in sie zu setzen. Auch wenn Lea bereit wäre, sie alle mit nach Amerika zu nehmen, hieß das noch lange nicht, daß es ihr gelingen würde. Joels Töchter gingen verärgert nach Hause. Ihre Tante aus Amerika hatte sie keines Blickes gewürdigt. Stefa schloß sich Doscha an. Sie sprachen von Hadassa.

»Sie hat recht gehabt, nicht mitzukommen«, sagte Stefa. »Es war der reinste Zirkus.«

»Was hast du denn erwartet? Es ist ein Ding der Unmöglichkeit, so viele Leute innerhalb von zehn Minuten zu begrüßen.«

»Dieser Koppel sieht wie ein schlauer Fuchs aus.«

»Er soll ein halber Irrer sein.«

»Jetzt nach Polen zu kommen, wo doch nur noch vom Krieg geredet wird! Die haben Nerven!«

»Amerikanische Staatsangehörige haben nichts zu befürchten.«

»Du hältst mich sicher für verrückt«, sagte Stefa nach einer Weile, »aber ich wollte, es wäre schon so weit.«

Doscha blieb wie angewurzelt stehen. »Stefa, du mußt den Verstand verloren haben!«

»Dieses Warten ist schlimmer als alles andere. Wenn wir tot sind, können wir diejenigen, die uns umgebracht haben, wenigstens auslachen.«

»Stefa, du redest Blödsinn! Ich habe nichts, worum ich mir Sorgen machen müßte. Ich bin allein. Aber du hast einen Sohn!«

»Er ist vergangene Woche zusammengeschlagen worden – ich dachte schon, sie hätten ihm den Schädel eingeschlagen.«

»O Gott! Wie ist das passiert? Warum hast du nichts davon gesagt?«

»Wie ein Schwarm Aasgeier sind sie über ihn hergefallen. Sechs gegen einen. ›Marsch, marsch – nach Palästina!‹ haben sie gebrüllt. Er wollte gerade zu einer Versammlung gehen. In Uniform. Er ist Mitglied im Trumpeldor-Bund.«

Doscha seufzte. »Ja, der Abschaum ist an die Macht gekommen. Weiß Gott, wie das enden wird.«

Sechstes Kapitel

Die Chassidim hatten eine Bäckerei in der Krochmalnastraße gemietet, wo sie ihre Pessach-Matzen streng nach der rituellen Vorschrift backen konnten. Rebbe Aaron und die anderen übernahmen die ganze Arbeit. Sie füllten ein nagelneues Faß mit Wasser und ließen es über Nacht stehen. Die Chassidim schrubbten die Tische, scheuerten die Nudelhölzer, die Backschaufel und die Bretter, auf denen der Teig geschnitten und eingekerbt wurde. Sie drückten die Kerben nicht mit dem Nudelholz hinein, sondern nach altem Brauch mit den Zinken einer hölzernen Gabel. Anschel, bei dem der Rebbe logierte, schob die Teigfladen in den Backofen. Fischel schnitt den Teig, Pinnje und die anderen kneteten ihn, rollten ihn aus und gossen das Wasser darüber. Während der Arbeit sangen und psalmodierten die Gläubigen.

Die rituellen Gebote für das Pessachfest wurden peinlich genau befolgt. Unter Aufsicht des Rebbe heizte Anschels Frau den Küchenherd. Damit die Roste glutrot wurden, häufte man glühende Kohlen darauf und bedeckte sie dann mit Sand. Die Männer aßen nur trockenes ungesäuertes Brot. Da die Frauen und Kinder die üblichen Pessach-Leckerbissen – Matzeklößchen, Pfannkuchen, Matzepudding – essen durften, mußten zwei verschiedene Garnituren Küchen- und Eßgeschirr benützt werden. Pinnje hatte gehofft, daß Aaron die Festtage bei ihm verbringen würde, doch der Rebbe gab deutlich zu erkennen, daß er lieber darauf verzichten wollte. Pinnjes Töchter hielten sich nicht an die rituellen Vorschriften, und Aaron traute auch Pinnjes Frau nicht, weil sie aus Kurland stammte, wo man andere Sitten und Bräuche hatte. Und so wurde beschlossen, daß Aaron den Sederabend bei Anschel feiern sollte. Am ersten Abend des Pessachfestes sollte bei Pinnje eine Sederfeier für die Moschkat-Sippe, einschließlich Koppels und seiner Kinder, stattfinden. Die Kosten übernahm Lea. Sie sandte Hadassa ein langes Telegramm nach Srodborow und setzte sich auch mit Euser Heschel in Verbindung, weil ihr daran gelegen war, daß beide am Familientreffen teilnahmen.

Ein Sedermahl für so viele Gäste auszurichten, war keine leichte Aufgabe. Hanna und ihre Töchter konnten es allein gar nicht schaffen. Also band sich Lea ein Kopftuch um, krempelte die Ärmel hoch und half mit. Die anderen sagten, sie sollte sich keine Mühe machen – sie sei doch als Gast aus Amerika hier. Aber Lea ließ sich nicht davon abhalten. In Amerika hatte sie nie Gelegenheit zu solch emsigen Feiertagsvorbereitungen gehabt. Dort kaufte sie ein paar Pfund fabrikmäßig hergestellte Matzen, und damit hatte sich's. Aber hier in Warschau hatte die Jüdischkeit noch ihren alten Zauber. Lea wusch und schrubbte und bewies hausfrauliche Fähigkeiten, die lange brachgelegen hatten.

Sie ließ das Fleisch vorschriftsmäßig abtropfen, scheuerte Töpfe und Pfannen, reinigte das Geschirr. An einem Dekkenhaken waren die speziell für Pinnje gebackenen »chassidischen« Matzen aufgehängt. Die gewöhnlichen Matzen lagen in einem zugedeckten Korb. Den Borschtsch hatte Hanna schon vor Wochen zum Gären aufgestellt. Am Abend vor dem Sedermahl zündete Pinnje eine Kerze an und nahm die vorgeschriebene Kontrolle des ungesäuerten Brotes vor. Die Krumen, die Hama zuvor in alle möglichen Winkel und Ritzen des Zimmers gelegt hatte, wurden in einen Lappen gewickelt und tags darauf verbrannt.

Trotz Hamas Befürchtung, mit all den Vorbereitungen nicht rechtzeitig fertig zu werden, fehlte es am ersten Abend des Pessachfestes an nichts, was zur Sederfeier notwendig war. Drei große Tische waren aufgestellt worden. Zusätzliche Stühle und Bänke hatte man bei Nachbarn ausgeliehen. Für Pinnje stand das traditionelle »Hessebett«, ein gepolsterter Ehrensitz, bereit. Auf dem Küchenherd standen riesige Töpfe, in denen das Fleisch schmorte. Und in breiten Kupfertiegeln, die Hanna schon lange nicht mehr benützt hatte, wurde Fisch gesotten. Auf dem Silberteller, den Pinnje vor vielen Jahren von seinem Vater, dem alten Meschulam, geschenkt bekommen hatte, lagen traditionsgemäß ein Hachsenknochen, ein Ei, geriebener Kren, Bitterkraut, Petersilie und ein Rettich. Wein und Honigwein standen in verstaubten Flaschen und in Karaffen bereit. Lea hatte Trinkbecher, Servietten, Leinentücher, die über die Matzen gelegt wurden, und goldgeprägte Ausgaben der *Haggada* gekauft. Über die Platte mit den Matzen breitete Hanna eine Decke, die sie als junge Frau für Pinnje gestickt hatte. Die Figuren darauf stellten die Vier Söhne dar: den klugen Sohn, den bösen, den törichten und den, der keine Fragen stellen kann. Hanna und Lea sagten den Segensspruch über die Kerzen, deren Flammen den Raum in warmes Licht tauchten. Zum Schutz vor dem Bösen Blick hatte Hanna die Vorhänge zugezogen. Während Pinnje beim Gottesdienst war (das Bialodrewner Bethaus war dieses Jahr brechend voll), versammelte sich die Verwandtschaft in seiner Wohnung. Man hatte sich in den letzten Jahren angewöhnt, zur Sederfeier Blumen mitzubringen. Hanna wußte gar nicht, wohin mit all den Sträußen. In einem fort trafen Gäste ein. Koppel und seine Verwandtschaft fuhren in zwei Taxis vor: Schoscha und Simon Bendel, Manjek und seine Frau, Jeppe und ihr Mann sowie Koppels Enkelkinder. Schoscha und Simon sprachen Hebräisch miteinander. Koppel strahlte vor Stolz. »Was sagt ihr zu meiner Tochter! Eine richtige Gelehrte!«

Hadassa, die Dache mitbrachte, war seit Jahren nicht mehr in Warschau gewesen. Sie trug ein neues Kleid und hatte sich frisieren lassen. Sie war immer noch eine schöne Frau. Die jüngeren Mitglieder der Moschkat-Sippe kannten sie kaum. Meschulams Urenkel redeten sie mit »Tante« an, umringten sie und machten ihr Komplimente über ihr Aussehen. Stefas Sohn erklärte Dache, wie man aus Holzteilen und Draht Flugzeuge bastelte. Er hatte eine braune Hemdbluse an, auf deren Ärmel eine Menora gestickt war. Er brüstete sich damit, daß er jetzt schießen lerne – mit einem richtigen Gewehr. Euser Heschel hatte sich zunächst strikt geweigert, zur Sederfeier zu kommen; er hatte seinen Schwiegervater seit Jahren nicht mehr gesehen. Doch Hadassa hatte ihm angedroht, sich endgültig von ihm zu trennen, falls er sie diesmal im Stich ließe. Der Gedanke, die Moschkats wiederzusehen, war ihm so unangenehm, daß er auf dem Weg zu Pinnjes Wohnung erst einmal in eine Kneipe ging und drei Glas Schnaps kippte. Da er an hochprozentige Spirituosen nicht gewöhnt war, stieg ihm der Alkohol sofort zu Kopf.

Pinnje, der zur Feier des Tages seinen Pelzhut trug, kam

us dem Bethaus zurück. Liebenswürdig begrüßte er seine Gäste. Lea kamen bei seinem Anblick die Tränen: Er war noch einer vom alten Schlag. Solche Pelzhüte hatten auch Joel und Nathan und Mosche Gabriel getragen, ja sogar Abram. Und im gleichen Ton, den *sie* angeschlagen hatten, wünschte Pinnje der Verwandtschaft gute Feiertage. Dann machte er sich sofort am Sederteller zu schaffen. Der Knochen mußte rechts, das Ei links und das Bitterkraut in der Mitte liegen. Aber sooft er den Teller auch hin und her drehte – die Dekoration schien ihm einfach nicht richtig zu gelingen. Wie jedes Jahr beim Pessachmahl mußte ihm Hanna zu Hilfe kommen. Als dann auch Njunje am Sederteller herumhantierte, kam es zwischen ihm und Pinnje sofort zu einer Kabbelei um das vorschriftsmäßige Arrangement der symbolischen Speisen.

Dann legte Pinnje ein weißes Gewand an und sprach das Tischgebet. Hanna brachte einen Krug Wasser und ein Bekken herein. Pinnje wusch sich die Hände, dann teilte er die Petersilie aus. Alle Männer hatten ihren Hut oder eine Jarmulke auf. An Leas Hand funkelte ein großer Brillant. Hanna hatte die goldene Kette umgehängt, die sie von Meschulam Moschkat als Verlobungsgeschenk bekommen hatte. Schoscha trug ein Kettchen mit einem in Palästina hergestellten silbernen Davidstern. Pinnje begann zu rezitieren:

»Dies ist das Brot der Betrübnis, das unsere Vorväter in Ägyptenland aßen...«

Weil Pinnje keinen Sohn hatte, waren die vier Osterfragen jedes Jahr von Doscha, seiner jüngsten Tochter, gestellt worden. Dieses Jahr aber waren so viele Knaben zugegen, daß man sie aufforderte, die Fragen gemeinsam aufzusagen. Ihre hellen Stimmen ertönten im Chor. Jeppes Sohn sprach die hebräischen Wörter tadellos aus und fügte nach jedem Satz die jiddische Übersetzung hinzu. Er ging in eine orthodoxe Schule. Stefas Sohn rezitierte die Fragen in der sefardischen Aussprache. Pinnje verzog das Gesicht. Es ging ihm gegen den Strich, wie diese »modernen« Juden die heilige Sprache christianisiert hatten. Als die vier Fragen gestellt waren, begann er, die vorgeschriebenen Antworten aufzusagen: »Knechte waren wir dem Pharao in Ägypten...«

Alle Anwesenden lasen laut mit, manche den hebräischen

Text, manche die polnische Übersetzung. Lea weinte beim Lesen. Sie hatte Mascha zum Pessachmahl mitbringen wollen, doch Pinnje hatte es strikt abgelehnt, die Abtrünnige in sein Haus zu lassen. Er hatte verlangt, sie sollte zuerst in die *mikwe* gehen und auch allen anderen rituellen Geboten nachkommen, die für die Rückkehr zum Glauben unerläßlich waren. Koppel benahm sich den ganzen Abend höchst sonderbar. Er machte laute Bemerkungen auf englisch und brachte die Namen seiner Enkelkinder durcheinander. Ab und zu brach er in Lachen aus und schnitt Grimassen. Auf seine alten Tage war er wunderlich geworden. Pinnje geriet zunehmend in Ekstase. Er wiegte sich rhythmisch hin und her, fuchtelte mit den Armen und stieß Schreie aus. Er nahm den mit Wein gefüllten Sederbecher und rezitierte mit tränenerstickter Stimme: »Diese Zusicherung ist's, die unsern Vätern, auch uns beigestanden; denn nicht etwa Einer war's, der sich aufgelehnt, uns zugrunde zu richten, sondern in jedem Geschlecht und Zeitalter stehen Boshafte wider uns auf, uns zugrunde zu richten, allein der Heilige, gelobt sei er!, entreißt uns ihren Händen.«

Hadassa murmelte den Text auf polnisch, Lotti auf englisch. Hanna schnaubte sich heftig die Nase. Alle brachen in Seufzen aus. Ja, jede Generation hatte ihre Pharaonen und Hamans und Chmielnickis. Jetzt war es Hitler. Würde auch diesmal ein Wunder geschehen? Würden die Juden nächstes Jahr wieder das Pessachfest feiern können? Oder würde – Gott soll schützen! – der neue Haman sie alle vernichten?

Euser Heschel saß schweigend da. Er dachte an seine eigene Verwandtschaft. An die Sederfeier im Hause seines Großvaters. An seine Onkel, an seine Mutter. In Klein-Tereschpol und den umliegenden Schtetln lebten noch Verwandte von ihm. Und in der Franziskanerstraße feierte sein Schwager Menasse David das Pessachfest auf seine Weise: Er las die *Haggada* und tanzte verzückt. Und in Palästina beging sein Sohn David die Feiertage gemeinsam mit anderen Siedlern. Adele war vermutlich ganz allein in ihrer Wohnung. Barbara hatte sich eine Opernkarte gekauft. Euser Heschel sah zu Hadassa hinüber und schüttelte den Kopf. Dache saß neben ihm und hatte sich bei ihm eingehakt. »Warum reden sie so viel von Wundern?« dachte er. »In jeder Generation hat man Juden umgebracht. Gäbe es keine Massenmörder und Pogrome, dann beliefe sich unsere Zahl jetzt schon auf Hunderte von Millionen.« Er betrachtete Stefas Sohn Jeschek und Dache und die anderen Jugendlichen. Sie alle waren zum Untergang verurteilt. Die Wirkung des Schnapses, den er vorhin getrunken hatte, ließ allmählich nach. Pinnje hob die Platte mit den Matzen hoch und deutete triumphierend darauf. »Diese ungesäuerten Brote – warum essen wir sie?«

Siebtes Kapitel

Mitte Mai trat Adele die Reise nach Palästina an. Sie hatte ihren Haushalt aufgelöst, die Möbel und die Nähmaschine verkauft und sechshundert Zloty für die Überfahrt auf einem Schiff bezahlt, das Auswanderer in Palästina einschmuggelte. Arrangiert wurde das alles von einem Mittelsmann, der angeblich alle Kniffe kannte. Das Schiff sollte nicht in Gdynia, dem regulären Hafen, sondern in einem kleinen Fischerdorf auslaufen. Jeder Passagier durfte nur einen einzigen Koffer mitnehmen. Für einen Schleuderpreis verkaufte Adele die Matratzen, die Kissen und die Bettwäsche, die sie von ihrer Mutter geerbt hatte. Alle Kleidungsstücke, Schuhe und Strümpfe, die sie nicht mitnehmen konnte, verschenkte sie an Bedürftige.

Die Seereise auf dem kleinen Dampfer sollte vier Wochen dauern. Die vorgesehene Route: Ostsee, Nordsee, Atlantik, Mittelmeer. Unterwegs sollte der Dampfer in Marokko, Italien und Ägypten anlegen. Adele stellte dem Organisator alle möglichen Fragen: Fuhr das Schiff durch das Skagerrak und das Kattegat oder durch den Nord-Ostsee-Kanal? Würde es durch den Ärmelkanal fahren können oder mußte es Kurs nach Norden nehmen und dann um Schottland und Irland herumfahren? Und vor allem: Würde es die Meerenge von Gibraltar passieren dürfen? Der Organisator beruhigte sie: Alles sei sorgfältig geplant. In Palästina würde der Dampfer im Dunkel der Nacht anlegen. Einwanderungspapiere seien nicht erforderlich. Adele waren diese zungenfertigen Antworten nicht geheuer. Sie hatte große Bedenken – aber was blieb ihr denn anderes übrig? Sie sehnte sich nach David. Und hier in Polen stand der Krieg vor der Tür.

Euser Heschel begleitete Adele zum Schiff und gab ihr ein Geschenk für seinen Sohn mit: einen Fotoapparat. Die beiden fuhren am Abend in einem Zweite-Klasse-Waggon vom Wiener Bahnhof ab. Adele legte den Kopf an Euser Heschels Schulter. Sie war erschöpft vor lauter Kummer und Sorge. Während sie im trüben Schein des Nachtlichts vor sich hindöste, bildete sie sich ein, wieder jung und mit Euser Heschel in der Schweiz auf Hochzeitsreise zu sein.

Euser Heschel las eine Zeitung: Konzentrationslager, Folterkammern, Gefängnisse, Hinrichtungen. Täglich trafen aus Deutschland ausgewiesene Juden in Polen ein. In Spanien wurden immer noch Loyalisten erschossen. In Abessinien wurden Eingeborene von Faschisten umgebracht. In der Mandschurei wurden Chinesen von Japanern getötet. In der Sowjetunion fanden weitere »Säuberungsaktionen« statt. England versuchte immer noch, zu einer Übereinkunft mit Hitler zu gelangen. Und mittlerweile hatte die britische Regierung ein Weißbuch über das Palästinaproblem veröffentlicht, in dem den Juden der Erwerb von Grund und Boden untersagt wurde. Den Polen ging allmählich auf, daß Hitler ihr Feind war. Die deutsche Presse führte eine Hetzkampagne gegen Polen. Und trotz alledem vergeudeten die Abgeordneten im polnischen Sejm viel Zeit damit, über jede Einzelheit der jüdischen Schächtungsvorschriften zu debattieren. Die oppositionellen Zeitungen ließen durchblicken, daß die polnische Armee, deren Ausrüstung viele Millionen gekostet hatte, nicht auf einen Krieg vorbereitet sei.

Der Schnellzug brauste durch die Nacht, die Lokomotive gab Warnsignale. Finstere Wälder glitten vorüber, dunkle Häuser, Fabriken, Schornsteine. Die Natur schien in Schlaf gehüllt, tatsächlich aber war sie hellwach: Jeder Baum, jede Blume, jeder Halm sog Nahrung aus dem Erdboden.

Am Morgen fuhr der Zug in Gdynia ein. Zum ersten Mal sah Euser Heschel das Meer. Es blitzte in der Ferne wie ein Spiegel. Im Hafen lagen polnische Kanonenboote vor Anker, die wie Enten auf den Wellen schaukelten. Am Bahnhof wartete ein Omnibus auf die Reisenden, die angeblich ihren Sommerurlaub in einem Dorf an der Küste verbringen wollten. Es waren überwiegend junge Leute. Kein einziges Kind war dabei. Kinder mit auf das Schiff zu nehmen, war verboten. Einige junge Burschen und Mädchen sprachen hebräisch. Sie hätten jetzt gern die palästinensische *hora* getanzt, doch ihnen war jegliche Demonstration untersagt worden. Trotzdem stimmten sie, sobald der Omnibus nach Puck abgefahren war, ein Palästina-Lied an: »Lang lebe das jüdische Volk.«

Der Fahrer drehte sich wütend zu ihnen um. »Was fällt euch denn ein? Könnt ihr mit dem Singen nicht warten, bis ihr an Bord seid?«

In dem Dorf, das vorwiegend aus Fremdenheimen bestand, hatten der jüdische Kulturverein und die Liga für landwirtschaftliche Ausbildung in den letzten Jahren einige Sommerlager eingerichtet. Der Omnibus hielt vor einer unverputzten Holzbaracke. Der Innenraum hatte nackte Dekkenbalken. Überall roch es nach frischem Holz. An ungedeckten Tischen bekamen die Reisenden Brot und gebratene Flundern vorgesetzt. Beim Anblick dieser Plattfische mit den braunen Rücken und weißen Bäuchen mußte man unwillkürlich an ferne Länder denken.

Durch die Fenster konnte man den Strand und die Dünung sehen. Das leise Rauschen der Wellen verschmolz mit der Stille, das Meer verschmolz mit dem Himmel. Sabbatliche Ruhe lag über der endlosen Weite. Möwen kreisten über dem Wasser und kreischten. Am fernen Horizont lag ein Boot unter seinem langgestreckten Segel wie ein Leichnam unter dem Leichentuch.

Die Stimmung der jungen Leute wurde immer ungezwungener. Sie unterhielten sich in Jiddisch, Polnisch, Hebräisch und Deutsch. Eine junge Frau kicherte in einem fort. Ein junger Mann zog übermütig seine Schuhe aus und lief barfuß herum. Einige legten sich auf die Bänke und schliefen. Die meisten anderen vertrieben sich die Zeit mit Gesellschaftsspielen. Und manche gingen hinaus und schlenderten am Strand entlang, der fast bis zum Ufer mit Kiefern bewachsen war. Ob der Dampfer sich der Küste näherte oder sich von ihr entfernte, war schwer zu sagen. Die See war weder stürmisch noch ruhig; sie rollte und wogte. Euser Heschel bestaunte dieses Naturwunder: Die Gottheit hatte die Form des Meeres angenommen. Adele, die neben ihm stand, wurde so blaß, als ob sie bereits seekrank wäre.

Sie stiegen auf die kleine, bewaldete Anhöhe und setzten sich auf den mit Moos, Kiefernadeln und Unterholz bedeckten Erdboden. Auf dem knorrigen Wurzelwerk eines Baumes wuchsen Blätterpilze. Nicht weit davon war ein wimmelnder Ameisenhaufen. Emsig schleppten die winzigen Insekten trockene Pflanzenteilchen herbei. Sie krabbelten im Zickzack. Stechmücken summten. Aus der Ferne war der Ruf eines Kuckucks zu hören. Die kühle Ostseebrise vermischte sich mit der Wärme, die der Erdboden ausströmte.

Adele griff nach Euser Heschels Hand. »Euser Heschel, warum hast du es so weit kommen lassen?«

»Für solche Fragen ist es jetzt zu spät.«

»Sag mir ganz ehrlich – hast du jemals einen Menschen geliebt?«

Er schwieg.

»An deiner Stelle hätte ich Barbara geheiratet.« Warum sie ihm das sagte, wußte sie selber nicht.

Dann durchzuckte sie der Gedanke, daß sie ihn vielleicht niemals wiedersehen würde. Verstohlen spähte sie zu ihm hinüber. Ihr fiel auf, daß seine Fingernägel anormal weiß waren. Sie betrachtete seine Nase und seinen Mund, seine Augen und seine Ohren. War er attraktiv oder häßlich? Sie konnte sich nicht darüber klarwerden. Seine Züge hatten etwas Vages, Undefinierbares. Sie erinnerten sie an die Meereswellen, deren ständig wechselnde Formen sie vorhin bestaunt hatte. Jetzt, da er, an einen Kieferstamm gelehnt, neben ihr saß, glaubte sie, in den Umrissen seines Gesichts eine merkwürdige Zartheit zu entdecken. Goldblonde Strähnen hingen ihm in die hohe Stirn. Seine klaren blauen Augen hatten einen kindlich-naiven Blick. Nur um die schmalen Lippen lag ein bitterer Zug. Plötzlich kam ihr der Gedanke, daß sie nie begriffen hatte, was ihn quälte. Daß es ihm nicht gelungen war, Karriere zu machen? Oder sehnte er sich nach irgend jemand? Sie war nahe daran, ihn zu fragen, aber plötzlich wußte sie die Antwort. Er war im Grund seines Herzens kein weltlicher Mensch. Er war einer von denen, die entweder Gott dienen oder sterben müssen. Er hatte sich von Gott losgesagt, und darum war er tot – ein lebender Körper mit einer toten Seele. Es wunderte sie, daß ihr diese simple Wahrheit bis heute entgangen war.

Gegen Abend wurden die Reisenden in einen Omnibus verfrachtet. Adele gab Euser Heschel einen Abschiedskuß, hielt ihn umschlungen, preßte seine Hand. Er spürte ihre Tränen auf seinem Gesicht. Dann sah er zu, wie sie mit den anderen in den Bus stieg. Sie bekam keinen Fensterplatz, aber sie beugte sich vor und winkte ihm mit einer Zeitung zu. Im letzten Moment, als der Omnibus schon angefahren war, rief sie: »Euser Heschel!« Wie wenn ihr plötzlich etwas ganz Dringendes eingefallen wäre. Euser Heschel rannte dem Bus nach, doch der brauste davon und ließ Benzingestank zurück.

Achtes Kapitel

Die Zeitungen strotzten von Berichten über den drohenden Krieg. In der gleichgeschalteten deutschen Presse wurde die Eingliederung des Polnischen Korridors und Ostoberschlesiens in das Deutsche Reich gefordert. England und Frankreich hatten den Status quo der polnischen Grenzen garantiert. Trotz allem fuhren die Moschkats auch dieses Jahr wieder in die Sommerfrische. Njunje besaß in Swider ein Haus. Pinnje mietete für seine Familie und für Aaron ein Landhaus in Falenitz, in dem auch Lotti zu Gast war. Lea und Koppel hatten sich in einer Pension in Otwock eingemietet. Hadassa und Dache blieben in Wanjas Haus in Srodborow. Mascha, die sich bereits einen Reisepaß und das amerikanische Visum beschafft hatte, wohnte vorläufig bei Hadassa. Jeden Samstag kamen Stefa und Doscha hinaus nach Srodborow. Abrams Schwiegersohn warnte sie alle: Es sei blanker Wahnsinn, in Polen zu bleiben – die Katastrophe könne jeden Moment hereinbrechen. Er flehte Reb Aaron und Lea an, abzureisen, bevor es zu spät sei. Wenn *er* die notwendigen Papiere hätte, so schwor er ihnen, würde er Polen schleunigst verlassen. Doch die Gäste aus dem Ausland hatten es offenbar nicht eilig.

Rabbi Aaron trug in Warschau Manuskripte zusammen, die sein Vater, Reb Mosche Gabriel, sowie Reb Jechiel von Bialodrewna und dessen Vorgänger verfaßt hatten. Er redigierte die Manuskripte, schickte sie in die Druckerei und korrigierte die Abzüge. Außerdem warb er chassidische Pioniere für die Siedlung Nachlat Jechiel im Heiligen Land an und drängte das Palästina-Büro, die erforderlichen Visa auszustellen. Ständig mußte er bei Behörden vorsprechen, um Gefälligkeiten bitten, einflußreiche Mittelsmänner einschalten. Es gab Schwierigkeiten über Schwierigkeiten: finanzielle Probleme, Beschaffung von Dokumenten, Nachweis der Staatsbürgerschaft und obendrein das Problem der Militärpflicht. Der Rabbi war von frühmorgens bis spätabends auf den Beinen. Er wußte, daß eine Zeit des Unheils gekommen war – aber welchen Sinn hätte es gehabt, wenn er jetzt davongelaufen wäre? Ein Hirte läßt seine Herde nicht im Stich. Im Grund seines Herzens erwartete der Rabbi, daß im letzten Moment ein Wunder geschehen würde.

Koppel verließ sich auf seinen amerikanischen Paß. Immer wieder erklärte er, all diesen europäischen Nationen – falls man sie überhaupt als Nationen bezeichnen könne – schlotterten ja schon beim Gedanken an Amerika die Knie. Solange es in Warschau einen amerikanischen Konsul gebe, könnten sie von ihm aus alle zum Teufel gehen. Außerdem sei er ein alter Mann. Was konnte man ihm schon antun? Ihm Salz auf den Schwanz streuen? Und New York würde ihm schon nicht davonlaufen. (Wenn er *davon* sprach, hätte man meinen können, er lebe dort ganz allein, ohne Kind und Kegel.) In New York habe er nichts anderes zu tun, als in seiner Wohnung herumzusitzen und Radio zu hören, oder in den Park zu gehen, sich auf eine Bank zu setzen und Zeitung zu lesen. Hier in Warschau habe er immerhin einen Sohn und einen Schwiegersohn, eine Tochter, eine Schwiegertochter und Enkelkinder. Er hatte einige alte Freunde aufgesucht. Isidor und Reize Ochsenburg waren schon lange tot. Von ihren Töchtern war Koppel mit offenen Armen empfangen worden. Itschele Pelzewisner hatte auch schon das Zeitliche gesegnet: Ein Gaul hatte ausgeschlagen und ihn ins Jenseits befördert. David Krupnick war an Lungenentzündung gestorben. Seine Frau krauchte noch herum und rauchte nach wie vor ihre Asthmazigaretten. Leon der Hausierer und Motje der Rote kamen immer noch zum Kartenspielen zu ihr. Wenn Koppel sie dort besuchte, brachte er jedesmal eine Flasche Schnaps, ein Pfund Wurst oder eine Dose Sardinen mit. Dann saßen die alten Männer bis spät in die Nacht beieinander und erzählten sich Geschichten. Leon der Hausierer war auf seine alten Tage mager geworden – eigentlich bloß noch Haut und Knochen. »Nu, Koppel«, pflegte er zu sagen, »wie geht's, wie steht's? Gut geht's dir in Amerika, hm?«

Worauf Koppel schmunzelnd erwiderte: »Warum soll's mir nicht gutgehen? Ich hab' doch genug zusammengeklaut.«

Mit seinen Diebstählen zu prahlen, war bei ihm zur fixen Idee geworden. Immer wieder erzählte er davon, wie er Meschulam Moschkats Tresor ausgeplündert hatte. Und von Mal zu Mal wurde die Beute, von der er berichtete, größer. Er sprach auch ganz offen darüber, daß er in New York Schwarzhandel mit Alkohol betrieben hatte. Lea flehte ihn an, sie nicht in Verlegenheit zu bringen. Seinen Töchtern stieg das Blut ins Gesicht. Manjek drohte seinem Vater an, er würde endgültig mit ihm brechen, falls er diese schändliche Rederei nicht sein ließe. Aber Koppel lachte ihnen allen ins Gesicht. »Weshalb schämt ihr euch denn? Einmal ein Dieb, immer ein Dieb.« Worauf er mit pfiffigem Lächeln seinem Sohn den Zeigefinger in die Brust bohrte.

In Frau Krupnicks Wohnung konnte er nach Herzenslust schwadronieren. Er zog ein Bündel Reiseschecks aus der Tasche und stellte sie zur Schau. Und er zeigte seine Sparbücher herum. Er weihte die »Greenhorns« in allerlei Machenschaften beim Handel mit Immobilien und Wertpapieren ein und erzählte ihnen von den raffinierten Methoden der amerikanischen Gangster und Schieber. Er verhohnepipelte die Warschauer Unterwelt. Das seien kleine Ganoven, die nichts anderes könnten, als Türschlösser mit dem Dietrich aufzubrechen oder jemandem ein Messer zwischen die Rippen zu stoßen. Die Gangster in Amerika – die kutschierten in Autos herum und mähten ihre Opfer mit Maschinengewehren nieder! Und für die sei es kein Problem, fünf Zoll dicke Tresortüren aufzubrechen. Als Motje der Rote, der jetzt schlohweiß war, von Warschauer Ganoven berichtete, die unlängst einen unterirdischen Gang gegraben hatten, um in die Bank von Polen einzubrechen, tat Koppel diesen Vorfall mit der vernichtenden Frage ab: »Nennst du *das* eine Bank?«

Lea ging ihm aus dem Weg. Lotti sprach nicht mehr mit ihm. Simon, sein Schwiegersohn aus Palästina, strafte ihn mit Verachtung. Koppel ging in die Küche der Otwocker Pension und zeigte der Köchin, wie man drüben in Amerika Mahlzeiten zubereitete. Das heiße Wasser, so erklärte er ihr, komme dort direkt aus dem Hahn. Und in jeder Wohnung stehe ein elektrischer Kühlschrank. Und es gebe koschere Seife zum Geschirrspülen. Er schlug zwei Eier in eine Pfanne und stellte sie auf den Herd. Statt sie mit einem Löffel zu wenden, schleuderte er sie hoch und fing sie mit der Pfanne auf.

Worauf die Köchin verächtlich sagte: »Amerikanischer Schnickschnack!«

Als Lea ihn bei diesen Mätzchen ertappte, zog sie sich sofort in ihr Zimmer zurück. Und als er hereinkam, schrie sie: »Geschieht mir ganz recht! Ich verdiene Prügel dafür, daß ich einen Mann wie Mosche Gabriel aufgegeben und einen Mistkerl wie dich geheiratet habe!«

»Wenn du willst, lasse ich mich scheiden und zahle dir Unterhalt.«

Lea legte sich einen Sommerschal um die Schultern, nahm ihre Handtasche und ihren Stock und machte sich auf den Weg nach Srodborow. Auf dem sandigen Fußpfad blieb sie ab und zu stehen, um Kies und Sand aus ihren Schuhen zu schütteln. Manchmal hatte sie nachts das schreckliche Gefühl, daß der Krieg ausbrechen und sie nicht mehr nach Amerika zurückkehren könnte. Bei Tage verflog diese Angst. Der Himmel war klar und blau. Goldener Sonnenschein lag über den Kieferwäldern, den Häusern, den Telegrafenstangen. Züge brausten vorbei. Kinder spielten miteinander. Grammophone quäkten alle möglichen Lieder. Hausierer im langen Kaftan liefen mit Körben voller Obst herum. Ihr Anblick erinnerte Lea an ihre Jugendjahre. Hier, in diesen Wäldern, hatte sie als junges Mädchen von Koppel geträumt.

In Srodborow fühlte sich Lea wie zu Hause. Hadassa brachte ihr ein Glas kaltes Quellwasser. Dache, der Lea immer etwas mitbrachte, küßte sie. Wanjas Töchter lasen ihr jeden Wunsch von den Augen ab und überboten einander an Aufmerksamkeiten. Mascha kam aus ihrem Zimmer. Lea warf ihr Seitenblicke zu. In all den Jahren, in denen sie nicht mehr mit ihr zusammengewesen war, hatte sich Mascha bis zur Unkenntlichkeit verändert. Ihr kurzgeschnittenes Haar war angegraut. Jeder jüdische Zug war aus ihrem Gesicht verschwunden. Sooft Lea sich inzwischen auch bemüht hatte, ihr näherzukommen – die Mauer, die sie beide trennte, konnte sie einfach nicht durchbrechen. Das Schlimmste war, daß Mascha ihre jiddische Muttersprache fast ganz verlernt hatte und sich in einem schauderhaften Mischmasch aus Polnisch und Jiddisch mit ihrer Mutter unterhielt.

Lea schüttelte wehmütig den Kopf. »Freust du dich denn nicht darüber, daß du nach Amerika fährst?«

»Doch.«

Mascha ging auf die Veranda, setzte sich und schlug ihr Buch auf. Diese Amerikanerin mit dem silberweißen Haar und dem derben rötlichen Gesicht war für sie eine Fremde. Sie wußte nicht, was sie im fernen Amerika tun sollte. Das ganze Gerede über ihre Rückkehr zum jüdischen Glauben kam ihr sinnlos vor. Sie war zwar nie eine überzeugte Christin gewesen, konnte aber auch die jüdische Glaubenslehre nicht ernst nehmen.

Seit jenem Tag, an dem sie Jod geschluckt hatte, war sie den Gedanken an Selbstmord nie ganz losgeworden. Mit Gift würde sie es bestimmt nicht mehr versuchen, aber es gab ja andere Möglichkeiten. In ihrem Koffer hatte sie einen Revolver versteckt. Und notfalls konnte man sich ja auch aufhängen. Seit sie den Paß für die Reise nach Amerika beantragt hatte, war kein Tag vergangen, an dem sie nicht mit dem Gedanken gespielt hätte, sich vom Schiff ins Meer zu stürzen. Sie war schon zu alt, um noch einmal von vorn anzufangen. Sie hatte die Wechseljahre schon hinter sich.

Neuntes Kapitel

Schon seit etlichen Jahren hatten Euser Heschel und Barbara vor, zusammen in den Sommerurlaub zu fahren, aber immer war etwas dazwischengekommen. Euser Heschel hatte nie genug Geld gehabt und wollte von Barbara keines annehmen oder borgen. Und einige Male hatte Barbara im letzten Moment abgesagt, weil sie im Auftrag der Partei verreisen mußte. In diesem Sommer aber lieh sich Euser Heschel bei der Darlehenskasse der Lehrergenossenschaft vierhundert Zloty, und Barbara hatte keinen Parteiauftrag zu erfüllen, weil jede parteipolitische Tätigkeit zum Stillstand gekommen war.

Es fiel Euser Heschel nicht leicht, ausgerechnet jetzt zu verreisen: jeden Tag konnte der Krieg ausbrechen. Er hatte Angst, Hadassa und Dache allein in Srodborow zurückzulassen. Und er befürchtete, daß man ihn und Barbara verhaften würde. Aber er konnte die drückende Hitze in Warschau einfach nicht mehr ertragen. Er beschloß, Hadassa nichts von seiner bevorstehenden Urlaubsreise zu sagen, sondern ihr erst nach der Abfahrt zu schreiben. Später wollte er ihr etwas Geld schicken.

Alles ging glatt. Er verbrachte das Wochenende in Srodborow. Bevor er nach Warschau zurückfuhr, gab er Hadassa sechzig Zloty Haushaltsgeld. Montagfrüh packte er seinen Koffer. Seiner Hauswirtin zahlte er eine Monatsmiete im voraus. Dann traf er sich mit Barbara am Wiener Bahnhof, wo sie in den Expreß nach Krakau stiegen.

Der Schnellzug hielt in Skiernewice, Piotrkow und Radomsk. Auf den Bahnsteigen boten Händler Limonade, Plätzchen, Schokolade und Illustrierte feil. Auf jedem Bahnhof wimmelte es von Juden und Militär. Im Zug erzählte eine Frau mit gedämpfter Stimme einem Mitreisenden, daß in Großpolen bereits Schützengräben ausgehoben wurden. Und die Reichen ließen sich eigene Luftschutzbunker bauen. Ein alter Mann mit rotem Gesicht und buschigem weißem Schnurrbart mischte sich ins Gespräch und erklärte, Hitler wolle mit seinen Drohungen doch nur erreichen, daß Polen den Korridor freiwillig an Deutschland abtreten würde. Nachdem England und Frankreich den Status quo der polnischen Grenzen garantiert hatten, bliebe Hitler nichts anderes übrig, als mit den Zähnen zu knirschen und zu kläffen.

Gegen Abend traf der Zug in Krakau ein. Von den nahen Bergen kam ein kühler Wind. Die goldenen Kruzifixe der Kirchtürme, die gotischen Buntglasfenster und die vergoldeten Zifferblätter der alten Turmuhren blitzten in der untergehenden Sonne. Die Fußgänger hasteten nicht, wie in Warschau, durch die Straßen, sondern gingen gemächlich. Die Straßenbahnen fuhren fast geräuschlos. Die Droschkenpferde schienen zu tänzeln. Das Geläut der Kirchenglocken ermahnte die Gläubigen, etwas für ihr Seelenheil zu tun. Eine Nonne ging vor einer Schar Kinder her, die Alpakakittel anhatten. Seminaristen in langen Gewändern und breitkrempigen Hüten schleppten Folianten so dick wie die jüdische *Gemara*. Tauben hüpften herum und pickten Körner auf. Ein Blinder, von einem Hund geführt, ging vorbei. Über dem Schloß der alten polnischen Könige, über den Denkmälern, Türmen und Kirchen schien eine wunderbare Ruhe zu walten. Die ersten Sterne gingen auf. Und da drüben lag Kazimierz, das Krakauer Ghetto, mit seinen altehrwürdigen Synagogen und dem Alten Friedhof, der Ruhestätte vieler Generationen von Rabbis, heiligen Männern, Oberhäuptern der jüdischen Gemeinde. Euser Heschel schöpfte Atem. Erst jetzt wurde ihm so richtig bewußt, wie nötig er eine Ruhepause hatte.

Das Hotel, in dem sie sich angemeldet hatten, lag in einer von Bäumen gesäumten Straße. Das Doppelzimmer war geräumig. Auf den Fensterbrettern standen Blumentöpfe, an den Wänden hingen Gobelins. Die Handtücher waren mit gestickten polnischen Sprichwörtern verziert: »Wer aufsteht früh am Morgen, für den wird Gott gut sorgen.« »Wo ein Gast ist, da ist Gott.« Auf dem Waschtisch in der Ecke stand ein irdener Krug mit einem kupfernen Schöpflöffel. In diesem Hotelzimmer hatte Euser Heschel das Gefühl, daß alles andere weit weg und unwirklich war: Hitler, der Krieg, die Schule, in der er unterrichtete, die Familie Moschkat. Barbara schaltete gar nicht erst die Lampe ein, sondern zog sofort ihr

Kleid aus und wusch sich im sanften Halbdunkel. Euser Heschel legte sich angezogen auf das Bett, das hohe Pfosten mit geschnitzten Knäufen hatte. Er lauschte der Stille, die durch die geöffneten Oberlichter hereindrang. Er hatte nur noch *einen* Wunsch: ausruhen und für eine Weile alle Sorgen und Belastungen vergessen.

Zum Abendessen gingen sie in ein Café, in dem der polnische Maler und Schriftsteller Wyspianski Stammgast gewesen war und wo auch jetzt noch Zeichnungen von ihm an den Wänden hingen. Euser Heschel hatte eigentlich vermeiden wollen, Lokale zu besuchen, die von Touristen frequentiert wurden. Barbara mußte ihn dazu überreden, in dieses Café zu gehen. Chinesische Lampions verbreiteten sanftes Licht. Zwei andere Paare saßen beim Abendessen und unterhielten sich mit gedämpfter Stimme. Die Bedienung, die ein weißes Schürzchen umgebunden hatte, ging auf Zehenspitzen. Nach dem Essen machten Euser Heschel und Barbara einen Spaziergang zum Ghetto. Hier waren die Straßen schmal, gewunden und mit Kopfsteinen gepflastert. In einer der spärlich beleuchteten Gassen begegneten sie einem alten Juden mit Scheitelkäppchen und langen Schläfenlocken. Hinter dem Ladentisch einer Gemischtwarenhandlung stand eine Frau, die eine Perücke aufhatte. Rechts von ihr lagen gebündelte Holzscheite und aufgeschichtete Kohlen. Links von ihr hingen Schnüre mit gedörrten Pilzen. Ein kleines Mädchen mit einem Schal um die Schultern kaufte gerade etwas ein, das auf einer altmodischen Waage mit langem Zeiger ausgewogen wurde. In einer anderen Straße stießen die beiden auf eine Gruppe von Männern und Knaben, die gerade ein Gebet zu Ehren des Neumonds anstimmten. Sie tanzten und riefen einander zu: *»Scholem alejchem! Alejchem scholem!«*

Die Knaben mit ihren langen Schläfenlocken und breitkrempigen Hüten sahen wie kleine Rabbis aus.

Barbara blieb stehen und sah ihnen staunend zu. Der Mondschein fiel auf die blassen Gesichter und schwarzen Bärte und spiegelte sich in den dunklen Augen. Die Knaben sprangen wie Ziegenböckchen herum, wobei sie Texte aus ihren Gebetbüchern skandierten und einander zuweilen voller Ausgelassenheit schubsten. Durch das offene Fenster eines

Bethauses waren Bücherregale, der Toraschrein, vergoldete Löwen und Gedenkkerzen zu sehen. Barbara dachte an ihren Vater, der auf dem Sterbebett gerufen hatte, er wolle im jüdischen Friedhof beerdigt werden.

In ihrem Hotelzimmer machten sie das Licht nicht an. Gottlob, daß sie endlich allein waren! Morgen wollten sie in die Berge fahren. Geschehe, was mag – diese Nacht konnte ihnen niemand nehmen! Barbara stand am Fenster und betrachtete den klaren Nachthimmel und die schiefen Dächer. Euser Heschel trank ein Glas Wasser aus dem irdenen Krug. Und plötzlich dachte er an den gestrigen Abend, als Hadassa ihn von Srodborow zum Otwocker Bahnhof begleitet hatte. Zum Abschied hatte sie ihn dreimal geküßt. »Wenn ich sterbe«, hatte sie gesagt, »möchte ich neben meiner Mutter begraben werden.«

Wie sonderbar sie sich verhalten hatte, ging ihm erst jetzt auf. Was war geschehen? Hatte sie von seiner Abreise gewußt? Ein entsetzlicher Gedanke durchzuckte ihn: Er würde sie nicht lebend wiedersehen.

Zehntes Kapitel

In den Bet- und Lernhäusern ließen die Juden, wie jedes Jahr im Monat Elul, den Schofar blasen – zum Schutz gegen Satan. Die polnische Regierung ergriff, auf ihre Art, ebenfalls Schutzmaßnahmen. In den Warschauer Grünanlagen und auf den Plätzen wurden Gräben ausgehoben, in denen die Bevölkerung im Falle eines Bombenangriffs Zuflucht suchen sollte. Priester und Rabbiner taten die ersten Spatenstiche. Angesehene Bürger, Chassidim und Jeschiwaschüler meldeten sich freiwillig zum Gräbenausheben. Die Arbeiten wurden im Dunkel der Nacht durchgeführt, weil man einen Überraschungsangriff der deutschen Flugzeuge befürchtete. Alle Fenster waren mit schwarzem Papier oder mit Decken verhängt. Die polnischen Streitkräfte wurden nur teilweise mobilisiert. Es war ein offenes Geheimnis, daß die Generäle und Obersten, die seit dem Pilsudski-Putsch die eigentliche Herrschaft in Polen ausübten, keineswegs auf einen modernen Krieg vorbereitet waren. Auch wenn Marschall Rydz-Smigly immer wieder versicherte, jeder Zentimeter polnischer Erde werde verteidigt, rechnete man mit einem Rückzug der polnischen Armee bis zum Bug.

Pinnje Moschkat hatte, wo er ging und stand, eine zusammengefaltete Landkarte in der Tasche. Tag für Tag veranschaulichte er den anderen Gläubigen im Bialodrewner Bethaus, daß Hitler ganz zweifellos irrsinnig sein müsse. Njunje schrieb Hadassa eine Postkarte und bat sie dringend, nach Warschau zurückzukehren. Er wolle sie und Dache bei sich aufnehmen. Aber Hadassa wollte nicht in die Stadt zurück. Die Kampfhandlungen würden doch bestimmt nicht in Srodborow, sondern in der Nähe von Danzig beginnen. Aaron, der Bialodrewner Rebbe, wollte die hohen Feiertage in Falenitz verbringen. Lea drängte auf sofortige Rückkehr nach Amerika, doch Koppel wollte nichts von Abreise hören. Er hielt sich den ganzen Tag bei David Krupnicks Witwe, der früheren Frau Goldsober, auf. Er brachte ihr Präsente mit und spielte mit ihr Karten. Sie wiederum kochte ihm seine

Leibspeisen. Auch Leo der Hausierer und Motje der Rote waren häufig bei ihr zu Gast. Die alten Kumpane tranken Schnaps, schnabulierten Kalbsfußsülze und rauchten die amerikanischen Zigaretten, die Koppel mitbrachte. Und auf seine Rechnung durften sie sich an Ananas, Ölsardinen und Kaviar delektieren. Sie sprachen vom Ansche-Zedek-Verein, deren Vorstand einst Isidor Ochsenburg, Gott hab ihn selig, gewesen war; von dem Bandenkrieg zwischen den Warschauer und den Pragaer Halbwüchsigen; von der Revolution im Jahre 1905; und von den tätlichen Auseinandersetzungen zwischen streikenden Arbeitern und der Warschauer Unterwelt. Ach, wo waren diese herrlichen Zeiten geblieben? Vorbei, alles vorbei. Itsche der Blinde, Schmuel Smetana, Chaskele Schpigelglass. Und die Schieber, die Zuhälter, die Fuhrleute. Vorbei! Die Taschendiebe aus der Krochmalna- und der Smoczastraße waren Partei- und Gewerkschaftsmitglieder geworden. Die einstigen Straßenjungen aus Janaschs Basar waren jetzt eifrig damit beschäftigt, kommunistische Demonstrationen zu organisieren. Intellektuelle waren sie geworden, alle miteinander!

Motje der Rote schüttelte wehmütig den Kopf. »Dahin für immer, das alte Warschau. Tot und begraben. Man kann Kaddisch sagen für unsere Stadt.«

»Wißt ihr noch, wie Baruch Palant gewettet hat, daß er drei Dutzend Eier verdrücken kann?« fragte Leon der Hausierer.

»Ach, die alten Zeiten!«

Koppel erzählte ihnen, die Amerikaner verständen rein gar nichts vom guten Essen. Das einzige, was sie zubereiten könnten, seien *sandwiches.* Sie ließen sich gern auf Raufereien ein, aber immer streng nach den Spielregeln: Trug jemand eine Brille, so müßte er sie vor der Rauferei abnehmen; und Schläge unterhalb der Gürtellinie seien nicht erlaubt. Auch von den Pferderennen berichtete er. »Da gibt's doch tatsächlich ein Pferd, das seinem Besitzer schon über eine Million Dollar eingebracht hat!«

Leon der Hausierer leckte sich die Lippen. »Ein Haufen Geld!«

»Du sagst es«, nuschelte Motje der Rote.

»Und glaubt bloß nicht, daß man extra hingehen muß!

Nein, man kann wie ein König im Dampfbad sitzen und weiß trotzdem genau, was auf der Rennbahn passiert. Die Nummern werden durchgegeben – elektrisch. Und währenddessen läßt man sich von einem Weibsbild massieren.«

»Hahaha, Koppel!« prustete Frau Krupnick. »Immer noch derselbe!«

»Du meinst wohl, einer, der alt geworden ist, hört auf, ein Mann zu sein? Die Augen können sehen, und das Herz kann immer noch Gelüste haben. Aber das ist leider alles. Ansonsten ist man aus dem Spiel.«

»Du sagst es.«

»Und ich sage dir, Koppel, du wirst so lange hier herumlungern, bis Hitler einmarschiert. Und dann kommst du bestimmt nicht mehr hinaus.«

»Was kann Hitler mir schon antun? Mir Salz auf den Schwanz streuen.«

»Er sagt, er will die Juden ausrotten.«

Leon der Hausierer brauste auf. »Das hat Haman auch gesagt! Als er sah, daß Mordechai nicht das Knie vor ihm beugen wollte, hat er danach getrachtet, alle Juden zu vernichten. Und was ist passiert? Esther ist gekommen, und Haman wurde aufgeknüpft.«

»Hitler hat keine Esther nötig.«

»Ach was! Er wird trotzdem krepieren.«

»Hast du dir für Rosch Haschana und Jom Kippur schon einen Platz in der Synagoge besorgt?« fragte Frau Krupnick.

»Ich werde in Falenitz beten. Beim Rebbe. Ich bin schließlich sein Stiefvater.«

Der Tag verging wie im Flug. Nach dem Abendbrot spielten die alten Kumpane Karten, und bevor sie sich versahen, war es Mitternacht. Da man in Praga um diese Zeit kaum mehr ein Taxi bekam, übernachtete Koppel bei Frau Krupnick. Sie gab ihm den Bademantel und die Pantoffeln ihres verstorbenen Mannes und richtete ihm ein bequemes Bett. Er legte sich im Dunkeln nieder, aber er war noch hellwach. Kaum zu glauben, daß er wieder in Warschau war! War er wirklich noch derselbe Koppel, der einst als Aufseher bei Meschulam

Moschkat gearbeitet hatte? Derselbe Koppel, der einst Ba-scheles Ehemann gewesen war? Das alles kam ihm wie ein Traum vor. Er dachte über den Tod nach. Wie lange er wohl noch durchhalten würde? Zwei, drei Jahre – länger bestimmt nicht. Man würde ihn in Brooklyn beerdigen. Auf dem Heimweg vom Friedhof würden die *landsleit* in einem Lokal in der Delancey Street oder in der Second Avenue etwas trinken. Lea würde die Lebensversicherung ausbezahlt bekommen. Zwanzigtausend Dollar. Wozu brauchte die alte Schachtel so einen Haufen Geld? Nein, er würde ein neues Testament machen und alles seinen Kindern vererben. Sobald er wieder in Amerika war. Und was kam danach? Die Würmer würden sich an ihm gütlich tun. Und nach einer Weile würde sich kein Mensch mehr daran erinnern, daß es einmal einen Koppel Berman gegeben hatte. War es denkbar, daß es vielleicht doch so etwas wie eine Seele gab? Wie sollte man sich die denn vorstellen? Konnte die denn ohne einen Körper herumwandern?

Er schlief ein. Nach ein paar Stunden schreckte er hoch. Er streckte die Hand aus und tastete nach den Reiseschecks, die in seiner Hosentasche steckten, und nach dem Paß in der Brusttasche seines Jacketts. Lea hatte recht. Sie mußten Polen so schnell wie möglich verlassen. Noch ein Krieg – das konnte er nicht verkraften. Alle möglichen Gedanken schwirrten ihm durch den Kopf. Der Grabstein auf Bascheles Grab war umgefallen, und er hatte es bisher versäumt, einen neuen aufstellen zu lassen. Und auf dem Grab ihres zweiten Mannes, Chaim Leib, war noch nicht einmal ein Namensschild angebracht. Dann kehrten seine Gedanken zu Lea zurück. In Amerika war sie – egal wie die Dinge zwischen ihnen standen – seine Ehefrau. Hier in Polen war sie für ihn fast eine Fremde. Ihre Tochter Lotti redete kein Wort mit ihm. Und auch Manjek, sein eigener Sohn, war hochnäsig – bloß weil er es zum Buchhalter gebracht hatte. In Amerika war ein Buchhalter ein Niemand. Hier in Polen bildete sich jede Rotznase ein, Hahn im Korb zu sein. Er begann zu husten.

Frau Krupnick wachte auf. »Was ist denn, Koppel? Kannst du nicht schlafen?«

»In *deinem* Bett könnte ich besser schlafen.«

Frau Krupnick seufzte und kicherte. »Du spinnst wohl? Ich bin eine alte Frau.«

»Und ich ein alter Mann.«

»Mach dich nicht lächerlich.«

Koppel lag bis zum Morgengrauen wach. Dann schlief er ein, aber er träumte schlecht. Als er aufstand, hatte er einen bitteren Geschmack im Mund, konnte sich aber nicht an den Traum erinnern. Am liebsten hätte er sich sofort angezogen und verabschiedet. Frau Krupnick brachte ihm Tee und Milch, aber er trank nur einen Schluck. Dann kleidete er sich an, versprach ihr, im Lauf des Tages wiederzukommen, und ging hinaus. Frau Krupnick wohnte immer noch in der Malastraße. Ein Stockwerk tiefer wohnte Isidor Ochsenburgs Tochter Zilke. Um nicht erkannt zu werden, zog sich Koppel den Hut in die Stirn und setzte eine dunkle Brille auf. Er wollte im Sturmschritt das Haus verlassen, doch seine Beine machten nicht mit. Als er es endlich bis zur Stalowastraße geschafft hatte, winkte er jedem vorbeifahrenden Taxi, aber keines hielt. Schließlich stieg er in eine Straßenbahn. Plötzlich sehnte er sich danach, bei Lea zu sein. Er wollte ihr sagen, es sei doch töricht, wenn zwei Menschen, die zusammen alt geworden waren, ständig miteinander stritten. Der Schaffner hielt ihm einen Fahrschein hin. Koppel kramte in seiner Tasche nach Kleingeld, aber er hatte nur einen Zwanzigzlotyschein. Der Schaffner brummelte ein bißchen, dann gab er Koppel das Wechselgeld – Fünfziggroschenstücke – heraus. Plötzlich sackte Koppels Arm herunter, und die Münzen fielen auf den Boden. Ein heftiger Schmerz durchzuckte die linke Seite seines Brustkorbs und seinen Arm. Er brach zusammen. Die Fahrgäste sprangen auf. Der Schaffner klingelte nach dem Fahrer.

»Ich sterbe«, schoß es Koppel durch den Kopf. »Es ist soweit.« Irgendwo in seinem Gehirn regte sich noch ein letzter Rest Erinnerung: Was jetzt passierte, mußte etwas mit dem Traum zu tun haben, den er gegen Morgen gehabt hatte.

Koppel kam nicht mehr zu Bewußtsein. Er merkte nicht, daß man ihn hinaustrug und auf den Gehsteig legte. Er hörte den Sanitätswagen nicht kommen. Er bekam nicht mit, daß man ihn in ein katholisches Krankenhaus einlieferte, daß ein junger Arzt ihm das Stethoskop an die Brust setzte und Anweisung erteilte, ihm eine Spritze zu geben.

Zwei Tage vergingen, ohne daß seine Angehörigen erfuhren, was geschehen war. Lea hielt sich in der Otwocker Pension auf. Erst am dritten Tag fand die Polizei heraus, daß der Tote mit dem amerikanischen Paß einen Sohn namens Manjek Berman hatte. Manjek, Jeppe und Schoscha kamen ins Leichenschauhaus. Simon erlaubte Schoscha nicht, die Treppe zu dem Raum, in dem der Leichnam lag, hinunterzusteigen: Schoscha war schwanger. Manjek und Jeppe gingen hinunter. Der Formaldehyd-Geruch verschlug einem den Atem. Die mit Sackleinen bedeckten Leichname lagen auf blechbeschlagenen Tischen. Der Aufseher (er hinkte und hatte Wucherungen am Kopf) deckte einen Leichnam auf. Es war Koppel und doch nicht Koppel. Das Gesicht war merkwürdig zusammengeschrumpft und elfenbeingelb verfärbt. Die Ohren waren kreideweiß. Die Nase war so spitz wie der Schnabel eines Vogels. Die falschen Zähne waren herausgefallen. Der Mund sah wie eine gähnende Höhle aus. Um die Augenwinkel lag ein Lächeln. Es war, als wollte der Tote sagen: »Seht ihr... *so* ist das...« Jeppe begann zu schluchzen und klammerte sich an Manjeks Arm. Manjek schob das eine Augenlid des Toten hoch. Die Pupille starrte ins Nichts.

Ein paar Stunden später traf Lea ein. Beide Familien, die Moschkats und die Bermans, trafen Vorbereitungen für die Beerdigung. Lea saß stumm in Pinnjes Küche. Sie rang die Hände, aber sie weinte nicht. Alles war ein einziger großer Fehler gewesen: ihre Scheidung von Mosche Gabriel, ihre Heirat mit Koppel, die Art und Weise, wie sie an ihm herumgenörgelt und ihn beschimpft hatte, statt ihm gut zuzureden und ihm eine Stütze zu sein. Jetzt war es zu spät. Zu spät.

Vor dem Eingang des katholischen Krankenhauses versammelte sich ein jüdischer Trauerzug. Die Andersgläubigen blieben bei diesem sonderbaren Anblick stehen und gafften. Zahlreiche Leidtragende und Trauergäste fanden sich ein. Frau Krupnick schluchzte hemmungslos und schnaubte sich die Nase. Auch Regine und Zilke, die Töchter der Ochsenburgs, waren gekommen. Motje der Rote und Leon der Hausierer starrten stumm vor sich hin. Lotti wischte in einem fort ihre Brillengläser ab. Aaron, der Rebbe, war nicht hinüber nach Praga gekommen; er wollte sich erst im Friedhof zur Familie gesellen. Zur Trauergemeinde zählte auch eine grauhaarige Frau mit dunklem, flachem Gesicht und Kalmückenaugen: Manja, Meschulam Moschkats ehemaliges Dienstmädchen. Wie sie von Koppels Tod erfahren hatte, war Lea ein Rätsel.

Elftes Kapitel

Die Nachricht, daß Hitler und Stalin einen Pakt geschlossen hatten, galt jedermann als sicheres Zeichen dafür, daß es zum Krieg kommen würde. Dennoch glaubte Euser Heschel nicht, daß der Kriegsausbruch unmittelbar bevorstand. Er und Barbara machten Urlaub in einem Dorf am Fuße der Babia Gora, das sowohl von Zakopane wie auch von Krakau ziemlich weit entfernt war. Zeitungen waren dort kaum zu bekommen, und Radioapparate waren in dieser Gegend eine Rarität. Beide waren der Meinung, das Umland von Krakau sei am wenigsten gefährdet. Euser Heschel hatte Hadassa Geld geschickt. In ihrem Antwortbrief berichtete sie, daß in Warschau Gräben ausgehoben wurden und die ganze Stadt nachts verdunkelt werden mußte. In Srodborow dagegen nehme das Leben seinen gewohnten Gang. Koppel, der Aufseher, sei gestorben. Tante Lea und Mascha wollten gleich nach dem jüdischen Neujahrsfest nach Amerika abreisen. Lotti werde ihren Bruder Aaron nach Palästina begleiten. Alle ließen Euser Heschel grüßen.

Mittwochfrüh fuhren Barbara und Euser Heschel nach Zakopane. Dort nahmen sie den Bus nach Morske Oko, von wo aus sie nach Czarnystaw wanderten. Sie übernachteten im Gasthaus. Jenseits der Grenze, in der Tschechoslowakei, waren die Nazihorden, aber es bestand wohl kaum Gefahr, daß sie das Gebirge überqueren würden, um in Polen einzumarschieren. Tags darauf kehrten die beiden in das Dorf an der Babia Gora zurück. Es war ein warmer Spätsommertag. Die Bauern droschen Weizen. Eine Braut und zwei Brautjungfern in stickereiverzierten Kleidern gingen von Bauernhaus zu Bauernhaus, verneigten sich vor jeder Tür und luden die Nachbarn zur Hochzeit ein. Vor der Kirche, in der gerade eine andere Trauung stattfand, standen blumengeschmückte Fuhrwerke. Das Pferdegeschirr war mit Zweigen dekoriert. Junge Männer, die reichbestickte Hemdblusen und Hüte mit roten und grünen Federn trugen, fiedelten, trommelten und schlugen das Tamburin. Dazu wurde gesungen und gejodelt.

Auf den Äckern hinter den Katen waren alte Frauen beim Kartoffelgraben. Das Gebirge schien greifbar nahe, so klar war die Luft. Die fernen Bergpfade hoben sich deutlich vom dunklen Felsgestein ab.

Die Bäuerin, bei der Barbara und Euser Heschel logierten, hielt schon das Abendessen für sie bereit: Beeren mit Rahm. Barbara holte sich einen Kessel heißes Wasser und wusch sich die Haare. Euser Heschel legte sich in die Hängematte, die im Hof zwischen zwei Bäumen ausgespannt war. Jenseits des Hofes ragte eine festungsähnliche, von Kiefern gekrönte Felswand auf. Man hätte meinen können, dort oben seien grüngekleidete Krieger aufmarschiert. Die Abendsonne schimmerte wie eine Lampe. Die Nebelschwaden in den Klüften färbten sich glutrot. Ein Falke flog über die Felswand. In der abendlichen Stille konnte Euser Heschel den Flügelschlag hören.

In diesen paar Wochen auf dem Land hatte er einige Pfund zugenommen. Er hatte Appetit und konnte nachts durchschlafen. Die Beziehung zwischen ihm und Barbara war noch nie so herzlich gewesen wie in diesem Urlaub. Barbara spielte sogar mit dem Gedanken, ein Kind von ihm zu bekommen. Sie rechneten ihre Ausgaben jetzt nicht mehr getrennt ab, sondern hatten eine gemeinsame Kasse. Er brachte ihr bei, Gerichte zu kochen, die er bei seiner Mutter bekommen hatte: geröstete Grütze, Nudeln und Kichererbsen, in Milch gekochte Teigflädchen. Nachmittags gingen sie in den Obstgarten, legten sich unter das dichte Geäst eines Apfelbaums und unterhielten sich über dies und das. Es machte ihnen Spaß, polnische und jiddische Wörter zu kombinieren. Zuweilen debattierten sie in halbwachem Zustand. Was Barbara vorbrachte, lief unweigerlich darauf hinaus, daß es ohne Planwirtschaft keine soziale Gerechtigkeit geben könne, und ohne die Diktatur des Proletariats keine Planwirtschaft. Über die Nachricht vom Hitler-Stalin-Pakt war sie zunächst verwirrt, doch es dauerte nicht lange, bis sie eine Erklärung dafür gefunden hatte: Die Politik Englands und Frankreichs habe diesen Pakt unvermeidlich gemacht. Zuerst hätten sie Hitler zur Macht verholfen und dann hätten sie versucht, ihn gegen Rußland aufzuhetzen. Auch Euser Heschels Argumente zielten immer in die gleiche Richtung: Man wisse zu wenig, um weltpolitische Entwicklungen vorhersehen zu können. Solange es keine Geburtenbeschränkung gäbe, würden die Menschen immer um mehr Lebensraum kämpfen. Und wer wußte denn schon, ob es tatsächlich ein System gab, das die Menschheit retten könnte? Und warum sollte sie überhaupt gerettet werden?

Donnerstagabend gingen sie zeitig zu Bett. Barbara schlief ein, Euser Heschel blieb lange wach. Er machte die Fensterläden nicht zu, sondern blickte hinaus in die sternenübersäte Nacht. Sternschnuppen zogen leuchtende Spuren am Firmament. Lautlose Sommerblitze zuckten am Horizont und verhießen einen heißen Tag. Glühwürmchen schimmerten auf und erloschen. Frösche quakten. Alle möglichen geflügelten Insekten flatterten ins Zimmer und klatschten gegen die Wände, die Fensterscheiben und die Bettpfosten. Euser Heschel dachte über Hitler nach. Ging man von Spinozas Weltsicht aus, so war auch Hitler ein Teil der Gottheit, ein Modus der göttlichen Substanz. Alles, was er tat, war von ewigen Gesetzen vorherbestimmt. Und selbst wenn man Spinozas Lehren verwarf, mußte man einräumen, daß Hitlers Körper ein Teil der Sonnensubstanz war, von der sich die Erde einst abgespalten hatte. Jede Untat Hitlers hatte eine Funktion im Kosmos. Die logische Schlußfolgerung war, daß Gott böse, oder anders ausgedrückt, daß Leiden und Tod etwas Gutes sein mußte.

Barbara warf sich im Bett herum. Einen Moment schien sie den Atem anzuhalten und gespannt zu lauschen. Dann waren ihre Atemzüge wieder zu hören. Im Schlaf schob sie den Arm unter Euser Heschels Nacken. Er drehte sich sofort zu ihr und ließ seine Hand über ihre Schultern, ihre Brüste und die Kurven ihres Leibes gleiten. Die hier neben ihm lag, war ein menschliches Wesen, war – so wie er – das Produkt unzähliger Männer und Frauen, die sich gepaart hatten, war ein Glied in der endlosen Kette, ein Abkömmling von Affen, Fischen und obskuren Lebewesen, die spurlos untergegangen waren. Auch sie war etwas Vergängliches. Bald würde sie in den Schmelztiegel zurückgekehrt sein, in dem sich neue Formen entwickelten.

Der Morgen graute schon, als Euser Heschel einschlief.

Jemand weckte ihn auf. Barbara. Das Bauernhaus mit den weißgetünchten Wänden und dem klobigen Balkenwerk war von Sonnenschein durchflutet. Es duftete nach Milch und frischgemahlenem Kaffee. »Warum hast du mich geweckt?« fragte er ärgerlich. »Laß mich weiterschlafen!«

»Euser Heschel, der Krieg ist ausgebrochen!« Barbara kämpfte mit den Tränen.

Er schwieg eine ganze Weile. »Wann? Wie hast du's erfahren?«

»Die Leute haben's im Radio gehört. Es sind bereits Bomben gefallen.«

Euser Heschel setzte sich im Bett auf. »Es ist also so weit.«

»Wir müssen sofort hier weg!«

Draußen auf der Dorfstraße herrschte dichtes Gedränge. Die meisten Bauern spähten nach oben. Flugzeuge waren über das Dorf hinweggebraust, aber niemand wußte, ob es polnische oder deutsche gewesen waren. Ab und zu warf jemand durchs Fenster einen Blick in das Zimmer, in dem die Stadtleute logierten. Barbara zog den Vorhang zu. Euser Heschel kleidete sich an und ging hinaus. Das Dorf hatte keine Bahnstation. Sie mußten ein Fuhrwerk auftreiben, das sie nach Jordanow bringen würde; von dort aus konnten sie mit der Bahn nach Krakau fahren. Euser Heschel fragte einen Bauern, ob er sie nach Jordanow fahren könnte, aber der Mann zuckte bloß die Achseln. Man müßte ja verrückt sein, wenn man sich jetzt mit dem Fuhrwerk auf die Landstraße wagen würde! Euser Heschel machte sich auf den Weg zum Postamt. Dort konnte man hie und da jemanden finden, der einen mitnahm. Das ganze Dorf war in Aufruhr. Haustüren standen offen. Die alten Leute diskutierten mit ernster Miene, die jungen witzelten. Im Postamt begegnete Euser Heschel einem nichtjüdischen Lehrer aus Zakopane, den er und Barbara beim Aufstieg auf die Babia Gora kennengelernt hatten. Er starrte Euser Heschel verdutzt an. »Was? Sie sind noch hier, Panje? Die Nazis können jeden Moment hier auftauchen!«

Euser Heschel spürte sein schweißnasses Hemd am Körper kleben. »Ich kann kein Fuhrwerk auftreiben.«

Der Lehrer zog eine Landkarte aus der Brusttasche und deutete auf die grenznahen tschechischen Ortschaften. Gadza, Namestowo, Jablunka. Von dort aus führten Paßstraßen durchs Gebirge, auf denen die Nazipanzer jeden Moment angerollt kommen konnten.

»Panje«, sagte Euser Heschel, »könnten Sie mir irgendwo Pferd und Wagen besorgen? Ich bezahle dafür – alles, was ich habe.«

Der Lehrer trieb tatsächlich ein Fuhrwerk auf. Er beschloß, mit den beiden nach Jordanow zu fahren. Mindestens drei Stunden würden sie unterwegs sein. Bauern sahen zu, wie die Stadtleute in das Fuhrwerk stiegen. Barbara und Euser Heschel setzten sich auf Strohbündel, der Lehrer nahm neben dem Fuhrmann Platz. Das Pferd trottete die Landstraße entlang. Euser Heschel blickte hinauf zum Gipfel der Babia Gora, über dem sich der klare Himmel wölbte. Er murmelte einen Vers aus dem Psalter: »Ich hebe meine Augen auf zu den Bergen, von welchen mir Hilfe kommt.«

Zwölftes Kapitel

1

In verschmutzter, zerknitterter Kleidung, mit durchgelaufenen Schuhen und ohne ihre Koffer trafen die beiden in Warschau ein. Euser Heschel hatte einen Stoppelbart. Barbaras weißes Kleid war völlig verfärbt. Während ihrer sechstägigen Odyssee hatten sie Bombenangriffe miterlebt und Hunger und Durst gelitten. Die Nächte hatten sie in Bahnhöfen und auf freiem Feld verbracht. Sie mußten weite Strecken zu Fuß zurücklegen und Zuflucht in Straßengräben suchen. Euser Heschel fand sich von Anfang an mit dem Gedanken ans Sterben ab. In seiner Westentasche hatte er eine Rasierklinge, mit der er sich die Pulsadern aufschneiden wollte, sobald die Deutschen in Sicht kamen. Schon vor der Abfahrt aus Krakau hatte ihm Barbara erklärt, es sei Wahnsinn, nach Warschau zurückzukehren; sie sollten sich lieber nach Rzeszow durchschlagen und dann weiter nach Wolynien, vielleicht sogar bis zur rumänischen Grenze. Aber Eusel Heschel weigerte sich. Barbara konnte einfach nicht begreifen, warum er, der untreue Ehemann, der Vater, der seine Kinder im Stich gelassen hatte, sich jetzt plötzlich seiner Familie verbunden fühlte. Er habe, so erklärte er, kein Recht dazu, Hadassa und Dache ihrem Schicksal zu überlassen. Seine verheiratete Schwester sei in Warschau. Männer verließen ihre Familien, um sich der im Rückzug befindlichen polnischen Armee anzuschließen, während er, der ewige Deserteur, sich in einer belagerten Stadt herumtreibe. Einmal waren Barbara und er schon drauf und dran, sich zu trennen, aber dann blieben sie doch zusammen. In den letzten Tagen ihrer Reise sprachen sie kaum mehr miteinander. Euser Heschel benahm sich merkwürdig. In seiner Manteltasche steckten ein Algebrabuch, das keinen Einband mehr hatte, und Notizpapier. Zwischen den Luftangriffen löste er Rechenaufgaben. Er fürchte, so behauptete er, nicht um sein Leben – er langweile sich bloß. Wo sollte man in diesem Chaos denn Zuflucht suchen, wenn nicht im Bereich der »adäquaten Erkenntnis«? Daran, daß die Summe der Winkel eines ebenen Dreiecks 180° ist, sei nicht zu rütteln. In Piotrkow hielt er während eines Bombenangriffs Ausschau nach einer Buchhandlung. Danach saß er auf dem Bahnsteig – inmitten einer Menschenmenge, die auf den Zug wartete – auf dem Boden und las. Die Leute starrten ihn an, teils neidisch, teils spöttisch. In der allgemeinen Panik war Barbara nicht mehr so zurückhaltend wie sonst. In einem Mischmasch aus Polnisch und Jiddisch führte sie Gespräche mit altmodisch gekleideten, bärtigen Juden und mit Jüdinnen, die Perücken trugen. Sie bat um Ratschläge und kleine Gefälligkeiten und stellte alle möglichen Erkundigungen an. Euser Heschel sprach mit niemandem. Sein im Urlaub etwas voller gewordenes Gesicht war jetzt wieder so hager wie zuvor. Er sah ständig über die anderen Leute hinweg. Mit seinem Stoppelbart hätte man ihn für einen Chassiden halten können. Als er und Barbara eines Tages in der Nähe eines zerbombten Bahnhofes im Straßengraben saßen, fragte er plötzlich: »Wie denkst du denn *jetzt* über Gott?«

»Ich? Du bist doch derjenige, der sich unentwegt mit ihm auseinandersetzt.«

»Er erschafft mit Leichtigkeit und zerstört mit Leichtigkeit. Er hat sein eigenes Laboratorium.«

Der elektrisch betriebene Zug von Grodzisk nach Warschau verkehrte nicht mehr. Sie legten die letzte Etappe der Reise in einem Lastwagen zurück. Dem Fahrer gab Euser Heschel seine letzten zehn Zloty. Sie fuhren in die verdunkelte Stadt. Hie und da sahen sie Männer mit Armbinden patrouillieren. Mitten auf der Straße verlief ein Graben, zu dessen beiden Seiten Erde aufgeschüttet war. Weder Straßenbahnen noch Droschken waren zu sehen. Die Fenster waren dunkel. Der Streifen Himmel zwischen den Dächern war so nachtschwarz wie der Himmel über dem offenen Land und mit Sternen übersät. Tiefe Stille lag über Warschau – eine seltsame, ungewohnte Stille. Euser Heschel und Barbara stiegen in der Jerusalemer Allee aus und gingen hinüber zur Marszalkowska. Dann bogen sie in die Zelaznastraße ein.

Auf dem Weg zu Barbaras Wohnung kamen sie an einem zerbombten Haus vorbei, aus dem es nach Tünche, Kohle, Gas und glimmender Asche roch. Die Fassade war eingestürzt. Eine Zimmerdecke lag quer über einem großen Haufen Backsteine, Gipsbrocken und Glasscherben. In der Ruine waren noch einige Zimmer mit Betten und Tischen und mit Bildern an den Wänden zu sehen. Der Anblick erinnerte Euser Heschel an moderne Bühnenbilder. In der Zelaznastraße brannte eine Fabrik. Flammen loderten hinter den vergitterten Fenstern, beißender Rauch quoll heraus. Im Halbdunkel versuchten Feuerwehrleute, den Brand zu löschen. Ein kleiner Mann kam angerannt, verlangte etwas und bekam einen Wutanfall. Barbara erkannte das Haus, in dem sie wohnte, kaum wieder. Sie läutete mehrmals, aber niemand antwortete. Dann hämmerten sie beide an die Haustür. Endlich waren Schritte zu hören. Das Guckloch wurde aufgemacht, jemand spähte nach draußen. Es war nicht der alte Pförtner, sondern einer, der Barbara noch nicht kannte.

»Zu wem wollen Sie?«

»Wir wohnen hier.«

»Wo?«

Sie sagte ihm ihre Zimmernummer.

»Es ist nicht erlaubt, nachts draußen herumzulaufen.«

»Wir kommen gerade aus Zakopane zurück.«

»Was? Soso...« Der Pförtner kratzte sich verwundert am Kopf, dann ließ er die beiden herein. Sie stiegen die Treppe hinauf. Die Tür zu Barbaras Zimmer war nicht abgesperrt. Hatte jemand hier eingebrochen? Sie wollte Licht machen, aber ihr fiel noch rechtzeitig ein, daß das verboten war. Im Dunkeln tastete sie sich durchs Zimmer und öffnete den Kleiderschrank. Ihre Kleider und ihr Wintermantel waren noch da. Sie ging zum Schreibtisch hinüber. Die Schubladen waren noch zugesperrt. Ob sie in der Eile vor der Abreise vergessen hatte, die Tür abzuschließen? Sie erinnerte sich genau daran, daß sie das Bett gemacht hatte, bevor sie zum Bahnhof gegangen war. Jetzt war die Bettdecke zur Hälfte heruntergerutscht, und das Bettzeug war zerknautscht. Jemand war hier gewesen. Jemand hatte hier geschlafen. Sie ging zum Telefon und hob den Hörer ab. Das Amtszeichen ertönte; die Welt existierte noch. Sie zog ihren Schlüsselbund aus der Handtasche und schloß den Wäscheschrank auf. Im Dunkeln nahm sie ein Laken, einen Kopfkissenbezug und ein Handtuch heraus. Jedenfalls hatten die Eindringlinge nichts gestohlen. Euser Heschel stand am Fenster. Drunten im Hof war es stockfinster. Ringsum schwarze Fenster, fast wie die Fensterhöhlen von Ruinen. Eine dumpfe Stille lag über der Finsternis. »Jegliche Zivilisation ist ausgelöscht«, dachte er. »Nur die Gerippe der menschlichen Wohnstätten stehen noch herum – wie Grabsteine.«

»Heute nacht können wir endlich wieder im Bett schlafen«, sagte Barbara.

Euser Heschel, dessen Augen sich inzwischen an die Dunkelheit gewöhnt hatten, ging zum Wasserhahn und drehte ihn auf. Das Rohr quietschte und gurgelte. Abgestandenes Wasser floß heraus. Er hielt die Hände darunter, dann den Kopf. Er wusch sich und ließ sich gleichzeitig Wasser in den Mund laufen. Dann zog er sich aus. Steinchen fielen aus seinen Hosenaufschlägen. Seine Schuhe waren zerschlissen und voller Sand. Das Hemd klebte ihm am Körper. Er legte seine Sachen auf einen Stuhl, setzte sich aufs Sofa und rieb sich die Füße. Du lieber Himmel, was für Strecken hatten sie in den letzten Tagen zurücklegen müssen! Daß er solche Fußmärsche durchstehen konnte, hätte er nie für möglich gehalten. Er tastete seine Rippen, seinen Leib, seinen Brustkorb ab. Dann streckte er sich auf dem Sofa aus und schloß die Augen. Erst jetzt fiel ihm ein, daß er seit dem frühen Morgen nichts mehr gegessen hatte. Es rumpelte in seinen Gedärmen. Sein Puls war langsam und unregelmäßig. »Ist etwas zu essen da?«

»Moment!«

Barbara hatte noch einige Vorräte im Speiseschrank: eine Tüte Mehl, ein Päckchen Reis, eine Dose Ölsardinen, eine trockene Semmel. Euser Heschel strich ein Zündholz an, mit dem Barbara den Gasherd anzündete. Sie setzte den Reis zu, dann brach sie die trockene Semmel auseinander und gab ihm die Hälfte. Er spülte jeden Bissen mit Wasser hinunter. Er war noch etwas benommen. Ihm kam der Gedanke, daß Hadassa und Dache wahrscheinlich hier in Warschau waren – bei Njunje. Dann dachte er plötzlich daran, daß David, sein Sohn, in Palästina war. Es gab noch Länder, in denen Frieden herrschte. In Amerika gingen die Leute ins Theater, aßen in Restaurants, tanzten, hörten Musik... Von draußen war Katzengekreisch zu hören. Die Tiere wußten nicht, daß es einen Hitler gab. Die Menschen wiederum hatten keine Ahnung von anderen Realitäten.

Er schlief ein. Barbara weckte ihn auf. Er öffnete die Augen, aber er konnte sich an nichts erinnern. Er wußte nicht, wo er war und was sich alles ereignet hatte. Er hörte eine Stimme: »Euser Heschel, der Reis ist fertig!« Wer ißt denn mitten in der Nacht Reis, dachte er verwundert. Barbara gab ihm einen Löffel. Er stopfte sich etwas von dem halbgaren Zeug in den Mund. Sie setzte sich neben ihn und aß aus demselben Topf. Ihr Gesicht war dem seinen ganz nahe.

»Hast du keinen Hunger? Was ist denn mit dir?«

Er stand auf, aber er konnte das Bett nicht sehen. Er stieß an einen Tisch, an einen Stuhl, an die Herdkante. Er wartete eine Weile, döste im Stehen ein, wie ein Tier, und schreckte kurz darauf wieder hoch.

»Was ist denn mit dir los? Warum legst du dich nicht hin?«

Er wollte etwas sagen, brachte aber kein Wort heraus. Ein Reiskorn klebte an seiner Zunge. Er hielt sich an der Wand fest, wie ein Kind, das laufen lernt. Barbara legte die Arme um ihn. »Was ist denn? Du machst mir Angst.«

Sie führte ihn zum Bett. Das Laken war kühl. Sein Kopf sank aufs Kissen.

2

Am Morgen weckte ihn das Dröhnen von Flugzeugen und das Rattern von Maschinengewehren. Das Zimmer war sonnendurchflutet. Barbara lief in Morgenrock und Pantoffeln herum. Eine kindische Freude überkam ihn. Die Sonne schien! Das Leben ging weiter! Er war daheim! Er sprang aus dem Bett und zog sich an. Das Dröhnen und Rattern hörte auf. Die Fenster ringsum waren wieder geöffnet. Radios ertönten, Kinder johlten, drunten im Hof wimmelte es von Leuten, die redeten, gestikulierten und zum Himmel deuteten. Anscheinend waren sie alle freudig erregt. Euser Heschel war hungrig, durstig und noch ziemlich schwach auf den Beinen, aber er konnte es kaum mehr erwarten, seine Angehörigen wiederzusehen. Die dumpfe Angst vor den Nazis, die ihn in den letzten Tagen bedrückt hatte, war verflogen. Barbara schaltete das Radio ein. Lauter Siegesmeldungen: Unsere heldenhaften Truppen schlagen den Feind an allen Frontabschnitten zurück – bei Sieradz, bei Piotrkow, bei Czechanow, bei Modlin. Auf der Halbinsel Hela leisten unsere tapferen Soldaten heroischen Widerstand. Auf der Westerplatte bei Danzig wird der Feind zurückgeworfen. Französische und englische Flugzeuge bombardieren Fabriken im Ruhrgebiet. In Amerika finden gewaltige Protestkundgebungen statt. Präsident Roosevelt hat sein Kabinett zu einer Sondersitzung einberufen.

Die Nachrichtensendung wurde immer wieder von Musik und von Anweisungen für die Zivilbevölkerung unterbrochen: wie man sich bei Luftangriffen verhalten und wie man die Verwundeten versorgen sollte. Dann folgten weitere Nachrichten, Anweisungen, Warnungen und Aufmunterungsparolen.

Euser Heschel rief bei Njunje an, aber niemand meldete sich.

Er suchte Pinnjes Nummer heraus und rief dort an.

»Hallo, wer spricht dort?« Pinnjes Stimme klang heiser und zittrig.

»Hier ist Euser Heschel, Hadassas Mann.«

Pinnje schwieg.

»Ich habe bei meinem Schwiegervater angerufen, aber dort hat sich niemand gemeldet.«

Nach einigem Zögern sagte Pinnje: »Dein Schwiegervater wohnt jetzt bei uns.«

»Kann ich ihn sprechen?«

»Er ist gerade weggegangen.«

»Kannst du mir sagen, wo Hadassa ist?«

Pinnje stammelte irgend etwas, hustete und sagte dann in vorwurfsvollem Ton: »Wir dachten, du würdest dortbleiben.«

»Ich bin gestern abend zurückgekommen.«

»Wie hast du das denn geschafft? Ach, ist ja egal. Hadassa ist tot.«

Nach langem Schweigen fragte Euser Heschel: »Wann ist das passiert? Und wie?«

»In Otwock. Die erste Bombe.«

Wieder Schweigen.

»Wo ist Dache?«

»Hier bei uns. Willst du mit ihr sprechen?«

»Nein. Ich komme sofort hinüber.«

Barbara hatte, während Euser Heschel telefonierte, in ihrem Schrank gekramt. Ihre besten Sachen waren ihr unterwegs abhanden gekommen. Jetzt suchte sie Kleider, Schuhe und Unterwäsche heraus. Offenbar hatte sie nicht auf das Telefongespräch geachtet. »Na, wie geht's der Familie?«

»Barbara, ich muß gehen«, sagte er mit dumpfer Stimme. »Hadassa ist tot.«

Barbara starrte ihn entsetzt an.

»Ich komme heute abend wieder her.«

»Falls das Haus dann noch steht!«

Eine Weile sahen sie einander schweigend an, dann raffte sich Barbara aus ihrer Benommenheit auf. »Wart einen Moment! Ich komme mit. Sonst verlieren wir uns vielleicht aus den Augen.«

Während sie sich anzog, saß er auf dem Sofa. Dann gingen sie hinunter. Euser Heschel konnte sich nicht erinnern, in der Zelaznastraße jemals ein solches Gewühl erlebt zu haben. Die Menschen drängten sich auf dem Gehsteig und der Fahrbahn. Sie schleppten Koffer, Pakete, Bündel, Rucksäcke. Ein hochgewachsener Mann trug in der einen Hand eine Stehlampe, in der anderen einen Korb. Auf einem Platz, auf dem Schnittholz herumlag, waren zahlreiche Juden und Nichtjuden eifrig dabei, einen Graben auszuheben. Die Chassidim schaukelten, was das Zeug hielt, und wischten sich immer wieder den Schweiß von der Stirn. Irgendwo in der Nähe mußte eine Bäckerei geöffnet haben: Euser Heschel sah Frauen, die frischgebackene Brotlaibe trugen. Viele Passanten liefen halb uniformiert herum: Mädchen hatten lange Militärmäntel an, Männer in Zivilkleidung trugen Helme. Krankenschwestern, Krankenträger und Pfadfinder bahnten sich einen Weg durch das Gewühl. Hier und da sah man Zivilisten, die sich Gasmasken umgehängt hatten. Mitten in diesem Tohuwabohu standen zwei Nonnen und redeten aufeinander ein. Barbara klammerte sich an Euser Heschels Arm, um in dem Gedränge nicht von ihm getrennt zu werden. Sie hatte sich umgezogen, er dagegen trug immer noch den zerknitterten Anzug, das schmutzige Hemd und die löchrigen Schuhe. Als sie an einem großen Schaufenster vorbeigingen, sah er sein Spiegelbild. Er war entsetzt. So konnte er sich nicht bei Pinnje blicken lassen. Er bog in Richtung Nowolipkistraße ein, um zuerst in sein Logis zu gehen.

Auch im Judenviertel herrschte dichtes Gedränge. Vor den Bäckereien standen die Leute Schlange. An manchen Geschäften waren die Rolläden heruntergelassen, andere hatten noch geöffnet. Hier und dort waren Barrikaden aus Brettern, Tischen, Stühlen und Kisten errichtet worden. Die Räder eines umgestürzten Karrens ragten in die Luft. Kinder kletterten auf Backstein-, Sand- und Steinhaufen herum. In der Nähe hatte eine Bombe eingeschlagen – niemand wußte genau, wo. Leute standen beieinander und lasen jiddische Zeitungen, die riesige Schlagzeilen hatten. In der von Staub getrübten Luft lag etwas Chaotisches, das Euser Heschel an Feuersbrünste, an Sonnenfinsternis und Heilserwartung erinnerte. Vor einem Friseurgeschäft ließ er sich von Barbara etwas Kleingeld geben. Sie ging mit ihm hinein. Ohne ihm vorher ein Handtuch umzulegen, seifte der Friseurgehilfe Euser Heschel ein. Barbara saß da und starrte in die Spiegel. Sie hatte einige hundert Zloty auf ihrem Sparkonto in der Staatsbank, aber soviel sie gehört hatte, waren die Banken geschlossen. Jetzt blieben ihr also nur noch achtunddreißig Zloty Bargeld und ihr Brillantring.

Euser Heschels Zimmer in der Nowolipkistraße war von der Schwester des Hauswirts mit Beschlag belegt worden; sie war gerade erst vom Land in die Stadt gekommen. Seine Kleidungsstücke hatte niemand angerührt. Er zog sich in der Küche um und warf sein schmutziges Hemd aus dem Fenster. In einer Schreibtischschublade lag eine alte Fassung seines Manuskripts *Das Laboratorium der Glückseligkeit,* die noch aus den Schweizer Jahren stammte. Er schraubte die Ofentür auf und warf das Manuskript hinein. Dann ging er hinunter zu Barbara, die sich gerade mit einem jungen jüdischen Soldaten unterhielt. Als sie Euser Heschel kommen sah, machte sie eine Bewegung, als wollte sie die beiden miteinander bekanntmachen, aber dann überlegte sie sich's anders. Sie verabschiedete sich von dem Soldaten und rannte zu Euser

Heschel. »Wir müssen fliehen! Solange die Brücke noch steht!«

»Fliehen? Wohin denn?«

»In Richtung Rußland.«

»Meine Tochter ist hier.«

»Euser Heschel, wir haben keine Minute zu verlieren!«

»Ich bleibe hier.«

Sie zögerte einen Moment. Dann hakte sie sich bei ihm ein und ging mit ihm in die Twardastraße, zum Haus seines Onkels Pinnje. Sie wartete vor dem Haus auf ihn. Lange. Deutsche Flugzeuge brausten im Tiefflug über die Stadt. Sie hörte das Rattern der Fliegerabwehrgeschütze und die Bombeneinschläge. Sie sah gelbe Rauchwolken über den Dächern und Schornsteinen. Und darüber kreischende Vogelschwärme. Jemand rief ihr zu, sie sollte schleunigst in Deckung gehen, doch sie fürchtete, Euser Heschel nicht wiederzufinden. Sie sah zum Himmel, der mit schwefelgelben Rauchwolken bedeckt war. Sie gähnte. Jetzt begriff sie, was Euser Heschel gemeint hatte, als er sagte, der Krieg langweile ihn.

Euser Heschel kam wieder herunter. Er hatte die ganze Familie angetroffen: seinen Schwiegervater, dessen zweite Frau, Dache, Reb Aaron, Lea, Doscha, Lotti. Und einige Leute, die er nicht kannte. Die Zimmer waren vollgestopft. Ein einziges Durcheinander. Bündel mit Bettzeug, Reisetaschen und Pakete standen herum. Lea, die einen mit schwarzem Krepp drapierten Hut aufhatte, stand etwas abseits und betrachtete ihren amerikanischen Paß. Der Rebbe führte ein Gespräch mit einem jungen Mann. Pinnje rannte hin und her und babbelte unverständliches Zeug. In der Nähe mußte eine Bombe eingeschlagen haben: An vielen Stellen war der Gips von der Zimmerdecke und den Wänden gefallen – man konnte die Gasrohre sehen. Alles war von einer gelben Staubschicht überzogen. In der Küche entdeckte Euser Heschel Lotti, die auf einem Schemel saß und ein englisches Buch las. Niemand nahm Notiz von ihm. Dache aß gerade ein Wurstbrot. Seit er sie das letzte Mal gesehen hatte, war sie ein ganzes Stück gewachsen. In der Stadtluft hatte ihr Gesicht die frische Farbe verloren. Sie aß langsam und konzentriert – wie es Waisenkinder tun, die auf Verwandte angewiesen sind. Sie erzählte ihrem Vater, was geschehen war: Mama sei nach Otwock gegangen, um sich nach einem Zug zu erkundigen. Wanjas älteste Tochter habe sie begleitet. Plötzlich sei Fliegeralarm gegeben worden. Die beiden seien ins Schulhaus gerannt. Und ausgerechnet dort habe die Bombe eingeschlagen. Mama sei am Abend in Dr. Barabanders Sanatorium gestorben. Wanjas Tochter habe einen Arm verloren. Mama sei in Karczew beerdigt worden.

Dache versuchte, die Tränen hinunterzuwürgen. Dann legte sie den Kopf an Euser Heschels Schulter und schluchzte – rauh und krampfhaft wie eine Erwachsene.

3

Dann machten sich Euser Heschel und Barbara auf den Weg in die Franziskanerstraße, wo seine Schwester wohnte. Unterwegs wurden sie von Fliegeralarm überrascht und suchten Zuflucht unter einem Torbogen. Wieder brausten die Flugzeuge im Tiefflug über die Stadt, wieder ratterten die Abwehrgeschütze, wieder schlugen Bomben ein. Als Entwarnung gegeben wurde, liefen die beiden weiter, vorbei an brennenden und an eingestürzten Häusern. Auf den Straßen wimmelte es schon wieder von Menschen. Im Radio war durchgegeben worden, daß alle Männer in militärpflichtigem Alter die Stadt sofort verlassen müßten. Ein unaufhörlicher Flüchtlingsstrom wälzte sich durch die Straßen, die zu den Weichselbrücken führten. Viele flüchteten zu Fuß, viele mit Fahrzeugen verschiedenster Art: kleinen Plattenwagen, Karren, Droschken, Motorrädern, Omnibussen, Taxis. Eine Limousine blieb im Gewühl stecken. Durch ihre blankgeputzten Fenster waren elegant gekleidete Damen mit Schoßhündchen zu sehen. Die halbzerstörte Kirche am Grzybowplatz, direkt gegenüber Reb Meschulam Moschkats Haus, wurde als Lazarett benützt. Nonnen versorgten die Verwundeten. Die breite Treppe war mit Blut bespritzt. Es waren schon so viele Menschen ums Leben gekommen, daß man nicht alle Leichen wegschaffen konnte. Tote wurden auf Brettern abtransportiert. Im Sächsischen Garten klafften lange Gräben, in die Baumwurzeln hineinragten. Euser Heschel und Barbara hasteten weiter. »Das ist der Faschismus«, dachte Barbara. »Ich habe ihn bekämpft, ohne zu wissen, was er wirklich bedeutet. Jetzt sehe ich's mit eigenen Augen. Warum laufe ich denn noch hier herum? Ich muß fliehen! Noch heute!« Ein schändlicher Gedanke schoß ihr durch den Kopf: »Hadassa ist tot. Jetzt kann Euser Heschel mich heiraten.«

Er lief mit gesenktem Kopf neben ihr her. Er war aufs Schlimmste gefaßt. Vielleicht war auch Dina tot. Ihm fiel ein Vers des Psalmisten ein: »Denn ich erkenne meine Missetat, und meine Sünde ist immer vor mir.« Ihm war, als preßte ihm eine Faust das Herz zusammen. Merkwürdig! Bei seinem letzten Zusammensein mit Hadassa hatte er das Gefühl gehabt, daß er sie niemals wiedersehen würde. Sie hatte ihn so seltsam, so ängstlich angesehen. »Wenn ich sterbe«, hatte sie gesagt, »möchte ich neben meiner Mutter begraben werden.« Nie wäre sie auf den Gedanken gekommen, daß man sie in Karczew beerdigen würde.

Wieder die Luftschutzsirenen, wieder das Dröhnen der Flugzeuge. Diesmal flüchteten sich die beiden in einen Hauseingang. Euser Heschel lehnte sich an die Mauer und schloß die Augen. »Hadassa, wo bist du jetzt? Existierst du noch? Weißt du noch?« War es denkbar, daß Vergangenes nicht mehr existierte? Gab es nur das Jetzt und Hier? Wenn er wenigstens weinen könnte! Keine einzige Träne konnte er vergießen. Warum lebte er eigentlich noch? Daß ihn Hadassas Tod so tief erschüttern würde, hätte er nicht gedacht. Um ihn war eine große Leere. Er konnte sich kaum mehr auf den Beinen halten. Er war erfüllt von Todesangst.

Als sie in der Franziskanerstraße angelangt waren, blieb Barbara an der Haustür stehen, während Euser Heschel hinaufging und klopfte. Als niemand antwortete, trat er ein. Dina stürzte auf ihn zu. Ihre Perücke saß schief, ihr Gesicht war gelblich verfärbt. Sie schlang die Arme um ihn und lachte und weinte, als hätte sie den Verstand verloren. »Euser Heschel! Bist du's wirklich? Ich dachte schon, du bist ihnen irgendwo in die Hände gefallen! Gott im Himmel!«

Die ganze Familie war da: Menasse David, Tamar, Jerachmiel, Dan. Ohne Kaftan kam Menasse David in die Küche. Sein Hemd war ausgefranst, seine Hose mit einer Schnur festgebunden. In der einen Hand hielt er einen Band mit chassidischen Geschichten, in der anderen einen Zigarettenstummel. Sein bärtiges, von den Schläfenlocken eingerahmtes und bei aller Derbheit irgendwie würdevolles Gesicht strahlte. Zunächst schien es, als wollte er auf seinen Schwager zulaufen, um ihn in die Arme zu schließen, doch dann blieb er an der Tür stehen, wiegte den Oberkörper und machte sonderbare Gesten. Tamar kam herein und schob ihren Vater zur Seite. Sie sah so erschöpft aus, als hätte sie viele schlaflose Nächte hinter sich. Es war ihr ganz offensichtlich peinlich, daß ihr Onkel sah, welches Elend hier herrschte. Kurz darauf kamen ihre beiden Brüder herein. Dem älteren, der eine Jarmulke aufhatte, sproß bereits der Bart. Der jüngere trug einen zerschlissenen Kaftan und ein Käppchen.

Dina schlug die Hände zusammen und begann zu lamentieren. »Siehst du unser Elend? Schau uns doch an! Als ob wir nicht schon genug Sorgen hätten!«

»Onkel Euser Heschel!« Tamar schlang die Arme um ihn. »Wann bist du zurückgekommen? Und wie? Ich dachte schon, dir wäre Gott weiß was zugestoßen! Überall Rauch und Feuer...«

»Sei still! Schrei nicht so!« Dina hielt sich die Ohren zu. »Den ganzen Tag fallen Bomben. Das macht mich wahnsinnig! Steh nicht an der Tür herum, Euser Heschel! Menasse David, hör mit dieser Tanzerei auf! Ich sage dir, Euser Heschel, er hat den Verstand verloren!«

Menasse David rieb sich die übergroßen Hände und zitierte lächelnd: »›Der Mensch muß Gott für das Böse, das ihm zustößt, ebenso danken wie für das Gute.‹ Dies sind die Geburtswehen vor dem Kommen des Messias – die Kriege Gogs und Magogs... Es ist der Beginn – wie es im *Buch Daniel* geschrieben steht. Diese Narren!«

»Ich flehe dich an, mach nicht soviel Getöns!« rief Dina. »Die machen mich noch wahnsinnig! Wer ein bißchen Grips hat, ergreift die Flucht, aber wie sollen *wir* denn fliehen? Ich kann kaum zwei Schritt laufen. Ich bin dafür, daß ihr Mannsleute euch absetzt. Tamar und ich kommen schon irgendwie zurecht. Was werden sie denn mit uns machen? Was meinst du, Euser Heschel? Sprich lauter, ich kann dich nicht verstehen, Gott steh mir bei! Weißt du eigentlich, daß Adele in Warschau ist? Man hat sie zurückgeschickt.«

»Adele ist hier?«

»Ja. Das Schiff ist auf allen Meeren herumgeirrt, bis man es schließlich zurückgeschickt hat. So geht man mit uns Juden um – man schubst uns herum, und dann wirft man uns weg wie Abfall. Adele kommt jeden Tag zu uns und weint sich die Augen aus. Sie will jetzt auch aus Warschau fliehen. Was macht denn die andere, Euser Heschel?«

»Hadassa ist tot.«

»Was? Gott steh uns bei!«

»Eine Bombe.«

»Wann ist das passiert? O Gott, diese schöne junge Frau! Das ist ja furchtbar!«

»Ach, Onkel Euser Heschel...«, sagte Tamar mit tränenerstickter Stimme.

»Redet nicht alle durcheinander!« rief Dina. »Es passiert so viel Schreckliches – ich bin schon ganz durchgedreht. Mir summt's ständig in den Ohren. Nicht, daß irgend jemand singt, nein, es kommt aus mir selber – die Kol-Nidre-Melodie. Es ist wie beim verrückten Titus, verflucht soll er sein! Setz dich doch, Euser Heschel, setz dich! Kostet dich nicht mehr, als wenn du herumstehst. Was sollen wir denn tun? Wie sollen wir dieser Hölle entkommen? Wir haben keinen roten Heller. Ebenso gut könnten wir uns jetzt gleich hinlegen und sterben. Was mit mir passiert, ist mir gleich, aber was wird mit den Kindern? Euser Heschel, was sollen wir tun?«

Euser Heschel kramte in seinen Taschen. Er hatte bloß etwas Kleingeld bei sich.

Menasse David ging zu ihm hinüber. »Gebe Gott, daß dies dein letzter Kummer ist! Zeiten sind das! Nicht einmal die Trauerwoche kann man einhalten. Aber bald kommt die Auferstehung. Wir werden die von uns Gegangenen wiedersehen. Mit eigenen Augen. Solange ich meinen Rebbe habe, fürchte ich mich vor nichts. Er wird für alles sorgen.« Worauf er mit dem Zigarettenstummel auf sein Buch deutete.

»Menasse David, laß das! Jeder weiß, daß du ein Narr bist.« Dina sah Euser Heschel an. »*Die* werfen Bomben, und *er* tanzt. Und er wird so lange weitertanzen, bis man uns alle umbringt – Gott soll schützen! Ich habe noch ein paar Pfund Haferschrot, davon ernähren wir uns. Wenn die aufgebraucht sind, können wir uns begraben lassen. Meine beiden Jungen sollten eingezogen werden, aber nach der Musterung hat man sie wieder nach Hause geschickt, weil nichts mehr da ist, um die Rekruten einzukleiden. Es heißt, daß Hitler schon in Wola ist. Wohin ist es mit uns Juden gekommen – Gott steh uns bei!« Sie begann zu schluchzen.

Jerachmiel und Dan gingen wieder ins Wohnzimmer. Tamar trocknete sich die Augen. »Onkel Euser Heschel, willst du dich nicht setzen? Möchtest du ein Glas Tee?«

»Nein, ich muß jetzt gehen. Ich komme bald wieder.«

»Wo willst du denn hin?« begehrte Dina auf. »Kaum bist du hier, da rennst du schon wieder weg! Draußen bist du deines Lebens nicht sicher. In solchen Zeiten sollten wir beieinanderbleiben.«

»Ich habe doch gesagt, daß ich zurückkomme. Ich habe kein Logis mehr.«

»Bleib da! Wenn du fortgehst, nisten sich andere hier ein. Ständig kommen Leute aus zerbombten Häusern. Unter diesen Umständen kann man niemanden wegschicken. Eine schreckliche Zeit! Was sollen wir tun? Wohin sollen wir gehen? Gottes Zorn ist über die Welt gekommen! Es ist ein Fluch!«

Tamar war das Gejammer ihrer Mutter peinlich. Rote Flecken zeichneten sich auf ihren Wangen ab. Menasse David zögerte einen Moment, dann ging er hinaus. Euser Heschel gab Tamar einen Kuß. »Ich bin bald zurück.«

Barbara stand mitten im Hof. Ihr Gesicht war bleich vor Zorn, ihre Augen loderten. »Ich dachte schon, du kommst überhaupt nicht mehr herunter.«

»Sie ist meine Schwester.«

»Hör zu, Euser Heschel, ich bleibe nicht hier. Ich verlasse die Stadt noch heute. Ich frage dich zum letzten Mal: Kommst du mit oder bleibst du hier?«

»Ich bleibe.«

»Ist das dein letztes Wort?«

»Ja.«

»Dann adieu. Gott steh dir bei!«

»Lebwohl, Barbara. Verzeih mir.«

»Ich begreife nicht, wie man hierbleiben kann, wenn die Nazis kommen.«

»Die ganze Familie bleibt hier. Mir ist alles einerlei. Ich möchte sterben.«

Sie musterte ihn ärgerlich. »Vielleicht hast du recht. Aber ich werde noch eine Weile kämpfen. Wohin gehst du jetzt?«

»Zu Herz Janowar.«

»Weshalb denn? Also gut, ich komme mit. Es liegt auf meinem Weg.«

Die halbe Swiętojerska lag in Trümmern. Überall geborstene Dächer, zertrümmerte Schornsteine, eingestürzte Mauern, herunterhängende Fenster und Balkone. An der Umzäunung des Krasinskiparks stießen Euser Heschel und Barbara auf Herz Janowar. Da stand er, weißhaarig, mit ergrautem Backenbart, ein Samtjackett über dem offenen Hemd und Sandalen an den Füßen. Er schien auf jemanden zu warten. Seine dunklen Augen starrten ins Leere. Euser Heschel rief seinen Namen. Herz drehte sich erstaunt um, dann lief er mit ausgestreckten Armen auf die beiden zu, umarmte sie und zitierte aus der Bibel: »›Ich dachte nicht, dein Angesicht zu erschauen.‹«

»Warum stehst du auf der Straße herum? Wo ist Gina?«

»Sie hat mitten in diesem Schlamassel Lungenentzündung bekommen. Ich warte auf den Arzt. Eigentlich hätte er schon vor ein paar Stunden hier sein sollen. Und ihr... Ich dachte, ihr hättet es irgendwie geschafft, zu entkommen.«

Er brach in Tränen aus, zog ein gelbes Schnupftuch aus der Tasche und schneuzte sich. Verwirrt, beschämt stand er vor ihnen. »Ich habe keine Kraft mehr.« Er zögerte einen Moment, dann sagte er auf polnisch: »Der Messias kommt bald.«

Euser Heschel sah ihn verblüfft an. »Wie meinst du das?«

»Der Tod ist der Messias. *Das* ist die Wahrheit.«

Glossar

Achtzehngebet (Achtzehn-Bitten-Gebet), neben dem Hauptgebet »Schema Israel« (Höre, Israel) das wichtigste Gebet im synagogalen Gottesdienst. Es wird stehend, das Gesicht nach Osten gerichtet, gesprochen.

Asmodi (Asmodäus), ein böser Geist, böser Dämon (Buch Tobias 3, 8). Im Talmud als »König der Dämonen« bezeichnet.

Babkes jidd. Plural (von slaw.: *babka*). Hefegebäck.

Bar-Miz'wa hebr., »Sohn der Pflicht«. Die Festlichkeit, durch die der dreizehnjährige Knabe die religiöse Mündigkeit erlangt und in die Gemeinde aufgenommen wird.

Beth Jakob-Schule (für Mädchen). Die orthodoxe jüdische Schulorganisation Beis Jaakauw unterhielt in Polen Mädchenschulen.

Bundisten, Mitglieder des »Allgemeinen Jüdischen Arbeiterbundes« in Rußland und Polen, der später als Sondersektion in die Sozialdemokratische Arbeiterpartei Rußlands eintrat.

Chadorim siehe *Cheder.*

Chaluz hebr., »Pionier«. (Plural: *Chaluzim*) Mitglied der zionistischen Organisation »He-Chaluz«, in der Jugendliche auf das Leben in Palästina vorbereitet wurden.

Chanukka hebr., »Einweihung«. Achttägiges Lichterfest zur Erinnerung an die Wiedereinweihung (165 v. Chr.) des von den Griechen entweihten Tempels, nach deren Vertreibung durch Juda Makkabi.

Chanukka-Leuchter. Der beim Chanukkafest verwendete achtflammige Leuchter.

Chassid hebr., »Frommer«. (Plural: *Chassidim*) Hier die Anhänger der religiösen Bewegung, die um 1740 von Israel Baalschem Tow in der Ukraine und in Polen gegründet wurde und in Osteuropa weite Verbreitung fand. Die Chassidim betonen das Gefühl im Gesetzesglauben.

Cheder hebr., »Stube«. (Plural: *Chadorim*) Lehrstube der Elementarschule für Knaben (4.–13. Lebensjahr).

Dibbuk hebr., wörtl. »Anhaftung«. Im jüd. Volksglauben ein Totengeist, der in den Körper eines Lebenden eintritt und bei dem so Besessenen ein irrationales Verhalten bewirkt. Nur einem Wundertäter kann es gelingen, die »Dämonen« auszutreiben.

Fest der Gesetzesfreude siehe *Simchat Tora.*

Frank, Jakob (1726–1791), Begründer einer »kontra-talmudischen« Sekte. Versuchte eine Zeitlang, für die Sekte Sabbatai Zwis zu werben. Der Erfolg blieb aus. Schließlich trat Frank mit seinem Anhang zur römisch-katholischen Kirche über.

Führer der Unschlüssigen (auch: *Führer der Verwirrten*). Werk des Moses Maimonides (1135–1204). Hier geht es vor allem um die Versöhnung der traditionellen Quellen mit den Forderungen der Vernunft.

Gebetsmantel hebr.: *Tallit*. Viereckiger weißer Überwurf aus Wolle oder Seide mit Schaufäden an den Ecken, der zum Morgengebet und feierlichen Zeremonien getragen wird.

Gebetsriemen hebr.: *Tfillin*. Werden beim wochentäglichen Morgengebet am linken Arm, dem Herzen gegenüber, und an der Stirn angelegt. Sie tragen Kapseln mit vier auf Pergamentstreifen geschriebenen Texten aus dem Pentateuch: Exodus 13, 2–10; Ex. 13, 11–16; Deut. 6, 4–9 (Glaubensbekenntnis); Deut. 11, 13–21.

Gebetsschal siehe *Gebetsmantel*

Gehenna hebr., »Gehinnom«, Tal der Söhne Hinnoms. Tal im Süden Jerusalems, wo dem Moloch Kinderopfer dargebracht wurden (2. Kön. 23, 10). Metaphorisch: Stätte der Pein für die Bösen nach dem Tode; Bezeichnung für die Hölle.

Gemara hebr., »Erläuterung«. Diskussion der babylonischen und palästinischen Talmudisten über die Mischna, mit der zusammen die Gemara den Talmud bildet, die mündlich überlieferte Lehre. Gemara bezeichnet auch den Talmud überhaupt.

Gemara Baba Kama, hebr., ein Mischna-Traktat. (Baba Kama bedeutet »erste Pforte«.)

Gog und Magog hebr. Nach Hesekiel 38 ff. war Gog der König eines Nordlandes (Magog), der Israel überfiel, aber vernichtet wurde. Mythischer Doppelname für den Feind des Volkes Israel.

Goi hebr., wörtl.: »Volk«. (Plural: *Gojim*). Mit diesem Wort wird im allgemeinen ein Nichtjude bezeichnet.

Haggada hebr., der erzählende Teil des Talmud (im Gegensatz zur Haskala, dem gesetzlichen Teil). Darin die volkstümliche Pessach-Erzählung, die am Seder-Abend in der Familie verlesen wird.

Haman Minister des Perserkönigs Achaschwerosch. Wollte die Juden des Landes an einem einzigen Tag ausrotten, weil der Jude Mordechai sich nicht vor ihm verbeugen wollte. Durch die Königin Esther, zweite Gemahlin des Königs und Nichte Mordechais, erfuhr der König von Hamans Plan. Haman fiel in Ungnade und wurde an dem Galgen, den er für Mordechai vorgesehen hatte, aufgehängt. Boten verkündeten im ganzen Land die Aufhebung des von Haman erlassenen Befehls. Mordechai trat in Hamans Rang. Das wird im Buch Esther berichtet.

Jarmulke (von poln.: *jarmulka*) Samtkäppchen, von den Juden unter der Kopfbedeckung getragen, damit sie nicht barhäuptig erscheinen, wenn sie die Kopfbedeckung lüpfen oder abnehmen.

Jehuda Halewi (ca. 1075–1141), bedeutendster jüd. Dichter des Mittelalters und Religionsphilosoph. Von ihm verfaßte Lieder für die Synagoge werden noch heute gesungen.

Jeschiwa, hebr.: *Jeschiwot* (Plural jidd.: *Jeschiwess*), »Sitz«. Höhere Lehranstalt. Hochschule für das Studium des Talmud.

Jom Kippur hebr., Jom ha-Kippurium, »Tag der Sühnungen«. Versöhnungstag, Fasttag, der höchste jüd. Feiertag, der den Abschluß der mit dem Neujahrsfest beginnenden zehn Bußtage bildet (Lev. 23, 27ff.).

Kabbala hebr., »das Empfangene«, »Überlieferung«. Die Lehre und die Schriften der mittelalterlichen jüdischen Mystik ab ca. 1200. Die Kabbala befaßt sich hauptsächlich mit dem geheimen, mystischen Sinn des Alten Testaments und der talmudischen Religionsgesetze, mit Begriffs- und Zahlenkombinatorik, mit der geheimen Bedeutung und mystischen Kraft der verschiedenen Gottesnamen. Hauptwerk: das Buch »Sohar«.

Kaddisch aramäisch, wörtl. »heilig«, »Heiliger«. Gebet mit der Verkündigung der Heiligkeit Gottes und der Erlösungshoffnung. Teil des täglichen Gebets und Gebet bei der Bestattung und an den Gedenktagen der Verstorbenen.

Kaftan arab., langer geknöpfter Oberrock der orthodoxen Juden.

Kehila hebr., »Versammlung«, »Gemeinde«.

Kischkes jidd., fett gefüllte, gebratene oder gekochte Rindsdärme.

Kol Nidre hebr., wörtl. »Alle Gelübde«. Anfangsworte des jüd. Gebets, das am Vorabend des Versöhnungstages (Jom Kippur) den Gottesdienst in der Synagoge einleitet und in dem der Widerruf aller Gelübde erklärt wird, die unwissentlich oder unüberlegt gemacht wurden.

Kop (von poln.: *kopać*), »Fußtritt«.

koscher (von hebr.: *kascher,* »recht«, »rein«). Was nach der Ritualvorschrift erlaubt ist; insbesondere den Speisegesetzen gemäß zubereitetes Essen.

Kusari von Jehuda Halewi (ca. 1075–1141). Der volle Titel lautet: »Buch der Begründung und des Beweises zur Verteidigung des mißachteten Glaubens.« In arabisch geschriebenes Werk, das Jehuda ibn Tibbon bald ins Hebräische übersetzte. Wurde als

Kusari bekannt; zugrunde liegt die Bekehrung der Chasaren, eines kriegerischen Tatarenvolkes, zum Judentum (740).

Laubhüttenfest hebr.: *Sukkot,* von *Sukka,* »Hütte«. Herbstfest zur Erinnerung an die Wüstenwanderung der Kinder Israel nach dem Auszug aus Ägypten (Deut. 23, 41).

L'chaim hebr., Trinkspruch »zum Leben!«, »zum Wohl!«.

Litwak litauischer Jude.

Maimon, Salomon (1754–1800), Philosoph. Seine Auseinandersetzung mit Kant bereitete den Neukantianismus vor.

Maimonides, Moses ben Maimon (1135–1204), Religionsphilosoph und Theologe. Neben der Kenntnis des religiösen Schrifttums umfassendes Wissen in Philosophie, Mathematik, Astronomie und Medizin. Leibarzt Saladins. Verfasser grundlegender Werke.

Masel tow hebr., wörtl.: *masal* = Stern, Glück; *tow* = gut. Allgemeine Glückwunschformel.

Matze (Matzen, Mazza) hebr., ungesäuertes Brot, für Pessach vorgeschrieben.

Mendele Mocher Sforim (Mendele der Buchhändler) Pseud. von Schalom Jakob Abramowitsch (1835–1917). Der »Großvater« (von Scholem Alejchem so genannt) der modernen jiddischen Literatur.

Menora siebenarmiger Leuchter. Auch der achtflammige Chanukka-Leuchter im Tempel wird zuweilen so genannt.

Mesuse, hebr.: *mesusa,* wörtl. »Türpfosten«. Handgeschriebene kleine Pergamentrolle in einer Metall- oder Holzhülse, die am rechten Türpfosten des Hauses angebracht wird. Mit Text aus Deut. 6, 4–9; 11, 13–21. Schutzsymbol.

Mikwe jidd. (hebr. *mikwa*) wörtl.: »Ansammlung« (von Wasser). Rituelles Tauchbad. Seit ältester Zeit in jeder jüd. Gemeinde. Das Bad muß aus quellendem (fließendem) Wasser – mindestens 800 Liter – bestehen und dient zur Wiedererlangung der »Reinheit«.

Mischna hebr., wörtl.: »Wiederholung«. Kern der mündlichen Lehre des Judentums. Sammelwerk von Lehrsätzen und Ausführungsbestimmungen zum Pentateuch. Um 200 n. Chr. Bildet einen Teil des Talmud.

Pentateuch griech. Die fünf Bücher Mose: Genesis, Exodus, Leviticus, Numeri, Deuteronomion.

Pessach hebr., wörtl.: »Vorüberschreiten, Verschonung«. Religiös-nationales Fest, wird zu Beginn des Frühjahrs zur Erinnerung an den Auszug der Kinder Israel aus Ägypten gefeiert. »Fest der ungesäuerten Brote«. »Sechs Tage sollst du Ungesäuertes essen, und am siebenten Tag ist Festversammlung dem Ewigen, deinem Gotte.« (Deut. 16, 8).

Purim hebr., Freudenfest, gefeiert zur Erinnerung an die Errettung der jüdischen Diaspora im Perserreich (Buch Esther).

Rabbi hebr., von *raw,* »mächtig, erhaben«: »mein Lehrer, Meister«. Anrede und Amtsbezeichnung, Ehrentitel der jüdischen Schriftgelehrten, des bestallten Rabbiners, des charismatischen Zaddik (Gerechten), mitunter auch des Religionslehrers.

Rasiel wörtl.: »Geheimnis Gottes.« Nach alter Sage wurde dem ersten Menschen ein kabbalistisches, nach dem Engel Rasiel benanntes Buch übergeben. Unter dem Titel *Sefer Rasiel (Buch Rasiel)* erschien 1701 in Amsterdam eine Kompilation mystischer, magischer und kosmologischer Texte, die zur esoterischen Literatur der talmudischen und nachtalmudischen Zeit, zu den Schriften der aschkenasischen Chassidim und zur frühen Kabbala gehören.

Reb Abkürzung von »Rebbe«, Ehrentitel für gebildete und für fromme ältere Männer.

Rebbe jidd. (Plural: *rebijim*) Herr; Lehrer, Gelehrter. Auch Wunderrabbi der Chassidim.

Rosch Haschana hebr., »Anfang des Jahres«. Neujahrsfest im Herbst.

Sabbat hebr., »Ruhe«. Siebter Tag der Woche. Beginnt mit Sonnenuntergang am Freitag. Heiliger Ruhetag von aller Arbeit. Strenge Vorschriften sichern die Überlieferung der Heiligung und Ruhe. Endet mit Sonnenuntergang am Samstag.

Sabbatai Zwi (1626–1676), jüd. Schwärmer. Gab sich für den auf Grund kabbalistischer Verheißung 1648 erwarteten Messias aus. Trat später zum Islam über. Die von ihm ausgelöste Bewegung (Sabbatianismus) hatte noch im 18. Jh. Anhänger und reichte bis in die Zeit der Franz. Revolution.

Schabbes jidd. siehe *Sabbat.*

Schadchen, jidd., Ehevermittler.

Schammes jidd., Synagogen- oder Gemeindediener.

Schammes-Kerze, die zum Anzünden der acht Chanukka-Lichter verwendete Kerze.

Schickse jidd., »Magd«, »Bauernmädchen«. Allgemein: nichtjüdisches Mädchen.

schiwe jidd. (hebr.: *schiwa*), die sieben Trauertage, die man nach dem Tod eines Familienangehörigen auf einem Schemel sitzend – und ohne Schuhe – zubringt (»Schiwe sitzen«).

Schläfenlocken, jidd.: *peies*; hebr.: *peot,* »Ecken«. Nach altjüdischem Brauch darf das Kopfhaar nicht rundherum abgeschnitten werden. Gedacht als sichtbare Absonderung von den Heiden.

Schlemihl jidd., Pechvogel, unbeholfener, einfältiger und von Mißerfolg und Unglück verfolgter Mensch.

Schofar hebr. Althebräisches Blasinstrument aus einem Widderhorn. Wird noch heute im Gottesdienst verwendet. Wird an den Feiertagen Rosch Haschana und Jom Kippur geblasen.

Schomrim hebr. Die Mitglieder der zionistischen Jugendbewegung »Ha-schomer ha-za'ir« (»Der junge Wächter«), die 1916 durch den Zusammenschluß der Pfadfinderbewegung »Ha-schomer« (»Der Wächter«) und der »Ze'ire Zion« (»Die Jungen Zions«) gegründet wurde.

Schtrajml jidd. Die mit Pelz verbrämte Kopfbedeckung, die an Feiertagen und bei festlichen Gelegenheiten getragen wird.

Schul jidd. So wird im litauischen Jiddisch die Synagoge genannt.

Seder hebr., »Ordnung«. Die Ordnung für die mit zahlreichen Zeremonien und symbolischen Speisen verbundene Familienfeier an den ersten zwei Abenden des Pessachfestes. Der Familienvater verliest am Sederabend die Haggada, die Erzählung vom Auszug der Kinder Israel aus Ägypten.

sefardische Aussprache, die bei den spanischen, seit ihrer Vertreibung (1492) vor allem in den Mittelmeerländern lebenden Juden (Sefardim) übliche Aussprache des Hebräischen.

Simchat Tora hebr., »Torafreude«. Freudenfest im Herbst, am Schluß des Laubhüttenfestes, beim Abschluß des Jahreszyklus der Toraverlesungen.

Sohar hebr., »Lichtglanz«. Hauptwerk der Kabbala. Entwickelt in der Form einer Erläuterung zum Pentateuch ein System kabbalistischer Gotteserkenntnis. Galt lange als Werk des Rabbi Simon ben Jochai (Mitte des 2. Jhs. v. Chr.), wurde aber wahrscheinlich von Moses de Leon (gest. 1305) in Spanien verfaßt.

Talmud hebr., wörtl.: »Belehrung«. »Lehre«, »Studium«. Nächst der hebräischen Bibel (Altes Testament) Hauptwerk des Judentums, eine Zusammenfassung der Lehren, Vorschriften und Überlieferung der nachbiblischen Jahrhunderte (abgeschlossen im 5. Jh. n. Chr.). Die früheren Teile (Mischna) ordnen die biblischen Gesetze und kommentieren sie, die späteren Teile (Gemara) ergänzen, erklären und paraphrasieren die Mischna mit Sagen, Legenden und Erbaulichem. Der babylonische, nicht der jerusalemische Talmud ist maßgebend.

Tanna aramäisch, »einer, der wiederholt, lehrt«. 1. Lehrer der

Mischnazeit bis zum Ende des 2. nachchristl. Jhs. 2. Ein Gelehrter, der in der Mischna zitiert wird. 3. Ein Gelehrter, der zur Zeit der Amoräer die tannaitischen Lehren beherrschte.

Tora hebr., wörtl.: »Lehre, Unterweisung«. Der Pentateuch (die fünf Bücher Mose). Im Gottesdienst wird in 52 Teilen ein Abschnitt daraus von einer handgeschriebenen Pergamentrolle verlesen.

Traubaldachin, hebr.: *chuppa.* Unter ihm werden Braut und Bräutigam zur Trauung zusammengeführt.

Tscholent (wahrscheinlich von dem altfranzös. *chauld* = heiß). Sabbatspeisen, meist Eintopfgerichte, die schon am Freitag zubereitet und dann für 24 Stunden in den Backofen gestellt werden, den man mit einem »Tscholentbretl« (Brettchen) abdichtet.

Zaddik hebr. (Plural: *Zaddikim*), »Gerechter«, »Bewährter«. In der Bibel werden damit die vollkommenen Frommen bezeichnet. In der Kabbala ist er Mittler zwischen Gott und Mensch. Im Chassidismus wird er als die Verkörperung der Tora angesehen. Der Zaddik betreut seine Schüler, nimmt einige in sein Haus auf und ist Berater für alle. Bei den Chassidim ist er oft ein wundertätiger Rabbi.

Meschulam Moschkats Familie

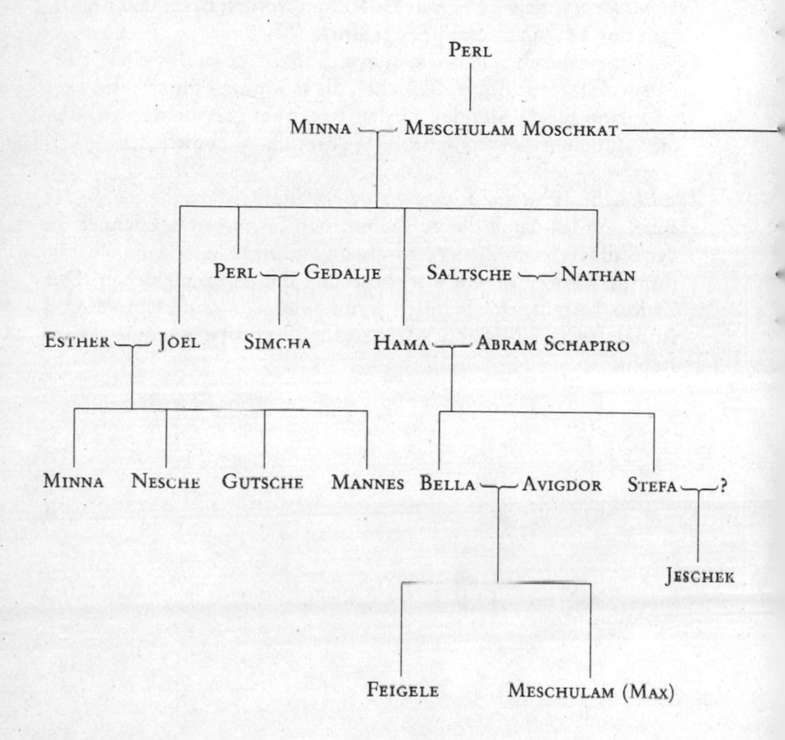

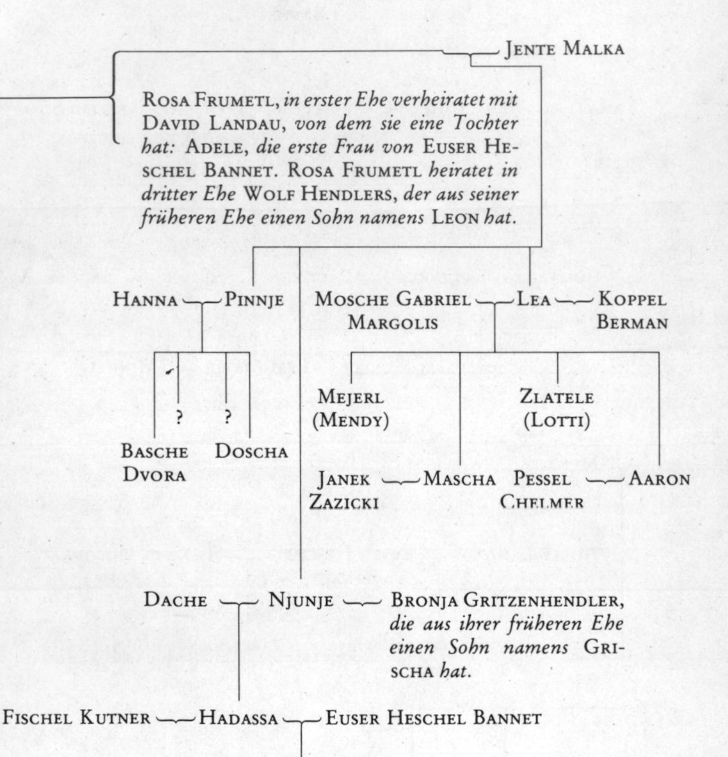

Jente Malka
Rosa Frumetl, *in erster Ehe verheiratet mit* David Landau, *von dem sie eine Tochter hat:* Adele, *die erste Frau von* Euser Heschel Bannet. Rosa Frumetl *heiratet in dritter Ehe* Wolf Hendlers, *der aus seiner früheren Ehe einen Sohn namens* Leon *hat.*
Hanna
Pinnje
Mosche Gabriel Margolis
Lea
Koppel Berman
?
?
Basche Dvora
Doscha
Mejerl (Mendy)
Zlatele (Lotti)
Janek Zazicki
Mascha
Pessel Chelmer
Aaron
Dache
Njunje
Bronja Gritzenhendler, *die aus ihrer früheren Ehe einen Sohn namens* Grischa *hat.*
Fischel Kutner
Hadassa
Euser Heschel Bannet
Dache

Die Familien Bannet und Katzenellenbogen

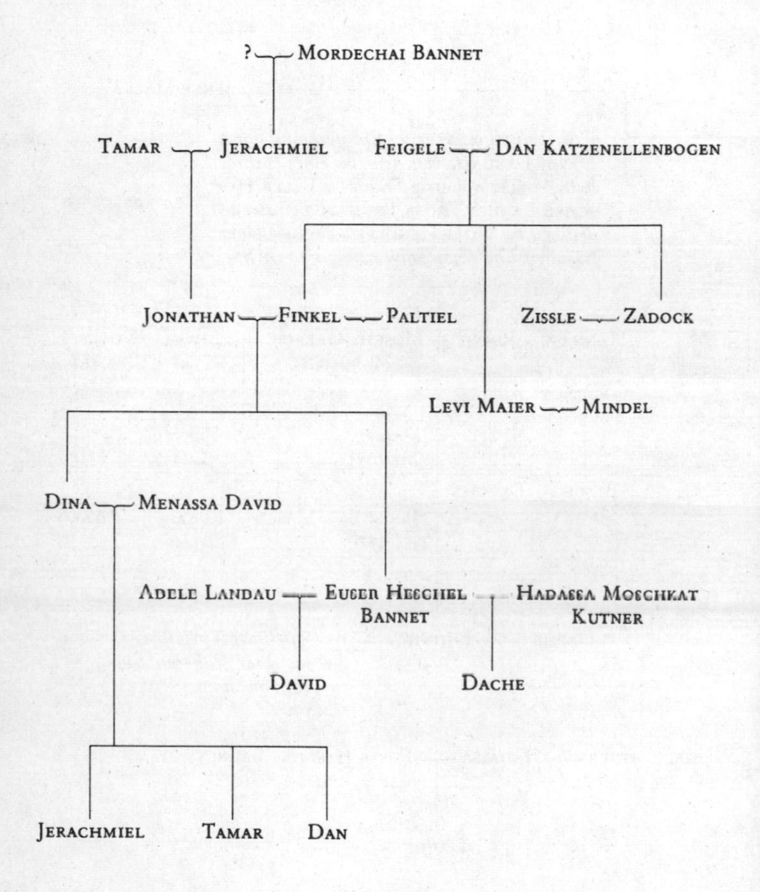

Koppel Bermans Familie

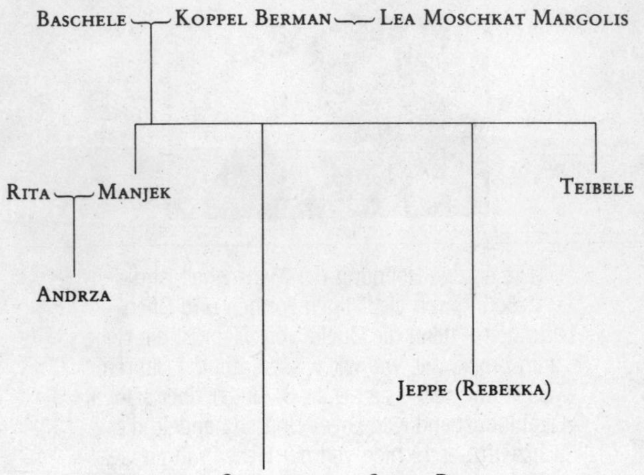

Isaac B. Singer

»Die einzige Hoffnung der Menschheit ist die Liebe in ihren vielfältigen Formen und Offenbarungen – denn die Quelle von allem ist die Liebe zum Leben, die, wie wir wissen, mit den Jahren wächst und reift«, sagt Isaac B. Singer über seinen Erzählungsband ›Old Love‹. Und so handeln diese achtzehn Geschichten von der Liebe in ihren vielfältigsten Formen. Hinter ihnen steht die tiefe Einsicht des achtzigjährigen Nobelpreisträgers in das menschliche Herz und seine Leidenschaften.

Isaac B. Singer
Old Love
Geschichten von der Liebe
Aus dem Amerikanischen von Ellen Otten
3. Auflage 1985. 312 Seiten. Leinen

bei Hanser